상담학 사전

1

이 사전은 2009년도 정부재원(교육인적자원부 학술연구 조성 사업비)으로
한국연구재단의 지원을 받아 연구되었음(NRF-2009-322-B00024).

상담학 사전

1
ㄱ~ㅁ

연구 책임자 김춘경 공동 연구자 이수연 · 이윤주 · 정종진 · 최웅용

학지사

국내에 상담학이 소개된 지도 어언 반세기가 되었다. 광복 이후 서구의 민주적인 교육사상과 제도가 도입되면서 중·고등학교 현장을 중심으로 생활지도 차원에서 적용되던 상담은 이제 만 명이 넘는 회원을 가진 상담 관련 학회들이 있을 정도로 급성장하였으며, 최근 들어서는 정신건강의 중요성을 새롭게 인식하면서 심리상담에 대한 필요성과 관심이 증가하고 있다. 각종 상담소와 상담기관이 생겨나고 정신적·심리적으로 어려움에 처한 사람들이 많아지면서, 이들을 돕기 위한 다양한 노력이 상담 인력을 양성하기 위한 대학 및 대학원의 상담 관련 학과의 개설, 전문상담대학원, 각종 상담 관련 연구소, 다양한 상담 관련 학회가 설립되고 있다. 한국의 상담학이 대중화되고, 다양화·세분화되면서 양적으로 급속한 성장을 하고 있지만, 상담학의 정체성과 전문성 확립에 대한 노력은 아직 시작 단계에 있다고 볼 수 있다.

특정 학문이 그 학문의 정체성을 인정받고, 확고한 사회적 지지기반을 구축하기 위해서는 사회역사적 요구에 따른 학문의 가치성뿐만 아니라 그 학문의 연구결과를 과학적이고 체계적으로 축적하여 학문적 기틀을 마련해야 한다. 상담학의 학문적 정체성을 확립하기 위한 기초적인 노력의 하나로 상담학 전문용어의 정리와 표준화, 그리고 이를 체계적으로 정리한 상담학 사전 편찬작업이 수행되어야 한다. 어느 학문에서나 전문적 용어는 연구의 기본적인 도구이기에 한 학문에서 사용되는 용어의 의미를 표준화하고 그 용법을 명료화하는 것은 그 학문의 체계적인 발전을 위하여 빼놓을 수 없는 작업이다. 해당 학문 분야의 학술용어가 어느 정도 체계적으로 정리되고, 편찬되고 있는가의 여부는 그 학문적 기초의 견실성을 가늠하는 척도가 되며, 학문적 풍토의 전승과 밀접한 관계를 지니고 있다. 학술사전의 필요성은 동서고금을 막론하고 누구나 공감하고 있으며, 이러한 인식에 근거하여 학문 분야별로 다양한 전문용어 사전이 편찬되었다. 그러나 현재까지 한국의 상담학 발전과 성과를 총체적으로 정리한 전문학술사전은 없는 실정이다.

상담학은 인접 학문에서 온 내용이 많아서 개념적인 혼란이 야기될 가능성이 높고, 외국에서 정립된 개념의 상담학 전문용어들이 일정한 기준 없이 무분별하게 번역되어 소개된 결과, 하나의 개념에 대응하는 한국어 용어가 여러 개 있는 경우가 많다. 이는 상담학 관련 연구자와 임상가 그리고 상담서비스 소비자들 간에 효율적인 의사소통에 어려움을 초래하고, 상담학 발전을 저해하는 요인이 되고 있다. 최근 상담학에 대한 학술계의 큰 관심은 일반사회에까지 확대되고 있다. 현대의 한국사회를 살아가는 사람들에게 '우울증' 'ADHD' '강박증' '정신분열증' '공황장애' '트라우마' 등과 같은 전문용어들은 더 이상 상담과 심리치료 전문가만이 이해하고 사용하는 어려운 전문용어가 아니다. 최근 신문지상에서 종종 발견할 수 있는 자살, 집단따돌림, 학교폭력, 가정폭력, 성폭력 등의 각종 사회문제들과 관련하여 정신건강에 대한 관심이 증대되었고, 이와 함께 다양한 상담심리 관련 용어들이 전문가 간의 연구와 의사소통뿐만 아니라 일반인의 지식 확장과 일상적인 의사소통 속에서도 자주 접할 수 있는 용어가 되었다. 이는 상담학과 관련된 전문지식이 일반사회에까지 확장되어 사용되고 있음을 보여 주는 예라 할 수 있다.

이에 상담학 사전 편찬연구팀은 상담학 관련 전문용어의 정비를 통해 최근 비약적으로 발전하고 확대되고 있는 상담학 관련 전문지식과 그 학문적 성과를 체계적으로 분류하고 정리하여 상담학 관련 전문용어의 개념과 쓰임을 명확히 하고, 용법에 맞는 전문용어를 제공하여 상담전문가들의 교육과 연구 활동을 돕고, 현대를 살아가는 일반인의 지식 확장과 보다 명확한 의사소통을 돕는 역할을 담당하는 데 목적을 두고 상담학 사전을 편찬하였다.

연구팀이 편찬한 상담학 사전은 한영 대역어 사전이나 간단한 개념 정의만을 포함하는 용어사전의 형식보다는 보다 다양한 지식을 효과적으로 전달하기 위해 용어사전식의 집약적 개념 설명을 포함한 백과사전식의 의미기술을 하는 것으로 기본 방향을 설정하였다.

이 사전이 상담학 발전에 기여할 것이라 기대해 볼 수 있는 점을 정리하면 다음과 같다.

첫째, 상담학과 상담학 인접 학문 분야의 용어를 통일하는 효과가 있을 것이다. 기존의 상담 관련 서적이나 인접 학문 분야의 서적에서 사용되는 학술용어는 통일성의 결여로 인해 학문적 혼란을 야기하기도 하였다. 따라서 이번 사전 편찬을 통해 상담학 영역의 표제어들이 체계화되어 관련 연구논문과 저술에 사용되는 학술용어들이 통일되는 계기를 마련할 것이며, 나아가 상담학계의 학자, 임상가, 소비자 간의 의사소통에 혼란을 감소시킬 것이다.

둘째, 상담학 인접 학문 분야와의 학제 간 교류가 활성화될 것이다. 복합학문으로서의 특성을 지닌 상담학은 철학, 교육학, 심리학, 아동학, 청소년학, 노인학, 정신의학, 인류학, 언어학, 사회복지학 등 다양한 인접 학문 분야와 연결되어 있다. 더구나 상담학은 대상별, 주제별, 매체별로 세부적인 하위영역을 포함한다. 대상별로는 아동상담, 청소년상담, 노인상담, 성인상담, 가족상담, 개인상담, 집단상담 등으로, 주제별로는 성상담, 가정폭력상담, 진로상담, 인터넷중독상담, 학업상담 등으로, 매체별로는 놀이치료, 미술치료, 문학치료, 음악치료, 독서치료 등의 하위영역으로 분류된다. 따라서 이번 연구결과로 도출된 상담학 사전은 상담학뿐만 아니라 상담학 관련 분야의 학자나 임상가가 상담학 용어를 용이하게 검색할 수 있도록 해 줄 것이며, 나아가 학제 간 교류에도 크게 기여할 것이다.

셋째, 상담학 사전을 통해 상담서비스 수준을 향상시킬 수 있을 것이다. 현대사회의 복잡성은 사회구성원에게 과중한 스트레스를 유발하는 요인이 되고 있다. 가정폭력, 집단따돌림, 자살, 가족해체, 연쇄살인 등 언론에 연일 보도되는 사회문제의 심각성은 상담을 비롯한 정신건강 관련 서비스에 대한 수요가 급속도로 증가하는 계기가 되었다. 이러한 사회적 요구에 부응하여 지역사회 차원에서 다양한 상담기관이 설립되고 상담서비스를 제공하는 활동이 활발하게 전개되고 있지만, 이에 비해 상담서비스의 중추적 역할을 맡고 있는 상담인력의 전문성 확보는 아직 미흡한 상태다. 상담학 사전은 임상현장의 상담인력 양성에 필요한 교육 프로그램의 전문자료로 활용되어 상담서비스의 질을 제고하는 데 크게 기여할 것으로 기대된다.

넷째, 상담학을 배우는 후학들에게 상담 관련 개념을 효과적으로 전달하는 교육 및 학술 자료로 활용될 것은 물론이고 상담전문가들의 지침서로서도 주요한 학술서적이 될 것이다.

다섯째, 과학적이고 구조적인 편찬의 과정을 거쳐 구성된 이 사전은 상담학 영역에 속한 용어의 시소러스 구축을 가능하게 했다는 데에 또 다른 의의를 가지고 있다. 시소러스란 어떤 용어의 사용법과 함께 그 용어들 간의 연계성 있는 정보를 하나 이상의 기준을 설정하여 분류하는 어휘분류방법으로, 상위개념(broader term), 하위개념(narrower term), 용례(use for) 혹은 동의어(synonymous term), 관계어(related term) 등의 연계성 있는 분류를 통해 제한적인 자료를 효율적으로 정리하기 위한 분류체계의 역할을 담당한다. 특정 전문영역에서 시소러스를 구축하는 것은 단순한 용어의 집합을 형성하는 것을 넘어서 해당 학문영역의 지식체계를 구축하고 이를 보다 효과적으로 활용할 수 있도록 구조화하는 역할을 하게 되는 것이다. 상담학 사전의 과학적인 편찬과정을 통해서 이루어진 시소러스의 구축은 CD-ROM 상담학 사전의 편찬과 웹기반 상담학 사전의 편찬에 대한 계획을 가능하게 하여, 사전의 활용을 활성화하는 데 기여할 것으로 기대한다.

국내 상담학 분야에서 이와 같이 방대한 분량의 학술사전을 발간하는 것은 처음이기에 여러 면에서 미흡한 면이 많으리라 본다. 상담학에서 자주 사용하는 전문용어들을 가능한 한 이 사전에 총망라하기 위하여 최선을 다하였으나 우리나라뿐 아니라 세계적으로 급속하게 발전하고 있는 상담학의 발전 속도를 따르기에는 역부족이다. 최근에 새롭게 소개되는 상담학 분야의 연구와 최신 상담학 이론과 실제들이 너무 많기에 최근의 것을 계속해서 추가하려면 사전작업을 마칠 수 없을 것이다. 계속적인 수정과 보완을 통하여 더욱 충실한 사전을 만들어 나갈 것을 기약하며 이 정도에서 마치려 한다. 독자들의 아낌없는 비판과 조언을 겸허히 받아들여 완성도 높은 좋은 사전을 만드는 노력을 계속할 것을 다짐해 본다.

이 사전이 완성되기까지 많은 분들의 도움이 있었다. 먼저, 이 상담학 사전의 편찬은 故우재현 교수님의 상담학 사전 연구가 마중물 역할을 하였다. 우재현 교수님께서 1980년대 말부터 시작하신 상담학 사전 편찬작업을 돕는 일이 없었다면 상담학 사전 편찬에 대한 계획은 세울 수 없었을 것이다. 우재현 교수님은 외국의 상담학 사전을 기초로 하여 1000여 페이지에 달하는 방대한 상담학 사전 편찬작업을 하고 계셨고, 본인은 1990년 중반부터 새로운 표제어 선정과 집필, 교정 작업을 도와드렸다. 아쉽게도 우재현 교수님께서 사전을 완성하지 못하고 운명하셔서 상담학 사전 작업은 중단되었다. 다행히도 그 당시 상담학 사전 작업을 함께 도왔던 최웅용 교수님이 계셨기에 이 작업은 계속될 수 있었다.

아무리 많은 자료가 준비되어 있다 할지라도 사전 편찬이라는 방대한 작업은 혼자서는 도저히 감당해 낼 수 없는 작업이다. 함께함의 소중함을 크게 깨닫게 된다. 갈수록 상담학 사전의 필요성이 크게 대두되고 있었기에 먼저 시작한 자로서의 책임감과 사명감을 가지고 공들여 작업해 놓은 천 장이 넘는 원고를 마중물로 활용하여 상담학 사전을 완성하려는 시도를 하였다. 마침 그때 상담학 사전 편찬 계획이 한국연구재단의 '2009~2011년도 기초토대연구사업'으로 선정되어 3년 동안 지원을 받게 되었다. 한국연구재단의 지원으로 좀 더 많은 연구자와 연구보조원들의 참여가 가능했고, 보다 과학적이고 체계적인 절차를 걸쳐 상담학 사전을 새로운 형태와 내용으로 완성할 수 있게 되었다.

편찬을 위한 기획, 연구, 집필, 편집, 자문 등의 사전 편찬작업에 정성 어린 노력을 해 주신 공동연구 교수님들과 전임연구 교수님들, 특히 사전 편찬과정에서 만났던 어려운 과제를 창의적으로 해결할 수 있는 실마리를 찾고 집필에 전념하고, 연구기간이 끝난 이후까지도 지속적으로 교정작업을 해 주신 권희영 교수님과 김계원 교수님께 감사드린다. 영어판, 독일어판, 일본어판 상담학 대백과사전을 번역하는 작업, 6000~7000개가 넘는 표제어를 수집하고 분류하는 작업, 자료 정리, 델파이 조사, 집필에 이르기까지 다양한 작업을 마다하지 않고 묵묵히 감당해 준 연구보조원들과 바쁘신 중에도 집필에 참여해 주신 전문집필진들, 델파이 조사와 표제어 표준화 과정에 참여해 주신 상담학계 전문가님들께도 감사드린다.

그리고 상담학 사전의 필요성을 누구보다 깊이 인식하시고, 상담학 사전의 집필을 지속적으로 요청해 주신 학지사 김진환 사장님과 편집과 교정의 어려운 과정을 인내와 끈기로 완성도 높게 작업해 주신 김순호 편집부장님과 백민혜 선생님께도 진심으로 감사드린다.

이 사전이 한국상담학의 건강한 발전과 상담전문가들의 전문성 향상에 크게 기여할 수 있기를 바란다.

2015년 10월

연구 책임자 김춘경

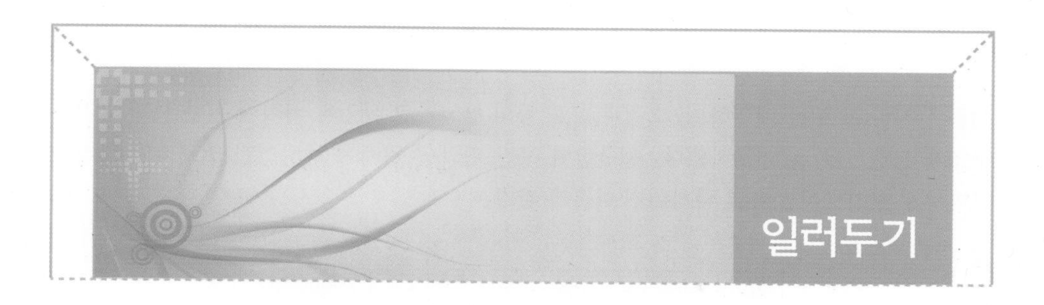

“상담학 사전의 편찬 연구과정과 거시-미시 구조”

상담학 사전의 편찬과정과 편찬과정에서 이루어졌던 연구와 작업의 성과를 거시구조적 측면과 미시구조적 측면으로 나누어서 소개한다.

상담학 사전 편찬과정

사전 편찬은 사전을 사용할 예상 사용자를 선정하는 것으로 시작된다. 이에 연구진은 상담학 사전의 예상 사용자를 정하기 위해서 국내에서 출판 혹은 번역된 10종의 사전과 미국과 일본에서 출판된 3종의 사전을 분석하였고, 이를 토대로 전문가 TF팀을 구성, 논의를 거쳐 상담학 관련 석사 이상의 전공자들을 사용 대상자로 결정하였다. 이는 국내에 나와 있는 기존의 사전들이 상담학 분야를 포괄적으로 다룬 것이 전무하여 상담학의 비약적인 발전과 그 성과를 전체적으로 집대성할 필요성이 우선적으로 제언되었기 때문이다. 또한 상담학 관련 공부를 하는 학습자들에게 도움을 주며, 해당 전문가들의 상담활동과 연구, 그리고 교육활동을 하는 과정에서 원활한 의사소통이 이루어질 수 있도록 돕기 위함이다. 이와 더불어 상담 분야에 관심 있는 일반인들의 지적 호기심을 어느 정도 충족시킬 수 있을 것으로 기대한다.

그다음 과정은 사전의 목표 대상자 층을 정한 이후에는 그 필요와 요구에 맞는 사전의 형태와 크기를 정해야 한다. 전문가 TF팀 내의 논의를 거쳐 상담학의 다양한 개념을 보다 효과적으로 설명하고 상담학 분야의 현 성과를 집대성하기 위해 한영 대역어 사전이나 간단한 개념 정의만을 포함하는 용어사전의 형식보다는 보다 다양한 지식을 효과적으로 전달하기 위해 용어사전식의 집약적 개념 설명을 포함한 백과사전식의 의미 기술을 하는 것으로 기본 방향을 설정하였다.

상담학 사전의 사용 대상자와 전체적인 형식이 결정된 이후에는 본격적으로 수록될 표제어를 선정하고, 이를 배열하며, 그림과 도표 등의 참고자료 삽입과 배치에 관한 사전의 거시 구조에 관한 사항을 연구하였다. 연구팀이 사전 편찬을 위해 수행하였던 전체적인 과정을 간략하게 정리하여 도표로 나타내면 다음과 같다.

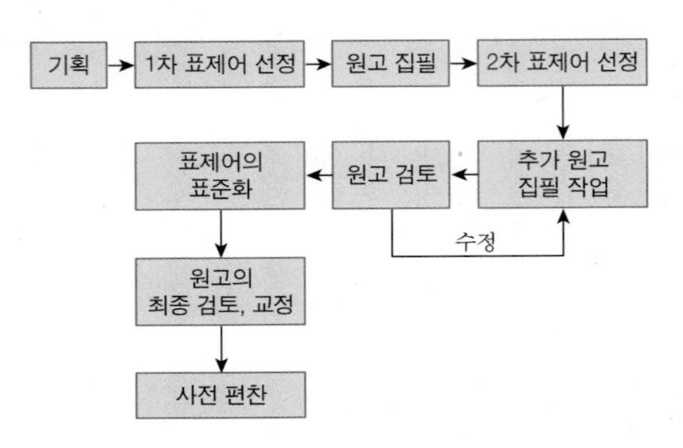

[그림 1] 상담학 사전의 편찬과정

[그림 1]의 상담학 사전 편찬과정을 살펴보면, 전체적으로 표제어 선정과 원고의 작성, 그리고 표제어의 표준화가 주된 작업이었다는 것을 알 수 있다. 보다 다양한 상담학 관련 분야의 표제어를 사전에 포함하기 위해서 표제어의 선정은 2차에 걸쳐 다양한 방법으로 이루어졌다. 또한 표제어의 개념에 대한 의미 기술은 연구팀의 연구원들이 세운 세부지침에 따라 각 분야 전문가들에 의해 작성되었고, 그 원고들은 다시 연구팀과 교정전문가들에 의해 검토, 수정되었다. 상담학 사전의 편찬과정 중 가장 까다로운 부분은 표제어를 표준화하는 작업이었다. 따라서 이 작업은 사전 편찬에 관한 다양한 연구가 마무리되고, 표제어의 선정과 그 의미 기술에 대한 전체적인 작업이 마무리된 후 연구팀에서 마련한 실행절차에 따라 사전 편찬의 마지막 단계에서 일률적으로 진행하였다. 사전 편찬의 보다 세부적인 과정과 구체적인 사항은 다음과 같다.

● 상담학 사전 편찬을 위한 조직

사전 편찬을 위한 전체적인 과정을 원활하게 진행하기 위해서 연구팀의 구성원들로 조직된 전문가 TF팀, 상담학 관련 다양한 분야의 전문가들로 구성된 집필진, 집필과 수정의 과정을 거친 원고를 최종적으로 검토하고 확인할 감수팀, 그리고 최종 집필된 원고를 교정하여 이를 출판할 교정 · 출판팀이 구성되었다. 각 팀들의 역할과 임무, 그리고 실행사항들은 다음과 같다.

전문가 TF팀

상담학 사전에 수록되는 표제어의 숫자는 대략 6000개 이상이고, 그 개념에 대한 의미 기술을 작성하기 위해 참여하였던 집필진만 60명이 넘는다. 또한 사전 편찬과 관련해 조언과 기술적 조력을 해 주었던 수많은 자문위원들, 그리고 최종 원고의 감수자들까지 모두 포함한다면 거대한 조직이 상담학 사전 편찬이라는 하나의 과제를 위해 장기간 함께 작업한 것이다. 이러한 작업에서는 주도적으로 책임을 지고 작업의 진행할 사람이 없다면 정해진 기간 내에 목적한 일들을 효과적으로 수행하기란 쉽지 않은 일이다. 따라서 연구팀에서는 실제적인 사전이 출판되어 나오기까지 3년이 넘는 시간 동안 조직적이고 전문적인 진행과 구체화된 세부지침의 확정, 그리고 시행 등의 총괄적인 작업이 집약적으로 이루어질 필요성을 인식하게 되었다. 이를 위해 연구팀의 구성원들 중 상담학 관련 전문가 10명을 중심으로 전문가 TF팀을 구성하여 사전 편찬과정의 세부적이고 총괄적인 작업을 주도할 수 있도록 하였다.

집필 · 감수팀

사전에 수록될 표제어가 선정되고 난 후에는 각 표제어에 해당하는 개념에 대한 설명을 원고로 작성할 집필진이 필요하였다. 이를 위해 상담학의 다양한 분야별 전문가 명단을 작성하여 집필진을 구성하였다. 사전 편찬 기간 동안 함께 참여한 집필진의 수는 60명이 넘는다. 전문가 TF팀에서는 집필진들에게 개념을 기술할 표제어를 선정하여 제시하기도 하였고, 집필진 각자의 전문 분야에서 누락된 표제어가 있다면 이를 추가할 수 있도록 하였다. 또한 표제어 의미기술에 대한 구체화된 지침을 제공하여 상담학 사전의 전체적인 통일성을 유지할 수 있도록 하였다.

집필진에 의해 작성된 원고는 감수팀을 통해 확인하고 감수하는 작업을 하였다. 이는 잘못 기술된 표제어의 개념을 발견하여 수정하는 일뿐만 아니라 중복으로 기술된 부분을 삭제하고, 부족한 부분에 대해 제언하는 일을 담당하였다.

교정 · 출판팀

상담학 사전의 편찬은 해당 전문 분야의 지식만을 단순히 수합하는 것이 아니라, 전문지식을 구조적으로 체계화하고, 분류하며, 이를 문자로 표현하는 작업이다. 따라서 특정 분야의 전문가라고 해서 누구나 사전을 편찬할 수 있는 것이 아니라, 사전 편찬과 전문용어, 그리고 원고교정에 대한 전문가적 지식을 함께 소유하고 있어야 한다. 연구팀이 사전 편찬을 위한 전문가 TF팀을 구성하고, 이들을 중심으로 사전 편찬의 과정을 주도적으로 진행해 나가기는 했지만, 상담학 외에 필요한 다른 분야에 대해 전문가적 지식을 가지고 있지 않아서 어려움을 겪었다. 이를 극복하기 위해 다양한 문헌조사와 연구, 관련 전문가와의 세미나와 토의를 통해 극복하고자 노력을 했지만, 보다 효율적인 시간 사용과 만족스러운 결과를 얻기 위해서는 부족한 부분의 전문가를 영입할 필요성이 대두되었다. 따라서 상담 관련 책을 다년간 전문적으로 출판한 출판사와 협약하여 상담학 사전의 작업을 위한 교정, 출판 관련 전문가들로 전문가팀을 구성하여 전문교정과 출판을 담당하도록 하였다.

● 사전 편찬 웹 도구

수십 명의 사람들이 장기간 함께 작업하는 상담학 사전 편찬작업에는 작업의 결과들을 보다 효율적으로 관리하고, 수천 장의 집필원고를 안전하게 저장하며, 서로 간의 작업현황을 확인할 수 있는 효과적인 사전 편찬도구가 필요하였다. 최근 많이 발달한 웹사이트나 컴퓨터 프로그램을 활용한 사전 편찬도구들은 작업결과를 보다 안전한 형태로 보관할 수 있도록 하고, 신속하고 다양한 검색과 상호참조의 기능을 통해 효율적인 원고작성과 작업관리에 효율성을 높여 준다. 이에 연구팀에서는 사전 편찬의 기획과 작업진행의 초기단계에서 관리를 담당하는 전문가 TF팀과 작업자들의 다양한 요구를 파악하여 상담학 사전 편찬 전문 웹 도구를 개발하였다.

상담학 사전을 편찬하기 위해 구축한 웹 도구는 Perl CGI와 Java Script 프로그램 등을 활용하여 개발한 웹기반 온라인 상담학 사전 시스템이다. 이 시스템은 상담 관련 다양한 분야의 표제어와 그 개념 기술의 원고 등 각종 데이터베이스를 저장할 수 있고, 저장된 집필원고들을 편집할 수 있는 편집기 기능을 갖추고 있으며, 다른 문서편집기에서 작업한 것을 데이터베이스에 등록할 수 있도록 프로그램화한 웹기반 온라인 상담학 사전 편찬도구라는 특성을 지니고 있다. 이는 온라인상에 홈페이지를 지정하고, 다양한 작업자가 언제 어디에서나 쉽게 접근하여 작업하는 것을 가능하게 하는 장점을 지니고 있다. 개발된 웹 도구의 홈페이지 주소는 http://psychology.welcomemst.com이며, 각 분야별 전문가는 아이디와 비밀번호를 부여받아 상담학 사전 편찬 웹사이트에 접속하여 용어선정 및 용어정의에 적극 활용하도록 하여 용어 집필의 효율성을 향상시켰다. 이에 용어선정과 기술내용의 중복성을 미연에 방지하기에 효과적이었고, 다양한 작업의 신속한 관리를 통해 경비 및 시간을 절감하는 효용성을 극대화하였다.

상담학 사전 편찬 웹 도구는 크게 데이터베이스 메뉴, 입력 메뉴, 보기 메뉴, 게시판 메뉴로 구성되어 있다. 웹기반 온라인 상담학 사전 시스템을 로그인한 초기 화면은 [그림 2]와 같은데, 초기 화면에 보이는 메뉴는 왼쪽 상단에서 하단으로 DB(데이터베이스) 선택, 입력, 용어보기, 게시판 순으로 배치되어 있다. 각 메뉴의 아래쪽으로는 하위요소들이 배치되어 있다. 오른쪽 상단에는 용어검색을 위한 검색란을 두어, 작업자들이 표제어와 그 개념기술에 대한 내용을 실시간으로 손쉽게 검색할 수 있도록 하였다.

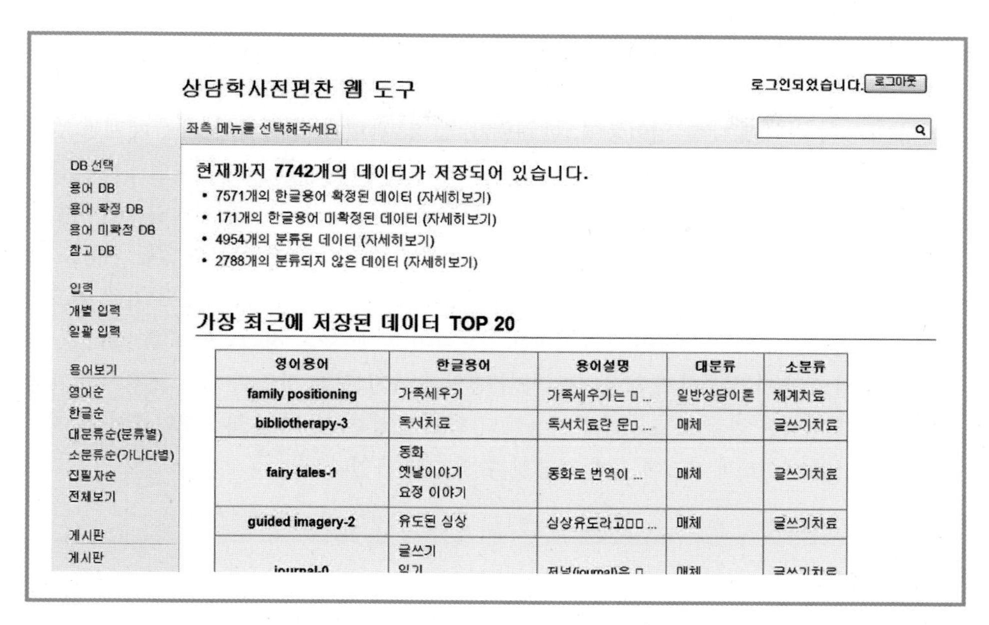

[그림 2] 상담학 사전 편찬 웹 도구의 초기 화면

왼쪽에 위치한 메뉴들의 기능을 차례대로 살펴보면, 먼저 [그림 3]의 DB 선택 메뉴는 로그인한 후에 작업할 용어를 확인하기 위한 것이다. DB 선택 메뉴에서 해당 하위메뉴를 선택하면 전체 용어 DB, 표제어로 확정된 용어 DB, 표제어로 확정되지 못한 용어의 DB, 각종 참고정보들로 구성된 DB에 접근해서 확인하고, 필요한 정보를 얻을 수 있다.

상담학사전편찬 웹 도구

로그인되었습니다. 로그아웃

좌측 메뉴를 선택해주세요

DB 선택
용어 DB
용어 확정 DB
용어 미확정 DB
참고 DB

입력
개별 입력
일괄 입력

용어보기
영어순
한글순
대분류순(분류별)
소분류순(가나다별)
집필자순
전체보기

게시판
게시판

7742개의 등록된 용어데이터 전체보기

영어용어	한글용어	용어설명	대분류	소분류
identification	동일시(同一視)	O	O	O
instinct	본능(本能)	O	O	O
life instinct	삶의 본능	O	O	O
objective anxiety	객관적 불안(客觀的 不安)	O	O	O
sublimation	승화(昇華)	O	O	O
transference-1	전이(轉移)	O	O	O
'I' statement	X	O	O	O
10-and-10 system	텐-엔-텐 시스템	O	O	O
5 rhythm	다섯 개의 리듬	O	O	O
a barrier of intimacy in couple therapy	부부치료에 있어 친밀감의 장벽	O	O	O
a divorce by agreement	협의 이혼(協議離婚	O	O	O
a fair fight	공정하게 싸우기	O	O	O

[그림 3] 웹기반 온라인 상담학 사전 시스템 DB 메뉴

입력메뉴는 개별입력, 일괄입력으로 구성되어 있다. 개별입력에서는 각각의 작업자들이 개별적으로 웹 도구에 직접 용어 집필의 내용을 입력할 수 있도록 한 것이다. 이를 위해 개별 작업자는 용어 하나에 대한 영어용어, 한글용어, 설명, 관련어, 참고문헌, 분류체계를 각각 표시한 후 해당 원고를 웹 도구에서 직접 집필할 수 있도록 하였다. 또한 연구팀에서는 표제어들의 개념과 구성체계를 명확히 할 수 있는 분류체계를 수립하였는데, 개별입력된 집필원고들을 웹 도구상에 저장을 하면 분류체계에 따라 일괄 정리되고 정렬될 수 있는 기능도 포함되어 있다. [그림 4]에서 보이는 일괄입력은 한글 프로그램으로 따로 작성된 집필 원고들을 한꺼번에 웹 도구에 저장하여 개별입력한 정보들과 함께 정렬, 정리되도록 한 것이다. 이는 웹 도구의 사용에 익숙하지 않은 작업자의 편의를 돕기 위한 것으로서 각 표제어의 개념 기술을 할 때 익숙한 한글 프로그램을 사용하되 원고 작성 시 몇 가지 형식적인 틀만을 지켜주면 웹 도구의 데이터베이스에 쉽게 저장될 수 있도록 하였다.

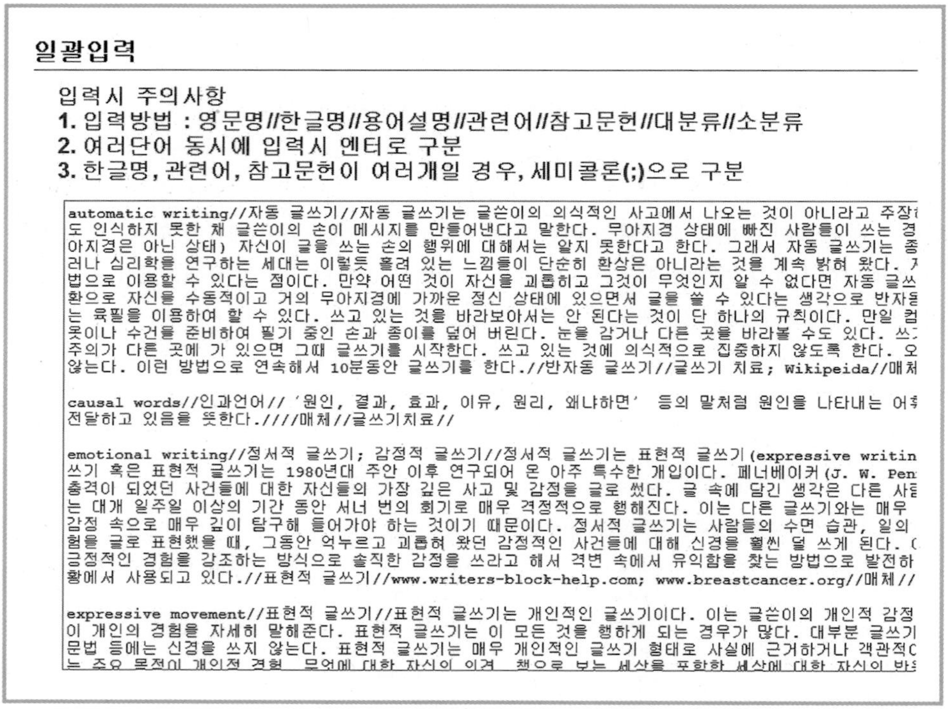

일괄입력

입력시 주의사항
1. 입력방법 : 영문명//한글명//용어설명//관련어//참고문헌//대분류//소분류
2. 여러단어 동시에 입력시 엔터로 구분
3. 한글명, 관련어, 참고문헌이 여러개일 경우, 세미콜론(;)으로 구분

automatic writing//자동 글쓰기//자동 글쓰기는 글쓴이의 의식적인 사고에서 나오는 것이 아니라고 주장
도 인식하지 못한 채 글쓴이의 손이 메시지를 만들어낸다고 말한다. 무아지경 상태에 빠진 사람들이 쓰는 경
아지경은 아닌 상태) 자신이 글을 쓰는 손의 행위에 대해서는 알지 못한다고 한다. 그래서 자동 글쓰기는 종
러나 심리학을 연구하는 세대는 이렇듯 홀려 있는 느낌들이 단순히 환상은 아니라는 것을 계속 밝혀 왔다.
법으로 이용할 수 있다는 점이다. 만약 어떤 것이 자신을 괴롭히고 그것이 무엇인지 알 수 없다면 자동 글쓰
환으로 자신을 수동적이고 거의 무아지경에 가까운 정신 상태에 있으면서 글을 쓸 수 있다는 생각으로 반자
는 육필을 이용하여 할 수 있다. 쓰고 있는 것을 바라보아서는 안 된다는 것이 단 하나의 규칙이다. 만일 컴
옷이나 수건을 준비하여 필기 중인 손과 종이를 덮어 버린다. 눈을 감거나 다른 곳을 바라볼 수도 있다. 쓰
주의가 다른 곳에 가 있으면 그때 글쓰기를 시작한다. 쓰고 있는 것에 의식적으로 집중하지 않도록 한다. 오
않는다. 이런 방법으로 연속해서 10분동안 글쓰기를 한다.//반자동 글쓰기//글쓰기 치료; Wikipeida//매체

causal words//인과언어// '원인, 결과, 효과, 이유, 원리, 왜냐하면' 등의 말처럼 원인을 나타내는 어
전달하고 있음을 뜻한다.////매체//글쓰기치료//

emotional writing//정서적 글쓰기; 감정적 글쓰기//정서적 글쓰기는 표현적 글쓰기(expressive writin
쓰기 혹은 표현적 글쓰기는 1980년대 주안 이후 연구되어 온 아주 특수한 개입이다. 페너베이커(J. W. Pen
충격이 되었던 사건들에 대한 자신들의 가장 깊은 사고 및 감정을 글로 썼다. 글 속에 담긴 생각은 다른 사
는 대개 일주일 이상의 기간 동안 서너 번의 회기로 매우 격정적으로 행해진다. 이는 다른 글쓰기와는 매우
감정 속으로 매우 깊이 탐구해 들어가야 하는 것이기 때문이다. 정서적 글쓰기는 사람들의 수면 습관, 일의
험을 글로 표현했을 때, 그동안 억누르고 괴롭혀 왔던 감정적인 사건들에 대해 신경을 훨씬 덜 쓰게 된다.
긍정적인 경험을 강조하는 방식으로 솔직한 감정을 쓰라고 해서 격변 속에서 유익함을 찾는 방법으로 발전하
황에서 사용되고 있다.//표현적 글쓰기//www.writers-block-help.com; www.breastcancer.org//매체//

expressive movement//표현적 글쓰기//표현적 글쓰기는 개인적인 글쓰기이다. 이는 글쓴이의 개인적 감정
이 개인의 경험을 자세히 말해준다. 표현적 글쓰기는 이 모든 것을 행하게 되는 경우가 많다. 대부분 글쓰기
문법 등에는 신경을 쓰지 않는다. 표현적 글쓰기는 매우 개인적인 글쓰기 형태로 사실에 근거하거나 객관적
는 주요 목적이 개인적 경험, 무엇에 대한 자신의 의견, 책으로 보는 세상을 포함한 세상에 대한 자신의 반

[그림 4] 입력 메뉴의 일괄 입력에서 용어 입력

용어보기 메뉴는 영어순, 한글순, 대분류순(분류별), 소분류순(가나다별), 집필자순, 전체보기 등으로 구분되어 원하는 배열로 저장된 표제어와 그 개념기술 내용을 확인할 수 있도록 하였다. [그림 5]에서는 한글순의 보기메뉴를 나타낸 것인데, 원하는 표제어를 클릭하면 해당 원고의 내용도 확인할 수 있다.

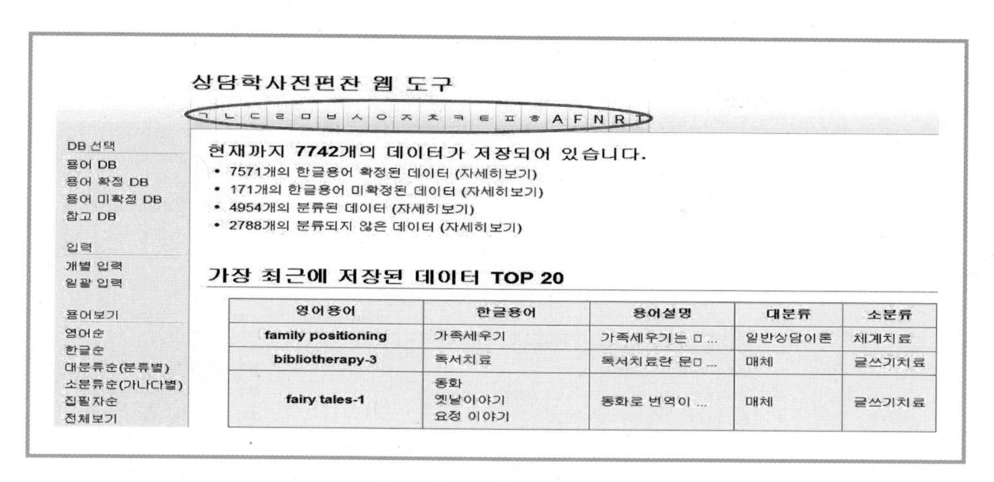

[그림 5] 용어보기 메뉴의 한글순 보기

집필자순 보기의 메뉴는 [그림 6]에서 확인할 수 있는데, 여기에서는 사전 편찬작업의 총괄현황과 참여 연구원별 집필현황, 집필된 용어 중 분류된 용어와 미분류된 용어를 확인할 수 있다. 집필한 용어설명에 대해 수정하려면 이 메뉴에서 해당 용어를 클릭하여 삭제 또는 편집할 수 있다. 또한 편집창의 아래쪽에 편집 일시를 확인할 수 있는 기능을 두어, 작업의 현황을 파악하기에 용이하도록 하였다.

DB 선택
용어 DB
용어 확정 DB
용어 미확정 DB
참고 DB
입력
개별 입력
일괄 입력
용어보기
영어순
한글순
대분류순(분류별)
소분류순(가나다별)
집필자순
전체보기
게시판
게시판

총괄 현황

전체 7742개 등록[더보기]	분류된 4954개 데이터[더보기]	미분류된 2788개 데이터[더보기]
연구원		
전체 661개 등록[더보기]	분류된 661개 데이터	미분류된 0개 데이터[더보기]
연구원		
전체 260개 등록[더보기]	분류된 260개 데이터	미분류된 0개 데이터[더보기]
연구원		
전체 74개 등록[더보기]	분류된 69개 데이터	미분류된 5개 데이터[더보기]
연구원		
전체 219개 등록[더보기]	분류된 198개 데이터	미분류된 21개 데이터[더보기]
연구원		
전체 507개 등록[더보기]	분류된 507개 데이터	미분류된 0개 데이터[더보기]
연구원		
전체 1104개 등록[더보기]	분류된 1104개 데이터	미분류된 0개 데이터[더보기]
연구원		
전체 1068개 등록[더보기]	분류된 1068개 데이터	미분류된 0개 데이터[더보기]
연구원		
전체 431개 등록[더보기]	분류된 431개 데이터	미분류된 0개 데이터[더보기]
연구원		
전체 296개 등록[더보기]	분류된 296개 데이터	미분류된 0개 데이터[더보기]
연구원		
전체 615개 등록[더보기]	분류된 611개 데이터	미분류된 4개 데이터[더보기]

[그림 6] 용어보기 메뉴에서 집필자순 보기

[그림 7]에서 제시된 게시판 메뉴는 안내글, 회의안내, 회의결과 등 편찬에 필요한 정보와 웹사이트 이용에 관한 정보를 교환하는 곳이다.

상담학사전편찬 웹 도구

로그인되었습니다. 로그아웃

좌측 메뉴를 선택해주세요

DB 선택
용어 DB
용어 확정 DB
용어 미확정 DB
참고 DB

입력
개별 입력
일괄 입력

용어보기
영어순
한글순
대분류순(분류별)
소분류순(가나다별)
집필자순
전체보기

게시판
게시판

새글쓰기

번호	제목 / 내용	작성자	작성일시
11	2월 11일 금요일 보내주신 입력자료 결과입니다.	웹마스터	2011-02-13 18:47:44
10	글 입력시 확인창 뜨도록 하였습니다.	웹마스터	2010-12-29 14:45:55
9	집필자별로 미분류 데이터 볼 수 있도록 수정해놓았습니다.	웹마스터	2010-12-29 14:34:59
8	링크 제대로 안되던 문제 해결하였습니다.	웹마스터	2010-12-29 12:27:27
7	게시판 기능 보완 문의	박예나	2010-11-16 13:30:24
6	용어보기의 메뉴 일부 수정(기능 완성)하였습니다.	웹마스터	2010-11-11 19:25:54
5	기울임 효과 및 진하게 강조하는 효과	웹마스터	2010-11-11 13:34:34
4	11월 2일 전임연구회의 결과입니다.	박예나	2010-11-02 17:41:41
3	10월 15일 월례회 회의내용입니다.	박예나	2010-10-15 15:38:44
2	로그인 시간을 늘려주세요	박예나	2010-10-11 09:30:53
1	게시판 테스트 및 사용	웹마스터	2010-10-05 11:11:23

오류를 발견하시면 웹마스터(e-mail : misago@welcomemst.com)에게 메일을 보내주세요

[그림 7] 게시판 메뉴

● 상담학 영역의 분류체계 수립

상담학은 심리학, 교육학, 아동학, 가족학, 정신의학, 사회복지학 등 다양한 학문과 연계되어 있는 복합학문이라는 특성을 띠고 있다. 따라서 상담학 사전에 수록될 상담학 관련 표제어들은 각각 상담학 하위 소분야에 속하는 용어들이다. 또한 상담학의 접근법에 따라 혹은 상담대상과 상담주제, 혹은 상담매체별로 어느 영역에 속하느냐에 따라 용어에 대한 정의가 달라질 수도 있다. 이는 전문용어가 일반적으로 사용되는 언어의 언어적 요소를 공유하면서 이를 그 분야의 특수한 의미를 갖도록 하는 것이기 때문에 서로 다른 분야 간에 공통되는 전문용어가 있을 수도 있으며, 동일한 표현이 각 분야별로 조금씩 다른 특수한 의미를 갖게 되기도 한다(조은경, 서상규, 2000). 연구팀은 이러한 상담학 관련 전문용어들의 특성을 이해하고, 각 표제어에 해당하는 개념에 대해 기술할 뿐만 아니라 해당 영역을 함께 표시함으로써 보다 명확한 용어의 이해를 돕도록 하였다(김춘경 외, 2012). 이를 위해 상담학 영역을 체계적으로 분류하고 구조화하는 작업이 필요하게 되었다.

상담학 영역의 분류체계를 수립하기 위해서 사전 편찬의 기획단계에서 수집한 각종 자료를 분석하여 다양한 상담학 영역의 하위 소분야를 1차로 분류하였다. 이후, 1차 분류된 상담학 영역 하위 소분야 목록을 대상으로 질문지를 작성하고, 상담학 관련 전문가들을 대상으로 모두 3차례에 걸친 델파이 연구를 실행하였다. 다양한 상담학 영역이 하위 소분야로 분류되는 것에 대한 확신의 정도를 묻기 위해 1차의 델파이 연구에서는 7점 척도를 사용하였으나,

지나치게 세분화할 필요가 없다는 피드백을 수렴하여 2차에는 이를 5점 척도로 간소화하였다. 1차에서 모두 32명이 검사에 응했으며, 2차에는 22명, 그리고 최종 3차에서는 18명이 응답하였다. 각 차별로 수거된 질문지의 항목에 대한 평가척도를 분석하여 분류체계에서 누락시킬 기준점을 3.0으로 정하였다. 총 3차에 걸친 델파이 조사를 통해 확립된 분류체계를 대상으로 전문가 TF팀 내에서 수차례의 회의를 거쳐 11개의 대분류에 속한 총 80개의 소분류의 체계를 최종적으로 확립하였다. 확립된 상담학 영역의 분류체계는 각 표제어에 부가 정보로 기입하였으며, 전체 분류체계표를 사전에 수록함으로써 상담학 관련 지식에 대한 구조화가 용이하도록 하였다.

상담학 사전의 거시구조

거시구조란 사전에서 표제어와 이에 대한 뜻풀이를 하나의 덩어리로 보고 사전이라는 전체 구조하에 이 덩어리들이 어떠한 방식으로 배열되어 있는지에 대한 것이다(김성진, 정동열, 2001). 이러한 거시구조에 속하는 요소들은 표제어의 선정, 표제어의 배열, 그림과 도표, 참고자료 배치 등에 관한 것이 있다.

● 표제어 선정

사전을 편찬하는 본격적인 실행과정은 표제어 선정을 어떻게 할 것인가에서 출발한다. 전문용어 사전의 표제어는 전문용어로 구성되는데, 전문용어란 일상용어와 대립되는 특수 분야의 어휘를 뜻한다(송영빈, 2000). 따라서 상담학 분야의 전문용어란 상담을 시행하고, 교육 · 연구 분야에서 사용되고 연구되는 개념과 용어가 될 것이다. 전문용어를 정리하고, 이를 체계화하는 작업은 전문용어 사전의 제작을 위한 목적뿐만 아니라 해당 학문의 체계를 수립하는 데 중요한 역할을 하므로 국제적으로 전문용어 정비에 대한 중요성과 요구가 증대하고 있다.

국제표준화기구(ISO)는 세계적으로 그 중요성이 인식되고 있는 전문용어의 정비에 관한 국제적인 지침을 마련하고, 그 실행을 관리 · 감독하는 기관이다. 전문용어의 분석을 수행할 목적으로 문어편성집에서 선택하여 수집한 자료를 코퍼스(corpus) 혹은 말뭉치(김진용 외, 2007)라고 하는데, ISO에서는 주제 분야 또는 영역과 관련된 문헌에서 전문용어 자료를 발췌하는 전문용어 말뭉치의 구성을 전문용어 정비의 기본 지침으로 삼고 있다. 이것은 해당 전문 분야에서 통용되고 있는 개념에 대한 명칭을 추출할 때 전문용어가 그 가치를 가지며, 마음, 가족, 감정 등과 같이 일상생활에서 흔하게 사용하는 단어들이라 할지라도 특정 전문 분야에서 사용하는 개념이나 사용법 등을 포함하고 있다면 그것도 전문용어에 해당되기 때문이다(김진용 외, 2007). 따라서 많은 전문용어 전문가가 해당 전문 영역과 관련된 총체적 지식을 담고 있는 자료를 통해서 말뭉치를 추출하고, 이를 바탕으로 전문용어 사전에 수록될 표제어를 선정할 것을 제언하고 있다.

표제어 선정에 관한 다양한 연구결과와 지침을 참고하여 연구팀은 상담학 관련 각종 전문 문헌들을 바탕으로 다양한 상담학 말뭉치를 구성하였다. 이 과정에서 중요한 것은 해당 전문 분야의 문헌을 어떤 기준에서 선별하여 수집하는가에 대한 것이다. 이것은 전문용어의 말뭉치는 일반 말뭉치와는 달리 해당 분야의 전문성과 신뢰성을 갖춘 출처의 자료로 구성되어야 용어자료나 언어적 지식의 신뢰성을 어느 정도 보장받을 수 있기 때문이다(조은경, 서상규, 2000). 이에 상담학 관련 전문 문헌의 수집은 눈덩이 표집의 방식을 사용하여 구체화하였다. 또한 그 수집과정에서 포함된 심리치료, 상담학 또는 상담학과 관련된 국내외 저서를 조사 · 분석하여 상담학 관련 도서목록을 작성하고, 그 신뢰성과 타당성을 전문가 TF팀 내의 논의와 토의를 통해서 점검하여 보다 신뢰성 있는 상담학 말뭉치가 구성될 수 있도록 하였다.

말뭉치를 사용한 사전 편찬의 문제점 중 하나는 저빈도어를 어떻게 처리하는가다. 즉, 사람들이 잘 알고 있거나 모르는 어휘, 다른 사전에 표제어로 등재되어 있는 목록이 저빈도나 빈도 0으로 출현하는 경우를 말한다(최정도, 2011). 이러한 저빈도어는 실제로 잘 사용하지 않는 용어일 수도 있지만, 그렇다고 그 용어가 사전에 실을 가치가 없다는 것을 의미하는 것도 아니다. 최근에 나타난 신조어이기 때문에 사용빈도가 아직은 낮은 것일 수도 있다. 그러므로 여기에서는 이러한 저빈도어가 표제어 목록에서 탈락하는 것을 최소화하기 위해 기초 문헌 조사를 통해 형성된 상담학 말뭉치 목록을 대상으로 전문가 TF팀에서 해당 말뭉치의 빈도뿐만 아니라 그 중요성에 대한 논의를 거쳐 구성원 전체의 70% 이상이 찬성한 말뭉치를 대상으로 상담학 사전에 수록될 표제어 목록을 확정하였다. 또한 이렇게 확정된 표제어를 다양한 영역의 전문가들에게 의미기술을 위해 배정하고, 해당 전문가의 판단에 따라 표제어 선정의 유무에 대한 의견을 제시할 수 있도록 하여 이를 참고하기도 하였다. 사전 편찬 연구 2년 동안 이와 같은 과정을 거쳐 1차로 선정된 표제어는 4,800여 개에 달한다.

2차 표제어의 수집과 선정은 상담학의 새로운 분야의 새로운 용어를 추가하고, 1차로 수집한 표제어들을 보완하는 차원에서 이루어졌다. 이를 위해 상담학 사전의 편찬작업이 이루어지는 동안 상담학 분야에 새롭게 대두된 경향을 소개하고 있는 국내외 문헌뿐만 아니라 상담학 사전을 포함한 관련 분야의 문헌을 비교 · 분석하여 말뭉치를 구성하고, 이를 기초로 표제어를 선정하였다. 또한 국내에 출판되거나 번역된 10개의 상담학 관련 분야를 포함하는 사전들과 3개의 국외 사전들의 표제어 목록을 데이터화하고, 그중 중복되는 표제어의 빈도를 조사하여, 빈도 2 이상의 표제어를 따로 추출하였다. 이렇게 추출된 목록은 다시 연구팀의 상담학 사전을 위해 선정된 표제어 목록과 비교하여 중복되는 표제어를 제거한 후 표제어 목록에 추가하였다. 중복 표제어 빈도조사를 위해 포집된 전체 표제는 모두 14,983개였으며, 이 중 중복 빈도 2 이상의 표제어는 1,487개였다. 여기에서 상담학 사전의 편찬을 위해 기존에 선정된 표제어 목록과 비교하여 중복되는 용어들을 제거하고 얻은 표제어의 개수는 896개였다. 연구팀은 이 최종 표제어를 추가 집필 용어로 선정하였다. 2차 표제어의 선정과정에서 이 같은 과정을 거쳐 새로운 표제어를 추가하기도 하였지만, 전문가 TF팀의 지속적인 논의와 집필진의 의견수렴을 통해 표제어 선정에서 탈락하는 용어들도 계속해서 생겨났다. 상담학 사전이 최종적으로 출판될 때까지는 이러한 과정이 지속적이고, 순환적으로 반복되었다. 이는 빠르게 변화하고 발전하는 상담학계의 움직임을 조금이라도 더 담아 보려는 연구팀의 노력 때문이다.

● 표제어 배열

이러한 과정을 통해 선정된 표제어들은 각 영역의 전문가들에게 집필을 의뢰하고 그 미시체계를 확립하는 한편, 사전 편찬의 거시적인 측면에서는 6,000여 개의 표제어를 어떻게 효과적으로 배열해야 하는가에 대한 연구가 지속되었다. 기존의 전문용어 사전들의 표제어 배열방식을 보면 크게 가나다순(혹은 abc순)으로 배열하는 것과 주요 주제별로 표제어를 배열하는 것 두 가지의 형태를 찾아볼 수 있었다. 연구팀에서 편찬하는 상담학 사전을 위해 어떠한 표제어 배열 방식이 효율적일지에 대해서는 전문가 TF팀 내에서 논의와 토의를 통해 가나다순으로 표제어를 배열한다는 원칙을 세웠다. 이는 백과사전식의 설명이 있는 전문사전이지만, 사용자가 신속하고도 손쉽게 원하는 정보를 찾을 수 있도록 배려하기 위함이다. 또한 상담학 사전의 부록으로 abc순의 표제어 배열을 색인으로 첨부하여, 영문 표제어만을 가지고도 원하는 정보를 찾을 수 있도록 하였다.

표제어 배열의 또 다른 과제는 상위개념과 하위개념을 포함하고 있는 표제어들의 배열 형태, 그리고 다의적인 성격을 지닌 단일 용어를 어떻게 배열할지에 관한 것이다. 상위개념(superordinate concept)이란 계층적 관계에서 의미적 자질이 하위개념에 의해 계승되는 부분으로 이루어진 전체의 개념이다. 이에 비해 하위개념(subordinate concept)이란 계층적 관계에서 의미적 자질이 보다 넓은 개념으로부터 계승된 부분의 관계에 있는 개념을 뜻한다(김진용 외, 2007). 상담학 사전에 수록되기 위해 선정된 표제어들 중에서 이러한 상위개념과 하위개념의 관계에 있는 표제어들을 어떻게 배열할 것인가 하는 문제는 사전의 사용자가 단순한 용어의 개념을 습득하는 것을 넘어서서 조직적이고 구체화된 지식을 습득하는 데 영향을 주게 된다. 이번 상담학 사전은 단순한 용어사전이 아니라 백과사전식의 체계적인 지식전달의 목적을 가지고 있는 사전이므로, 그 목적을 달성하기 위해 하위개념을 포함하는 용어가 전체적인 가나다순의 배열에 위배된다 하더라도 연관되는 상위개념의 용어 바로 아래에 배치하기로 하였다. 다만, 하위개념을 포함하는 용어는 편집을 다르게 하여 상위 표제어와 하위 표제어 간의 관계를 한눈에 파악할 수 있도록 하고, 전체적인 표제어 배열에 혼란이 생기지 않도록 하였다. '꿈분석(Freud 정신분석)'과 '꿈분석(개인심리학)' 같이 표제어들 중 다의적인 성격을 지니고 있으나 단일의 용어로 표현이 되는 표제어들은 동음이의어로 취급하여 서로 다른 두 용어로 각각 기술하되, 그 해당 분야를 명시하도록 하였다(김춘경 외, 2012). 이는 표현되는 표제어의 형태는 동일하지만, 각 영역에서 개념과 쓰임의 차이가 있다는 것을 명확히 하고자 하는 것이다.

●표제어 표준화

'전문용어의 표준화'는 전문분야의 용어를 일정한 기준에 따라 '통일'하는 것으로서, 다양한 형태의 용어에 대한 통일된 안을 만드는 데에서 한 걸음 나아가 통일된 용어의 사용이 정착됨으로써 완성된다고 할 수 있다(김한샘, 2008). 전문용어의 정비가 관심을 끄는 중요한 이유는 동일한 개념을 가리키는 용어로 여러 형태의 대응어가 존재하기 때문이다. 동일한 개념을 포함하는 다양한 형태의 전문용어가 표준화되어 있지 않은 경우에는 가장 먼저 학자들 간의 학문적 소통을 방해함으로써 해당 영역의 발전을 저해할 수 있다. 또한 교육현장에서 효과적인 의사전달을 방해할 수도 있고, 외국문헌을 번역할 때 어떤 대역어를 선택할지에 대한 혼란이 온다거나 반대로 너무나 다양한 대역어가 문헌에 사용됨으로써 오히려 그 개념에 대한 지식이 혼동될 위험성도 존재한다.

상담학 사전의 편찬과정에서도 여러 단계를 통해 표제어가 선정되고 그 개념에 대한 의미가 기술된 표제어들을 대상으로 표준화를 시행할 필요성이 강력하게 대두되었다. 하지만 6,000개가 넘는 표제어를 선정하고 그 의미를 기술하는 작업에도 이미 많은 시간과 비용이 투자되었기 때문에 집약적이고 전문화된 표제어의 표준화를 진행하기에는 많은 무리가 있었다. 이렇게 상담학 사전 표제어의 표준화에 대한 강력한 요구와 연구기간과 연구비의 한계라는 양립된 필요 속에서 두 가지 요소를 모두 충족할 만한 방법을 찾는 것은 쉽지 않은 일이었다. 이를 위해 연구팀 내에서 수차례의 회의와 분석, 그리고 연구를 통해 다양한 방법이 제시되었고, 그중 다음과 같은 표준화 방법을 결정하고 시행하였다.

먼저, 상담학 사전 편찬을 위해 작업을 함께하는 모든 연구원과 외부 집필진을 대상으로 집필 대상 표제어에 대한 대응어를 조사하여 이를 엑셀파일에 데이터로 정리 · 저장하도록 하였다. 상담학 사전의 주된 집필진에 의해 대응어들을 조사하는 작업은 집필을 진행하면서 실제 해당 영역의 전문문헌에서 대응어들의 쓰임과 그 빈도를 동시에 확인할 수 있다는 장점을 가지고 있다. 또한 엑셀파일로 각 표제어에 해당하는 대응어를 정리하는 것은 중복 용어의 발견을 용이하게 하고, 분야별 전문용어 표준화 작업의 현황을 가시적으로 확인하고 수정하기에 용이하기 때문이다. 이 작업을 통해 각 표제어가 자신 이외에 다른 대응어를 가지지 않은 용어들을 선별하는 것이 가능했고, 그 용어들의 목록을 표준화의 대상에서 제할 수 있는 1차 표준화가 진행되었다.

2차로 표제어를 표준화하기 위해서 2003년부터 2008년까지 학술단체연합회에서 진행한 학술 전문용어 정비 및 표준화 사업의 결과물을 참고하였다. 이 기간 동안 총 3단계의 사업을 통해 58개 분야의 학술용어 정비 및 표준화 사업을 진행하였다(김한샘, 2008). 그 정비작업 중 상담학에 대한 전문용어의 정비작업을 시행하지는 않았지만, 복합학문의 성격을 띠고 있는 상담학에서 참고할 수 있는 분야가 많이 포함되어 있었다. 이에 학술단체연합회를 통해 문학, 심리학, 가정학, 간호학, 생물학, 교육학, 언어학, 인지과학, 종교학, 철학 분야의 정비된 용어를 제공받아 이를 상담학 사전에 수록될 표제어의 표준화 작업에 부분적으로 참고하였다. 참고작업을 위해서는 학술단체연합회에서 제공받은 용어목록과 상담학 사전에서 표준화 대상 용어로 지정된 표제어들 간의 교차확인을 하였는데, 이 과정을 통해 학술단체연합회의 표준화된 용어 중 1,524개가 상담학 사전의 표준화 대상 표제어와 일치하는 것을 확인하였다. 하지만 1,524개의 표준화된 용어를 모두 그대로 상담학 사전에 사용하기에는 무리가 있었다. 이는 상담학과 인접 전문 분야에서 공통적으로 사용되는 용어 표현이라 할지라도 상담학의 영역에서는 조금 다르게 표현되어 사용되는 예가 많이 있었기 때문이었다. 이러한 오류를 최소화하기 위해 전문가 TF팀과 감수팀에서 해당 용어들을 대상으로 논의와 합의를 통해 조정하는 과정을 거쳐 2차 표제어 표준화 작업을 진행하였다.

1차와 2차의 표제어 표준화 작업에도 정비가 되지 않은 표제어는 3,000여 개가 넘었다. 이 표제어들을 대상으로 3차 표제어 표준화 작업이 진행되었다. 이 작업에서는 전문가 TF팀과 감수팀이 수차례의 세미나와 회의를 통해 논의하고, 70% 이상의 합의가 이루어진 대응어를 대상으로 표준화 작업을 진행하였다. 이렇게 총 3차에 걸쳐 표제어의 표준화가 진행된 후 마지막 단계에서는 「한글 맞춤법」과 「외래어 표기법」 표준사항에 맞춰 용어를 교정하고, 최종 정비하는 작업을 진행하였다. 연구팀은 최종 표준화된 표제어를 「한글 맞춤법」과 「외래어 표기법」 표준사항에 맞추려고 노력하였고, 그 실제적인 작업을 위하여 국립국어원에서 2009년 발표한 전문용어 정비지침(박창원 외, 2009)에 제시된 사항들을 따랐다. 하지만 제안된 어문 규정에 상충되더라도 특정 용어가 그 분야에서 이미 정착되어 사용되는 용어가 있다면 이를 선택하여 상담학 영역의 혼란을 최소화하도록 노력하였다.

● 참고자료

상담학 사전은 표제어의 개념에 대한 정의, 그리고 의미에 대한 기술과 더불어 이해도와 활용도를 더욱 높이기 위해 각 용어에 해당하는 그림, 사진을 수집하여 삽입하고, 필요한 경우 디자인 전문가에게 의뢰하여 그림을 제작하였다.

상담학 사전의 미시구조

사전의 미시구조는 사전의 전체 구조에 관한 것이 아니라 사전에 수록되어 있는 각 표제어의 세부적인 구성과 형식을 뜻하는 것으로, 표제어와 표제어에 대한 뜻풀이를 하나의 덩어리로 보았을 때 이 덩어리 안에서 표제어의 개념을 설명하기 위한 여러 정보의 일관된 형식을 말한다(김성진, 정동열, 2001). 사전의 미시구조를 이루는 구성요소에는 표제어의 표기방식, 의미기술의 방식, 관련어 등의 참고정보의 표기가 있다.

상담학 사전의 미시 구조를 구체화하기 위한 기초 작업으로 수집된 참고자료들을 연구 · 분석하고, 국내에서 이미 출판된 상담심리 관련 사전 6개를 분석하였다. 분석을 위한 세부항목은 표제어의 표기, 실질적 정의항의 분리, 하위 소분야의 표기, 관련어의 표기다. 이 항목들은 김성진, 정동열(2001)과 한국학술단체연합회(2006)에서 제안한 전문용어 사전 미시구조의 세부항목 중에서 상담학 사전의 편찬을 위해 고려할 필요가 있다고 판단되는 항목을 추출한 것이다.

관련 문헌의 조사분석과 기존 상담심리 관련 사전들의 분석, 그리고 전문가들의 합의를 거쳐 수정되고 구체화된 상담학 사전의 표제어 전체 구조를 살펴보면 다음과 같다.

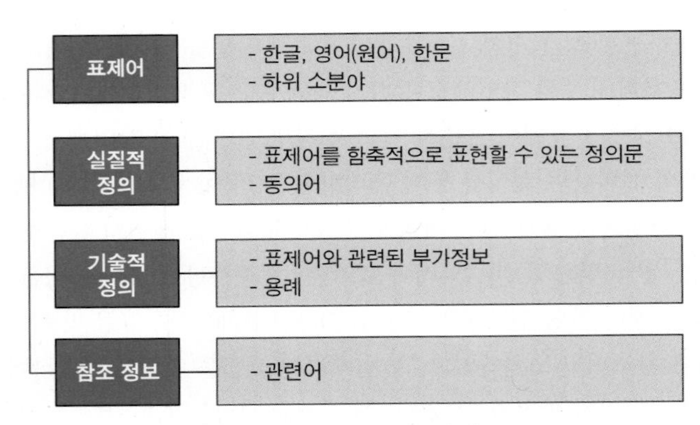

[그림 8] 상담학 사전의 미시구조

상담학 사전의 표제어의 기술에 관한 전체 구조를 [그림 8]을 통해 간략하게 살펴보면, 한글, 영어(원어), 한문 순으로 각 표제어를 표기하고, 해당 표제어를 가장 함축적으로 표현할 수 있는 문장인 실질적 정의문을 삽입하였다. 그다음 문장부터는 실질적 정의문에 포함되지는 않았으나 표제어를 이해하는 데 도움이 되는 각종 부가적인 설명을 기술하여 배열하였으며, 마지막에는 표제어를 이해하는 데 도움이 되거나 연관성이 있는 관련어를 선별하여 표시하였다. 또한 각 표제어에는 해당 용어가 주로 쓰이는 상담학의 하위 소분야가 무엇인지를 표기하여 독자들의 이해를 도왔다. 상담학 사전에 수록될 표제어의 이 같은 미시구조의 각 항목별 자세한 내용과 구체화된 세부지침, 그리고 이를 표제어 기술에 적용한 용례를 다음에 차례대로 제시하였다.

● 표제어

일반 사전은 주로 단어(word)가 표제어이지만, 전문용어 사전에서는 용어(term)가 표제어다(김성진, 정동열, 2001). 용어란 특정한 개념을 표현하기 위한 기호체계를 말하는데, 여기에서 개념이란 해석이 불가능한 유동적이고 모호한 정신이나 사고의 단위를 뜻한다(한국학술단체연합회, 2006). 전문 학술 분야에서 사용되는 전문어는 해당 영역에서 사용하는 특정한 개념을 조직화하여 그 의미를 표현하기 위해 새로운 용어를 창작하기도 하고, 기존의 일반 단어를 조합한 용어를 통해 표현하고자 하는 개념을 표시한다. 전문어의 이러한 특징으로 인해 전문용어 사전에 포함되는 표제어들은 하나 혹은 둘 이상의 조합된 용어나 명사가 아닌 다양한 형태의 용어를 포함할 수 있어서 특정 분야의 전문어를 일반인들이 이해하기가 어렵고, 해당 분야의 전문인이라 할지라도 수많은 표제어의 정확한 개념을 모두 파악하기란 쉬운 일이 아니다. 따라서 전문용어 사전에서는 용어의 개념을 보다 정확히 이해할 수 있도록 다양한 추가정보를 제공함으로써 독자가 보다 쉽고 정확한 이해를 할 수 있도록 도울 수 있다. 이에 상담학 사전에서는 독자들의 표제어에 대한 이해를 돕기 위해 한글인 표제어 이외에 영어와 한문의 대역어를 모두 표시하여 해당 용어의 개념을 보다 정확하게 이해할 수 있도록 하였다.

그리고 상담학 사전은 기술의 대상이 되는 표제어가 약 6,000여 개가 넘는 대형 사전이므로 대역어를 표기하는 데 있어서 한글, 영어, 한문의 대역어를 표기한다는 원칙을 세웠다 하더라도, 표제어 표기의 일정한 규칙과 형식의 세부지침을 정하지 않는다면 전체적인 통일성이 이루어지지 않을 위험성이 있다. 이를 방지하기 위해 상담 관련 전문가들과의 합의를 통해 표제어 표기의 세부지침을 규정하였는데, 그 각 항목은 다음과 같다.

첫째, 한글 표제어 다음에 영어 대역어를 적는다. 표제어의 원어가 영어가 아닐 경우에도 영어의 대역어를 찾아 적는 것을 원칙으로 하였다. 이는 원어와 같은 어원의 정보는 표제어의 의미기술 부분에 포함될 수 있어서 보다 많은 사람이 이해할 수 있는 영어의 대역어를 배치하여 대역어 표기의 본래 의도를 지키고자 한 것이다.

둘째, 영어 대역어가 없는 경우에는 원어를 표기하되 그 정보를 '독'(독일어), '불'(불어), '범'(범어) 등의 약자를 함께 표시한다.

셋째, 영어 대역어 다음에는 한자 대역어를 배치한다. 한자 대역어가 없는 경우에는 (–) 표시를 하여 그 부재를 인식할 수 있도록 하였다. 이와 같은 표제어 표기의 세부지침에 따라 표기된 표제어의 예는 다음과 같다.

① 일반적인 표제어의 표기
진전섬망 [進展譫妄, delirium tremens]
② 한자 대역어가 없는 경우의 표제어 표기
니코틴 금단 [– 禁斷, nicotine withdrawal]
③ 영어 대역어가 없는 경우의 표제어 표기
아뢰야식 [阿賴耶識, alaya-vijnana(범)]

● 실질적 정의

김성진(2000)은 실질적 정의란 표제어가 고유의 의미를 갖기 위해 필요충분 조건을 명시함으로써 대상이 지닌 본질적인 조건을 명시하고, 본질적인 특성을 분명히 제시하는 정의라고 설명하였다. 상담학 사전에서는 독자들이 표제어의 개념을 한눈에 인식하고, 그 특성에 대한 이해를 명확히 하기 위해 실질적 정의항을 표제어와 영어, 한문 대역어의 표기 다음에 하나의 문장으로 기술하도록 하였다. 그리하여 독자들이 표제어의 개념을 한눈에 인식하기 용이하도록 하고, 핵심적인 개념을 이해하는 데 도움을 주도록 하였다.

상담학 사전의 실질적 정의항을 기술하기 위해 합의된 세부지침은 다음과 같다.

첫째, 실질적 정의문은 간략하게 한 문장으로 기술하되, 표제어의 개념이 의미하는 대표적인 특성을 함축하고 있어야 하며, 상위개념 혹은 하위개념과의 관계성이 잘 드러나도록 기술한다.

둘째, 실질적 정의항에 표제어를 다시 언급함으로 인해서 불필요한 반복이 없도록 주의한다.

셋째, 실질적 정의항 기술 시 문장을 끝맺음 하는 말로, '~를 의미하는 것이다.' '~의 개념을 뜻하는 것이다.' 등의 군더더기 표현을 삼간다. 실질적 정의항에 이러한 군더더기 표현을 없앰으로써 표제어에 대한 정의를 쉽고, 빠르고, 정확하게 이해할 수 있게 한다(김성진, 2000). 또한 정의항과 다양한 관련 정보를 담은 의미기술항과의 분리를 가시적으로 쉽게 파악할 수 있으며, 이러한 명확한 분리는 전자사전이나 웹사전과 같은 다른 형태의 사전으로 변환하는 것을 용이하게 하고, 전문정보의 시소러스 구축을 가능하게 한다.

넷째, 표제어와 동일어 관계에 있는 용어가 있다면 실질적 정의항 바로 다음에 '~라고도 한다'는 형식을 사용하여 표기한다. 상담학 사전의 표제어들은 편찬과정에서 표준화를 거친 용어들이지만 그 표준화의 기준이 애매하거나 자주 사용하는 동의어가 있다면 함께 표기하여 이해를 도왔다.

다섯째, 서로 다른 개념의 용어가 동일한 형태의 표제어로 표기되는 다의어(多義語)의 경우에는 동음이의어(同音異議語)와 같이 취급하여 각각 독립된 표제어로 기술한다. 동음이의어란 하나의 동일한 명칭으로 표기되지만, 그 개념이 서로 완전히 다른 두 개의 단어를 의미한다. 이에 반해 다의어는 한 가지 형태의 표기를 가진 단어가 여러 가지의 의미로 사용되지만, 그 의미 사이에 어느 정도의 연관성이 존재하는 것을 말한다. 전문용어에서 다의어는 전문 분야와의 관련하에서만 정의할 수 있으며, 의미를 갖기 때문에 각 의미의 해당 전문 분야를 명시함으로 다의성을 처리할 수 있다(한국학술단체연합회, 2006). 따라서 상담학 사전의 표제어의 개념을 기술할 때 다의어적인 성격을 지닌 용어를 동음이의어로 취급하여 서로 다른 두 용어로 각각 기술하되, 그 해당 분야를 명시하였다. 상담학 사전에서 다의어의 동음이의어식 기술의 예는 다음과 같다.

- 꿈분석 [-分析, dream analysis] 꿈의 내용이 갖는 상징을 탐색하여 그 이면에 숨겨진 의미를 파악하는 작업. (Freud 정신분석)
- 꿈분석 [-分析, dream analysis] 꿈의 내용과 과정을 탐색하여 개인의 특유한 사적 논리와 생활양식을 파악하는 작업. (개인심리학)

여섯째, 실질적 정의항의 동의어 표기 다음에 해당 표제어가 주로 설명되는 상담학의 분야를 알 수 있도록 해당 분야인 하위 소분류를 표시한다. 이와 같이 구체화된 실질적 정의항의 세부지침을 따른 표제어 기술의 예는 다음과 같다.

도박중독 [到泊中毒, gambling addiction] 반복적이고 습관적인 도박행위를 함으로써 자기 스스로 그 행위를 조절할 수 없는 상태. 병적 도박(pathological gambling)이라고도 한다. (중독상담)

● 기술적 정의

기술적 정의는 전문용어 사전의 특성상 용어의 개념을 실질적 정의만으로 표현하기 부족한 경우나 용어와 관련된 역사, 이론, 이차적 문헌 등의 관련 정보가 해당 개념을 이해하는 데 중요하기 때문에 이를 제시할 필요가 있을 때 사용된다(Rey, 2003). 실질적 정의문에 포함되지 않은 의미기술과 용례가 여기에 속한다. 이러한 기술적 정의가 상담학 사전의 표제어의 개념을 설명하는 데 있어서 필수적인 것은 아니지만, 해당 용어를 이해하기 위해 필요한 관련 정보를 최대한 첨가함으로써 개념의 자세한 이해뿐만 아니라 다른 개념들과의 관련성도 파악할 수 있도록 하였다.

기술적 정의항을 위한 세부지침은 다음과 같다.

첫째, 표제어와 관련 정도가 높은 순서대로 기술한다.

둘째, 표제어의 의미를 설명할 때 반복적인 설명을 금한다.

셋째, 개념 설명 중 번호를 붙여 설명해야 하는 경우는 아라비아 숫자를 사용하는 대신에 '첫째, 둘째, 셋째, ……'의 표기를 사용하고, 표제어가 사용되는 예를 기술할 때에는 '예를 들어~'의 표기를 사용한다. 이것은 용어 기술 시 자주 사용하게 되는 언어적 표현을 통일함으로써 사전 전체의 통일성을 유지하기 위함이다.

넷째, 기술적 정의항을 설명할 때 각 표제어의 특성에 따라 권장되는 세부 구성요소를 포함하여 개념을 설명한다. 상담학 사전은 각 분야의 전문가인 수십 명의 집필진이 함께 표제어의 기술작업을 하였기 때문에 다양한 용어를 일관성 있게 기술하고, 용어의 개념 설명을 위해 포함되어야 할 중요 구성요소들이 누락 없이 기재될 수 있도록 집필진들에게 통일되고 구조화된 틀을 제시할 필요성을 연구진과 집필진이 제기하였다. 이것은 표제어의 개념을 기술하는 사람의 주관적인 판단에 따라 중점적으로 설명하는 부분이 달라지기 때문이다. 이에 따라 연구팀은 상담학 사전의 각 표제어의 특성에 따라 여덟 가지로 분류하고, 각 분류마다 포함되어야 할 의미 기술의 세부 구성요소를 제시하였다. 물론 집필진들이 각 표제어마다 의미기술의 모든 세부 구성요소를 필수적으로 포함해서 기술해야 하는 것은 아니며, 그 구성요소의 기술도 일정한 순서가 정해져 있는 것은 아니다. 의미 기술의 세부 구성요소를 집필진이 표제어의 의미를 기술할 때 지침으로 삼아 최대한 많은 세부요소가 기술될 수 있도록 하고, 그 기술의 순서는 집필자가 중요하다고 생각되는 요소부터 자유롭게 구성하도록 하였다. 이는 의미기술의 형식을 너무 정형화함으로써 해당 전문용어의 다양하고 특별한 개념을 효과적으로 설명하는 것을 방해하지 않고, 최소한의 기술 방향을 제시하기 위함이다.

참고문헌

권희영, 김춘경, 이수연, 최웅용(2012). 상담학 사전 편찬 연구 II-거시구조를 중심으로. **상담학연구**, 제13권, 6호, 2943-2964. 한국상담학회.

고석주, 이현주(2006). **전문용어 정리 방법론 연구**. 한국학술단체연합회.

김성진, 정동열(2001). 전문용어사전의 미시 구조에 관한 연구. **한국문헌정보학회지**, 제35권, 제1호, 143-162. 한국문헌정보학회.

김진용, 한선화, 이병희, 박동인, 정한민, 성원경, 강인수(2007). **전문용어 구축 연구**. 대전: 대덕사.

김춘경, 권희영, 정종진, 이윤주, 김계원(2012). 상담학 사전 편찬 연구 I -미시구조를 중심으로. **상담학연구**, 제13권, 2호, 799-818. 한국상담학회.

김한샘(2008). 전문용어 정비의 현황과 과제. **한말연구**, 제23호, 93-120. 한말연구학회.

송영빈(2000). 전문용어학의 제문제. 최기선, 송영빈 편저, **전문용어연구** I (pp. 13-36). 서울: 홍릉과학출판사.

조은경, 서상규(2000). 전문용어와 전문용어 말뭉치. 최기선, 송영빈 편저. **전문용어연구** 2(pp. 1-27). 대전: 전문용어언어공학연구소.

최정도(2011). 말뭉치를 이용한 사전 편찬에서의 몇 문제에 대하여. 언어 **사실과 관점**, 27, 237-276. 연세대학교언어정보연구원.

한국학술단체연합회(2006). **전문용어 정리 방법론 연구**. 서울: 국립국어원.

Rey, A. (2003). **전문용어학**[*Essays on Terminology*]. (최석두, 박우석, 남지순, 송영빈 역). 서울: 한국문화사(원전은 1995년 출판).

Statt, David A. (1999). The Concise Dictionary of Psychology. 정태연 역(2005). **심리학 용어사전**. 서울: 끌리오.

상담학 사전

가계연구법
[家系研究法, family tree study]

어느 개인이 지닌 일정한 특징이 그 개인이 속해 있는 가계의 어떤 사람에게 나타나고 어떤 사람에게 나타나지 않는가, 그리고 그 특징은 그 가계의 평균보다 빈번하게 나타나는가의 여부를 추적하여 유전성을 밝히는 연구방법. 연구방법

가계연구법의 창시자는 골턴 경(Sir F. Galton)이며, 그는 천재나 위인은 가계에 의한다고 생각하여, 영국에서 천재나 위인의 가계를 조사하였다. 그 결과 일반인의 가계보다 다수의 천재나 위인을 발견하게 되었다. 이후 수많은 가계 연구가 행해졌지만 열등 가계의 조사가 많았고, 유명한 것으로는 고더드(H. Goddard)의 카리카크의 가계 연구와 바흐(J. Bach) 일가의 음악적 재능에 관한 연구가 있다. 가계 연구에서는 지능이나 성격이 어떤 요인에 의해서 형성되는가를 연구할 때 유전적 측면을 중시하고 가족 계보를 만들어 그 가지나 줄기에 어떤 인물이 연결되어 있는지를 추적한다. 주로 정신질환이나 이상심리, 기형 등에 관한 유전성 여부를 연구한다든지 음악, 그림, 수리적 재능과 같은 특수한 재능에 관한 유전성 여부를 찾으려 할 때 사용된다. 상담과정에서는 이와 같은 관계를 통하여 내담자가 지닌 특징이 그가 속한 가족의 어떤 구성원에게 나타나는지를 추적하여 유전성을 밝히고자 한다.

가구
[家口, household]

거주와 가계를 공유하는 집단, 혹은 독신으로 거주하며 단독생활을 하는 사람. 가족치료 일반

가족과는 달리 결혼이나 혈연관계 등에 대하여 고려하지 않은 채, 공간과 가계(경제적 협력)를 공유하는가에 따라 분류한 집단이다. 예를 들면, 고용

인은 가족은 아니지만 가구에는 해당될 수 있다.

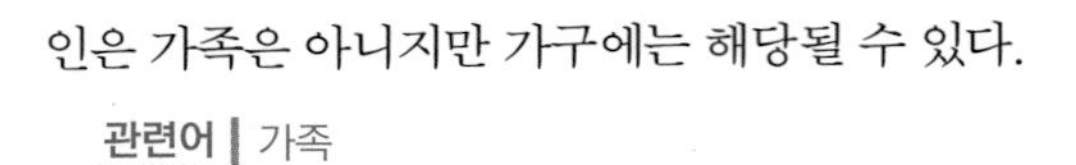

관련어 | 가족

가구놀이
[家具 - , furniture game]

동물, 꽃, 가구와 같은 것을 사람에 대한 상징으로 선택해서 하는 놀이. 문학치료

아동에게 친숙한 놀이로서, 자신이 묘사하고 싶은 인물에 대해 가구의 이름을 붙이는 등 은유적 방법을 써서 소개하는 놀이다. 새 과정을 시작하는 낯선 집단구성원 간의 분위기를 부드럽게 만들어 주는 데 큰 도움이 된다. 집단 초기에 서로 직접적인 대화를 하기 힘들 때 분위기를 자연스럽게 만들기 위해 이 놀이를 이용하는 것이다. 집단크기에 따라 얼마나 이야기를 끌고 갈 것인지 정하는데, 대개 45분 정도로 한다. '가구놀이'에서는 물음에 대한 답만 사용해서 누군가를 설명하여, 그 사람의 특성이나 성격을 포착한 상징들을 모으는데, 끝에 가면 '가구놀이' 시가 되기도 한다. 비평을 해서는 안 되는 것이 규칙이다. 먼저 '이 사람이 가구라면, 어떤 가구가 될까요?' '이 사람이 계절이라면, 어떤 계절일까요?'와 같은 질문을 한다. 답으로 나온 것들을 종류별로 모아 시처럼 만든다. 주로 가구, 계절, 시간, 색깔, 스포츠, 음식, 알파벳, 악기 등으로 표현할 수 있다. 집단 리더는 질문의 종류에 따라 분류해서 목록을 만들고, 게임에 사용할 수 있도록 배열해 둔다. 집단구성원 중 한 사람을 정해 두고 나머지 사람들이 질문에 대한 답을 한다. 순서대로 돌아가면서 그 과정을 반복한다. 그런 다음 제시한 답을 모아 시 형식으로 만든다. 시로 만든 것을 서로 나누면서 각각의 구성원들에 대한 이야기를 한다. 이 같은 놀이를 활용해서 은유적 방법으로 서로를 소개하고, 서로에 대한 정보를 알고 나면 집단과정이 좀 더 쉬워진다.

가독성
[可讀性, readability]

글쓰기 양식에 따라서 이해의 정도가 얼마나 쉬운지를 나타내는 것. 문학치료(독서치료)

사전적 의미로는 재미있게 읽을 수 있음, 혹은 읽기 쉬움이 된다. 영어에서 말하는 가독성(readability)은 쉽게 텍스트를 읽고 이해하는 것과 더불어 시각적으로 드러난 문자, 숫자, 그 외의 상징기호들을 쉽게 인식할 수 있음을 의미한다. 후자의 경우는 대개 판독성(legibility)이라고 한다. 이외에도 가독성은 컴퓨터 프로그래밍에서도 쓰이는데, 소스코드를 보고 코드가 의도하는 동작이나 알고리즘을 얼마나 쉽게 이해할 수 있는지를 뜻하기도 한다. 북 디자인에서도 독자가 책을 읽기 얼마나 좋은지에 대한 의미로 쓰이고, 이는 서체, 레이아웃, 자간, 행간, 여백 등의 편집에 따라 결정된다. 색채의 경우에는 시인성 혹은 명시성이 높아서 멀리서도 잘 보이는 정도를 두고 가독성이라고 말한다. 명시성을 높이려면 명도 차를 두어 배색하는데, 명시성이 가장 높은 배색은 노란 배경에 검은 글씨다. 문학용어 사전에서 정의하는 가독성은 글쓰기 양식에 따라서 이해의 정도가 얼마나 쉬운가 하는 것이다. 진 철과 에드거 데일(Jeanne Chall & Edgar Dale)은 가독성을 독자 집단이 텍스트를 이해하고 최적의 속도로 읽어 내고, 그 안에서 흥미로움을 발견할 수 있는 데 영향을 미치는 주어진 인쇄자료 내에 담긴 모든 요소의 총합이라고 하였다. 교사들과 교육자들은 읽기 쉬운 텍스트가 이해, 기억, 읽는 속도, 오래 읽기, 읽는 즐거움 등을 향상시킨다고 하였다. 가독성에 따라서 텍스트 수준을 매기는데, 이를 텍스트 레벨링(text leveling) 혹은 텍스트 난이도 질적 평가(qualitative assessment of text difficulty)라고 한다. 텍스트 레벨링을 지지하는 사람들이 많은데, 책에 대한 가독성을 가장 쉬운 단계와 읽기에 문제가 있는 단계로 판별하는 데 기준으로 삼을 수 있기 때문이다. 많은 전문가들이 내용, 흥미, 목적, 디자인, 도해, 구성과 같은 중요한 변인을 잘 살펴서 텍스트 레벨링을 해야 한다고 주의를 주고 있다. 가독성과 판독성은 독자가 책을 읽는 데 영향을 미치는 텍스트의 요인으로, 가독성은 신문기사, 도서, 사용설명서, 보고서 등 많은 양의 텍스트를 독자가 얼마나 쉽게, 얼마나 빨리 읽을 수 있는가의 정도다. 판독성은 머리기사, 목차, 로고형태, 사인 등 적은 양의 텍스트를 읽는 사람이 얼마나 쉽게 판독하고 인식하는가와 관련이 있다. 다시 말해서 가독성은 전체적인 의미파악과 연관이 있고, 판독성은 문자나 기호, 그림 등을 인식하는 것과 연관이 있다. 가독성은 의미 파악에 더 근본적으로 연결되어 있으며, 판독성은 글자나 기호의 형태가 식별되어 눈에 들어오는가와 연결되어 있다고 볼 수 있다. 글자나 기호를 잘못 보는 것은 판독성에 문제가 있는 것이고, 의미파악을 제대로 하지 못해 이해도가 떨어지는 것은 가독성에 문제가 있는 것이다. 독서치료에서 가독성과 판독성은 내담자의 연령별, 지적 수준별로 텍스트를 선정하는 데 중요한 요소가 된다. 우리나라에서는 전정재(2000)가 개발한 측정법을 독서치료 장면에서 사용할 수 있다. 전정재의 방법이 비교적 단순하고 명료하여 실제 적용에 용이한데, 단점은 좀 더 보완되어야 한다.

관련어 | 판독성

가르시아 효과
[-效果, Garcia effect]

유기체가 특정한 먹이의 맛과 이에 뒤따르는 질병 간의 관계를 학습하는 생물학적 경향성. 행동치료

동물은 학습을 통해 일반적인 특정 연합을 학습하도록 생물학적으로 준비되어 있다는 것이 가르시아 효과다. 가르시아와 퀼링(Garcia & Koelling)은 쥐를 대상으로 하여 한 집단은 사카린이 든 단물을 마시고 있는 동안 강한 X선에 노출시켰고, 또 다른 한 집단은 단물을 마시고 있는 동안 고통스러운 전기쇼크를 주었다. X선에 노출된 쥐들은 약 30분이 지나면 메스꺼움과 복통을 일으키게 된다. 나중에 실시한 검사에서 X선에 노출된 쥐는 사카린이 든 단물을 먹는 것을 거부했지만, 전기쇼크를 받은 쥐는 단물에 대하여 혐오반응을 보이지 않았다. 가르시아와 퀼링은, X선 처치로 고통을 경험한 쥐는 고통과 결합되어 있는 냄새나 미각에 대하여 혐오하는 것을 학습했다는 결론을 내렸다. 이러한 반응은 매우 자연스러운 것이며 생존에 도움이 된다. 즉, 조건화는 조건자극과 무조건자극 사이의 관계(고전적 조건화) 또는 반응과 보상 사이의 관계(조작적 조건화)뿐만 아니라, 유기체가 그 환경에서의 자극에 대하여 어떻게 반응하도록 생물학적 경향성을 타고났는지에 따라서도 좌우된다는 것이다. 이러한 원리는 행동치료에서 혐오치료 또는 혐오적 역조건화를 통해 사회적으로 용납되지 않거나 본인조차 원치 않는 행동에서 빠져나오는 데 도움을 주고자 할 때 적용할 수 있다.

가르치기
[-, teaching]

대화가족치료이론의 한 방법으로, 가족을 대화이론의 관점에서 어떻게 이해하고 받아들이고 행동해야 하는가를 가르치는 것. 가족치료 일반

기능적인 대화의 규칙을 가족들에게 가르치는 것이다. 증상은 가족체계의 역기능이라는 것, 가족의 행동이 대화라는 것, 대화에는 일정한 흐름이 있다는 것, 대화는 역기능이 될 때 연속의 흐름이 중단된다는 것, 대화의 규칙을 부정할 때 대화는 역기능이 된다는 것, 대화에는 여러 가지 공리가 있다는 점 등을 가르친다. 이러한 가르침을 통하여 가족들은 가족구성원을 점차 대화이론의 관점에서 이해하는 인식의 전환과 방향성이 생긴다. 이로 인해 증상을 한

개인의 문제로 보는 관점에서 대화라는 체제로 이해할 수 있게 된다. 그리고 가족구성원들은 자신의 행동을 이해할 수 있는 새로운 방식의 기본 틀을 갖는다.

가면
[假面, mask]

연극치료에서 사용되는 일종의 투사기법으로, 주어진 역할로부터 거리감을 갖기 위해 사용하는 것. 사이코드라마

가면은 얼굴을 가리는 반면 새로운 몸을 제시한다. 가면을 쓰면서 경직되어 있던 신체가 부드럽게 움직이게 되는 것이다. 가면은 특히 연극치료에서 매우 강렬하고 변형적인 힘을 발휘하며, 인류학과 연극의 원천과 관련된다. 가면은 제의에서 영적인 세계와 교감하고 놀이하며 감정을 표현하는 수단으로 사용되었다. 스미스(Smith)는 『근대극에서의 가면(The Mask in Modern Drama)』(1984)에서 가면의 의미를 그 기능과 관련하여 다음과 같이 제시하였다. 첫째, 가면은 인간의 어리석음과 야수성을 나타내는 풍자적이고 그로테스크한 표현이다. 둘째, 가면은 인류의 고귀함과 신성함을 대표하는 영웅적 면모의 체현이다. 셋째, 가면은 인간심리의 단편적 투사인 꿈의 표현이다. 넷째, 가면은 일상의 역할연기를 나타내는 사회적 역할의 체현이다. 이러한 기능을 가진 가면은 연극치료에서는 개인과 원형, 신체와 영혼, 감추어진 것과 드러난 것 사이의 분열과 중첩을 나타내는 표상을 의미한다. 다시 말해, 가면은 인간이 그러한 양면성을 지니면서도 균형을 유지하며 살아갈 수 있도록 도와주는 일종의 거리조절장치다. 가면은 연극치료에서 여러 가지 역할유형을 표현하고 탐구하는 데 이용되었고, 특히 노인, 성폭행 피해자, 에이즈 환자 전문 간호사를 대상으로 한 가면작업에서 성공적인 결과를 거두었다.

관련어 | 소시오드라마

가면만들기
[假面 - , mask making]

얼굴 모양을 본뜬 형상을 만들어 자신의 내면을 깊이 이해하도록 하려는 기법. 미술치료

준비물은 얼굴모양을 본 뜬 석고상, 아크릴 물감, 다양한 크기의 종이, 크레파스, 붓, 물통, 그 외 여러 가지 재료를 사용할 수 있으며, 실시방법은 다음과 같다. 먼저, 일상에서 나타나는 위장된 모습이나 타인과의 관계에서 나타나는 모습을 생각하게 한 다음 "당신의 생활에서의 모습, 타인과의 관계에서의 자신의 모습을 만들어 보세요. 얼굴모양을 본뜬 석고상을 이용할 수도 있고, 종이를 이용하여 자신의 모습에 담겨 있는 허구적인 자신을 가면으로 만들어 보세요."라고 지시한다. 내담자가 아동일 경우에는 지시어를 이해하기 쉬운 말로 바꾸고, 가면을 만들 수 있도록 도와준다. 다음으로 작품을 완성한 뒤에는 작품에 대하여 설명하도록 하고 대화를 나눈다. 상담과정에서는 가면을 직접 써 보고 느낌을 이야기해 보고, 가면으로 감춘 모습이 어떤 모습인지 그리고 누구에게 어떤 상황에서 그 가면을 사용했는지를 탐색하고 그 감정에 대하여 나누어 본다.

출처: 전순영(2011). 미술치료의 치유요인과 매체. 서울: 하나의학사.

가면우울증
[假面憂鬱症, masked depression]

우울증 본래의 정신적 증상인 우울한 기분이나 정신활동의 억제는 거의 알아채지 못하고 신체적인 증상만 강하게 자각되는 상태. 이상심리

가벼운 정도의 내인성 우울증을 뜻하는데, 내적 우울함이 신체적 질환으로 전환되어 나타나는 상태다. 가장 높은 빈도로 신체적 자각증상이 나타나는 것은 숙면을 취할 수 없을 만큼 자주 깨는 것과 같은 수면장애다. 그 외에 식욕부진, 변비, 머리가 무거움, 두통, 어깨결림, 가슴의 압박감, 과도한 심장박동, 수족의 마비감, 전신의 피곤함, 목 마름, 체중감소, 월경불순 등으로 환자 자신도 신체적 질환으로 인식하여 정신과가 아닌 일반 진료과를 방문하는 경우가 많다. 경증이기에 정신병은 아니지만 내인성 우울증이므로 항우울제의 치료와 휴양이 필요하다.

가벼운 격려
[-激勵, minimal encouragers]

상담자가 내담자로 하여금 계속 이야기할 수 있도록 촉진하고 권유하는 데 사용하는 비교적 수동적인 경청방식. 개인상담

상담의 초기단계에서 도움이 되는 상담자의 태도로서, 내담자가 자신의 정보를 안전하게 드러내고 탐색하는 것을 돕는다. 상담자가 내담자에 대한 관심과 주의, 그리고 이해를 비교적 짧은 단어와 행동으로 표현하는데, 예를 들어 짧은 지지적 진술은 "그렇네요." "맞아요." "좋아요." "흠." "듣고 있어요." 등이며 행동으로는 고개의 끄덕임, 개방적 제스처 등이 있다. 또한 내담자가 사용한 핵심 단어를 반복하는 것도 이에 속한다.

가변적 시각 심상
[可變的視覺心像, variable visual imagery]

내담자 문제 진단 및 해결에서 그 심상이 가변적인지 고정적인지를 판단하는데, 그중 내담자가 떠올린 심상이 사라지거나 다른 심상으로 변하는 것. 심상치료

내담자가 체험한 유도시각 심상은 고정적 시각 심상과 가변적 시각 심상으로 나누어진다. 이 중 가변적 시각 심상은 내담자가 떠올린 심상의 내용 및 모습이 어떤 내외적 요인의 영향을 받아 금방 혹은 점진적으로 흐려지거나 사라지는 경우, 한번 떠올린 심상이 다른 심상으로 바뀌는 경우를 뜻한다. 가변적 시각 심상을 체험하는 내담자는 정서가 다양하고, 자유로우며, 풍부한 역동 에너지가 동반되는 경우가 많다. 이 같은 가변적 시각 심상은 내담자의 억압된 마음, 심리 및 정신적 문제 등을 일시적으로 해소해 줄 수 있고, 자아도취적 정서를 지닌 내담자에게 자주 나타난다. 마치 물이 흘러가듯 심상이 바뀌면서 그 흐름은 유연성이 풍부하고, 심상의 형태나 모습만이 아니라 내용도 크게 변화된다. 그런데 내담자가 진지하지 않은 자세로 심상체험작업에 임할 때도 가변적 시각 심상이 나타날 수 있고, 내담자가 자신의 진정한 내면세계와 깊은 마음을 바라보지 못하는 경우 심상의 안정성이 결여되어 가변적으로 되는 경우가 있다. 처음 떠올린 심상에 집중을 하지 못해서 금방 다른 것으로 대체되어 버리는 것이다. 이외에도 가변적 시각 심상은 자신의 실제 마음을 직면하고 싶지 않거나 자기 마음을 드러내지 않고 현실적인 삶을 살거나 자신의 마음을 모르고 지내는 내담자가 체험하는 경향이 있다. 이러한 가변적 시각 심상 분석작업에서는 내담자의 방어기제, 부정적 사고 및 정서, 심상체험에 임하는 자세의 진지성, 회피 등을 잘 살펴보아야 한다.

관련어 | 고정적 시각 심상

가부장제
[家父長制, patriarchy]

가족에 대한 대표권, 가독권(家督權) 및 가사 관리권의 가장권이 부계에 속하여 강력하게 행사되는 가족의 형태. 가족치료 일반

가장권은 가족의 대외적 관계에서 대표로서의 권리를 갖는 대표권, 가족 내 관계에서 가족을 이끄는 가독권과 가사관리권을 뜻하는데, 가부장제는 이러한 가장의 권리가 부계에 의하여 계승되는 가족의 형태를 말한다. 이를 부권제(父權制)라고도 부른다. 가부장제는 역사적으로 가장 많이 찾아볼 수 있는 가족의 형태로, 가장권이란 용어와 동일시되는 경우도 있다. 가장권은 주로 장남에 의해서 전승된다.

관련어 | 동권제, 모권제

가사
[歌詞, text]

노래의 내용이 되는 말이나 시. 음악치료

가사는 한마디로 정의하면 노랫말이다. 가사를 리드미컬하게 패턴화하여 노래하는 것은 일반적으로 발성을 자극하여 말을 하도록 도와준다. 가사는 노래가 중심이 되는 치료에서 분리될 수 없는 부분이기 때문에 음악의 한 요소가 된다. 노래 가사는 정서를 이완시키고 경험과 느낌을 표현하는 수단이며, 상상력을 자극한다. 이미 만들어진 노래의 가사를 그대로 사용할 수도 있고, 치료사나 내담자가 즉흥적으로 만들 수도 있다. 현재 활동을 묘사하는 가사는 내담자에게 자신이 언제, 무엇을, 어떻게 하고 있다는 것을 인식시켜 주며, 이를 통하여 내담자는 정체성을 획득한다. 언어 사용이 가능한 내담자에게는 즉흥적인 가사가 자신의 내면세계를 투사하는 하나의 수단이 되므로 이후에 내담자가 자신이 만든 가사에 대해 어떻게 생각하는지, 왜 그런 가사를 썼는지에 대해 토론을 하는 것은 매우 중요하다.

가사 조사관
[家事調査官, family fact finding officer]

이혼 재판사건 등의 가사 소송사건에 대해서 사실 조사와 관련 자료를 수집하여 사실 확인을 하는 공무원. 가족치료 일반

가사 조사관은 재판장 · 조정장 또는 조정 담당판사의 명을 받아 사실을 조사한다. 조사의 방법과 절차에 관한 사항은 대법원의 「가사 소송법」으로 규정되어 있다. 가사사건은 주로 배우자나 친족 간의 분쟁사건이기 때문에 재산사건과는 달리 인간적인 감정문제에 기인하는 경우가 많은데, 인간적 · 내면적 문제는 사실 여부가 겉으로 드러나지 않는 특징이 있다. 따라서 법원의 보통의 재판이나 심리절차에서 법관이 이러한 문제를 스스로 조사하기는 곤란하고, 감정인 등의 조력을 받는 데도 한계가 있다. 또한 가사사건의 경우는 직권으로 당사자나 기타 관계인에 대하여 생활환경, 가족관계, 성장환경, 정신상태, 기타 주변요소를 면밀히 조사하여 더욱 실질적인 분쟁해결을 도모할 필요가 있다. 그래서 「가사 소송법」은 가정 법원 내에 전문적인 조사기관을 설치하여 재판에 기여하고자 하며, 그것이 바로 가사 조사관 제도다. 가사 조사관의 직무는 가사소송, 가사비송 및 가사조정기일에 출석하여 의견 진술을 하고 이와 관련된 보고서를 작성하는 것이다. 그리고 조사과정에서 조사관이 조사 도중이나 조사를 마친 다음 당사자를 설득하고 권유하여 그 자리에서 합의를 도출하고 이를 성립시키는 일도 수행한다. 이러한 합의가 성립되면 바로 당사자를 담당판사나 재판장에게 데리고 가 면전에서 사건을 조정이나 화해로 종결시킨다. 가사 조사관은 재판장 · 조정장 또는 조정 담당 판사의 명을 받아 사실을 조사한다고 되어 있기 때문에 직무의 범위는 이들의 명령 범위 내로 제한된다. 그러나 조사관은 법관의

단순한 보조기관은 아니며, 자신의 이름으로 당사자를 소환하여 사실을 조사하고 다른 기관의 협조를 구하며 스스로 보고서를 작성하는 독립된 기관이다. 사법기관의 일원이고, 당사자의 한편만 도와주는 사람은 아니기 때문에 엄격한 중립성이 필요하다. 하지만 수사기관의 수사관과는 완전히 성격이 다르다.

가상공간
[假想空間, cyberspace]

가상현실로서 컴퓨터 시스템을 활용하여 연출해 내는 현실과 같은 상상의 3차원 세계. 사이버상담

사이버 공간이라고도 부르며, 인터넷, 컴퓨터 통신망이 만들어 내는 가상사회이자 인터넷 · 컴퓨터 통신망 그 자체를 가리키기도 한다. 가상(cyber)이라는 용어는 1984년 와이너(Winer)가 고안한 말로서 사이버네틱스(cybernetics)에서 유래하였다. 와이너는 가상공간을 그 어떤 것으로부터도 조정되거나 통제되지 않는 자유로운 항해자의 공간으로 규정하였다. 깁슨(Gibson)은 가상공간을 1984년 발표한 사이버 펑크 소설 『뉴로맨서(Neuromancer)』에서 처음 사용하였다. 그는 전 세계 컴퓨터를 연결한 네트워크에서 가상현실이 완벽하게 구현된 일종의 컴퓨터 매트릭스의 세계로 가상공간을 생각하였다. 깁슨의 개념을 사회과학적으로 변형시킨 베네딕트(Benedikt)는 가상공간을 전 세계에 걸쳐서 구성된 네트워크 속에서 컴퓨터에 의해 유지되고 접근되며 컴퓨터에 의해 만들어진 다차원적이고 인위적인 현실 또는 가상현실로 정의하였다. 가상공간의 특징은, 첫째, 가상공간의 체험은 물리적 감각이 배제되어 있다. 둘째, 가상공간의 활동은 개인의 현실적 배경과 무관하며 익명성이 보장된다. 셋째, 의사소통에서 갖는 신분이나 연령 등의 단서가 없는 가상공간은 사회적 지위에 상관없이 상호 대등한 관계가 형성된다. 넷째, 가상공간은 감정의 조절이나 억제가 풀어지는 탈억제성이 나타난다.

가상공동체
[假想共同體, virtual community]

컴퓨터 통신망이 낳은 현존하지 않는 가상사회. 사이버상담

컴퓨터 통신망 안에만 존재하는 세계지만 현실세계와 같은 기업, 시장, 학교, 이용자 등이 모두 존재하는 공동체 사회다. 컴퓨터 통신망 자체를 가리키기도 한다. 가상공동체의 용어를 대중화시킨 라인골드(Rheingold, 1993)는, 가상공동체란 충분한 수의 사람들이 통신망상에서 충분한 인간적인 감정을 가지고 개인적 관계의 망을 형성할 수 있을 정도의 충분한 기간에 가상공간에서 공적인 토론을 수행할 때 출현하는 사회적 집합체라고 정의하였다. 가상공동체의 특징은, 첫째, 실제적으로 존재하지 않는 공간에 참가하여 공동체를 이룬다. 둘째, 공동체 참여자들은 자신의 기호나 습관, 관심 있는 주제에 대한 정보교환 및 상호교류를 지속적으로 하고 공유함으로써 유대감이 형성된다. 셋째, 인터넷을 통한 의사소통은 쌍방향적 의사소통을 가능하게 한다. 이러한 상호작용성은 능동적인 참여를 증대시키며, 공동체 참여자들 간에 정서적인 친밀감과 돈독한 관계를 형성하도록 만든다.

가상관계중독
[假像關係中毒, cyber-relationship addiction]

인터넷의 채팅방, 메신저, 개인 홈페이지 등의 사이버 공간에서 맺은 인간관계에 중독되는 현상. 중독상담

인터넷의 채팅이나 메신저 등 가상공간 속에서 맺는 인간관계에 집착하고, 이로 인해 실제적인 인간관계를 형성하는 데 어려움을 겪는 상태를 말한

다. 영(Young, 1999)은 가상관계중독을 인터넷중독의 한 형태로 설명하였다.

관련어 | 사이버섹스중독, 인터넷중독, 중독

가상의 이야기
[假想-, imaginary stories]

경험하지 않은 가상의 트라우마 사건으로 글을 쓰는 기법. 문학치료(글쓰기치료)

실제 자신에게 일어난 경험에 대해서 탐색하는 것이 치료적 효과를 내는 것과 마찬가지로, 허구의 이야기를 쓰는 것도 건강상 유익한 일이라는 가설에 근거한다. 자신이 경험하지 않은 트라우마에 관한 글을 쓰게 한 실험을 통해 유의미한 건강상의 증진이 나타나는 것을 계기로 도입된 치료기법이다. 내담자는 자신이 겪은 일이 정서적으로 견딜 수 없는 고통을 줄 때, 그 경험에 관해 직접적으로 표현하지 못하는 경우가 많다. 이럴 때도 가상의 이야기 기법을 쓴다. 이는 은유적 이야기에 기반을 둔 기법으로 괴물이나 신화적 창조물, 영웅 등에 관한 상징적 언어를 통해서 우회적으로 표현할 수 있다. 가상의 경험으로 실제 경험수준과 비슷한 스트레스에 대처할 수 있는 정서적 능력을 함양하고, 표현하기 힘든 고통을 우회적으로 나타내어 정서적 거리를 유지할 수 있게 한다. 또한 가상의 이야기를 통해서 의식적 방어벽을 제거하여 저항을 약화시키는 효과도 낼 수 있다. 제시된 시나리오 중에서 자기 삶과는 가장 관계없는 하나를 골라 자신에게 그 사건이 실제로 일어났다고 상상해 본다. 상상하는 과정에서 일어난 모든 것을 속 시원히 털어놓고, 그 상황에서 경험한 감정을 몸으로 직접 느껴 보고, 그런 경험을 직접 겪은 다음 현재의 자신이라면 어떤 생각을 가지고 어떤 삶을 살고 있을지를 생각해 본다. 적어도 10분 이상 최대한 긴장을 풀고 사건에 대해 생각하고 마음속에서 장면을 만들어 보는데, 가능한 한 장면들을 선명하게 그려 본다. 마지막으로 자신의 현재를 기준으로, 만일 지금 그와 같은 고통스러운 경험에 처한다면 어떻게 할 것인지 생각해 본다. 모든 상상의 과정을 마친 후, 20분 동안 그 사건이 자신에게 실제로 일어난 것처럼 글을 쓰면서 그 사건에 대해 최대한 깊은 감정과 생각으로 탐색해 들어간다. 그 사건과 자신의 삶에서의 다른 사건과의 연계성, 상상의 사건이 일어날 당시 자신에게 미친 영향, 현재의 자신에게까지 미치는 영향, 이외에도 그 경험에서 끌어낼 수 있는 모든 의미를 깊이 생각하면서 최소 20분간 계속해서 글을 쓴다. 아동이라면, 현실에서는 일어날 수 없는 상상의 이야기를 글로 만드는데, 등장인물을 신화적인 캐릭터나 영웅, 괴물 등으로 상징한다. 각 등장인물에 의미를 부여하면서 하나의 줄거리를 가진 이야기를 쓰도록 한다. 이처럼 일어나지 않은 트라우마에 관한 글을 통해 자신이 경험하지 못한 깊은 수준의 감정까지 경험하여 스트레스 대처능력 및 정서적 능력을 함양할 수 있다. 가상의 이야기라는 상상의 공간으로 자신을 표현한다는 데에서 보호를 받기 때문에 의식적인 검열의 작용을 피할 수 있다. 내담자의 경우, 자신이 드러내기 힘들었던 경험이나 정서를 가상의 인물이나 이야기를 통해 적당한 정서적 거리를 둔 상태로 마음껏 표현하여 의사소통의 길을 열 수 있다.

관련어 | 은유

가상치유
[假想治癒, imaginary heal]

상담을 통해서 내담자의 문제가 사실상 해결되지 않은 상태인데도 내담자가 자신의 문제가 해결되어 치유되었다고 믿는 현상. 심상치료

상담의 결과 실제 치료적 효과가 없었음에도 불구하고 내담자는 자신이 치유되었다고 느끼는 것을

말한다. 내담자가 가상치유에 대한 믿음을 가지면 일시적으로 인식적 사고변화를 경험하게 되고, 자신의 문제가 해결되었다고 생각한다. 상담자가 내담자의 문제나 증상, 그에 수반되는 고통의 원인 등에 관한 타당성 있는 설명으로 내담자의 이해를 이끌어 내었을 때 가상치유 현상이 일어나는 경우가 많다. 이는 자신의 증상과 제반문제에 대한 이해만으로도 뭔가 해결되었다는 일종의 카타르시스 현상이 일어나기 때문이다. 하지만 인식적 사고변화에서만이 아니라 실제 생활 및 행동, 가치관 등에서 구체적이고 현실적인 변화가 도출되어야 진정한 치료라 할 수 있다. 인식적 사고변화를 두고 치유적 현상이 아니라고 할 수는 없지만, 모든 치료의 궁극적인 목표는 실제적 문제해결을 기반으로 하는 구체적이고 현실적인 생활과 가치관의 변화까지로 본다.

가상현실
[假想現實, virtual reality]

현실이라는 착각을 불러일으키고, 현실과 흡사한 느낌을 주기 위한 진보된 형태의 3차원 그래픽. 사이버상담

인공현실(artificial reality)이라고 부르기도 하는데, 인공현실이라는 용어는 비디오 플레이스 개념을 창안한 마이런 크루거(Myron Krueger) 박사가 사용한 것이다. 약자로 VR로도 쓰이는 가상현실은 실제 물체는 없지만 이를 시뮬레이션화해서 인간의 오감을 자극하는 방법으로, 하나 혹은 그 이상의 느낌을 갖도록 하는 것이다. 가상현실에 대한 이론은 1989년 VRL 리서치사의 제런 러니어(Jaron Lanier)가 컴퓨터로 만들어 낸 환상에 몰두하고 상호작용하면서 그 세계를 경험하는 것이라고 정의한 데서 비롯되었다. 가상현실의 장점은, 첫째, 현실감이다. 현실 상황에서 두 눈으로 사물을 보듯이 입체영상을 전달함과 동시에 물체의 특성을 대화식으로 바로 변경하거나 물체를 잡아서 다른 위치로 움직일 수 있고, 3차원 입체음향을 공간상의 위치에 따라서 구현할 수 있으므로 현실상황에서 느끼는 것과 같은 사실감을 줄 수 있다. 둘째, 체험학습이 가능하다. 실제의 공간 또는 물품을 만들어야 경험해 볼 수 있는 분야, 위험성이 있어 실제 공간에 들어가서 작업할 수 없는 분야, 눈으로 볼 수 없는 분야, 실제로 연습해 보기가 어려운 분야 등을 가상현실을 이용하여 안전하게 제어를 하거나 훈련 등의 경험을 할 수 있다. 셋째, 설계의 정확성이다. 3차원 데이터를 입체의 가상공간으로 만들어 설계자가 직접 그 공간 사이에 들어가 오류를 수정하고 정확한 설계를 할 수 있다. 이 같은 장점 때문에 가상현실은 인터넷, 게임, 의학 등 여러 분야에서 응용되고 있다. 특히 의학분야에서는 심리적 요법의 하나로 가상현실이 적용되는데, 실제 상황에서 맞닥뜨리기 전에 가상현실 속에서 불안과 위험을 줄이는 훈련을 해 봄으로써 실생활 적응력을 높일 수 있다.

가성 적대성
[假性敵對性, pseudo-hostility]

표면적으로는 갈등하고 적대적인 관계에 있지만 내면에는 서로에 대한 친밀감이 있는 관계. 가족치료 일반

가짜 적대성, 거짓 적대성, 혹은 위장(僞裝) 적대성이라고도 부른다. 윈(Wynne)과 싱어(Singer) 등이 정신분열증 환자의 가족을 연구하는 과정에서 확인한 현상이다. 정신분열증적 가족의 특징으로, 외현적으로는 가족구성원 간에 조화를 이루고 있는 듯한 상태를 가리킨다. 가족 내 통합과 분열을 모호하게 하는 갈등형태로서, 소란스럽고 심각한 점이 있을지라도 그것은 단순한 피상적 분열에 불과하다. 인간에게는 두 가지 갈등하는 욕구가 존재하는데, 하나는 자기정체성을 유지하려는 욕구이며 다른 하나는 타인과의 관계를 유지하고자 하는 욕구

다. 이것을 가족이라는 측면에서 살펴보면 정체성을 유지하려는 욕구는 가족체계로부터의 분리 독립을 의미하며, 타인과의 관계를 유지하고자 하는 욕구는 가족에 대한 친밀함을 의미한다. 건강한 개인이나 가족은 서로 갈등하는 두 욕구를 적절하게 조절해 나갈 수 있지만, 역기능적인 개인이나 가족은 두 가지 욕구 사이의 균형을 유지하는 데 어려움을 겪는다. 즉, 두 가지 욕구의 한쪽 측면만을 강조하고 다른 쪽 측면은 은폐함으로써 갈등상황을 회피하고자 한다. 정체성의 강조, 즉 분리독립의 강조는 가성 적대성으로 나타내며 타인과의 관계를 강조하는 것은 가성 상호성으로 나타낸다. 윈 등은 파슨스(Parsons)와 베일즈(Bales)의 영향을 받아서 가족을 사회의 하위체계로 파악하고 역할이라는 개념을 중시하였다. 가성 적대성은 경직된 역할구조로 특징되는데, 가족구조로부터 일탈하는 것은 아닐까 하는 것도 가족을 불안에 빠뜨리기 때문에 각 가족구성원의 자발성이나 다른 사람에 대한 관심, 유머, 독창성 등은 강력하게 배제된다. 가성 상호성과 마찬가지로 내면의 적대감뿐만 아니라 친밀감과 애정까지 불분명해지고, 의사소통을 왜곡시키며 현실감각과 관계에 관한 합리적인 사고를 방해한다.

관련어 | 가성 친밀성

가성 친밀성
[假性親密性, pseudo-mutuality]

역기능적 가족이 심각한 내부 갈등을 위장하기 위해 겉보기에 화목한 척하는 것. 가족치료 일반

가성 상호성(相互性), 거짓 상호성, 의사(擬似) 상호성, 기만적(欺瞞的) 상호성, 또는 위장(僞裝) 상호성이라고도 부른다. 윈(Wynne), 릭코프(Ryckoff), 데이(Day), 허시(Hirsch)가 소개한 가족치료 용어로서, 정신분열증적 가족에서 병리적 관계를 은폐하기 위한 표면적인 갈등을 지칭한다. 가족구성원 간 일종의 표면적인 통합으로서 갈등을 감추고 친밀감을 방해하는 연합의 형태다. 인간에게는 자신의 정체성을 유지하려는 욕구와 타인과 교제하고자 하는 욕구의 상반되는 두 가지 욕구가 있는데, 이들 욕구를 가족관계 내에서 충족시키는 방법은 세 가지다. 첫째, 상호성은 자신의 욕구와 가족의 욕구가 서로 균형이 잡혀 있는 상태다. 둘째, 무(無) 상호성은 가족 내에는 표면적인 관계 밖에 존재하지 않고 개인과 가족 사이에 공통 관심사가 없는 상태다. 셋째, 가성 상호성은 가족끼리 친밀한 관계가 유지되고 있는 것처럼 보이기 위해 가족구성원 개인의 정체성(identity)이 분화되는 것을 희생시키는 상태다. 가족구성원의 개별화나 역할구조의 변화를 가족체계에 대한 위협이라고 간주하는 가성 상호성은 흔히 정신분열증 환자를 가진 가족의 특징으로 알려져 있지만 일반적인 가족에게서도 나타난다. 이와 같이 가성 상호성은 가족구성원이 자신의 정체성을 유지하지 못한 채 가족이 가진 역할구조에 따라 어쩔 수 없이 친밀한 관계를 유지하는 것처럼 행동하는 것이다.

관련어 | 가성 적대성, 고무울타리

가속학습
[加速學習, accelerated learning]

학습의 중추가 되는 뇌의 활동을 탐구함으로써 학습자 개개인에게 가장 잘 맞는 방식의 학습과정을 발견하고자 하는 이론. NLP

불가리아 태생의 교육학자이자 심리학자인 게오르기 로자노프(Georgi Lozanov) 박사의 암시학습법(suggestopedia)을 바탕으로 1980년대 미국 스탠퍼드 대학교에서 개발한 새로운 학습법이다. 가속학습은 전뇌와 감각에 기초한 NLP 심리학에 해당하는 발견들을 학습에 적용하는 원리와 방법이라고도 할 수 있다. 이는 인간의 학습이 이루어지는 뇌의

속성을 이해하고 뇌가 기능하는 방식을 고려하여 학습자의 뇌가 자연스럽게 학습하는 상황을 마련하고자 하는 뇌 기반 학습이론에 바탕을 두고 있다. 이처럼 가속학습은 학습자별로 내재해 있는 능력을 밖으로 끄집어내게 하는 것으로서 사람들마다 자신에게 가장 잘 맞는 학습방법을 가지고 있다는 것을 인식하고 그 방식으로 자연스럽게 학습이 이루어지도록 하는 것이다. 자연스럽기 때문에 더 쉽고 더 빨라 이 학습방법을 가속학습이라 부른다. 가속학습에서는 학습자로 하여금 학습의 내용보다 학습의 과정에 초점을 맞추도록 한다. 가속학습의 교수자는 학습자와의 감정적 유대를 형성하고 학습자가 수용적이라고 느끼면서 스트레스를 받지 않도록 충분히 동기화 상태에 있는지 항상 확인하고 점검해야 한다. 학습자는 학습하는 방법을 배우면서 자신의 학습과 삶을 능동적으로 통제하는 사람으로서 자존감과 자신감이 높아지고 새로운 기술과 변화에 능동적으로 대처할 수 있게 된다. 가속학습의 구성원칙을 살펴보면 다음과 같다. 첫째, 학습자와 관련이 있는 감각적 자극이 충분한 환경을 제공해야 한다. 둘째, 실수하는 것을 두려워하지 않도록 해 주고 실수를 통하여 배울 수 있다는 편안한 분위기를 만들어 줌으로써 학습에 대한 스트레스를 낮추어 준다. 셋째, 학습자가 학습을 위해 정서적 · 신체적으로 준비되어 있는지 항상 관심을 가져야 한다. 넷째, 학습을 향상할 수 있도록 교육적으로 학습자의 학습과정을 잘 평가하고 학습자가 내면화할 수 있도록 적절하게 피드백을 해야 한다. 다섯째, 학습자에게 정보를 제공할 때 그들이 뇌의 다른 구조를 충분히 사용할 수 있도록 구조적으로 잘 짜인 다양한 입력자료를 제시해야 한다. 여섯째, 지능에 대한 모델과 가설을 충분히 이해하고 있어야 한다. 일곱째, 암시적인 방법, 다양한 질문전략과 개인적인 목표설정으로 학습과정에서 나타나는 의식적, 무의식적 과정을 모두 고려해야 한다. 여덟째, 의미 있는 장기기억을 만들기 위해서는 좀 더 학습자와 관련되고 쉽게 접할 수 있는 활동적인 암기활동을 해야 한다. 아홉째, 목적을 가지고 언어를 변화시킨다거나 음악을 사용하는 등의 다양한 학습목표를 충족시킬 수 있는 여러 가지 학습방법을 개발해야 한다. 이와 같은 가속학습은 6개의 기본 단계로 이루어져 있으며 이 단계를 'MASTER'라고 부른다. 1단계는 마음을 동기화시키는(Motivating your mind) 단계로서 학습자가 이완되어 있고 자신감이 있으며 충분히 학습하고자 하는 동기가 있는 상태로 만드는 것이다. 2단계는 정보 습득(Acquiring the information) 단계로서 시각, 청각, 운동 등 다양한 감각기관에 호소하는 교수전략을 활용하여 학습자에게 적합하고 잘 맞는 방식으로 과목의 기본적인 사실을 습득하고 흡수하도록 하는 것이다. 3단계는 의미 찾기(Searching out the meaning) 단계로서 정보를 기억에 영구히 저장하기 위해 해당 주제를 면밀하게 탐색하여 시사점과 중요성 등의 전체적 의미를 찾는 것이다. 단순한 사실을 자신만의 의미로 전환하는 것을 학습의 핵심요소라고 보고 가드너(Gardner)의 다중지능을 활성화시킴으로써 학습자마다 가지고 있는 뇌의 능력을 충분히 사용하도록 한다. 4단계는 기억 일으키기(Triggering the memory) 단계로서 기억해야 할 내용을 장기기억에 저장할 수 있도록 연상의 사용, 범주화, 이야기 만들기, 두문자어(첫 글자 따기), 플래시카드, 학습 지도(map), 검토하기 등의 전략을 사용하는 것이다. 5단계는 아는 것 보여 주기(Exhibiting what you know) 단계로서 배운 것을 이해했는지 확인하기 위해 자신을 테스트하거나 동료에게 자신이 알고 있는 정보를 설명하여 전달하는 방법 등을 사용한다. 누군가를 가르칠 수 있다는 것은 학습한 내용에 대해 완전하게 이해하고 있음을 보여 주는 것이다. 6단계는 학습방법 반성하기(Reflecting on how you've learned) 단계로서 학습자 스스로 어떠한 방법으로 배웠는지 곰곰이 생각해 보는 과정을 통하여 자신에게 가장 효과적인 학습방법과 아이디어를 찾아내는 것이다. 이러한 과정을 거치면서 학

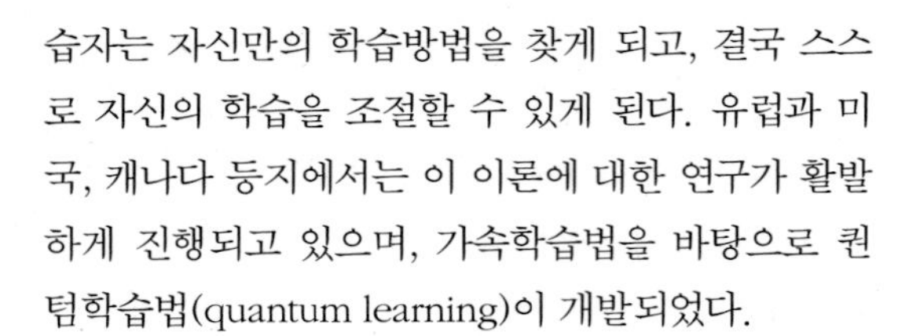

습자는 자신만의 학습방법을 찾게 되고, 결국 스스로 자신의 학습을 조절할 수 있게 된다. 유럽과 미국, 캐나다 등지에서는 이 이론에 대한 연구가 활발하게 진행되고 있으며, 가속학습법을 바탕으로 퀀텀학습법(quantum learning)이 개발되었다.

가입례
[加入禮, initiation]

통과 의례의 하나로 아이들이 어른 사회에 들어갈 때 행해지는 의례를 말하며, 성년식 또는 원어 그대로 이니시에이션이라고도 함. 다문화상담

옛날 여행하는 사람이 어떤 지역을 통과할 때 외부에서 들어오는 해(害)를 씻어 내고 지역 사람들과 합체(合體)하기 위한 의례가 있었는데, 그 장소를 나올 때도 똑같은 의례를 행하였다. 이 같은 의례는 이후 개인의 사회적, 종교적 지위에 변경이 있을 때 행해지는 일련의 의례적 행위로 이어졌다. 개인의 사회적인 변화는 성인(成人), 결혼, 입학, 입사 등이고, 종교적인 변화는 승려나 목사 또는 신자가 되기 위한 의식이 대표적이다. 인생의 여러 단계에도 출생, 입학, 성인, 결혼, 출산, 장례 등의 단락을 짓는 습관이 있으며, 이것 역시 통과의례다. 일부 원시부족에서는 지금도 얼굴에 상처를 입히거나 문신을 새기거나 할례(割禮)를 행하는 것으로 이러한 통과의례를 거치는 종족이 있다. 가입례는 이 같은 통과의례 중 성인으로서 다양한 영역에 들어서게 되는 변화과정에서 이루어지는 특별한 의식을 의미한다. 월리스(Wallace)는 현대사회의 가입례가 참여자에게 그들의 지위와 역할이 새로운 단계에 들어섰다는 것을 교육하고 공식적으로 알리며, 실제로 그 지위와 역할을 개시(開始)하도록 만드는 기능이 있다고 하였다. 또한 볼린과 버넷(Wolin & Bennett) 등은 가족치료를 할 때 가입례 기능을 도입하면 가족구성원들의 긍정적인 변화를 강조하는 효과를 줄 수 있다고 설명하였다. 문명사회에서는 대학에서의 신입생 환영이나 클럽의 입회 등에서 일부러 시련을 주는 경우가 있는데, 이것은 현대판 가입례 의식이라고 할 수 있다.

가잘
[-, ghazal]

페르시아에 기원을 두고 있는 4행으로 된 서정시. 문학치료(시치료)

아프가니스탄, 중앙아시아, 파키스탄, 인도, 터키, 아랍, 북아프리카, 말레이시아 등에 퍼져 있으며, 각지의 언어 또는 민족 음악으로 널리 불리고 있다. 처음에 결론을 노래하고 전개부에서 이야기나 감정을 설명하다가 다시 결론인 주제로 되돌아오는 형식으로, 간주가 삽입되면서 전개된다. 2행 대구의 운과 후렴구를 가지고, 각 행마다 같은 운율의 시 형식이다. 가잘은 상실이나 이별과 고통 속의 사랑의 아름다움을 함께 표현한 시다. 형식은 6세기 이슬람 전파 이전의 아랍 운문에 기원을 두고 있으며, 이탈리아식 소네트의 정형성과 유사하다. 양식이나 내용에서는 사랑과 이별의 중심 주제에 대해서 다양하고 색다른 표현을 많이 제공하고 있다. 가잘은 또한 인도-페르소-아랍 문명권에서 동부 이슬람으로 전파된 주요 시 형식의 하나인데, 다섯 이상의 대구로 구성된다. 각 대구에서 뒤에 나오는 행이 하나 이상의 단어로 된 후렴구의 반복으로 끝이 난다. 엄격한 가잘에서는 대구 간에 시행 걸침(시의 1행의 뜻이나 구문이 다음 행에 걸쳐 이어지는 것)이 없다. 각 대구는 그 자체로 완전한 하나 이상의 문장이 되어야 한다. 모든 대구는 각 대구 행마다 운율이 같아야 한다. 각 대구가 별개의 시가 된다. 각 대구의 두 번째 행이 첫 번째 행을 부연하고, 각 행은 모두 길이가 같아야 한다. 가잘은 경구처럼 간결하면서도 한없는 서정성, 환기, 슬픔, 비애, 기지를 가지고 있다. 미국에서 가잘에 대한 관심이 일어난 것

은 카슈미르계 미국 시인인 아가 샤히드 알리(Agha Shahid Ali)에 의해서였고, 영국에서는 이란계 영국 시인인 미미 칼바티(Mimi Khalvati)가 큰 관심을 가졌다.

가장기법
[假裝技法, pretend technique]

내담자의 문제행동이 실제로 일어나지 않는 상황에서 마치 실제 증상이 나타난 것처럼 반응하도록 지시하는 기법.

전략적 가족치료

마다네스(Madanes)가 놀이, 유머, 그리고 판타지에 기초하여 고안한 가족상담 기법이다. 대부분의 역설적 기법들이 직면적 경향이 높고, 내담자 가족의 강력한 저항을 활용하는 방법인 데 반해, 가장기법은 비교적 부드러운 방식으로 접근한다. 따라서 내담자 가족의 강한 저항을 유발하지 않으면서도 자연스러운 치료적 효과를 도모한다. 가장기법을 사용하기 위해서 상담자는 내담자에게 문제 증상이 나타나지 않는 상황에서 마치 증상이 나타난 것처럼 위장하여 반응하도록 지시한다. 또한 내담자의 가족들도 이러한 '척' 하기 반응에 대해서 기존에 실제 문제증상에 반응하고 상호작용했던 것처럼 똑같이 하도록 지시한다. 이렇게 마치 놀이와 같은 가장기법을 통해서 내담자는 한때 비자발적으로 발생했던 증상행동을 자발적으로 하는 가운데, 그 증상행동에 대한 통제력을 회복한다. 또한 지금까지 내담자의 문제행동이 발생하는 데 영향을 미친 가족구성원들의 행동이 변화하게 되고, 그 결과 내담자는 지금까지 표출했던 증상을 포기한다. 이 같은 가장기법은 여섯 단계로 진행된다. 첫째, 누가 무엇을 하며 어떤 반응을 할까, 그 후 어떤 반응이 계속될까 등 증상행동의 전체 패턴을 파악한다. 둘째, 누가 연출해 줄 가능성이 있는지 결정한다. 셋째, 어떤 장면을 연출할 수 있는지 확인한 다음 가족이 일상적으로 하는 행동을 연출하도록 요구한다. 넷째, 그 장면을 재연출하도록 하고 이번에는 상담자가 가족원들 간의 의사소통 방식을 수정하거나 추가 행동을 처방한다. 다섯째, 다음 상담회기 때까지 가정에서도 그 재연을 정기적으로 연습하도록 지시한다. 여섯째, 다음 상담회기에 가정에서 연습한 경험을 보고한다.

가정교육
[家庭敎育, home education]

미성년 자녀에 대하여 주로 부모가 가정에서 행하는 교육.

가족치료 일반

언제부터 우리나라에서 사용된 말인지 확실하지 않지만 '교육적 예의범절 교육'을 의미하는 것으로 옛날부터 있어 왔다. 역사적으로 보면 로마시대에는 자녀에 대한 가부장의 권한은 생사여탈권을 포함한 강대한 것으로서 소년의 교육은 모두 아버지의 손에 맡겨져 왔다. 서구에서 17세기까지는 가부장이 가정을 통치하는 것이라고 생각하였다. 우리나라에서도 가정교육 제도가 일찍부터 있었으며, 특히 조선 이후로는 가정교육이 교육의 중심이었다. 가풍을 중시하고 가훈이라는 형태로 가정교육의 이념이 성문화되어 자손에게 전달되었다. 근대국가의 성립과 더불어 국민이 평등한 교육을 받게 되면서부터는 학교교육이 교육의 중심이 되었다. 어디서 행해지는가에 따라 교육을 가정교육, 학교교육, 사회교육의 세 가지로 나누어 생각하는 것이 일반적이지만, 가정교육학이라는 확립된 체계는 없고 사회교육 속에서 가정교육에 대한 것이 있으면서 학제적인 관점에서 실시되고 있다.

가정방문
[家庭訪問, home visit]

내담자의 심리상태 개선, 심리발달 촉진, 학습 원조, 기관 방문의 동기 형성 등을 목적으로 각 가정에 직접 찾아가서 행하는 조력활동. 

지역사회복지의 한 유형으로서 임상사회복지사, 비전문적인 자원봉사자, 치료사, 상담기관에서 파견되는 정신적 동반자(metal friend), 의사 혹은 간호사의 왕진, 방문간호, 보건복지부의 방문활동, 청소년상담소 직원, 법적인 출입 조사, 담임교사, 양호교사 등의 방문지도 등이 있다. 종래에는 면접실 내에서 구조화된 면접을 실시하여 내담자의 현상에 대한 의미를 파악하고, 이를 토대로 내담자를 사정하고 개입전략을 세웠다. 하지만 내담자를 돕기 위해서는 내담자와 상담자 이외에 내담자를 둘러싸고 있는 물리적 환경과 보호자 혹은 주변인과의 심리적 환경 등에 대한 사정도 필요하다. 내담자에 대한 사정과 의뢰는 보호자의 의뢰와 책임이 전제되어야 하지만 때로는 가족이나 상담자가 내담자에게 부정적으로 영향을 미칠 위험이 있다는 것을 자각해야 한다. 내담자가 기관이나 상담소를 방문하기 곤란한 경우에 상담에 의뢰되는 경향이 있는데, 이 경우에 가정방문을 하게 된다. 이때 고려해야 할 점은 다음과 같다. 내담자가 처한 상황의 긴급도, 대인관계에 의한 변화와 과정, 은둔의 의미, 가정방문의 목적, 적임자 등을 검토한다. 학생 혹은 봉사자 등의 비전문가를 파견할 경우에는 방문자의 심적 외상 예방교육, 사전지도, 수퍼비전 등을 실시하여 가정방문의 효율성을 높여야 한다. 다음으로 내담자 혹은 가족과 함께 방문계획을 구조화하는 것이 필요하다. 즉, 방문 시간과 공간을 결정해야 하는데 일반적으로 계속적 방문은 주 1~2회, 매회 1~2시간이 적당하며, 방문공간은 내담자의 방 혹은 거실 등 어디서 할 것인지를 정한다. 그리고 가족과의 적절한 관계와 거리, 방문기간, 종결사항, 보호자 면접, 사례책임자 결정, 유료상담인 경우 상담료와 지불방법 등도 결정한다. 이러한 구조화는 내담자의 심리적 상태를 고려하여 결정하는 것이 바람직한데, 그들은 대개 방문에 대한 두려움이나 불안을 드러내기 때문이다. 갑작스러운 방문으로 내담자가 두려움이나 불안과 같은 부정적 감정을 갖지 않도록 무리하게 일정을 계획하지 않아야 하며 내담자가 신뢰하는 사람을 통하여 방문을 예고하는 것이 바람직하다. 만약 예고를 하고 방문한 경우에 내담자가 외출하여 만나지 못하였다면 어떤 사정이 있거나 상담저항과 같은 의미를 지니고 있다. 내담자가 부재 시에는 가능하면 짧은 내용의 메모를 남기도록 한다. 한편, 내담자를 만났을 경우에는 방문자의 간단한 자기소개와 방문목적 등을 설명한다. 그리고 방에 있는 물건과 같이 주변환경이나 날씨, 맞이하는 가족 등에 대한 대화를 시작하여 내담자와 라포를 형성한다. 심층면접은 첫 면접에서는 삼가고 내담자와 충분히 라포를 형성한 다음에 행하는 것이 바람직하다. 자신만의 공간에 갇혀 지내는 내담자는 보다 강한 감정을 수반하고 두드러진 반응을 나타내는 경우가 많기 때문에 그에 적합한 특별한 라포형성이 요구되기도 한다. 방문 초기에 내담자는 방문자를 시험하는 경우가 많은데, 그들은 방문자를 새로운 목표(new object)로 간주하는 등 투사의 대상으로 삼기도 한다. 또한 역기능적 가족상황에서는 가족역동이 부정적 영향을 미쳐 가족구성원 간의 갈등이 방문상황에서 재현될 수 있으며, 방문자가 가족관계의 중심에 설 가능성도 있다. 따라서 방문자는 내담자 혹은 가족과 함께 간식이나 식사를 하거나 선물 등에 대하여 적절하게 대처해야 하며, 이러한 과정도 치료의 한 국면이라 할 수 있다. 즉, 내담자와의 거리, 대화방식, 주변환경에 대한 화제나 놀이의 제시 등의 활동에서 이루어지는 다양한 비언어적 표현을 내담자의 성장이나 변화에 촉진적 요인으로 적용할 것인지를 고려해야 한다. 끝으로 방문자는 내담자를 만나거나 만나지 않더라도 날짜와 시간을 미리 알려 주어 다음 방문일정을 계획하는 것이 바람직하다.

가정생활만족도
[家庭生活滿足度, family life satisfaction]

개인이 가정생활에서 느끼는 심리적 안녕과 행복감의 정도.
가족치료 일반

가족체계에서 형성되는 가족관계와 가정 내 역할 및 경제상태, 가족구성원의 심리적 · 신체적 건강상태 등에 대해 내리는 주관적인 평가다. 일반적으로 가정생활만족도가 높은 가족체계는 가족 간 응집성이나 가족체계의 융통성 및 의사소통이 원활하게 이루어지는 특징을 가지고 있다. 또한 구성원 간에 정서적 유대가 긴밀하며, 가족의 권력구조가 균형적이고, 의사소통이 효율적으로 이루어진다.

가정폭력
[家庭暴力, family violence]

가정생활 내에서 일어나는 공격적이고 파괴적인 모든 사건.
가족치료 일반 위기상담

가정 내에서 이루어지는 폭력이나 학대를 말하는데, 예를 들어 부모의 자녀에 대한 폭력이나 학대, 부모에 대한 자녀의 폭력이나 학대, 부부간 폭력이나 학대, 형제간 폭력이나 학대 등이다. 과거에는 가정폭력이 각 가정의 문제라 여기고 다른 사람들이 개입하지 않으려 하는 경향이 있어서 일반적인 폭력으로 받아들이지 않았다. 그러나 최근에는 가정 내 폭력이나 학대가 사회적 문제로 확대되는 경향이 있어 가정폭력을 법으로 다스리고 있다. 특히, 부모가 자녀에게 폭력이나 학대를 가하는 행위는 아동학대(child abuse), 노부모와 같은 노인에 대한 폭력이나 학대는 노인학대(elderly abuse)로 규정하여 법으로 처벌하고 있다. 우리나라에서는 1997년에 「가정폭력범죄의 처벌 등에 관한 특례법」이 제정되었고, 여기서 "가정폭력은 가정구성원 사이의 신체적, 정신적, 재산상의 피해를 수반하는 행위를 말한다."라고 정의하고 있다. 또한 제2조3호에서는 가족구성원 간 직접적인 폭행, 상해, 상습범, 유기, 명예 훼손, 협박, 감금, 체포, 학대, 모욕 등을 가정폭력 범죄로 규정하고 있다. 여기서 가족구성원이란 사실혼인의 관계에 있는 사람을 포함하는 배우자, 배우자 관계에 있었던 사람, 자신이나 배우자의 직계 존비속 관계 또는 사실상의 양친자의 관계에 있는 사람, 계부모와 자녀의 관계 또는 적모와 서자의 관계에 있거나 있었던 사람, 동거하는 친족의 관계 등을 말한다. 가정폭력에 관한 연구를 살펴보면 아동기에 가정폭력을 목격하거나 경험한 사람이 청소년이나 성인이 된 이후에 가정 내 폭력을 보일 가능성이 높은데, 가정폭력의 피해자가 곧 가해자가 될 수 있다는 뜻이다.

가정폭력에 대한 진단과 평가 [家庭暴力－診斷－評價, diagnosis and evaluation on family violence] 가정폭력의 유형이나 원인을 객관적으로 확인하기 위한 사정절차를 뜻한다. 부부를 대상으로 한 가정폭력의 진단과 평가를 하기 위해서는 부부를 함께 만나는 것보다는 개별적으로 상담하는 것이 더 바람직하다. 미국 내 구타에 대한 연구에서 밝혀진 바에 따르면, 구타를 유발하는 선행요건이 없음에도 폭력이 발생하고, 일단 배우자가 폭력을 휘두르면 상대방은 폭력을 멈추게 할 방법이 전혀 없는 것으로 보고되고 있다. 구타는 한 사람이 위협이나 무력을 사용하여 다른 사람을 협박하고 두렵게 만들어 상대방을 통제하는 것이다. 따라서 부부 중 한 사람이 폭력적일 경우, 부부를 함께 만나는 것은 윤리적으로 문제가 있다. 가정폭력의 위험을 진단하고 평가하는 스트라우스-젤레스(Straus-Gelles)의 갈등전략 척도 19문항이 있는데, 이 척도는 문제에 관해 의논하는 것부터 칼이나 흉기를 사용하는 것까지 측정할 수 있다. 또한 정서적 학대 질문지도 사용할 수 있는데, 이는 사회적 고립, 무시, 성적 강압, 재정적 손실과 같이 덜 심각한 폭력을 진단하고 평가하는 데 사용된다.

부모에 대한 폭력 [父母-暴力, violence toward parents] 자녀가 자신을 돌보는 부모나 양육자를 신체적, 정신적으로 폭행을 가하거나 학대하는 행동을 뜻한다. 1970년대 일본에서 청소년의 부모 폭행이 사회적 문제로 대두되면서 밝혀진 행동 특성인데, 이러한 청소년은 유아기에는 부모의 요구를 따르는 순종적 아이이며 성격적 특성으로는 꼼꼼함, 완벽주의, 강박적, 언어표현에서의 열등감 등을 느끼며, 사회적 관계, 즉 학교에서 친구관계 형성이 어렵다(Yamazaki, 1997). 유아기에 반항, 즉 제1반항기를 체험하지 않는 경우가 많다는 지적도 있다. 또한 학교생활의 부적응, 무단결석, 학업에 대한 무관심, 낮은 자존감, 불행, 다른 사람의 기대에 못 미친다는 생각에 매우 수줍어하면서 지나치게 자기억제적, 과잉행동, 주의력결핍 등의 문제(Paulson, Coombs, & Landsverk, 1990), 가족에 대한 통제력과 자신의 전능함에 대한 믿음(Harbin & Madden, 1979) 등의 특성을 보인다. 가정폭력을 목격한 아동은 정서장애, 행동장애, 학습장애, 정신 신체 장애, 외상 후 스트레스 장애, 낮은 자존감, 공포, 불안, 분노, 신체적 호소, 퇴행반응, 공격적이고 난폭한 문제해결방법, 잘못을 남에게 투사하는 경향 등이 있다. 그리고 신경질이나 열등감이 강하고, 자기중심적이면서 자기주장도 강하다. 또한 부모에 대한 폭력을 행하는 아동이나 청소년은 의외로 가정 밖에서는 커다란 문제행동을 보이지 않는 경우가 많다. 그러나 어느 것이든 간에 폭력아의 성격만을 성립요인이라고 생각하지는 않고 부모의 양육태도와의 관계도 중요하게 고려해야 한다. 즉, 부모와 자녀 간 상호작용이라는 관점에서 파악할 필요가 있다. 자녀의 부모에 대한 폭력은 다음과 같은 과정으로 이루어진다. 첫째, 잠복기는 내적으로 폭력준비가 행해지고 있는 시기다. 둘째, 폭언파괴기는 폭력의 초기단계에 해당한다. 셋째, 폭력기는 폭력이 극도로 발생하는 시기다. 넷째, 허탈기는 의식상태가 멍하고 무위로 보내는 시기다. 다섯째, 회복기는 조금씩 활기가 되살아나는 시기다. 폭력아나 가족에 대해서는 가능한 한 조기상담이나 심리치료를 실시하는 것이 바람직하다. 특히 가족치료가 유효한 경우가 많다. 그중에는 정신병, 신경증 등의 정신장애가 원인인 경우도 있기 때문에 전문의의 진단이 필요한 상황도 있다.

부부간 폭력 [夫婦間暴力, conjugal violence] 남편이 아내에게 혹은 아내가 남편에게 신체적 · 정신적 폭력을 가하는 행동을 말한다. 미국에서는 1960년대부터 중대한 사회문제로 인식되고 있으며, 아내에 대한 남편의 폭력이 주요한 사회적 문제가 되었지만 남편에 대한 아내의 폭력도 많이 보고되고 있다. 1970년대 미국에서는 폭력 남편의 존재가 심각한 문제로 대두되어 피해 아내를 위한 피난장소로 쉼터(shelter)가 개소되었고, 가정폭력 피해자에 대한 사회적 관심이 증대하였다. 최근 미국에서는 남편에게 폭력을 휘두르는 아내도 폭력 남편과 똑같은 정도로 존재한다고 한다. 우리나라에서는 지금까지 부부간 폭력은 서구만큼 큰 사회적 문제는 아니었지만 분명히 존재하는 것은 사실이다. 그럼에도 불구하고 우리나라에서는 그다지 사회적 관심을 모으지 못했는데, 남편 우위적 생활이나 강함이 숭배받는 남성관을 기저로 하는 문화 때문인 것으로 본다. 그러나 최근 우리나라도 산업화와 물질 중심의 서구화로 폭력문제가 사회문제로 인식됨으로써 가정폭력 피해자를 위한 쉼터와 상담소를 설치하여 가정폭력에 대처하고 있다. 또한 남편에 대한 아내의 폭력도 점차 증가하는 추세인데, 그 특징은 아직 명확하게 밝혀지지 않고 있다. 아내에게 폭력을 행하는 남편의 특징은 학력에 비하여 현저하게 낮은 직업적 지위를 가지고 있는 경향이 있는데, 이는 낮은 지위에 대한 열등감이 원인이라고 보고 있다. 외현적으로 남편의 폭력에 가장 큰 영향을 미치는 원인은 알코올 기벽이나 약물남용인 경우도 많다.

관련어 가정폭력 방지 및 피해자 보호 등에 관한 법률, 가정폭력 범죄의 처벌 등에 관한 특례법

가정폭력 방지 및 피해자 보호 등에 관한 법률
[家庭暴力防止 – 被害者保護等 – 法律, act on the prevention of domestic violence and protection, etc. of victims]

가정폭력을 예방하고 가정폭력의 피해자를 보호 · 지원함을 목적으로 1997년에 제정된 법. 가족치료 일반

사회복지법의 분류체계에 따라 사회복지 서비스법에 속하는 법으로, 국가와 지방자치단체는 가정폭력의 예방 · 방지와 피해자의 보호 · 지원을 위하여 가정폭력 신고체계의 구축 및 운영, 가정폭력의 예방과 방지를 위한 조사 · 연구 · 교육 및 홍보, 피해자를 위한 보호시설의 설치 · 운영, 임대주택의 우선 입주권 부여와 그 밖에 피해자에 대한 지원 서비스의 제공, 피해자의 보호와 지원을 원활히 하기 위한 관련 기관 간의 협력체계 구축 및 운영, 가정폭력의 예방 · 방지와 피해자의 보호 · 지원을 위한 관계 법령의 정비와 각종 정책의 수립 · 시행 및 평가를 취해야 함을 밝히고 있다. 여성가족부 장관은 3년마다 가정폭력에 대한 실태 조사를 실시하여 그 결과를 발표하고, 이를 가정폭력을 예방하기 위한 정책수립의 기초 자료로 활용해야 한다. 보호시설에 입소한 피해자나 피해자가 동반한 가정구성원의 보호를 위해 필요한 경우 생계비나 아동교육 지원비, 아동 양육비 등을 보호 시설의 장 또는 피해자에게 지원할 수 있다. 누구든지 영리를 목적으로 상담소 · 보호시설 또는 교육훈련시설을 설치 · 운영해서는 안 된다. 다만, 교육훈련시설의 장은 상담원 교육훈련과정을 수강하는 자에게 여성가족부 장관이 정하는 바에 따라 수강료를 받을 수 있다. 이 법에 따른 긴급전화센터 · 상담소 · 보호시설 또는 교육훈련시설이 아니면 가정폭력 관련 긴급전화센터, 상담소, 가정폭력 피해자 보호시설 또는 가정폭력 관련 상담원 교육훈련시설이나 그 밖에 이와 유사한 명칭을 사용하지 못한다. 긴급전화센터, 상담소 또는 보호시설의 장이나 이를 보조하는 자 또는 그 직에 있었던 자는 그 직무상 알게 된 비밀을 누설해서는 안 되며, 이를 어길 경우 1년 이하의 징역 또는 1천만 원 이하의 벌금에 처한다.

관련어 가정폭력, 가정폭력 범죄의 처벌 등에 관한 특례법

가정폭력 범죄의 처벌 등에 관한 특례법
[家庭暴力犯罪 – 處罰等 – 特例法, act on special cases concerning the punishment, etc. of crimes of domestic violence]

가정폭력 범죄의 형사처벌 절차에 관한 특례를 정하고 가정폭력 범죄를 범한 사람에 대하여 환경의 조정과 성행(性行)의 교정을 위한 보호처분을 함으로써 가정폭력 범죄로 파괴된 가정의 평화와 안정을 회복하고 건강한 가정을 가꾸며 피해자와 가족구성원의 인권을 보호함을 목적으로 1997년에 제정된 특례법. 가족치료 일반

가정폭력 문제의 심각성에도 불구하고 가정 내의 문제로 치부하여 사회적으로 방치되는 문제를 해결하기 위해 가정폭력의 방지 및 가해자의 처벌을 위한 형사 사법 체계를 강화해야 한다는 여론이 배경이 되어 제정된 법이다. 이는 과거 부부싸움 정도의 사적인 문제로 간주되었던 가정폭력을 명백한 범죄행위로 인식하고 국가의 사법 체계 및 사회 공동체가 적극적으로 개입해야 할 공적인 문제로 선언했다는 의미가 있다. 일반 형사사건의 경우는 자기 또는 배우자의 직계존속은 고소를 할 수 없지만 이 법의 규율을 받는 가정폭력 사건의 경우에는 자기 또

는 직계존속인 경우에도 고소를 할 수 있고, 피해자의 친족이나 이해 관계자도 고소할 수 있다. 가정폭력 범죄자에 대한 처벌뿐 아니라 수사기관 및 법원이 폭력 행위자로부터 피해자를 보호하기 위한 응급조치, 임시조치, 보호조치, 보호명령을 할 수 있는 법적 근거도 제공한다. 일반 형사절차에서는 죄에 대한 응보와 예방이 목적이라면 이 법에서는 응보와 예방보다는 행위를 한 자에게 다시 한 번 가정으로 돌아갈 수 있는 기회를 부여하고 그 가정이 회복될 수 있도록 국가가 적극적으로 협조하고자 한다는 특징이 있다.

관련어 | 가정폭력, 가정폭력 방지 및 피해자 보호 등에 관한 법률

가정하기 문형
[假定-文型, 'a As-If' frame]

마치 어떤 일이 발생한 것처럼 가정하여 말하는 화법. NLP

NLP에서 가정하기 문형은 원하는 목표나 성과를 달성하고자 할 때 현재 경험하고 있는 문제나 장애를 극복하려는 과정에서 창조적 문제해결을 촉진하기 위한 목적으로 사용된다. 심상이나 상상을 통하여 미래에 원하는 대로 이루어지는 상황을 가정하게 만드는 것이다. 내담자에게 "당신에게 만약 ~와 같은 일(사건)이 생긴다면 어떻게 될까?"와 같은 질문을 하여 내담자의 대답을 이끌어 낼 수 있다. 이 질문에 대하여 내담자는 현실적 장애에도 불구하고 자신이 원하는 미래상을 생각하거나 그러한 맥락에서 창의적으로 현실문제를 해결할 수 있는 지혜를 찾는다. 해결중심접근에서 시행하는 기적질문과 유사한 형태로서, 질문을 하고 질문에 대한 대답에서 얻고자 하는 취지도 해결중심상담과 유사하다. NLP에서는 내담자에게 구한 답을 앵커로 활용할 수 있다는 점이 해결중심접근에서의 기적질문과 다른 점이다.

관련어 | 기적질문

가족
[家族, family]

동일한 장소에 함께 거주하면서 소비생활을 영위하는 친족 공동체. 가족치료 일반

하나 또는 둘 이상의 사람이 출생, 결혼 또는 양자 결연으로 관계된 집단으로서, 한집에 함께 거주한다. 가족은 결혼, 혈연, 입양으로 맺어진 친밀한 관계인데, 그 관계는 법적인 보호를 받으며 지속적이다. 가족은 법적 유대, 경제적 협조, 부부간 성적 욕구충족, 정서적 상호 협조 등으로 통합되어 있다. 가족은 생활 공동체이며 집, 가풍, 가문 등을 포함하는 넓은 의미의 개념을 갖고 있는 문화집단이자 자녀에게 인격형성과 사회화 교육을 시키는 훈련장이다. 또한 사회와 교량 역할을 하는 사회집단이다. 가족은 형태에 따라 분류방법이 매우 다양한데, 우선 가족의 기원에 따라 분류하면, 개인이 출생하여 자라 온 방위가족(원가족)과 개인이 성인으로 성장하여 결혼이나 분가를 통해 독립적으로 새로 형성하는 형성가족(생식가족)으로 나누어진다. 또한 가족구성원 수와 혈연관계의 범위에 따라 분류하면, 부부와 그들의 미혼 직계 자녀로 구성된 핵가족(nuclear family)과 자녀가 결혼 후에도 부모와 동거하는 확대가족(extended family)으로 나뉜다.

관련어 | 원가족, 핵가족, 확대가족

가족 공동 시
[家族共同詩, family joint poem]

가족구성원들이 써 온 한두 줄의 글을 모은 시. 문학치료(시치료)

가족치료 회기 중에 가족 참여자들에게 각자 상담의 주제 및 분위기와 관련해서 한두 줄 정도의 글을 생각해 오도록 한다. 다음 회기에 만났을 때 그것들을 한데 엮어서 함께 기록한 다음 각 가족 참여

자에게 나누어 주고 읽어 보도록 한다. 이렇게 만든 공동 시는 협력적인 방식으로 한 자리에서 함께 쓴 가족 시와는 다르다. 가족 공동 시는 서로 연관성 없이 하나의 주제나 문제에 대해 생각한 것을 단순히 한데 모은 것에 불과하다. 이렇게 만들어진 시는 감정을 정당화하고, 내담자들에게 힘을 주며, 상호작용을 촉진할 뿐만 아니라, 가족문제에 대한 토의를 좀 더 진작시킨다. 각자가 문제에 대한 전혀 다른 시각을 상호 간섭 없이 볼 수 있기 때문에, 서로에 대한 입장과 서로에게 중요한 것이 무엇인지 탐색할 수 있다. 이 방법은 각자 가족에 대한 책임감 증대에도 도움을 줄 수 있다. 또한 가족문제와 관련된 다른 집단에서도 이 같은 형식의 공동 시를 쓸 수 있다. 예를 들어, 부모의 이혼문제로 형성된 아동집단의 경우, 이혼문제에 대해 서로 한두 줄을 생각해 와서 그것들을 하나로 엮어 보면 자신들만의 특수한 감정이라고 여겼던 것을 일반화할 수 있고, 그 감정에 대해 정당화할 수도 있다. 그 외에도 서로 결속력을 강화하기도 하고, 참여자들에게 통제의 요소가 되기도 한다.

가족 문장 완성법
[家族文章完成法, family sentence completion]

가족구성원들의 가족에 대한 가치를 명확히 하고 이를 이해하기 위한 검사법. 기타 가족치료

크라재키와 린하트(R. Krajeaki & J. Linhardt)의 가치의 명확화 기입 과제를 사용한 방법이다. 가치는 가족이라는 환경 속에서 가족구성원들의 순응을 바라는 것이다. 또한 그러한 기대에 따르지 않는다면 갈등이 발생할 수 있다는 가정에서 가족 문장 완성법이 출발한다. 이 방법은 가족구성원의 가치를 명확히 하고, 각 구성원의 가치관의 유사점 · 차이점 · 상보성 등에 대해서 상호 이해할 수 있도록 하며, 이로 인해 갈등이 경감되도록 한다. 질문지는 생활방식, 성, 종교, 여가 활동, 정치, 일, 가족, 자기 이미지, 장래 등 각각의 주제에 대해서 '어머니(아버지)는 언제나 나에게 이렇게 말씀하셨다. ______.'라는 문장 완성 형식으로 되어 있으며, 미완성 부분에 부모가 한 말을 적는다. 그때 부모의 의견이 반드시 일치하지 않아도 상관없다. 예를 들면, 아버지는 언제나 나에게 이렇게 말씀하셨다. '다른 사람의 갑절로 일하지 않으면 오늘날과 같은 상태는 유지될 수 없다.' 어머니는 언제나 나에게 이렇게 말씀하셨다. '무슨 일이든지 마음가짐이 가장 중요하다.' 다음으로 각각의 의견에 대하여 자신이 찬성하는지의 여부를 기입한다. 마지막으로 가족구성원 각자가 기입한 것을 서로에게 보여 주고 이에 대해 자유스럽게 대화를 나눈다. 이외에 가족으로서 하나의 질문에 하나의 답을 내도록 지시하는 방식도 있다. 문자를 기입할 수 없는 내담자인 경우는 상담자가 대신 기입해도 된다.

가족 분위기
[家族雰圍氣, family atmosphere]

개인의 성격 또는 생활양식에 영향을 미치는 가정의 환경적 요인. 개인심리학

개인심리학자들은 성격에 영향을 미치는 가장 강력한 환경적 요인으로 가족을 꼽는다. 가족요인은 크게 가족구도와 가족 분위기로 나눠 볼 수 있는데, 가족구도가 형제간의 서열을 중심으로 형성되는 가족구성원 간의 상호작용이라고 한다면, 가족 분위기는 부모의 주도로 형성되는 분위기를 말한다. 아동과 최초의 인간관계를 맺는 부모는 아동에게 사회적 행동의 모델이 되고, 부모에게 배운 사회적 역할은 아동에게 깊이 각인되어 막대한 영향을 미친다. 아동은 가족이 공유하고 있는 태도와 가치를 수용하는 방향으로 발달할 수 있고, 또는 그러한 태도

와 가치를 거부하는 방향이나 혹은 그 둘 사이의 한 방향으로 발달할 수도 있다. 듀이(Dewey)가 제시한 다양한 가족 분위기와 특성은 다음과 같다. 민주적인 분위기는 부모가 합리적 · 애정적이고 존경할 만하며, 그 속에서 자란 아동은 자기 확신감, 자기신뢰감 및 자발적이고 분명한 자기의식을 가지고 있다. 민주적인 분위기를 제외한 다른 가족 분위기는 부정적인데, 아동상담에 의뢰된 아동은 다음과 같은 가족 분위기에서 성장한 경우가 많다. 우선 거부적인 분위기는 부모가 어떤 일의 행위자와 행위를 분리하지 못하고 지속적으로 자녀를 비난하고 거부하는 경우다. 부모는 부정적인 자기지각을 가지고 있으며 자녀를 사랑하는 데 어려움이 있다. 이런 환경에서 자란 아동은 가족의 희생양이 되거나, 부모의 비난이나 거부에 상처를 갖게 되고, 자신이 무가치하다고 믿기 쉽다. 권위주의적인 분위기에서 자란 아동은 극도로 순종하고 순응하는 자녀 또는 반대로 심하게 반항하는 행동패턴을 보인다. 순종적인 아동은 대개 예의 바르고 온순하지만 불안감을 가지고 있다. 이 불안감은 신경증적 습관, 틱, 궤양, 스트레스와 긴장으로 나타난다. 반면, 반항적인 아동은 민감한 비난이나 칭찬을 헤아릴 줄 모른다. 이 같은 아동은 약물, 알코올 등에 빠져 거칠게 살아간다. 순교적인 분위기에서는 고귀하게 고통받는 것을 매우 가치 있게 여긴다. 일관성이 없는 분위기에서는 아동이 다른 사람에게 무슨 기대를 해야 하는지, 다른 사람이 무슨 기대를 하는지 알지 못한다. 이런 가족 분위기에서 아동은 안전감과 편안함을 느끼지 못하고, 규칙이 없어 혼란스러워한다. 세상은 질서도 없고 힘 있는 자의 독단적인 곳이라고 가정하기 쉽다. 억제적인 분위기는 사고와 감정을 표현하는 자유를 제한해서 가끔 과도한 공상을 자극하거나 겉치레하는 데 능숙한 아동으로 만들 수 있다. 이 같은 분위기에서 아동은 자신의 감정을 불신하는 것을 배우고 개인의 생각이나 솔직한 감정을 표현하는 데 어려움을 느낀다. 가족구성원은 유머가 거의 없고, 가족 간에 거의 말을 하지 않거나 감정을 드러내지 않는다. 희망이 없는 분위기는 사티어(Satir)가 사용한 '장례식'이란 용어로 묘사할 수 있다. 사티어는 "모든 사람은 전염성이 매우 높은 낙담과 경계가 없는 비관 때문에 고통받는다."라고 말하였다. 이러한 장례식 분위기의 가족에서 성장한 아동은 유머도 없고 친구도 없고 비자발적이며, 지루하고 고루한 애어른같이 보인다. 또한 자신은 결코 어떤 것도 성취할 수 없고 성공할 수 없다고 느낀다. 과보호적인 분위기는 아동이 자신의 행동에 스스로 책임지는 것을 배울 기회를 박탈하여, 자기신뢰감과 확신, 용기와 책임감의 발달이 제대로 이루어지지 않는다. 동정적인 분위기에서 자란 아동은 인생은 공정하지 않으며, 비극적이고 비애와 고통으로 가득하다고 느낀다. 흔히 자신은 희생자이고, 다른 사람이 자신을 불쌍히 여긴다고 생각하거나 여러 방법으로 자신을 학대할 것이라고 생각한다. 기대수준이 높은 분위기에서는 부모가 아동에게 높은 기대를 걸고, 완벽한 목표에 따라 생활하기를 요구한다. 아동이 부모의 기대수준에 미치지 못하면 아동을 비난하거나 모욕한다. 이런 분위기에서 자란 아동은 자신은 결코 어떤 것에도 충분하지 않다고 보며, 부적절감이나 열등감 등을 느낀다. 유물론적인 분위기는 인간관계보다는 물질적 소유에 더 많은 가치를 부여한다. 이 같은 가정의 아동은 얼마나 비싼가로 모든 것을 판단하는 경향이 있다. 다른 사람과의 우정관계와 금전적인 투자가 필요 없는 단순한 기쁨의 중요성을 이해하지 못한다. 비난하는 분위기는 빈번하게 비난이 오고 가는 것이 특징이다. 비난을 자주 하는 부모는 그들 자신의 가치를 의심한다. 다른 사람을 비난함으로써 다른 사람을 가치 없게 여기고 자신의 위치를 높이려고 한다. 이 같은 분위기에서 성장한 아동은 자주 낙담하고, 냉소적이고, 자신이나 다른 사람을 신뢰하지 않는 비관적인 염세주의자가 되기 쉽다. 조화롭지 못한 분위기에서는 아동이 적군의 캠프에서 살고 있다는 느낌을 가진 채 자란다. 오래된 감정적 문제가 있는 가정은 아주 무질서한 분위기이거나 아주 질서 정연한 분위기의 두 가지 상반된 상태 중 하나로 나타난다. 무질서한 가족의 예로는, 아침에 한 사람이 일어나는 것을 시작으로 밤에 마지막 가족구성원이 잠자리에 들 때까지 거의 항상 말다툼과 싸움이 계속된다. 지나치게 질서 정연한 가족의 예로는, 오랫동안 혼자 살던 수간호사가 결혼하여 유능한 새엄마가 되기 위해 가정에서도 병원 감독원처럼 행동하는 경우다. 이때 계자녀는 계모의 규율을 받아들이지 않고, 그녀와 어떤 종류의 관계도 형성하지 않으려고 한다.

관련어 | 가족구도

가족 상호작용
[家族相互作用, family interaction]

가족구성원 간에 서로 특정한 영향력을 주고받는 것. 가족치료 일반

가족구성원들 간에 형성되는 다양한 관계 속에서 주고받는 특정한 영향력을 통칭하는 용어다. 즉, 부부관계, 부모-자녀관계, 형제관계, 조손관계, 고부관계 등에서 상호 교환되는 다양한 영향력을 가리킨다. 이처럼 가족 내에서 발생하는 다양한 상호작용 중에서 심리적 · 교육적으로 중요시되어 온 관계는 부모-자녀관계다. 이 관계에서 형성되는 상호작용은 일반적으로 자녀의 성격과 정체성을 형성하는 주요 근거가 되며, 생활습관과 사회화를 위한 기본 태도를 학습할 수 있다고 본다. 가족관계 내에서 발생하는 다양한 상호작용은 또한 가족 내 갈등과 긴장을 유발하기도 한다. 가족치료에서는 이 같은 상황에 있는 가족의 상호작용을 변화시킴으로써 긴장과 갈등을 해소하려는 시도를 하기도 한다.

가족 소시오그램
[家族-, family sociogram]

일련의 문항에 대한 가족구성원의 대답을 기초로 하여 가족관계를 도표화하는 방법. 가족치료 일반

가족구성원에게 각 문항에 제시된 일을 누구와 함께 하고 싶은가, 또 실제로는 누구와 하는가에 대해서 질문한다. 예를 들면, '영화 보러 간다.' '개인적인 것에 대해서 이야기한다.' '계획을 세운다.' '싸운다.' '이야기하지 않는다.' '텔레비전을 본다.' '물건을 사러 간다.' 등의 항목이다. 각각의 질문에 대한 답은 도표화되며 가족 전원이 가족구조화의 모습을 볼 수 있다. 이 도표를 통해 가족구성원의 동맹이나 리더 혹은 고립된 사람, 나아가 가족 속에서 누가 어떤 역할을 하고 있는지 명확하게 드러난다. 또 현실의 관계와 이상적인 관계 양쪽 모두를 볼 수 있기 때문에 현재의 상호작용만이 아니라 가족관계에서 생길 수 있는 다른 가능성이나, 지금부터 만들어지는 관계, 강화될 필요성이 있는 관계도 시사해준다. 이 기법은 질문을 이해할 수 있는 아이들을 포함해서 대가족인 경우에 가장 효과적이다. 변법으로서 '계획을 가장 많이 세운 것은 누구입니까?' '또 가장 쓸쓸한 사람은 누구입니까?' '가장 화를 잘 내는 사람은 누구입니까?' '가장 이야기하기 쉬운 사람은 누구입니까?' 등의 질문을 하는 추측게임(guess for game)이나 각각의 질문에 대한 답변에 제일, 제이의 두 가지 선택을 구하는 방법, 혹은 선택할 수 있는 사람의 범위에 현재 동거하고 있는 가족뿐만 아니라 조부모 등 대가족구성원을 포함하는 방법 등이 있다.

가족 시
[家族詩, family poems]

가족치료 중 가족에 대해 참여자가 쓰는 시. 문학치료(시치료)

가족 시는 버밍햄에 있는 앨라배마대학교 교육학

부(Department of Counseling Human Services and Foundations, School of Education, University of Alabama)에 재직 중인 글래딩(S. Gladding) 박사가 1985년 『The Arts in Psychotherapy』에서 제시한 가족역동 개선방식이다. 가족 시는 구조화된 시 훈련방법이다. 이 형식은 제대로 자리 잡지 못한 가족 간의 경계, 세대 간 융합, 힘, 미해결된 가족 갈등의 발달적 문제와 같은 가족의 중요한 문제점들을 반영할 수 있도록 한다. 가족 시에는 네 가지 형태가 있는데, 빌려 온 가족 시(borrowed family poems), 간단한 가족 시(brief family poems), 합리적인 가족 시(rational family poems), 확장된 가족 시(extended family poems)가 그것이다. 빌려 온 가족 시는 기존에 있는 노래나 영화처럼 잘 알고 있는 것에서 일부를 인용하여 가족 참여자들이 가족의 현재 기능 수준을 표현하도록 하는 것이다. 간단한 가족 시는 형식은 빌려 온 가족 시와 비슷한데, 이 훈련은 가족 참여자들이 개인으로서 자신과 전체로서의 가족에 대해 자기가 느끼는 바를 그려 보도록 한다. 이 과정을 더욱 용이하게 하기 위해 문장완성하기를 제시하기도 하는데, 문장완성하기는 문장구조를 미리 설정해 두어 참여자들이 자기표현을 쉽게 하도록 도와준다. 예를 들면, "지금 나는 _____." "나는 _____처럼 느껴진다." 등에서 문장의 빈 곳을 채워 나가는 형식이 된다. 합리적인 가족 시는 참여자들이 자기 가족이 어떻게 살고 있는지 설명으로 표현하면서 '반드시, 꼭, 해야만 한다.' 등을 사용해서 운율이 있는 2행시를 쓰도록 한다. 치료종결단계에서 참여자들에게 처음 치료를 시작했을 때 쓴 주제에 대해서 다시 시를 써 보게 한다. 이때 쓰는 시에서 비합리적인 생각이 드러나지 않으면 치료가 성공적이라고 할 수 있다. 확장된 가족 시는 참여자들에게 네 개의 단어목록을 만들도록 한다. 첫째 목록은 가족의 물리적인 구성을 설명한다. 둘째 목록은 가족구성원 모두의 공통적인 특징을 작성한다. 셋째 목록은 가족구성원들이 함께 즐기는 활동을 써넣는다. 넷째 목록은 가족 외 사람들이 그 가족에 대해 말하는 단어들로 만든다. 이렇게 만든 단어 목록으로 하나의 시를 구성한다. 이 훈련을 통해 가족들에게 통찰의 가능성과 융통성, 가족역동 개선에 대한 즐거움 등을 선사한다.

가족 신경증
[家族神經症, family neurosis]

가족구성원 중 일부가 가지고 있는 신경증을 유발하거나 강화하는 역할을 다른 가족구성원이 수행하는 것. 가족치료 일반

부모와의 관계를 중심으로 한 가족의 구조가 가족구성원의 신경증에 병인적 역할(病因的役割)을 수행하고 있는 경우에 대하여 프랑스의 정신분석학자 라포르그(Laforgue)가 이름 붙인 것이다. 예를 들면, 정신병자나 알코올 의존 환자, 신체장애아, 정서장애아, 등교거부아 등이 있는 가족에서는 다른 가족이 깊숙이 관여하며, 그 관계가 얽혀서 해결이 곤란해지는 경우가 적지 않다. 내담자에 대한 개인 치료만으로는 근본적으로 문제를 해결할 수 없기 때문에 가족을 하나의 체계로 생각하고 가족의 관계에 초점을 맞추어 가족치료를 시행한다.

가족 신화
[家族神話, family myth]

가족구성원 모두가 공유하고 있는 가족의 과거사나 가족구성원에 대한 왜곡된 신념과 기대. 경험적 가족치료

가족 신화는 어느 가족에서나 존재하는 것으로, 오랜 시간에 걸쳐서 형성된 가족에 대한 혹은 가족구성원에 대한 왜곡된 신념과 기대를 의미한다. 가족구성원 모두가 공유하고 있으며, 오랜 세월 반복되는 가운데 암묵적으로 정해진 일종의 불문율의 성격을 띤다. 가족 신화는 실제와는 맞지 않는 경우

도 있지만, 가족구성원들은 가족의 구조와 기능을 유지하기 위해 현실을 왜곡하거나 무시하고 자신들이 소유한 믿음에 대해 의심하지 않는다. 이처럼 가족이 공유하고 있는 가족 신화는 가족구성원들 간의 상호작용과 가족규칙을 형성하는 데 영향을 미친다. 예를 들어, '어머니는 건강이 매우 좋지 않은 분이다.'라는 가족 신화를 가지고 있는 가정에서는 가족구성원들이 어머니에게 정신적 · 신체적 부담을 주지 않기 위해 다양한 노력을 하게 될 것이다. 그리고 이러한 노력이 계속되면, '아침식사는 각자 알아서 해결해야 한다.' '가족구성원 중 누구에게라도 나쁜 일이 생기면 어머니 모르게 해결하자.' 등의 가족규칙이 형성되는 것이다. 때로는 가족 내에서 형성된 가족 신화가 역기능적인 영향력을 미쳐서 가족들 간의 상호작용이나 가족 내 질서 유지에 부정적인 영향을 미칠 수도 있다. 경험적 접근의 가족치료에서는 가족의 역기능적인 신화를 파악하여, 부정적인 영향력을 인지하고 이를 변화시키기 위한 노력을 기울인다. 이때 가족 신화의 희생양이 되는 구성원을 발견하는 것이 그 가족 간의 역기능적인 상호작용과 가족 신화의 부정적인 영향력을 파악하는 기초가 된다.

관련어 | 가족규칙, 가족비밀

가족 유사성
[家族類似性, family resemblance]

한 집단을 이루는 구성요소에 공통적으로 존재하는 특성은 없지만 유사한 특성들이 연결되어 하나의 집단으로서의 구별된 특성을 형성한다는 개념. 해결중심상담

비트겐슈타인(Wittgenstein)이 『철학적 탐구(Philosophische Untersuchungen)』에서 설명한 개념인데, 한 집단의 구성요소는 일반적으로 어떤 특성을 공통적으로 가지고 있는 것이 아니라 유사한 성질을 가지고 있다는 개념이다. 가족 유사성의 개념은 주로 가족의 공통된 성향을 예로 들어 설명하는데, 한 가족이라고 해서 가족구성원 모두의 외모가 전체적으로 다 닮은 것은 아니고 아들은 아빠의 코를 닮고, 딸은 엄마를 닮고, 아들과 딸은 부모와 걸음걸이가 비슷해서 누가 보더라도 한 가족임을 알 수 있다는 것이다. 즉, 가족구성원 개개인이 모두 똑같이 닮은 부분이 있는 것이 아니라 서로 교차적으로 유사한 특성을 가지고 있기 때문에, 즉 가족 유사성을 가지고 있기 때문에 하나의 가족임을 인지할 수 있는 것이다. 비트겐슈타인은 이러한 가족 유사성의 개념을 언어와 연결하여 설명하였다. 그는 사람들이 실제 생활에서 사용하는 언어의 대부분은 유사성이 중첩되고 교차된 하나의 복잡한 연결망을 포함하고 있다고 하였다. 과학자나 철학자는 인간의 언어를 하나의 실제적인 활동으로 보기보다는 하나의 추상적인 체계로 보고, 이를 과학적인 방법으로 연구하려는 시도를 한다. 하지만 실제로 사람들이 일상생활에서 사용하는 언어는 과학적이고 인위적으로 통일된 개념이라기보다는 모호한 공통점과 유사성을 포함하지만 그 경계가 분명하지 않은 특성이 있다. 예를 들어, 게임이라는 단어에 해당되는 다양한 활동, 즉 축구, 가위바위보, 블록 쌓기 등은 각각 다른 규칙과 특성을 가지고 있다. 따라서 이러한 다양한 게임에 공통적으로 해당되는 특성은 찾을 수가 없다. 하지만 우리는 '게임'이라는 언어 표현으로 각 활동을 유사한 개념으로 묶을 수 있다. 비트겐슈타인은 이 같은 가족 유사성의 개념을 통해서 기존의 철학적 접근들이 보편성과 공통성에 너무 치우쳐 있었다는 것을 지적하고, 가족 유사성의 개념과 함께 보완이 되어야 한다고 주장하였다. 즉, 지나친 분류와 경계를 구분 짓는 작업 때문에 무시될 수 있는 다양한 특성과 애매한 속성에 대한 통찰을 얻을 것을 주장한 것이다.

가족 응집성
[家族凝集性, family cohesion]

가족구성원들이 맺는 관계에서 나타나는 밀착의 정도.
전략적 가족치료

올슨(Olson)이 주장한 개념으로 가족 내 구성원들 간 관계에서 나타나는 정서적 유대와 자율성의 정도를 의미한다. 가족 응집성에 영향을 미치는 요소로는 각 구성원들이 서로에게 느끼는 정서적 친밀감과 결속감, 서로에게 도움을 요청하고 의논하는 것, 그리고 외부의 다른 구성원이나 체계보다는 자신의 가족체계와 구성원을 중요시 여기는 것이다. 올슨은 가족의 응집성 정도에 따라 낮은 순서부터 유리(disengaged), 분리(separated), 연결(connected), 밀착(enmeshed)된 가족으로 분류하였다. 가족의 응집성은 가족체계를 유지하고 성장시키는 기능을 하지만, 너무 밀착된 가족체계는 오히려 각 구성원의 자율성과 성장을 방해하는 요인으로 작용하기도 한다. 즉, 가족 응집력이 높은 가족은 서로 정서적으로 밀착되어 있어서, 각 구성원들이 자유롭고 자율적인 행동이나 감정을 느끼는 것에 제한을 받는다. 반면에 가족 응집력이 낮은 가족은 서로 정서적 유대감이나 밀착력이 없어서 가족체계가 자유분방하지만 각 구성원들이 개별적이고 자유로운 정서와 행동이 가능하다는 특징이 있다. 예를 들어, 가족 응집력이 높은 가족은 서로 간의 정서적 유대가 강하여 가족체계가 매우 안정적이고 구성원들이 정서적으로 밀착되어 있지만, 어느 한 구성원의 친구가 손님으로 방문하면 가족들이 매우 불편해하고 적응하지 못하는 현상이 나타난다. 이와 달리 가족 응집력이 낮은 가족은 가족구성원들만 있을 때는 정서적 유대감이 적고 친밀하지 않지만, 각 구성원들이 외부의 사람들과 잘 어울리고 개별적인 행동을 즐긴다.

가족 의식 접근법
[家族儀式接近法, family ritual approach]

가족이 행하고 있는 가족게임을 과장되게 인식하도록 하는 일정한 의식을 고안하여 가족이 의무적으로 치르게 함으로써 자신들의 역기능적인 가족게임을 인식하게 만드는 역설적 개입기법. 전략적 가족치료

가족치료에서는 의식을 이용한 접근법을 흔히 사용한다. 아주 옛날부터 우리의 의식 속에는 사람을 구속하거나 사람에게 아주 엄격한 생각을 하도록 하는 의식이 많이 있었다. 현대에 발생한 의식으로는 결혼식, 장례식 등이 그 예다. 이러한 가족 의식은 가족의 체계나 구성원이 변할 때마다 수행되어 왔다. 가족구성원들은 의식에 참여하면서 한 가족이라는 일치감을 얻거나 변화하는 체계를 명확하게 인식하는 기회를 갖게 된다. 밀란(Milan)의 가족 의식 접근법은 역기능적인 상호작용을 하는 가족들에게 의도적으로 자신의 역기능적인 행위를 인지시키기 위한 의식을 치르도록 지시한다. 가족들은 이러한 의식을 실제로 행함으로써 자신의 역기능적인 행동이나 의사소통을 더욱 명확하게 인식할 수 있는 기회를 얻는다. 이러한 인식은 자신들의 상호작용이 얼마나 어리석은 것인지 객관적으로 인식하게 만들어 주어 긍정적으로 변화할 수 있는 동기가 된다. 예를 들어, 자녀를 과보호하는 어머니와 이를 무작정 비난하며 갈등을 일으키는 남편이 있다. 이때 치료자는 이 가족들 간의 역기능적인 상호작용을 오히려 증가시키는 의식을 지시한다. 즉, 매일 일정한 시간 동안 이전보다 더 강도 높게 어머니는 자녀를 과보호하고, 남편은 이를 비난하도록 한다. 그런 다음 이러한 행동들에 대해서 인지하고, 서로를 칭찬하는 의식을 매일 20분 정도 수행한다. 그러면 이 가족은 실제 삶에서 이 같은 의식을 치름으로써 자신들의 상호작용이 얼마나 어리석은 것이었는지를 자각하게 되고, 그 결과 역기능적인 상호작용이 줄어드는 효과를 볼 수 있다.

관련어 | 가족게임, 가족 의식

가족 인지
[家族認知, family cognition]

가족구성원들이 서로에 대해, 그리고 가족관계에 대해 지니고 있는 신념. 인지행동가족치료

가족 인지는 가족의 삶을 통하여 관계 속에서 발생하는 다양한 상호작용으로 형성된다. 이러한 가족 인지는 구성원들이 상대방에게 어떠한 태도를 취하고, 어떻게 행동할지에 대한 단서를 제공한다.

관련어 | 가족도식

가족 정체성
[家族正體性, family identity]

가족체계가 형성하고 있는 정체성. 가족치료 일반

'가족으로서의 정체감'을 의미한다. 아이들은 출생 이후 부모나 가족을 중심으로 한 대인관계 속에서 사회화(社會化)되며, 가치관, 행동의 기준, 신념 등을 습득해 간다. 이 경우에 '아들(딸)'로서 부모나 가족과 많은 특징을 서로 공유하며, 또 서로 역할을 분담하고 공통으로 하고 있는 것을 자각하며, 그것에 대한 긍지와 가족 내 연대감을 가질 때 아이들은 가족 정체성을 공유하고 있다고 말할 수 있다. 또 결혼으로 새롭게 형성된 가족은 '남편(아내)으로서' 또는 '아버지(어머니)로서'라는 입장에서 가족 정체감을 확립해 감으로써 가족집단은 성숙(成熟)해 나간다.

관련어 | 가족위기, 가족발달, 가족항상성

가족 조각
[家族彫刻, family sculpting]

과거의 어느 시점에 가족이 경험한 감정이나 느낌을 동작과 공간을 이용하여 비언어적으로 표현하는 기법. 경험적 가족치료

가족 안무(family chronology) 또는 공간적 은유(spatial metaphor)라고도 하는 가족 조각은, 경험적 가족치료에서 가족이 경험했던 과거의 사건을 재조명하기 위해 사용하는 기법이다. 이는 1960년대 말부터 사용되어 왔는데, 덜(Duhl)과 캔터(Kantor)가 고안한 기법이다. 가족구성원들이 경험한 장면을 '조각'하도록 유도하는 이 기법은, 가족들이 동작이나 공간 등을 활용하여 자신이 경험한 사건에서 느낀 감정을 표현하게 된다. 경험한 사건을 표현하고자 하는 가족구성원은 특정 사건을 기억하여 재경험하고, 그 속에서 느낀 자신의 감정을 표현하기 위해 가족들을 공간에 배치하고 개개인의 동작과 표정을 지시하는 '조각(sculpting)'을 한다. 즉, 자신이 사건을 통해 경험한 다양한 감정을 현재 시간에 존재하는 공간에 재구성하여 표현하도록 하는 것이다. 이 작업을 통해 다른 가족구성원들은 해당 사건에서 조각을 한 구성원이 느낀 감정을 깊이 있게 지각할 수 있으며, 그 사건을 재조명해 봄으로써 자신과 가족의 역동성을 시각적으로 파악하여 새로운 대처방법을 생각해 볼 수 있게 된다. 이 과정에서 가족의 역동성이 가시화되는데, 구체적으로 가족의 의사소통 유형, 권력구조, 경계선, 소속감, 개념화, 규칙 그리고 가족체계의 융통성 정도가 파악된다. 그 외 가족 조각에서 나타나는 가족 간 물리적 거리, 얼굴과 신체 표정, 그리고 자세로 가족관계, 동맹, 감정, 스트레스를 받을 때의 대처방법 등을 알 수 있다. 사티어(Satir)는 가족치료에서 조각 기법을 즐겨 사용했는데, 조각을 통해 내담자 가족의 대처방식을 표현할 때 힘의 상태는 수직적 위치로, 친밀감은 수평적 거리로 표현하도록 하였다. 가족 조각 기법은 가족구성원들이 자신의 감정을 폭발시키거나 말로 애써 표현하지 않고도 가족의 문제에 대한 자신의 견해를 자유롭게 표현할 수 있다는 장점을 가지고 있다. 다시 말해, 감정을 말보다 행동으로 표현할 때 더욱 실제에 가까우면서 분명하게 드러낼 수 있고, 그동안 다른 구성원에게 표현하지 못한 감정을 쉽게 드러내도록 해 준다. 가족들은 조각하기 작

업을 통해 각자 자신이 조각한 그림을 보여 주며 그 차이를 인식하고, 이러한 지각은 가족구성원들 간의 좀 더 깊은 이해와 수용, 개방을 할 수 있는 기회가 된다. 조각 기법은 가족치료에서 널리 사용되고 있는 효율적인 방법 중 하나이며, 사이코드라마에서도 많이 활용되고 있다. 사이코드라마에서는 주로 준비단계에 사용하는데, 가족 사이에 갈등이 있는 경우에 더욱 유용하다. 이 기법을 사이코드라마에서는 '살아 있는 가족 그림'이라고도 하며, 주인공과 보조자아가 가족 조각을 만든다. 실시방법은 다음과 같다. 먼저 집단구성원들에게 자기 가족의 모습을 떠올리게 한 뒤, 지원자에게 보조자아나 집단구성원을 자기 가족구성원이라고 생각하고 무대 위에 가족의 모습을 배치하도록 한다. 그러면 주인공인 내담자는 자신을 중심으로 각 가족구성원들과 그들이 하고 있는 일, 익숙한 장면 등을 조각품처럼 배치하는 '조각'을 한다. 다음으로 주인공은 그 그림 안으로 들어가서 그 속에 있는 가족구성원(실제로는 집단구성원)에게 하고 싶은 말을 하거나 느낌을 물어보는 등의 활동을 한다. 이 기법은 다음과 같이 변형하여 활용할 수도 있다. 즉, 두 사람씩 짝을 지어 서로의 가족 가운데 한 사람이나 자신에게 중요한 가족을 만들게 한다. 이때 그 인물의 표정, 자세, 사건 등을 상세하게 만든 다음 서로 대화를 한다. 가족 외에 직장이나 친구 등 자신에게 특히 의미 있다고 생각되는 집단의 조각을 만들 수도 있다.

관련어 | 경험적 가족치료

가족 파이로 모델
[家族-, family firo model]

슈츠(Schutz)가 1958년에 기본적 대인관계 방향성(fundamental interpersonal relations orientation: FIRO)으로 제창한 집단발달이론을 도허티(Doherty)와 콜란젤로(Colangelo)가 가족에 적용한 것. 기타 가족치료

가족 내의 상호작용이나 발달을 포함(inclusion), 지배(control), 친밀함(intimacy)이라는 FIRO 범주를 사용해서 파악하는 이론이다. 가족에서의 포함은 가족이나 그 하위체계의 성립 또는 각 가족원에게 주어진 역할, 외부체계와의 관계방식 등을 파악하기 위해 사용된다. 지배는 가족 내에 존재하는 힘의 영향력이나 그 행사를 중심으로 한 상호작용을 의미한다. 친밀함은 가족관계의 깊이를 말하며, 특히 가족이 감정이나 희망을 공유하는 정도를 가리킨다. 가족 파이로 모델은 가족의 변화에 대해서 두 가지 전제를 가지고 있다. 하나는 가족구성원이 스트레스를 경험하고 있을 때에는 가족으로서 포함, 지배, 친밀함의 새로운 패턴을 만든다는 것이다. 또 하나는 새로운 패턴을 만들 때에는 포함, 지배, 친밀함의 순서로 대처하는 방식이 좀 더 적응적으로 나아간다는 것이다. 이것은 임상장면에서도 마찬가지로, 상담자는 그 순서대로 사례를 취급하는 것이 바람직하다. 가족의 발달을 이러한 FIRO 모델로 파악할 수 있는 이점은 슈츠의 범주를 가족치료 학파를 넘어서 사용할 수 있다는 것이며, 나아가 이 모델로 가족의 치료나 교육에서 취급하는 내용에 대한 순번을 정확하게 할 수 있다는 것이다.

가족 평면도 기법
[家族平面圖技法, family floor plan]

가족이 살던 혹은 살고 있는 집의 평면도를 그리게 하고, 그 공간에서의 다양한 가족의 경험에 대해서 이야기하도록 하는 기법. 가족치료 일반

집의 내부구조나 방의 배치 등 공간의 이용방식을 통하여 가족체계에 관한 중요한 정보를 주고, 동시에 가족 내에서의 역할이나 신화, 상호작용하는 암묵의 규칙 등을 사정(査定)하고 가족이 함께 혹은 혼자서 집의 공간을 어떻게 이용할까에 대한 협정을 체결하는 데 상담자의 개입을 돕는 표출적인 기법이다. 큰 종이와 매직잉크를 준비한 다음, 부모에게는 각각 자신의 출생 가족과 살고 있는 집의 평면

도를 그리도록 지시하고 아이들은 그것을 보고 있도록 한다. 부모가 그리고 있는 사이에 상담자는 각각 서로의 출생과정 중에서 어떤 체험을 했는지 생각해 낼 수 있도록 "각각의 방은 당신에게 어떤 기분을 주는 것이었는지에 대해 주의를 집중해 주세요." "집 속의 냄새, 색깔, 소리, 그곳에서 괴로웠던 것을 생각해 주세요." "당신이 들어갈 수 없었던 방이 있었나요?" "그 집에서 일어났던 전형적인 사건을 생각해 주세요." 등의 지시나 질문을 한다. 부모가 관찰을 하고 아이들에게 현재 집의 평면도를 그리도록 지시하는 등의 변법을 사용하는 경우도 가능하다. 평면도가 완성되면 각자 출생 가족 중에서 어떤 체험을 했는지 서로 전하고, 서로의 체험의 차이, 나아가 출생 가족 중에서 살아 있는 가족에 대한 기대의 차이 등을 이해할 수 있도록 한다.

가족가치

[家族價値, family value]

가족에 대해 혹은 가족생활에 대해 가족구성원이 일반적으로 가지고 있는 가치의식. 기타 가족치료

가족구성원들이 동일한 가치에 동의하고 그에 따라 행동할 때 이것이 가족가치가 된다. 가족가치는 가족이 속해 있는 사회와 문화, 그리고 종교적 배경에 강력한 영향을 받아 만들어진다. 즉, 가족가치는 부부가 결혼할 당시에 각자 가지고 있던 가치에 함께하는 결혼생활을 겪으면서 변화되고 발전한다. 따라서 가족가치는 그 가족만의 생활방식을 나타내고, 각 가족구성원의 성격의 일부분으로 내면화되기도 한다. 가족가치는 시대적, 환경적 변화에 따라 바뀌기도 한다.

가족게임

[家族 - , family game]

가족 내에서 오랫동안 반복하여 형성된 역기능적인 상호작용. 전략적 가족치료

가족의 체계 안에서 오랫동안 지속되고 반복되어 온 일련의 의사소통 규칙과 관계 규칙을 유지하기 위한 가족구성원들 간의 복잡한 상호작용을 의미한다. 밀란(Milan)은 역기능적인 가족이 자신들의 역기능적인 가족체계를 유지하기 위해서 가족게임을 통하여 서로 힘을 얻는다고 설명하였다. 밀란은 가족구성원들이 역기능적인 가족규칙에 모두 동의하지는 않지만 서로 힘을 얻기 위해 가족게임을 하며, 이를 통하여 가족의 역기능적인 체계는 계속 유지되는 항상성을 갖는다고 보았다. 이 게임에는 승자도, 패자도 없으며 원인과 결과를 알 수 없는 복잡한 상호작용이 순환적이고 연쇄적으로 일어난다. 밀란은 이러한 가족의 게임 때문에 역기능적인 상호작용이 지속될 수 있다고 보면서, 이 게임을 멈추고 긍정적인 변화를 주기 위해 역설적인 개입이나 가족 의식 접근법과 같은 방법을 사용하였다.

관련어 | 가족 의식 접근법, 역설적 개입

가족계발기법

[家族啓發技法, family enrichment]

가족체계의 문제점을 개선하고 가족관계의 증진을 목적으로 시행되는 다양한 접근. 가족치료 일반

가족의 질 향상 프로그램, 가족관계 증진 프로그램 등으로 불리며, 기독교에서는 성서 등에 입각한 응용 프로그램으로 가정사역이라는 말로 널리 알려져 있다. 가족에게 발생가능한 다양한 문제의 예방에 관계된 많은 영역 중 하나이며, 미국을 중심으로 급격하게 성장해 왔다. 건강 혹은 반건강 상태에 있는 커플이나 가족을 대상으로 하여 특정 주제에 대

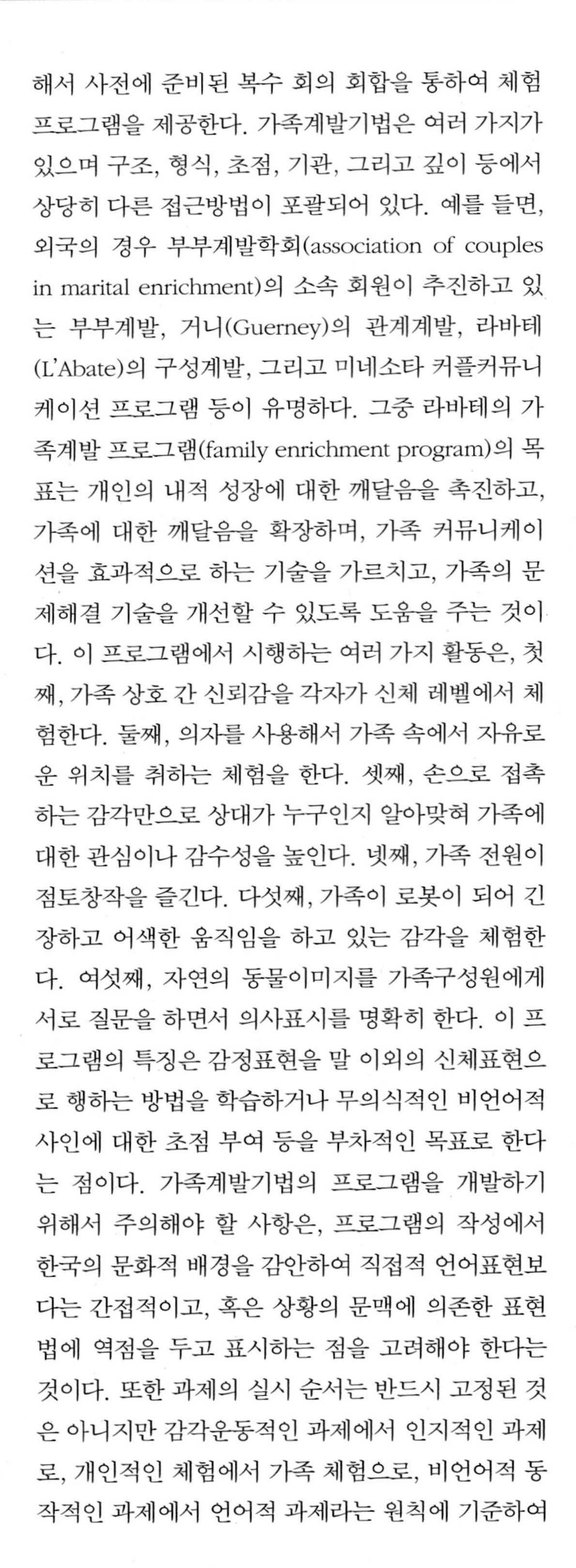

해서 사전에 준비된 복수 회의 회합을 통하여 체험 프로그램을 제공한다. 가족계발기법은 여러 가지가 있으며 구조, 형식, 초점, 기관, 그리고 깊이 등에서 상당히 다른 접근방법이 포괄되어 있다. 예를 들면, 외국의 경우 부부계발학회(association of couples in marital enrichment)의 소속 회원이 추진하고 있는 부부계발, 거니(Guerney)의 관계계발, 라바테(L'Abate)의 구성계발, 그리고 미네소타 커플커뮤니케이션 프로그램 등이 유명하다. 그중 라바테의 가족계발 프로그램(family enrichment program)의 목표는 개인의 내적 성장에 대한 깨달음을 촉진하고, 가족에 대한 깨달음을 확장하며, 가족 커뮤니케이션을 효과적으로 하는 기술을 가르치고, 가족의 문제해결 기술을 개선할 수 있도록 도움을 주는 것이다. 이 프로그램에서 시행하는 여러 가지 활동은, 첫째, 가족 상호 간 신뢰감을 각자가 신체 레벨에서 체험한다. 둘째, 의자를 사용해서 가족 속에서 자유로운 위치를 취하는 체험을 한다. 셋째, 손으로 접촉하는 감각만으로 상대가 누구인지 알아맞혀 가족에 대한 관심이나 감수성을 높인다. 넷째, 가족 전원이 점토창작을 즐긴다. 다섯째, 가족이 로봇이 되어 긴장하고 어색한 움직임을 하고 있는 감각을 체험한다. 여섯째, 자연의 동물이미지를 가족구성원에게 서로 질문을 하면서 의사표시를 명확히 한다. 이 프로그램의 특징은 감정표현을 말 이외의 신체표현으로 행하는 방법을 학습하거나 무의식적인 비언어적 사인에 대한 초점 부여 등을 부차적인 목표로 한다는 점이다. 가족계발기법의 프로그램을 개발하기 위해서 주의해야 할 사항은, 프로그램의 작성에서 한국의 문화적 배경을 감안하여 직접적 언어표현보다는 간접적이고, 혹은 상황의 문맥에 의존한 표현법에 역점을 두고 표시하는 점을 고려해야 한다는 것이다. 또한 과제의 실시 순서는 반드시 고정된 것은 아니지만 감각운동적인 과제에서 인지적인 과제로, 개인적인 체험에서 가족 체험으로, 비언어적 동작적인 과제에서 언어적 과제라는 원칙에 기준하여 배치하는 것이 좋다.

관련어 | 가족지원 프로그램

가족공상
[家族空想, family romance]

가족에 대한 다양한 공상적 표현. 가족치료 일반

'자신이 주워 온 아이이다.' '자신의 부모는 진짜 부모가 아니고 자신은 고귀한 집안에서 태어났다.' 등의 가족에 관한 공상적 표현이나 바람을 가리키는 말이다. 가족구성원이 이러한 공상적 생각을 하는 이유에 대해서는 학자들마다 다양하게 설명을 하는데, 정신분석학자들은 표면적으로는 실제 가족이나 부모에 대한 거부의 표현이지만, 좀 더 깊은 수준에서는 이상화된 가족이나 부모에 대한 상을 회복하려는 시도라고 보았다. 이러한 가족공상은 시간이 지나면서 포기되지만, 때로는 성인기까지 이어지기도 한다.

가족관계
[家族關係, family relationship]

하나의 가족을 이루는 구성원 간의 상호적인 인간관계. 가족치료 일반

가족관계에는 가족의 집단 내에서 일정한 지위를 점유한 자가 분담하는 분업관계, 권리의무관계, 그리고 일상생활에서 실제로 행해지는 혹은 기대되는 모든 행위유형을 포함하고 있다. 가장 기본적인 사회적 집단으로서 가족은 구성원끼리 다양한 상호작용이 이루어진다. 그 상호작용에는 보통의 인간관계에서 나타나는 권력구조, 역할구조, 심리정서적 구조가 포함되어 있다. 이는 1차 집단인 가족에서 형성되는 가족관계가 가족구성원들이 사회에 나가

서 맺게 되는 인간관계의 기초가 된다는 것을 말해 준다. 가족관계에는 부부관계, 부모-자녀관계, 형제자매관계가 가장 기본이 되며, 이외에도 가족의 범위에 속하는 구성원들의 다양한 관계로 이루어진다.

가족교육
[家族敎育, family education]

가족의 발달단계, 그 이행기에 생기기 쉬운 위기를 이해하고 그것에 대한 대처방식에 대해서 가족이 학습하고 위기관리 능력을 높여 주기 위해서 행하는 예방 위주의 교육. 가족치료 일반

가족구성원들의 마음이나 행동에 장애가 발생하는 것을 예견할 수 있으면 그것의 예방 가능성은 훨씬 높아진다. 가족발달의 각 단계에서는 필연적으로 위기적인 과제가 있는데, 이것을 예견하고 준비할 수 있도록 도와주는 것이 가족교육이다. 예를 들면, 사춘기를 맞은 자녀가 있는 가족은 이 시기 자녀의 발달적 · 심리적 문제에 대한 교육을 받음으로써 자녀의 반사회화, 비사회화 등의 문제발생을 미연에 방지할 수 있다. 이를 위해서는 전문가의 정확한 정보의 제공과 가족 스스로 배우는 자세가 필요하다. 현대에 들어와서 가족교육이 강조되는 이유는 고도의 기술화, 정보사회로의 진행과 더불어 핵가족화, 지역공동체의 해체가 배경이 된다. 즉, 가족위기에 대한 대처방식으로서의 혈연, 지연에 따른 전통적인 원조체계가 붕괴되어 가족 내 문제는 핵가족이 스스로 해결하도록 강요받게 된 것이다. 대개의 경우 사춘기나 청년기에 문제가 많이 발생하며, 이에 대한 원인을 탐구하는 중에 가족관계나 상호작용 개선이 필요해지면서 가족치료, 가족상담 분야가 발전하였다. 가족상담과 가족교육의 공통점은 가족에 개입하여 건강하고 기능적인 가족을 만드는 데 있다. 가족상담이 문제발생 후 처리에 초점이 맞추어졌다면 가족교육은 문제예방의 성격이 강하다. 여기서 가족교육은 가정교육(home education)과는 완전히 다른 개념이다. 가정교육은 학교교육의 보완역할을 하는 것으로, 오늘날에도 초중등학교에서는 그에 맞는 가정교육을 위한 프로그램 등이 실시되고 있다.

관련어 | 가족발달, 가족위기, 가족위기개입, 가족지원 프로그램

가족구도
[家族構圖, family constellation]

가족구성원 간의 관계 유형. 개인심리학 인지행동 가족치료

가족의 사회심리학적인 형태, 즉 배치를 설명하는 개인심리학의 주요 개념으로 개인의 성격 및 생활양식 형성에 주요 요소다. 가족구성원 각각의 성격 특성, 가족구성원 간의 감정적인 유대, 출생순위, 다양한 구성원 간의 지배와 복종, 나이 차이, 성, 그리고 가족의 크기가 모두 가족구도의 요인이 된다. 가족구도 안에 있는 아동의 지위는 장기간에 걸쳐서 성격발달에 큰 영향을 미친다. 상담자는 내담자가 다른 가족구성원과 어떤 역학관계에 있는지, 다른 가족이 무슨 역할을 하는지, 그리고 어떻게 내담자가 자신의 삶을 해석하는지, 즉 자신과 삶에 관해 끌어내는 결론들이 무엇인지를 알아야 한다. 가족구도 중에 가장 특별한 위치는 많은 여자형제 중의 외동아들, 많은 남자형제 중의 외동딸인 경우다. 그 가족이 남아 선호, 혹은 여아 선호를 가지고 있다면 그들은 독특한 가족구도를 경험한다. 아들러(Adler)는 이 같은 가족구도에서 자란 아이는 다른 형제들과의 성 차이에 어려움을 경험한다고 하였다. 가족 안에서 자신의 위치를 확고히 하기 위해 다른 형제들과 투쟁을 하거나 두 극단 사이를 왔다 갔다 한다. 여자형제들 속에서 자란 남자아이는 일반적으로 아버지가 집에 있는 시간이 별로 없기 때문에 여성적 환경에서 자란다. 그런 환경에서 자신은 남들과 다

르다는 느낌을 갖지만 여성적 성향을 따라가는 경향이 있는가 하면, 한편으로는 그 환경에 강하게 맞서 싸우고, 자신의 다름과 자신의 우월성을 주장해야 한다고 느끼면서 남성성을 강하게 돋보이려고 할 가능성도 크다. 그럴 경우 아이는 항상 긴장상황에 있고, 발달은 극단으로 치달아서 가장 강하거나 아니면 가장 약한 존재가 되기 쉽다. 남자형제들 사이에서 자란 여자아이는 매우 여성적 특성 아니면 매우 남성적 특성을 발달시킨다. 그들은 성정체성과 관련해 불안정감과 무력감을 느낀다.

관련어 가족 분위기, 출생순위, 형제간 경쟁, 형제간 친밀성

가족규칙
[家族規則, family rules]

원가족 삼인군에서 경험하고 내면화된 가족의 행동이나 반응에 관한 규칙. 경험적 가족치료

가족 내 권력, 역할, 의사소통, 문제해결, 의식 등에 관한 규칙으로, 가족을 지배하고 있는 명백하고 은밀한 규칙을 의미한다. 가족규칙에는 바람직한 규칙과 바람직하지 않은 규칙이 있는데, 두 유형 모두 오랜 기간 가족 안에서 반복되는 경험 속에서 형성된 불문율적인 성격이 강하다. 가족규칙의 예를 들면, '집안일은 모두 어머니만 감당해야 한다.' '아버지가 식사하시기 전에는 아무도 먼저 시작해서는 안 된다.' '밤늦게 집에 들어오는 가족구성원은 미리 양해를 구해야 한다.' 등이다. 가족들마다 다양한 형태를 보이는 이러한 가족규칙들로 인해 가족구성원 간의 행동이 유형화되고, 가족의 체계가 유지된다. 가족규칙의 특징으로는, 첫째, 모든 가족은 가족규칙을 가지고 있지만 가족구성원들이 그 규칙을 명확하게 알지 못하거나 동의하지 않을 수도 있다. 따라서 가족규칙을 명확하게 알아내기 위해서 외부의 도움이 필요한 경우도 있다. 그리고 가족규칙에 동의하지 않는 구성원이 있으면 가족체계 내에 갈등이 발생하는 요인이 되는데, 가정 내에서 각 구성원의 행동은 다른 모든 가족의 행동과 관련을 맺거나 영향을 받기 때문이다. 둘째, 가족규칙은 다른 가족구성원들과의 갈등상황에서 더욱 명확하게 드러난다. 대부분의 사람은 태어나서 성장한 가족에서 습득한 가족규칙이나 가족 신화를 보통 때는 의식하지 못한다. 그러나 성인이 되어 결혼을 하고 새롭게 가족의 틀을 세우는 신혼기에 자신에게 익숙한 가족규칙만 주장하면서 배우자와의 차이를 좁히거나 상대방을 존중하려는 노력을 하지 않음으로써 갈등이 일어나는 경우가 많다. 셋째, 역기능적인 가족에서는 가족규칙이 자녀의 발달수준이나 상황변화에 맞지 않게 경직되어 있거나, 가족구성원에게 일관적이지 않으며, 구성원들의 생활을 억압하거나 피해를 주는 경우도 많다. 사티어(Satir)는 이 같은 가족규칙의 강압적 적용은 개인의 자아존중감에 부정적인 영향을 미친다고 하였다. 따라서 이렇게 역기능적인 영향력을 미치는 가족규칙은 수정되어야 한다고 주장하였다. 가족규칙이 가족의 질서와 안정성을 유지시키는 역할을 하지만, 동시에 변화하는 상황에 맞추어 유연하게 바뀌어 모든 구성원의 성장과 자존감 증진에 생산적으로 작용하는 것이 보다 바람직하다고 볼 수 있다. 그리고 가족규칙에 관하여 가족구성원 간에 분명한 의사소통을 할 수 있고, 부적절한 가족규칙은 버리거나 바꿀 수 있는 융통성이 있으며, 가족에게 암묵적으로 절대적인 영향을 미치는 신화에 의존하지 않고 합리적으로 행동하는 것이 좋다. 상담자는 스타의 가족규칙을 확인함으로써 가족조직체계에서 보다 기능적인 조직을 만드는 데 기여할 수 있다.

관련어 가족도식, 가족비밀, 가족 신화, 원가족 삼인군

가족기능의 맥매스터 모델
[家族機能 – , McMaster model of family functioning]

캐나다 맥매스터(McMaster) 대학의 엡스타인(Epstein) 등이 체계이론에 입각해서 개발한, 가족기능을 평가하고 진단하는 모형. 가족치료 일반

이 모델에서는 가족기능을 문제해결, 의사소통, 역할, 정서적 반응성, 정서적 관여, 행동통제의 여섯 가지 측면에서 평가한다. 첫째, 문제해결은 가족의 통합과 기능을 위협하는 문제에 대해 효과적인 가족기능을 유지하면서 그 문제를 해결해 나가는 능력을 말한다. 건강한 가족일수록 새로운 문제상황에 체계적으로 접근하기 때문에 사정은 문제를 해결하려는 노력에 초점을 둔다. 둘째, 의사소통은 가족 내에서 정보가 어떻게 교환되는지를 보는 것으로서 이 모델에서는 주로 언어적 정보에 제한을 둔다. 이는 비언어적 의사소통을 통해서는 정보의 수집이 용이하지 않다고 판단했기 때문으로 추론된다. 의사소통을 결정하는 중요 요소는 화자의 솔직 명료성과 의사소통의 양과 의사를 전달하고자 하는 사람이 존재하는가, 얼마나 마음이 많이 열려 있는가 등이다. 셋째, 가족의 역할은 개인이 가족기능을 충족시키기 위해 배분된 역할에서 요구하는 활동을 실행한 정도를 말한다. 건강한 가족일수록 가족기능이 대부분의 가족을 충족시킬 수 있고 역할분담과 책임도 명백하다. 넷째, 정서적 반응성은 주어진 자극에 따라 적절한 내용과 수준의 감정으로 반응할 수 있는 능력을 말한다. 건강한 가족은 적절한 강도와 지속성을 가지고 다양한 정서적 반응을 할 수 있는 능력이 있다. 다섯째, 정서적 관여는 가족구성원들이 서로에 대해 보이는 관심이나 배려의 질과 양의 문제로 가족 전체가 가족 개인의 관심사, 활동, 가치관에 관심의 보이는 정도를 말한다. 이 모델에서는 정서적 관여의 정도를 5단계로 분류하고 있다. 여섯째, 행동통제는 가족이 현재 상태를 유지하거나 새로운 상황에 적응하기 위해 가족들을 통제해야 할 때 사용할 수 있는 네 가지 방법에 관한 것이다. 이상 이들 차원에서 구성되는 모델은 가족의 기능이 떨어져 임상적인 문제를 가진 병리상태에서부터 가장 효과적으로 기능하고 있는 건강을 지지하는 상태까지 스펙트럼으로 나타내고 있으며, 임상적 실천이나 가족치료의 훈련 프로그램에 유용하게 쓰이고 있다. 한편, 이 모델에 입각해서 개발된 가족사정(家族査定) 척도로는 여섯 가지 차원에서 작성하는 자기보고식 척도인 FAD(family assessment device)가 있다.

관련어 가족사정

가족대면
[家族對面, family meeting]

가족구성원이 모두 문제를 해결할 수 있는 기회를 제공하는 아들러(Adler) 가족치료의 기법. 기타 가족치료

아들러 가족치료에서 가족이 함께 살고 일하도록 도움을 주는 가장 일반적인 전략 중 하나다. 가족대면은 모든 가족구성원이 함께 문제를 해결하고 서로 가지고 있는 정보에 대해 민주적인 방식으로 결정을 내릴 수 있도록 도움을 주는 장이 된다. 이 장은 가족들이 서로에게 고마워하고, 정상적이고 논리적인 결과를 습득하며, 함께 시간을 계획하고 안전한 분위기에서 자신의 발언을 훈련하는 최적의 공간이다. 부모가 부모교육으로부터 배운 것들을 실행할 준비가 되었을 때 가족대면이 최상의 매개물이 될 수 있다.

가족대체기능
[家族代替機能, function of the substitute family]

보호, 사회화, 정서 안정 등의 가족기능과 같은 동일한 기능을 가족구성원에게 제공해 주는, 사회복지 기능의 한 형태. 사회복지상담

현대사회가 복잡해지고 부부 가정, 부모 자녀 가정의 핵가족 구성, 독신의 증가와 같은 이유로 가족기능이 축소되면서 가족의 보호 · 양육 기능이 수행되지 못하고 있다. 이에 가족구성원이 가족생활을 유지하고 가정적 경험을 하도록 지원함으로써 그들이 올바르게 성장하고 발달하는 데 도움을 주는 것이 국가의 의무로 떠오르게 되었다. 이러한 노력에 따라 최근에는 사회제도, 자원봉사활동, 기업 활동 등이 가족기능을 보완하고 지지하며 대체하게 되었다. 가족대체기능 중 영유아의 양육은 원래 가족이 담당하고 있던 기능이지만, 여성의 취업에 따라 탁아소가 주간의 가족을 대신해서 그 양육기능을 대체한다. 혼자 사는 노인이나 누워 지내는 노인, 장애자를 돕기 위한 도우미 파견사업, 유치원, 보호시설, 노인 요양시설 등도 가정에 내재하고 있던 가사기능, 부양기능을 사회화한 것이다. 이와 같이 가족에 대한 사회복지 서비스는 대개 가족이 가지는 대부분의 기능을 사회적으로 보완하거나 지지하는 것으로서 현대에는 이 같은 활동을 가족 복지 서비스로 제도화하였다. 이에 최근에는 국가적 사회 제도뿐만 아니라 가족기능의 축소화를 목표로 한 육아산업, 교육산업, 외식산업, 복지산업 등의 기업 활동이 성행하고 있으며, 이에 따른 각종 문제도 출현하고 있다.

관련어 | 가족항상성

가족도식
[家族圖式, family schema]

가족과 일반 가족에 대해 가지고 개인의 신념과 인지. 인지행동 가족치료

가족에게 형성된 총체적인 규칙을 뜻하는 가족규칙과 가족 및 타인과 관계를 형성하는 방식인 관계각본, 그리고 가족관계를 유지해 주는 적절한 비용과 혜택을 뜻하는 비용-편익의 개념이 더해진 포괄적인 개념이다. 즉, 가족도식은 가족 간의 상호작용이 축적되어 구성원에게 공통으로 형성된 가족 신념을 뜻하는 것으로, 가족의 행동과 상호작용을 구성하는 '틀' 또는 규칙을 제공해 준다. 가족구성원들은 가족생활에서 발생하는 다양한 상호작용이 반복되면서 가족도식을 형성하고, 이를 기초로 하여 가족과 가족관계를 이해하고 미래에 벌어질 일들을 예상할 수 있게 되는 것이다. 이러한 가족도식은 일반적으로 가족구성원 모두가 공통으로 가지고 있지만, 예외인 구성원도 있다. 또한 시간이 지나면서 가족도식이 수정되기도 한다.

관련어 | 가족규칙, 가족 인지

가족드라마
[家族-, family drama]

가족체계의 위기와 갈등을 드라마로 재현함으로써 이를 재경험하고 재구성하려는 치료적 접근방법. 가족치료 일반

안돌피(Andolfi) 등은 가족이 상담자에 대하여 자신들은 바뀌지 않은 채 변화되는 도움을 받고 싶다는 역설적인 바람을 갖고 있으며, 이 딜레마는 가족체계의 보다 큰 안정에 대한 요구의 결과로 일어나고 있기 때문에 도리어 교류양식이나 개인의 기능이 경직되는 결과를 초래한다고 생각하였다. 따라서 상담자의 역할은 IP(지목된 환자)에 의해 표현된 정서적인 장애와 그에 반응하는 다른 사람을 포함

한 병적 행동을 형성하고 유지해 온 의미를 바꾸는 것이다. 가족드라마 기법은 특히 여러 해 역기능적 행동과 다른 치료 시도의 실패로 막다른 곳에 이르러 실망에 빠진 가족에 대하여 가족이 현실에 부여하고 있는 인지적, 정서적 의미의 변화를 일으키는 데 유효한 기법이다. 상담자는 가족의 행동에 결부되어 있는 위기적 요소라고 생각되는 것을 발견해 내고, 다른 구조의 선택지를 생각해서 가족 각본(family script)을 수정하여 제시한다. 수정의 열쇠는 가족의 위기적 행동, 강한 정서가 표출되는 것을 두려워하여 숨기려고 하는 것이다. 상담자는 가족의 특정 상황을 과장된 드라마로 연출함으로써 상담자도 가족도 공상을 사용해서 자신을 숨김없이 낱낱이 드러내고 연상을 더욱 발전시켜 행동, 정경, 이미지 등의 행태로 제시된 위기적 요소가 명확해지면서 상황을 재정의, 재구성할 수 있게 된다.

관련어 | 가족위기

가족력
[家族歷, family history]

개인이 성장해 온 가족에 대한 다양한 정보. 가족치료 일반

개인이 어떤 가정환경에서 길러졌는지 알기 위한 다양한 정보를 담고 있는 것이 가족력이다. 가족구성(부모의 연령이나 직업, 학력, 형제의 유무, 기타 동거자의 유무)을 비롯해서 부모의 성격, 부모의 성장 내력, 내담자에 대한 양육태도, 부부관계, 부모 각각의 양친과의 관계 등이 중요한 정보가 된다. 가족치료에서는 이 같은 정보들을 정리하여 내담자의 현재 성격이나 행동, 증상형성에 어떤 영향을 미치고 있는지를 파악하는 자료로 삼는다.

가족무의식
[家族無意識, family unconsciousness]

선조로부터 후손에게 유전으로 전달되어 형성되는 무의식의 특정 영역. 분석심리학

유전이 과거의 형질을 모두 현재의 자손에게 전승하는 기능에 그 본질이 있다고 한다면, 현재의 개인으로서 스스로의 체험 이상의 체험을 하는 경우는 명확하게 그 개인의 선조가 체험한 억압된 무의식이 유전작용에 따라 전해진 것이다. 또한 그 선조의 억압된 무의식의 작용권(作用圈)은 가족무의식층이라고 한다. 융 이론에 따르면, 프로이트(Freud)의 정신분석에서 이야기하는 무의식은 유전과 직접적인 관련을 갖지 않는 개인의 출생 후의 체험으로서 개인적 무의식(das persōnliche Unbewusste)의 영역에 속한다. 반면, 가족무의식을 포함하여 종족이나 인류 일반에 관한 무의식의 영역은 융(Jung)이 명확히 한 집합무의식(das kollektive Unbewusste)에 해당한다. 가족무의식은 신경증 수준의 치료에서 개인적 무의식의 작용과 정신병 수준의 치료에서 집단무의식의 작용의 경계적 영역에서 어렵고 복잡한 증상을 보이는 사례를 이해하는 데 도움을 주었다. 집단무의식은 상징언어로 나타나지만 가족무의식은 선택언어로 나타난다고 한다. 선택언어란 개인이 각각에 내재시키는 가족무의식의 유전적 유전추성(geotropismus)에 따라 어떤 이성을 사랑하는가, 어떤 친구나 직업이나 질병이나 죽음을 선택하는가를 조사함으로써 가족무의식의 특징을 이야기할 수 있다는 것이다. 예를 들면, 죽음의 선택언어의 경우 음독자살, 투신자살, 목을 매어 자살, 사고사(타살 포함), 병사 등 여러 가지 죽음의 양식에 주목하여 대상자의 특징을 이야기하도록 하는 방법이 있다. 이것을 실천적으로 가능하게 한 것이 실험 충동 진단법, 즉 손디테스트(Szondi test)다. 이 검사는 전형적인 정신장애자의 얼굴 사진에 대해 좋은지 싫은지 반응을 요구한다. 손디테스트에서는 사진에

대한 이러한 반응이 응답한 내담자의 가족무의식을 보여 준다고 가정하고 있다. 손디는 프로이트가 주목한 심층심리학으로서의 무의식 정신작용에 깊은 관심을 갖고, 이러한 무의식의 작용은 여러 가지 생물의 형질발현에 결정적인 작용을 하는 유전자처럼 힘의 형질에 관한 마음의 유전자라고도 할 수 있는 대상으로서 파악할 수 있다는 것을 강조하였다. 그리고 이를 무의식의 유전학(Genetik des Unbewusste)이라고 불렀다.

가족발달
[家族發達, family development]

한 개인이 결혼을 함으로써 가족을 형성하고, 자녀를 생산, 성장시키고, 사망 등의 다양한 원인으로 가족이 해체되는 일련의 과정. 가족치료 일반

가족이 형성되고 발전하며 소멸, 그리고 또다시 그다음 세대로 이어지는, 반복되는 가족체계 변화의 과정을 가족발달이라고 한다. 가족은 체계 내의 여러 가지 변화요인과 체계 외부의 변화하는 환경에 적응하기 위해 다양한 상호작용을 하게 되는데, 그때마다 가족의 형태가 다른 모습으로 변화한다.

관련어 | 가족교육, 가족생활주기

가족발달과업
[家族發達課業, family developmental tasks]

가족의 발달단계에 따라 성공적으로 수행해야 하는 과업. 가족치료 일반

가족발달이론은 가족의 삶에서 경험하게 되는 체계적이고 유형화된 변화에 대한 이론이다. 가족은 이러한 발달단계마다 수행되어야 할 과업이 존재하는데, 가족발달과업에 영향을 주는 요인으로는 가족구성원의 증가나 감소, 새로운 규범의 출현, 역할유형의 변화, 연령에 따른 가족구성원의 신체적 변화, 문화적 기대, 개인의 가치 등이다. 가족발달과업의 개념에는 가족 개개인의 발달과업을 수행하기 위해 가족에게 부과되는 책임까지 포함된다. 만약 가족구성원이 가족발달과업을 제대로 이행하지 못하면 가족구성원 본인의 발달적 지체뿐만 아니라 가족 전체의 발달적 지체가 나타날 수 있고, 이로 인해 가족은 스트레스를 겪거나 가족위기에 처할 수도 있다. 가족이 수행해야 하는 기본적인 과업은 다음과 같다. 첫째, 물질적 부양(physical maintenance)으로 가족구성원을 위해 의식주 및 양호를 제공하는 것이다. 둘째, 자원의 분배(allocation of resources)로 각 가족구성원의 욕구에 따라 시간, 공간, 애정, 설비 등의 자원을 분배하는 것이다. 셋째, 노동의 분배(division of labor)로 가정을 관리하고 가족구성원을 부양하는 데 누가 어떤 일을 할 것인지 정하는 것이다. 넷째, 가족구성원의 사회화(socialization of family)로 가족 또는 외부세계에서 성숙한 역할을 내면화함으로써 각 구성원의 사회화를 모색하는 것이다. 다섯째, 가족구성원의 재생산과 원기회복 및 휴식(reproduction & release of family members)으로 사회가 허용하는 한도 내에서 애정, 공격성, 성적 충동 등을 표현하거나 의사소통 및 상호작용하는 방식을 터득하는 것이다. 여섯째, 질서의 유지(maintenance of order)로 자녀를 낳거나 또는 입양하여 이들을 키우면서 가족의 한 성원으로 적절하게 연합시키는 것이다. 일곱째, 전체 사회에 대한 자신의 위치 확인(placement of members in the larger society)으로 학교, 교회, 직장, 공동체 생활 등과 관계를 맺고 인척, 친척, 친구, 대중매체 등에 대한 적응 수단을 익히는 것이다. 여덟째, 개인의 사기와 동기유지(maintenance of motivation & moral)로 사기와 동기를 유지하면서 성취로 보답을 받고 목표를 설정하며 가족에 대한 충성심과 가치를 발전

시키는 것이다. 가족생활주기를 분류하는 학자들마다 각각의 가족생활주기의 단계에서 수행 가능한 발달과업을 다양하게 제시하고 있다.

관련어 | 가족발달, 가족생활주기

가족비밀
[家族祕密, family secrecy]

가족 또는 가족구성원 사이에서 말해서는 안 되는 것으로 되어 있는 명백한 사건과 은밀한 공상 또는 생각.
경험적 가족치료

가족 내에서 과거에 어떤 사실이나 사건을 계기로 형성되어 온 것으로 가족구성원의 행동이나 사고를 규제하는 암묵적 합의나 규칙 등을 말한다. 가족비밀은 가족구성원들이 모두 알고는 있지만 이를 표면적으로 거론하지 않는 암묵적인 규칙이라는 특징을 가지고 있다. 이러한 가족비밀은 가족체계에 가해지는 자극이나 변화에 저항하기 위해 사용하는 주된 방법 중 하나다. 가족의 비밀을 지키기 위해 구성원들은 외부체계에서 가해지는 자극이나 가족체계 내에서 발생하는 변화에 대해서 마치 아무 일도 일어나지 않는 것처럼 지금까지 해 오던 대로 계속 행동하게 되는데, 이렇게 정보를 드러내지 않고 보호하려고 구성원들이 힘쓰기 때문에 가족의 에너지는 많이 소비된다. 가족비밀은 대부분 가족 내 문제가 존재한다는 사실과 변화의 필요성을 보지 못하게 하는 역할을 한다. 아이들은 가족비밀의 유지를 위해 자신이 보고 듣는 것을 부인하도록 가르치는 가족 전체의 외부적 압력에 따라 점차 동조해 나간다. 가족치료 중에서도 역사적 지향성이 강한 상담자는 가족의 비밀, 예를 들면 양친의 결혼이나 자녀의 출생에 붙어 다니는 비밀 등을 명확히 하며, 그것에 의해서 어떤 가족이 지배를 받고 영향을 받아왔는지 분명하게 하는 것이 중요하다고 생각한다. 이 생각은 정신분석적인 억압이론에 가까운데, 가족체계론적인 입장에서는 단지 숨겨진 비밀이나 그것에 수반되는 감정을 털어놓고 이야기하면서 명확하게 함으로써 증상이 경감된다는 것은 지나친 단순화라는 견해를 가지고 있다. 즉, 가족치료에서 가족구성원이 가족 면전에서 '가족의 비밀'을 이야기하면 뒤에 그 인물이 보복의 대상이 되거나 죄책감을 가질 수 있기 때문에 원래의 문제를 지속시키고 강화할 가능성이 있다고 보는 것이다. 그래서 경험적 접근의 가족치료에서는 가족의 비밀을 취급하는 하나의 방법으로 가족 조각 기법을 사용하기도 한다. 이 기법으로 가족구성원들은 현재의 가족관계를 실제로 재현해 보면서 가족 속에 숨겨져 있는 다양한 상호관계와 감정을 깨닫게 된다. 상담자는 가족 조각 기법의 이 같은 장점을 이용하여 숨겨진 가족의 비밀이나 가족 신화가 실제 가족 면접 행동에서 어떻게 표현되어 나타나는지를 그 장면에서 다루고 공유할 수 있도록 하는 데 초점을 맞추기도 한다.

관련어 | 가족규칙, 가족 신화, 가족 조각

가족사정
[家族査定, family assessment]

가족이 제시한 문제와 관련해 가족을 하나의 단위로 보고 가족체계적인 관점에서 정보를 수집하고 종합, 분석하여 가설을 설정하고 개입을 계획하는 일련의 과정. 가족치료 일반

가족평가라고도 하는 가족사정은 일반적으로 치료의 초기에 이루어지지만 개입과정에서 새로운 정보가 들어오면 개입의 초점이 수정 및 보완될 수 있기 때문에 전 과정을 통하여 지속적으로 이루어진다고 볼 수 있다. 가족치료에서의 사정은 개인 내적인 상황에만 초점을 두는 것이 아니라 전체로서의 가족과 가족 간 상호작용에 초점을 둔다. 상호작용은 시간의 흐름에 따라 가족원의 발달과정에 영향을 미치고, 이는 다시 개인의 내면에 영향을 준다.

즉, 가족은 지속적인 시간의 흐름 속에서 수직적, 수평적 수준으로 상호 영향을 주고받는 것이다. 가족사정의 방법은 가족치료 모델마다 다르다. 보웬(Bowen)의 경우에는 개입을 시작하기도 전에 3세대 가계도를 완성하여 증상을 둘러싼 가족 전체 체계의 구조와 역사, 특별한 사건과 그로 인해 가족이 받은 영향력, 가족관계의 변화 등을 탐색한다. 반면, 구조주의 모델이나 해결중심 모델, 이야기치료에서는 형식적인 평가를 거의 하지 않는다. 한편, 가족사정은 크게 질적 평가와 양적 평가로 나눌 수 있다. 인터뷰나 관찰은 질적 평가이며 척도나 체크리스트를 이용하는 경우는 양적 평가라 할 수 있다. 다른 기준으로는 질문지를 이용한 객관적인 사정방법과 가계도, 가족화, 가족 조각 기법, 상담자의 가족 개념을 통한 주관적인 사정방법이 있다.

관련어 | 가계도, 가족기능의 맥매스터 모델, 가족풍토

가족사정모델
[家族査定-, family assessment model]

가족관계의 기능 상태를 사정하는 이론과 방법에 관한 견해, 사고방식의 모델. 가족치료 일반

가족상담에서 사정은 가족을 변별하기 위해서라기보다는 가족에게 어떤 형태의 상담이 바람직한지 결정짓는 도구가 된다. 즉, 사정은 제공할 상담의 방향을 결정하기 위해 가족을 충분히 알아가기 위한 과정인 것이다. 가족사정을 위해서 사용되는 도구에는 질문지를 통한 객관적인 사정도구와 가족개념을 통한 가족사정, 가족화와 같은 주관적인 사정방법 등이 있다. 먼저 객관적 사정방법을 위해 임상에서 사용하는 질문지는 많은 상담자들이 자신이 만난 가족의 문제를 목록화하고 사정하기 위한 객관적인 도구의 필요성에서 개발된 것이다. 이것은 가족구성원이 다른 가족구성원의 걱정이 무엇인지 체계적으로 이해할 수 있는 기회가 되며, 가족 각자에게 자기 노출을 할 수 있는 기회를 주어 자신이 어떤 문제에 대해 편향된 지각을 갖고 있다는 통찰 자체만으로도 치료적 효과를 볼 수 있다. 가족 전체의 기능을 파악하는 두 가지 모델로 맥매스터(McMaster) 모델과 순환 모델이 있는데, 맥매스터 모델을 이용하여 가족관계를 파악하는 도구인 자아분화 척도와 부모-자녀 의사소통 척도는 가족기능을 문제해결, 의사소통, 역할, 정서적 반응성, 정서적 관여, 행동통제, 가족의 일반적 기능 차원의 일곱 가지 측면에서 파악하기 위한 것이다. 원 도구에서는 53문항이지만, 우리나라의 문화적 특성을 고려해 수정된 단축형을 주로 사용하고 있다. 이 척도에서 의미하는 문제해결이란 가족이 효과적인 가족기능을 유지하면서 가족문제를 해결하는 능력을 획득하는 것을 말한다. 또한 의사소통 기능이란 가족 내에서 정보가 어떻게 교환되는가 하는 것으로, 이 척도에서는 언어적인 것에 국한하였다. 그리고 가족의 역할이란 개인이 가족기능을 충족시키기 위해 반복적으로 하는 행동유형을 말한다. 정서적 반응성이란 주어진 자극에 따라 적절한 내용과 적절한 양의 감정으로 반응할 수 있는 능력을 의미한다. 정서적 관여란 가족 간 서로에 대한 관심이나 배려의 양과 질의 문제로 가족 전체가 가족구성원의 흥미, 활동, 가치관에 얼마나 관심을 보이는가를 의미한다. 순환 모델의 접근법에서는 가족 행동이 가족을 유지하는 데 가장 기본적인 것이 가족의 적응력과 응집력임을 밝혔는데, 이를 기초로 하여 올슨(D. Olson)은 가족 적응성과 응집성 측정척도(family adaptability and cohesion evaluation scales: FACES)라는 순환 모델의 질문지를 개발하였다. 이 척도는 현재 가족에 대한 인식을 묻는 현실 가족과 원하는 가족 모습을 묻는 이상적 가족에 대해 각각 질문하도록 구성되어 있다. 적응성과 응집성은 각각 4개의 수준으로 구성해 총 16개의 가족 유형으로 구분하였는데, 적응성이란 가족의 변화를 허용하는 정도, 균형을 유지하려는 정도를 말한다. 즉, 가족생활의 압박이나 갈등의

반응에서 그들의 규칙, 역할, 구조 등을 유연하게 할 수 있는 가족 능력을 의미한다. 응집성은 가족구성원 서로의 정서적 결합 정도를 나타내는 것이다. 즉, 가족에게 부여된 개인의 자율성과 가족이 함께 하는 정도와 관련이 있다. 다음으로 주관적 가족사정 방법은 상담자들이 가족을 직접 만나면서 얻은 정보나 행동관찰과 같은 임상적 직관을 통하여 가족을 사정하는 것이다. 이러한 사정은 가족 개념에 의해 가족을 사정하거나 임상적인 경험에 따른 사정을 위해 가족구성원이 보이는 상호작용을 실제로 관찰하거나 상담자가 직접 가족 간 관계에 대해 질문하는 방법이 활용된다. 또한 가족화를 이용하기도 하는데, 이는 원래 인물화에서 발전한 것으로 아동의 지적·정서적 발달을 평가하는 방법으로 많이 이용하고 있다.

관련어 | 가족기능의 맥매스터 모델

가족상담
[家族相談, family counselling]

가족체계와 가족체계 내 개인의 문제를 회복시켜 가족의 건강한 생활 영위를 목적으로 하는 상담의 한 형태. 가족상담

한국여성개발원(1991)은 가족상담을 개인이나 가족의 문제해결을 위해 상담자가 가족을 체계로 보고 가족을 단위로 하여 가족의 기능, 역할, 관계상의 문제에 대해 실제 개입하는 일련의 조직적 상담과정이라고 정의하였다. 대부분의 경우 가족상담은 하나 이상의 목적으로 진행된다. 예를 들어, 가족구성원의 죽음이나 이혼 등 가족 안에 당면한 위기를 극복하는 것이 드러난 상담 목적이라 하더라도 가족체계의 건강성을 증진하는 것을 중요한, 궁극적 상담 목적으로 함께 갖게 된다. 가족상담은 정신과 의사나 임상병리가의 치료를 요하는 정신병리의 소유자보다 문제 가족원이나 가족위기가 그 대상이 된다. 즉, 가족복지를 개인 중심의 문제해결 과정에서 벗어나 가족을 한 단위로 보고 가족 내에 존재하는 문제를 해결하고자 하는 접근방법이다. 1919년 독일의 마그누스 히르쉬펠트(Magnus Hirschfeld)가 베를린에서 성(性)에 대한 정보와 상담을 위한 클리닉을 개설한 것이 가족상담의 시초였다. 곧이어 독일뿐만 아니라 오스트리아, 덴마크, 스웨덴을 중심으로 상담센터가 설립되었다. 상담센터에서는 가족상담과 함께 가족계획, 우생학, 성문제에 대한 정보를 주로 제공하였다. 가족상담의 이론이나 기법은 미국을 중심으로 크게 발달하였다. 미국에서도 초기의 가족상담은 결혼상담을 토대로 하여 부부상담, 가족치료, 아동문제상담 등이 주류를 이루었다. 개인을 상담하고 치료하는 과정에서 가족상담이 실시되었으며, 통합된 단위로서 가족상담이 발달하였다. 가족상담은 반드시 전 가족이 함께해야 하는 것은 아니다. 보웬(Bowen, 1960)은 가족 중의 한 사람 또는 일부를 상담함으로써 가족문제가 해결된다면 그렇게 할 수도 있고, 친구, 친척, 이웃도 포함할 수 있다고 하였다. 가족구조와 체계를 다루므로 가족상담의 당면 목적으로 드러난 문제를 소유한 가족구성원이 가족상담에 오지 않더라도 그 문제를 가족상담으로 다룰 수 있는 것이다. 우리나라에서는 상담소 및 여러 사회복지 관련 기관(청소년상담소, 청소년 복지기관, 여성회관, 아동상담소, 아동복지기관, 노인복지관, 노인상담소, 가정상담소, 가정복지관 등)에서 가족상담을 실시하고 있다. 다양한 접근과 이론의 가족상담 모델이 있지만 공통적으로 가족상담자가 해야 할 일은 가족구성원 간의 상호작용을 관찰하고 상호작용하지 않는 가족구성원의 양상도 동시에 파악하는 것이다. 가족구성원 간 갈등이 있다면 갈등의 상호작용 양상을 관찰하면서 나머지 구성원이 이에 대해 어떻게 대응하고, 이 일에 대해 어떤 생각과 감정을 가지고 있는지도 파악해야 한다.

가족생태도법
[家族生態圖法, ecomapping a family network]

가족과 다른 가족의 연계나 조직, 관습을 그림으로 묘사함으로써 가족에게 필요한 것을 검토하는 방법. 생태학적 치료

가족생태도를 작성하기 위한 데이터는 내담자나 가족의 공통 주제로 모아져야 한다. "당신의 가까운 사람들이 당신에게 도움이 됩니까?" "당신은 가족과 친합니까?" "누구에게 도움을 구합니까?" "개인적인 친구는 있습니까?"와 같은 질문을 통해 얻은 정보를 주제에 맞추어 친밀도나 중요도를 나누어 정리하고, 관계있는 사람을 모두 선으로 연결하여 도식화한다. 이처럼 가족의 네트워크를 도식화하면 내담자와 정서적인 관계를 가지고 있는 사람이나 중요한 사람을 확인할 수 있다. 가족생태도는 각 개인의 가족 안이나 공동체의 특성을 보여 주고, 고립되어 있는 사람이나 많은 지지자가 있는 사람, 인기인 혹은 동맹 등을 명확히 하고 현재의 가족으로서의 속박이나 긴장, 지지, 기타 문제가 어디에 있는지 혹은 가족의 정서적 · 경제적 자원으로 어떤 것들이 있는지에 대해서 검토할 수 있게 해 준다. 또 가족은 가족생태도를 작성하는 과정에 관계하거나 완성된 생태도를 검토함으로써 자신들을 위한 자원을 어떻게 이용할 수 있는지, 속박이나 긴장을 만들어 내는 원천이 어디에 있는지 등을 확인하는 이야기의 기회를 증가시킨다.

가족생활 공간의 상징적 묘사
[家族生活空間－象徵的描寫, symbolic drawing of family life space]

가족치료에 적용하는 투사기법으로 특정 공간에 가족의 모습을 그려 보게 하는 기법. 정신분석가족치료

상담자가 먼저 큰 원을 그린 다음, 가족구성원들에게 원 안에 가족을 재현하는 그림을 그리게 하고, 원 밖에 가족에 속하지 않는 사람들을 그리도록 한다. 그다음 그들의 관련성에 따라, 다시 원 안의 그림에서 가족을 상징적으로 배열해 보도록 한다. 이러한 활동을 함으로써 내담자가 자신의 가족환경에서 지각한 것이 그림에 투사되어 나타난 것을 관찰할 수 있다.

가족생활연대기
[家族生活年代記, family life fact chronology]

가족의 개인적 · 사회적 · 역사적 상황을 통합적으로 이해하기 위해 3세대의 생활연대기를 조사하여 적은 것. 경험적 가족치료

사티어(Satir)는 자신을 포함한 3세대의 가족생활에 관한 연대기를 정리하는 과정에서 이러한 작업이 가족에 대한 다양한 상황을 통합적으로 이해할 수 있는 중요한 자료가 된다는 것을 깨달았다. 가족생활연대기를 작성하기 위해서는 스타(star) 가족의 생활에 모든 중요한 사건과, 가족 안에서 내담자에게 영향을 준 모든 중요한 사건을 기억하여 적도록 한다. 이때 일반적으로 스타를 포함한 3세대의 사건을 중심으로 연대순으로 적는다. 즉, 스타 조부모의 출생부터 자신이 성인이 될 때까지 가족사 가운데 중요하고 영향력 있으면서 의미 있었던 사건들을 연대순으로 작성해 가는 것이다. 주요 사건에는 각 가족구성원들의 출생연도, 이사, 결혼, 이혼, 죽음, 불행한 사건, 가족의 중요한 사건, 졸업, 유학, 승진, 해고, 명퇴를 비롯하여 전쟁, 자연재해, 경제위기 등 역사적인 사건까지 포함된다. 스타가 잘 기억하지 못하는 부분은 가족의 역사를 잘 아는 사람에게 물어본 다음 적는다. 연대기를 정리하는 과정에서 내담자는 가족들이 경험한 개인적 · 사회적 · 역사적 상황을 이해할 수 있게 된다. 가족생활연대기를 작성한 다음에는 전지에 크게 적힌 연대기를 보면서 상담자와 스타가 함께 문제를 가족 및 사회 · 역사적 상

황과 상호 연관 지어 이해해 보는데, 이러한 활동은 가족의 경험과 의미를 새롭게 재구성하는 데 도움을 준다.

관련어 경험적 가족치료, 나의 생활연대기

가족생활주기 [家族生活週期, family life cycle]

시간에 따른 가족 내 여러 가지 발달상의 단계를 기술하는 데 사용되는 사회학적 용어. 가족치료 일반

결혼을 하거나 가족에게 아이가 생기는 것과 같이 가족을 시간에 따라 움직이는 체계로 본다면 변천과 변화는 불가피한 것이다. 이러한 발달학적 관점은 각각의 단계에서 가족이 이루어 내야 할 과제가 있고, 한 단계에서 다음 단계로 넘어가는 시점에서는 항상 어느 정도의 위기가 존재한다고 가정하고 있다. 가족이 안고 있는 임상적 문제는 한 발달단계에서 그다음 단계로의 이행 시 생기는 어려움과 관련된 것이 대부분이다. 개인의 경우 특정 발달단계에서 요구하는 과제를 충분히 달성하지 못하면 그 단계에 고착되는 것처럼 가족의 경우도 특정 단계에서 요구되는 과제를 수행하는 데 실패하여 어려움을 겪는 경우가 있다. 이 같은 발달상의 변화는 가족 내부에서는 개별성과 관계성 사이의 새로운 균형을 반영하는 것이다. 시몽(Simon)은 상담자의 가족생활주기 단계도 치료에 영향을 미친다고 주장하였다. 가족상담자가 가족생활주기에 대하여 기본적으로 이해하고 있고 올바르게 인식하고 있다면 내담자와 치료적 연합을 이루는 데 크게 도움이 된다. 가족이 당면한 위기나 문제행동을 그 가족이 어떤 단계에 있는지에 대한 발달적 맥락에서 이해하려고 할 때 보다 잘 파악할 수 있기 때문이다. 또한 생활주기 접근은 상담자가 가족의 발달단계에서 고군분투하고 있는 주제에 민감해지도록 도움을 주며, 내담자의 가족을 사정하고 개입하는 데 필요한 가설설정에 도움을 준다. 가족생활주기에 관한 연구에서 학자들과 분류방법에 따라 매우 다양하기 때문에 통일된 단계는 없지만, 일반적으로 사용되는 단계는 신혼 가족, 유아가 있는 가족, 청년기 자녀가 있는 가족, 자녀가 독립한 가족, 노년기 가족의 5단계다. 5단계에 학령기 자녀가 있는 가족을 추가하여 가족생활주기를 6단계로 보는 경우도 있다. 가족생활주기의 6단계 특징을 살펴보면 다음과 같다. 제1단계는 신혼기로서, 결혼에서부터 첫 아이가 탄생하는 시기까지를 말한다. 이 시기는 우리나라의 경우 평균 1년 8개월이 걸린다. 이때 주요 과제는 남편과 아내 쌍방이 각각 출생 가족(태어나서 길러진 가족)으로부터 물리적으로나 심리적으로 독립하여 두 사람의 관계를 만들기 시작하는 것이다. 제2단계는 부부의 출산이 시작되고 자녀가 유아기 단계에 있는 시기다. 신혼의 부부 사이에 자녀가 태어나면 가족관계는 2자 관계에서 3자 관계로 바뀌면서 다양한 변화가 일어난다. 이때 남편에게는 아버지 역할이 아내에게는 어머니 역할이 기대된다. 제3단계는 자녀가 학교에 다니는 시기다. 이 단계의 가족이 대처해야 할 중요한 과제는 자녀의 자립성과 가족에 대한 소속감, 충성심과의 균형을 적절하게 잡도록 노력하는 것과 자녀에게 지나친 기대를 하지 않아 무거운 짐을 느끼지 않도록 하여 비참하게 만들지 말아야 하는 등 부모와 자녀 사이의 균형을 유지하는 것이다. 제4단계는 자녀가 청년의 시기에 있는 단계다. 자녀가 10대인 사춘기에 들어서면서 관찰되는 급격한 발달은 신체적인 것뿐만 아니라 심리적으로도 커다란 변화를 초래하는 특징이 있다. 자녀는 몸의 성숙에 대응하면서 부모로부터 자립에 대한 요구를 나타내기 시작한다. 이때 가족이 대처해야 할 중심 과제는 부모-자녀관계를 특히 자립과 책임, 제어의 면에서 기본적으로 신뢰관계를 깨트리지 않고 재규정하는 것이다. 제5단계는 자녀가 독립하는 시기다. 이 단계는 첫 아이가 집을 떠나 사회적으로 자립하면서부터 막내 아이가 자립

하기까지의 기간을 말한다. 이때 가족의 기본적인 과제는 부모와 자녀 관계의 단절이 아니라 부모-자녀가 독립적으로 분리되는 것이다. 제6단계는 부부가 노년의 시기를 맞이하고 배우자가 죽음을 맞이하는 가족발달의 최종단계다. 이때의 가족과제는 지금까지 구축해 온 신뢰관계를 손상하지 않고 상실경험을 수용하는 것이다.

관련어 | 가족발달, 카터-맥골드릭의 가족발달단계

가족세우기
[家族-, family positioning]

내담자가 신체적 표현을 통하여 자신의 가족관계를 공간에 표현하도록 함으로써 치료적 효과를 거두려고 하는 해결중심적 단기치료의 하나. 기타 가족치료

가족세우기 치료는 독일의 가족치료사 헬링거(Hellinger)가 시작한 가족상담의 한 모델로서, 단기치료 중에서 집단치료 형태로 진행한다. 전통적인 가족치료의 모델과는 달리 전체 가족을 대상으로 치료를 진행하는 것이 아니라 대리가족을 통한 집단치료 형식이다. 헬링거는 보웬(Bowen)의 다세대 전수 개념, NLP, 교류분석, 가족 조각 등에 영향을 받아서 해결중심적 단기치료 모델로 발전시켰다. 가족세우기에서 기본 전제가 되는 것은 개인이 어떤 가족 안에서 태어났는지에 따라 그 개인의 문제와 갈등이 크게 영향을 받는다는 것이다. 가족이란 자신이 원래부터 속해 있던 어린 시절의 가족과 나중에 배우자와 함께 이룬 가족 모두 포함된다. 모든 사람은 가족이라는 체계의 일부가 되어 가족과 깊은 관계를 맺는다. 이러한 깊은 관계성은 다른 가족구성원이 가지고 있는 문제들에 영향을 받고, 또한 관여하게 된다. 가족구성원이 이러한 사실을 스스로 인식하든지 혹은 의식을 하지 않든지 상관없이 다른 가족구성원의 삶과 그의 문제에 얽히게 된다. 헬링거는 가족세우기 작업을 통하여 가족 안에 흐르고 있는 가족의 역동을 발견하고 깨닫는다면 문제가 해결될 수 있다고 보았다. 가족세우기 작업을 하기 위해서는 상담자가 내담자의 원가족과 그의 가족사를 파악하여 가족 안에 트라우마가 있었는지 살펴보아야 한다. 가족 안에는 질서, 애착, 주고받음의 공평성이라는 원칙을 통하여 가족구성원은 누구든지 가족과 함께 조화를 이루는 삶을 살아가려고 한다. 이러한 원칙에 따라 가족 중에 불행한 삶을 살았던 사람의 운명을 개선하기 위해 무의식적으로 그 운명에 빠져들 수 있다. 예를 들어, 불행한 부부관계 속에서 늘 외롭고 슬픈 삶을 살았던 어머니가 있는 딸이 결혼을 하고서는 마치 어머니의 불행한 운명을 무의식적으로 자기 것으로 받아들여 살아간다. 그러나 자신이 가지고 있는 문제가 자신에게 속해 있는 것이 아니라 어머니의 불행한 운명과 얽혀 있다는 것을 자각하면 얽힌 관계에서 풀려날 수 있다. 가족세우기는 트라우마를 가진 가족들이 가족의 문제와 갈등을 해결하는 데 깊은 통찰과 가능성을 제공한다. 기존의 가족상담 모델들이 가족의 갈등과 문제를 해결하기 위해 관계와 의사소통 차원에서 접근한 반면, 가족세우기는 다세대적 관점에서 가족 내 세대 전수되는 역기능 패턴을 파악하는 데 중점을 두고 있다.

가족신체의학
[家族身體醫學, family somatics]

체계적인 가족과정과 이 과정에 대한 개인적이고 신체적인 반응의 상호관계를 연구하는 의학적 연구 분야. 가족치료 일반

질병에 대한 신체적 · 심리적 · 사회적 측면을 포함하는 총체적인 연구를 하는 것이다. 위크랜드(Weakland)는 기질성 질환을 포함한 질병 일반을 가족 상호작용의 관점에서 접근하는 새로운 연구분야를 제창하면서, 심신의학(psychosomatics)을 인용하여 가족신체의학이라고 불렀다. 기관지 천식,

당뇨병, 신경성 식욕부진증, 궤양성 대장염 등은 지금까지 연구대상으로서 대표적인 질환이지만 나아가 허혈성 신질환 등 소위 심신증도 연구의 대상이 되고 있다. 이 개념은 가족치료가 순수한 신체질환의 일부에 약물요법 등 종래의 치료법과 함께 치료에서 중요한 역할을 수행하고 있다는 것을 시사한다. 이 분야를 대표하는 연구로는 미누친(Minuchin)이 제시한 심신증 가족(psychosomatic family) 모델이 있다. 이 모델에서는 심신증 환자를 가진 가족에게 밀착(enmeshment), 과보호(over protection), 경직성(rigidity), 갈등이 해결되지 않는 것 혹은 갈등 회피, 가족의 갈등에 대해 환자가 말려드는 것과 같은 다섯 가지의 특징적인 상호작용 패턴을 인정하고 있다.

가족심리학
[家族心理學, family psychology]

행동과학적 방법론을 토대로 가족관계에 관련되는 심리학적 제반 현상을 연구하는 학문 분야. 기타 가족치료

심리학의 모든 영역 중에서도 가장 새로운 분야다. 구체적으로는 부모-자녀, 형제, 부부 등의 가족 내에 형성되는 관계, 결혼이나 이혼 등에 관한 심리사회적인 사항, 그리고 가족의 형성, 발달, 붕괴 등의 가족과정(family process)이 중요한 연구과제다. 가족심리학은 가족상담, 가족치료 혹은 가족교육(부모교육 포함) 등을 실천하면서 성립된 것으로, 체계 접근법에 입각한 생태학적 · 원환적(圓環的) 인식론이 특징이다. 예를 들면, 아들의 비행이 완고한 아버지의 탓이라든가, 딸의 등교거부는 어머니의 과보호 결과라고 하는 선형인식론(線形認識論)으로는 해결될 수 없는 부분이 있다는 것이다. 또한 청년이나 성인의 신경증이나 행동문제는 유아기에 받은 심적 외상이 원인이라는 견해는 발생론적 오류라는 가족치료가도 적지 않다. 한편, 1984년에 미국 가족심리학회가 미국심리학회(APA)의 제43부문으로 가입하여 일원이 되었고, 1993년에는 국제가족심리학회(International Academy of Family Psychology)도 만들어졌다.

가족역동
[家族力動, family dynamics]

가족 간의 서열이나 친밀도와 같은 가족 간 관계에 대한 인식, 가족구성원의 심리사회적 교제에 보이는 힘의 관계. 가족상담

가족은 각자의 역할을 가진 구성원의 단순한 기법일 뿐만 아니라 상호 의존할 수 있는 역동적인 집단이다. 가족구성원은 그 사이에 여러 가지 힘이 작용하며 끊임없이 상호 심리적인 변화를 불러일으키게 되어 있다. 가족의 인간관계가 균형이 잡혀 조화로울 때에는 가족관계가 안정되어 있는 것으로 보이지만, 그러한 경우에도 대개는 부부간, 부모-자녀 간, 형제간에 작은 갈등이 있다고 볼 수 있으며, 갈등이 있고 나서 이것이 해결되는 경우 비교적 안정이 되는 과정을 반복한다. 가족관계에서 어떤 형태로든 불균형 상태가 생길 때에는 전체로서의 균형이 이루어지도록 가족역동이 작용하고, 이렇게 함으로써 가족의 항상성이 달성된다. 그러나 가족역동이 좋지 않은 방향으로 작용하면 표면적인 안정의 배후에 여러 가지 문제가 생기고 구성원의 누군가가 희생양이 되어 정신적 건강을 손상시킨다. 가족을 하나의 통합된 전체로 보는 입장에서 가족역동론을 확립한 사람은 정신과 의사 애커먼(Ackerman)이다. 애커먼은 가족의 정체성과 안정성이라는 이론적 틀에서 가족역동을 파악하고, 나아가 가족을 진단하는 가족진단기술을 작성하였다. 가족의 상호작용을 단위로 한 그의 가족역동론은 가족을 하나의 시스템이라고 간주하는 가족 시스템론의 시초가 되었다. 이와 같은 가족역동은 자아정체감, 내외 통제

성, 가족 자원 만족도와 관련된다. 첫째, 가족역동성이 높은 집단의 청소년은 다른 집단에 비해 높은 자아존중감을 보인다. 즉, 가족역동성이 낮은 가족은 권위주의적이고 전제적인 훈육방식을 유지하며, 의사결정에 다 같이 참여하기보다는 일방적인 통제방식을 사용한다. 또한 가족역동성은 자신에 대해 새로운 역할을 받아들이고 자신의 정체감을 확립하는 데 많은 영향을 준다. 둘째, 내외 통제성이 강할수록 가정생활 건전도가 높으며, 내적 통제성이 강한 주부는 일상생활을 자신의 계획대로 이끌어 가려는 의지가 강하고 삶의 질 향상을 위해 제한된 자원을 활용하여 가족역동성에 긍정적인 영향을 준다. 셋째, 가족원 사이의 거리감, 부모의 훈육방식 문제, 부모와 자녀 관계의 친밀도와 애착 및 의사소통의 결핍, 부모의 감독 소홀 등 가족 자원 만족도는 가족역동성에 영향을 준다.

가족역동집단
[家族力動集團, family dynamics group]

해결중심접근으로 하는 집단치료의 한 형태.
해결중심상담

해결중심접근으로 가족치료에 접근하는 형태로서, 가족역동집단은 가족의 문제가 '무엇인지'에 관심을 두기보다는 가족구성원들이 '어떻게' 문제를 해결하는가에 더 관심을 기울인다. 따라서 가족역동집단을 이끌면서 상담자는 가족이 가지고 있는 문제가 일어난 상황보다는, 그 문제가 일어나지 않았던 예외상황에 중점을 두어 어떻게 하면 그 같은 예외상황이 일어날 수 있는지에 대해 가족구성원들이 생각하고, 이야기할 수 있도록 격려한다. 이를 통해 가족구성원들은 본인에게 예외상황을 만들 수 있는 능력이 있다는 것을 확인할 수 있고, 문제해결 방법에 대한 아이디어를 풍부하게 얻을 수도 있다. 또한 해결중심 집단치료에서는 가족의 갈등이 발생할 위험성이 있기 때문에 약물남용의 문제가 있는 청소년, 아동, 가족구성원들과 같이 문제가 있다고 지목된 내담자들이 가족들에게 비난받지 않으면서 문제가 없는 예외적 생활에 대해 보다 많이 생각할 수 있도록 도와주어야 한다. 가족역동집단에서 사용할 수 있는 질문의 예는 다음과 같다. "우리가 집단모임이 끝나는 시점인 6주 뒤에 가 있다고 잠시 상상해 보자. 집단에서 어떤 일이 일어나야 당신의 가족이 가치 있게 시간을 보냈다고 하겠는가?" "가족관계에서의 어떤 변화가 당신의 가족생활에 가장 큰 차이를 만들 수 있을까? 누가 이러한 관계에서 다르게 행동하고 말할까?" "1~2주 후, 당신의 가족생활이 더 나아지고 있다고 볼 수 있는 첫 신호는 무엇이겠는가?" "누가 자신의 행동을 먼저 변화시켜 가족과의 관계 또는 친구와의 관계를 변화시켰나요?" 가족역동집단의 한 회기를 마무리하는 바람직한 방법은 척도질문을 사용하는 것이다. 예를 들어, "1부터 10까지의 척도에서 척도 1은 매우 실패했음을 의미하고, 10은 매우 성공했음을 의미합니다. 오늘 우리가 만나기 전에 당신은 가족에게 몇 점을 줄 수 있었습니까? 그리고 집단모임이 끝난 지금 당신은 몇 점을 줄 것입니까?"라는 질문을 통해 치료의 효과를 확인할 수 있으며, 다음 치료의 목표를 정하는 데 자료로 활용할 수 있다.

관련어 과정집단, 관계집단, 분노관리집단, 오전-오후과정집단

가족연구
[家族研究, family study]

가족체계와 가족관계에 대한 연구. 가족치료 일반

일반적으로 가족연구는 사회 변동이나 가족의 변화가 눈에 띄는 때에 주목을 받아 왔다. 제1차 세계대전 후의 경제 불황, 결혼이나 가족 혹은 성에 대한 전통적 관념의 붕괴, 공업화·도시화에 따른 핵가

족의 증가와 더불어 비행, 범죄, 이혼, 약물남용 등이 증가하던 1930년부터 1940년대의 미국 정신의학 및 심리치료에서는 설리반(Sullivan) 등에 의한 신프로이트학파가 활약하였고, 그들은 사회학자나 문화인류학자와 협력하여 사회정신의학, 문화정신의학을 발전시켰다. 그것은 인간 상호관계나 사회환경을 중시하는 포괄적-역동적(holistic-dynamic)인 정신의학이었다. 이러한 학문적 기반하에 미국에서는 신경증이나 정신장애에 국한하지 않고 분열병의 발생원인에 심인론이 기술되었다. 캐너(Kanner)는 1943년 조기 유아 자폐증을 발표하고, 특징적인 증상을 기술하면서 아이 부모의 성격 특징이나 양육태도의 편향을 문제로 삼았다. 이것이 심인론으로 연결된 것으로서, 그 후 많은 논의를 불러일으켰다. 프롬-라이히만(Fromm-Reichmann)도 '분열병을 만드는 어머니(schizophrenogenic mother)'로서 분열병자 어머니의 성격이나 자녀에 대한 태도가 얼마만큼 병자에게 영향을 미치는지 강조하고, 나아가 공격적이고 횡포를 부리는 거부적인 어머니와 소극적이고 무관심한 아버지의 존재에 주목하였다. 틸먼(Tillman) 등은 노골적 혹은 암암리에 자녀를 거부하는 어머니와 지배적인 아버지를 정신분열병자 부모의 특징이라고 하였다. 그 후 잭슨(Jackson)이나 리츠(Lidz) 등도 부모를 유형화했지만, 이 같은 유형이 분열병자 부모의 특징이라고는 말하기 어려우며, 리츠도 말했듯이 부모의 성격이나 태도의 특수성만 주목하는 것은 본질을 오도할 우려가 있다고 반성하게 되었다. 그래서 1950년 이후는 아버지나 어머니가 자녀에게 미치는 직접적인 영향에 주목하지 않고 가족 내의 복잡하고 다면적인 상호관계를 전체적으로 생각하는 애커먼(Ackerman) 등의 교류적인 견해가 많아졌다. 그 대표적인 것이 리츠 등 분열병자 부모 사이의 특징적인 관계, 즉 부부분열(marital schism)과 부부왜곡(marital skew), 그리고 베이트슨(Bateson), 윈(Wynne) 등의 가성(거짓) 상호성(pseudo-mutuality) 학설이다. 이 학설들은 고전적인 것으로서 유명하지만, 각각의 학파가 서로 영향을 미쳐 접근하고 있다. 1970년대 이후로는 일반체계이론이 가족연구에 도입되어 환자만을 병자로 보는 것이 아니라 그 증상을 가족병리의 한 현상이자, 동시에 환자의 상태가 가족 전체에 여러 가지 영향을 미친다고 하여 가족 전체의 문제 해명이 가장 우선되어야 한다고 생각하게 되었다. 지금은 미국뿐만 아니라 이탈리아, 핀란드, 독일, 일본, 한국 등 여러 나라에서 정서장애, 비행, 섭식장애, 우울병, 분열병 등의 가족에 대한 각종 치료가 행해지며 그것이 가족연구에 피드백되고 있다. 우리나라의 경우는 광복과 한국전쟁 등에 의한 빈곤, 구도덕이나 대가족 제도의 해체, 성 윤리의 변화 등 사회 혼란이 격심하였다. 그 후 5 · 16 군사 정부가 들어서고 경제 개발 계획을 수립, 실천하면서 1970년대는 고도의 경제 성장을 이룩하여 경제적으로는 풍부해졌지만 인구의 도시 집중, 핵가족의 증가, 자녀의 감소, 고학력 사회의 도래, 친구와의 놀이를 잊어버린 무기력한 아이들이나 모라토리엄(moratorium) 청년의 증가 현상이 나타났고, 약물남용, 비행범죄, 학교폭력, 섭식장애, 혹은 자녀의 학대 등 사회 병리현상이라고 할 수 있는 문제가 격증하여 그에 따른 가족연구, 가족치료가 주목받게 되었다.

가족위기
[家族危機, family crisis]

가족체계에 가해지는 외부의 자극 또는 압박이 너무 강하거나, 급격한 변화로 가족이 제 기능을 발휘하지 못하는 상태.

가족치료 일반

가족은 관계성, 변성, 가변성, 예측 불가능성 등의 속성을 가진다. 그래서 가족은 항상 문제에 직면하고, 해결하면 또다시 다른 문제가 따르면서 연속적인 문제해결의 과정이 생기는데, 그러한 과정 중 가족의 심리적 · 인간관계적 문제 혹은 사회적 · 경제적 곤란 등에 직면했을 때 적절하게 대응할 수 없는 데에서 생기는 긴장상태가 가족위기다. 위기 상태가 장시간 지속되면 가족 내의 병리현상을 불러일으키기 쉽다. 가족위기의 요인은 네 가지로 나눌 수 있다. 첫째, 가족위기 가운데 규범적인 것은 누구나 특정한 시기에 가질 수 있는 예상된 결과를 초래하는 것으로 결혼 후 출산, 퇴직, 이직, 장수한 배우자의 죽음 등은 예상할 수 있고, 미리 준비하여 대처능력이 있다. 그러나 비규범적인 위기는 전혀 예상 밖의 일로 갑작스러운 배우자의 죽음, 전혀 예상하지 못한 실직, 가족원의 정신질환, 배우자의 외도, 폭력 등은 가족들에게 아주 치명적인 위기로 작용할 수 있다. 둘째, 가족위기는 내적 요인에 의한 것과 외적 요인에 의한 것으로 나눌 수 있다. 내적 요인에는 가장의 무능력, 무절제한 도박으로 재산 탕진, 배우자의 일방적인 유기 등이 있으며, 외적 요인에는 전쟁으로 인한 가족해체, 공황이나 재난, IMF와 같은 경제위기 등 불가피한 외부적인 상황에 따른 것이 있다. 가족위기는 외적 요인보다는 내적 요인에 따른 것이 문제가 더 가중되고 스트레스를 더 많이 받는다. 셋째, 가족위기는 일시적인 것과 장기적인 것으로 나눌 수 있다. 가족원의 일시적인 질병이나 가장인 아버지의 짧은 실직 등 한시적인 것은 오히려 가족이 위기를 극복하고 더욱 강한 결속력을 갖는 기회가 될 수 있다. 그러나 오랜 시간의 가족원의 병원 입원, 노부모의 치매와 같은 장기적인 것은 더 많은 스트레스로 가중되어 가족들이 어려움에 처하게 된다. 넷째, 가족위기는 가족의 발달상에 필연적으로 부딪치는 다양한 요인으로 발생한다. 출산, 결혼, 입학, 취직, 실업 등 가족발달단계상 나타날 수 있는 사건에 대해 가족체계가 제대로 대응하지 못하고 갈등을 일으키으킬 때 가족위기가 발생한다.

관련어 | 가족교육, 가족드라마, 가족위기치료

가족위기개입
[家族危機介入, family crisis intervention]

가족위기에 처한 가족체계를 돕기 위한 적극적인 치료적 개입의 형태. 가족치료 일반

가족이 위기상태일 때 복수의 상담자가 1, 2개월 단기간에 가족방문을 포함한 가족치료적 기법을 사용하여 즉각적이고 집중적으로 접근하는 것을 뜻한다. 가족의 위기란, 예를 들면 가족구성원의 입원, 정신질환, 범죄, 사별, 별거, 동거, 실업, 학업상 문제 등에 가족이 대응할 수 없게 된 경우다. 가족이 이 같은 위기상황에 직면했을 때, 그 극복을 돕기 위해 적극적으로 개입하는 것을 가족위기개입이라고 한다. 가족위기개입의 목표는 다음과 같다. 첫째, 위기로 인한 증상을 제거한다. 둘째, 위기 이전의 기능 수준으로 회복한다. 셋째, 불균형 상태로 만든 촉발사건에 대해 어느 정도 이해한다. 넷째, 가족이 사용하거나 지역사회 자원에서 이용할 수 있는 치료기제에 대해 규명한다. 다섯째, 현재의 스트레스를 과거의 생애경험, 갈등과 연결한다. 여섯째, 새로운 인식, 정서양식을 개발하고 위기상황 이후에도 사용할 수 있는 새로운 적응적 대처기제를 개발한다. 이러한 목표를 바탕으로 가족위기개입의 최종 목적은 가족에게 닥친 문제를 즉각적으로 해결하고 예상하지 못한 생활사건 등에 적응할 수 있도록 하며, 장기적으로 미래의 위기에 적응할 수 있는 능력과 기술의 극대화를 도모하는 것이다. 질란드(Gilland)와 제임스(James)는 가족위기개입을 위한 모델을 제시하였는데, 그 과정은 다음과 같다. 첫째, 가족이 직면한 문제를 확인한다. 둘째, 가족구성원의 안전을 도모하기 위한 진단과 평가를 한다. 셋째, 다양한 치료기법이나 공공기관 등의 개입으로 위기 가족을 지지해 준다. 넷째, 가족의 강점에 기반을 두고, 가족위기를 극복해 내어 보다 나은 미래를 계획할 수 있는 대안을 탐색한다. 다섯째, 가족위기를 극복하고 대안을 실행할 수 있는 다양하

고 통합적인 계획을 수립한다. 여섯째, 가족위기의 극복에 대한 확신을 가지고 계획을 실천한다.

관련어 | 가족교육, 가족위기치료

가족위기치료
[家族危機治療, family crisis therapy]

가족체계가 위기 이전의 상태로 회복되도록 도와주는 치료적 접근방법. 가족치료 일반

가족체계가 위기 이전의 건강한 상태의 수준으로 회복되는 것을 도와주는 적극적이고 위기 지향적인 개입기법이다. 위기란 증대된 긴장상태, 장기적 목표의 중지상태, 과거 갈등의 재생상태를 뜻한다. 이는 대개 내 · 외부적인 스트레스가 원인이 되어 갑자기 빠져들며, 이러한 위기의 연속이 매우 자주 일어나면 퇴행이나 가족구성원 중 하나 또는 그 이상에서 정신의학적 증상이 발생하는 경우도 있다. 가족의 위기는 그 원인이 되는 스트레스를 극복하거나 제거하기 위한 노력으로 해결될 수도 있다. 위기개입 기법은 캐플란(Kaplan)과 랭슬리(Langsley) 등이 1964년 콜로라도정신병원 내에 가족치료소를 설립하고 가족을 위한 위기중재치료를 시작하면서 최초로 도입되었다. 치료유형은 장기적으로 가족의 회복을 돕는 것과 단기적으로 위기 극복에 집중하여 개입하는 방법이 있다. 이들의 가족위기개입 기법을 요약하면 다음과 같다. 첫째, 즉석 원조(immediate aid)를 시행하여 급박하게 당면한 가족의 위기를 경감시킨다. 둘째, 가족위기로서의 문제를 정의한다. 셋째, 현재에 초점을 맞추어 목표를 설정한다. 넷째, 가족체계의 긴장을 제거한다. 다섯째, 현존 위기를 해결한다. 여섯째, 미래에 예상되는 위기를 관리한다. 이들의 위기개입방법은 당시 성격장애를 보이는 사람들, 급성 정신분열병 반응, 우울증, 기타 위기상황에 처한 가족구성원이 있는 위기가족들에게 많은 도움이 되었다. 가족위기 모델에 따르면 가족이 위험한 생활 사건들을 다루는 데 실패한 결과로 위기가 일어나고, 결국 개인의 붕괴가 나타난 것이다. 이러한 위기치료는 외래 및 가정에서 동시에 시행하는데, 정신과 의사, 임상심리사, 정신보건 사회복지사, 정신보건 간호사 및 2명의 성직자가 서비스를 제공하면서, 통상 3주 동안 5회의 가정방문과 몇 차례의 전화상담으로 이루어진다. 이와 같은 개입으로 가족 중의 정신질환자가 희생양이 되지 않도록 가족을 도와주는 데 주안점을 두며, 증상을 완화시키기 위해 약물 사용도 고려하였고, 위기를 해소하고 기능을 회복시키기 위한 책임을 각 가족에게 부여하였다. 이 같은 지시적이고 지지적인 접근은 빠른 효과를 보여 주었는데, 수일 내에 위기를 극복하였고 정신분열증 같은 문제도 입원치료를 하지 않아도 되는 경우가 있었다.

관련어 | 가족위기, 가족위기개입

가족인형극
[家族人形劇, family puppet interview]

가족구성원들이 다양한 인형을 가지고 놀이하는 활동을 통하여 그들의 기능과 관계를 알아보는 기법. 경험적 가족치료

가족 면접 장면에서 가족구성원 중 한 명에게 인형을 이용해 이야기를 구성해 보도록 하는 것으로, 어윈(Irwin)과 맬로이(Malloy)가 고안하였다. 이 기법은 어린아이와 함께하는 놀이치료에서 많이 사용하는데, 가족치료에서 사용할 때는 가족 내 갈등과 동맹을 쉽게 드러내 준다는 장점이 있다. 또한 인형이라는 상징적인 매개체와 은유를 사용하기 때문에 보다 안전한 표현이 가능하며, 좀 더 다양한 의미와 가족구성원들 간의 갈등 및 동맹 등의 상호작용에 대한 정보를 얻을 수 있다. 빙(Bing)의 방법을 소개하면, 동화의 등장인물이나 동물 등 여러 가지 손가락 인형(손가락에 끼워서 움직이는 조그만 인형)을 준비한다(빙이 실례로 든 인형은 마녀, 해골, 안대 붙

인 해적, 사자, 개, 마녀, 여왕, 여성 등이다). 상담자는 가족에게 "지금부터 잠시 이 인형을 이용해 함께 놀아 보세요."라고 부탁한 뒤 함 속에 들어 있는 손가락 인형을 보여 준다. 어른과 아이들이 그 인형 중에서 자유롭게 몇 가지를 골라 받아 인형으로 서로 이야기하도록 한다. 인형을 손가락에 끼우고 각각의 인형을 선택한 이유에 대하여 이야기하면서 현재 극의 제목, 주제, 교훈 등을 생각하도록 한다. 인형극이 가족에 관한 정보를 주며 가족의 기능을 파악할 수 있도록 해 준다. 인형을 고를 때 가족은 어떤 관계를 나타내는 움직임을 하는가, 무엇을 고르는가 등의 실제 언행이나 인형놀이 중 보여 주는 판타지로부터 가족의 갈등이나 자아의 강함 등 여러 가지 면을 표현하는 경우가 많다. 따라서 특히 언어화가 서툰 가족, 5~12세까지 자녀를 포함한 가족, 합리화가 지배적으로 경직되는 경향의 가족, 또는 자녀가 언어로 호소하기가 곤란한 경우 등에 적용하기에 적절하다. 가족구성원이 여러 인형 가운데 어떤 인형을 선택하는지, 인형을 통해 어떤 갈등을 표현하는지, 인형극의 내용이 무엇인지 등의 질문에 대한 대답들과 인형극 후에 가지는 토론과 면접으로 가족 내 갈등의 유무, 갈등의 내용, 또 가족 안에서 가족구성원 각자의 위치를 파악할 수 있다.

가족적응력
[家族適應力, family adaptability]

가족체계가 자극과 변화에 유연하게 대처하고 수용하는 능력. 전략적 가족치료

가족체계는 외부 혹은 내부로부터 발생하는 자극이나 변화에 대처하기 위해 가족관계, 가족규칙, 역할, 구조 등을 변화시키면서 적응과 거부의 반응을 하게 된다. 이때 자극과 변화에 가족체계가 갈등이나 스트레스 없이 유연하게 적응하고 수용하는 능력을 가족적응력이라고 한다. 적정한 수준의 가족적응력을 가진 가족체계는 자극이나 변화에 유연하게 대처하여 가족체계 안의 힘의 구조, 역할관계, 가족규칙들을 상황에 맞게 변화시키고, 가족체계가 안정을 찾을 수 있도록 하는 능력을 가지고 있다. 하지만 구성원 중 한 사람이 가족을 강하게 통제하고 있다든지, 엄격한 가족규칙으로 경직되어 있는 가족체계는 가족적응력이 낮아서 자극과 변화에 유연하게 대처하지 못하고, 갈등과 스트레스가 발생한다. 또한 특정한 가족규칙이나 규범이 일정하게 형성되어 있지 않거나 가족체계를 통제하는 구성원이 변덕스럽고 제한적인 리더십을 가지고 있는 가족체계도 자극과 변화에 매우 산만하게 반응하며, 가족적응력이 매우 낮은 혼란한 가족체계라고 할 수 있다.

관련어 | 가족 응집성

가족정신의학
[家族精神醫學, family psychiatry]

전체로서의 가족을 하나의 단위로 진단하고 치료하는 정신의학적 이론과 실천적 체계. 가족치료 일반

하우얼스(Howells)가 제창한 개념으로서, 그는 성인정신의학, 아동정신의학, 사춘기정신의학 등의 개인정신의학은 시대적 요청에 따라 분할해서 볼 수 없으므로 가족정신의학으로 그것을 대체해야 한다고 보았다. 가족구성원 개개인에 대한 임상적인 접근법을 초월하여 가족 전체가 진단과 치료의 대상이 된다. 따라서 가족정신의학은 임상적으로는 가족진단과 가족치료를 기본적인 방법으로 삼고, 개인 중심 지향적인 전통적 정신의학과는 차원을 달리하는 독자적인 이론과 방법을 확립하고 있다. 다시 말해, 가족정신의학이란 정신의학에서 이론적·실천적 체계의 하나이며, 가족집단을 기능 단위로 하는 것이다. 가족정신의학의 목적은 장애의 제거, 극복을 통하여 건강하고 조화롭고 적응력 있

는 가족을 형성하는 데 있다. 또한 가족정신의학에서는 가족 전체를 통합하여 보는 것 외에는 고정적인 하나의 이론 체계를 사용하지 않는 것이 보통이며, 하나의 임상적 징후에 따라 특정 기법을 한정하지 않는다. 이 때문에 정신병이나 신경증 외에 널리 비행, 중독, 자살, 학업 태만, 근무 태만 등 여러 가지 현상을 쉽게 포괄할 수 있는 이점이 있다. 가족정신의학의 발전과정은 다음과 같다. 가족정신의학의 발단은 독자적인 가족진단과 가족치료를 발전시킨 애커먼(Ackerman)의 가족 정신역동학의 관점이다. 이는 기본적으로 정신분석적인 개인정신치료에서 밝혀진 정신 내부에서의 가족공상 및 오이디푸스콤플렉스와 같은 가족관계상에 대한 연구에서 시작되어 곧 아동정신의학에서의 아동의 성장 및 치료를 위한 환경과 그 가족 양상에 대한 파악, 그리고 부모-자녀관계 및 가족 전체의 조정으로 발전하였다. 또 정신병, 특히 정신분열증 환자의 부모-자녀관계에 대한 임상적 연구가 발전하면서 곧이어 부모를 포함하는 가족 전체의 왜곡이 연구의 초점이 되었다. 그 과정에서 리츠(Lidz)의 부부간 분열과 왜곡(marital schism and marital skew) 이론, 베이트슨(Bateson)의 이중구속이론설(double bind theory), 윈(Wynne)의 거짓 상호성(pseudomutuality) 등이 1950년대에 제시되면서 정신분열증의 가족병리에 대한 연구가 발전하였다. 이러한 동향을 거쳐 점차 현대의 가족정신의학의 모습이 정리되었는데, 1960년대에는 랭(Laing) 등의 가족정치학이 가족정신의학의 동향과 결합하여 소위 반정신의학(antipsychiatry)으로까지 전개되었다. 1970년대에 접어들면서 가족체계이론과 의사소통이론에 근거를 둔 가족정신의학 이론이 발전하면서 치료법에서도 합동 가족치료(conjoint family therapy)에 따르는 가족의 체계론적, 의사소통론적 접근법이 임상에 적용되었다. 이러한 가족정신의학의 임상적인 접근법은 아동정신의학과 정신분열증의 영역에서부터 알코올중독(alcoholism) 및 섭식장애(eating disorders)에로 그 치료대상을 확대하였고, 한편으로는 현대의 이혼과 재혼가족의 급증 및 독신생활의 경향, 또는 결손가족의 증가와 같은 가족구조 자체의 급속한 변화에 대한 가족의 적응을 도와주고, 나아가 새롭게 전개되는 가족의 재편성을 원조해 주는 사회적 기능까지 책임지게 되었다. 가족정신의학을 구체적으로 추진하는 데는 정신과 의사 외에 임상심리학, 소아과 의사, 사회사업가, 가정간호사, 사회학자, 성직자 등이 협력하기도 한다. 이러한 사람들이 치료팀을 만들어 외래와 병실의 진료 및 치료를 행하는데, 그때 행해지는 치료법은 가족 전체를 포함한 집단적인 것에 역점을 둔다. 예를 들면, 가족정신치료, 벡터치료, 사회정신치료 등이다. 가족정신치료는 한 사람 대 두 사람(2명 치료 또는 연대치료)으로 행하는 경우에서 전 가족(가족집단치료 또는 가족연대치료), 나아가 여러 가족 병합(다중 가족정신치료)까지 다양하다. 또 필요에 따라서 가족 이외의 집단이 포함된 집단치료나 다중충격치료(multiple impact psychotherapy)가 사용되기도 한다. 벡터치료는 가족 내외의 생활공간에서 감정적인 힘 관계를 개선시키고, 그렇게 함으로써 가족 전체의 개선을 유도하고자 하는 것이다. 또 사회정신치료는 개인 및 가족의 적응 개선에 지역사회적 수단을 이용하는 것을 말한다. 이는 가족이 지역사회의 한 하위집단이기 때문에 지역사회의 영향을 강하게 받고 있다는 데서 생각해 낸 치료적 접근이다. 가족정신의학은 제창된 지 얼마 되지 않아 이론과 실제의 체제가 충분하게 정비되어 있는 상태는 아니다. 그렇지만 이미 개인정신의학 속에서도 가족역동의 중요성은 통감되고 있으며, 여러 가지 장면에서 가족정신의학적인 사고방식이 응용되고 있다. 가족정신의학은 연구, 교육, 임상 모든 분야에서 앞으로 좀 더 체계화를 추진해야 하며, 예컨대 연구 분야에서는 평가 척도의 정비라든지, 사상(事象) 상호의 인과관계를 명확히 하는 것 등이 필요하다. 또한 교육분야에서는 가족정신의학에 필요한 각종 담당자의 양성이나 시설의 완비, 여러 분야 전문가와의 협력관계 추진 등이 큰 과제라 할 수 있다.

가족지원 프로그램
[家族支援 - , family facilitation program]

가족구성원의 정상적이고 건강한 발달을 돕기 위해 다양한 경험의 기회를 제공하는 것. 가족치료 일반

가족의 문맥에 주목하는 것으로, 개인이나 가족의 문제해결 능력을 높이도록 연구된 심리교육적인 지원 프로그램이다. 가족지원 프로그램에는 광범위한 활동이 포함되며, 개별화된 지원 프로그램도 있고 가족이 바라는 설정 목표에 도달할 수 있도록 프로그램이나 학습과정이 구조화되어 있다. 따라서 구조화된 가족지원 프로그램은 가족의 목표 달성 능력을 촉진하도록 고안된 정식적인 교육계획이라고 정의할 수도 있다. 이 프로그램에는 복수의 가족이 참가하는 그룹 형식도 포함된다. 가족의 변화와 성장을 촉진하기 위해 세 가지 기본적인 접근방법을 사용하였는데, 가족생활 교육, 가족계발, 가족원조다. 구조적 가족생활 교육 프로그램(structured family life education program)에는 지역의 부모교육 강좌 등 가족의 정보나 기술(skill)을 제공하는 것을 목표로 한 교육 프로그램이 포함된다. 구조적 가족계발 프로그램(structured family enrichment program)은 체험 활동을 통하여 가족 상호작용의 기술이나 건강성을 높이도록 구성된 것이다. 구조적 가족원조 프로그램(structured family treatment program)은 병리적인 문제를 제외한 가족문제를 해결할 수 있도록 만들어진 것이다. 가족지원 프로그램을 계획하고 실행할 때는, 이 프로그램을 통해서 가족구성원의 긍정적인 상호작용을 촉진하고 가족 간 평등과 상호 존중의 관계를 회복하는 데 집중해야 한다.

관련어 | 가족계발기법, 가족교육, 심리교육적 가족치료

가족집단치료
[家族集團治療, family group therapy]

벨(Bell)이 공식화한 치료적 접근으로, 집단 안에서 상담자가 가족을 개념화하는 것. 가족치료 일반

집단치료 모델을 토대로 한 가족치료인 가족집단치료는 우선 가족이 그들의 문제를 해결하도록 도와주기 위해서 개방된 토론을 촉진하는 것이 주목적이다. 집단상담자와 마찬가지로 가족 집단상담자는 침묵하는 가족에게 말을 하도록 격려하고, 그들이 방어하는 이유를 해석해 준다. 벨은 가족집단치료가 낯선 사람들의 집단처럼 특정 단계를 거치게 된다고 믿었다. 그는 치료를 일련의 단계로 조심스럽게 구조화했는데, 각 단계는 가족의 특정 인물에게 집중되었다. 그리고 후기의 단계로 가면 상담자는 덜 지시적이 되었고, 가족들이 전개되는 단계에 따라 자연스럽게 발전해 가도록 했으며, 치료적 개입은 그 순간의 필요에 따라 조절하였다. 가족 집단상담자들은 정신병리의 기원에 대한 관심보다 정신병리를 지지하고 유지시키는 조건에 더욱 관심을 두었다. 여기에는 정형화된 역할, 의사소통의 단절, 지원을 주고받는 통로의 막힘 등이 속한다. 가족집단의 치료목표는 낯선 사람들끼리 모인 집단을 치료하는 것과 같이 집단구성원의 개별화와 관계 개선에 있다. 개인의 성장은 충족되지 않은 욕구가 말로 표현되고 이해될 때, 그리고 지나치게 제한된 역할이 탐구되거나 확장될 때 촉진된다. 가족집단치료에서는 가족을 발전시키기 위해 도움을 받아야만 하는 개인들의 집단이라고 본다. 주요 기법은 분석적이며 지지적인 집단치료의 기법과 유사하고, 상담사의 역할은 과정의 지도자가 되는 것이다. 가족치료에 활용된 세 가지 세분화된 집단적 접근에는 다중가족치료(multiple family group), 다중효과치료(multiple impact therapy), 관계망치료(network therapy)가 있다.

가족체계진단
[家族體系診斷, family system diagnosis: FSD]

랜드가튼(Landgarten, 1987)이 개발한 것으로, 가족의 상호작용을 확인하고 진단하는 데 사용하는 기법. 미술치료

가족체계를 진단하기 위하여 제공되는 미술과제는 평가단계에서 가족구성원들에게 상호작용의 경험을 준다. 이 기법은 미술작업의 과정과 내용을 통하여 내담자 가족의 의사소통 형태를 드러내는 것이다. 상담자는 과제의 수행에서 가족체계를 형성하는 일련의 사건을 관찰하여, 가족이 작업에 개입하는 순간부터 가족구성원들의 행동을 구체적으로 기록하여 가족구성원들을 평가한다. 가족체계진단은 주로 초기 면접이나 상담의 초기에 실시하여 가족, 부부, 부모-자녀관계에 대한 정보를 파악하는 데 사용된다. 준비물은 전지, 4절, 8절 켄트지, 크레파스나 매직펜 등이고, 실시방법은 다음과 같다. 첫 번째 면접에서 상담자는 가족 전원이 미술작업에 참여하게 된다는 것을 알린다. 내담자가 미술활동에 대하여 저항을 보이면, 미술활동이 가족 집단을 검사하기 위한 표준화된 방법이라는 것, 미술작업을 통하여 가족구성원들이 독특한 자기표현의 고유한 방식을 발견할 수 있다는 것을 알려 줌으로써 저항을 감소시킬 뿐만 아니라 미술작업에 대한 확신을 주고 작업을 촉진한다. 미술작업은 다음과 같은 세 과정으로 진행한다. 첫째 과정에서는 비언어적 공동 미술과제가 주어진다. 먼저 가족을 두 집단으로 나누고, 두 집단에게 서로 다른 색의 용구를 선택하여 작업이 끝날 때까지 사용하도록 한다. 작업을 하는 동안에는 언어적 · 비언어적 의사소통이 금지된다. 작업이 끝난 다음, 의논하여 완성된 작품에 제목을 붙인다. 둘째 과정에서는 비언어적 가족 미술과제가 주어진다. 이 과정에서는 한 장의 종이에 전체 가족이 함께 그림을 그린다. 여기서도 첫째 과정과 마찬가지로 작업을 하는 동안에는 언어적 · 비언어적 의사소통이 금지되며, 완성을 한 뒤 작품에 제목을 붙이는 동안에만 이야기를 할 수 있다. 셋째 과정에서는 언어적 가족 미술과제가 주어진다. 여기서는 언어적 · 비언어적 의사소통이 허용된 상태로 가족이 함께 한 장의 종이에 그림을 그린다. 이 같은 과정에서 상담자는 예리한 관찰자이자 기록자로서 가족구성원이 매체를 선택하는 과정을 비롯하여 가장 먼저 그리는 사람이 누구인가 등 작업에서 각 구성원의 역할 및 기여도를 기록한다. 이것은 모두 가족체계에 대한 하나의 단서가 되기 때문이다. 그림이 완성되면, 상담자는 가족이 지금-여기의 경험에 초점을 맞추도록 도와주고, 가족구성원의 자기반성을 위하여 참가자의 역할에 대하여 토론을 시키며, 면접이 끝나기 전에 자신이 관찰한 것을 언급한다. 이상과 같은 가족체계진단을 위한 미술과제작업으로 상담자는 가족의 역동이나 동맹, 권위, 가족의 관계 등을 파악할 수 있다.

관련어 | 동적 가족화

가족체제 건강의 비버스 모델
[家族體制健康 -, Beavers model of family system health]

정신과 의사인 비버스(Beavers) 등이 개발한 가족체제의 심리적 건강을 임상심리학적으로 척도화한 모델. 가족치료 일반

비버스 모델은 1976년에 발표한 팀버론재단의 건강가족연구에서 시작되었고 1990년에 비버스(Beavers)와 햄슨(Hampson)이 공동 집필한 서적으로 완성되었다. 비버스는 건강한 최적의 가족에서는 가족원 간의 친밀감이 추구되고 실현된다고 설명하였다. 또한 각 가족구성원의 선택과 사고가 중시되며, 적절한 타협으로 가족체제 전체가 문제를 해결하는 능력이 높다고 하였다. 가족체제의 심리적 건강에 대해 임상심리학적으로 척도화한 이 모델은 2차원

모델로 구성되어 있다. 종축에는 상방향으로 구심적 가족양식을, 하방향으로 원심적 가족양식을 척도화하였다. 횡축에는 중독적 역기능, 경계적 역기능, 경련, 약간 건강, 고도 건강의 5단계로 상호작용 관찰에 입각한 병리성을 척도화하였다. 표본수는 많지 않지만 다수의 사례를 비디오 녹음을 통하여 살아 있는 상호작용을 관찰하였고, 정신분열 환자가 포함된 가족부터 건강한 가족까지 대상 범위가 넓다는 점에서 비버스 모델은 임상심리학적으로 매우 실용적인 모델이라 할 수 있다.

구심적 가족양식 [求心的家族樣式, centripetal family style] 비버스가 구분한 가족양식 중 하나로, 구심적 가족양식을 보이는 가족에서는 가족의 외측 경계가 두텁고 가족구성원을 가족 내부로 끌어들이는 경향이 있다. 즉, 사춘기 자녀가 의존적이면서 가족에 충실하면 부모가 칭찬하고 장려하는 경우다. 이 과정에서 역기능적인 병리현상이 나타나면 신경증 수준에서는 자녀가 집에 틀어박혀 무단결석을 하거나, 분리불안장애, 사회공포, 광장공포와 같은 장애를 보일 수 있다. 나아가 증상이 좀 더 악화되면 중증 강박 관념을 보일 수 있다. 구심성이 더욱 강해지면, 외부와의 경계가 매우 두터워지면서 가족구성원이 사회적으로 고립되기도 한다.

원심적 가족양식 [遠心的家族樣式, centrifugal family style] 비버스가 구분한 가족양식 중 하나로, 독일의 정신과 의사인 스티어린(Stierlin)은 청소년이 가족으로부터 분리되는 과정을 관찰한 후에 원심적 경향과 구심적 경향으로 구별하여 제시했는데, 비버스가 이를 근거로 원심적 가족양식과 구심적 가족양식으로 구분하여 제시하였다. 그는 이러한 가족양식에 따라 나타나는 병리현상의 방식이 달라진다고 주장하였다. 원심적 가족양식을 보이는 가족에서는 가족의 외측 경계가 엷고, 가족구성원들을 가족 외부로 밀어내는 경향이 있다. 이에 따라 사춘기 청소년인 자녀를 귀찮은 존재로 대하는 경우가 있다. 따라서 청소년 자녀에게 빨리 독립하라는 압력을 은연중에 하게 되고, 청소년 자녀는 미성숙한 단계에서 자립하려는 시도를 한다. 이 과정에서 역기능적인 병리현상이 나타나면 신경증이 발발하여 사람이나 동물을 학대하거나 방화, 물건 파괴, 거짓말, 절도와 같은 외부세계로 향한 행동장애를 보일 가능성이 커진다. 심한 경우에는 중증 경계선 증후군을 보일 수도 있다. 법을 위반하는 행동을 지속적으로 할 경우 사회 병질자가 되기 쉽다.

가족치료
[家族治療, family therapy]

문제행동이 일어나는 가족 내의 체계를 변화시키기 위해 가족 전원 또는 일부 구성원을 대상으로 하는 심리치료.

가족치료 일반

가족치료는 개인이 가지고 있는 문제나 증상을 개인의 내면세계로 접근하는 것이 아니라 개인이 다른 사람과 상호작용하는 방식을 변화시키는 접근을 취한다. 가족치료의 태동 이전에는 주로 정신분석학적 접근을 이용한 개인의 심리적인 치료나 집단으로 시행하는 치료가 주를 이루었다. 가족이라는 독특한 체계에 관심을 갖게 된 결정적인 계기는 1950년대 체계론의 발전과 더불어 가족구성원들 간의 유기적인 상호관계에 관심을 가지고 정신분열증 환자의 가족에 대해 연구하면서부터다. 이 연구를 함께한 학자들은 의사소통전문가 헤일리(Haley)와 문화인류학자 위크랜드(Weakland), 정신과 의사 프라이(Fry)였다. 이들은 정신분열증 환자가 있는 가족구성원들 간의 의사소통 형식에 대해서 관심을 기울였고, 이 관심은 가족구성원들 간의 관계와 상호작용에 대한 많은 연구결과로 이어졌다. 이를 통하여 심리학자들은 '인간이 가지고 있는 증상은 가족이 가지고 있었던 상호작용의 결과다.'라는 결론을 얻었고, 이것은 가족치료 형성에 결정적인 역할을 하게 되었다. 이를 계기로 아동이나 성인의 심리적 문제의 원인을 개인의 심리적인 문제로만 생각하는 것이 아니라, 가족구성원들 간의 상호작용과 그 관계적 특성에서 찾게 되었다. 베이트슨(Bateson)을 중심으로 이루어진 이 연구팀은 정신분열증 환자의 가족에게서 이중구속이라는 역기능적 대화의 형태를 발견하였다. 또한 윈(Wynne)은 가성 친밀성과 고무울타리라는 개념을 발견하였으며, 리츠(Lidz)는 부부간 균열과 불균형 현상을 발견하였다. 그리고 보웬(Bowen)은 정신분열증이 가족에게서 개인을 분리해 내는 과정과 관련이 있음을 발표하였다. 네 가지 연구의 결과는 가족치료라는 전문 영역에 대해서 이론적 기초를 닦는 데 결정적인 기여를 하였다. 이렇게 시작된 가족치료는 1960년대에 비약적으로 발전을 이루었는데, 그 중심에 선 연구소가 미국 캘리포니아 주의 정신건강연구소(MRI)다. MRI에서 주로 활동하던 학자는 잭슨(Jackson), 헤일리, 사티어(Satir)였는데, 잭슨은 가족구성원들 간의 의사소통에 관한 연구를 중심으로 '가족항상성' 개념을 발표하였고, 사티어는 MRI에서 활동한 초창기에 가족 간 의사소통과 상호작용을 통한 정서적 성장에 관심을 기울였다. 또 헤일리는 의사소통 수준에 관심을 보이면서 베이트슨과 함께 이중구속의 개념을 발전시키고, 이를 중심으로 나중에 전략적 가족치료를 체계화하였다. 1960년대 MRI가 미국의 서부지역에서 활발한 활동을 하며 가족치료를 독립된 전문 분야로 발전시키는 동안, 미국 동부지역에서는 아르헨티나 출신의 미누친(Minuchin)이 가족에 대한 치료적 접근에 대해 활발하게 연구를 하고 있었다. 그는 저소득층의 청소년들을 치료하면서 정신분석적 접근의 치료가 별로 효과를 거두지 못하는 것을 보고, 빈민가족의 구조적 기능에 대해 연구하기 시작하였다. 가족치료는 1970년대에 접어들면서 전성기를 맞이했는데, 이때 발전되고 체계화된 가족치료적 접근법으로는 다세대 모델, 구조적 모델, 경험적 모델, 전략적 모델, 대상관계 가족치료, 그리고 인지행동 가족치료가 있다. 1980년대에 들어와서 사회구성주의와 포스트모더니즘의 등장으로 일반체계이론의 가족치료에 대한 영향력은 많이 줄어들었다. 대신에 개인이 자신의 가족이나 관계를 어떻게 경험하는지, 자신의 경험의 세계에 어떤 의미를 부여하며 자신의 경험세계를 어떻게 구성해 나가는지를 파악하는 과정을 통해서 경험세계를 재창조해 나가는 방향으로 가족치료가 시행되기 시작하였다. 이 시기에 발전한 가족치료 모델은 해결중심 가족치료, 이야기치료 등이다.

관련어 가족치료 수퍼비전, MRI, 미누친, 밀란, 베이트슨, 보웬, 사티어, 이야기치료, 해결중심 치료

가족치료 수퍼비전
[家族治療 –, family therapy supervision]

수퍼바이지의 가족치료에 관하여 관찰하고 피드백을 줌으로써 수퍼바이지의 가족치료 수행 능력을 향상시키도록 수퍼비전을 실시하는 것. 수퍼비전

수퍼바이지의 가족치료 사례에 대하여 수퍼비전을 실시하는 것이다. 수퍼바이저는 수퍼바이지가 내담자 가족체계에 대하여 총괄적으로 이해를 하고 있는지 점검하고, 가족들 간의 잘못된 대화양식과 규칙을 파악하여 상담을 진행하는지 확인한다. 또한 가족치료적인 관점을 가지고 수퍼바이지가 내담자의 가족체계에 합류(joining)하여 가족의 문제를 분명하게 파악하고 상담을 진행하는지 확인한다. 가족치료 수퍼비전에서 가장 중요한 것은 수퍼바이지가 상담과정 중 가족구성원들 간의 상호작용을 촉진하고 활성화하는지를 확인하는 것이다. 수퍼바이지가 가족과 같이 상담할 때 가족구성원 중 한 명하고만 상담을 진행하고 나머지는 배경처럼 앉아 있는 경우를 많이 볼 수 있는데, 가족치료의 핵심은 가족 상호 간의 교류를 촉진하는 것임을 상기시켜 주어야 한다. 따라서 수퍼바이지가 가족들 간의 교

류 촉진을 위해 얼마나 많은 노력을 하고 있는지 점검한 다음 그에 관한 상담전략과 기법을 가르친다.

관련어 | 가족치료, 상호성, 체계적 수퍼비전

가족통념
[家族通念, family common notion]

가족구성원들이 혹은 개인이 결혼과 가족 상호 간의 관계에 대해 가지고 있는 일반적인 생각. 가족치료 일반 부부상담

각각의 가족은 나름대로의 다양한 가족생활에 관한, 그리고 구성원들 간의 관계에 대한 가치관 또는 느낌을 가지고 있다. 예를 들어, 어떤 가족은 행복한 결혼생활이란 절대로 싸우지 않는 것이며, 모든 사람의 관심사가 동일해야 한다고 생각할 수 있다. 하지만 또 어떤 가족은 구성원들 간에 어느 정도의 갈등이 존재하는 적당한 긴장감이 존재해야 서로 행복감을 느끼며 살아갈 수 있다고 생각할 수도 있다. 이렇게 가족구성원들이 혹은 개인이 일반적으로 가지고 있는 가족생활에 대한, 혹은 그들 상호 간의 관계에 대한 생각이나 가치관을 가족통념이라고 한다. 전통적으로 한국의 가족이 가지고 있는 가족통념으로는 '남자는 가족을 먹여 살려야 한다.' '여자는 집안일이 우선시되어야 한다.' 등이 있다. 결혼을 통해 새로 이룬 가정이 새로운 신념체계와 발전하기 위해서는 자신의 가족이 가졌던 가족통념을 의심해 보고 거기에서 벗어나야 한다.

가족풍토
[家族風土, family climate]

가족체계를 어떤 틀에 따라서 파악하고 사정(査定)을 행하는 시도. 가족치료 일반

가족구성원 각각이 주관적으로 갖는 가족 전체에 대한 느낌이며, 가족이 자아내는 분위기에 착안하면 가족구성원의 행동과 사고방식을 결정짓고 있는 다양한 분위기의 총합 상태라고 정의할 수 있다. 가족의 두 설립자, 즉 부부를 중심으로 형성되며 가족이 가족으로 존재하기 위해 가족원들이 공유하여 행동 · 방향 · 목표의 결정과 선택에 영향을 주는, 눈에 보이지 않는 힘이라고 할 수 있다. 가족풍토는 한 가족의 생활방식을 결정하고, 가족의 행동에 대한 의미와 목표를 제시해 준다. 과거로부터 전해 오는 가풍이나 가훈과도 연결되며, 현 사회의 분위기에 영향을 받고, 미래의 생활철학과도 관련되어 가족을 통합하고 가족원의 의식 등에 기여하면서 다음 세대가 자신의 가족을 설립하는 기본적인 태도를 만들어 주는 비교적 영구적인 개념이다.

관련어 | 가족사정

가족항상성
[家族恒常性, family homeostasis]

가족체계가 계속해서 기존의 상태를 유지하고자 하는 경향. 전략적 가족치료

모든 살아 있는 생명체는 자신의 몸을 항상 일정한 상태로 유지하고자 하는 항상성을 가지고 있다. 가족체계도 마찬가지로, 외부의 자극과 변화로부터 가족체계를 기존의 방식 그대로 유지시키고자 하는 경향인 가족항상성이 있다. 가족체계가 외부의 자극이나 변화에 대응하여 항상성을 유지하는 데는 주로 피드백 고리를 통한 규제가 이루어진다. 즉, 외부의 자극에 대해 무시하고, 마치 아무 일도 없는 것처럼 반응하는 부적 피드백 고리와 또 다른 새로운 변화를 시도하여 외부의 자극으로부터 가족체계를 보호하고자 하는 정적 피드백 고리로 가족체계의 항상성을 유지하려는 것이다. 이를 위해 가족은 구성원이 상대적으로 균형과 항상성을 유지하도록 내부적인 상호작용 과정과 규칙을 만들어 내기도 한다. 항상성의 개념은 1932년 캐넌(Cannon)이 생

리학에 도입한 것으로, 외계의 기원이 변화해도 포유류의 최후는 항상적으로 유지되는 과정을 말하며 균형유지작용이라고도 번역된다. 애슈비(Ashby)는 1952년에 이 개념을 사이버네틱 체계에 적용시켰다. 이 체계는 환경에 있어서 변화를 보완하고 구조적 안정성을 유지할 수 있는 메커니즘이 있다(morphostasis, 형태안정성). 이에 더하여 내부구조의 형식이나 내용의 변화로 새로운 균형이 달성되는 메커니즘이 있다(morphogenesis, 형태창조성). 슈피겔(Spiegel)은 1954년에 의사-환자관계를 상호작용 체계로 특징지으면서 항상성이라는 말을 사용하였다. 또한 잭슨(Jackson)은 1957년에 가족의 병리적 메커니즘과 체계를 기술하기 위해 사용하였다. 잭슨은 항상성의 개념을 가족체계에 적용한 최초의 사람이다. 하지만 항상성의 개념을 가족에게 적용할 때 가족이 변화와 적응을 통하여 성장하고 발달해 나간다고 하는 현상을 설명하기에는 부족한 점이 있다.

관련어 | 가족 응집성, 가족적응력

가족회의
[家族會議, family council]

가족이 정기적으로 모여 상호 의사소통을 통하여 공통된 관심사와 희망사항, 작은 제안부터 커다란 문제점, 성취결과, 자신의 감정, 여러 가지 의문사항 등 일상에서 일어날 수 있는 모든 일을 서로 의논하는 것. 가족치료 일반

가족구성원들이 만나서 상호 의사소통이 가능하도록 하는 집단만남의 한 형태다. 가족회의에서 다루어질 수 있는 내용은 어떤 주제이든 상관이 없으며, 가족구성원이 공통된 관심사를 서로 이야기하는 것 외에도 가족회의의 중요한 기능은 여러 가지가 있다. 정기적으로 열리는 가족회의에 참석함으로써 가족은 자신들이 가정 안에서 안정된 권한과 지배력을 가지고 있다는 느낌을 가질 수 있다. 또한 자신의 생각과 관심사를 가족들이 모두 경청하고 평가해 준다는 믿음이 생겨 자신의 존재를 더욱 가치 있게 생각한다. 가족구성원들의 협조 속에서 규칙을 결정하기 때문에 가족 간의 불협화음을 최소화하는 기능도 있다.

가족해체
[家族解體, family disorganization]

가족체계가 정상적인 기능을 발휘하지 못하고, 가족관계의 결속이 파괴되는 상태. 가족치료 일반

가족해체의 개념은 크게 두 가지로 볼 수 있다. 광의의 가족해체는 가족체계가 제대로 기능하지 못하고 가족 간의 관계가 파괴되는 상태를 뜻한다. 그리고 협의의 가족해체는 이혼, 별거, 유기, 사망과 같은 이유로 가족체계가 파괴되거나, 부부 중 한 사람의 사망이나 장기간의 부재로 결손가족이 되는 것을 뜻한다. 하지만 어떤 영역의 가족해체이건 중요한 것은 가족해체가 가족의 긴장을 유발하고, 가족위기의 상태로 이끈다는 점이다. 가족해체가 일어나는 원인은 개인적 사정, 재정의 부족, 가족구성원 사이의 대립과 갈등, 사회적 압력 등 매우 다양하다.

가족희생양
[家族犧牲羊, family's scapegoat]

가족의 항상성을 유지하기 위해 갈등과 불안이 집중되는 구성원 중 한 사람. 기타 가족치료

가족희생양이라는 개념은 미누친(Minuchin)의 구조적 가족치료 개념과 보스조르메니나기(Boszo-rményi-Nagy)의 맥락적 가족치료, 헬링거(Hellinger)의 가족세우기 치료 등에서 발견할 수 있다. 가족이 가족항상성을 유지하기 위해 가족구성원 중 한 명을 희생양으로 이용하게 되는데, 여기서 이용당한 가족구성원이 가족희생양이다. 가족희생양이 만들어지는 주요 동기는 부부갈등이며, 부부갈등의 회피수단으로 이용된다. 부부간 갈등이 있거나 가족 안에 긴장이 있는 경우 희생양을 통하여 긴장과 불

안, 적대감을 투사한다. 가족희생양의 기능은 부부 갈등이 있음에도 불구하고 가족체계를 안정화시키는 힘으로 작용한다는 것이다. 이와 같이 부부는 부부간 갈등 때문에 발생하는 긴장과 불안을 해소하지 못하고 이를 위해 가장 쉬운 방법인 희생양을 찾아서 긴장과 불안을 해소하려고 한다. 브래드쇼(Bradshaw)는 역기능 가족체계에서 가족희생양 역할을 하는 자녀의 모습을 다음과 같이 열거하였다. 부모의 부모 역할, 어머니 아버지의 친구, 가족상담사, 어머니의 우상, 아버지의 우상, 완벽한 아이, 성자, 어머니 아버지에게 용기를 주는 아이, 악당, 귀염둥이, 운동선수, 가족 내 평화주의자, 가족중재자, 실패자, 순교자, 어머니의 배우자, 아버지의 배우자, 광대, 문제아 등인데 이 중 가장 우세한 것이 바로 '문제아' 역할이라고 한다. 이러한 가족에서 희생양이 된 구성원은 가족에게는 문제아로 지목될 수 있지만 가족의 긴장을 다른 데로 돌리게 하고 가족에게 결속의 토대를 만들어 주는 중요한 역할을 한다. 대부분의 경우 가족 안에서 자녀들이 가족희생양의 역할을 담당한다고 말한다.

관련어 | 가족희생양화

가족희생양화
[家族犧牲羊化, family's scapegoating]

가족의 항상성을 유지하기 위해 구성원 중 한 사람을 희생양으로 만드는 과정. 기타 가족치료

가족희생양 체제는 가족체계의 균형을 유지하기 위한 은밀한 방식의 대처기제다. 이는 가족문제에 대한 근본적인 해결책이 아니라 일시적으로 부부간, 가족 간의 긴장과 갈등만을 해소하며, 때로는 오히려 악순환되어 가족 안에서 견디기 힘든 고통을 더욱 가중시킨다. 가족희생양이 된 자녀는 가족의 항상성을 유지하면서 가족과 더불어 불행과 괴로움 속에서 엉켜 있고, 분리되지 못한 채 함께 묶여 있다. 가족은 가족희생양 체제의 원리에 따라 저항하고 변화하려고 하지 않으며 지속적으로 희생양을 양산하면서 가족체계의 균형을 유지하고자 한다. 이처럼 가족희생양화가 가족항상성의 패턴이 되어 버린 가족은 고통을 삶의 방식으로 받아들인다. 그러한 가족은 가족희생양화로 발생되는 가족의 불쾌감을 참아 내는 엄청난 수용력을 가지고 있으며 계속해서 자녀를 희생양으로 만든다. 즉, 가족희생양은 고통에도 불구하고 역기능적인 가족체계 안에서 가족의 항상성을 유지하려는 뒤틀린 관계 및 의사소통 패턴이라 할 수 있다. 따라서 역기능적인 가족체계에서 항상성의 기능을 담당하는 가족희생양 체제를 변화시키기 위해서는 가족 전체의 참여가 필요하다. 상담자는 가족 모두를 치료에 참여시켜 가족항상성의 법칙을 변화시키도록 유도해야 한다. 치료적 접근은 탈삼각관계의 변화를 위해 가족구성원들 간의 경계선 재설정이다. 이를 통하여 가족구성원들은 하위체계 안에서 각자 자신의 위치에 서며, 결과적으로 가족희생양인 아동은 더 이상 가족체계의 문제를 해소하도록 경계선의 침범을 요구받지 않는다.

관련어 | 가족희생양

가짜 친밀성
[-親密性, pseudomutuality]

가족구성원들이 자신의 정체성을 유지하지 못한 채 가족들이 가진 역할구조에 의해 어쩔 수 없이 친밀한 관계인 것처럼 행동하는 것. 부부상담

라이먼(Lyman)과 그 동료들이 1950년대 조현병(정신분열증) 환자의 가족관계를 연구하면서 이들이 부모와 대화하는 형태를 분석하여 밝혀낸 개념이다. 연구결과를 통해 라이먼은 급성 조현병을 일으키는 가족은 강력하고도 오래 지속되어 정형화된 가짜 친밀성의 가족관계를 가지고 있다고 보았다.

그중 하나는 겉으로 드러나는 구조로, 조현병 환자가 다른 가족구성원들 모두에게 바람직하고 좋은 상태로 받아들이는 것이다. 나머지 하나는 일반적으로 드러내지 않고 내적으로 숨기는 감정으로, 가족구성원들이 조현병을 가진 구성원을 바람직하지 않고 위험한 구조로 받아들여 그 사실과 현상에 대해 부정적인 태도를 갖는 것이다. 가족이 보일 수 있는 이러한 가짜 친밀성 때문에 가족구성원들은 자신의 견해와 일치하지 않는 것이라 해도 겉으로는 서로 동의하며 일치하는 행동을 한다. 즉, 자신의 의견이나 감정, 태도에 대한 명확한 정체성을 유지하지 못하는 상태에서 이와는 일치하지 않는 의도된 감정으로 서로 친밀함을 나타내는 것이다. 이처럼 양분된 역할구조는 가족구성원들에게 환상의 삶을 살아가도록 만든다. 자녀가 점차 성장하면서 가족의 역할과 기대는 달라지기 마련이다. 그러나 정신분열증 가족에게서는 이러한 역할과 기대가 달라지는 것이 아니라 고정되고 강화되는 특징을 보인다. 따라서 자녀는 현실에 근거한 친밀성을 가지는 것이 아니라 환상에 근거한 가짜 친밀성을 갖게 된다. 가짜 친밀성은 다음과 같은 특징을 가지고 있다. 첫째, 가족구성원들의 삶과 상황과 여건이 변해도 지속적이고 고정된 역할구조를 지닌다. 둘째, 고정된 역할구조에 대해 바람직하다고 주장한다. 셋째, 고정되어 변하지 않는 역할구조에 대해 독립하려 하거나 변하려고 하면 지대한 관심을 가진다. 넷째, 가족이 함께 지낼 때 그 안에 즐거움, 유머, 상호존중은 찾아보기 어렵다.

가출
[家出, runaway]

가정에서 자의적으로 떠나는 것. 학교상담

아동 청소년은 독립적인 삶을 영위하기에는 사회적 · 경제적으로 미숙한 위치에 있으므로 이들의 가출, 즉 일차적인 사회적 지지단위이며 개인의 안전체계에서 자의적으로 벗어나는 것은 사회적으로 위험환경에 놓이는 일이 된다. 성매매, 폭력, 절도 등의 범죄에 노출될 가능성이 높고, 학업 중단에 따라 개인의 능력수준이 낮아지며, 건강한 사회 · 정서적 발달과 성장이 어려워진다. 아동 청소년이 가출을 하는 이유는 모험추구, 감각추구(쾌락과 즐거움 추구), 갈등적이고 위험한 가정생활의 도피, 가정폭행과 학대의 도피, 비밀발각에 대한 두려움에서 도피, 가족으로부터 소외, 암묵적인 부모의 가출유도, 비행친구의 영향 등이 있다. 이렇듯 아동 청소년의 가출원인이 대부분 가족문제에서 비롯되므로 가출을 예방하거나 교정하기 위해서는 가족치료가 필요하다.

가출팸 [家出-, runawayfam] 처지가 비슷한 가출 아동 청소년끼리 모여 집단생활을 하는 것인데, 적게는 3, 4명에서 많게는 10명까지 가족을 이루어 고시원이나 모텔 등에서 함께 생활한다. 가출팸은 가출 직후 이랭(일행)으로 며칠을 함께 다니다 뜻이 맞으면 가족집단으로 점차 발전되는 형태다. 이는 인터넷의 발달로 인터넷 카페를 통하여 가출팸을 구하고 형성하기도 하며, 가출하기 전 가출팸과 이랭을 구해 놓고 나오는 경우도 있다. 이 같은 가출팸이나 이랭을 통하여 성매매, 원조교제, 성행위 매체물 제작 및 매매, 절도 등의 범죄행위가 이루어지는 경우가 있다. 따라서 가출팸과 이랭은 또 다른 사회문제가 될 가능성이 있다.

상습적 가출 [常習的家出, habitual runaway] 일회성으로 끝나는 것이 아니라 지속적으로 이루어지는 가출을 뜻한다. 고통을 피하려고 하는 가출은 일회성으로 끝나는 경우가 있지만 쾌락을 추구하는 가출은 상습적인 가출일 가능성이 높고 그만큼 교정하기가 어렵다.

가치
[價値, value]

사람이 살아가면서 바람직하다고 생각하는 원리나 특질, 혹은 건강, 행복, 돈과 같이 자기 자신이 중요하게 생각하는 것. NLP

가치는 개인에게 판단의 기준이 되는데, 내담자의 가치를 알아보기 위해서는 "당신은 (직업, 가족, 인생 등)에서 가장 중요하게 생각하는(여기는) 것이 무엇인가요?" 또는 "당신에게 중요한 것은 무엇인가요?"라고 물어볼 수 있다. NLP에서 내담자가 가진 가치를 확인하는 것은 메타 프로그램의 주요 내용에 포함된다. 가치는 신념에도 영향을 미치거나 밀접한 관계가 있고, 또한 신경적 수준의 하나이기도 하면서 조정되거나 변화될 수 있다.

관련어 | 신경적 수준

가치관 강요
[價値觀强要, value imposition]

상담자가 자신의 가치관, 태도, 신념 및 행동을 내담자가 받아들이도록 직접적이고 강제로 요구하는 것. 상담윤리

미국상담학회(ACA, 2005)는 "상담자는 자신의 가치관, 태도, 신념 및 행동을 자각하고 상담의 목표와 일치하지 않는 가치관을 강요하지 말아야 한다. 상담자는 내담자와 수련생과 연구 참여자의 다양성을 인정하고 존중해야 한다(A.4.b.)."라고 명시하였고, 미국심리학회(APA, 2002)는 "심리학자는 모든 사람의 가치와 존엄성을 인정해야 하고, 개인의 사생활, 비밀 보장, 자기결정의 권리를 존중해야 한다. 심리학자는 자율적 의사결정의 문제에 취약한 사람들과 지역사회의 권리와 복지를 보호하기 위해 특별한 안전장치가 필요하다는 것을 인식해야 한다. 심리학자는 연령, 성별, 성정체감, 인종, 민족, 문화, 출신 국가, 종교, 성적 지향, 장애, 언어, 사회경제적 지위와 같은 문화차와 개인차, 그리고 역할의 차이를 인식하고 존중하며 내담자와 작업할 때 이 같은 요인을 고려해야 한다. 그리고 심리학자는 그러한 요인과 관련된 편견이 직무에 영향을 미치지 않도록 하며, 고의로 편견에 기초한 행위를 해서도 안 되고 다른 사람들이 그렇게 하는 것을 눈감아 주어서도 안 된다(Principle E.)."라고 규정하였다. 또한 미국학교상담자협회(ASCA, 2004)는 "학교상담자는 학생들의 가치관과 신념을 존중하고 상담자의 개인적 가치관을 강요하지 않는다(A.1.c.)."라고 명시하면서 상담자의 가치관 강요를 경고하고 있다. 이러한 윤리규정이 있지만 상담자의 가치관이 내담자에게 완벽하게 전달되지 않는다는 것은 불가능하다. 상담자가 자신의 가치관을 의도적으로 강요하지 않는다 하더라도 상담자가 사용하는 기법이나 태도, 행동, 감정을 통하여 내담자는 상담자가 중요하게 여기는 것이 무엇인지 알아차리고, 그것을 탐색하는 과정에서 상담자의 가치관을 받아들일 수 있다. 더욱이 상담자에게 인정이나 관심을 얻고자 하는 내담자는 상담자가 추구하는 가치관이나 좋아하는 방향으로 반응하려고 할 것이다. 이에 젠슨과 버진(Jensen & Bergin, 1988)은 자기결정, 효과적인 스트레스 대처전략, 애정을 주고받는 능력, 타인의 감정을 이해하는 능력, 자기조절, 삶의 목적의식, 개방적이고 진실한 태도, 직무 만족, 정체감과 자기가치감, 대인관계 기술, 자기인식, 성장동기, 신체건강에 좋은 행동하기 등의 가치관은 내담자의 심리적 건강을 촉진하는 요인이라고 밝힌 바 있다. 만약, 상담자와 내담자가 가치관의 차이로 갈등을 빚는 경우에는 내담자를 다른 상담자에게 의뢰하기 전에 자신의 가치관과 내담자의 가치관이 충돌하는 때를 인식하고 수퍼비전으로 이러한 갈등에 대처해 보려는 것이 중요하다. 이러한 어려움을 탐색하는 데는 다음과 같은 질문이 도움이 된다. 즉, 가치관이 다른 내담자와 작업을 하는 데 방해가 되는 요소는 무엇인가? 상담자와 내담자의 가치관이 꼭 일치해야 하는가? 등이다. 상담이 시작된 후에 가치관의 차이

로 다른 상담자에게 의뢰하거나 어려움을 알리게 되면 내담자는 거절당한 경험을 하게 되어 고통스러워할 수 있다. 이 같은 상황을 피하기 위해 상담을 하기 전에 상담자는 내담자가 호소하는 문제에 대한 자신의 가치관을 알리고 그와 관련된 내용을 문서화하여 내담자의 선택과 결정을 존중하는 것이 바람직하다.

가치론
[價値論, theory of value]

좋음과 나쁨이 무엇인지 논하는 것. 철학상담

가치의 해명에 관한 이론이다. 철학 중에서도 실천철학이나 논리학이 다루는 내용이며, 철학에서 다루어지는 가치는 논리적 · 도덕적 · 미적 · 종교적 가치로 구분되고, 이것은 개인의 주관을 넘어 객관적으로 타당한 것이다. 이와 관련하여 리케르트(Rickert)는 가치의 객관성을 타당성(Gültigkeit)이라고 불렀다. 쉘러(Scheller)는 가치에서 쾌적 가치보다는 생명적 가치를 우위에 두었고, 생명적 가치보다는 정신적 가치를 우위에 두었으며, 특히 종교적 가치를 최고의 가치로 간주하였다. 또한 칸트(Kant)는 개인의 인간성을 절대적인 가치를 가진 것으로 규정하면서 도덕적 가치를 최고의 가치로 간주하였다.

가치민감치료
[價値敏感治療, value-sensitive therapy]

심리치료를 하는 데 가치중립적이던 기존의 관점에서 벗어나 도덕성의 관점에서 보고자 하는 접근방법. 기타 가족치료

도허티(W. Doherty, 1995, 2001)가 제안한 접근법이다. 프로이트(Freud) 시대 이후 대부분의 심리치료 모델은 가족과 사회보다는 개인에게 그 초점을 맞추었다. 이와 관련하여 가장 영향력 있는 사회과학자의 심리치료에 대한 사회적 비평은 벨라(R. Bellah), 매드슨(R. Madsen), 설리번(W. Sullivan), 스위들러(A. Swidler), 그리고 팁톤(S. Tipton)이 쓴 『Individualism and Commitment in American Life』에서 찾아볼 수 있다. 이 책에서 저자들은 심리치료가 미국 사회에서 증가하는 개인적 이기심의 중심에 있다고 설명하였다. 사회학자 리프(P. Rieff)는 20세기 최고의 정신은 집단이 붕괴될 때조차 유지될 수 있는 새로운 중심이 바로 '자신'이라고 표현된 신념이라고 비평하였다. 또 쿠시먼(Cushman, 1995)은 심리치료가 자본주의자와 소비자 중심의 문화 도구가 되어 왔다면서 리프의 비평을 되풀이하였다. 즉, 도덕은 심리치료의 발전과정에서 무시되거나 병리화되어 온 것이라고 보는 것이다.

가치의 조건
[價値-條件, conditions of worth]

로저스(Rogers)의 인간중심상담이론에서 성격 발달과 성격 형성을 이해하는 중요한 개념으로, 가치가 있고 없음에 대해 한 개인이 가치를 판단하고 규정하는 외적인 조건. 인간중심상담

흔히 부모를 포함한 중요한 타인들이 부여한 가치기준일 경우가 많은데, 가치의 조건화란 어른의 가치가 아이의 내면에 형성되는 현상을 말한다. 자신에 대한 인식 또는 의식이 발달하면서 극단적일 수 있는 새로운 욕구가 일어나는데, 이것을 스탠달(Standal, 1954)은 긍정적 존중의 욕구(the need for positive regard)라고 정의하였다. 시간이 지남에 따라 이 긍정적 존중의 욕구와 결부되어 자기존중에 대한 욕구가 발달한다. 인간은 기본적인 욕구인 긍정적 자기존중(positive self-regard)을 얻기 위해 노력하고, 이러한 긍정적 자기존중의 욕구 때문에 가치의 조건화 태도를 형성하게 된다. 우리가 자신에 대하여 긍정적으로 느낄 수 있는 능력은 타인이

나에게 보여 주는 긍정적 존중의 질과 일관성에 달려 있으며, 다른 사람이 사랑받고 존중받을 가치가 있다고 일러 주는 방식대로 생각하고 느끼고 행동하는 조건에서만 우리 눈에도 가치가 있어 보인다. 아이들이 스스로에 대한 가치(자기개념)를 발달시켜 나가는 과정에서 결국 처벌적이고 평가적인 부모나 대리부모에게서 배운 가치의 내면화가 일어난다. 아이들은 의식하지 못한 사이에 어른들이 부여한 가치조건에 길들여지는 것이다. 이렇게 형성된 가치의 조건화는 유기체가 경험을 통한 실현화된 경향성의 성취를 방해하는 주요한 원인이 되어, 유기체의 경험이나 독특한 존재로서 자기경험을 왜곡하고, 회피하고, 부정하게 만든다. 가치체계와 행동규범들을 내면화하는 것을 바람직한 사회화 과정으로 볼 수도 있지만, 어른들의 조건적인 긍정적 관심으로 아이들의 행동과 사고방식은 어른들의 애정과 칭찬을 더 많이 받는 쪽으로 발전하게 되고, 자신이 되고자 하는 것에 대한 노력보다 타인이 설정한 기준에 맞추려는 노력에 좀 더 집중하게 되는 것은 건전한 성장과 발달, 자기실현에 걸림돌이 된다. 또 이러한 노력은 '자기' 와 '경험'의 불일치로 심리적인 문제와 부적응이 커지는 데 한몫한다. 인간중심상담에서는 이렇게 형성된 가치의 조건화를 해결할 수 있는 방식도 가치의 조건화가 형성되는 방식인 '만약 ~하면, 그러면 ~한다.'는 가정으로 풀 수 있다고 본다. 즉, 한 인간이 유기체의 지혜를 신뢰하는 진실성, 공감적 이해, 무조건적 긍정적 존중의 촉진적 환경을 경험하면 가치의 조건화가 풀린다는 것이다. 이에 따라 로저스는 내담자의 변화를 위해 상담자가 가져야 하는 필요충분조건으로 진실성, 공감적 이해, 무조건적 긍정적 존중의 자세를 제시하였다.

관련어 | 공감적 이해, 내적 준거틀, 진실성

핵심 조건 [核心條件, core condition] 로저스는 이 조건들이 인간을 전진하게 하고, 잠재력을 실현하게 하는 성장 촉진적 분위기를 만든다고 보았다. 진실성이란 내적 생각이나 감정과 외적 표현이 일치하는 것을 말한다. 즉, 내담자와의 관계에서 지금-여기에서 느껴지는 감정이나 생각을 표현한다면 일치되게 있는 그대로 표현하는 것이다. 기만적이고 겉치레로 듣기 좋다고 표현하는 것보다는 차라리 말하지 않는 것이 낫다. 정확한 공감적 이해란 상담자가 자신의 관점을 유지하면서 내담자의 관점이나 입장에서 내담자의 감정을 마치 상담자 자신의 감정인 것처럼 깊이 느껴 주는 것을 말한다. 그리고 무조건적 긍정적 존중은 조건을 달지 않고 내담자의 있는 그대로의 모습을 수용하고 인정하는 것을 말한다. 로저스는 인간중심 이론에서 긍정적 변화를 위한 상담자의 세 가지 필수 속성으로 진실성/일치성, 정확한 공감적 이해, 무조건적 긍정적 존중/수용을 제시하였다.

가치중심모형
[價値中心模型, value-oriented model]

진로발달이나 선택에서 개인의 가치를 강조하는 진로상담모형.
진로상담

이 이론의 대표적인 학자는 브라운(Brown, 1996)이며, 켈러, 부샤르, 아비, 세갈과 다위스(Keller, Bouchard, Arvey, Segal, & Dawis, 1992)의 연구는 이론을 뒷받침해 주었다. 어떤 일에 대한 좋고 싫음과 같은 가치가 흥미를 유발하며 흥미가 행동의 표준이 아니므로 행동의 기준이 되는 가치가 행동을 일으킨다. 가치는 타고난 유전적 특성과 주관적 경험의 상호작용으로 형성되고 발달한다. 인간은 성장하는 동안 부모나 형제자매, 친척, 친구 등 주변 사람들로부터 많은 가치를 부여받아 인지 · 정서 · 행동을 형성한다. 이렇게 부여받은 가치가 일상생활에서 모순이 되면 약화되거나 모순된 행동을 하게 된다. 발달과정에서 가치는 개인이 속한 환경에 적응하기 위한 행동의 지침으로 작용하며, 중요도에 따라 우선순위가 정해지고 바람직한 행동과 실제 행동 간의 일치성에 따라 가치가 명료화된다. 특정 가치가 개인의 인지나 행동에 영향을 미치지 않는 것은 가치가 명확하게 두드러지지 않았기 때문이다. 때로는 특정 역할을 담당하는 개인이 환경적 장애물에 부딪혀 가치가 있는 행동을 하지 못하는 경우가 있다. 이때 개인은 환경의 가치체계에 따르는데, 경계가 분명한 환경체계에서는 개인의 흥미나 성격을 밝힐 수 있지만 산업화된 사회와 복잡한 환경 또는 환경의 성격 유형이 애매모호하여 쉽게 변화될 수 있는 단순한 환경에서는 주된 가치를 핵심 권력층이 확립하므로 개인이 자신의 가치를 추구하기란 어렵다. 즉, 환경의 가치체계는 개인의 가치형성과 대인관계의 상호작용에도 큰 영향을 미친다. 진로선택에서 가치중심모형은 다음과 같은 명제를 지니고 있다. 첫째, 개인은 단지 몇 개의 가치만 우선순위에 둔다. 둘째, 생애 역할 가치를 만족시키는 한 가지 대안이 있고 이러한 대안들이 생애 역할 가치를 명확하게 설명해 주며 각 대안의 난이도가 비슷하면 아주 높은 순위에 있는 가치들은 생애 역할의 선택에 가장 중요하다. 셋째, 가치가 부여된 정보를 학습함으로써 가치를 형성한다. 넷째, 모든 기본적인 가치들을 만족시키는 생애 역할을 할 때 인생에 대한 만족감을 느낀다. 다섯째, 현저한 역할은 기본적 가치의 만족도와 관련이 있다. 여섯째, 생애 역할을 성공으로 이끌기 위해서는 학습된 기술, 인지적·정서적·신체적 적성이 필요하다. 이 모형에서 상담자는 내담자가 진로선택을 방해하는 정서적 어려움이 무엇인지 알고, 진로와 생애 역할 간의 명확한 관계를 파악하고, 가치관을 명료화하여 우선순위가 무엇인지에 대한 정보 등을 확인하는 데 도움을 준다. 또한 상담자는 진로탐색을 위한 보강지침과 인터넷 등을 매개로 하는 진로탐색 프로그램을 이용하여 개인의 가치를 진로선택에 충분히 반영하도록 도울 수 있다. 최근 우리나라의 노동부는 이러한 노력의 일환으로 직업가치관검사를 개발하여 15세 이상이면 누구나 무료로 자신의 직업가치관을 확인할 수 있도록 하였다. 이 검사는 성취, 봉사, 개별 활동, 직업 안정, 변화 지향, 몸과 마음의 여유, 영향력 발휘, 지식 추구, 애국, 자율, 금전적 보상, 인정, 실내 활동 등의 13개 하위 요인으로 구성되어 있다. 구체적인 내용은 홈페이지 worknet.com에서 확인할 수 있다.

관련어 | 워크넷

가학적 변태 성욕
[加虐的變態性慾, sadism]

성적 대상에게 고통을 줌으로써 성적 쾌락을 얻는 이상 성행위. 이상심리

성적 자극이나 흥분 내지 만족을 얻기 위하여 성적 대상에게 신체적·정신적 고통이나 수치감을 주는 성도착증의 하나로서, 고통을 받음으로써 성적 쾌감을 얻는 마조히즘(masochism)과 대응되는 것이다. 프로이트(Freud)에 따르면 모든 생리적 기능에는 사디즘이 숨어 있고, 마조히즘은 자기 자신에게 향하는 사디즘이다. 사디즘이란 용어는 프랑스의 문학자 사드 후작(Marquis de Sade)의 이름에서 유래한 것으로, 이상 성욕부터 파괴적·공격적 행동이나 잔혹한 행위를 가리킨다. 즉, 부녀자 강간 등의 성범죄부터 짓궂게 구는 행위까지 그 배경에는 사디즘이 관여하고 있다는 것이다. 이것은 성장과정에서의 성적 금기나 주위로부터 소외되거나 잔혹한 취급을 당한 사람이 그에 대한 반대급부로 약한 사람을 잔혹하게 다루고, 거기서 만족을 얻는 것이다. 이러한 경향은 누구나 조금은 가지고 있지만, 정도나 실행화에 차이가 있다. 상담에서 가학증 경향이 있는 내담자는 억압되어 있는 적대감이나 콤플렉스가 의식화되어 상담자에게 짓궂게 굴거나 공

격적인 언동을 하는 경우가 있다. 그리고 가족 내에서 생긴 가학성은 방치하면 가족 내 폭력으로 진행되거나 내향하여 자책, 우울상태, 자살 등으로 발전할 가능성이 있기 때문에 주의해야 한다.

가학적 변태성욕자 [加虐的變態性慾者, sadist] 타인에게 고통을 주는 것에서 쾌감을 얻는 사람을 가리킨다.

가학적 성격장애 [加虐的性格障碍, sadistic personality disorder] 다른 사람에게 정신적 또는 육체적 학대를 가하는 것을 원하는 정신이상적인 장애유형이다. 이 장애를 가지고 있는 사람은 타인을 공개적으로 멸시하며, 잔인하고 공격적인 특성을 보이는 경향이 있다. 상대는 가족이나 직장의 부하일 수 있고, 특히 자기보다 지위가 낮은 사람을 대상으로 하는 경우가 많다. 타인의 권리나 감정을 배려하는 능력이 절대적으로 부족하며, 다른 사람이나 동물이 신체적 · 심리적으로 고통을 받는 것에 쾌감을 느낀다.

가학피학증
[加虐彼虐症, sadomasochism]

상당한 정도의 공격성과 더불어 다른 사람에 대한 사회적 · 성적 관계에서 순종적이고 공격적인 태도의 공존상태.

이상심리

인간은 정상적인 사회관계를 위해서는 다른 사람의 존재가 필요하고, 또한 사회적 관계에서는 어느 정도의 파괴적 충동이 항상 존재한다. 이에 어떤 사람은 이러한 파괴적 충동의 심리적 욕구를 충족하기 위해 두 사람 사이의 관계에서 높은 수준의 공격적 행동이나 태도를 나타내는데, 이를 가학피학증이라고 한다. 이들은 본능적 에너지로 가득 차 있는 상태로 추정되고 시시각각으로 파괴적 충동이 지배하는 상태에서 사랑과 증오의 두 가지 본능적 요소 사이의 상호작용의 영향을 받는 사람이라고 할 수 있다. 일반적으로 사람들은 인간관계에서 타인에 대한 세 가지 다른 종류의 태도를 취한다. 첫째는 다른 사람이 자신과 똑같이 존재한다는 데 흥미를 갖는다. 둘째는 다른 사람의 존재에 흥미를 갖지만, 자신이 다른 사람보다 우월하다든가 열등하다고 생각한다. 셋째는 동시에 다른 사람의 파괴와 보존을 원하면서 공격이나 순종 어느 한쪽으로 기울어진다.

가현현상
[假現現象, apparent phenomenon]

실제로는 움직이지 않지만 움직이는 것처럼 지각되는 현상.

게슈탈트

베르트하이머(Wertheimer)가 최초로 연구한 것으로, 객관적으로는 움직이지 않는데도 움직이는 것처럼 느껴지는 심리적 현상을 의미한다. 예를 들어, 선과 같은 시각적 대상을 한 지점에 짧게 제시하고 다른 한 선을 멀리 떨어지지 않은 지점에 제시하면, 관찰자는 두 대상을 빠르게 순차적으로 보는 것이 아니라 한 대상이 한 지점에서 다른 지점으로 빨리 움직이는 것으로 본다. 영화의 화면이 움직이는 것처럼 보이게 하는 베타운동도 가현현상의 대표적인 예다. 넓은 의미에서 흐르는 구름에 둘러싸인 달이 마치 반대방향으로 움직이는 것처럼 보이는 유도(誘導) 운동이나, 암흑 속에 있는 하나의 광점을 보고 있으면 그 광점이 움직이는 것처럼 보이는 자동운동감, 그리고 한 방향을 향한 운동을 계속해서 관찰한 뒤 반대방향의 운동으로 나타나는 운동 잔상(殘像) 등도 가현현상에 속한다. 가현현상은 게슈탈트 심리학이 탄생한 계기가 되었는데, 분트(Wundt)류의 요소론적 심리학에 반대되는 관점을 가지고 있고 전체관(全體觀)을 주장하는 게슈탈트 심리학이 이 현상을 중시한다.

관련어 | 게슈탈트 심리학

가혹한 초자아
[苛酷 - 超自我, harsh superego]

자아이상이 너무 이상적이어서 자기 자신에게 지나치게 높은 기대를 요구하는 초자아. 정신분석학

프로이트(S. Freud)는 초자아를 오이디푸스콤플렉스의 유산이라고 보았다. 남아의 경우 어머니를 사랑하게 됨으로써 아버지에 대한 살해 욕구(murderous wish)가 발생하는데, 이때 남아는 아버지로부터 거세당하는 처벌을 두려워하여 자신의 근친상간적 소망을 포기하고 아버지와 동일시하게 된다. 이러한 과정을 통해 남아는 아버지의 도덕적 가치관을 받아들여 초자아를 형성해 나간다. 이렇게 형성된 초자아의 자아이상이 너무 높을 때 가혹한 초자아 형태가 된다. 자기 자신에 대한 기대가 높아서 기대한 만큼 성취하지 못했을 경우에는 자신의 행동결과에 대해 지나치게 냉혹한 비난과 자책을 한다. 자책이 큰 만큼 다음에는 실패하지 않기 위해 더욱더 철저하게 계획을 세우지만 그 계획이 더 높고 완벽한 만큼 완수하기는 더 어려워진다. 따라서 또다시 실패의 위험이 커지고 성공하지 못한 결과에 대해 보다 더 심한 자책감에 빠진다.

관련어 오이디푸스콤플렉스, 초자아

각본
[脚本, script]

어린 시절에 작성되어 부모가 강화한 것이며, 이어지는 사건들에 의해 정당화되고 결국 삶의 한 방식으로 선택된 인생계획. 교류분석

인생각본 또는 생활각본(life script)이라고도 한다. 인간은 누구나 자신이 살아갈 이야기를 써 나간다. 태어나면서부터 쓰기 시작해서 4세 무렵 기본 줄거리를 결정짓고, 7세쯤 되어 각 부분의 주요 내용을 완성하며, 이후 12세쯤까지 다듬어 나가면서 부수적인 것을 추가한다. 청년기에 와서는 실생활에 맞도록 업데이트시켜 수정한다. 어른이 되면 이야기의 첫 부분은 기억에서 거의 사라지지만, 여전히 그때 쓴 이야기에 따라 삶을 살아간다. 이러한 이야기가 바로 각본 또는 인생각본이다. 각본이론은 번(Berne)이 시작하여 슈타이너(Steiner)가 발달시켰고, 그 후 많은 학자들이 각본에 대한 이론을 연구하였다. 각본은 자신의 인생계획이며, 대부분 이미 정해진 결말을 향해 전개된다. 각본은 부모에 의해서 강화되지만, 스스로의 '결정(decision)'이다. 물론 각본은 무의식적이기 때문에 자신이 내린 초기 결정들을 의식하지 못한다. 우리는 각본결정을 정당화하기 위해 자신의 '준거틀(frame of reference)'을 현실에 맞게 재정의한다.

각본 매트릭스
[脚本 - , script matrix]

슈타이너(Steiner)가 개발한 것으로, 부모 각자의 어버이 자아상태(P), 어른 자아상태(A), 어린이 자아상태(C)에서 전달한 각본 메시지를 어린아이가 받아서 자신의 세 자아상태에 저장하는 모델. 교류분석

인생각본은 스트로크를 포함한 자극의 욕구를 충족시키기 위한 각종 활동과 부모의 허용, 금지명령, 초기결단, 생활자세 등에 영향을 받아 결정된다. 이 과정에서 아이는 부모의 P, A, C에서 전달하는 각본 메시지를 받아들여 자신의 세 자아상태에 정리한다. 아버지와 어머니의 P 자아상태에서 나온 메시지를 '대항금지명령(counterinjunction)'이라 한다. 자녀는 이러한 메시지를 자신의 P 자아상태에 정리한다. 모델링 또는 부모의 A 자아상태에서 자녀의 A 자아상태로 전달되는 '지금-여기'서의 메시지는 '프로그램(program)'을 형성한다. 어머니와 아버지의 C 자아상태에서 나오는 메시지는 '금지명령(injunction)'과 '허용(permission)'이 있다. 이러한 메시지는 자녀의 C 자아상태에 축적된다. 각본의 법칙은 다음과 같다. 첫째, 초기 부모 영향이다. 부

모가 일찍 돌아가시거나 양육자로부터 차가운 대우를 받아 애정결핍 등 외상체험을 한다. 둘째, 프로그램이다. 쓸데없는 역할을 연출하거나 돈을 몽땅 잃고 마는 등 패자각본의 연출을 한다. 셋째, 허용이다. 주어진 각본 줄거리를 연출할 것을 승인하는 것을 말한다. 아무리 부모의 영향하에 인생 프로그램이 작성되어도 그것에 따르겠다는 결심이 서지 않으면 각본으로 되지 않는다. 넷째, 중요한 행동이다. 인생의 중요한 상황에서 행하는 행동의 분재방식을 말한다. 구체적으로 결혼, 직업, 육아, 죽음의 방식 등에서 곧잘 나타난다. 다섯째, 결말이다. 결과적으로 빈털터리가 되어 자기멸시를 하면서 재기불능상태에 빠지고 건강까지 해쳐 복지시설에서 고독한 최후를 맞게 되는 것과 같다. 각본 매트릭스를 통해 문제행동과 관련된 각본을 찾아 이에 정확한 정보와 활력을 불어넣어 재결정하도록 하여 자율적인 삶을 살아가는 것이 중요하다.

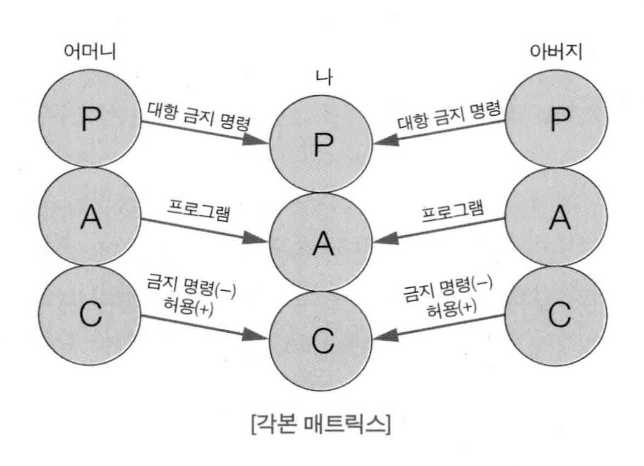

[각본 매트릭스]

하는 결정들을 한다. 각본결정은 주변에서 일어나는 일에 대한 아이의 지각에 따라 이루어지는데, 이 지각은 아이 자신의 고유한 감정 및 현실검증으로 이루어진다. 아이가 세상을 지각하는 방법은 성인이 지각하는 방법과 판이하게 다를 수 있다. 예를 들면, 갑자기 큰 소리가 나면 아이는 아직 말을 못하지만 누가 나를 해치려고 한다고 결론을 내릴 수도 있고, 그 순간 부모는 아이에게 제공하는 자신의 배려를 만족스럽게 생각하고 있을지도 모른다. 각본 메시지는 언어적 · 비언어적으로 전달될 수 있으며, 동시에 두 가지 방식 모두를 통해 전달될 수도 있다. 또는 아이가 부모나 주변인물을 관찰하면서 모델링을 통해 일어날 수도 있다. 각본 메시지는 직접적인 명령형태로 주어지기도 하고, 부모가 주변사람들과 이야기를 나누면서 간접적으로 전달될 수도 있다. 단 한 번 주어졌더라도 아이에게 심각한 각본 메시지로 받아들여졌다면 이는 트라우마로 남을 수도 있다. 번(Berne)은 각본 메시지가 형성되는 것을 동전을 쌓아 올리는 것에 비유하였다. 동전을 쌓아 올리다 보면 몇 개는 튀어나오고, 이러한 것이 많을수록 쓰러질 확률이 높다. 또 하나라도 많이 튀어나오면 쌓아 올린 전체 더미가 쓰러질 수 있으며, 쌓아 올린 줄이 한쪽으로 기울어 있다면 쓰러질 확률은 더 높아진다. 정신적 외상사건이나 반복적으로 주어지는 메시지가 인생각본 형성에 토대를 이루는 것도 이와 마찬가지다(Stewart & Joines, 2010).

각본 메시지
[脚本 – , script message]

주로 부모로부터 주어지는 메시지로서 어린아이가 인생각본을 결정할 때 자신과 주위 사람 및 세상에 대해 반응하는 대상. 교류분석

어린아이는 자신과 주위사람, 주변세상에 대한 '각본 메시지'에 대한 반응으로서 인생각본을 구성

각본분석
[脚本分析, script analysis]

한 개인이 따라가는 삶의 방식, 즉 자신이 선택하고 결정한 인생계획인 각본을 이해하기 위해 분석하는 것. 교류분석

각본은 어린 시절의 결정에 기초하고 있다. 삶의 인생계획은 어린 시절에 결정되며 우리는 거의 무

의식수준에서 이 각본에 따라 살아간다. 이렇게 결정된 행동을 하다가 벗어나기 위해서는 무엇보다 자신의 각본을 분석해서 생활양식을 이해하는 것이 중요하다. 각본내용은 각본 속에 무엇(what)이 들어 있는지를, 각본과정은 각본이 어떻게(how) 드러나는지를 가리킨다. 각본의 내용은 지문과 같이 사람마다 다르지만, 각본과정은 몇 가지 특징적인 유형으로 나눌 수 있다. 각본은 승리자, 패배자, 비승리자 각본으로 나눌 수 있는데, 우선 승리자는 '자신이 선언한 목표를 달성한 사람'을 말한다. 승리자 각본이란 인생의 목표를 자기 스스로 결정하고 그것을 향하여 전력을 다하며 완수하는 자기실천의 각본이다. 이 각본을 연출하는 사람은 다시 한 번 태어나더라도 똑같은 일을 할 만큼 자기 스스로 인생에 만족하고 있는 사람이다. 때로는 실패가 있어도 같은 실패를 되풀이하지 않는다. 자기나 세상에 대해 행한 여러 가지 결의를 실행하는 사람이며, 가치관도 양육적 어버이에 의해 인간적인 모습으로 나타난다. 반대로 패배자는 '자신이 선언한 목표를 달성하지 못한 사람'을 말하고, 달성했다고 하더라도 만족하지 못한다면 패배자라고 할 수 있다. 1급 패배자는 사람들 입에 오르내릴 정도의 경미한 실패나 상실을 경험한다. 2급 패배자는 밖으로 드러내기 힘들 정도의 불유쾌한 결과를 드러낸다. 3급 패배자는 사망, 심각한 상해, 법적 위기를 겪는다. 3급 패배자의 결말은 '비극적 결함(hamartia)'이라는 용어로 불리기도 한다. 두 각본의 중간에 놓여 있는 비승리자 각본은 살아가면서 큰 승리도, 큰 패배나 위기도 겪지 않는 '평범한' 각본이다. 이러한 각본으로 살아가는 사람은 직장에서 승진도 못하지만 그렇다고 해고되지도 않는다. 무엇보다 중요한 것은 각본분석을 통해 각본을 변화시킬 수 있다는 사실이다. 자신의 각본을 깨달음으로써 패배자로서의 결정을 승리자로서의 결정으로 바꿀 수 있다.

각본치료
[脚本治療, scriptotherapy]

치료적 재연의 방식에서 외상적 경험에 관한 모든 것을 글로 쏟아 내거나 즉시 써 내는 과정. 문학치료

헨케(S. Henke)가 사용한 용어다. 헨케는 정신분석적 작업으로 억압된 기억이 표면으로 부상하고 언어와 자유연상으로 정화된다는 프로이트의 대화치료(talking cure)의 기본 전제를 받아들일 때, 분석가의 역할에 대해서 분석가가 정말 반드시 필요한가라는 흥미로운 의문이 일어난다고 하였다. 헨케는 의사와 환자의 시나리오가 트라우마를 해결하는 유일한 방법은 아니라는 것을 자신의 저술에서 밝히고 있다. 헨케가 말하는 각본치료는 청자 없이 오랫동안 억압된 기억을 발견해 내고 두려움을 해결할 수 있도록 도와주는 수단이라고 할 수 있다. 치료적 재연(re-enactment)의 방식에서 외상적 경험에 관한 모든 것을 글로 쏟아 내거나 즉시 써 내는 과정을 각본치료라 명명하면서, 강간, 근친상간, 아동기 성적 학대, 견디지 못할 만큼의 슬픔, 원치 않는 임신, 유산, 그 외 심신의 통합을 위협하는 심각한 질환 등으로 유발되는 외상 후 스트레스 장애(post-traumatic stress disorder: PTSD)를 겪어 산산이 부서진 주체(shattered subject)가 된 여성들의 전기적 글을 분석하였다. 각본치료에서 가장 강력한 형식은 자서전이다. 자서전에서는 세 가지 상이한 주체의 자리가 드러난다. 첫째, 권위적 의식 혹은 진술 주체(authorial consciousness or subject of enunciation)로, 수집된 자료들에서 자서전의 이야기를 해 나가는 자리다. 둘째, 초기 파편화된(외상을 입었을 수도 있는) 자기(fragmented 〈and often traumatized version of the〉 self)이고, 셋째, 내러티브적인 노출의 과정으로 밝혀진 표면상으로는 일관적인 발화의 주체(ostensibly coherent subject of utterance)다. 각본치료는 이 세 주체의 자리를 탐색하여 미적인 자질로 신물 나는 가정적 혹은 사회적

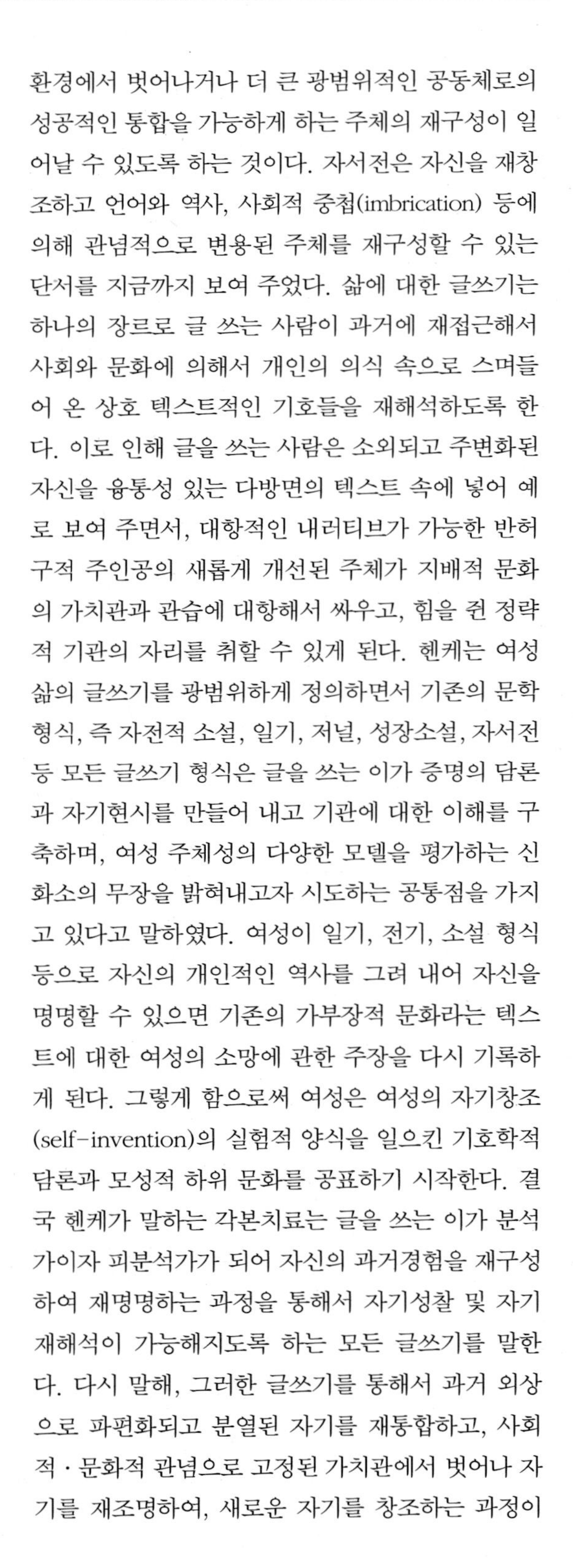

환경에서 벗어나거나 더 큰 광범위적인 공동체로의 성공적인 통합을 가능하게 하는 주체의 재구성이 일어날 수 있도록 하는 것이다. 자서전은 자신을 재창조하고 언어와 역사, 사회적 중첩(imbrication) 등에 의해 관념적으로 변용된 주체를 재구성할 수 있는 단서를 지금까지 보여 주었다. 삶에 대한 글쓰기는 하나의 장르로 글 쓰는 사람이 과거에 재접근해서 사회와 문화에 의해서 개인의 의식 속으로 스며들어 온 상호 텍스트적인 기호들을 재해석하도록 한다. 이로 인해 글을 쓰는 사람은 소외되고 주변화된 자신을 융통성 있는 다방면의 텍스트 속에 넣어 예로 보여 주면서, 대항적인 내러티브가 가능한 반허구적 주인공의 새롭게 개선된 주체가 지배적 문화의 가치관과 관습에 대항해서 싸우고, 힘을 쥔 정략적 기관의 자리를 취할 수 있게 된다. 헨케는 여성 삶의 글쓰기를 광범위하게 정의하면서 기존의 문학 형식, 즉 자전적 소설, 일기, 저널, 성장소설, 자서전 등 모든 글쓰기 형식은 글을 쓰는 이가 증명의 담론과 자기현시를 만들어 내고 기관에 대한 이해를 구축하며, 여성 주체성의 다양한 모델을 평가하는 신화소의 무장을 밝혀내고자 시도하는 공통점을 가지고 있다고 말하였다. 여성이 일기, 전기, 소설 형식 등으로 자신의 개인적인 역사를 그려 내어 자신을 명명할 수 있으면 기존의 가부장적 문화라는 텍스트에 대한 여성의 소망에 관한 주장을 다시 기록하게 된다. 그렇게 함으로써 여성은 여성의 자기창조(self-invention)의 실험적 양식을 일으킨 기호학적 담론과 모성적 하위 문화를 공표하기 시작한다. 결국 헨케가 말하는 각본치료는 글을 쓰는 이가 분석가이자 피분석가가 되어 자신의 과거경험을 재구성하여 재명명하는 과정을 통해서 자기성찰 및 자기 재해석이 가능해지도록 하는 모든 글쓰기를 말한다. 다시 말해, 그러한 글쓰기를 통해서 과거 외상으로 파편화되고 분열된 자기를 재통합하고, 사회적 · 문화적 관념으로 고정된 가치관에서 벗어나 자기를 재조명하여, 새로운 자기를 창조하는 과정이다. 각본치료의 목표는 굳어 버린 이미저리와 감각의 파편화된 구성요소들을 조직적이고 자세하면서도 언어적으로 풀어내어 시간과 역사의 맥락에서 방향을 잡아 재배열하는 것이다.

각성이론
[覺性理論, arousal theory]

레프코트와 마틴(Lefcourt & Martin)이 명명한 유머이론의 하나. 각성수준에 따라 수행 능력에 차이가 있다는 것을 전제로 함. 웃음치료

각성이론은 사람마다 각성수준이 서로 다르기 때문에 저마다의 최적 각성수준을 찾는 것이 중요하다고 본다. 어떤 사람은 온몸의 긴장이 풀리고 편안한 상태를 즐길 수 있는 저녁시간이 적합한가 하면, 어떤 사람은 주말 시끌벅적한 콘서트장에서의 느낌을 더 좋아할 수 있다. 또한 극도의 스릴을 찾아다니는 사람도 있다. 저마다 편안함을 느끼는 수준이 다른 것이다. 또한 생리적 긴장을 줄이는 행동과 상황에 따라서 각성수준을 높이려는 행동을 찾아서 자극을 강화하기도 한다. 각성이론과 관련된 또 하나가 여키스-도슨 법칙(Yerkes-Dodson Law)이다. 간단하게 말해서 각성수준과 수행능력 간의 관계를 밝힌 것이다. 각 과제의 성격에 따라 각성 수준이 달라지는데, 쉬운 과제는 각성수준이 높을 때 수행능력도 함께 증가하고, 어려운 과제는 각성수준이 낮을 때 수행능력이 증가한다. 레프코트와 마틴은 유머가 긴장을 감소시키거나 증가시키는 작용을 한다는 점에 초점을 맞추고, 웃음치료에 이 이론을 적용하였다. 웃음과 관련된 정신적 에너지는 유머, 농담, 코믹 등의 유형으로 분류할 수 있다. 유머는 농담이나 코믹과는 달리 사람들이 일상에서 겪는 슬픔, 공포, 불안, 긴장과 같은 부정적 정서들을 긍정적 정서로 전환시켜 주고, 유머로 발생하는 웃음은 고통을 야기하는 정서를 해방시켜 주는 에너지가 된다. 벌린(Berlyne)에 따르면 인간은 자극의 크기

에 따라 각성수준이 비례적으로 작용하여 스트레스를 유발하게 되므로 각성을 줄이는 방법을 찾는다고 하였다. 또 한편으로는 자극이 전혀 없거나 그 수준이 지나치게 낮을 경우 권태와 지루함을 느껴 각성수준을 높이는 방법을 찾는다고 하였다. 즉, 인간은 기본적 충동 및 생리적 욕구충족이 해결되어도 자극을 찾는 존재인 것이다. 따라서 각성수준을 최적으로 유지하는 것이 중요하다. 각성수준이 너무 낮으면 잠을 자고, 각성수준이 너무 높으면 불안과 스트레스를 경험하게 된다. 그리고 각성수준이 최적일 때 동기화가 적절하게 일어나 수행 능력이 최고가 되는데, 이것이 최적 각성이론이다. 각성이론이 가장 많이 적용되는 치료는 ADHD다. ADHD 아동의 경우는 각성수준이 정상 아동보다 낮기 때문에 이 각성수준을 평균으로 끌어올리는 노력을 해야 한다. 환경 내에서 적당한 자극이 주어지지 않으면 각성수준은 최적이 될 수 없다.

관련어 | 여키스 - 도슨 법칙, 최저 각성수준

각인
[刻印, imprinting]

세상에 처음 태어났을 때 시각적, 청각적, 촉각적 경험을 하게 되는 대상에게 모든 주의와 관심이 집중되어 그것을 쫓는 학습의 한 형태. 발달심리

이 현상을 처음으로 발견한 사람은 비교행동학자 로렌츠(Lorenz)다. 그는 회색 오리새끼가 부화(孵化) 직후에 최초로 보이는 움직이는 대상을 어미라 생각하고 그 대상을 따라다니는 것을 발견하였다. 자연상태에서는 각인의 대상이 대개 어미가 되지만 실험장면에서는 실험자가 각인의 대상이 되기도 한다. 이러한 결과는 오리나 닭과 같은 조류연구에서 검증이 되었으며, 이와 비슷한 학습형태는 포유류나 어류, 곤충류에서도 나타난다. 이 학습은 마치 뇌(腦)에 인쇄되어 집어넣는 것처럼 단시간에 형성되는데, 조류는 태어난 지 2~3시간 만에 형성되고 대략 30시간 후에는 사라진다. 이 시기를 결정적 시기(critical period)라고 하며, 이를 경계에 초점을 맞추어 임계기(臨界期)라고도 한다. 이 현상은 조류나 포유류에서는 확인되지만 인간에 대해서는 교육이나 환경의 개입도 있기 때문에 확실하게 알려져 있지는 않다.

간격
[間隔, interval]

상담에서는 상담일과 상담일 간의 사이, 음악치료에서는 음 높이의 차이. 개인상담

상담에서는 상담과 상담 간에 일정 기간 차이를 두는데, 1주 간격의 상담을 주간(weekly) 상담이라고 하며 이를 표준으로 삼는다. 전통적 정신분석치료에서는 24시간의 면접일 간격으로 실시되는 매일(everyday) 면접으로 실시되었다. 상담이 종결에 가까워지면 상담 간격을 점차 지연시켜 상담에 대한 분리불안을 느끼지 않도록 서서히 종결하는 것이 내담자를 안심시킬 수 있다. 상담 간격은 다음과 같은 이점이 있다. 첫째, 서서히 분리를 연습하도록 한다. 둘째, 상담을 통해 알게 된 것을 실생활에서 시도함으로써 현실검증력이 향상된다. 셋째, 저항이 감소되고 준비도가 형성된다. 이러한 이유로 한 회에 3시간의 상담을 하기보다는 간격을 두고 1시간씩 3회 상담을 하는 것이 효과적이다. 한편, 음악치료에서는 음정을 말하는데, 음정은 진동수에 따라 생긴다. 진동수가 많으면 높은 음정이 나고 반대로 진동수가 적으면 낮은 음이 난다. 일반적으로 높은 음은 자극적이고 낮은 음은 이완효과가 있어서 음의 이 같은 현상을 이용하여 신경의 긴장과 이완을 유도한다. 좀 더 구체적으로 말하면 늘 긴장하고 있는 사람에게는 저음의 음악이(소리가) 그 사람의 긴장을 이완시켜 주는 작용을 할 수 있고, 너무 늘어

진 사람에게는 고음의 음악이(소리가) 삶의 활력을 되찾는 데 도움이 된다고 할 수 있다. 음정이라는 요소가 치료적으로 사용되는, 예를 들면 음의 높낮이에 따라 신체의 위아래를 지시하는 활동이 있다. 음정의 대조는 청각 변별력의 발달, 주의집중, 방향성의 제시 등을 목적으로 사용할 수 있다. 또 음의 높낮이는 언어의 발달에도 치료적으로 이용한다. 이는 말을 하기 전 발성을 촉진시킬 목적으로도 사용되고, 말을 할 수 있거나 분절된 낱말을 사용하는 내담자의 언어장애를 개선하기 위해서 '안녕' 또는 내담자의 이름처럼 둘 이상의 음절로 이루어진 낱말에 3도 또는 5도의 간격으로 목소리에 억양을 붙이는 방법도 있다.

관련어 | 상담기간, 상담빈도, 상담회기

간결성의 원리
[簡潔性－原理, laws of prägnanz]

시각적인 그림이나 입체적 대상물을 가능한 한 단순하게 이해하고, 단순한 형태로 보려고 하는 심리현상. 게슈탈트

게슈탈트 심리학의 기본 원리로서, 프래그난츠(prägnanz)는 '두드러진 것, 간결성'을 의미하며 우리가 지각할 때 가장 두드러진 것을 중심으로 현상을 조직화하는 것을 뜻한다. 즉, 사람은 특정 대상이 주어진 조건에서 최대한 가장 단순하고 간결한 방향으로 인식한다는 것이다. 이 원리에 따르면, 장은 스스로 총체적인 조건이 허용하는 가장 좋은 게슈탈트를 형성한다고 보았다. 그래서 게슈탈트 치료자는, 인간은 건강하고자 하는 타고난 욕구가 있다고 믿는다. 또한 명백한 것들에 대한 알아차림, 즉 알아차림 연속체는 이러한 건강에 대한 자발적인 물꼬를 터 주기 위해 개인이 의도적으로 사용할 수 있는 도구로 보았다.

관련어 | 게슈탈트 심리학, 알아차림

간섭
[干涉, interference]

어떤 사건 전후의 학습이 섞여 인출 시 방해받는 현상. 행동치료

정보들 간의 경합 때문에 인출을 할 때 방해되는 현상으로, 정보가 유사할수록 더 많이 일어나고 유사하지 않을수록 적게 일어난다. 순행간섭과 역행간섭으로 나누어지는데, 순행간섭은 먼저 학습한 내용이 다음에 하는 학습내용을 기억하는 데 방해가 되는 것이다. 또한 역행간섭은 새로운 학습이 이루어지면 그 내용이 이전의 학습에 관련되어 이전의 학습내용을 기억하는 데 방해가 되는 것이다. 예를 들어, 내일 있을 경제학 시험을 위해 많은 내용을 기억해야 한다고 가정했을 때, 경제학을 공부하고 심리학을 공부한다면 심리학 공부가 역행간섭을 일으키고, 반대로 심리학을 먼저 공부하고 경제학을 공부한다면 심리학이 순행간섭을 일으킨다. 이러한 간섭원리는 원하지 않는 행동을 제거하기 위해 사회적으로 바람직하게 수용되는 새로운 행동을 학습시키는 형태로 행동치료에서 활용되고 있다.

관련어 | 간섭이론

간섭이론
[干涉理論, interference theory]

다른 정보에 대한 기억이나 다른 과제수행이 기억을 간섭하기 때문에 망각이 일어난다는 이론. 인지치료

망각에 관해서는 두 가지 전통적인 이론, 즉 소멸이론과 간섭이론이 있다. 소멸이론에 의하면, 사용되지 않는 정보는 시간이 경과할수록 서서히 기억에서 사라져 망각될 확률이 높다. 생리적 측면에서 볼 때 기억은 중추신경계에 변화를 일으켜 기억 흔적을 남기는데, 이 흔적은 기억을 사용하지 않으면 신진대사 과정에 의해 점차 희미해지고 결국 사라

진다. 주의가 사라질 때 정보가 단기기억에서 빠르게 소멸된다는 주장은 오랫동안 인정되어 왔다. 에빙하우스(H. Ebbinghaus)는 순수한 기억 흔적을 연구하기 위해 여러 개의 무의미 철자로 이루어진 목록을 미리 만들어 놓고, 이 목록을 기억해 내는 실험을 하였다. 처음 학습한 시간에서 재학습한 시간을 뺀 다음 이것을 다시 처음 학습한 시간으로 나눈 값인 기억률을 망각 곡선으로 표현했다. 이 실험을 통해 망각이 처음에는 급격하게 일어나지만 어느 정도 시간이 흐르면 천천히 진행된다는 것과 사용되지 않는 정보는 시간이 경과할수록 망각될 확률이 높다는 것을 밝혔다. 그러나 소멸이론은 학습과 기억검사 간의 파지(retention) 기간에 겪은 경험에 따라 기억의 정도가 달라진다는 사실을 설명하지 못하는 등 장기기억에서의 망각을 적절하게 설명하지 못하는 한계가 있다. 이를 규명하기 위해 1924년 젱킨스와 달렌바흐(Jenkins & Dallenbach)는 두 피험자 집단에 무의미 철자 10개 항목을 각각 학습하도록 하였다. A집단은 이른 아침에, B집단은 늦은 밤에 학습을 하도록 하였다. 학습 직후 기억검사를 한 다음 일정한 시간이 지난 후에 회상검사를 실시하였다. 이때 B집단은 잠을 자다가 깨어나서 기억검사를 받았고, A집단은 일상적인 활동을 하다가 기억검사를 받았다. 그 결과 시간이 경과할수록 회상률이 감소했는데, A집단의 망각률은 B집단보다 더 빨리 증가하였다. 만약 망각이 파지기간의 크기로만 결정된다면, 두 집단이 동일한 양의 망각 정도를 나타내야 하겠지만 실험결과는 그렇지 않았다. 이 실험결과는 망각이 단순한 시간의 함수로 일어나는 소멸 때문이 아니라, 파지기간에 이루어진 경험의 양에 달려 있다는 것을 보여 준다. 이러한 현상을 잘 설명해 주는 것이 간섭이론이다. 간섭이론에서는 망각이 기억에서의 정보 손실이 아니라 정보 인출에 실패한 것으로 간주한다. 새로운 학습이 기억에 저장된 기존 정보의 재생을 방해하거나 혹은 기억에 저장된 기존 정보가 새로운 학습을 방해하기 때문에 망각현상이 일어난다. 학습한 내용을 기억해 내지 못하는 인출 실패에 영향을 미치는 주요 요인에는 인출단서(retrieval cue)와 단서 과부하(cue overload)가 있다. 먼저, 인출단서와 관련하여 인출기간에 존재하는 맥락단서들과 부호화 기간에 존재했던 단서들의 유사성이 한 요인이다. 장기기억을 확립하기 위해서는 기억해야 할 단어와 그 당시 존재하는 맥락단서들 간에 연합이 형성된다. 이러한 단서들 중 하나가 인출기간에 다시 나타난다면 그 정보의 활성화는 연결된 모든 다른 정보들로 확산된다. 그러한 단서가 많을수록, 즉 학습상황과 검사상황의 유사성이 클수록 단어회상이 용이해진다. 1966년 털빙과 펄스톤(Tulving & Pearlstone)은 피험자들에게 범주별로 조직화된 명사목록을 제시하고 학습하도록 하였다. 이때 각 범주에 속하는 단어마다 앞머리에 범주이름을 표시해 두었다. 모든 피험자는 두 집단으로 나뉘어 자유회상검사를 받았는데, A집단은 범주이름을 인출단서로 제시받았고, B집단은 인출단서를 제시받지 못하였다. 그 결과 A집단이 B집단보다 더 높은 회상률을 나타냈다. 이후 두 번째 회상검사를 실시했는데, 이때는 A집단과 B집단 모두에게 범주이름이 인출 단서로 제시되었다. 그 결과 이번에는 B집단도 A집단과 동일하게 높은 회상률을 나타냈다. 이러한 실험 결과는 첫 번째 회상검사에서 B집단의 회상률이 낮았던 것은 저장된 정보의 차이가 아니라 적절한 인출단서가 부족했기 때문이라는 것을 보여 준다. 인출에 영향을 미치는 두 번째 요인은 단서 과부화로, 한 인출단서와 연합된 상이한 기억의 양이 영향을 미친다. 어떤 정보가 활성화되면 그것과 연결된 다른 모든 정보로 활성화가 확산된다고 여겨지지만, 이 같은 연결의 수가 많을수록 그들 각각에는 오히려 활성화가 감소하고 그 결과 특정한 한 개의 기억이 인출될 가능성은 더 낮아진다. 예를 들면, 어떤 식당에서 딱 한 번 식사했다면 그 식당에 다시 갔을 때 이전의 식사에 대한 기억이 생생하게 남아 있을 것이다. 그러나 그 식당에서 좀 더 자주 식사할수록 그 식당에 대한 맥락단서와 더 많은 기억이 연합될 것이고, 그 결과 특정한 식사를 기억하는 것이 어려워진다. 장기기억의 모든 망각이 인출 실패에 기인한 것인지를 단정적으로 검증하는 것은 불가능하지만, 현대의 기억이론들은 일반적으로 대부분의 망각이 인출 실패에 기인하는 것으로 가정한다. 또한 장기기억에 일단 저장된 정보는 비록 인출이 불가능하더라도 기억에 영구적으로 남아 있다고 간주한다. 간섭의 방향에 따라 역행간섭(retroactive interference: RI)과 순행간섭(proactive interference: PI)의 두 가지 유형으로 나눈다. 역행간섭은 나중에 학습한 정보가 먼저 학습한 정보를 간섭하는 것이고, 순행간섭은 먼저 학습한 정보가 나중에 학습한 정보를 간섭하는 것이다. 포함된 기억들이 서로 유사할수록 간섭은 크게 일어난다.

관련어 | 기억, 망각

간접적 암시
[間接的暗示, indirect suggestion]

지시적인 내용을 간접적으로 표현하는 암시화법. 최면치료

에릭슨 최면에서 흔히 사용하는 암시화법으로, 겉으로는 지시적인 느낌이 들지 않기 때문에 직접적인 암시보다 부드럽게 전달되고 저항이나 반발의 가능성을 줄일 수 있다. 예를 들어, "10년 전의 일에 대해 말해 주세요."와 같은 직접적 암시문은 "10년 전의 일이 생각난다면 말하셔도 좋습니다."로 표현함으로써 의식에 직접 전달하기보다 우회하여 평가적 기능을 갖지 않은 잠재의식으로 바로 전달할 수 있다. 암시화법의 종류로는 잠입명령어, 자명한 진술, 모르기, 행하지 않기, 개방적 암시, 모든 반응 가능성 포괄하기, 복합암시문, 암시적 지시, 이중구속, 형용사나 부사 비교급으로 처리하기, '더 많이 ~할수록 더 많이 ~하게 된다.' '혹은' '또는'이라는 단어 사용하기, 인식을 나타내는 술어 사용하기, 형용사와 부사 사용하기, '바로 지금' '이제' 등의 단어 사용하기, '좋습니다.', 다수준 의사소통 등이 있다.

관련어 | 암시화법, 에릭슨 최면, 이중구속, 자명한 진술, 잠입명령어, 직접적 암시, 최면

간편 미술 치료 선별 평가
[簡便美術治療選別評價, brief art therapy screening evaluation: BATSE]

흰 종이에 어떤 장소에서 두 사람이 무엇인가를 하고 있는 것을 그리도록 하여 평가하는 방법. 미술치료

검사를 실시하고 평가까지 하는 시간이 30분 정도 소요되어 걸리는 시간이 짧은 것에 비하여 내담자에 대한 많은 정보를 얻을 수 있기에 매우 경제적이고 효율적인 평가방법이다. 거버(Gerber, 1996)가 개발한 것으로, 필라델피아의 프렌즈병원(Friends Hospital)에서 환자를 선별하는 데 정규적으로 사용되었다. 준비물은 흰색 도화지와 8색의 마커나 색연필이고, 실시시간은 5분이다. 실시방법은 다음과 같다. 먼저, 내담자에게 종이와 색연필을 제시하여 어떤 장소에서 무언가를 하고 있는 두 사람을 그리도록 한다. 이때 내담자가 만화의 졸라맨처럼 막대기 같은 사람을 그리지 않도록 주지시킨다. 다음으로 그림이 완성된 뒤에는 그림과 관련된 필요한 질문을 하여 내담자에 대한 정보를 탐색하고 평가한다. BATSE는 5분이라는 매우 짧은 시간에 실시되기 때문에 내담자에게 작품제작에 대한 부담감을 덜어준다는 장점이 있다.

ㄱ

간헐강화
[間歇强化, intermittent reinforcement]

목표행동의 지속성을 높이기 위해 사용하는 강화의 방법으로서, 행동이 일어날 때마다 강화하지 않고 주기적으로 띄엄띄엄 강화하는 것. 행동치료

대개 매번 강화를 주는 계속강화(continuous reinforcement, 연속강화라고도 함)를 통해 목표행동이 어느 정도 안정이 되었을 때 강화계획을 조정하는 방식으로 간헐강화를 사용한다. 간헐강화는 계속강화에서보다 강화자극의 효과가 더 오랫동안 지속되며, 간헐적으로 강화된 행동은 계속강화를 받은 행동보다 소멸에 대한 저항이 강하다. 또한 계속강화의 경우보다 일상 환경에서 지구력이 더 강해진다는 장점이 있다. 간헐강화는 간격과 비율을 조정하는 방식으로 이루어지는데, 각각은 간격이나 비율을 고정하는가 혹은 변동하는가에 따라 고정간격계획, 변동간격계획, 고정비율계획, 변동비율계획으로 나눌 수 있다. 간헐강화를 효율적으로 사용하기 위해서는, 첫째, 증강시키고 지속시키고 싶은 행동에 적합한 계획을 선택해야 한다. 둘째, 실행하기 편리한 강화계획을 선택해야 한다. 셋째, 강화가 주어져야 할 때를 정확하고 쉽게 계산할 수 있도록 손목시계나 스톱워치, 계산기, 필기도구 등 적절한 도구나 자료를 사용해야 한다. 넷째, 강화의 빈도는 처음에는 바람직한 행동이 충분히 지속될 수 있도록 높아야 하며 그런 다음 강화에 대한 최종 목적행동의 양이 유지될 때까지 점차 감소해 나간다. 다섯째, 사용할 수정 프로그램의 과정에 대해 상대방이 이해할 수 있도록 미리 설명해 주어야 한다.

간헐적 폭발성장애
[間歇的暴發性障碍, intermittent explosive disorder]

공격적인 충동을 조절하는 데 실패하는 심리적 장애. 정신병리

충동조절장애의 하나로서, 심한 폭력사태나 재산파괴를 유발할 수 있는 공격적인 충동을 조절하는 데 실패하여 언어적 공격행위와 더불어 재산 파괴와 신체적 공격을 포함하는 폭발적 행동을 반복적으로 나타낸다. DSM-5 진단기준에 따르면, 공격적 충동의 억제 불능으로 심한 폭행과 기물파괴로 나타나는 분명한 삽화가 여러 차례 있으며, 이때 표현되는 공격성의 정도는 유발 인자적인 심리사회적 스트레스 원에서 크게 벗어난다. 또한 공격적 삽화가 반사회적 인격장애, 정신병적장애, 주의력결핍 과잉행동장애 등의 다른 정신장애로는 더 잘 설명되지 않으며 물질 또는 일반적 의학적 상태의 직접적인 생리효과에 의한 것이 아닌 경우에 해당한다. 발작적이고 폭발적인 행동이 자신의 의사와는 상관없이 미미한 심리사회적 스트레스 원에 의해 유발된다. 발작적 증상은 몇 분 내지 몇 시간 지속되며 신속하게 종결된다. 이러한 발작이 없는 때에는 충동조절이 잘 되고 공격적 행동이 나타나지 않으며, 발작 후에는 자신의 행동결과에 대해 후회감과 죄책감을 느낀다. 자신의 행동에 대해 책임을 져야 한다는 것을 충분히 이해하고 있음에도 불구하고 그 어떤 강렬한 충동이 일어나 본인의 의지와는 상관없이 발작적 행동을 하게 된다. 여성보다 남성에게서 출현빈도가 더 높다. 아동기에 알코올중독, 폭력, 위협 등이 존재하는 환경에서 성장한 경우 이 장애가 나타날 확률이 높다. 공격적인 부모상과의 동일시에 따른 결과이기도 하다. 한편, 뇌 장애 특히 변연계 장애가 주된 원인으로 제기되고 있다. 출산 시 뇌손상, 유아기 경련, 두부 손상, 뇌염 등의 과거력이 있는 사람에게서도 간헐적 폭발성장애가 흔하게 나

타난다. 예기치 못한 발작적이고 공격적인 행동 때문에 정상적인 사회생활이 곤란해지며 위법행위를 저질러 처벌받는 경우가 많다. 대부분 중년기 이후에는 증상이 약화되는 경향이 있으며, 치료는 약물치료와 심리치료를 병행한다.

관련어 | 충동조절장애

간화선
[看話禪, koan meditation]

깨친 스님과 깨치지 못한 스님과의 질문과 답을 통해 본래의 마음자리를 깨치도록 하는 방법. 동양상담

어느 젊은 스님이(깨치지 못한) 조주(趙州, 779~897)라는 큰스님에게 물었다. "달마가 서쪽에서 온 뜻이 무엇입니까?" (달마가 전하려는 불교의 근본 뜻은 무엇입니까?) "뜰 앞의 잣나무니라." 불교의 근본 뜻을 왜 뜰 앞의 잣나무라고 했을까? 이는 귀납법적 방법이나 연역법적인 추리로도 알 수 없는 세계다. 다른 무엇을 이끌어 와서 설명해도 안 된다. 이래도 안 되고 저래도 안 된다. 도저히 접근할 길이 없다. 어떤 방법의 길도 없다. 따라서 언어의 길이 끊어진 언어도단이다. 마음의 자취 또한 끊어진 자리다. 오직 이것이 무엇일까 하는 의문 덩어리만 남는다. 그래서 이 의심에 끝없이 몰입해 간다. 이것을 화두(話頭)라고 한다. 역대 큰스님들은 이렇게 화두를 간절히 의심해 들어가야 한다고 말하고 있다. 이때 화두는 더 이상 어떤 알음알이로 분별되는 대상이 아니다. 또한 탐구의 대상도 아니다. 오직 온몸으로 의심하고 의심해 전신으로 뛰어들어야 한다. 이 의심 덩어리가 깨뜨려질 때 깨달음을 얻게 되는 것이다. 자신의 본래 진면목을 밝히려면 이 화두를 들고(이 같은 질문과 답이 『전등록』에 보면 약 1,200가지 이상이 있다), 간절하고 사무치게 의심해 들어가야 한다. 이렇게 지극히 의심해 가다 보면 밥 먹을 때도 그 의심, 잠을 잘 때도 그 의심으로 가득하다. 이때 어떤 계기로, 예를 들어 산새 우는 소리, 누가 무엇을 떨어뜨리는 소리 등에 문득 깨치게 된다. 그렇게 되면 참나를 찾으며 삶도 없고 죽음도 없는 대 해탈을 실감한다.

감각-운동건망증
[感覺-運動健忘症, sensory-motor amnesia: SMA]

스트레스 때문에 감각운동 체계반응이 만성적으로 습관화되어 경직, 고통, 동작범위의 제한을 일으켜서, 개인이 자신의 근육을 어떻게 느끼고 통제하는지에 대한 방법과 관련된 기억이 상실되는 것. 무용동작치료

한나(Hanna, 1988)의 연구에 따르면, 개인의 기억이나 망각을 근육상태와 연결시킨 SMA는 '기능은 구조를 유지한다(Function maintains structure).'는 원리에 입각하여, 내적 기능의 문제로 인한 증상이 외적으로 관찰 가능하도록 나타난다고 설명하였다. 예를 들어, 주저앉은 가슴, 올라간 어깨, 목의 변형, 경직과 동작의 제한, 만성적 통증, 만성적 피로, 만성적 얕은 호흡, 부정적 자기이미지, 만성적 고혈압과 동맥경화 등이 감각-운동건망증의 결과로 생긴 관찰 가능한 증상들이라 할 수 있다. SMA는 노화 및 연령에 따라 생기는 것이 아니라 삶의 질로 결정되기 때문에 30~40대에도 나타날 수 있다. 그리고 직접적인 원인은 스트레스다. 한나(1986)는 특히 스트레스 상황과 관련지어 SMA를 대응 위주의 유형(green light reflex), 좌절 위주의 유형(red light reflex), 트라우마 유형(trauma reflex)으로 분류하였다.

관련어 | 소마신체, 심신의사소통

감각 깨우기 명상
[感覺 – 冥想, wake up your senses meditation]

시각, 청각, 미각, 후각, 촉각을 통하여 마음챙김을 완성하는 정신적 훈련. 명상치료

아동은 성인과 달리 주의력과 인지능력, 대인관계 기능 등이 발달하는 과정에 있기 때문에 발달적 특성을 고려하여 명상 프로그램을 구성해야 한다. 이러한 측면에서 아동은 감각경험을 통하여 마음챙김 훈련을 하는 것이 도움이 된다. 시각, 청각, 미각, 후각, 촉각의 감각으로 지금 현재의 감각을 알아차리고 아동의 내적, 외적 환경을 경험하도록 하여 마음챙김을 향상시킨다. 이러한 감각 깨우기 명상은 아동의 신체활동에 대한 욕구를 충족해 줄 수 있다. 아동에게 감각 깨우기 명상을 할 때는, 아동이 주의를 집중할 수 있도록 외적인 감각에서 점차 신체 내부 깊은 곳까지 감각을 느낄 수 있도록 지시문을 천천히 말한다. 감각을 깨우기 위하여 건포도, 과일 등의 재료를 활용하는 것도 도움이 된다. 이 같은 감각을 깨우는 명상의 한 예로 사과를 제시하면서 다음과 같이 지시문을 이야기한다. "이 사과는 어디서 왔을까요? 가게에서 사 왔을까요? 가게에는 어떻게 왔을까요? 사과를 먹기 전에 가까이서 잘 보세요. 무슨 색깔이고, 어떤 모양이고, 크기는 얼마나 되나요? 냄새를 맡아 보세요. …… 천천히 느린 동작으로 씹어 보세요. 어떤 맛이지요? 목으로 넘어가는 느낌은 어떤가요? ……." 이런 활동을 통하여 아동은 주의를 모으는 법을 알게 되며 동작을 느리게 하는 방법과 감각 인상과 충동에 대한 마음챙김하는 방법을 훈련한다. 그리고 즐거운 느낌, 원하는 마음, 빨리 먹으려고 서두르는 마음과 행동이 서로 연결되어 있다는 것을 깨닫는다.

관련어 | 마음챙김, 명상

감각기관에의 노출
[感覺器官 – 露出, interoceptive exposure]

불안장애, 특히 공황장애나 외상 후 스트레스 장애(PTSD) 치료를 위해 불안과 관련된 신체적 증상과 직접 맞닥트리게 함으로써 신체 감각에 대한 내성을 키우는 직면 치료법. 인지행동치료

감각기관에의 노출훈련은 신체감각을 완화시키기보다 충분한 강도의 신체감각에 맞서 견디게 하는 훈련이다. 고전적 조건형성 원리에 바탕을 둔 체계적 둔감화 원리를 활용하는 단계적 노출훈련에서 명심해야 할 사항은 이전에 배운 호흡조절이나 근육이완, 혹은 파국적인 생각에 대한 인지수정과 같은 전략의 사용을 일시적으로 중단해야 한다는 점이다. 감각기관에의 노출을 사용하는 이유는 과호흡(hyperventilation)이나 근육긴장(muscle tension)을 통해 비현실감(derealization)이나 이인화(depersonalization) 등을 인위적으로 불러일으켜 지금까지 두려워했던 신체감각이 위험하지 않다는 것을 깨닫게 하기 위해서다. 무엇보다 중요한 것은 신체감각을 견딜 수 있다는 자신감이다. 신체감각을 느끼더라도 이를 견딜 수 있다는 확신이 생기면 이 신체감각에 대한 불안이 줄어든다(Lickel et al., 2008). 단계적 노출은 다음과 같은 절차에 따른다. 첫째, 불안지수가 5점 만점에 3점 이상인 항목들 중 점수가 낮은 항목부터 훈련에 들어간다. 둘째, 가능한 한 과호흡이나 강한 근육긴장 등을 통한 강렬한 신체감각을 체험하도록 한다. 충분한 신체감각이 있을 때까지 점진적으로 운동수준을 높여 나간다. 셋째, 일정 시간 운동을 하고 유발된 신체감각을 충분히 느낀 다음에는 각 신체감각의 강도, 불안지수, 그리고 공황증상과의 유사성 정도를 평가한다. 넷째, 앞의 단계가 지나면 신체감각을 유발한 다음 그동안 배운 호흡조절, 이완 및 인지수정 전략을 사용해 유발된 신체감각에 도전한다. 다섯째, 하루 5회 정도 운동을 반복해서 불안지수가 내려가면 다른 운동으로 넘어간다. 그러나 다섯 번을 해도 불안지수

가 내려가지 않으면 무리하지 말고 다음 날 다시 시작한다.

감각에 대한 자명한 진술
[感覺 – 自明 – 陳述, truism about sensations]

내담자가 오감적 차원에서 경험하는 것을 있는 그대로 진술하도록 하는 기법. 최면치료

에릭슨 최면 기법 중 자명한 진술의 한 유형으로, 내담자로부터 자연스럽게 '그렇다'는 반응을 이끌어 내기 위해 내담자가 경험하는 감각을 진술해 주는 것이다. 내담자는 '그렇다'는 내적 반응을 하면서 심리적 이완을 경험하기도 하고, 상담자와의 라포를 형성하기도 한다. '그렇다'는 반응은 상담자가 그다음에 제시하는 암시에 대한 저항을 줄이기도 한다. 이는 밀턴모형의 현재 경험에 맞추기와 같은 맥락에서 이해할 수 있다.

관련어 | 밀턴모형, 에릭슨 최면, 자명한 진술, 현재 경험에 맞추기

감각운동기
[感覺運動期, sensorimotor period]

피아제(Piaget)의 인지발달단계 중 첫 단계이며, 신체적 감각을 통하여 인지구조를 변화시켜 나가는 시기로서 출생부터 2세까지의 기간. 발달심리

이 기간은 다시 반사운동기(reflex activity), 일차순환반응기(primary circular reaction), 이차순환반응기(secondary circular reaction), 이차순환반응협응기(coordination of secondary circular reaction), 삼차순환반응기(tertiary circular reactions), 정신적 통합기(mental combination)의 여섯 단계로 세분화된다. 반사운동기는 출생 후 1개월 동안을 말하며, 이 시기의 영아는 입 가까이에 있는 것은 무엇이든 빨고 잡히는 것은 무조건 잡으며 소리가 나는 쪽으로 고개를 돌리는 등의 반사기능을 통한 동화의 과정으로 환경에 적응해 나간다. 이때 영아는 인지적 발달의 변화는 적은 편이지만 평소와 다른 젖꼭지의 크기, 물체의 크기에 따라 반사행동이 조금씩 바뀌는 것을 볼 때 아주 초보적인 조절기능이 일어난다고 할 수 있다. 일차순환반응기는 1~4개월까지를 말하며, 반사기능이 좀 더 정교화되고 외부환경보다는 자신의 신체에 더 관심을 가지는 시기다. 이때 영아는 빨기, 잡기와 같은 행동을 유도하는 자극이 없어도 반사행동을 하게 되는데 우연히 한 행동을 통하여 재미있거나 흥미로운 결과가 보이면 그것을 계속해서 반복하려는 인지구조를 일차순환반응이라고 한다. 즉, 영아는 우연히 입 주위에 있던 자신의 손가락을 빨게 되어 재미가 있었고 이후 자신의 손가락을 빨려고 찾아봄으로써 잡기, 보기, 빨기의 단편적인 반사기능이 통합되어 잡아서 보고, 보고 빨기 등의 새로운 도식이 형성된다. 이차순환반응기는 4~8개월까지를 말하며, 처음으로 외부환경에 관심을 보이고 탐색하는 행동을 하는 시기다. 자신이 우연히 한 행동 때문에 외부환경이 바뀔 때 흥미로워하면서 계속 자신의 행동을 반복하게 되고 그 행동의 결과들을 통해서 인과성이나 수단-목적 관계에 대한 기초 지식을 형성한다. 이차순환반응협응기는 8~12개월까지를 말하며, 이 시기의 영아는 자신이 원하는 목표와 방법을 이해하여 의도적인 행동을 하게 되며 실질적인 지적 행동을 한다. 영아는 자신이 원하는 목표를 달성하기 위하여 수단이 되는 다른 도식을 이용하는 능력이 생긴다. 예를 들면, 자신이 원하는 장난감을 가지기 위하여 다른 장난감을 치워 버리거나 높은 곳에 있는 것을 가지기 위하여 막대기나 의자를 사용한다. 삼차순환반응기는 12~18개월까지를 말하며, 이 시기의 영아는 앞서 형성된 인과성에 대하여 보다 적극적으로 탐색하고 실험해 봄으로써 새로운 인과적 결과

를 이해하여 새로운 인지구조를 형성한다. 이때 영아는 호기심과 새로운 것에 대한 흥미가 발달하므로 의도적으로 물체에 대한 새로운 가능성을 시도해 보고 그 결과를 알아보는 시행착오적 과정을 거친다. 정신적 통합기는 18~24개월까지를 말하며, 이 시기의 영아는 비로소 감각운동적 차원에서 벗어나 눈앞에 없는 사물이나 사태를 내재적으로 표상할 수 있는 내적 표상능력이 발달하게 된다. 이전 단계의 시행착오적 문제해결방식에서 벗어나 행동하기 전에 특정 사건이나 상황에 대한 내재적 표상을 통하여 조작하고 변형한 다음 대처해 나가는 인지구조를 형성한다. 이 같은 표상의 기능이 형성됨으로써 일정 시간이 지난 후에 목격한 행동을 재현하는 지연모방이 가능해진다. 한편 감각운동기의 영아는 또 하나의 중요한 인지발달적 개념인 대상영속성을 발달시킨다. 대상 영속성이란 대상이 한 장소에서 다른 장소로 이동하여 보이지 않더라도 그 대상이 다른 장소에 존재한다는 것을 이해하는 능력이다. 이 능력도 감각운동기의 하위단계와 같이 단계적으로 서서히 발달한다.

관련어 | 대상 영속성 , 피아제의 인지발달이론

감각적 민감성
[感覺的敏感性, sensory acuity]

오감을 통한 감각정보를 보다 정교하고 유용하게 구분할 수 있는 과정. NLP

라포, 목표 또는 성과, 행동적 유연성과 함께 NLP에서 성공의 4대 원리 중 하나다. 감각적 민감성은 감각기관을 통하여 자신에게 실제로 일어나는 것을 보고, 듣고, 느끼는 방식으로 직접적인 경험을 하는 것이다. 실제로 그렇게 감각기관을 통한 직접적인 경험을 할 수 있을 때라야 자신이 목표를 향해 제대로 가고 있는지 좀 더 잘 알 수 있다. 또한 필요한 경우, 감각적인 직접 경험 내용을 근거로 지금 자신이 하고 있는 일을 보다 나은 방향으로 조절해 나갈 수 있다. 그리고 타인과의 관계에서 상대방을 제대로 이해하고 상대방에게 영향을 미치거나 관계를 더 깊이 있게 하여 효과적으로 목표를 달성할 수 있다. 예를 들어, 이 원리를 ADHD 아동에게 적용하게 한 경우, 아동 내담자로 하여금 자신이 어떤 유형의 선호표상체계(시각, 청각, 신체 감각, 후각, 미각)를 가졌는지 이해시키고 그러한 선호표상체계를 가진 사람의 특징을 이야기해 준다. 감각기관을 통하여 아동에게 실제로 일어나는 일을 보고, 듣고, 느끼는 방식으로 직접적인 경험을 하도록 한다. 또한 다른 친구들은 어떤 유형의 선호표상체계를 가지고 있는지 파악한다. 이러한 활동을 통하여 자신과 친구가 어떤 면에서 닮았고, 또 자신과 다른 선호표상체계를 가진 친구도 있다는 것을 깨닫는 것이다. 또한 수업시간에 집중하지 못하는 이유가 자신이 좋아하는 선호표상체계가 한정되어 사용되었기 때문임을 깨닫고 부족한 선호표상체계에 관심을 가짐으로써 주의집중력을 향상시키도록 만들어 준다.

감각 기반 진술 [感覺基盤陳述, sensory - based description] 어떤 경험을 시각, 청각, 미각, 후각, 신체감각의 오감각적 차원에서 설명하거나 진술하는 것을 말한다. 여기서 시각(visual)은 눈으로 보는 것, 보이는 것과 관련된 감각이다. 청각(auditory)은 사람의 목소리를 비롯한 여러 형태의 소리나 음악을 듣는 감각이다. 미각(gustatory)은 맛과 관련되는 감각이다. 후각(olfactory)은 냄새와 관련된 감각이다. 신체감각(kinesthetic)은 신체적인 감각이나 촉각을 말하기도 하지만 기억된 감각상태, 정서균형감각과 같은 내적 감정을 의미하기도 한다. 감각적 차원은 촉각, 후각, 시각, 청각 등 감각에 의해서 관찰하거나 검증 가능한 것이기도 하다. 예를 들어, '그녀는 행복하다.'라는 표현은 감각에 기반을 둔 진술이라고 보기 어렵다. 이와 달리 '그녀의 가슴은 뛰고 눈동자는 빛이 났다. 그리고 목소리는 꾀꼬리처

럼 청아하였으며, 얼굴표정은 햇살처럼 밝게 빛나고 있었다.'와 같은 표현은 감각적인 차원에서 진술한 것이라고 볼 수 있다. 대부분 감각은 공감각(synesthesia)으로 경험되는데, 이는 NLP에서 두 가지 이상의 감각적 경험이 자동적으로 연결되거나 동시에 이루어지는 것을 말한다. 예를 들어, 다음과 같은 문장에서 공감각의 경우를 볼 수 있다. '모래발을 거닐 때 온 얼굴에 따스한 햇살을 받으면서 발바닥에는 까칠까칠한 모래를 느낀다.'

감각적 자각
[感覺的自覺, sensory awareness]

감각적으로 알아차리는 것, 혹은 각성(覺醒). 게슈탈트

셀버(C. Selver)가 처음 사용한 것으로, 전통적인 지적 자각과는 달리 그 장면의 직접적 지각(direct perception)의 자각의식이다. 즉, 자기 자신의 기능방식을 느낌과 동시에 그에 따라 일어나는 태도의 변화에 자각하거나 변화해 가는 대로 자신을 맡기는 것이다. 인간이 충분히 기능하기(total function) 위한 접근방법의 하나로, 감각기관이 특정한 수준에서 오랜 기간 경험하면 그러한 자극수준에 적응하여 유기체에 대한 효과가 덜 뚜렷해진다. 예를 들면, 규칙적으로 매운 음식을 먹는 사람은 그것을 거의 먹지 않는 사람보다 매운 음식에 덜 민감하다. 또한 특정한 강한 냄새와 높은 수준의 소음이 있는 환경에서 지내는 사람은 그곳에 처음 온 사람보다 냄새나 소음을 덜 자각하며 그것의 방해를 덜 받는다.

감각적인 시
[感覺的-詩, sensual poems]

주제 및 주제감정에 대한 감각적 어휘를 사용한 시. 문학치료(시치료)

감각적인 시는 고스트라이터(Ghostwriter)에게서 발전되었다. 미리 설정되어 있는 구조로 하는 시 쓰기 훈련으로, 감각적인 어휘로 시를 쓰는 작업은 자기 감각에 충실해지도록 만들기 때문에 정서탐색을 용이하게 한다. 감각적인 시를 쓸 때는 일단 주제나 감정을 확인하고, 감각적인 어휘를 사용하여 시로 나아간다. 오감에서 느껴지는 대로 글을 쓰는데, 예를 들어 귀로 들리는 소리의 느낌이나 촉감으로 느껴지는 것을 언어로 표현하는 것이다. 이 같은 작업은 깊은 정서탐색 이전 감각에 대한 민감성을 높여준다.

감각집중법
[感覺集中法, sensate focus, sensate focusing]

성치료기법의 하나로, 성 반응의 각 단계에서 경험하는 신체적 감각에 주의를 집중하여 충분히 느낌으로써 성적 쾌감을 증진하고 성행위에 몰입하도록 하는 방법. 성상담

매스터스와 존슨(Masters & Johnson)의 성치료 중 핵심적 기법으로, 쾌감단계, 성기자극단계, 성교훈련단계 등 세 단계로 구성되어 있다. 치료자는 감각집중법의 적절한 타이밍과 단계별 기술을 잘 알려 주고, 각 단계마다 무리 없이 진행될 수 있도록 안내한다. 이는 성생활의 궁극적 목표인 오르가슴의 경험이 목적이 아니라 부부나 연인 관계에 있는 이들의 다양한 감각경험에 초점을 두는 훈련이다. 자신 및 상대방의 욕구를 자각하고 이를 스스로 또 함께 증대시켜 더 큰 성적 만족을 추구하고자 하는 것이 이 훈련의 목적이라 할 수 있다. 쾌감단계는 부부가 서로의 몸을 애무하는 것을 통해 신체적 감각과 쾌감에 집중하며 성적 흥분을 충분히 체험할 수 있도록 도와주는 단계다. 이때는 가슴이나 성기를 비롯한 상대방의 몸을 모두 자극하여 피부의 느낌을 만끽할 수 있도록 유도하지만 직접적인 성교에 이르지는 않는다. 자신과 상대방의 피부자극에 집중하고 그때 느껴지는 감각에 몰입하도록 한다. 성기자극단계는 부부가 한 사람씩 상대방의 성기를

자극하면서 애무하도록 하는 방법이다. 이때 치료자는 다양한 애무방법을 알려 준다. 이 단계에서는 부드러운 애무는 권장되지만 절정감을 느끼도록 하는 강한 애무를 하거나 성교를 하는 것은 금지되어 있다. 이렇게 하는 이유는 감각집중법이 내담자의 관찰자적 태도를 극복할 수 있도록 만드는 치료법이기 때문이다. 성교훈련단계는 남편이 자신의 성기를 아내의 질 속에 삽입하고 움직이면서 부부가 각자 자신의 감각에 집중하는 것이다. 특히 이때는 오르가슴을 목표로 하는 것이 아니므로, 자신이나 상대방이 절정감을 느껴야 한다는 부담감 없이 편한 상태에서 관계를 맺는데, 이를 비요구적 성교단계라 한다. 이 단계의 주목적은 부부가 서로를 만족시켜야 한다는 부담감에서 벗어나 자신의 성적 감각에 충실해질 때 만족스러운 성 경험을 할 수 있다는 것을 깨닫는 것이다. 이런 편한 심리상태를 유지하며 남편은 가능하면 사정을 자제하고 좀 더 오랜 시간 성행위를 하도록 노력한다. 감각집중법은 불안이 원인인 남성의 발기불능치료법으로 많이 쓰인다. 이 경우 치료자는 남성 내담자가 자신의 성기나 상대방의 성기에 관한 생각은 지우고, 피부, 머리카락, 입, 몸, 가슴 등에서 느껴지는 감각에 집중할 수 있도록 유도해야 한다. 몸의 감각이 증대되면서 자연스럽게 불안이 감소하면 성생활에 대한 자신감도 커져 발기가 가능해진다.

감각추구
[感覺追求, sensation seeking]

억제나 규제를 싫어하고 지루함에 민감하여 그것을 참지 못하며 보다 새롭고 강렬한 감각자극을 추구하는 욕구. 학교상담

대부분의 연구에서 감각추구는 성인기보다 청소년기에 많이 나타나는 것으로 밝혀졌는데, 이는 발달과정에서 나타나는 무모한 행동을 감각추구 행동으로 보기 때문이다. 무모한 행동은 쾌락을 쫓는 경향이 강한 감각추구형에게는 보다 새롭고 강렬한 자극으로 여겨지기 때문이다. 많은 연구에서 난폭운전, 복잡한 성 경험, 알코올중독, 약물남용, 사소한 범죄행위와 같은 무모한 행동과 감각추구가 밀접한 관련이 있음을 밝혔다.

관련어 | 고위험군

감각통합치료
[感覺統合治療, sensory integration therapy]

다양한 감각정보를 편안히 받아들일 수 있도록 환경 및 활동을 제시함으로써 주변환경과 사람에 대한 관심을 높이고, 자발적으로 세상으로 나오고자 하는 내적 욕구를 충분히 작동시키도록 이끄는 치료. 특수아상담

감각통합이란 냄새, 듣기, 보기, 만지기, 맛 등 여러 가지 다른 감각원으로부터의 정보를 즉각적으로 동시에 처리하는 능력이다. 많은 자폐 아동이 복잡한 감각자극을 처리하는 데 문제가 있거나 특정 유형의 자극(소리나 결)에 특별히 민감한 것이 사실인데, 감각통합치료는 이 같은 종류의 감각장애에 사용할 수 있는 치료로 추천되고 있다. 감각인식과 반응성을 향상시키기 위해 그네, 공, 트램펄린, 부드러운 빗, 피부를 문지르는 천, 향수, 마사지, 여러 가지 색깔의 광선, 특이한 촉감의 물건 등 다양한 자극을 사용한다. 강한 압력치료(매트나 매트리스로 아동을 꽉 말아 감는 것)도 포함될 수 있다.

감수성 훈련
[感受性訓練, sensitivity training]

자신과 타인과의 관계에 관한 감수성을 개발함으로써 자신의 내면세계에 대해 정확하게 인식하고 조화되도록 하며, 집단과 조직 속에서 타인과의 인간관계를 협동적이고 생산적인 것으로 발전시키는 소집단훈련. 집단상담

소집단에 참가한 경험을 통하여 자기를 발견하고

대인관계 기능을 배우는 장이 된다. 감수성 훈련은 영어의 'sensitivity training'의 머리글자를 따서 'ST' 라고도 하며, T-집단과 기원 및 이론적 배경이 동일하여 T-집단과 ST 집단을 거의 같은 집단으로 간주하기도 한다. 그러나 T-집단은 집단과 지역의 발전에 초점을 맞추는 교육적 색채가 강하고 과제해결 지향적인 데 반하여, ST 집단은 건강한 사람을 지향하는 개인적 성장의 색채가 강한 집단이라는 점에서 두 집단은 구분된다. 감수성 훈련집단은 10명 정도의 이질집단, 즉 성, 연령, 직업, 지위 등 모든 점에서 다른 사람들로 집단원을 구성한 다음 지금-여기에서 생기는 집단과정을 통하여 사회적 감수성을 훈련한다. 한두 명의 트레이너가 "이 집단은 여러분의 집단이므로 자유롭게 하세요."라고 말하면서 회기를 시작한다. 이처럼 구조화되지 않은 환경에서 전개되는 집중적 집단체험은 로저스(Rogers)가 실천한 기본적 참만남집단과 공통성이 있다. 다만, 참만남집단에서는 구성원 간의 인간관계를 촉진하는 사람이 배치되지만, T-집단과 감수성 훈련집단에서는 트레이너가 배치된다. 트레이너는 촉진자와 마찬가지로 기본적으로는 집단이 자주적으로 발전하는 것을 지켜보는 입장이지만, 제대로 진행되지 않을 때는 모델을 제시하기도 하고 적극적으로 집단에 개입하는 경우도 있다.

관련어 | 기본 참만남집단, T-집단, 참만남집단

감음 신경성 난청
[感音神經性難聽, neuro-sensory hearing loss]

달팽이관 내의 청각세포나 청신경에 이상이 있을 때 발생하는 난청. 특수아상담

난청은 크게 전음성 난청과 감음 신경성 난청으로 나눌 수 있다. 귀의 구조는 크게 외이와 중이, 내이로 구별할 수 있는데 소리를 감지하는 와우의 감각세포 및 청각신경은 내이에 속해 있고, 외이와 중이는 주변의 소리를 내이까지 효율적으로 전달해 주는 역할을 한다. 따라서 내이의 질환인 경우에는 감음 신경성 난청을 일으키게 되고, 외이나 중이의 질환은 소리의 전달을 방해하는 전음성 난청을 일으키게 된다. 감음 신경성 난청을 일으키는 내이 질환에는 선천성 내이 기형 및 감염에 의한 선천성 감음성 난청 및 미로염, 청신경종, 소음성 난청, 외상에 의한 전음성 난청, 노인성 난청, 약물에 의한 이독성 난청, 메니에르병 등이 있다. 대부분의 경우 감음 신경성 난청은 수술이나 의학적인 중재로도 회복이 안 될 가능성이 높으며 영구적 청력장애의 대표적인 종류에 속한다. 감음 신경성 난청은 특히 희미하거나 작은 소리를 듣는 능력이 손상되고, 소리가 충분히 큰 경우에도 뚜렷하게 들리지 않을 가능성이 높다. 감음 신경성 난청의 원인으로는 귀와 관련된 질병, 청력에 영향을 주는 독성약물, 가족 내 병력, 노화, 내이의 기형, 시끄러운 소리에의 지속적인 노출 등이 있다.

감응성 정신병
[感應性精神病, folie a deux]

둘 또는 그 이상의 연관된 삶이 동일한 정신병적 망상을 공유하는 현상. 가족치료 일반

'folie a deux'는 '두 사람의 광기'라는 프랑스어로서, 가족 중 두 사람(부부 또는 부모, 자녀)이 결탁하여 두 사람 중 어느 한쪽이 가지고 있는 정신병적 증상을 다른 한쪽도 함께 공유하고 있는 상태를 말한다. 감응에 의해서 생기는 심인성 정신병으로, 전염현상을 특징으로 하는 이 질환은 라제끄와 팔레(Lasèque & Falret, 1977)가 처음 기술하였다. 망상 환자와 친하게 생활하는 사람이 그 망상을 믿음과 동시에 자신도 감응을 불러일으켜 스스로 망상을 구축하거나 유사한 증상을 보이고, 공동으로 망상

체계를 만들어 가면서 발전시켜 나가는 것이다. 최초로 말려드는 사람은 감응되기 쉬운 사람이나 판단력이 부족한 사람인 경우가 많다고 한다. 오베른도르프(Oberndorf) 등은 1953년에 「Floie á deux」라는 제목을 붙인 논문을 뉴욕신경학회에서 발표하였다. 이 논문에서 그는 감응성 정신병이 전형적으로는 부부간에 많이 관찰되며, 배우자 중 한 사람이 정신병적인 망상을 보이면 비교적 순종적이고 의존적인 나머지 배우자가 똑같은 망상에 말려 들어가는 상태를 보인다고 발표하였다. 그 부부를 별거시키면 통상 2~3개월 정도에 의존적 배우자의 증상은 소거된다. 도이취(Deutsch)는 의존적인 배우자에게서 망상체계에 의한 자기동일시로 잃어버린 대상을 회복시키려는 시도를 하기 위해 분석 중에 있다. 이와 같은 증상이 존재한다는 사실은 정신병적인 망상에서도 부부간 상호작용이 중요한 역할을 한다는 뜻이며, 이는 정신병리학자의 주목을 끌어 가족과 부부치료 연구사상 커다란 의미를 갖게 하였다. 1984년 처음으로 부부의 병행면접치료에 대해서 보고했던 뉴욕정신분석연구소의 미텔만(Mittelman)은 오베른도르프의 감응성 정신병 연구를 좀 더 발전시켜 부부간의 친밀감 연구를 통해 결혼한 부부 모두의 신경증은 부부간의 관계에 뿌리내리고 있는 것을 지적하고, 배우자 중 한 사람이 신경증인 경우 다른 배우자도 치료가 필요하다고 말하였다.

감정
[感情, feeling]

융(C. G. Jung)이 제안한 인간이 세상을 살아가면서 갖게 되는 네 가지 삶의 기능의 하나로, 무엇이 가치 있고 누가 가치 있는지를 평가하고 판단하는 심리적 기능. 분석심리학

심리적 기제로 사용되는 다른 세 가지 기능은 사고, 감각, 직관이다. 감정은 자아와 주어진 내용 사이에서 일어나는 과정으로, 순간순간의 일시적 의식내용이나 지각과는 관계없이 독립적으로 '기분'으로 나타날 수 있는 과정이다. 이러한 감정의 반대 극은 사고다. 만약 감정이 주 기능이라면 사고는 자동적으로 열등기능이 된다. 융은 결국 감정이란 지적인 개념으로는 설명이 불가능하다고 말하였다. 왜냐하면 사고는 감정과는 반대 극에 있어서 상용할 수 없기 때문이다. 하지만 감정은 생각이 존재하는 것처럼 명백히 실제를 지닌다. 감정기능은 싸울지, 도망갈지를 결정하는 데 근거로도 사용되며, 주관적 과정이어서 외부자극과는 상관없이 매우 독립적이다. 감정은 결정적으로 지각의 영향을 받지 않고 감성의 영향을 받는다. 감정기능에 기초한 태도를 전반적으로 많이 보이는 사람을 감정형이라고 부르는데, 이들은 다음과 같은 특징을 나타낸다. 사람과 사람이 지니는 감정에 흥미가 많고, 자신의 기분을 다른 사람에게 쉽게 전달한다. 또한 사랑과 열정에 주의를 많이 기울이고, 모든 것을 윤리와 좋고 나쁜 것에 따라 평가하며, 사람들에게 칭찬을 잘한다. 이러한 감정은 객체적 기준이 감정판단의 근거가 되는 외향적 감정과 주체의 기준이 판단의 근거가 되는 내향적 감정으로 나뉜다.

관련어 | 내향적 감정형, 사고, 외향적 감정형

감정 반영
[感情反映, reflecting feelings]

다른 사람의 감정의 흐름을 따라 함께 느끼는 것과 이러한 느낌을 상대방에게 다시 돌려주는 상호작용. 생애기술치료

말하는 사람의 감정에 대하여 반영을 하면, 그들의 감정에 대해서 더욱 깊이 이해할 수 있는 기회가 생긴다. 따라서 상대방의 말을 들을 때 가장 잘 이해할 수 있는 방법은 그들의 감정을 명확하게 집어내고, 이를 다시 상대방에게 확인하는 것이다. 이와 같이 반영감정은 상대방이 전하고자 하는 의미를 제대로 이해하고 받아들이며, 이것을 다시 상대방에게 잘 전달하는 기술까지 포함하는 것이다. 이는

말하는 상대방의 소리로 들을 수 있는 언어뿐만 아니라 얼굴표정, 몸짓, 목소리, 선택한 단어, 표현되지 않았지만 내포된 의미 등을 통하여 전달하고자 하는 의미를 똑바로 받아들이고 이해하는 것과 함께 상대방의 감정이 담긴 단어나 표현을 잘 알아차리고 이것에 어떤 개인적인 감정이나 의미를 부여하거나 제거하지 않은 채 어구를 바꾸는 등의 기술을 이용하여 정확하게 자신이 이해한 것을 상대방에게 다시 전달하는 기술 모두를 포함한다. 하지만 이 같은 방법으로 상담자가 감정에 집중하여 반영하는 것만 지속적으로 되풀이하는 것은 내담자가 부적절한 감정에 계속해서 휩싸이게 하는 위험성을 가지고 있다. 상담자는 내담자의 감정에 반영을 하는 것을 통해서 그가 좀 더 정확하게 자신의 감정을 표현하도록 한 뒤, "그러한 상황을 개선시키기 위해서 어떤 노력을 하였나요?" 등의 질문을 한다.

관련어 | 반영적 반응, 어구바꾸기

감정그리기
[感情 –, emotion drawing]

자신의 감정을 구체적이거나 추상적으로 표현하도록 하는 것. 미술치료

"자신의 감정을 그림으로 그려 보세요."라고 지시한 뒤 그림을 그리게 한다. 감정이라는 주제는 매우 고전적이라고 불릴 만큼 기본적이고 중요하며 풍부한 내용을 끌어낼 수 있는 주제다. 성인이라면 추상화일 경우에도 자기이해에 도움이 된다. 그러나 아동이라면 주제를 바꾸어 사용하는 편이 낫다. 아동은 피아제(Piaget)의 발달단계상 형식적 조작기에 도달하지 못한 단계에 있기 때문에 추상적인 주제를 제시하면 작업을 할 수 없을 수도 있다. 다시 말해, 감정을 추상적인 어휘로 다루기 위해서는 형식적 조작기에 진입한 이후에야 가능하다. 그러므로 아동기에는 추상적인 감정어휘의 사용이나 추상적 그림표현 대신에 구체적인 사물이나 대상으로 표현하도록 한다. 그때 사용할 수 있는 주제로 화산 그리기/만들기, 예쁜/미운 등을 들 수 있다. 특히 화산은 터지는 것, 강력한 것, 위험한 것에 대한 상징으로서 흔히 분노나 내면의 에너지를 이미지로 보여주는 만큼 화산을 그리게 하면 도움이 된다.

감정기억
[感情記憶, effect memory]

새로운 정서경험을 평가할 때 필요한 이전 경험 및 감정과 관련한 기억. 정서중심치료

아놀드(Arnold)에 의하면 정서과정은 자극을 지각한 후 곧바로 평가하고 그러한 평가로 정서반응을 일으키게 되는 일련의 연속적인 사건이라고 하였다. 사람들은 가장 최근에 비슷한 사건을 경험한 기억을 바탕으로 해서 자극을 평가하는데, 이 과정은 의식적이기보다는 직관적이다. 즉, 새로운 사건은 이전 경험에 대한 '감정기억'을 불러일으키고, 이러한 감정기억은 과거의 평가에서 산출된 것이다. 아놀드는 정서모형에서 기억의 기능에 대해 처음 언급한 연구자이기도 하다. 그가 제시한 정서의 자극이론에 따르면, 정서는 단순히 자극과 반응의 연계로 활성화되는 것이 아니며, 새로운 정서경험을 평가할 때는 언제나 기억이 필요하다고 하였다. 어떤 경험이든 과거에 그와 유사한 경험에 대한 기억과 그 당시에 느꼈던 정서를 되살아나게 한다는 것이다. 예를 들면, 과거에 어떤 사물을 싫다고 느꼈다면 그것과 유사한 사물을 보는 순간 싫다는 정서를 느끼게 된다. 또한 관련된 기억을 바탕으로 이후의 결과를 예상한다. 상황을 해석하는 데 과거에 일어났던 일들이 자신에게 어떠한 영향을 미쳤으며, 그때 어떤 행동을 했는지, 이번에는 자신에게 어떤 영향을 미칠 것인지를 생각해 보게 되는 것이다.

감정다리
[感情-, affect bridge]

감정적 다리(affective bridge)라고도 하는 이 기법은 최면치료에서 문제의 근원이 되는 과거 사건에서 현재 사건으로 마치 다리를 건너듯 옮겨 오면서 정신분석적 연상을 사용하여 무의식적 연관성을 탐색해서 개인의 무의식적 청사진을 바꾸는 기법. 개인상담 성상담

주로 최면치료에서 활용된다. 최면퇴행(hypnotic regression)에서 많이 쓰이는데, 과거와 현재의 감정 간에 다리를 만들어 주는 기법이기 때문에 감정다리라고 부른다. 이는 주로 내담자 문제의 근원이 되는 뿌리를 찾고자 할 때 사용하는 방법으로, 내담자는 그저 자신이 현재 느끼고 있는 대로 자기감정이나 정서 안에 있는 문제를 그대로 상담자에게 제시하고, 상담자는 내담자에게 그 감정을 충분히 설명하도록 하며, 그때 나오는 말들을 당시 감정이나 정서에 대한 자료로 기억해 둔다. 그런 다음 최면을 실행하여 최면에 들어가면, 그 말을 가지고 그 감정을 담은 말이 느껴졌던 처음 시점으로 돌아가도록 무의식을 인도한다. 예를 들어, 거미에 대한 공포증으로 고통을 받고 있는 내담자의 경우, 거미 때문에 생긴 불안이 긴장을 야기한다는 말을 한다. 이때 불안이라는 말을 처음 경험했던 상황으로 돌아가도록 상담자가 이끈다. 상담자가 최면과정에서 관찰된 최초의 상태를 가지고 잠재된 정신 속에 재교육을 실행하면, 내담자는 그 과정을 통해 문제가 되었던 감정을 해결할 수 있다. 요약하면, 감정다리는 내담자가 현재 겪고 있는 문제의 뿌리가 되는 과거의 경험으로 되돌아가도록 해서 잠재의식 속의 마음을 바꾸는 기법이다. 감정다리를 통해서 주로 다루어지는 부정적 정서는 분노와 공포다. 상담자는 감정다리라는 기법을 이용하여 부정적 정서를 지우고 내담자의 경험을 중화시킨다. 하지만 내담자가 처음 그런 부정적 정서를 경험하게 된 것이 무엇이든 거기서 얻은 배움은 유지할 수 있도록 해야 한다. 성상담 및 치료에서 신체로 느끼고 있는 감각체험을 정서적 능력으로 이행시켜 가도록 하는 과정에 이 기법을 활용하기도 한다. 내담자는 성적인 문제와 관련된 신체 관련 불쾌감을 느끼도록 지시를 받고, 그 감각을 점차 강도를 높여 느끼면서 그것과 동일한 불쾌감을 야기하는 과거의 사건에까지 이어간다. 유도에 따라 진행하면서 기억의 다리가 형성되고, 계속해서 그 감정을 강하게 느끼고 있도록 한다. 이 감정다리가 현재 감정과 억압되어 있던 과거 경험을 동일한 감정 체험으로 결합시켜 그러한 느낌을 갖게 한 근원적 문제를 탐색하도록 하여 현재의 문제와 증상을 제거하는 효과를 낸다. 최면치료에서 활용한 감정다리는 현재와 과거의 통합으로 변화를 유도한다는 점에서 포커싱(focusing)과도 유사하다.

관련어 | 정서에 초점두기, 최면치료, 포커싱

감정단어훈련
[感情單語訓練, emotion vocabulary experience]

정서어휘훈련 또는 감정어휘훈련이라고도 하는 것으로서, 감정적 단어를 사용하는 훈련. 문학치료

기쁨이나 슬픔, 분노나 우울 등을 표현하는 어휘들을 감정단어 혹은 정서어휘라고 하는데, 이 같은 감정단어를 사용하는 훈련이 감정단어훈련이다. 이 훈련을 통해서 자신의 감정을 제대로 탐색할 수 있다. 플립 차트(flip chart) 맨 위에 가로로 슬픔, 기쁨, 화 등의 어휘를 나열하고, 참여자들에게 이런 감정을 표현할 수 있는 다른 낱말을 말하도록 한다. 나중에는 2인 1조로 짝을 지어 여러 종류의 잡지를 나누어 준 다음, 감정을 나타내는 그림을 오려 붙여서 포스터를 만들어 본다. 모임을 정리하면서 이를 바탕으로 하여 공동 시를 쓸 수도 있다. 이때는 모든 참여자가 함께 한다. 집단의 대표가 시를 쓰기 위해서 제시한 낱말들을 앞에 있는 플립 차트에 쓰면, 그 낱말들로 시를 완성하는 기법을 시치료에서

이용하기도 한다. 시치료에서뿐만 아니라 상담 및 심리치료의 여러 분야에서 감정단어를 사용하는 훈련을 여러 가지 형식을 써서 시행한다. 이 훈련은 미처 인식하지 못했던 자신의 감정이나 정서를 확인하고 표현할 수 있게 해 준다.

감정둔마
[感情鈍麻, blunting of feeling]

감수성이 심하게 저하되거나 없어져서 감정을 유발하는 자극이 있어도 느끼지 못하는 상태. 이상심리

감정 흥분성이 감퇴한 감정장애의 일종이다. 감정을 일으키는 자극이 있어도 감정이 일어나기 어려운 것으로, 감정이 둔하고 소실되어 주위에 대하여 냉담 또는 무관심한 상태다. 이는 정신분열병의 한 특성이다. 처음에는 주위의 사정에 대하여 그때까지 가지고 있던 신선한 흥미, 두터운 애정이 상실되어 학업, 일은 물론 취미, 오락에 대한 관심이나 열의가 점차 감퇴하고 생활에 기력이 없으며, 친구와의 사귐과 사교도 귀찮고 가까운 친척에 대한 마음 씀씀이에 대해서도 냉담해진다. 일반적으로 감정과 의지 행위는 밀접한 관계에 있기 때문에 감정둔마는 단독이 아닌 감정과 의지 둔마로 나타난다. 이 상태가 발전하면 외계에 대한 관심이 점차 엷어지고 자신의 세계에만 빠져든다. 감정둔마는 미적 · 도덕적 · 종교적 · 지적 감정 등의 고등감정에서 동정, 공감, 수치, 자책과 같은 인간감정이나 나아가 동통, 추위, 더위, 공복, 갈증, 발열, 기타 신체적 고통 등의 감각적 감정, 생명적 감정까지 둔감, 소실되어 간다. 그러나 얼핏 보아 여러 가지 감정이 소실되는 듯한 상태에 있으면서도 때로는 의외의 감정 발로를 보이는 경우가 있으며, 그 때문에 본래의 감정이 완전히 소실해 가고 있다고는 생각하지 않는다. 쑤차르예바(G. Ssucharewa)나 데스페르트(J. Despert)가 기술하고 있는 소아 정신분열병의 완만 발달형은 점차 감정둔마를 전형적으로 나타낸다. 정서장애아는 감정둔마를 나타내지 않는다.

관련어 | 정신분열병

감정막힘
[感情-, affect blocks]

롤로 메이(Rollo May)와 어빈 얄롬(Irvin Yalom)이 사용한 용어로서, 내담자가 정서적으로 막혀 있는 상태. 개인상담

감정막힘은 인생 여정의 장애물과 비슷하다. 예를 들어, 자신의 분노를 극복하지 못하는 것이다.

감정맞추기
[感情-, affect attunement]

상담자가 내담자의 감정과 영향에 동조하면서 상호적인 반응을 보이는 것. 개인상담 게슈탈트

발달심리학자 스턴(Stern, 1992, 1993)이 제안한 개념으로서, 범주정서(categorical affect), 활력정서(vitality affect), 관계정서(relational affect)로 구분하여 감정을 설명하였다. 범주정서는 기본 정서로서 기쁨, 슬픔, 분노, 놀람 등의 개인 내적 정서를 말한다. 개인 내적 정서는 인간관계에서 출발하며 인간관계에서 형성되지 않은 정서는 임상심리학의 치료 대상이 된다. 관계정서는 사랑받는 느낌, 존중받는 느낌, 보호받는 느낌과 같은 긍정적 정서뿐만 아니라 혼자인 느낌, 단절된 느낌과 같은 부정적 정서도 포함한다. 관계정서도 인간관계에서 비롯되며 상담에서 중요하게 다루어진다. 활력정서는 몸짓이나 운동으로 표현되는데, 예를 들어 점점 세게, 점점 여리게, 서서히, 사라지는, 폭발하는, 길게 늘어난, 순식간의, 요동치는, 너울거리는, 애쓰는, 느슨한 등의 단어로 표현할 수 있다. 활력정서는 다른 사람의 감

정을 유발하며 인간에게 가장 잘 드러나므로 대인 관계의 상호작용에서 직접 경험한다. 따라서 인간 사이의 상호작용 과정에서 활력정서로 서로의 느낌을 교환하는 과정을 감정맞추기라고 한다. 감정맞추기는 몸짓, 소리, 표정 등의 여러 가지 감각적 표현을 서로 교환하고 그 경험의 질을 서로 조절해 나가는 과정이다. 이때 상대방과 같은 정서표현양식을 사용하기도 하고, 강도나 시간 차 등에서 서로 다른 표현양식으로 상호작용하기도 한다. 감정맞추기의 주요 기능은 함께 있으면서 같은 일에 참여하고 있다는 간주관적 느낌(intersubjective feeling)을 전달하는 것이며, 이러한 경험은 자아인식의 근간이 된다. 상담에서 상담자가 내담자의 이야기에 감동했을 때 자신의 감정을 드러내는 것, 즉 내담자의 노출에 대한 감정맞추기는 어느 누구도 자신에게 관심이 없고 사랑하지 않는다고 믿는 내담자에게 강력한 영향을 준다. 또한 학대경험에 대한 분노를 표현하지 않는 내담자에게 그 감정을 표현해 주는 것은 매우 중요한데, 이는 그들에게 일반적인 반응을 모델링할 수 있도록 해 준다. 따라서 상담자는 내담자의 이야기에 대해서 "당신은 슬퍼 보이네요."라고 말하는 것과 그것에 대해 공감한 슬픔의 정서를 전달하는 것과는 차이가 있다는 것을 알아야 한다. 한 예로, "당신이 슬퍼하니 내 마음이 아프네요."라고 말할 수도 있고, 단순히 음성이나 눈빛, 몸짓, 움직임 등으로 표현할 수도 있다.

감정부전장애
[感情不全障碍, dysthymic disorder]

개인을 무능력하게 만드는 경미한 형태의 만성적 우울상태. 정신병리

슬픔이 깊고 낙담해 있으며 체중 및 활기가 감소하고 자살에 대한 생각과 죄책감을 드러내기 쉽다. 또한 자존감이 약화되어 있고 생기가 없어서 주요우울증과 별 차이가 없으나 증상이 더 다양하고 정도가 가벼운 것으로 볼 수 있다. 감정부전장애를 겪는 사람들은 항상 우울한 상태를 호소하기 때문에 사회생활에서 어려움을 겪기도 한다. 그리고 최소한 두 가지 문제, 식욕부진 혹은 식욕과다와 같은 섭식문제와 불면증 혹은 수면과다와 같은 수면의 곤란 문제를 가지고 있다. 지속적인 피로감과 주의집중의 어려움, 의사결정의 어려움, 자신에 대한 낮은 평가, 그리고 절망감도 경험한다. 주요우울장애와는 달리 감정부전장애는 나이에 따른 변산이 거의 없다. 비율은 18세부터 64세까지 거의 안정적이며 65세 이후에는 감소한다. 감정부전장애의 기간은 2년에서 20년까지인 것으로 밝혀졌으며, 증상 발현 시기는 보통 아동기나 청소년기에 시작된다. 만성적이고 종종 몇 년 동안 지속되기도 하며, 때로는 성격장애와의 구별이 어려운 경우도 있다. 지속적인 우울한 기분이 며칠 혹은 몇 주 동안의 정상적인 기분에 의해 일시적으로 나타나지 않는다 해도 우울한 기분이 장기적으로 두드러지게 나타난다. 유전적인 요인과 환경적인 요인, 특히 환경적인 요인으로 스트레스 사건이 원인이 된다. 가까운 가족과 사별했다든가 중요한 시험이나 승진에서 탈락했을 때 등 그 같은 생활사건 후에 증상이 발생하거나 악화된다.

감정의 부조화
[感情 - 不調和, meta-emotion mismatch]

부부가 감정을 표현하는 방법에 대해 차이를 보이는 상황을 지칭한 것. 부부상담

고트만(Gottman)이 구체화한 개념으로 전형적인 성역할 고정관념과 관련이 있다. 일반적으로 결혼생활에서 여성은 친밀감을 느끼기 원하고 이를 얻기 위해서는 자신의 감정을 상대방에게 표현해야 한다고 생각한다. 반면에 남성은 자신의 감정을 표

현하는 것은 시간낭비이고, 무엇보다도 빨리 문제를 해결하는 것이 중요하다고 본다. 이러한 부조화 때문에 부부간에 오히려 정서적 철회를 하는 현상이 나타나고, 이는 효과적인 관계를 만들고 유지하는 데 필수적인 긍정적 감정을 갖지 못하도록 한다. 부부의 감정표현을 진단하기 위해 고트만은 다음과 같은 질문을 한다. 첫째, 당신의 원가족은 분노를 어떻게 표현했나요? 둘째, 당신을 슬프게 하는 일에는 어떤 것이 있나요? 당신은 슬픔을 어떻게 다루었나요? 셋째, 부모님은 당신에게 사랑을 어떻게 표현했나요? 당신은 부모님에 대한 사랑을 어떻게 표현했나요? 넷째, 당신이 자랄 때 행복감은 어떻게 표현했나요? 당신은 다른 사람이 행복하다는 것을 어떻게 알 수 있나요? 부부가 서로의 감정표현에 대한 생각의 차이가 있고 그 차이에 대해 이야기한다고 해서 자신의 방식을 굳이 변화시킬 필요는 없다. 그러나 이러한 과정을 거치면서 자신들의 반응의 이유를 더 잘 이해하고, 어떤 경우에는 부부가 작은 변화를 일으켜 두 사람의 관계를 긍정적으로 촉진해 주기를 기대하는 것이다.

감정의존선택가설
[感情依存選擇假說, risk-as-feeling hypothesis]

사람들이 판단을 내리는 시점에 느끼는 정서에 따라 다른 선택을 한다는 것. 정서중심치료

뢰벤슈타인(Loewenstein) 등이 제안한 감정의존선택가설에 따르면, 사람들은 판단을 내리는 시점에 느끼는 정서에 따라 다른 선택을 한다. 특히 공포를 증가시키는 것은 비록 객관적으로 위험이 발생할 확률이 낮다고 하더라도 위험에 대항하여 선택하도록 만든다. 예를 들면, 박쥐를 두려워하는 사람은 비록 박쥐 때문에 질병을 얻을 확률이 극도로 낮다고 해도 주변에 박쥐가 있다고 알려진 주택은 사지 않으려고 한다.

감정이입이론
[感情移入理論, empathy theory]

자연계나 다른 사람들에게 자신이 가지고 있는 감정을 자신도 모르게 이입하고, 자연계와 다른 사람들이 마치 그 감정을 가지고 있는 듯 느끼는 것과 관련된 이론. 게슈탈트

인간의 착시현상에 관하여 립스(T. Lipps)는 건축의 미적 효과를 관찰자가 자신의 행위에 따라 정서적으로 반응한다는 가정에서 설명하였다. '뮐러-라이어 착시(Müller-Lyer illusion)'에서 수직선은 중력에 저항하기 위해 더 많은 노력을 요구하므로 같은 길이의 수평선보다 더 길어 보인다. 이 유형의 오른쪽은 확장을, 왼쪽은 한계를 시사하므로 오른쪽이 더 길어 보인다. 이 이론은 특정 표현적 예술 분야에서는 예측적일 수 있지만 착시의 지식을 분화하지는 못하고 있다.

관련어 | 눈의 운동 이론, 장이론

감정적 추리
[感情的推理, emotional reasoning]

충분한 근거나 이유 없이 막연하게 느껴지는 감정이나 기억에 의존해서 결론을 내리는 것. 아동청소년상담

임의적 추리(arbitrary inference)라고도 하는 감정적 추리는 아동 및 청소년이 막연한 감정에 근거하여 결론을 내리는 잘못을 의미한다. 즉, '나한테 그렇게 느껴지는 걸 보니 사실임에 틀림없다.'는 식으로 생각하는 오류다. 예를 들어, '그 녀석을 만나면 마음이 편치 않은 것을 보니 그 녀석이 나를 싫어하는 것 같다.'라고 생각하는 경우다. '죄책감이 드는 걸 보니 내가 뭔가 잘못했음에 틀림없다.'고 생각하는 것도 감정적 추리의 오류를 범하고 있는 것이다. 또 다른 예로, '내가 기분이 나쁜 것을 보니 무언

가가 잘못된 것임에 틀림없다.'고 생각하는 것이다. 이러한 감정적 추리는 타당한 객관적인 정보에 따르지 않고 주관적이고 빈약한 정보에 의존하는 특징이 있다.

관련어 과일반화, 우울증, 인지이론, 인지오류, 정신적 여과

감정표현 불능증
[感情表現不能症, alexithymia]

스스로 감정의 인지와 그 표현이 결여되어 있는 상태. 이상심리

1972년에 시프너스(P. Sifneos)가 제안하고 느마이어(J. Nemiah)와 협력하여 정리한 개념으로 정신생리적 질환의 중심이 된다. 'alexithymia'는 그리스어 'a(lack, 격락)+lexis(word, 말)+thymos(emotion, 정서)'로 만들어졌는데, 감정을 잘 표현하지 못하는 것을 일컫는다. 우리나라에서는 실감정증으로 번역하는 경우가 있는데, 기존의 무감정(apathy)과 혼동하기 쉽고 감정이 상실되는 것은 아니기 때문에 정확한 번역어로 보기는 힘들다. 이외에 '실감정 언어화증' '감정 언어화 불능증' '감정표출장애' '실감정 표현증' 등으로 번역되기도 한다. 이 증상은 스스로 감정을 인지하지 못하고 그 표현이 결여되어 있는 상태를 말한다. 공상능력이나 상상력이 결핍되어 있고, 자신이 처한 상황이나 직접적으로 나타나고 있는 신체증상 자체에 대해서는 집요하고 구구하게 말하지만 이러한 상황이나 신체증상에 따르는 감정은 표현하지 못하며, 면접자와 의사소통도 제대로 하지 못한다. 얼핏 보면 사람이 좋고 유순하며 아무 문제도 없는 것처럼 보이지만, 다른 사람에 대해 부정적으로 말하는 것을 힘들어하고 일중독(workaholic)에 빠지기 쉬우며 스트레스를 발산하지 못한다. 이러한 특징들은 정신생리적 질환이 있는 내담자를 심리치료할 때 내담자에게서 받을 수 있는 인상이며, 신경증이 있는 내담자와는 확실히 다르다. 하지만 느마이어 등은 이것을 단순한 방어기제로서가 아닌 정신생리적 질환(심신증)의 본질 현상으로 파악하면서, 신경생리학적 관점에서 이성을 담당하는 신피질과 정서를 담당하는 대뇌변연계 및 시상하부와의 해리를 반영한다고 보았다. 정신생리적 질환의 기본적인 기제로서 이성과 정서의 해리와 이에 입각한 신체화를 들고 있는 것이지만 반드시 그렇다고 말할 수 없는 사례도 많다.

감정표현치료
[感情表現治療, expressive emotions therapy: EET]

페니베이커(J. Pennebaker)가 사용한 치료를 위한 글쓰기. 문학치료(글쓰기치료)

심리학자인 페니베이커는 감정적 격변과 심리적 외상에 대한 감정표현 글쓰기(expressive emotions writing)가 정신적 질병뿐 아니라 육체적 질병의 치료에도 도움이 되는 것을 수많은 실험을 통하여 증명하였다. 그가 사용한 이러한 치료를 위한 글쓰기를 감정표현치료(EET)라고 부르기도 한다.

감추어진 이야기
[-, hidden story, unheard story]

인간 삶에서 경험되는 수많은 사건 중에서 기억되지 못하고 의미를 부여받지 못해서 삶에 영향력을 미치지 못하는 이야기. 이야기치료

인간의 삶 속에서 일어나는 다양한 사건들이 모두 다 개인에게 의미 있는 해석을 가진 이야기로 드러나서 그 삶에 영향력을 미치는 것은 아니다. 인생의 수많은 사건 중에서 이야기로 진술되지 않고 있는 사건도 분명히 존재하며, 인생의 모호함 속에서 특별히 정형화된 의미를 가지지 못하고 기억되지

못하는 사건도 있다. 또는 하나의 사건에 다양한 의미와 해석이 가능하지만, 그중 특정한 해석과 의미만이 드러나고 나머지는 드러나지 않는 의미와 해석도 있다. 이러한 이야기, 의미, 해석은 개인의 삶에 분명히 존재하지만 미치는 영향력이 미미하거나 없는 것이 특징이다. 이렇게 개인의 삶에서 잘 드러나지 않아서 삶에 영향력을 미치지 못하는 이야기, 의미, 해석을 감추어진 이야기라고 한다. 감추어진 이야기들은 개인의 특별한 조명인 재구조화와 다시 이야기하기 등으로 새로운 의미와 해석을 가진 이야기로 발전할 가능성이 남아 있다.

관련어 | 구상, 드러난 이야기, 이야기, 이야기치료, 재저작

갑옷 은유
[－隱喩, armor metaphor]

개방적 의사소통을 촉진하기 위해 사용한 치료적 개입방법. 문학치료(은유치료)

코닐과 잉거(Cornille & Inger)가 치료과정에서 부부 및 가족이 방어적 자세를 취하는 것에 관심을 가지고 개방적 의사소통을 촉진하기 위해 사용한 치료적 개입방법이다. 사람들은 누구나 위험한 상황에서 자신을 보호하기 위해서 갑옷을 개발한다. 가족 간에도 너무 친밀하기 때문에 서로 공격하기가 더 쉽고 상처도 쉽게 받는다. 따라서 가족구성원들은 심한 상처를 받지 않기 위해 자신을 보호하고자 방어적인 자리를 점한 채 의사소통이나 문제해결을 하려고 한다. 이에 대해 코닐과 잉거는 가족구성원들이 서로 보호를 받으면서 개방성과 직접성을 진작시키는 양식으로 방어적인 상호작용을 할 수 있도록 하는 부부 및 가족치료기법으로 갑옷 은유를 내세운 것이다. 이는 기독교 성경에서 말하는 복음의 갑주, 여호와의 갑옷 등으로 은유적인 싸움에서 자신을 보호할 수 있다는 데서 비롯되었다.

강간
[强姦, rape]

상대방의 동의 없이 폭력, 공포, 사기 등의 부당한 방법을 사용하여 부적절한 성적 접촉 및 성관계를 맺는 범죄행위. 성상담

폭행 및 협박과 같은 위협적인 방법으로 상대방의 반항을 불가능하게 만든 성교를 갖는 행위로 정의된다. 여기서 폭행이나 협박은 실제적인 것뿐만 아니라 암시적인 형태도 해당된다. 강간의 희생자가 남성이나 남자아이가 되는 경우도 있지만, 대부분의 가해자가 남성이고 피해자는 대부분 여성이나 여자아이인 경우가 많다. 여성의 의지에 반하여 무력으로 행해진 불법적 육체관계를 말하는 법률적 개념인 강간에서의 성교는 의학적 입장과는 달리 음경의 질 내 삽입 사실만으로도 범죄가 성립된다. 속임수를 써서 성행위를 하는 경우도 강간으로 규정하는 나라도 있다. 또 남성이 다른 남성이나 남녀 어린이에게 강제로 행하는 변태적인 성행위를 가리키기도 한다. 남성끼리 하는 강제적인 성교를 포함해서 동성애적인 강간은 교도소에서 자주 일어난다. 피해자가 13세 미만의 부녀일 경우는 합의가 있었다 하더라도 그 합의는 법률상 무효가 된다. 또한 피해자의 의사를 무시하고 소를 취하하는 경우를 우려하여 친고죄를 원칙으로 삼고 있다. 권력욕구에 의한 강간은 남성다움을 인정받지 못했거나 어머니를 비롯한 여성들에게 지배를 받는 환경에서 양육되어 여성에 대한 잠재적 권력욕이 커진 사람들에 의해서 주로 저질러지고, 분노에 의한 강간은 상대 여성에 대한 분노 때문에 상대방을 모욕하고 고통을 주고자 하는 목적에서 자행된다. 가학성 성욕도착증에서 비롯된 강간은 성적 쾌감과 폭력행위에서 비롯되는 흥분을 혼동하고 공격성이 결여된 성행위에서는 쾌감을 얻지 못하는 심리적 이상자들이 자주 발견된다. 피해자는 성교 증명, 폭력 흔적 등을 증거로 내세울 수 있으며, 마취제 혹은 수면제 등의 약물이나 최면술 등을 사용한 강간도 폭력에

의한 강간으로 간주한다. 대부분의 여러 나라에서 '실정법상의 강간'이라는 법적 금지규정을 두어 남성이 어린이나 정신장애자 또는 성교의 신체적인 결과나 다른 결과에 대해 이해가 부족하다고 간주되는 사람을 성적으로 이용하지 못하도록 하고 있는데, 강간을 당한 사람이 동의를 했는가 안 했는가는 관계가 없다. 영국에서는 관습법에서 중죄로 다루던 강간을 1275년 경범죄로 낮추었으나 1285년 다시 중죄로 선포했고, 1575년 이후에는 더욱 무거운 처벌을 내렸다. 1861년 '인(人)의 권리침해에 관한 법'에 따라 사형해당죄가 되었으나 오늘날은 종신형으로 처리되고 있다. 영국법은 여성이 순결한가 순결하지 않은가, 결혼을 했는가 안 했는가는 크게 문제삼지 않고 죽음의 위협이나 신체에 즉시 해를 입힐 만한 위협, 사기나 속임수, 또는 남편인 체하면서 성교를 강요할 때 강간죄가 성립된다고 규정한다.

강간외상증후군
[强姦外傷症候群, rape trauma syndrome]

강간으로 정상적인 신체, 정서, 인지, 행동, 대인 능력이 손상되었다고 간주되는 강간 희생자가 강간 이후 겪는 심리적 외상 형태. 성상담

강간외상증후군(RTS)이라는 말은 1974년 버제스와 홀름스트롬(Burgess & Holmstrom)이 성폭행 및 강간을 당한 이후 희생자에게서 나타나는 여러 증상을 기술하기 위해서 만들었다. 강간외상증후군은 강간 희생자들이 사건 직후 혹은 수개월, 수년 이후에 보여 주는 심리 및 신체적 징후를 통칭하는 것으로, 주로 여성 희생자에게 초점을 두고 있지만 남성이 희생을 당한 경우에도 강간외상증후군을 보일 수 있다. 강간 희생자의 경우 외상 후 스트레스 장애로만 국한할 수 없는 특성들이 보여서 이처럼 따로 분리하게 된 것이다. 버제스와 홀름스트롬은 강간외상증후군에서 나타나는 여러 증상을 세 단계로 분류하였다. 제1단계는 급성단계로, 강간사건 이후 며칠 혹은 몇 주 내에 발생한다. 이 단계에서는 직접적이면서 격렬한 반응, 충격, 불안, 공포 등으로 인해 인격의 통합이 무너지고 붕괴된다. 현실을 부인하고, 타인이나 상황을 불신하고, 인격에 혼란이 야기되어 무감동, 무감각, 무기력 등의 현상이 나타나고, 죄책감 · 비탄 · 지각 왜곡과 같은 부정적 정서를 많이 보이고, 손이나 몸을 계속 씻는 강박적 행위를 할 수도 있고, 불안 때문에 급작스러운 행동변화나 감정의 극심한 기복현상도 보인다. 제2단계는 표면상 적응단계로, 강간 외상의 반동단계라 할 수 있다. 이때는 직접적 공포에서는 벗어난 듯하여 무질서해진 생활의 재구축을 꾀하기도 하지만, 피해사건이 머리에서 떠나지 않고 공포증, 불면증, 섭식장애 등 일상에서의 곤란이 일어날 수 있다. 이 단계에서 성생활에 대한 부정적 인식, 전직, 용모변화, 강박적 생활양식 등의 변화를 보인다. 또한 새로운 관계 형성에 두려움을 느끼고 주저하게 되며, 강간사건 이전의 생활로 돌아가고자 하는 강렬한 열망을 갖기도 하면서, 사람들이 모이는 장소를 피하고, 남성에 대한 적개심이나 공포가 생기고, 낯선 이에 대한 공포를 나타낸다. 마지막으로 제3단계는 재정상화 단계로, 심리치료나 상담을 받은 이후, 피해자들이 자신의 적응단계를 인식하기 시작한다. 이때는 강간사건을 자기 삶의 일부로 받아들이고, 죄의식이나 수치심과 같은 부정적 정서가 해결된다.

강경증
[强勁症, catalepsy]

불편한 자세를 동일하게 계속 유지하는 것처럼 운동반응에서 이상을 보이는 상태. 이상심리

강한 긴장으로 정신운동이 저하되어 기묘한 자세가 유지되는 상태를 뜻한다. 몸을 마음대로 움직일

수 없고 수동적인 자세로 머물러 있는 것이다. 예를 들어, 강경증이 있는 사람에게 머리를 들어 올리고 손을 위로 올리도록 하면, 그 자세를 계속 유지하면서 원자세로 되돌아가려 하지 않고 피로한 빛도 찾아볼 수 없는 상태를 보인다. 정신분열증에서 강경증이 자주 나타나며, 히스테리에서도 볼 수 있다.

강약
[强弱, sortita]

물리적인 소리의 크기. 음악치료

강도는 진동의 폭에 의한 것으로 진폭이 크면 음량이 커진다. 소리의 강도는 음악의 효과를 내는 데 큰 역할을 하고 거의 그것만으로도 만족감을 주는 경우가 있다. 치료상황에서 신체적 장애로 내담자가 스스로 외부환경에 미칠 수 있는 영향력이 작고 그런 자신에 대해 자신감이 없는 경우, 전자드럼처럼 손가락 하나를 움직여 아주 큰 북소리를 낼 수 있다면 그것에서 느끼는 만족감은 대단하다. 이때 이 사람이 느끼는 즐거움이나 만족감은 다른 어떤 요소도 아닌 바로 음량에서 비롯된다. 부드러운 음향은 대체로 친밀감을 가져다주며 안전한 분위기를 만들어 준다. 그러나 때로는 이러한 부드러운 음향이 강한 감각을 구하는 사람에게는 초조감을 줄 수도 있기 때문에 치료사가 내담자를 잘 파악한 다음 음악을 선곡하거나 악기를 선택해야 한다. 강약의 변화는 개인의 정서상태나 기분에 심리적 · 생리적 영향을 줄 뿐만 아니라, 매우 큰 소리에서 매우 작은 소리로, 매우 작은 소리에서 큰 소리로의 강약 변화는 청각을 통하여 인식을 일깨우기 위한 기초가 되고, 큰 소리를 참을 수 없어 하는 사람에게 적응력을 길러 주기도 한다.

강조
[强調, heightening]

부부의 내적, 대인관계적 특정 반응과 상호작용을 강화하기 위해 사용하는 기법. 정서중심부부치료

정서중심부부치료에서는 부부간의 구조화된 반응과 상호작용은 갈등을 지속시키는 원인 중 하나라고 보고 있다. 따라서 부정적이고 파괴적인 상호작용과 반응 대신 부부의 내적 및 상호 간의 관계에서 발생하는 긍정적이고 새로운 상호작용이 발생했을 때 이를 강조하여 재구조화함으로써 부부가 이전과는 다른 방식으로 정서경험에 참여하고 새로운 반응과 상호작용 관계를 형성하도록 돕는다. 강조의 기법을 사용하기 위해 치료자는 치료과정에서 부부의 긍정적이고 새로운 상호작용이 나타나면 그 표현을 반복적으로 유도함으로써 경험을 강조한다. 이를 통하여 부부가 이전과는 다른 새로운 방식으로 내적 그리고 상호관계적 감정경험에 참여하고 배우자와 대화할 수 있도록 한다. 강조는 배경으로 물러나 있던 특정 반응을 관심 속으로 끌어와 다양한 경험과 상호작용을 재구조화하는 데 조력작용을 한다. 강조를 위해서는 반복과 은유의 사용, 재연 등 다양한 방식이 사용되는데, 반복은 표현된 문구를 반복함으로써 그것이 주는 영향을 강조하는 것이다. 표현은 내담자가 반응한 방식을 여러 가지 방식으로 강조하여 정서경험에 적절한 얼굴표정과 자세, 목소리를 취하도록 하는 것이다. 예를 들어, 취약한 정서를 다룰 때는 느리고 부드러운 목소리로 표현하도록 하며 강한 정서반응은 크고 투명스러운 목소리를 내도록 한다. 은유와 이미지는 경험을 구체화하고 명확하게 하기 위해 예리한 은유나 이미지를 사용하는 것이다. 재연은 경험에 대한 반응을 다시 한 번 하도록 함으로써 배우자와 정신 내적 경험을 공유하도록 하고 이를 대인관계적인 메시지로 변경시키는 것이다.

관련어 | 공감적 추측, 자기개방, 환기적 반응

강직현상
[强直現象, catalepsy]

최면상태에서 몸이 굳어지는 현상. 최면치료

최면에 걸려 피암시 상태가 된 내담자가, 몸이 굳는다는 암시를 받은 뒤 실제로 몸이 딱딱하게 굳는 현상을 뜻한다. 일종의 신체마비 현상인데, 최면에 의해 나타난 현상일 경우에는 굳은 신체를 자신의 의지대로 움직일 수는 없지만 의식은 깨어 있기 때문에 자신의 강직현상을 인식할 수는 있다. 내담자가 최면에 걸렸는지 확인할 때도 유용하다. 최면실험이나 시범적으로 최면현상을 보여 줄 때, 무대최면상황에서 쇼를 연출할 때 가장 흔하게 등장한다. 대표적인 예가 인교(human bridge)다. 인교는 최면상태에서 몸이 빳빳하게 굳은 사람을 눕혀 의자와 의자 사이의 다리처럼 만드는 것인데, 그 위에 다른 사람이 올라가도 굳은 상태가 유지되는 신기한 면을 보여 주어 최면의 상징적 모습이기도 하다. 스스로 최면에 걸렸다고 인정하지 않는 사람들에게 이 현상을 경험하도록 하여 최면에 걸렸다는 것을 인정하도록 만드는 데 활용되기도 한다.

관련어 | 최면

강화
[强化, empowering]

상대적으로 적은 영향력을 가진 의미, 가치, 혹은 개인이나 집단의 정체성 및 의견 등에 더욱 강력한 영향력과 의미를 부여하는 것. 이야기치료

사람들은 살아가면서 수많은 사건을 경험하게 되는데, 그 많은 경험 중 몇 가지를 선택적으로 기억하여 이야기로 말한다. 이러한 과정을 통해 이야기로 해석되고 그 의미를 갖게 되는 사건들은 그 사람 인생의 시간과 공간 안의 여러 요소와의 관계 속에서 서로 영향력을 주고받는다. 이때 삶 속에서 상대적으로 적은 영향력을 미치거나 혹은 주목받지 못해서 의미를 부여받지 못했지만 내담자의 삶에 긍정적이고 미래의 가능성을 제시해 줄 수 있는 삶의 사건들을 조명하여 그 위에 의미를 부여하고, 삶 속에서의 영향력을 확대시키는 과정이 강화다. 이야기치료에서는 주로 감추어진 이야기(unheard story, hidden story) 중에서 대안적 이야기(alternative story)로 구성될 가능성이 있는 사건을 재조명하고 의미를 부여하여 내담자의 삶 속에서의 영향력을 강화시켜, 내담자의 문제적 이야기(problematic story)를 재구조화하면서 새로운 대안적 이야기의 영향력 아래에서 살아가도록 도와준다. 이렇게 내담자의 문제적 이야기의 부정적인 영향력을 집중적으로 분석하기보다는, 내담자의 삶에 숨겨진 이야기(보이지 않지만 암시적인) 중에서 내담자의 미래의 삶에 희망과 만족을 가져다줄 만한 선호하는 이야기(preferred story)를 강화함으로써 그 새로운 의미와 영향력 아래에서 내담자가 만족하며 살아가도록 해 주는 것이 이야기치료의 궁극적인 목표라고 할 수 있다.

관련어 | 감추어진 이야기, 대안적 이야기, 보이지 않지만 암시적인 이야기

강화가치
[强化價値, reinforcement value]

일종의 이득이나 쾌락이 지각되어 반복적으로 찾거나 갈구하는 어떤 대상이나 경험의 힘 또는 매력. 행동치료

강화란 행동의 결과를 지칭하는 또 다른 이름이며, 강화가치란 이 결과물들의 호감의 정도를 반영한다. 강화가치는 시간과 상황에 따라 변하는데, 사회적 접촉의 강화가치는 외로움을 느낄 때 더 높아진다. 일반적으로 중독성이 강한 물질이나 행동은 매우 높은 강화가치를 가지고 있다. 처벌은 모든 아이들에게 부적 강화물이며 피하고 싶은 것이다. 그러나 부모로부터 긍정적인 피드백을 거의 받지 못하는 아이는 부모의 처벌을 원하게 되는데, 그 이유

는 무시보다는 더 큰 강화가치가 있기 때문이다. 자신이 경험하는 강화물의 가치는 부분적으로는 이 강화물과 연관되어 앞으로 주어질지도 모르는 다른 강화물에 의해 결정되기도 한다. 특정 과목에서 매우 우수한 성적을 획득한 대학생은 앞으로 실험실에서 일하게 될지도 모른다는 기대로 그 과목에 더 높은 강화가치를 부여할 수도 있다. 따라서 보기에는 별것 아닌 일도 어느 한 개인에게 강한 가치가 부여되는 (긍정적이든 부정적이든) 강화물로 연결이 된다면 강력한 강화가치를 지니게 된다. 긍정적 가치를 가져오는 강화의 최소한의 양이 최소한의 목표를 이룬다. 누군가 이 최소한의 양만큼 또는 그 이상의 결과를 얻었다면 그는 성공했다고 느낀다. 하지만 강화의 수준이 개인이 설정한 목표에 미달되면 실패감을 안겨 준다. 사람들마다 이 최소한의 목표가 다르기 때문에 동일한 결과를 두고도 누구는 성공했다고 느끼고, 또 다른 누구는 실패했다고 느낀다. 행동 가능성을 예측할 수 있는 공식(predictive formula)을 추출해 보면 다음과 같다.

$$BP = f(E \& RV).$$

여기서 BP(behavior potential)는 행동잠재력, E(expectancy)는 기대, RV(reinforcement value)는 강화가치행동이다. 가능성은 기대와 강화가치의 함수로서, 기대와 강화가치가 높으면 행동 가능성은 높고 반대로 기대와 강화가치가 낮으면 행동 가능성은 낮다.

강화교환
[强化交換, reinforcement reciprocity]

가족구성원 간에 긍정적 행동에 대한 보상이 주어지도록 유도하는 것. 인지행동가족치료

행동교환 모델에 따르면, 좋은 가족관계는 서로 주고받는 것이 균형을 이룬다. 또한 행복한 가정생활을 위해서는 긍정적 행동을 강화하는 것보다는 부정적 행동을 최소화하는 긍정적 강화의 통제가 이루어져야 한다. 이에 따라 가족구성원 간의 부정적인 행동에 강화가 주어지지 않도록 하고, 긍정적인 행동에 대한 보상으로 강화를 제공하는 과정을 통하여 가족문제해결에 접근한다.

개념
[槪念, concept]

특정한 대상이나 현상 또는 공통적인 속성을 가리키는 의미체. 연구방법

개념에는 나무나 책상처럼 그 특성이 겉으로 잘 드러나는 구체적인 개념이 있는가 하면, 성격이나 적성처럼 인위적으로 들추어내야만 그 특성이 나타나는 추상적인 개념이 있다. 연구에서 많이 사용되는 개념 중에는 쉽게 모습을 드러내지 않고 깊숙이 숨어 있는 추상적인 개념이 대부분이다. 과학자들은 경험적으로 입증된 사실을 정확하게 기술하고 일반화하는 데 적합한 표현으로서 좀 더 전문화되고 추상적인 개념을 새로이 상정하고, 이러한 개념에 상응하는 전문적인 용어를 만들어서 사용한다. 개념은 과학적 대상을 분류하고 분석할 수 있도록 하며 현상의 이해를 도와주는 기능을 할 뿐만 아니라, 논리의 세계에서 우리의 사고활동을 촉진하고 사고의 범위를 확장시키는 구실을 한다. 개념이 어떤 현상이나 사상에 대응하는 사람들의 생각이라고 한다면, 이러한 생각을 언어로 표현한 것이 용어다. 의사소통의 주요 수단이 언어인 만큼 그 언어의 기본 단위가 되는 개념의 의미가 분명해야만 의사소통이 정확하고 원활하게 이루어질 수 있다. 개념의 의미가 모호하면 많은 혼란과 오해를 불러일으키므로 연구에서는 사용하는 주요 용어에 대한 개념적 의미를 분명하게 해야 한다. 또한 개념의 의미를 구

체적으로 밝히는 것이 정의다. 개념의 의미를 명료하게 하기 위해 개념을 정의하는 방식에는 명명적 정의(nominal definition)와 조작적 정의(operational definition)가 있다. 명명적 정의는 어느 한 개념에 일정한 의미를 부여하기로 약속한 것이다. 즉, 새로운 개념을 도입할 때 이 개념은 이러이러한 의미로 사용한다고 약정하는 것이 명명적 정의다. 이 같은 정의 방식은 대개 특정 대상이 가지고 있는 특성이나 기능을 열거하거나 잘 알려진 기존의 다른 개념으로 대치하는 것이다. 경험적으로 관찰 가능한 대상은 명명적으로 정의해도 그 의미를 파악하는 데 별 문제가 없지만, 직접 관찰할 수 없는 추상적 개념을 명명적으로 정의해 놓으면 이해하기가 매우 어렵거나 혼란을 불러일으키는 수가 많다. 따라서 과학에서 쓰이는 개념 중 대부분은 직접 관찰할 수 있는 특성들을 단순히 열거해 놓는 방식으로 정의할 수 없는 것들이기 때문에 연구에서는 조작적 정의를 하는 경우가 많다. 이와 같이 개념의 속성이 분명히 드러날 수 있는 어떤 조건이나 조작을 정의 속에 함께 진술하는 것이 조작적 정의 방식이다. 즉, 조작적 정의란 개념의 의미를 정의할 때 그 개념을 나타내는 진술문이 진실이 되기 위한 조건을 정의 속에 포함시켜 기술하는 방식을 말한다. 조작적 정의는 성격, 태도, 지능, 가치관, 창의력과 같은 어떤 성향(性向)을 나타내는 개념이나 용어의 의미를 정의할 때 적용한다.

개념발달
[概念發達, concept development]

사물이나 사상을 식별하고 분류하는 일반적 관념이 발달하는 것. 학습상담

심리학적 입장에서의 개념은 자극대상에 대한 과거의 경험과 현재의 상황을 연결시키는 정신조직이라고 볼 수 있다. 즉, 현재의 자극대상에 영향을 미치는 과거의 경험 중 관련 있는 특징을 결부시켜 주는 조직화된 체계다. 개념형성은 언어의 습득과 밀접한 관계가 있다. 아동은 어떤 대상이나 사건에 적합한 명칭이나 표식을 학습한 후에는 이름이 같은 모든 자극에 대해 같은 방식으로 반응한다. 이를 언어적 매체라고 한다. 개념이란 사고나 판단의 결과로 형성된 여러 생각의 공통된 요소를 추상화하여 종합한 보편적인 관념을 말하는 것으로서, 경험이 형성되는 원천에 따라 다양한 경험에 의해 구축될 수 있는 고도로 추상적인 아이디어의 복합체인 경험적 개념과 경험과는 관계없이 순수한 사유의 과정을 통해 획득된 순수개념으로 구분할 수 있다. 또한 지시하는 대상의 성격에 따라 구체적 사물을 가리키는 구체적 개념과 추상적 특성을 나타내는 추상적 개념으로 구분할 수 있다. 이와 같은 개념의 발달과정은 대체로 단순한 상태에서 복잡한 상태로, 구체적인 것에서 추상적인 것으로, 무식별에서 식별된 상태로, 분산된 상태에서 조직적 상태로, 자아 중심적 상태에서 사회 중심적 상태로의 연속성을 따르는 것으로 보인다. 비고츠키(Vygotsky, 1962)는 새로운 개념을 구성하는 사고의 과정을 실험적 연구와 실제 개념의 발달인 비실험적 방법으로 나누어 연구하였다. 그는 개념형성을 아동의 모든 사회적 · 문화적 성장의 함수로 보고 이러한 사회적 · 문화적 성장은 사고의 내용뿐만 아니라 방법에도 영향을 준다고 하였다. 개념형성은 모든 근본적인 지적 기능이 관여하는 복잡한 행위의 산물이다. 그러나 이 과정을 연합, 주의집중, 심상추론 또는 결정경향으로 분해할 수는 없다. 이것은 모두 필수불가결한 것이지만 기호 또는 단어의 사용 없이는 충분하지 못하다. 이에 비고츠키는 아동에게 무의미 단어를 도입하여 대상들 간에 인위적 개념을 구성하는 실험의 결과로부터 개념형성을 크게 세 단계로 구분하고, 각 단계는 다시 여러 단계로 분할된다고 밝혔다. 개념형성의 첫 번째 단계는 문제를 해결하기 위해서 우연한 인상에 근거하여 다양한 사물을

명료하지 않고 체계화하지 않은 묶음이나 덩어리로 묶는 비체계화된 범주의 단계다. 두 번째 단계는 아동의 주관적 인상이든 경험적 증가에 따른 구체적인 사물이든 간에 실제로 존재하는 사실적인 관계를 형성해 가는 복합체적 사고의 단계다. 마지막 단계는 마음속에서 형성된 일반화가 표면상으로는 개념을 닮았지만 본질적으로는 아직 복합체인 유사개념(pseudo-concept) 유형으로, 이는 복합체로의 사고와 개념으로의 사고 사이에서 연계로 작용한다. 이러한 복합체적 사고는 아동의 자기 경험의 개별적 요소를 집단으로 단일화하고 체계화함으로써 일반화의 기초를 생성한다. 진정한 개념을 형성하기 위해서는 아동은 요소를 추출해 내고 추출된 요소를 그 요소가 포함되어 있는 전체와 분리시켜 보는 능력이 필요하다. 즉, 진정한 개념을 형성하기 위해 종합은 분석과 결합되어야 한다.

개념화된 자기
[概念化 - 自己, conceptualized self]

사회화 훈련과정의 결과로 자신이 어떤 사람인지에 대해 스스로가 만들어 낸 이야기를 믿고 그에 따라 살아가는 자기.

수용전념치료

수용전념치료(ACT)는 자기이해에 대한 각각의 방식이 인간의 잠재력과 기능에 대해 폭넓은 함의를 갖는다고 보고, 인간의 생존에 유용하기도 하지만 엄청난 고통과 한계로 이끌기도 하는 개념화된 자기와 고통에서 자유롭게 하고 고통을 감소하는 길인 맥락으로서의 자기(self as context)를 구분한다. 아동은 성장하고 배움을 가지면서 의도적이지는 않아도 다양한 사회화 훈련과정을 통해 자신이 누구인지, 자신이 왜 그런 행동을 하는지, 자신의 감정과 생활사가 어떻게 자기 행동의 원인이 되고 행동을 정당화하는지에 대한 그럴듯한 이야기를 할 수 있게 된다. 그렇게 해서 아동은 성인처럼 설명하고 평가하고 탐구하며 질문하는 정교한 언어적 행위 레퍼토리를 개발하게 된다. 자신과 다른 사람에 대해 이야기할 때 마음이 활성화되어 작동하며, 마음의 창을 통해 자신과 세상에 대해 보다 많은 것을 이해하고 알기 때문에 자신과 타인이 어떤 사람인지에 대해 스스로가 만들어 낸 이야기를 믿고 그에 따라 살아가기 시작한다. 이와 같은 사회화 훈련과정의 결과로 개념화된 자기(혹은 내용적 자기)가 형성된다. 즉, 자신이 어떤 사람인지에 대해 스스로 개발한 믿음이나 또는 만들어 낸 자신의 존재를 잘 설명하는 듯한 '나는 우울한 사람이다.' '나는 똑똑하다.' '나는 희생자다.' '나는 고통을 받고 있는 사람이다.'와 같이 '나는 ~이다.'라는 식으로 다양하게 표현하고 이야기하는 것을 개념화된 자기라고 할 수 있다. 이러한 자기개념이 진실인 것처럼 보이도록 하는 모든 심상, 생각, 행동은 자기 내용과 관련이 있으며, 이 같은 정신적 내용을 흔히 정체성이라고 부른다. 사회공동체의 관점에서 보면 개념화된 자기와의 융합은 대체로 긍정적이다. 왜냐하면 다른 사람이 그의 행동을 더 잘 이해하도록 해 주어 그의 행동을 예측할 수 있게 해 주고, 그의 행동에 영향을 미칠 수 있도록 해 주기 때문이다. 그러나 개인 차원에서는 문제가 될 수 있다. 정체성을 구성하고 상황을 평가하고 통제하며 문제를 해결하는 데 도움을 주는 바로 그 언어적 과정이 효과가 없고 파괴적인 행동을 야기할 수 있으며, 문제가 있는 생활패턴에 가둘 수 있기 때문이다. 즉, 일관성을 추구하고 정당화하며 설명하고 평가하려는 마음의 성향 때문에 삶을 제한하는 언어적 구속에 갇혀 버릴 수 있다. 이처럼 특정의 개념화된 자기는 고통과 투쟁을 일으킬 수 있으며, 그로 인해 그가 중요하게 생각하는 것이나 가치를 잃을 수 있다. 그리고 개념화된 자기의 언어적 지식에는 한계가 있어서 행동에 영향을 미쳤거나 미치고 있는 모든 과거경험과 맥락을 완전히 알 수 없고, 대신에 삶에 대한 불완전한 이해로 말미암아 여러 가지 이야기, 정당화, 설명을 갖게 되며, 이러한 것은 많은 사실과 행동양상을 설명해 주기도 하지만 삶의 도움에 상당한 한계를 드러내기도 한다(Luoma, Hayes, & Walser, 2007).

관련어 맥락으로서의 자기, 수용전념치료

개방성
[開放性, openness]

집단상담자와 집단구성원이 서로를 대할 때 마음속으로 느끼고 생각하는 바와 일치되게 반응하는 것으로서, 자신의 경험을 있는 그대로 진솔하게 개방하는 것. 집단상담

일차적으로 집단상담자가 한 인간으로서 어떤 사람인지에 대해 감을 잡을 만큼 집단구성원에게 자신을 드러내는 것을 의미한다. 집단상담자는 집단상담의 효율성을 위해 도움이 된다고 판단이 서면 그 내용에 대해서 자신을 개방해야 한다. 효율적인 집단이 되려면 집단상담자 자신에게, 집단구성원에게, 새로운 경험에, 상담자 자신과 다른 생활양식 및 가치에 상담자 자신을 개방하는 것이 필요하다. 집단상담자가 자신의 권위나 체면에 얽매이지 않고 느낌이나 생각과 같은 내적인 경험을 있는 그대로 솔직하게 인정하고 개방하면 집단구성원들은 상담자는 물론 집단과정에 대해서도 쉽게 신뢰할 수 있다. 이처럼 집단상담자의 진솔하고 개방적인 태도는 집단구성원이 상담자와 집단과정을 신뢰하게 만들어 줌으로써 상호 참만남의 경험을 갖도록 한다. 또한 상담자의 개방은 집단구성원이 자신의 감정과 생각에 더 개방적이 되도록 영향을 주어 집단과정을 촉진할 수 있다. 이에 더해 개별 집단구성원의 개방성은 다른 집단구성원의 개방을 촉진, 격려하여 전체 집단의 깊은 만남과 촉진적 상호작용을 가져온다.

개방적 참만남집단
[開放的 – 集團, open encounter group]

슐츠(Schultz)가 프로이트주의의 정신분석적 접근과 라이히(Reich)의 신체활동 및 신체작업의 강조, 그리고 레빈주의의 집단역동 모형 등의 이론을 통합하여 발전시킨 참만남집단의 형태. 집단상담

신체적 느낌과 신체적 에너지의 이완을 통한 개인의 정서적 문제의 해방에 특별한 관심을 갖고 있는 모델이다. 인간이 사회적 · 신체적(혹은 근육적)인 긴장감에서 해방될 때 실제적이고 보다 풍부한 감각으로 개인 자신과 다른 사람들을 경험할 수 있다고 본다. 이에 따라 지적인 이해보다 '행함(doing)'과 '경험(experiencing)'을 강조한다.

관련어 참만남집단

개별화교육계획
[個別化敎育計劃, individualized education plan]

개별 아동에 따라 학습목표, 학습내용, 학습방법, 학습환경을 다르게 설정하는 것. 특수아상담

개인은 지능, 학습능력, 정서, 학습습관, 생활 유형 등이 모두 다르고 다른 사람과는 비교할 수 없는 독특한 존재이기 때문에 학습에서도 개인의 능력이나 심리적 특성에 맞추어서 교육목적을 설정하고, 학습내용을 선정하며, 학습환경이나 학습방법을 선택해야 한다. 개별화 교육은 1974년 미국의 「전장애아 교육법(PL 94-142)」에서 장애 아동의 교육을 위하여 처음 규정한 것으로서, 우리나라는 「장애인 등에 대한 특수교육법」에 개별화 교육의 목적, 시기, 구성요소 등이 명시되어 있다. 「장애인 등에 대한 특수교육법」에 따르면 개별화 교육은 각급 학교의 장이 특수교육 대상자 개인의 능력을 계발하기 위하여 장애 유형 및 장애 특성에 적합한 교육목표, 교육방법, 교육내용, 특수교육 관련 서비스 등이 포함된

계획을 수립하여 실시하는 교육을 말한다. 이러한 법적인 규정은 장애 학생의 개인 간 또는 개인 내 차이를 고려한 개별화 교육의 중요성과 필요성이 지속적으로 제기되어 왔기 때문이다. 그러나 법의 규제 때문이 아니더라도 교육의 적절성을 확보하기 위한 측면에서 모든 장애 학생에게 개별화 교육프로그램을 개발하는 것은 바람직한 일이다. 특히 부분적으로 통합되어 있는 학생의 경우 특수교육 교사와의 협력하에 적절한 개별화교육계획을 수립하는 일은 학생이 받고 있는 여러 유형의 교육을 효과적으로 조화시키는 데 필수적이다(이소현, 박은혜, 2006).

개성 추론
[個性推論, individuality corollary]

켈리(G. Kelly)가 제시한 11개의 정교한 추론의 하나로, 사건에 관한 구성개념은 사람에 따라 차이가 있다는 것. 개인적 구성개념이론

사람이 타인이나 어떤 사건에 대한 구성개념을 가질 때 개인에 따라 제각기 차이가 있는데, 이는 그들이 지각한 대상의 차이때문이기도 하지만 동일한 사건에 대해 예기(豫期)하는 방식이 각자 다르기 때문이다. 두 사람이 동일한 사상에 대해 정확하게 동일한 행동을 할 수는 없다. 두 사람 사이에 유사한 점이 많이 있다고 해도 내적으로는 서로 다른 경험을 하고 있는 것이다. 동일한 사람이나 일에 대해 같은 역할을 두 사람이 할 수 없다고 해서 경험을 서로 공유할 수 없다는 뜻은 물론 아니다. 각각의 사람이 서로 지니고 있는 구성개념의 유사점과 차이점을 생각해 보아야 하는 것이다. 따라서 켈리는 사건에 대한 예기에 커다란 개인차가 있다고 해도 타인의 경험을 스스로 구성개념함으로써 공통된 점을 찾을 수 있다고 주장하였다.

관련어 | 개인적 구성개념, 공통성 추론, 구성개념

개성화
[個性化, individuation]

융(C. G. Jung)이 자기 속에서 전체화가 어떻게 이루어지는지를 설명하기 위해 사용한 개념으로, 하나의 전일성을 지닌 본래의 자기가 되는 것. 분석심리학

융의 이론에서 개성은 우리의 가장 내적이고 궁극적이면서 다른 것과 비길 수 없는 유일무이한 고유성을 뜻한다. 융은 인간의 정신을 내향성과 외향성의 대극, 직관과 감각의 비합리적 기능과 사고와 감정 등 합리적 기능의 대극 등 개념상 분리해서 설명할 수 있지만 실제로는 전체성을 가진 하나로서 우리의 의식적 삶 속에서 실현되어야 한다고 말하였다. 개성화를 통해 '있는 그대로의 사람'이 되면 개인의 고유성을 회피하거나 억압하지 않고, 인간의 집단적 사명을 보다 바람직한 방향으로 충족시킬 수 있다. 이러한 의미에서 개성화는 하나의 치유과정이며, 건강한 사람을 만들어 가는 자기인식의 과정이다. 따라서 개성화를 자기화(selfhood) 혹은 자기실현(self-realization)이라고 말할 수도 있다. 인간이 개성화될 때 한 차원 높은 성숙된 관계를 형성할 수 있을 것이다. 개성화된 인간의 특성은 다음과 같다. 첫째, 의식과 무의식수준에서 모두 자기 자신을 잘 이해하고 있다(자각). 둘째, 자기탐색의 시기에 자신에게 드러나는 것을 받아들인다. 자신의 본성을 수용하며, 상황에 따라 각기 다른 페르소나를 쓰지만 단지 사회적 편의를 위해서다. 자신이 갖가지 역할을 수행하고 있다는 것을 알고 있으며 그러한 역할과 진정한 자신을 혼동하지 않는다(자기 수용). 셋째, 성격의 모든 측면이 통합되고 조화를 이루어 모든 것이 표출될 수 있다. 생애 처음으로 특정 측면이나 태도 혹은 기능에서 어느 한 가지가 지배하던 것에서 벗어난다(자기통합). 넷째, 자기 자신을 있는 그대로 나타내고 솔직한 생각과 기분을 표출한다(자기표현). 다섯째, 모든 인류경험의 저장소인 집단무의식에 대해 대단히 개방적이고,

인간상황을 보다 잘 인식하며 관대함을 가지고 있다. 우리 모두에게 영향을 미치는 인류의 유산에서 전해지는 힘을 인식하기 때문에 다른 사람들의 행동을 보다 깊이 통찰할 수 있으며, 인류에 대하여 보다 많은 연민의 정을 느낀다(인간본성의 수용과 관용). 여섯째, 의식 속에 무의식적, 비이성적 요소들을 끌어들일 수 있다. 꿈과 환상에 주목하며, 한편으로는 이성과 논리를 사용하면서 무의식의 힘으로 그러한 의식의 과정을 조정한다. 초자연적이며 영혼적인 현상에 관심을 가지고 수용한다(미지와 신비의 수용). 일곱째, 태도나 기능 혹은 원형의 특정 측면에 지배를 받지 않는다. 따라서 특정 심리적 유형으로 분류하기 어렵다(보편적 성격).

관련어 | 개인 지상주의

개인-환경일치이론
[個人環境一致理論, person-environment correspondence theory]

개인의 특성, 흥미, 적성, 성격 등을 포함하는 개인의 요구와 작업 환경이나 조건 등의 요구가 일치하는 정도로 개인의 직업적응을 설명하고자 하는 논리적 틀. 진로상담

1960대 이후부터 1990년대 초기까지 직업적응이론으로 불리다가 로프퀴스트와 다위스(Lofquist & Dawis, 1991)가 초기의 이론에 성격구조와 성격유형 간의 차이, 성격유형과 적응유형을 구별하여 좀 더 포괄적으로 개념을 확장한 다음 직업 이외의 다른 환경에도 적용할 수 있는 이론으로 발전시켜 개인-환경일치이론으로 불렸다. 개인은 자신과 작업환경 간에 긍정적 관계를 맺고 유지하려는 경향이 있으므로 각 개인은 자신의 요구와 작업 환경 간의 요구를 일치시켜 직업적응을 향상시키려고 한다. 이 이론은 개인과 작업환경 간의 상호작용, 개인과 일상생활 간의 상호작용, 성격구조와 성격유형 간의 차이, 성격유형과 적응유형 간의 차이를 설명하고자 한다. 개인-환경의 일치성은 개인이 살아가는데 필요한 것이며, 이러한 일치성을 유지하는 것이 곧 직업적응을 이끌어 낸다. 이를 위해서 작업성격과 작업환경이 조화를 이루어야 하며 작업환경의 적합성을 결정할 때는 개인의 욕구가 가장 우선되어야 한다. 그리고 작업장면의 강화체제와 개인적 욕구는 직업유지와 직업적 안정성에 중요한 역할을 하며, 개인적 특성과 작업환경의 요건이 일치할 때 직무배치가 가장 잘 이루어진다. 작업장면의 강화물에는 업적, 승진, 권위, 동료, 활동, 안정성, 사회서비스, 사회적 지위, 다양성 등이 있다. 성격구조는 성격의 안정적인 측면을 말하며 성격유형은 환경과의 상호작용으로 형성되고 비교적 일시적인 특성을 말한다. 이 성격유형은 민첩성(celerity), 속도(pace), 리듬(rhythm), 지속성(endurance)으로 구성되는데, 민첩성은 작업환경과의 상호작용을 시도하려는 반응의 신속성을 말하며 속도는 반응의 강도, 상호작용을 하는 노력의 정도를 말한다. 리듬은 개인과 환경의 상호작용에서 나타나는 반응속도의 일정한 패턴을 말하며 지속성은 상호작용이 유지되는 기간을 말한다. 또한 적응유형은 유연성(flexibility), 능동성(activeness), 수동성(reactiveness), 인내(perseverance)로 구성되는데, 유연성은 개인과 환경의 불일치를 참아 내는 정도를 말하며 능동성은 환경의 변화를 도모하여 적응하려는 것을 뜻한다. 수동성은 개인의 변화를 도모하여 적응하는 것이고, 인내는 적응행동을 유지하는 기간을 말한다. 이 같은 성격유형과 적응유형은 밀접한 관련이 있다. 예를 들어, 성격유형의 민첩성은 적응유형의 유연성과 부적관계에 있는데 불일치에 대한 내성이 강하면 유연성이 낮아 작업환경에 빨리 반응하여 적응이 빠르다는 뜻이다. 성격유형의 지속성과 적응유형의 인내, 성격유형의 속도와 리듬, 그리고 적응유형의 능동성과 수동성은 정적관계에 있다. 이러한 이론적 개념과 개념 간의 관계는 열일곱 가지의 직업적응의 명제와 일곱 가지의 추론에 근거하여 이루어

졌다. 직업적응은 만족(satisfaction)과 만족성(satisfactoriness)으로 나타낼 수 있다. 성격 유형의 유연성이 높을수록 개인의 만족성은 높아진다. 이러한 만족과 만족성, 개인과 환경의 요구조건의 일치, 강화물과 가치의 일치에 따라 재직기간이 결정된다. 이 이론에 근거한 진로상담자는 내담자의 능력, 작업기술과 가치 또는 작업가치를 평가하여 환경의 요구조건과 강화체계를 확인하여 내담자의 만족과 만족성을 예측해야 한다. 일반 적성검사, 미네소타 중요도 질문지, 미네소타 직업분류체계 등을 사용하여 내담자의 능력과 가치를 사정하고 직업설계를 실시하며 작업환경의 요구에 적합한 기술과 작업습관들을 훈련, 학습하도록 하는 것이 상담자의 역할이다.

만족 [滿足, satisfaction] 개인의 욕구와 작업환경의 요구조건이 일치하는 정도를 나타내는 것으로서 개인과 작업환경의 조화에 대한 개인의 내적 지표를 말한다. 직업적응이론 또는 개인-환경일치이론의 주요 개념으로서 직업적응의 정도, 개인의 욕구와 직업환경의 일치 정도를 설명해 준다. 이러한 일치의 정도가 높으면 직업에 대한 만족이 높다고 할 수 있다. 만족은 전반적인 직무, 작업 환경과 같은 환경적 요구와 개인의 욕구, 능력, 기대, 열망, 가치, 성취 등 개인적 요구에 대한 만족을 포함한다. 개인과 환경의 요구조건이 일치하여 만족한다면 직무기간은 연장되고 업무는 유지된다. 만약 일치성이 낮아 불만족하면 만족할 때까지 지속적으로 적응적인 행동을 하게 된다. 만족은 지각에 의해 좌우되므로 실제 요구가 충족되었다고 하더라도 개인에 따라 만족할 수도 있고 그렇지 않을 수도 있다. 하나에 대한 만족이 다른 욕구의 만족과는 별개일 가능성이 많다. 이는 만족의 구성개념을 설명하는 한계라 할 수 있다.

만족성 [滿足性, satisfactoriness] 직업에서 요구하는 과제를 수행할 수 있는 개인의 능력으로서 개인과 작업환경의 조화에 대한 외적 지표를 말한다. 직업적응이론 또는 개인-환경일치이론의 주요 개념으로서 개인의 능력이나 기술 또는 가치 등이 작업환경의 요구조건에 일치하는 정도를 설명해 준다. 즉, 고용주가 파악하는 개인의 능력 등이 작업환경의 요구조건에 만족하는 정도다. 개인의 직무기술 요구조건은 작업환경에 만족성을 제공해 주는 일반적이고 공통적인 요소이며, 만족성은 만족보다 예측이 쉽다.

직업적응 [職業適應, work adjustment] 개인이 자신의 요구와 작업환경의 요구조건을 일치시키기 위하여 적절한 행동을 하는 것을 말한다. 개인의 작업기술과 환경의 작업욕구가 조화롭게 구성되면 만족과 만족성을 지니지만 불만족할 경우에는 개인과 작업환경은 서로의 요구조건을 일치시키기 위하여 적절한 행동을 시도한다. 이를 직업적응이라 한다. 직업적응은 크게 능동적인 것과 수동적인 것으로 나눌 수 있다. 능동적인 적응은 개인이 작업 환경을 변화시키려고 시도하는 것이다. 즉, 개인이 일치 수준을 높이기 위하여 작업환경의 강화체계, 작업환경의 요구조건의 종류나 수준을 바꾸려고 영향력을 미치는 것이다. 수동적인 적응은 개인의 기대나 강화물에 대한 요구조건 등을 변화시키거나 환경의 요구조건에 적합하도록 개인의 직무기술을 향상시키고, 새로운 기술을 훈련하고, 또는 작업욕구에 대한 우선순위를 변동시키는 것을 말한다. 직업적응의 과정은 개인과 환경의 일치를 이끌어 내려는 시도다. 우선 개인은 불일치를 참아 낼 내성을 지니고 적극적으로 상대의 변화를 꾀하여 적응하거나 자신의 변화를 도모하여 적응하려는 양상을 보이며, 실패를 참아 내고 지속적으로 적응행동을 유지하는 인내의 과정을 거친다.

직업적응이론 [職業適應理論, theory of work

adjustment: TWA] 1990년대 초기까지 불린 개인-환경일치이론의 또 다른 명칭이다. 이 이론은 1956년 미네소타대학교의 로프퀴스트, 피터슨, 윌리엄슨과 달리(Lofquist, Peterson, Williamson, & Darley)가 학생 선발과 직업심리학을 통합하여 실무적인 직업상담에 초점을 둔 상담심리학 프로그램을 개설하면서 비롯되었다. 이후 1959년 로프퀴스트와 잉글랜드(England)는 미국 재활국의 지원으로 직업재활을 연구하기 위한 직업적응 프로젝트를 실시하여 1960년에 직무만족, 고용주 태도, 근로자 동기, 행동준거, 직업 적합성에 관한 연구들을 개관함으로써 이론적 근거를 마련하였다. 마침내 1964년 다위스, 잉글랜드와 로프퀴스는 직업적응이론을 발표하였고, 여기서 만족과 만족성의 두 가지 변인을 통해 재직 기간을 예측하고자 하였다. 또한 파슨스(Parsons, 1909)의 특성요인이론의 관점을 근거로 학습이론, 욕구이론, 개인차 심리학을 통합하여 개인과 작업 환경 간의 상호작용, 그리고 개인의 직업적 적응과정을 설명하는 데 초점을 두었다. 직업적응은 개인의 능력과 욕구가 직무 요구 조건 및 강화 체계와 일치하는 정도에 따라 직업적응에 영향을 미친다. 개인과 환경적 요인들을 측정하기 위해서 미네소타 만족 질문지, 미네소타 직업가치 질문지가 개발되었고, 직업적응을 연구하기 위해서 전반적인 직무 만족 척도, 여러 가지 직무에 관한 하위척도로 구성된 직업만족 척도, 욕구 척도, 소망수준 척도, 적성검사, 흥미검사, 생산성이나 효율성 척도, 장기결근, 사고, 이직, 훈련, 불만 등에 관한 직업행동 척도, 직업경력 정도, 순차적 직무계획, 직업 적합성 준거 등의 도구들을 사용하였다. 이렇게 직업적응 프로젝트가 활성화되었다. 이전에는 일치라는 개념이 일치성과 적합성으로 표현되었지만 1968년 TWA 이론이 개정되면서 일치는 상응성(corresponsiveness) 또는 상호 반응성(mutual responsiveness)의 개념이 추가되었다. 1976년 직업적응이론은 과정을 포함하여 개념을 보다 더 확장함으로써 성격구조와 성격유형을 구분하고 성격유형과 적응유형을 구별하여 직업 이외의 다른 환경에도 적용 가능한 기본 개념들을 제시하면서 1990년대 이후에는 개인-환경일치이론으로 더 유명해졌다.

직업적응이론의 명제 [職業適應理論-命題, work adjustment theory's proposition] 직업적응이론에서 주요한 개념들의 관계나 사태를 나타내는 논리적 언어를 말한다. 직업적응이론 또는 개인-환경일치이론을 다위스, 잉글랜드와 로프퀴스트(Dawis, England, & Lofquist) 등이 초기에 아홉 가지의 명제로 제시했다가 나중에 추가하여 열일곱 가지의 명제와 7개의 추론으로 요약한 것이다. 이 이론의 명제는, 첫째, 특정 시점에서의 직업적응은 만족과 만족성의 수준을 통해 알 수 있다. 둘째, 만족성은 개인의 능력과 작업환경의 요구조건 간의 일치 정도를 말한다. 이 명제에 따른 추론은, 개인의 능력과 만족성을 알게 되면 작업환경의 요구조건을 추정할 수 있고 작업환경의 요구조건과 만족성을 알게 되면 개인의 능력을 추정할 수 있다. 셋째, 만족은 작업환경의 강화체계와 개인의 가치가 일치할 때 얻을 수 있다. 여기서의 추론은 작업환경의 강화물과 개인의 만족을 확인하면 개인의 가치를 알 수 있고 개인의 가치와 만족을 알면 작업환경의 강화물을 추정할 수 있다. 넷째, 만족은 개인의 능력과 작업환경의 요구조건에 대한 일치에 따라 만족성을 예측하는 과정을 조절한다. 다섯째, 만족성은 작업환경의 강화체계와 개인의 가치에 대한 일치에 따라 만족을 예측하는 과정을 조절한다. 여섯째, 개인이 해고될 확률과 만족성은 부적 관계에 있다. 일곱째, 개인이 사직할 확률과 만족은 부적 관계에 있다. 여덟째, 직무기간은 만족, 만족성과 정적 관계에 있다. 여기서 직무기간은 개인의 능력, 요구조건, 강화물, 가치 간의 일치와 정적관계에 있다고 추론할 수 있다. 아홉째, 개인과 환경 간의 일치는 직무기간이 길수록 증가한다. 열째, 성격유형과 환경유형

간의 일치는 성격구조와 환경구조의 일치에서 만족과 만족성을 예측하는 과정을 조절한다. 열한째, 작업환경의 유연성은 능력과 요구조건 간의 일치가 만족성을 예측하는 데 영향을 미친다. 열두째, 개인의 유연성은 강화물과 가치 간의 일치가 만족을 예측하는 데 영향을 미친다. 열셋째, 작업환경의 적응확률은 만족성과 부적관계에 있다. 여기서 작업환경의 적응확률과 만족성을 알면 작업환경의 유연성을 추정할 수 있다. 열넷째, 개인의 적응확률은 개인의 만족과 부적관계에 있다. 여기서 개인의 적응확률과 만족을 알면 개인의 유연성을 추정할 수 있다. 열다섯째, 작업환경의 인내는 만족성과 해고확률 간의 관련성을 조절한다. 이 명제에서 만족성과 해고확률을 알면 작업환경의 인내를 추정할 수 있다. 열여섯째, 개인의 인내는 만족과 사직확률 간의 관련성을 조절한다. 이 명제에서 만족과 사직 확률을 알면 개인의 인내를 추정할 수 있다. 마지막으로 직무기간은 만족성, 만족, 인내, 작업환경의 인내와 정적관계에 있다.

개인 대행
[個人代行, personal agency]

자신의 삶을 형성해 나가는 데 영향을 줄 수 있는 주체적인 능력에 대한 자기인식. 이야기치료

개인 자신과 그 삶과의 관계 속에서 중재역할을 하는 대행자(agency)로서의 개인이 삶을 스스로 변화시킬 수 있는 능력을 가지고 있고, 이를 바탕으로 자신의 삶을 의도적으로 바꾸도록 노력할 수 있다는 것을 인식하는 것이다. 따라서 내담자가 이러한 개인 대행의 능력이 자신 안에 있음을 인식하도록 하고, 그 능력을 개발하도록 도움을 주는 것은 보다 효과적인 치료를 위한 상담자의 역할이라고 할 수 있다. 상담자의 이러한 역할은 자신의 삶이 더 좋은 방향으로 바뀔 수 있다는 가능성에 대해 부정적이고 발전 의욕을 잃어버린 내담자에게 변화와 회복의 가능성을 보여 준다. 내담자의 개인 대행의 역할을 강조하면서 자기 삶에 대한 능동적인 변화를 시도하는 이야기치료에서는, 삶의 부정적인 문제들을 가지고 온 내담자에게 그 문제들에 집중하여 원인을 분석하는 것이 아니라, 그러한 문제들을 보다 긍정적이고 발전적인 방향으로 변화시킬 수 있는 능력이 내담자 자신에게 있음을 인식시키는, 즉 개인 대행에 대한 인식을 돕는 것이 중요한 과정이 된다. 내담자는 개인 대행에 대한 인식을 통해 앞으로의 새로운 가능성을 깨닫게 되고, 대안적 이야기로의 재구조화를 시도하는 용기를 얻는다.

관련어 | 대안적 이야기, 재구조화

개인 수퍼비전
[個人 – , individual supervision]

수퍼바이저와 수련생이 일대일의 만남으로 행하는 수퍼비전. 상담 수퍼비전

개인 수퍼비전은 수련생의 임상수련과 발달에 구체적이면서 개별적인 관심을 쏟을 수 있다는 장점 때문에 상담자의 전문적 발달을 위한 중요한 핵심 요소로 여겨지고 있다. 또한 수련생이 집단 수퍼비전에서는 밝히기 곤란한 취약점을 가지고 있다든지, 혹은 내담자의 문제가 예민한 것이어서 보호해야 할 필요성이 있는 경우에 독립적이고 개인적인 보호공간 안에서의 수퍼비전을 제공할 수 있다. 따라서 수련생 고유의 훈련속도를 조절할 수 있으며, 개인의 능력 차이를 고려하여 그에 맞는 교육을 수행할 수 있다. 일반적으로 많은 수의 수련생들은 개인 수퍼비전에 가장 많은 관심을 보이며, 집단 수퍼비전보다는 개인 수퍼비전에서 좀 더 편하게 자신의 전문적인 발달에 대해 논의를 하게 된다. 이러한 개인 수퍼비전이 수련생의 상담능력의 발달을 전문적이고 효과적으로 돕기 위해서는 여러 가지 다양

한 수퍼비전 방법을 선택하여 사용하는 수퍼바이저의 기술이 중요하다. 수련생의 상담수행에 관한 명확하고 직접적인 견해를 갖기 위해서 수퍼바이저는 자기보고 방식과 함께 공동치료, 관찰, 비디오테이프 활용 등의 방법을 사용한다.

관련어 | 라이브 수퍼비전, 집단 수퍼비전

개인 지상주의
[個人至上主義, individualism]

융(C. G. Jung)이 개성화(individuation)와 구분하기 위해 사용한 개념으로, 개인에게 부과된 고유의 단층적 기질이며 타인과 상호작용이 거의 없는 조화롭지 못한 자기중심성. 분석심리학

개인 지상주의 기질은 개인의 자기실현을 간과하거나 억압한다. 그에 반해 개성화는 인간의 완전성을 온전히 실현하는 과정이다. 개성화는 지역사회에 완전히 공헌하는 구성원으로서의 완전성과 조화를 이루는 성숙을 나타낸다. 남들과 다르게 하기 위해 자신을 드러내는 개인 지상주의는 개성화 또는 자기실현과는 다른 것이다. 개인 지상주의는 타인에 대한 관심보다 일방적인 자기중심적 인식으로, 집단적 고려나 의무에 대하여 고의적으로 자신의 개인적 특수성을 강조하거나 내세운다. 대개 개인 지상주의 경향이 있는 사람들은 무의식적으로 집단에 더욱 강하게 의지한다.

관련어 | 개성화

개인 지향성 검사
[個人指向性檢査, Personal Orientation Inventory: POI]

현재 자기 자신의 상태를 체크하는 인성검사. 심리검사

가치와 행동을 측정하기 위해서 1963년에 쇼스트롬(Shostrom)이 개발한 검사로, 우리나라에서는 1983년에 김재은과 이광자가 번안하여 자아실현 검사로 명명하였다. 이 검사는 자아실현한 사람의 발달에서 중요한 것으로 간주되는 가치와 행동을 측정하기 위하여 쇼스트롬이 매슬로(Maslow)의 자아실현론을 과학화, 일반화하여 만든 것이다. 종래의 심리검사는 주로 개인의 이상성과 편향도를 식별하기 위한 경우가 많았지만, 쇼스트롬은 개인의 정신적인 건강성에 초점을 맞춘 검사 작성에 몰두하였다. 이에 POI는 시간 지향성과 내적 지향성이라는 2대 척도에서 이루어져 후자는 자아실현적 가치관, 실존성, 자기 변화 등의 하위척도를 포함하고 있다. 2개의 주척도와 8개의 하위척도로 구성되어 있는데, 주척도(가장 중요한 적응수준 척도로 자아실현의 척도)는 시간성 척도(시간효율성 대 시간비효율성: 시간을 효율적으로 쓰는가)와 지향성 척도(내부지향성 대 외부지향성)다. 또 8개의 하위척도는 자아실현성, 실존성, 감수성, 자발성, 자기긍정성, 자기수용성, 인간관, 포용성이다. 검사결과가 $T>50$일 경우는 비교적 자아실현에서 효과적인 사람이고, $T<40$일 경우는 개인적 자아실현과 살아가는 데 어려움이 있을 가능성이 큰 사람(상담, 치료 요구)이며, $43<T<57$일 경우는 적절한 범주로 정상적이다.

개인도식이론
[個人圖式理論, person schema theory]

호로비츠(Horowitz)가 정신역동치료, 인지행동치료, 대인관계치료, 가족체계이론 등을 통합하여 개념적인 틀을 발전시킨 것으로서, 자기(self)의 여러 측면이 어떻게 형성되는지, 타인 개념과 어떻게 조직되어 있는지, 자기와 타인이 어떻게 관계 맺는지를 설명하는 이론. 도식치료

개인도식이란 하나의 형판(template)인데, 대개 무의식적이며 자기 및 타인에 대한 견해로 구성되고, 아동기 경험에 대해 남아 있는 기억을 토대로 형성된다. 개인도식은 자신에 관한 지식과 자신에게

중요한 타인에 대한 지식을 얻는 과정을 통해 형성되는데 자기도식, 타인도식, 비판도식의 세 가지로 나누어 볼 수 있다. 자기도식(self schema)은 정체감을 형성하는 많은 의미가 결합된 것으로 자기 특성에 대한 다양한 신념이 연결되고 패턴화된 요소의 집합체다. 자기도식 안의 신념목록에는 신체적 자기, 신체 사용에 관련된 인지도, 자신의 역할과 자신의 의도, 자기조절 유형, 미래의 목표와 계획 등이 포함된다. 타인도식(other schema)은 다른 사람에 대한 도식으로서 마음 안에 만들어 놓은 타인의 모습으로 이루어져 있다. 비판도식(criticism schema)은 타인과의 관계에 대한 규칙, 가치, 정해진 관계에 따라 평가하는 것이다. 개인도식에 대한 호로비츠의 정의는 영(Young)의 초기 부적응 도식 개념과 일치한다. 차이점이 있다면, 호로비츠는 모든 인간도식의 일반적인 구조에 초점을 맞추고 영은 거의 모든 부정적 생활패턴의 기저에 존재하는 특정 심리도식을 설명하고 있다는 점이다. 개인의 심리 내적 요소가 패턴화된 집합은 역할관계 모형 속에서 찾아볼 수 있는데, 이 관계모형에는 신체 이미지, 귀인적 신념, 가치, 의도, 자신과 타인에 대한 기대가 들어 있다. 호로비츠의 역할관계 모형(role relational model)은 그 기저에서 원하는 역할관계 모형에 대한 소망 혹은 욕구, 두려운 역할관계 모형에 대한 핵심 공포, 두려운 역할관계 모형을 방어하는 역할관계 모형이 서로 연합되어 있다. 그래서 어떤 관계에서든 존재하는 다양한 역할관계에서 소망하는 상태가 되기 위해 복종, 순종의 역할모델을 갖기도 하고, 두려운 상태를 느끼게 하는 피해자, 가해자 역할모델을 하기도 하며, 두려운 상태를 벗어나기 위한 타협의 상태를 나타내기도 한다. 역할관계에는 심리도식은 물론 대처방식의 일부 측면이 담겨 있다. 일상생활에서 반복되는 개인의 패턴을 알게 되면 무엇이 자기도식이며 어떤 역할관계 모형을 취하는지 파악할 수 있다. 또한 호로비츠는 의식적인 경험과 대인관계 표현의 패턴이자, 어떤 상태라고 인식되는 패턴을 형성하는 구성요소를 사고와 감정에 대한 언어적, 비언어적 표현이 포함되는 '마음상태'로 정의하고 있다. 마음상태는 양식개념과 비슷하다. 영의 대처방식 개념과 유사한 방어적 통제과정은 세 가지 범주로 나누어진다. 첫째, 주의를 다른 주제로 돌리거나 주제의 중요성을 최소화하는 표현내용으로 고통스러운 주제에서 회피하는 방어적 통제과정, 둘째, 표현방법을 통해 회피하는 방어적 통제과정, 셋째, 역할을 전환함으로써 대처하는 방어적 통제과정으로 설명하고 있다. 이는 심리도식 회피, 굴복, 과잉보상과 유사한 개념이다. 호로비츠의 치료적 목표는 개인도식에 기초한 관계에 대한 무의식적 해석과 의도나 기대에 대해 자각하도록 돕는 것이다. 치료단계에서 변화가 나타나는 단계를 개념화하면 다음과 같다. 첫 번째 단계는 문제를 일으키는 현상에 초점을 두는 것이다. 두 번째 단계는 상태의 분석으로 스스로 표현한 자신의 정서를 그대로 사용하여 이름을 짓는데, 이는 반복적인 패턴을 알게 해 준다. 세 번째 단계는 습관적인 방어방식에 초점을 두고 내담자의 동기, 의도, 기대를 찾는다. 네 번째 단계는 개인도식에 초점을 맞추어 각본 속에 들어 있는 지속적인 역할관계 모형의 인과관계를 설명할 수 있도록 한다. 이 같은 개념화 과정을 통해 명료화하고 직면시킨다.

관련어 | 도식양식, 심리도식작용

개인무의식
[個人無意識, personal unconscious]

무의식부에서 보다 위에 있고, 보다 표면에 있으며, 본질적으로 의식 속에 더 이상 남아 있지는 않지만 쉽게 의식부로 떠오를 수 있는 자료의 창고 혹은 저장소. 분석심리학

이 자료는 중요한 것이 아니기 때문에 의식적인 인상을 주기에는 너무 약해서 의식에 도달할 수 없는 망각된 기억과 너무 위협적이어서 자아가 억압

혹은 억제한 기억, 그리고 외상(外傷)으로 이루어져 있다. 주어진 시간에 경험을 의식할 수 있는 데에는 한계가 있다. 어느 순간에든 한 가지 혹은 두세 가지의 생각과 경험에만 주의를 기울이지 못한다. 다른 기억이나 생각들은 현재 몰두하고 있는 기억이나 생각들에 자리를 양보하기 위해 옆으로 밀려 나가지 않으면 안 된다. 예를 들어, 우리는 전화번호, 주소, 이름, 심상 및 과거의 사건, 기억 등과 같은 수많은 정보를 갖고 있다. 전화번호를 알고는 있지만 그것을 항상 생각하고 있지는 않다. 그러나 필요할 때 즉시 의식부 안에서 인식될 수 있도록 상기할 수가 있다. 이처럼 의식부와 개인무의식 사이에는 서로 빈번한 왕래가 있다. 지금 공부하고 있는 분석심리학의 내용에서 지난밤에 했던 일의 기억으로, 혹은 내일 할 일에 대한 계획에서 주의가 다른 것으로 옮겨질 수 있다. 개인무의식은 우리의 감정, 사고 및 기억을 모두 담고 있는 서류철에 비유할 수 있다. 별로 노력 없이 특정 기억을 뽑아내어 잠시 검토한 뒤 제자리에 갖다 놓고 다음 생각이 날 때까지 잊어버린다. 요컨대, 개인무의식은 살아가면서 축적되어 있는 억압된 기억 · 환상 · 소망 · 외상 · 욕구의 저장소로서, 개인무의식에는 성격의 착한 면과 악한 면을 모두 갖고 있는 그림자(shadow)가 존재한다. 융(C. G. Jung)은 성격의 그림자 측면을 분석하여 통합함으로써 정신치유와 완전성이 이루어질 수 있다고 믿었다.

관련어 집단무의식, 개인특질적 동작

개인심리학
[個人心理學, Individual Psychology]

아들러(Adler)가 창안하고 아들러 이론을 따르는 아들러의 후계자들이 발전시킨 상담심리학. 개인심리학

초기 정신역동적 심리치료 발전에 크게 기여한 아들러는 9년간 비엔나 정신분석 모임(Vienna Psychoanalytic Society)에서 프로이트(Freud)와 함께 정신분석을 연구했지만, 입장 차이로 결별한 이후 자신만의 이론을 발전시켰다. 프로이트가 인간의 성격을 자아, 초자아, 원초아로 구분하고, 인간은 이러한 부분들 간의 갈등에서 벗어날 수 없는 존재로 본 것과 달리, 아들러는 인간을 전체적으로 보아야 한다는 입장을 강조하여 자신의 이론을 개인의 분리불가능성(indivisibility), 즉 나눌 수 없는(in-divide) 전인이라는 의미를 넣어 '개인심리학(Individual Psychology)'이라고 명명하였다. 여기서 개인이란 내담자 한 사람에 초점을 맞춘다는 뜻이 아니라 따로 나눌 수 없는 전체성을 의미한다. 개인심리학은 기본적으로 정신역동적인 기반을 가지고 있지만 인간주의적 상담의 이론적 기틀을 조성하였다. 이는 현대 상담 및 심리치료이론가에게 방대한 영향을 주었고, 그로 인해 아들러는 '현대 심리학의 아버지'라 불린다. 개인심리학의 인간관은 전체적 존재(사람의 행동, 사고, 감정을 하나의 일관된 전체로 봄), 사회적 존재(인간이 본질적으로 사회적 존재이며, 사람의 행동은 사회적 충동에 의해서 동기화되므로 인간의 행동을 이해하려면 사회적 맥락 속에서 해석해야 한다고 봄), 목표 지향적 · 창조적 존재(목표, 계획, 이상, 자기결정 등이 인간행동에서 매우 실제적인 힘이 된다고 주장하였다. 더 나아가 목표를 지향하는 인간은 자신의 삶을 창조할 수 있고 선택할 수 있으며 자기결정을 내릴 수 있는 존재로 보았다. 또한 인간은 제3의 힘, 즉 창조력이 있기 때문에 무한한 가능성을 갖고 목표를 향해 도전할 수 있다고 봄), 주관적 존재(현상학적인 관점을 수용하여 개인이 세계를 어떻게 인식하느냐 하는 주관성을 강조한다. 인간을 단순한 반응자가 아닌 창도자로 봄)라 할 수 있다. 개인심리학의 특징은 행동의 원인을 분석하는 것이 아니라 행동의 목적을 분석하고(목적론), 인간을 분할할 수 없는 전체로서 파악하여 이성과 감성, 의식과 무의식 등의 대립을 인정하지 않고(총체론), 객관적 사실보다 객관적 사실에 대한

주관적 의미부여 과정을 중요하게 보고(현상학적 관점), 내적 정신세계보다 대인관계를 분석하고(대인관계론), 주체적 결단능력을 중요시한다(실존주의)는 것이다. 주요 개념으로는 열등감과 보상, 우월추구, 생활양식, 허구적 목적, 공동체감과 사회적 관심, 가족구도와 출생순위, 삶의 과제 등이 있고, 변화를 위한 핵심 요인으로 격려를 강조한다. 이 개념을 상세히 살펴보면 다음과 같다. 첫째, 열등감과 보상은 인간은 불완전한 존재로서 완전을 향해 끊임없이 노력을 하는데 이 과정에서 모든 인간은 필연적 열등감 또는 부적절감을 가질 수밖에 없다는 것이다. 아들러에 따르면 기본적인 열등감은 인간의 모든 행동에 영향을 끼치게 되는데, 열등감이 행동의 동기를 부여하는 추진력이며 모든 노력의 원천이라고 생각하였다. 따라서 인간의 성장과 진보는 열등감을 보상하려는 시도의 결과라고 보았다. 둘째, 우월추구는 인간행동의 동기를 긴장을 감소하고 쾌락을 추구한다는 프로이트와는 달리 아들러는 열등의 감정을 극복 또는 보상하여 우월해지고, 위로 상승하고자 하는 목표, 완전에의 추구라는 더 많은 에너지와 노력을 요구하며 긴장을 증가시키는 것을 인간행동의 동기로 본다는 것이다. 셋째, 생활양식은 아들러의 역동적 성격 이론을 가장 잘 나타내는 개념이다. 인간은 유아기를 지나 4~5세경에 자아개념과 가치 및 태도 등을 포함한 자신의 독특성을 형성하는데, 아동기까지 열등감과 보상을 기초로 발달하며 그 후로는 저절로 변하는 일은 거의 일어나지 않는 것으로 보았다. 넷째, 허구적 목적은 사고, 감정, 혹은 행동의 심리적 과정 모두 마음속에 일관성 있는 어떤 목적이 있다고 보고 결정론보다는 목적론이 더 중요하다는 것이다. 그래서 설명하기 어려운 행동들도 일단 그들의 무의식적 목적을 알게 되면 이해할 수 있다고 하였다. 다섯째, 공동체감과 사회적 관심은 열등감을 극복하고 사회적 동물인 인간이 건강하게 살아가기 위해서, 그리고 인간의 문화와 정신을 발달시키기 위해서 가장 필요한 것이라고 보았다. 여섯째, 가족구도와 출생순위는 가족 내의 출생순위가 성격 형성에 큰 영향을 주고, 개인의 생활양식을 형성하는 요인이 된다는 것이다. 일곱째, 삶의 과제는 모든 사람이 직면하는 세 가지 중요한 과제가 있는데, 이는 직업, 타인과의 관계, 이성적 사랑이라고 본 것이다. 이 과제는 서로서로 연결되어 있으며 사회적 의미를 내포하고 있다. 또한 이 과제를 해결해 나가는 방식은 개인의 생활양식에 달려 있으며, 개인의 부적절한 생활양식은 문제를 야기한다고 하였다. 여덟째, 격려는 내담자가 자신의 열등감을 극복하고 가치를 깨닫도록 도움을 주는 데 초점을 두는 것으로, 내담자가 자신의 능력과 유용성을 소유하고 있다는 것을 알아차릴 수 있도록 하여 자기 삶의 문제에 용감하게 다가갈 수 있도록 도와주는 것이다. 개인심리학 상담 모델은 의료모델이 아니라 성장모델이다. 아들러는 사람이 지닌 문제는 사람과 분리된 것이 아니기 때문에 심리상담은 전인격의 치료가 필요하다고 말하였다. 그는 아픈 사람과 건강한 사람 사이에 분명한 선이 있다고 말하는 것을 매우 싫어하였다. 개인심리학에서는 내담자를 병든 존재나 치료받아야 할 존재로 보지 않기 때문에 상담의 목표도 증상 제거보다는 열등감을 극복하고, 잘못된 생의 목표와 생활양식을 수정하고, 사회에서 다른 사람과 상호작용할 수 있도록 타인과 동등한 감정을 갖고 공동체감을 증진시키는 것으로 설정하였다(Dreikurs, 1967; Mosak, 1987). 개인심리학의 상담과정은 4단계로 진행된다. 1단계는 내담자가 상담자에게 이해받고, 받아들여진다고 느끼도록 내담자와 공감적 관계를 형성하는 관계형성 단계다. 2단계는 내담자가 생활양식을 결정하는 동기나 목표, 신념과 정서를 이해할 수 있도록 해 주는 생활양식 탐색 단계다. 3단계는 내담자의 잘못된 목표와 자기패배적 행동을 자각하도록 도와주는 통찰 단계다. 4단계는 내담자가 문제행동이나 문제상황에 대해서 대안을 고려해 변화를 실행하도록 도와주는 재정향 단계다. 개인심리학의 주요 상담기법으로는 초기기억, 꿈분석, 단추 누르기, 수프에 침 뱉기, '마치 ~인 것처럼' 행동하기, 자기포착하기, 과제 설정하기, 역설 기법, 격려 등이 있다. 아들러는 상담의 영역을 가정, 학교, 지역사회 등으로 확장시켰다. 그는 교육자인 동시에 사회개혁자였다(Ellenberger, 1970; Corey, 2010). 개인심리학은 일찍부터 자녀양육, 결혼과 가족치료, 학교상담, 교사상담, 교정상담, 인간관계 개선, 진로상담, 부모교육 및 부모상담 등 수많은 분야에 영향력을 미쳤으며, 범죄 · 전쟁 · 종교 · 민족주의 · 저항 · 인종 · 약물 · 사회적 조건 및 종교에 대한 사회문제에 관심을 갖고 문제해결에 노력하고 있다(Mosak, 1977; Corsini, 2010). 대표적인 개인심리학자로는 드라이커스(Dreikurs), 안스바허(Ansbacher), 모삭(Mosak), 슐만(Shulman), 케피어(Kefir), 엘렌버거(Ellenberger), 웩스버그(Wexberg) 등이 있다.

관련어 | 아들러

개인의 빙산 은유
[個人－氷山隱喩, personal iceberg metaphor]

가족치료사인 사티어(Satir)가 개인경험에 대한 인식의 과정을 빙산에 비유하여 설명한 것. 경험적 가족치료

사티어는 인간의 경험에 대한 인식의 과정을 빙산 은유를 사용하여 설명하였다. 빙산이 눈에 보이는 부분만 있는 것이 아니라 실제로는 물속에 잠겨 있는 거대한 부분이 존재하는 것처럼 인간의 경험도 겉으로 드러나는 행동수준뿐만 아니라 감정, 지각, 기대, 열망과 같이 눈에 보이지 않는 내적 과정이 존재한다는 것이다. 즉, 상담자들이 내담자를 볼 때 드러나는 행동만 보는 것은 극히 일부분만을 관찰하는 것이며, 개인의 빙산 수면 아래에 있는 더 많은 내적 경험에 관심을 가져야 한다는 점을 강조하였다. 개인의 빙산에 대한 은유는 반멘(Banmen)이

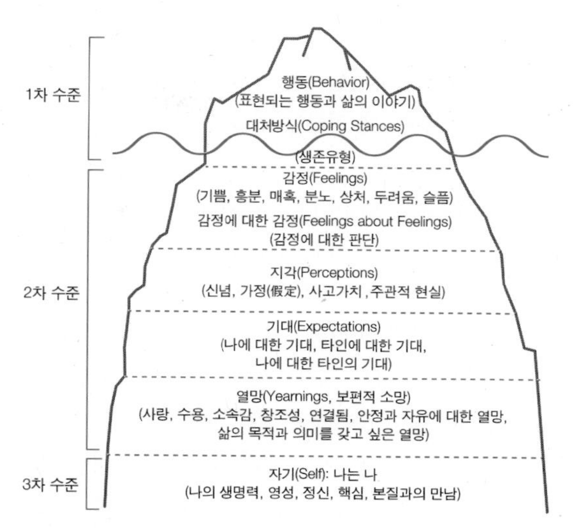

빙산에 비유한 인간의 심리 내적 경험

출처: 정문자, 정혜정, 이선혜, 전영주(2007). 가족치료의 이해. 서울: 학지사. p. 185

처음으로 도입하였다. 그는 오랫동안 사티어가 설명한 인간의 내적 과정과 변화과정에 대해 관찰한 결과를 '빙산'이라는 은유를 사용하여 설명한 것이다. 이후에 사티어와 반멘은 빙산의 은유를 실제 임상과정에 적용하는 연구를 함께 진행하였다. 개인의 빙산 은유에 따르면 개인의 경험에 대한 인식과정은 모두 8개의 구성요소, 즉 자기, 열망, 기대, 지각, 감정, 감정에 대한 감정, 대처방식, 행동으로 되어 있다. 사티어는 다양한 경험의 구성요소 중 어느 하나에만 관심을 기울이거나 강조하기 위해 이 은유를 사용한 것은 아니다. 인간의 다양한 경험의 요소가 서로 상호작용하는 것에 중점을 두고, 내담자 경험의 모든 요소를 함께 탐색하여 그 안의 독특한 경험을 파악하는 과정을 즐겼다. 따라서 개인의 빙산 은유는 상담자가 내담자의 경험세계와 어떻게 연결하여 탐색할 것인지에 대해 도움을 주는 것이 주목적이다.

관련어 | 내적 경험, 빙산 탐색

자기 [自己, self] 자신의 생명력, 영성, 정신, 핵심, 본질과의 만남에 해당하는 영역으로 자신의 현

존에 대한 영성인 이해와 신념으로 구성되어 있는 부분이다. 인간이 어떠한 소망과 동경을 갖게 되는가의 열망을 형성하는 데 영향을 미친다.

열망 [熱望, yearnings] 사랑, 수용, 소속감, 창조성, 연결, 안정과 자유에 대한 열망, 삶의 목적과 의미를 갖고 싶은 열망 등 보편적인 소망을 말한다. 내담자의 드러나는 행동 뒤에 숨어 있는 이 같은 열망에 대해 탐구하는 것은 그를 진정으로 이해할 수 있도록 해 준다. 상담자는 내담자를 이처럼 이해하는 것을 바탕으로 앞으로의 치료과정에서 내담자의 변화에 영향력을 미칠 수 있는 기초를 형성할 수 있다. 사티어는 인간의 어린 시절에 열망을 제대로 충족하였는가의 여부가 이후 삶에 많은 영향을 미친다고 하였다. 왜냐하면 열망은 개인의 삶의 의미와 목적에 기여하는 부분이므로, 이 영역이 충족된다는 것은 개인의 충족된 삶과 그것을 유지하려고 하는 인간의 회복력에 긍정적인 희망을 주기 때문이다.

기대 [企待, expectations] 자신에 대한 기대, 타인에 대한 기대, 그리고 나에 대한 타인의 기대에 해당하는 영역이다. 자신에 대한 기대는 자신의 정체성과 타인과 타인으로부터의 기대에 영향을 미치고, 이 영향력은 곧 다양한 지각과 감정을 형성한다. 예를 들어, 자신의 모습을 잘 받아들이지 못하는 사람은 자신이 무가치한 사람이거나 자기중심적으로만 생각하는 사람이거나, 다른 사람들이 자신을 무능력한 사람으로 평가한다고 생각하는 사람일 가능성이 높다는 것이다. 이 같은 생각은 자신에 대해 무가치하게 느낀다든지, 다른 사람들의 행동이나 반응에 대해 화를 내거나 상처를 입는 등 감정과 지각의 영역으로 연결된다. 기대와 열망의 영역은 주로 내담자의 원가족 경험과 관련이 있다.

지각 [知覺, perceptions] 개인의 내적 경험 중 신념, 가정(假定), 사고가치, 주관적 현실과 같은 것을 지각하는 것에 관한 영역이다. 지각은 개인의 열망 충족 여부에 따라 형성된 의미에 영향을 받는 영역이다. 개인의 정체성, 믿음, 생각 등에 대한 지각은 경험에 대한 감정, 행동에 대한 내적 과정이 어떻게 이루어질 것인지 강력하게 영향을 미친다. 예를 들어, 자신이 좀 부족한 사람이라고 지각하는 사람은 현재나 미래에 이루어질 행동이나 자신에 대한 생각에 부정적인 영향력을 미칠 것이고, 다른 사람들과의 관계에서도 자신감이 결여되거나 방어적인 행동으로 드러날 가능성이 높아진다.

감정 [感情, feelings] 개인의 경험에 대해 느끼는 기쁨, 흥분, 매혹, 분노, 상처, 두려움, 슬픔 등의 감정에 해당되는 영역이다. 개인의 빙산 은유의 한 영역에 해당되는 감정은 실제로 경험에 대해 느끼는 감정과 그 감정에 대한 스스로의 판단인 감정에 대한 감정의 두 영역으로 나누어져 있다. 감정의 영역은 인간의 경험에 대한 일차적인 반응으로 분노, 슬픔, 행복, 두려움 등을 느끼게 되는 것이다. 사티어는 인간의 경험에 대한 반응인 감정을 통해서 개인의 내적 자아에 대한 정보를 얻을 수 있다고 하였다. 왜냐하면 감정은 빙산의 다른 영역인 열망, 기대, 지각으로부터 강력한 영향을 받는 것으로서 개인의 원가족 경험이나 과거의 경험과 밀접하게 연결되어 있기 때문이다.

감정에 대한 감정 [感情－感情, feelings about feelings] 개인이 자신에 대해, 다른 사람에 대해, 그리고 다른 사람으로부터 느끼는 감정에 대한 느낌이다. 감정에 대한 감정은 개인의 빙산 은유의 영역 중에서 감정부분을 이루는 구성요소로, 자기, 열망, 기대, 지각, 감정과 매우 밀접한 관련을 맺고 있다. 예를 들어, 과거 몇 년 동안 어머니와의 관계가 좋지 않은 자녀는 그 관계에서 화가 나는 '감정'을 느낄 수도 있을 것이다. 그리고 이러한 감정이 지속됨에 따라 자신이 어머니에게 화를 내는 것에 대해 죄책감을 느끼는 '감정에 대한 감정'이 생길 수도 있다. 이는 '더 사랑받고 싶다.' 혹은 '나는 사랑받을 자격이 없다.'와 같은 '열망'과 '어머니는 나에 대해 너무 많은 것을 기대한다.' '나는 결코 행복해지지 않을 것이다.'와 같은 '기대' 그리고 '나는 정말 바보같다.' '어머니는 나를 신뢰하지 않는다.'와 같은 '지각'을 형성하는 데 영향을 미친다.

대처방식 [對處方式, coping stances] 개인의 빙산 은유의 구성요소 중 하나로 긴장의 상황에서 반응하는 유형이다. 사티어에 따르면 인간에게 '문제' 자체가 문제되는 것이 아니라, 그에 대해 어떻게 대처하는가가 중요한 문제가 된다고 하였다. 개인이 긴장의 상황에서 적절한 대처를 하는 경우는 자기, 타인, 또는 상황과 조화로운 관계에 있을 때다. 개인의 대처방식은 감정, 기대, 행동, 지각, 열망 등에 영향을 미치는데, 이는 개인의 빙산 은유에 속한 유형 중에서 같은 유형의 사람끼리는 비슷한 형태로 나타난다고 한다. 예를 들어, '회유형'의 사람들은 긴장의 상황에서 자기 자신에게 기대며, 슬픔과 상처의 감정을 느끼는 경향이 있다. 하지만 '비난형'의 사람들은 긴장의 상황에서 다른 사람들에게 기대고 화를 내며 억울한 감정을 느끼는 경향이 있다.

행동 [行動, behavior] 인간의 경험에 대한 심리 내적 경험이 겉으로 드러나서 표현되는 것을 말한다. 사티어의 빙산에 대한 은유가 나타내는 구성요소 중 자기, 열망, 지각, 감정 등의 내적 과정의 결과가 행동으로 표현된다. 사티어는 대부분의 사람들이 겉으로 드러나는 행동만 보는 경향이 있는데, 사실 행동으로 드러나지 않는 내적 과정이 더 많이 있다고 하였다. 따라서 상담자가 내담자의 경험에 대해 더욱 깊게 이해하기 위해서는 내적 과정에 대한 관찰과 탐구가 필요하다고 보았다.

개인적 구성개념
[個人的構成概念, personal construct]

각각의 개인이 지니고 있는 구성개념. 개인적 구성개념이론

켈리(G. Kelly, 1955)는, 개인은 패턴화된 형태 또는 개념(형판, templates)을 통해 세상을 바라본다고 제안하였다. 구성개념이란 사건에 대한 정신적 표상 또는 해석으로서 사건을 지각하고 처리하도록 해 주는 것이다. 어떠한 구성개념도 꼭 맞아 들어가는 사건이란 없고, 사건은 항상 관점에 따라 다르게 보인다. 사람이 사건을 해석하는 데 사용하는 구성개념을 변화시키면 행동도 바뀐다. 켈리는 삶의 모든 사건은 다르게 해석될 수 있다고 믿었기 때문에 구성개념을 중요하다고 보았다. 그는 구성개념들이 양극적이라고 가정하였다. 즉, '정의 대 불의' '친절 대 불친절' '안정 대 변화가능' '융통성 대 독단' '온정 대 냉담'처럼 하나의 구성개념은 한 쌍의 반대되는 특성으로 이루어진다고 본 것이다. 또한 구체적인 구성개념은 개인별로 독특한 것이어서 켈리는 개인적 구성개념이라고 불렀다. 그러나 구성개념을 기술하기 위해 우리가 사용하고 있는 명칭은 독특하지 않다. 예를 들어, 실제로 모든 사람은 영리하다거나 둔하다는 말을 사용할 때가 있다. 그러나 그런 말에 대한 의미는 개인마다 다르다. 언어적 명칭은 구성개념이 아니며, 단순히 구성개념을 나타내기 위한 상징일 뿐이다. 동일한 말로 표현되는 2개의 구성개념이 반드시 동일한 의미를 가질 필요는 없다. 따라서 개인적 구성개념을 이해하기 위해서는 개인이 자신의 경험을 해석하기 위해서 이러한 구성개념을 어떻게 사용하고 있는지 살펴보아야 한다. 구성개념은 사건을 이해하거나 해석하기 위해 사용한다. 어떤 사건을 해석하는 데 개인은 사건에 대해 무언가를 예측하기 위해 구성개념을 근거로 가설을 설정한다. 그런 다음 이 개인은 구성개념이 지시하는 것처럼 행동함으로써 가설을 검증한다. 구성개념의 타당성은 사건에 대한 예측 성공,

즉 구성개념의 예측효율성으로 측정할 수 있다. 사람들은 사건을 잘 예측하는 구성개념은 유지하고, 사건을 정확하게 예측하는 데 실패한 구성개념은 버리거나 바꿔 버린다. 이처럼 켈리는 사건을 해석하는 데 사용되는 정신적 표상, 즉 구성개념이 개인마다 독특하며, 개인의 구성개념체계가 고유하다는 뜻에서 개인적 구성개념이라고 불렀다.

관련어 개인적 구성개념이론, 공통성 추론, 구성개념, 구성 추론

개인적 구성개념이론
[個人的構成槪念理論, personal construct theory]

켈리(G. Kelly)가 객관적 진실이나 절대적 진리란 존재하지 않으며, 세계는 자신이 해석하는 방식으로 존재하기 때문에 세상에 대한 많은 구성적 대안 중에서 어떤 것을 선택하는가에 따라 세계가 달라진다고 하는 구성적 대안주의라 불리는 철학적 견해에 뿌리를 두고 발전시킨 하나의 성격이론이자 상담이론. 개인적 구성개념이론

켈리는 처음으로 성격의 가장 두드러진 특성으로 인간 존재의 인지적인 측면을 강조한 성격학자이자 심리치료사다. 켈리의 심리학은 개인이 사건에 대해 어떻게 구성개념을 하는가에 초점을 두고 있기 때문에 그의 이론을 개인적 구성개념이론이라고 부른다. 그는 사건에 대해 구성개념을 하는 인간의 심리적 과정은 개인마다 차이가 있으며, 부적응 집단이 경험하는 심리적 장애는 일반적으로 효과가 없음에도 불구하고 반복해서 사용하는 개인적 구성개념 때문이라고 보고, 구성개념의 변화로 부적응 행동은 치료될 수 있으며 성격의 변화를 초래할 수 있다고 강조하였다. 그런 이유로 임상적 경험을 통하여 이 접근법의 효과를 실증적으로 입증하고 있다. 즉, 개인적 구성개념이론은 구성개념(construct)이라고 하는 개념으로 인간의 정상적 심리과정과 왜곡된 심리과정, 다시 말해 정신병리를 설명하는 상담과 심리치료 분야의 이론이다. 켈리는 대표적 저서인 『The psychology of personal constructs』(1955)에서 자신의 철학적 가정(假定)을 분명하게 밝히고 있다. '구성적 대안주의(constructive alternativism)'와 '과학자로서의 인간(people as scientists)'이 그것이다. 그는 이 두 가지 철학적 가정에 기초하여 자신의 개인적 구성개념이론을 구축하고 있다. 구성적 대안주의란 인간에게는 자신의 세계를 구성할 다수의 유용한 대안이 있다는 생각, 즉 개인은 다양한 혹은 다수의 선택에 의해 직면하게 되며 이 선택으로 자신의 세계를 구성한다는 철학적 신념이다. 세계에 대한 인간의 현재의 해석은 항상 수정되고 대체되기 쉬우므로 상담자 혹은 심리치료사의 과업은 적절하거나 혹은 건전한 새로운 해석을 수립하도록 바람직하지 못한 낡은 해석을 변화시키거나 뿌리뽑는 것을 도와주는 것이라는 주장이 구성적 대안주의의 밑바탕에 깔려 있는 이론이다. 켈리는 모든 사람이 글자 그대로 직업적 또는 전문적 과학자라고 말할 수는 없지만 과학자와 같은 측면을 가지고 있다는 점에서 모든 인간을 과학자라고 말하였다. 즉, 모든 사람은 과학세계에 참여하고 있는 학자와 마찬가지로 가설을 세우고 그 가설의 타당성 여부를 검증해 나가고 있으며, 이 같은 점에서 과학자들이 학술적 가설을 수립하고 실험을 통해 검증하는 것과 같은 심리적 과정을 따르게 된다는 것이다. 요컨대, '과학자로서의 인간'이라는 입장은 과학자가 사실을 기술, 설명, 예측, 통제하는 과정에서 가설을 설정하고 실험을 하는 것처럼 인간이라면 모두가 사실에 대한 구성개념을 가지고 있고, 이 구성개념을 가지고 어떤 사건을 예견하고 통제한다는 것이다. 이처럼 '구성적 대안주의'와 '과학자로서의 인간'이라는 철학적 입장에 근거한 개인적 구성개념이론은 한 사람의 과정은 그가 사건을 예기(豫期)하는 방식에 따라 심리적으로 결정된다는 기본 공리(fundamental postulate)에서 출발하며, 상담과 심리치료는 비효과적인 구성개념을 적절한 것으로, 위협적인 구성개념을 양립할 수 있는 것으로 대체

하는 재구성개념(再構念)의 과정이라고 보았다. 켈리는 구성개념체계의 변화를 촉진할 수 있는 독특한 전략을 발전시켰는데, 바로 내담자의 구성개념을 변화시키기 위해 구체적 역할을 시행하도록 하는 것이다. 개인적 구성개념이론에서는 사고와 행위가 밀접하게 관련되어 있을 뿐만 아니라 역할의 변화는 구성개념의 변화를 초래할 수 있다고 간주한다. 이러한 역할시연을 넘어서 집중적이고 좀 더 장기적인 역할시연으로 구성개념체계를 변화시키려는 것이 고정역할치료(fixed-role therapy)다. 고정역할치료는 생활장면에서 구체적으로 고정된 특정 인물의 역할시연을 통해 심리적 문제를 해결하려는 접근방법으로 자기 성격 묘사, 고정역할 묘사, 고정역할 시연의 순으로 행해진다.

관련어 | 개인적 구성개념, 고정역할치료, 구성개념, 구성적 대안주의, 극

개인적 이정표
[個人的里程標, personal sign]

내담자의 관계경험과 자기개념(sense of self) 속으로 들어가는 창구가 되는 한 배우자의 잊지 못하거나 해결하지 못한 이야기. 정서중심부부치료

한 배우자가 잊지 못하거나 해결하지 못한 경험의 이야기는 부부의 상호작용 속에서 지속적으로 반복되거나 강조되지만 그 의미를 정확하게 알지 못한 채 부정적인 정서를 불러일으키는 경우가 많다. 정서중심치료자는 부부의 상호작용에서 나타나는 이정표에 관심을 가지고 탐색하면 반복적으로 순환되는 부정적 상호작용의 고리를 파악할 수 있으며, 부부 또한 자신들의 지속적인 상호작용의 고리를 인식하는 계기가 된다. 예를 들어, 남편이 육아에 적극적으로 동참하지 않는다고 반복적으로 강한 불만을 표시하는 아내의 이야기를 부부가 아직 해결하지 못한 문제인 개인적 이정표로 삼을 때, 상담자는 그 경험과 관련된 일차적 · 이차적 정서를 명확히 하고 그 정서들이 부부 각자에게 어떤 의미가 있는지를 탐색한다. 또한 그 과정에서 나타나는 부부의 반복적인 상호작용 패턴을 관찰한다.

관련어 | 이차적 정서, 일차적 정서

개인적 치료 카타르시스
[個人的治療 -, personal therapeutic catharsis]

사이코드라마에서 주인공 역할을 맡은 연기자를 통해 나타나는 치료적 효과. 사이코드라마

모레노(Moreno)가 사이코드라마의 목표로 삼은 것인데, 당시 극장계에서는 혁명적인 견해로 간주되었다. 그때는 관객이 극중 주인공과 동일시함으로써 초래되는 미적 카타르시스(aesthetic catharsis)를 중요시했지만, 모레노는 자발적 연기자(spontaneous actor)에 초점을 맞추어 개인적 치료 카타르시스를 주장했던 것이다. 모레노는 연기자에게 드라마 작가가 쓴 각본대로 연기하는 주인공이 아니라, 자신의 이야기의 주인공이 될 것을 당부하였다. 주인공의 자기 심정을 담은 드라마를 볼 때, 관객들은 주인공이 실제로 느끼는 것을 집단 안에서 관찰하고, 주인공에 의해 표출된 것이 바로 자신의 진짜 두려움과 눈물, 웃음과 기쁨이다. 개인적 치유 카타르시스는 바로 그러한 효과를 말하는 것이다.

관련어 | 사이코드라마, 주인공, 카타르시스의 원리

개인적인 책임
[個人 - 責任, personal responsibility]

인간 자신의 삶에 대한 웰빙과 스스로의 선택에 대한 책임. 생애기술치료

인간이 개인적인 책임감을 가지고 있다는 것은

삶에서의 행복과 성취를 극대화하는 선택을 하고 있다는 뜻이다. 개인 책임이라는 의미는 물론 일반적으로 생각하는 다른 사람들에 대한, 그리고 평범한 자신의 삶을 위한 책임이라는 뜻이 있지만, 다른 사람들의 잘못이나 자신의 잘못에 집중하는 것을 의미하지는 않는다. 하지만 여기서의 개인적인 책임이란 자신의 삶을 얼마나 효과적으로 살아가고 있는 사람인가에 집중하고, 자신을 위한 삶의 기본 태도를 습득하여 훈련하는 것을 의미한다. 생애기술치료에서는 보다 효과적인 삶을 위한 선택을 하고, 그에 대한 책임을 지는 것뿐만 아니라 선택의 질에 대해서도 강조하고 있다. 왜냐하면 효과적인 삶을 위한 기술이 연약하다는 의미는 그러한 삶을 위한 여러 가지 선택을 하고 책임지는 초기 능력이 부족하다는 의미이고, 이러한 빈약한 능력은 좋지 않은 관계기술의 습관을 만들기 때문이다. 개인적인 책임은 인간관계 기술과 같이 훈련을 통하여 습득할 수 있다.

관련어 | 인간관계 기술

개인주의
[個人主義, individualism]

개인의 권리와 자유가 국가나 사회의 공동선이나 이익보다 우선한다는 입장. 철학상담

개인주의는 개인을 국가나 사회의 구성요소로 파악하여 이들에 예속되어야 한다고 본 전근대적인 유기체적 국가관과 사회관을 비판하고, 개인 그 자체의 존엄성을 강조하여 개인들이 모여 국가와 사회를 구성한다는 원자론적 국가관이나 사회관으로 이동하면서 확립되었다. 따라서 개인주의는 근대 자유주의와 밀접하게 관련된다. 개인주의는 개인을 폴리스에 예속되어야 한다고 본 고대의 국가관이나 사회관, 나아가 중세의 교회 중심 체제 아래서 개인을 그 속에 예속시킨 흐름들 전반에 대한 거부에서 시작되었다. 그런 의미에서 중세의 교회체제에 개인을 구속시킨 가톨릭의 보편주의에 비판을 제기한 근대 프로테스탄티즘의 종교개혁 운동과도 관련되며, 누구나 노력하면 자신의 것이 될 수 있다는 근대의 노동가치설과도 밀접하게 관련된다. 인간 개개인의 자유와 권리를 중시한 자유주의 전통은 당연히 개인주의를 표방하지 않을 수 없다. 이러한 입장이 강화되면서 국가는 개인의 자유와 재산을 보존해 주는 소극적 기능만 담당하는 수단적 가치에 머물렀다. 이른바 근대 사회계약론에 입각한 최소 정부론의 출현과정도 바로 개인주의의 확립과 연관되어 있다. 맥락은 다르지만, 더 이상 외부의 강제된 법칙에 지배당하지 않고 오로지 자신이 세운 법칙을 스스로 지키며 사는 자율적 인간을 그린 칸트의 인간관 역시 개인주의의 특징을 강하게 보여 준다. 그러나 개인주의가 이기주의와 혼돈되어서는 안 된다. 개인주의는 비합리적인 방식을 통해서라도 자신의 이익을 추구해야 한다고 보지는 않는다. 자신의 권리와 자유를 공동체 구성원의 합리적 판단과 결정에 입각해서 추구하며, 따라서 공동체주의와 무조건 대립하는 것은 아니다. 전통적 관습과 제도에 입각하여 부당하게 개인을 억압할 수 있는 모든 것들에 대해서 비판적 거리를 유지하고자 하는 자유주의는 이 개인주의가 여전히 중요하다고 주장한다. 그러나 다른 한편으로, 개인주의는 타자를 위한 희생정신, 타자에 대한 공감의식이 약하다는 면에서 인간사회의 연대성이 지니는 장점을 배제할 위험이 있다는 지적을 받기도 한다. 특히 우리 사회에서는 개인주의가 비도덕적이고, 비사회적이며, 그래서 이기적이라는 비판까지 받는 경향이 있다. 하지만 우리 사회가 지나치게 의리 지향적이고 연고주의에 기반을 두고 있다는 점을 감안하면, 합리적 개인주의의 발전이 이루어져야 하는 사회라고 할 수 있다.

개인특질
[個人特質, individual trait]

개인이 가지고 있는 고유한 반응 경향성. 성격심리

개인마다 독특한 방법으로 작용하는 것으로서, 개인의 독특한 성격구조를 이루는 요소가 된다. 올포트(G. Allport)가 제안한 성격 특질 유형 중 하나이며, 개인특질에 대한 연구는 개인차 연구로 성격연구의 근간이 된다. 개인특질은 사례사, 전기, 일기, 편지 등 개인적 기록을 분석하여 확인할 수 있다. 개인특질은 주특질(cardinal trait), 중심특질(central trait), 2차특질(secondary trait)로 구성되어 있다.

관련어 | 공통특질, 특질

주특질 [主特質, cardinal trait] 개인특질의 하위유형으로서 개인의 모든 생활에 영향을 미치며 매우 지배적이고 강렬한 반응 경향성을 말한다. 때로는 '지배적 열정' '감정의 지배자'라 칭하기도 하는 이 특질은 매우 소수의 사람만이 지니고 있으며 대부분 역사적 인물이나 가공적 인물의 성격에 대한 묘사에 주로 사용된다. 예를 들어, 절대 권력주의자 히틀러, 구두쇠 스크루지, 평화주의자 슈바이처 등이 있으며, 그들의 삶은 주특질의 영향을 크게 받았다.

중심특질 [中心特質, central trait] 개인특질의 하위유형으로서 개인의 사고, 행동의 상당한 범위에 걸쳐 나타나는 반응 경향성을 말한다. 중심특질은 주특질에 비해 덜 일반적이고 덜 지배적이지만 다른 사람과 구별하여 그 사람을 묘사할 때 주로 사용된다. 이와 관련된 두드러진 특질에는 5~10개 정도가 있는데, 예를 들어 '친절한' '활달한' '개방적인' '정직한' '주의 깊은' '사교적인' '쾌활한' '공격적인' 등의 단어를 들 수 있다.

2차특질 [二次特質, secondary trait] 개인특질의 하위유형으로서 가장 적게 개인의 행동에 영향을 미치고 덜 일반적이면서 덜 일관적인 반응 경향성을 말한다. 2차특질은 좀처럼 드러나지 않고 약하기 때문에 가족이나 가까이 지내는 동료나 가장 친한 친구만 알아차릴 수 있다. 예를 들어, 어떤 사람이 직장에서는 부지런하지만 집에서는 게으른 것, 음식에 대한 특별한 기호, 지배적이면서 복종적인 면이 있는 경우 등이다.

개인특질적 동작
[個人特質的動作, idiosyncratic movement]

다른 사람의 동작패턴과 다르고, 진정한 개인 성격의 그림자(어둡고 알려지지 않은 미지의 개인 성격 부분)에서 나오는 개인적이고 독특하고 매우 복잡한, 그러면서도 강력한 표현의 움직임. 무용동작치료

개인의 무의식차원에서 나오는 동작으로, 융학파 무용치료자들은 그림자 동작이라고도 부른다. 이 동작은 과거 어린 시절에 경험했던 정서패턴과 함께 습득된 신체동작인데, 어느 누구와도 같지 않은 독특하고 유일한 동작패턴이다. 개인특질적 동작패턴은 개인의 일상생활에서 유사한 정서패턴이 경험될 때마다 무의식적으로 신체동작의 패턴을 되풀이하면서 형성된다. 따라서 무의식적 패턴의 정서와 신체동작을 자각(알아차림)하는 일이 심리치료 및 무용동작치료에서 중요하다. 이 용어는 아들러(J. Adler)가 1972년 자신의 논문 「Integrity of body and psyche: some notes on work in process」에서 언급한 것을 초도로(Chodorow)가 동작의 정신적 원천 중 개인무의식차원에서 나오는 동작의 특성을 이야기하며 재조명하였다. 아들러는 자신의 내담자인 헤더(Heather)의 사례연구를 통해 개인특질적 동작이 전개되는 과정을 다음과 같이 설명하였다. 첫 번째는 주어진 즉시적 상황에서 비판이나 평가를 하지 않는 자발적인 동작표현인 진정한 움직임이 나오기를 탐색하는 단계다. 두 번째는 동작의 의

미는 의식할 수 없으나, 진정한 동작을 자유롭게 즐기는 단계다. 세 번째는 내담자 헤더의 9~12세 시기에 울화의 정서와 조건화되었던, 그러나 의식의 기억에는 전혀 없고 그 내담자의 몸이 기억하고 있는 고유한 개인특질적 동작(이 경우 옆으로 누운 채 한 다리를 뻗쳐 들었다가 굽히고 다른 다리 앞으로 놓으면서 바닥을 밀어제치는 동작)을 형성하는 패턴의 인식단계다. 네 번째는 직면할 수 있도록 개인특질적인 동작을 반복하기 및 과장하기(헤더의 경우 직면의 감정은 울화 이면의 분노였음)를 행하는 주제 초점의 단계다. 다섯 번째는 개인특질적 동작에서 벗어나기, 해소 및 변화시키기를 통해 안도감, 경이로움, 명료성 등의 긍정적 감정과 자기 사랑 등의 감정들을 체화하는 해결단계다.

관련어 | 개인무의식

개인화
[個人化, personalization]

자신과 아무 관련이 없는 외적 사건도 자신과 연관시키려는 경향. 인지행동치료

거의 혹은 전혀 근거가 없는 경우에도 외적 사건과 자신을 연관시키는 것이다. 스스로 부정적인 사건에 대해 과도한 책임이나 비난을 감수하는데, 이 같은 개인화라는 인지왜곡은 치료와 상담자에 대한 내담자의 태도에도 영향을 미친다. 디스카운트, 즉 평가절하라는 인지왜곡을 자주 하는 내담자는 치료가 성공적이어도 치료적 이득을 내면화하는 데 어려움을 느끼기 쉽다. 예를 들어, 한 아동이 손을 들었는데 선생님이 자신을 부르지 않으면 선생님이 자신을 무가치한 사람이라고 여겼거나 지겹게 생각했기 때문이라고 결론짓는 것이다. 또 다른 예로, 성공적이었던 사업이 경제침체 때문에 재정문제에 부딪혀 직원들의 해고가 불가피한 상황이다. 이러한 재정적 위기가 온 데는 여러 요인이 있음에도 불구하고 회사 간부 중 한 사람이 '모두 내 잘못이야. 이렇게 될 것을 예상하고 조치를 해야만 했어. 나는 회사에 도움이 안 돼.'라고 생각하는 것이다.

객관적 불안
[客觀的不安, objective anxiety]

객관적이고 타당한 원인에 의해 느껴지는 불안. 정신분석학

불안의 한 유형이며, 현실적 불안이라고도 부른다. 외부환경에 놓여 있는 현실적 근거가 있는 원인에서 유발한 것으로서, 객관적이고 타당한 불안이다.

관련어 | 불안, 현실적 불안

객관형 검사
[客觀型檢査, objective test]

채점자의 개인적 견해나 판단이 배제된 점수를 도출해 내는 검사. 심리검사

자기보고형 검사와 지필 검사가 대표적인 객관형 검사는 실시가 간편하고 시행과 채점, 해석의 간편성 때문에 임상가들이 선호하는 경향이 있다. 또한 검사에 따라 차이가 있지만 시행시간이 비교적 짧다는 장점도 있다. 객관형 검사는 신뢰도와 타당도가 높은데, 투사적 검사에 비해 검사제작 과정에서 신뢰도와 타당도 검증이 이루어지고 신뢰도와 타당도가 충분한 검사가 표준화되기 때문이다. 또한 투사적 검사보다 검사자 변인이나 검사상황 변인에 따른 영향을 적게 받고 개인 간 비교가 객관적으로 제시될 수 있으므로 객관성이 보장된다. 객관형 검사는 대부분 선다형 문항으로 구성되어 있다. 대표적인 객관형 검사에는 미네소타 다면적 인성검사 2(MMPI-2), 마이어스-브리그스 성격유형검사(MBTI), 에드워드 성격선호도검사(EPPS) 등이 있다.

갱 에이지
[－, gang age]

또래 집단형성에 관심과 행동이 집중되는 8~13세경의 연령층. 아동청소년상담

도당시대(徒黨時代)라고도 부르는 갱 에이지는 초등학교 후반기 동성(同性)의 아동이 응집성이 강한 또래집단을 만들어 활발한 활동을 전개하는 연령층을 말한다. 초등학교 중간 정도 학년의 아이들을 정점으로 하여 남자가 많고 인원수는 5~6명이 보통인데, 서로 매우 긴밀한 사이가 되어 항상 행동을 같이하고 서로 감싸 주며, 때로는 비밀인 공동 재산이나 집합장소가 있고 은어를 쓰기도 한다. 자발적인 놀이모임으로, 텔레비전이나 만화의 영향을 받아 탐정흉내놀이 등 자유로운 놀이를 중심으로 한다. 때로는 물건을 사는 체하고 훔치는 등의 비행으로 일탈하는 경우도 있는데, 이는 어른들에게 부정적인 평가를 받는 요소가 된다. 예를 들면, 학교교육은 전통적으로 이 같은 사적이고 '불량한' 활동을 '건전한' 공적 활동으로 바꾸는 목표를 가지고 있다. 그러나 갱은 소년기에 부모로부터의 심리적인 자립을 표현하는 집단이다. 폐쇄적 · 배타적인 집단으로 자신들만 통용되는 규칙이 있다. 장난이 심한 연령이기 때문에 불건전한 방향으로 나아갈 위험성도 크다. 그래서 나쁜 이미지를 갖는 갱(gang)으로도 통한다. 학대, 교내폭력, 집단절도 등의 온상이 될 수도 있기 때문에 주의가 필요하다. 대개 보스나 리더가 있으며 명령을 하거나 공격으로부터 감싸주기도 한다. 이렇게 하여 동료의 우정과 약속이 단단해지고 충성심이 높아진다. 갱의 규칙위반에 대한 처벌로 가장 무거운 것은 동료로부터 추방이다. 부모나 교사의 지도보다 동료가 더 큰 영향력을 미치는 이 집단에서는 갱 놀이를 통하여 이른바 사회생활의 규칙을 배운다. 갱의 활동은 문화의 영향을 크게 받는다.

관련어 반항기

갱년기 장애
[更年期障碍, climacterium]

45~50세 사이의 폐경기 전후에 자율기능의 감퇴로 나타나는 신체적 증상. 이상심리

주로 여성에게 나타나며, 증상은 열감, 얼굴과 몸이 붉어짐, 따끔거리는 느낌, 발한, 신경과민, 혈액순환이 잘 안 되어 몸이 냉함, 현기증, 두근거림, 두통, 불면, 요통, 어깨결림, 복통 등을 들 수 있다. 원인으로는 신체적 요인과 심리적 요인을 들 수 있다. 신체적 요인에는 노화로 인한 성 생식기의 난소기능 이상 및 내분비계 전체의 혼란, 자율신경계의 실조 등이 있다. 심리적 요인에는 신체적 쇠약과 자녀와의 이별 등으로 생기는 정신적 갈등이 있다.

갱생보호공단
[更生保護公團, rehabilitation aid society]

교정시설 등에서 출소한 사람의 자활, 독립을 위한 경제적 기반을 조성하여 재범을 방지하는 목적으로 설립한 대검찰청 산하의 공단. 교정상담

「갱생보호법」이라는 법률에 의거하여 법무부 장관의 허가를 받아 보호사업을 하는 민간시설을 뜻한다. 이 시설은 1995년 1월 4일 이후 「보호관찰 등에 관한 법률」에 따라 한국갱생보호공단으로 탄생하였다. 이곳에서는 보호관찰 중인 사람, 징역 · 금고형의 집행유예자, 가석방자, 소년원의 가퇴원자 가운데 친족으로부터 원조를 받을 수 없거나 돌아갈 곳이 없어 보호가 필요한 사람들을 숙박과 식사를 제공하면서 취직을 돕거나 상담하는 등 갱생에 도움을 주는 사업을 시행하고 있다. 보호의 종류로는 직접보호(수용보호), 귀주보호, 직업 · 훈련 보호, 생업 조성금 지급 등이 있다. 전국적으로 남녀, 성인, 청소년을 대상으로 하는 시설이 있으며, 직접적인 보호활동 외에도 이러한 사업을 수행하는 단체가 있다.

갱생보호상담
[更生保護相談, rehabilitation counseling for offenders]

출소자의 재범위험을 방지하고 자활독립의 경제적 기반을 조성하여 사회를 보호하고 개인 및 공공의 복리를 증진하기 위해 시행하는 상담. 교정상담

범죄를 저지르거나 비행이 있었던 자의 갱생을 실사회 속에서 원조하는 행정상 조치를 달성하기 위해, 특히 갱생보호의 주축이라고 할 수 있는 보호관찰을 중심으로 행해지는 상담의 실천을 의미한다. 통상 보호관찰관, 보호사 등과 대상자 간에 진행되고 있다. 일반 상담과 다른 점은 갱생보호가 형사정책의 기초에 입각해 있기 때문에 상담자가 대상자로서 불이익한 강제적 조치 등 권력적 면을 담당하고 있다는 점이다. 그 때문에 상담자는 관계 형성에 세심한 주의를 기울이고 이중역할을 자기 내에서 통합하는 것이 필요하다. 갱생보호상담은 내담자중심 요법과 교류분석(TA) 등을 기초로 체계화가 도모되어 보급되고 있지만, 앞으로는 대상자의 다양화에 대응하기 위해 폭넓은 각종 접근법에 따른 실천연구가 필요하다고 보고 있다.

관련어 | 교정상담

거기-존재
[-存在, being-there]

실존에 대한 현상주의 관점에서 개인이 매일매일 살아가는 세상 속에 존재한다는 자각(알아차림) 이전에 이미 세상은 존재하였고, 인간은 그 속으로 던져진 존재라고 인간 존재를 규정하는 것. 무용동작치료

거기-존재는 하이데거의 현존재 연구에서 통찰한 인간 실존에 대한 규명으로, 나의 존재는 '여기 그리고 지금' 나 자신이 동일시하고 자각하는 '나'가 아니라, 과거 내가 선택할 수 없었던 낯선 장소와 사람들과 함께 있는 존재라고 규정하였다. 예를 들면, 우리는 특정 역사적 · 문화적 시기에서 우리가 스스로 선택하지 않은 성, 계급, 인종 등 이미 주어진 세상에 살고 있음을 발견한다. 따라서 거기-존재에 뒤따르는 현존재에 대한 이해의 어려움, 무의미성 및 허무성(nothingness)을 직면하고 진정한 존재를 자각하기 위해 개인으로서 내 존재의 선택과 책임의 문제를 부각시킨다. 현상주의 연구에서는 하이데거의 연구와 함께하여 이 세상 속에서 나의 존재는 타인과 함께하는 세상에 던져진 존재이기 때문에, 전통적이고 초월적으로 형성된 관념주의가 궁극적으로 자신의 존재라고 규정하는 것은 자아독존설(solipsism)이라고 비판하였다.

관련어 | 그들-자기

거대자신감
[巨大自信感, grandiosity]

자신을 실제보다 위대하고 소중한 존재로 생각하는 것. 게슈탈트

인간의 마음속에는 자기 자신도 잘 모르고 다른 사람들에게는 더욱 드러내 보이지 않지만 자신을 실제보다 위대하고 소중한 존재로 생각하는 '거대자신감'이 존재한다. 그리고 이러한 '거대자신감'의 풍선이 터졌을 때 닥칠 수 있는 갑작스러운 추락을 어떻게 해서든 방어하려는 마음이 있다.

거래 스탬프
[去來-, trading stamp]

교류분석

⇨ '스탬프' 참조.

거래적 상호작용모형
[去來的相互作用模型, transactional model]

유전과 환경의 상호작용을 강조하는 인간발달의 기저를 설명하는 모형의 하나. 발달심리

이 모형은 유전적 요인이 환경에 영향을 미치고 영향을 받은 환경은 다시 유전적 요인의 발달에 영향을 미친다는 것을 강조한다. 즉, 활동적이고 적극적인 특성을 지니고 태어난 아동은 소극적인 기질의 아동보다 부모나 환경에 대하여 더 많이 적극적으로 행동하고 대처하여 더 많은 바람직한 자극이나 반응을 이끌어 낸다. 이 같은 과정을 통하여 적극적인 아동은 더욱더 적극적이고 활동적인 특성을 형성하게 되는데, 유전적 요인의 차이는 동일한 환경에 대하여 다르게 작용하여 환경을 변화시키고 다시 환경의 변화는 유전적 요인의 변화와 발달에 영향을 미친다. 이와 같이 유전적 요인과 환경적 요인을 분리하여 인간발달을 설명할 수 없으며, 유전과 환경의 끊임없는 거래적 상호작용으로 인간의 성장과 발달에 미치는 영향을 설명하는 이론 모형이다.

관련어 | 반응의 범위 모형, 수로화 모형

거리두기
[距離-, distancing]

개인이 자신과 문제, 감정과 사고, 현실과 이상 등의 사이에 거리를 유지하여 바라보는 현상. 미술치료

독일의 극작가 브레히트(Brecht)가 『연극론(Schriften zum Theater)』(1967)에서 카타르시스라는 희극의 효과를 설명하기 위하여 제시한 개념으로, 미술작품에서 통찰을 얻고자 할 때도 동일하게 적용된다. 심리치료에서 거리두기가 중요한 경우는 감정적으로 압도될 위험이 있을 때다. 예를 들어, 정신적 외상을 경험한 내담자는 자기 이야기를 하는 가운데 자신의 생각이나 기분에 휩싸이기도 하고, 자신이 이야기한 내용에 휘둘리기도 한다. 이러한 상태에서 마음은 조절이 불가능하여 대수롭지 않은 일에 지나치게 집착하면서 두려워하거나 우울해진다. 따라서 적절한 거리를 유지하면서 자신을 돌아보는 것이 매우 중요한데, 미술활동을 통하여 거리두기를 실시할 수 있다. 미술작품은 개인적 삶의 작은 모형으로서, 자신의 느낌을 솔직하고 진실하게 표현한 작품은 그 사람의 삶이 반영되어 외상적인 이미지와 관련된 강력한 정서로부터 거리를 유지할 수 있게 해 준다(Howard, 1990). 거리를 유지함으로써 내담자는 무의식적 감정과 생각을 다른 생각과 연결하여 자신을 객관화해 볼 수 있는 계기를 만든다. 이렇게 내담자가 속한 현실이 심리적 현실임을 고려할 때, 심리적 현실은 두 가지 차원에서 거리두기가 가능하다. 하나는 공간적 차원이고, 다른 하나는 시간적 차원이다. 공간적 차원에서의 거리두기는 의식과 무의식, 의도와 의도하지 않음을 넘나들 수 있다. 마치 풍경을 바라볼 때 형상과 배경, 조화와 부조화, 질서와 무질서를 볼 수 있는 것처럼, 미술작품에 담긴 내담자의 삶의 이야기들을 그러한 차원에서 바라볼 수 있다. 시간적 차원에서의 거리두기는 치료과정에서의 내력을 볼 수 있게 한다. 내담자는 치료과정에서 자신의 작품을 통하여 자신의 변화과정을 확인할 수 있다. 이를테면 그림을 통하여 내담자는 자신의 방어조차도 그것이 의도적이었다면, 그 방어가 어떻게 변화하고 있는지 바라볼 수 있다. 이와 같은 시간적 차원에 걸쳐 자신의 여러 모습을 동시에 볼 수 있다는 것은 미술치료만의 독특한 장점이라고 할 수 있다. 한편, 칙센트미하이(Csikszentmihalyi)는 창조적 활동과 관련하여 다음의 세 가지 형태의 거리두기를 제안하였다. 첫째, 창조적 과정(creative process)이 본격적인 궤도에 오르기 전에 통과해야 하는 단계로서의 거리두기다. 이 단계의 거리두기는 창조적 활동에 대한 통찰의 전 단계로서 한 걸음 뒤로 물러서서

바라보는 것을 말한다. 둘째, 창조적 과정이 한창 진행되고 있을 때 그 과정이 왜곡된 것으로 변질되지 않도록 의식적으로 행하는 거리두기다. 창조성이 제대로 발휘되어 활동을 하는 동안 의식적인 거리두기를 함으로써 지나친 흥분을 가라앉힌다. 셋째, 창조적 과정을 부단히 수반해야 하는 계기로서의 거리두기다. 이와 같이 몰입과 거리두기의 균형을 이루는 것이 독창적이고 창의적인 활동을 지속적으로 유지하도록 해 준다.

관련어 | 몰입

거부증
[拒否症, negativism]

일종의 공격적인 퇴행형태로 다른 사람의 제안에 대해 강하게 거절하거나 자신이 정말로 하고자 하는 것을 하지 못하도록 억압당할 때 먹거나 말하는 행동에서 협력을 거절하고 명령에 불복종하거나 요구받은 것에 대해 정반대의 행동을 하는 등의 모순된 행동형태를 나타내는 것. 성격심리

자기 스스로 독립적으로 행동하려는 충동을 강하게 느끼기는 하지만 사물을 직시할 수 있는 능력이 채 완성되지 못한 만 2~3세 아동에게서 보편적으로 나타나는 표현방법이다. 이는 4세 이후 사회적 영향 혹은 어른의 명령에 따르는 것이 자신에게 이롭다는 인식을 학습하면서 감퇴하는 경향을 보이다가 10~11세 사이에 두 번째 절정기를 보인다고 알려져 있다. 아동은 자신의 의지와 부모의 의지가 충돌할 때 그들대로의 사상과 행동을 드러내어 보여주는 것인데 부모는 흔히 이것을 고집스러움, 완고함이라고 표현한다. 거부증은 신체적 긴장의 형태를 취하거나 그들에게 주어지는 요구를 이해하면서도 실행하려 들지 않거나 듣지도 이해하지도 못한 듯이 행동하거나 모든 음식을 일체 거부하거나 특정한 음식만을 고집하거나 모든 일상적 행동에 고집을 부리거나 불렀을 때 도망가거나 숨는 등 어른의 요구에 순응하지 않거나 혹은 극단적인 형태로 얼굴이 창백해질 때까지 숨을 쉬지 않거나 오줌을 쌀 때까지 소변을 참거나 일부러 토하거나 음식을 씹지 않고 그냥 삼키는 등 다양한 방식으로 나타난다. 거부증은 다음과 같은 상황에서 악화된다. 첫째, 내담자 생활의 어떤 상황이나 시기에 지나친 보호나 규율을 가할 때, 둘째, 아이들과 어른의 속도에서의 차이를 어른들이 참지 못할 때, 셋째, "뭐 먹을래?"라고 묻고 무엇을 먹겠다고 답하면 "안 돼."라고 하는 경우처럼 실제로는 선택의 자유가 없는 것에 선택권을 줄 때, 넷째, 너무 자주 "안 돼."라고 하는 등의 부당한 간섭이나 요구를 하는 경우처럼 아동이 독립된 하나의 인간이라는 관점에 근거한 어른의 이해가 부족할 때, 따라서 그들의 감정이나 권리를 존중해 주지 않을 때, 다섯째, 아동이 어떤 일을 처리하는 데 지나치게 무관심하게 내버려 두는 경우가 반복될 때, 여섯째, 아동이 수면부족 등의 요인으로 스트레스를 심하게 받고 있을 때다. 거부증은 아동의 증가하는 독립심의 표현으로, 혹은 자기 능력 밖에 있는 어려운 상황에 부딪혔을 때 거의 대부분의 사람에게서 나타나는 것으로 정상적인 발달과정 중의 하나이며 성장이 진행되고 또 부모나 교사가 이들의 발달과정을 이해하고 지혜롭게 지도함으로써 점차 감소하고 바람직한 성격형성으로 나아간다고 볼 수 있다.

거부하는 대상
[拒否-對象, rejecting object]

유아가 어머니가 자신을 거절하는 것으로 인식할 때 어머니를 거부하는 대상으로 내재화하는 것. 대상관계이론

페어베언(W. Fairbairn)의 대상관계이론에서는 대상에 대한 갈망과 대상의 부재에 대한 두려움 사이에서 갈등이 유발된다고 본다. 이러한 불만족스러운 대상을 경험하는 것으로부터 비롯된 갈등을 분열적 상태라고 일컫는데, 분열적 상태에서 아동

은 대상 상실에 대한 불안에 대처하기 위해 대상을 내재화하여 나쁜 대상 부분을 통제하고자 한다. 내재화된 대상은 양가적으로 경험되는데, 아동은 어머니를 좋은 대상과 나쁜 대상으로 나누고, 이 두 요소를 서로 분열시킴으로써 위협받지 않고 의존성의 끈을 유지하고자 한다. 불만족스러운 대상을 흥분시키는 대상과 거부하는 대상으로 나누고 그것들을 억압한다. 거부하는 대상은 내적 파괴자(internal saboteur)로 구조화되어 반리비도적 자아(anti-libidinal ego)와 연합된다.

관련어 | 반리비도적 자아, 수용하는 대상, 흥분시키는 대상

거세 콤플렉스
[去勢-, castration complex]

여아가 자신에게는 남근(男根)이 없음을 깨닫고 느끼는 콤플렉스. 정신분석학

심리성적 발달단계의 남근기는 성기영역이 성적 흥미와 자극 그리고 흥분의 초점이 되는 시기다. 이때 아동에게 남근이 주된 관심이 되는데, 남아와 달리 여아는 자신의 신체부위에서 남근이 없다는 것을 인식하게 된다. 이에 대해 열등감을 느끼고 그 결과 남근선망 현상이 나타난다. 그리고 자신에게 남근을 주지 않은 어머니를 미워하고 남근이 없는 어머니를 경멸하기도 한다. 여아는 자신도 원래 남근을 가지고 있었으나 거세당한 것이라고 여긴다. 프로이트(S. Freud)에 따르면, 여아의 거세 콤플렉스는 출현시기나 해결되는 기제가 남아의 경우와는 다르다. 엘렉트라 콤플렉스는 거세 콤플렉스가 해결되는 과정에서 나타난다. 즉, 여아는 이미 남근이 제거된 자신의 성기를 발견하고 거세 콤플렉스를 느끼는데, 이때 남근을 가진 아버지를 소유함으로써 없어진 남근을 되찾으려고 시도한다. 아버지를 차지하고 있는 어머니와 경쟁의식을 느끼게 되고 이러한 삼각구도 안에서 엘렉트라 콤플렉스가 발생한다. 여아의 거세 콤플렉스는 성장과정에서 서서히 포기되거나 억압당하고, 혹은 초자아발달과 더불어 성인기까지 지속되기도 한다. 프로이트는 여아의 거세 콤플렉스가 세 가지 방향으로 전개된다고 보았다. 첫째, 성 자체를 포기하고 무성(無性)으로 살아간다. 둘째, 남성성에 집착하여 남성다워지려고 한다. 거세 자체를 부정하고 남근을 가지고 있는 남성처럼 살아가는 것이다. 셋째, 여성 성기를 인정하고 여성성을 받아들여 정상적인 여성으로 살아간다.

관련어 | 거세불안, 남근선망, 남근기, 엘렉트라 콤플렉스

거세불안
[去勢不安, castration anxiety]

오이디푸스콤플렉스를 경험하는 남아가 남근(男根)이 잘리게 될지도 모른다는 두려움에서 유발된 불안. 정신분석학

남아는 심리성적 발달단계의 남근기를 거치는 동안 어머니를 소유하려는 욕망을 느끼는데, 아버지를 어머니의 애정에 대한 경쟁자로 의식하므로 아버지에 대해 적대감과 혐오감을 느낀다. 아버지에 대한 극단적인 질투와 경쟁심으로 인해 아버지가 죽기를 바라는 소망을 갖게 되고, 이러한 생각은 죄책감과 보복을 당할지도 모른다는 두려움을 유발한다. 따라서 남아는 아버지가 자신의 성적 욕망의 원천인 남근을 거세해 버릴 것이라는 구체적인 두려움을 느낀다. 남아에게 아버지는 저항할 수 없는 거인이고 자신은 무기력하고 작은 존재로 인식되므로 남아는 아버지에게 항복하고 아버지의 도덕적 가르침을 본받음으로써 보복을 피하려고 한다. 남아는 자신을 안전하게 지키기 위해 성과 공격성에 대한 아버지의 금지를 내사하여 자신의 내면으로 받아들이고, 내적 통제를 유지하기 위해 자신의 강력한 감정을 활용한다. 따라서 아버지는 남아의 일부분이 되고 남아는 아버지와의 동일시로 대리만족을 얻는

다. 이와 동시에 남아는 자신의 실제적인 욕구충족을 위해 가족 이외의 다른 사람에게로 성적 관심을 돌리고, 사회와의 투쟁을 통해 사회적 관습을 수용해 나가는 가운데 초자아가 형성된다. 이렇듯이 거세불안은 동성의 부모를 동일시하는 과정을 거쳐 서서히 극복되며, 이 과정에서 초자아를 형성하여 성격구조가 완성되어 간다. 그러나 남근기에 거세불안이 적절하게 해결되지 않을 경우 성 충동이 다시 활성화되는 사춘기에 이르러 자신의 성에 대한 열등감, 죄의식, 과도한 자위행위, 여성에 대한 공포나 멸시 등의 신경증 증상으로 재현된다.

관련어 | 거세 콤플렉스, 남근기, 오이디푸스콤플렉스

거울 앞에서 글쓰기
[–, writing in front of a mirror]

얼굴 혹은 전신을 직접 볼 수 있는 환경을 조성하여 글을 쓰는 방법. 문학치료(글쓰기치료)

1970년대부터 여러 실험을 통해서 사람들이 거울 앞에 있을 때 비교적 솔직하고, 자신에 대한 인식을 더 잘한다는 것이 밝혀져 왔다. 하지만 거울이 사람에게 어떤 정신적 영향을 미친다는 것은 여전히 모호하다는 입장도 유지되고 있다. 페니베이커(James Pennebaker)는 거울의 영향을 긍정적인 입장에서 보고 거울에 비친 자기 모습을 볼 때 주의집중을 더 잘할 수 있다고 전제하면서, 거울 앞에서 글쓰기라는 글쓰기 치료기법을 제안하였다. 거울 앞에서 글쓰기를 했을 때 정서적으로 더욱 강력한 경험을 했다는 실험결과도 있다. 거울 앞에서 자신을 더욱 솔직하게 바라보는 체험을 통해서 인생의 중요한 문제를 여러 각도에서 진솔하게 탐색하는 기회를 가지는 것이다. 직접 필기도구를 가지고 종이에 쓰든, 컴퓨터를 이용하든, 가능한 한 큰 거울이 있는 장소를 찾는다. 가장 좋은 것은 전신이 비치는 거울이고, 그것이 불가능하면 얼굴이라도 모두 보이는 거울이 좋다. 그조차 준비가 되지 않는다면 손거울이라도 사용한다. 거울에 자신의 모습이 정면으로 비치도록 자세를 잡고 자신의 삶에서 정서적으로 중요한 문제, 그 문제와 자신의 관계 등에 관한 주제를 잡아 글을 쓰기 시작한다. 우선 거울 속에 비친 자신을 본다. 두 눈을 가만히 들여다본 다음 얼굴을 본다. 최대한 자신을 타인처럼 바라본다. 거울에 비친 자신의 모습을 보면서, 자신에게 중요한 문제와 그 문제가 삶에 어떤 영향을 미치는가, 타인과의 관계에 미치는 영향은 어떠한가, 그 문제와 자신은 어떻게 관련되어 있는가 등을 생각하면서 자신이 어떤 사람인가 하는 문제까지 면밀하게 탐색해 본다. 그렇게 거울 속의 자신을 깊이 있게 관찰한 다음 글을 쓴다. 최소 10분간 멈추지 않고 글을 쓰고, 가끔 고개를 들어 거울에 비친 자신을 바라본다. 주의할 점은 자신에게 솔직해야 한다는 것이다. 거울이 미치는 반영의 효과를 통해서 자신을 직접관찰하여 진솔한 표현을 해 봄으로써 깊이 있는 자기탐색이 일어날 수 있다.

거울기법
[–技法, mirror technique]

자신의 모습을 거울에 비추어 보거나 자신의 행위를 비디오로 촬영해서 보듯, 주인공은 장면에서 물러나고 이중자아가 무대 위에서 주인공의 행동방식, 표현방식, 생활방식 등을 그대로 재연하며, 주인공은 관찰자의 입장이 되어 자신과 상황을 객관적으로 판단하는 것. 사이코드라마

보조자아가 주인공이 표현한 역할을 다시 실연하는 동안, 주인공은 뒤에 서서 지켜보는 기법이다. 주인공은 무대 밖 관객의 위치에서 자신을 관찰하고, 보조자아가 주인공의 습관적인 행동패턴을 거울처럼 그대로 보여 준다. 이 기법의 실시 목적은 주인공에게 개인적으로 자신은 참여하지 않으면서 거리를 두고 전체적인 상황을 지켜보도록 하는 데

있다. 즉, 주인공에게 자신을 똑바로 보게 하면서 자신을 치료하도록 하는 것이다. 따라서 이 기법은 주인공이 다른 사람들과 적절하게 반응하지 못하는 상황이나, 공격적인 어조를 사용하거나, 타인과의 이야기에 집중하지 못하는 일상생활의 행동 습관뿐만 아니라 우울증 환자가 자신의 모습이 다른 사람에게 어떻게 인식되는지 모르는 경우 등에 효과적으로 사용할 수 있다.

관련어 | 보조자아, 사이코드라마, 이중자아, 주인공

거울역할
[-役割, mirror role]

유아의 거울반응(mirroring response) 요구에 대해 적절하게 공감해 주는 것. 대상관계이론

코헛(H. Kohut)에 따르면, 유아는 어머니의 호의적인 반응을 통하여 자기가치감을 느끼는데, 이러한 어머니의 거울역할에 따른 대상 경험은 유아의 정상적 발달의 근간이 된다. 유아의 거울반응 요구에 대해 어머니가 적절하게 공감해 주지 못하면, 유아는 존재의 전체성과 자존감을 유지하는 데 어려움을 겪는다. 공감을 얻지 못한 유아는 자기감이 와해되고 완벽해지고자 더욱 결사적으로 노력하며, 자신의 인정욕구를 어머니가 받아 주기를 바라는 의도로 행동하게 된다. 유아는 부모와의 관계를 통하여 '부모에게 반영된 자기'를 경험하고, 이를 통하여 자기인식을 발달시킨다. 거울 되기는 유아의 욕구에 적절하게 효과적으로 반응하는 것을 의미하며, 이로써 유아는 자신의 중요성과 중심성을 확인받는다. 어머니의 거울역할을 통해 유아는 자신을 세상의 중심으로 경험하며, 자신의 욕구를 충족해 주는 주요 타인을 자신의 확장으로 인식한다.

거울자아모형
[-自我模型, looking-glass self model]

거울을 통하여 개인의 역할이나 이미지를 표현하는 틀. 사이코드라마

쿨리(Cooley, 1992)가 제안한 모형으로서, 그는 상징적 상호작용론을 주장한 미드(Mead)와 동시대 인물이며 그의 이론은 미드의 이론과 동일한 입장에서 역할맡기를 자기인식의 기초로 간주한다. 쿨리는 거울이미지를 이용하여 역할맡기 과정을 다음과 같이 설명하였다. 사회환경 안에서 중요한 타인은 개인의 이미지를 비추는 거울이 된다. 따라서 개인은 사회적 상호작용을 통하여 타인에게 반영된 자신을 보고, 그렇게 함으로써 타인의 역할을 취하게 된다. 결국 개인은 타인의 이미지를 통합하며, 타인이 자신을 보듯이 스스로를 볼 수 있을 때 자아에 이를 수 있다는 것이다.

거울전이
[-轉移, mirroring transference]

거울에 비춰 볼 때 자기의 훌륭한 모습을 비춰 주듯이 분석가를 자기를 받아 주고 위로해 주는 대상으로 인식하는 현상. 대상관계이론

코헛(H. Kohut)은 정신과 환자들이 두 가지 특징적인 전이를 나타낸다고 했는데, 그것을 자기애적 전이라고 불렀다. 첫째는 거울전이 혹은 반사전이이며, 둘째는 이상화 전이이다. 코헛(H. Kohut)은 거울전이를 통해 과대자기가 활성화된다고 보았다. 거울전이를 통해 내담자는 유아 시절 어머니가 보여 준 무언의 인정과 마찬가지로 분석가도 자신에게 확신을 주고 정당함을 인정해 주기를 기대한다. 분석가로부터 인정받고 존경받으려는 필사적인 행동을 보이는 내담자들은 거울전이를 나타내고 있는 것이다. 내담자는 어릴 때 어머니에게서 받지 못해 결핍된 자기애적 자기의 반사를 분석가로부터 받고

자 한다. 코헛은 발달과정에서 외상을 경험하는 시기에 따라 거울전이를 세 가지 유형으로 분류하였다. 첫째, '융합형태의 거울전이'는 거울전이 중에서 가장 원초적인 타입으로 분석가는 내담자의 일부로 경험된다. 자신의 몸과 마음을 마음대로 조절할 수 있는 것을 당연하게 여기듯이 융합전이가 나타나는 내담자는 분석가에 대해 완전한 종속을 요구한다. 내담자의 과대자기가 확장되어 분석가를 내담자 자신의 일부로 경험한다. 초기 유아가 전능감을 갖고 어머니를 조절하려고 하듯이, 내담자도 분석가를 자신의 일부로 경험하며 통제하려고 한다. 둘째, '쌍둥이 거울전이'는 융합전이보다 더 성숙한 발달단계에서 외상을 경험했을 경우에 나타난다. 과대자기의 활성화가 융합전이만큼 원초적이지 않은 경우로서 대상은 과대자기와 동일하거나 혹은 유사한 것으로 경험된다. 과대자기는 대상을 어느 정도 분리된 상태로 경험한다. 치료과정에서 쌍둥이 거울전이가 나타날 경우 내담자는 분석가에게 동료의식을 느끼면서 대등한 것을 원하는 욕구를 충족시킨다. 셋째, '협의의 거울전이'는 가장 성숙한 형태의 거울전이로서 후기 발달단계에서 외상을 경험했을 때 나타난다. 내담자는 분석가를 구별된 존재로 인식하지만 분석가가 자신의 과대자기의 욕구에 반응해 줄 때에만 분석가를 중요한 대상으로 경험한다.

관련어 | 이상화 전이

거짓된 영성
[-靈性, false spirituality]

인격의 성장과 변형을 방해하는 정신병리적 특성을 보이는 영적인 수련 및 신념. 초월영성치료

거짓된 영성은 영적인 방어와 공격적인 영성으로 다시 구분되는데, 영적인 방어(spiritual defense)는 실제적이고 구체적이며 감정적인 자기를 표현하지 못하도록 방해하는 신념을 말한다. 예를 들면, 영적 수행자들은 화를 솔직하게 표현하지 않거나 관계 속에서 자신을 내세우지 않을 수 있다. 이는 자신의 감정이나 생각을 표출하는 것은 자신이 믿고 있는 종교적 신념에 위배된다고 믿기 때문에 개방하지 않는 것이다. 따라서 영적인 방어는 자신의 생각, 느낌, 행동 등을 부인하는 피하적인 태도로, 자신의 일부를 부정하는 것에 대해 이론적 근거를 제공하고, 고통을 변형시키기보다는 고통을 지연시키는 특성을 지니고 있다. 공격적 영성(offensive spirituality)은 다른 사람이 자신을 지지하도록 강요하기 위한 수단으로 자기 자신을 영적으로 발달한 사람이라고 주장하는 태도나 가치관을 의미한다. 그러한 행위는 위협당한 자아를 보호하기 위한 자기애적인 기능을 하는데, 이것이 다른 사람들에게는 공격으로 경험되기 때문에 공격적이라고 부르는 것이다.

거짓말척도
[-尺度, lie scale]

검사척도 중에서 성격을 측정할 때 검사의 유용성 여부를 판단하는 것. 심리검사

검사의 유용성을 알아보기 위한 척도다. MMPI 등 질문지에 의한 성격측정 등을 받을 때 피험자는 스스로를 잘 보이고 싶은 마음에서 겉치레의 태도로 검사에 임할 수 있는데, 그러한 경우는 결과를 신뢰할 수가 없다. 이를 대비하여 검사의 질문항목 중 피험자의 겉치레 태도의 정도를 묻는 질문을 준비해 둔다. 예를 들면, '거짓말을 한 적이 있습니까?'와 유사한 질문이 있다. 보통 사람이라면 '예'라고 답하는 비율이 높은 질문임에도 '아니요'로 답하는 사람이 있다면 그의 회답은 허위일 가능성이 있다고 생각하는 것이다. 이러한 질문항목을 거짓말척도 항목이라고 부른다.

거짓자기
[-自己, false self]

자신의 타고난 잠재력을 인정하거나 중요하게 여기지 않고 대상의 요구에만 초점을 맞추어 행동하는 성격적 측면. 대상관계이론

위니캇(D. Winnicott)은 자기의 개념을 참자기와 거짓자기로 구분했는데, 참자기가 존재의 핵심에 고립되어 있을 때 거짓자기가 형성된다. 거짓자기는 자기의 핵심을 위협하는 침범이 있을 때 중심적 자기를 보호하고 숨기기 위해 조직화되는 자기의 한 측면이다. 나쁜 어머니는 유아의 전능성에 대해 적절하게 반응해 주지 못하고 어머니 자신의 몸짓으로 유아의 몸짓을 대체해 버린다. 그 결과 자발적 몸짓이 불가능한 유아는 어머니에 순응하여 어머니의 몸짓을 자신의 것으로 받아들인다. 위니캇은 이러한 순응상태를 거짓자기의 초기단계라고 하였다. 순응적 거짓자기는 유아로 하여금 어머니라고 하는 환경에 순응함으로써 위협을 느끼는 참자기를 숨게 해 주는 중요한 긍정적 기능을 수행한다. 거짓자기는 기능에 따라 다양한 모습을 나타낸다. 먼저, 거짓자기는 건강한 정상인에게서 나타나기도 하지만, 극단적인 경우에는 참자기를 완전히 대체해서 참자기를 철저하게 숨긴다. 극단적인 거짓자기는 완전히 실제 모습을 대신하는데, 유아는 자발성을 상실하고 모방과 순응의 모습만을 나타낸다. 거짓자기로 가득한 성인은 모방적인 삶을 살아갈 수는 있지만, 실제 대인관계처럼 전체 인격을 만나는 상황에 놓이면 근본적으로 결핍된 모습을 드러낸다. 한편 거짓자기가 참자기를 완전히 대체하지 않고 방어만 하는 경우도 있다. 방어로서의 거짓자기 모습은 외면적으로는 거짓자기의 삶을 사는 것처럼 보이지만, 참자기도 잠재적 가능성으로 남아 비밀스러운 삶을 살아간다. 열악한 조건에도 불구하고 자신을 보호하는 목적을 유지하는 것은 거짓자기의 방어기제에 해당된다. 방어로서의 거짓자기가 비교적 건강한 경우에 그 거짓자기는 참자기가 환경의 착취를 당한다고 느낀다. 지속적으로 참자기가 착취당한다고 여기면 거짓자기는 참자기를 보호하기 위해 다양한 방어를 조직하는데, 이러한 방어들이 실패로 끝나면 거짓자기는 참자기를 모욕으로부터 보호하기 위해 자살을 시도한다. 참자기의 붕괴를 막기 위해 전체 자기를 파괴하는 것이다. 또한 거짓자기가 좀 더 건강한 경우에는 성장기 환경 속에서 중요했던 인물과의 동일시로 형성된 거짓자기의 삶을 살아간다. 거짓자기는 감정을 드러내지 않은 채 공손하고 예의 바른 사회적 태도로 나타나기도 한다. 이러한 거짓자기 방어는 잘 승화되어 마치 연기자의 모습으로 살아가는 듯하다. 어떠한 형태이든 거짓자기의 삶을 살아가는 경우 상징을 활용하는 능력과 문화적 경험능력이 빈약해진다.

관련어 | 참자기

건강 지향 음악치료
[健康志向音樂治療, wellness music therapy]

음악을 활용하여 심신의 운동능력, 주의력, 기억력, 정서적 행복과 같은 비음악적인 건강증진 목적을 적극적인 자세로 달성하고자 하는 음악치료. 음악치료

건강이라는 개념을 적극적인 자세로 받아들여 삶의 질을 향상시키고 지속적으로 건강을 유지하기 위해서 다양한 접근법을 사용하는 음악치료를 뜻한다. 건강 지향 음악치료는 개인이 저마다 지니고 있는 서로 다른 요구 및 필요에 따라서 활용하는 음악이 다르다. 내담자의 깊은 슬픔, 만성적 동통, 만성질환, 우울, 스트레스 등의 문제를 다룰 뿐만 아니라 개인의 내면적, 영적 성장을 도모하기도 한다. 건강 지향 음악치료에서는 긍정심리학의 기술과 이와 훈련을 접목시킨 마음챙김(mindfulness) 기법을 활용하여 내담자가 신체적 경험에 대한 감각을 심화시

켜 신체상태 자각을 더욱 면밀히 하고 자신의 삶에 대한 이해도를 높일 수 있도록 도와준다. 또한 비위협적이고 안전한 환경을 조성하여 심리적 필요에 부합하는 기술을 사용함으로써 고통이나 스트레스를 다루면서 내담자가 원래 지니고 있던 인지적 행동 양식을 변화시킬 수 있는 대처기제를 학습하는데 도움을 준다. 여기서는 심상(imagery), 음성 작업(voice-work), 호흡, 이완 등의 기법을 음악과 함께 사용하여 내담자의 대인관계 변화, 부정적 사고방식 변화를 도출하고자 한다. 건강 지향 음악치료사들은 내담자가 심신의 연관성을 잘 인식하여 자신의 무의식적 사고 및 욕구를 파악할 수 있도록 도와줌으로써 긴 인생 속에서 긍정적으로 일어나는 변화를 직접 느낄 수 있도록 한다. 건강 지향 음악치료 프로그램으로는 키르탄과 음악명상집단(Kirtan and Music Meditation Group), 슬픔 들여다보기(Through the Lens of Grief), 여성과 상실모임(Women and Loss Meetup Group) 등이 있다. 이들 프로그램은 요가의 소마비다(Soma Vida)와 함께하는 프로그램으로 내담자가 슬픔과 상실에 관한 심신의 연관성을 더 잘 이해할 수 있도록 한다. 이외에도 건강 지향 음악치료에는 유도된 음성작업과 호흡, 유도된 이완과 심상, 스트레스와 신체처럼 분류하여 프로그램을 진행한다. 현재 건강 지향 음악치료는 미국 텍사스 주 오스틴에 기반을 두고 있다.

건강가정
[健康家庭, health family]

가족의 모든 구성원의 심리 · 정서적 욕구가 충족되고, 구성원 간에 긍정적인 의사소통이 이루어지며, 내부적이고 외부적인 변화에 기능적으로 대처 가능한 가족. 가족치료 일반

건강가족에 대한 연구는 1970년 미국에서 건강가족적 관점(family strength perspective)이라는 개념의 연구에서 시작되었다. 이 시기 가족의 건강성에 대한 연구는 건강한 가족의 구조적인 측면을 강조하기보다는 가족의 다양한 기능이 얼마나 효과적으로 이루어지고 있는가에 초점이 맞추어졌다. 일상적으로 어떤 가족도 크든 작든 문제는 생기지만, 건강한 가족은 그 문제를 극복할 수 있는 강점을 가지고 있다. 특히 가족구성원의 정신적 · 신체적 건강, 혹은 문제에 영향이 있다고 생각되는 가족기능의 차원이 최적 수준으로 기능하고 있다고 할 수 있다. 일반체계이론의 도입 후 가족에 대한 접근방법으로 여러 가지 임상모델이 제시되었지만, 가족기능 차원은 임상실천의 관점에서 기능부전의 상태에 있는 가족의 병리를 중심으로 다루고 있다. 이에 대하여 건강한 가족은 그 차원의 반대편에 있는 것으로 보다 최적으로 기능하고 있는 가족이라고 생각되어 왔다. 그러나 이들 가족기능의 차원은 상당히 중복됨을 알 수 있다. 따라서 심리적으로 건강한 가족과 그렇지 않은 가족의 이론적인 틀을 명확하게 할 목적에서 가족기능의 건강과 병리에 대한 개념이나 이론을 통합한 여러 가지 건강한 가족의 개념모델이 설정되었다. 주된 것으로 비버스 모델(Beavers model), 가족 순환 모델(circumplex model), 맥매스터 모델(McMaster model)이 있다. 비버스 모델은 가족구성원의 자율성, 명확한 경계나 양친 연합 등을 지표로 하여 적응성이 높은 만큼 가족기능의 수준은 높고 최적의 가족을 보인다. 그리고 가족의 구심적 · 원심적 관계의 균형이 좋고 건강한 가족체계로서의 성장과 발달을 높이려고 한다. 이 모델과 비교되는 순환모델은 응집성과 적응성 차원이 과도하게 기능하고 있어서 균형이 잡혀 있는 상태로 가족의 건강도가 높다고 본다. 또 맥매스터 모델에서 건강한 가족은 문제의 소재에 대해 의식하고 단계적으로 그것을 해결할 수 있다. 의사소통은 솔직하면서도 명료하며 역할분담은 합리적이고 책임의 소재가 확실하다. 또 서로 공감적으로 적절한 감정표현이 될 수 있고, 행동은 유연하면서도 잘 통제되어 있다. 요컨대 각 차원이 효과적으로 기능하고 있는 상태를 말한다. 그러나 이들 모델은 미국의

가족에 입각한 것으로 건강한 가족을 생각하는 데에는 문화나 습관, 가족의 생활방식의 다양화 등을 고려해야 한다. 건강한 가족에서는 개개의 가족구성원이 건강하고 가족생활에서의 적응도 좋으며 가족생활주기에 대한 적응에서도 가족이 체계로서 충분히 기능을 수행하고 있다고 할 수 있다. 이 기능에 대한 우리나라에서의 건강한 가족의 연구론은 가족구성원 간의 심리적 거리가 가깝고 통합적이며, 특히 부부의 강한 관계성이나 아버지의 가족에 대한 관여의 중요성, 가족구성원의 상호성, 개별성 명확한 의사소통 등 긍정적인 특징이 최적한 가족기능으로 고려되고 있다. 우리나라의 건강가정에 대한 연구는 1990년대에 들어와서 시작되었다. 건강가정에 대한 다양한 연구 중 유영주(2001)는 기존 연구들을 분석하여 건강한 가족의 공통적인 특성을 아홉 가지로 제시하였다. 이는 가족원에 대한 존중, 가족원 간 유대의식, 정서적 안식처, 긍정적 의사소통, 공유 가치와 목표, 역할 충실, 문제해결 능력, 경제적 안정과 협력, 사회와의 유대다. 건강한 가정에 대한 우리나라 학자들의 공통적인 의견은, 가족 간의 규칙적이고 다양한 상호작용을 통하여 가족의 공동체적 · 정서적 · 도덕적 관계 향상을 도모하는 가족이라는 것이다. 건강한 가정에 대한 우리나라에서의 연구와 관심, 그리고 지원은 2004년 「건강가정기본법」을 제정하면서 좀 더 구체화되었다. 이 법에서는 건강가정을 가족구성원의 욕구가 충족되고 인간다운 삶이 보장되는 가정으로 규정하고 있다. 이러한 건강가족에서 공통적으로 나타나는 특성에 대해 월시(Walsh, 1993)는 다음 열 가지로 분류하여 설명하였다. 첫째, 가족구성원들의 관계의식과 헌신의 정도가 상호 보호와 지지적인 관계에 있다. 둘째, 개인적인 차이, 자율성, 다양한 욕구에 대한 존중, 각 구성원의 성장과 발전을 위한 돌봄이 존재한다. 셋째, 부부관계에서 상호 존중, 지지 그리고 권력과 책임을 평등하게 나누고 있다. 넷째, 자녀의 건강과 보호를 위한 효과적인 부모의 리더십을 가지고 있다. 다섯째, 가족조직이 분명하고 일관되어 있으며, 예측 가능한 상호 유형을 하고 있다. 여섯째, 가족체계의 내외적인 변화에 잘 대응하고, 스트레스 발생요인에 적극적으로 대처하며, 가족발달과업을 제대로 수행하고 있다. 일곱째, 명확하고 개방적인 의사소통과 유쾌한 상호작용, 감정의 표현과 공감적 반응이 활발하다. 여덟째, 가족의 문제를 해결하고 갈등을 해결하는 과정이 효과적으로 이루어진다. 아홉째, 가족구성원들 간에 서로 신뢰하고 문제를 해결하며, 각 세대 간에 공유된 신념체계가 있다. 열째, 기본적인 경제적 안정과 친구 및 지역사회와 안정적인 심리사회적 지원을 받고 있다.

관련어 건강가정기본법, 건강가정지원센터, 건강가정사, 가족기능의 맥매스터 모델, 비버스 모델

건강가정기본법 [健康家庭基本法, framework act on healthy families]

건강한 가정생활의 영위와 가족의 유지 및 발전을 위한 국민의 권리 · 의무와 국가 및 지방자치단체 등의 책임을 명백히 하고, 가정문제의 적절한 해결방안을 강구하며 가족구성원의 복지증진에 이바지할 수 있는 지원정책을 강화함으로써 건강가정 구현에 기여하는 것을 목적으로 2004년에 제정한 법.

가족치료 일반

가정은 개인의 기본적인 욕구를 충족시키고 사회통합을 위하여 기능할 수 있도록 유지 · 발전되어야 한다는 기본 이념을 바탕으로 제정되었다. 제정 당시에는 보건복지부가 주무 부처였지만, 2005년 6월에 여성가족부로 이전되었다가 2008년 2월에 보건복지부로 변경되었고, 2010년 3월에 다시 여성가족부로 이관되었다. 여성가족부 장관은 관계 중앙 행정기관의 장과 협의하여 건강가정 기본 계획을 5년마다 수립해야 하고, 국가 및 지방자치단체는 개인과 가족의 생활실태를 파악하고, 5년마다 가족 실태조사를 실시하고 그 결과를 발표해야 한다. 가정이 원활한 기능을 수행하도록 가족구성원의 정신적 ·

신체적 건강지원, 소득보장 등 경제생활의 안정, 안정된 주거생활 등을 지원해야 함을 내용으로 하고 있다. 또한 자녀양육으로 인한 부담을 완화하고 아동의 행복추구권을 보장하기 위해 보육 및 방과 후 서비스, 양성이 평등한 육아휴직제 등의 정책을 적극적으로 확대 시행해야 하며, 가정폭력이 있는 가정의 경우 가정폭력 피해자와 피해자 가족에 대한 개입에서 전문가의 체계적인 개입과 서비스가 이루어지도록 노력해야 하고, 국가 및 지방자치단체는 가정문제의 예방 · 상담 및 치료, 건강가정의 유지를 위한 프로그램의 개발, 가족문화운동의 전개, 가정 관련 정보 및 자료 제공 등을 위하여 건강가정지원센터를 설치 · 운영해야 한다는 규정을 담고 있다.

관련어 | 건강가정, 건강가정지원센터, 건강가정사

건강가정사
[健康家庭士, healthy family supporter]

건강가정 사업을 수행하기 위하여 관련 분야에 대한 지식과 경험을 가진 전문가. 가족치료 일반

「건강가정기본법」 제35조 제3항에 따르면, 대학 또는 이와 동등 이상의 학교에서 사회복지학 · 가정학 · 여성학 등 여성가족부령이 정하는 관련 교과목을 이수하고 졸업한 자이어야 한다. 직무는 가정문제의 예방 · 상담 및 개선, 건강가정의 유지를 위한 프로그램의 개발, 건강가정 실현을 위한 교육, 가정생활 문화운동의 전개, 가정 관련 정보 및 자료 제공, 가정에 대한 방문 및 실태파악, 아동보호전문 기관 등 지역사회 자원과의 연계, 그 밖에 건강가정사업과 관련하여 여성가족부 장관이 정하는 활동을 수행하는 것이다.

관련어 | 건강가정, 건강가정기본법, 건강가정지원센터

건강가정지원센터
[健康家庭支援－, healthy family support center]

'건강가정기본법' 제35조에 근거하여 가정문제의 예방 · 상담 및 치료, 건강가정의 유지를 위한 프로그램의 개발, 가족문화 운동의 전개, 가정 관련 정보 및 자료 제공 등 가족에게 필요한 다양한 복지서비스를 제공하기 위해 중앙, 시 · 도 및 시 · 군 · 구에 설치된 기관. 가족치료 일반

여성가족부 산하로 운영되는 복지기관으로, 2004년에 시범사업으로 시작되었다가 2005년에 「건강가정기본법」이 시행되면서 본격적으로 확산되었고 2011년 3월 기준으로 138개소가 설치되어 있다. 지역사회 내 가족 돌봄, 가족교육, 가족상담, 가족문화 활동 등 가족지원서비스를 확대 실시함으로써 가족 문제에 예방적 · 선제적으로 대응하고, 다문화가족 · 한부모가족 · 조손가족 등 다양한 가족을 위한 특화된 사업을 수행하며 일반 가족과 다양한 가족을 위한 통합적인 가족지원서비스를 제공한다. 중앙 건강가정지원센터는 건강가정 사업을 총괄 기획 · 조정함으로써 건강한 가정생활의 영위와 가족구성원의 복지증진, 건강한 가정의 구현에 기여하는 것을 목적으로 하고, 주요 사업은 프로그램 및 시범사업 개발, 건강가정지원센터 지원 및 평가, 교육사업, 문화운동, 정보제공 등이다.

관련어 | 건강가정, 건강가정기본법, 건강가정사

건강염려증
[健康念慮症, hypochondriasis, hypochondria]

실제적인 병적 기질상태에 있지 않음에도 불구하고 지나치게 신체적 건강을 염려하는 것. 중노년상담

신체전환증상이라고도 부르는데, 주위의 위로나 위안으로는 결코 도움이 되지 않을 정도로 자신의 질환에 대해 과도하게 걱정을 한다. 주요 증상은 일상적인 신체감각에 매우 예민하며, 심장박동이 불

규칙하거나 기침이 나는 등 조금이라도 이상하게 느껴지는 작은 증상에 대해 자신이 심각한 질병에 걸렸다고 과잉반응을 한다. 그러나 건강염려증을 가지고 있는 사람은 실제로는 신체적인 문제가 없기 때문에 철저한 의학적 평가에도 불구하고 자신의 질병에 대한 염려, 신체적 징후나 증상을 설명해 줄 만한 의학적 상태 또는 원인을 확인받지 못한다. 이처럼 의학적으로 질병이 있다는 증거를 찾아내지 못하는 상태지만 이들의 질병에 대한 두려움이나 생각은 지속된다. 이 같은 부정적인 상상 때문에 이른바 질병청구행동을 보이는데, 객관적인 병리가 없음에도 불구하고 자신이 심각한 질병에 걸렸다거나 질병이 진행되고 있다고 주장하면서 자신의 질병에 대해 호소한다. 하지만 대부분의 경우는 시간과 재정과 에너지를 허무하게 소비할 뿐이다. 바로 이러한 시점에서 의사구매라는 일반적인 현상이 나타나는데, 이는 자신의 질병을 진단해 낼 수 있는 의사, 자신의 질병을 치료할 수 있는 의사를 발견하려고 노력하는 행위를 말한다. 이들은 질병에 걸렸을지도 모른다는 생각에 사로잡혀 있기 때문에 사회생활이나 직업기능에 지장이 있는 경우가 많다. 또한 우울이나 불안 증상이 동반되기도 한다. 건강염려증은 흔히 질병을 앓고 난 후에 발생하는 경우가 많다. 또는 질병이 있는 상태를 과도하게 부정적으로 해석하는 상태이기 때문에 이는 질병과 밀접한 관련이 있다. 치료된 질병의 재발을 두려워한 나머지 건강염려증에 노출되는 경우가 많은 것이다. 결국 만성적이고 지속적으로 치료에 대한 의심을 갖거나 두려움 때문에 건강에 대한 과도한 염려를 하는데, 이는 가벼운 질병일 때에는 불치병으로 전환될지도 모른다는 불안감과 불치병의 치료를 받고 회복된 때에는 증상이 심해져서 마침내 목숨을 잃는 것은 아닐까 하는 악화에 대한 두려움이다. 건강염려증은, 첫째, 과도한 스트레스가 원인이다. 건강염려증은 자신의 신체적인 증상을 잘못 이해하거나 환자로 가장해 각종 스트레스에서 벗어나려는 도피적 심리에서 작용한다. 또한 이는 타인에 대한 증오와 적개심이 억압되면서 자기 신체 증상으로 치환되어 나타나기도 한다. 이처럼 과도한 스트레스는 신체적 증상 및 신체에 민감한 반응을 나타내도록 함으로써 지나친 걱정이 질병으로 발전하기도 한다. 둘째, 집안 병력에 따른 불안감도 원인이 된다. 건강염려증은 가족이 병을 앓는 것을 자주 목격하며 성장한 아동기 경험 때문으로 분석되기도 한다. 이러한 경우에 성인이 되어 부모나 다른 가족구성원이 경험했던 동일한 증상이나 질병을 호소하는 경향이 많다. 셋째, 노화가 원인이다. 노화는 질병과 매우 밀접한 관계가 있으며, 죽음을 만드는 요소이므로 사람들은 이를 혐오하고 두려워한다. 그 두려움과 오래 살고 싶다는 욕구가 바로 건강염려증으로 나타난다. 넷째, 죽음에 대한 불안의 투사가 원인이다. 죽음에 대한 거부감에 따라 나타나는 상실에 대한 두려움이 심리적인 염려증을 유발할 수 있다.

건설적 혼란
[建設的混亂, constructive confusion]

부부관계에서 일상적으로 이루어지던 일정한 패턴과는 다르게 반응하여 배우자에게 혼란을 줌으로써 관계의 변화를 시도하려는 치료적 방법. 부부상담

건설적 혼란 기술은 부부간에 이루어지는 상호작용이 어떻게 진행되는지 예측할 수 있고, 자신과 상대방의 반응이 어떠한지를 인식할 수 있으며, 일반적으로 보이던 반응과는 다른 반응을 할 수 있는 능력을 기초로 한다. 부부는 상호관계가 역기능적이거나 갈등이 발생할 때, 건설적 혼란의 기술을 통해 이전과는 다른 변화를 창출하는 능력을 기를 수 있다. 즉, 평소와 다른 방식으로 반응함으로써 상호간의 관계에 새로운 변화를 주는 노력을 시도해 볼 수 있는 것이다. 예를 들어, 항상 배우자에게 함께 있을 것을 요구하던 '쫓는 자'의 반응을 했던 사람이라면 배우자에게 뭔가 요구하기보다는 자신의 취미

활동에 시간을 더 많이 들일 수 있다. 또한 항상 갈등을 회피하는 반응을 했던 사람이라면 부부 사이의 민감한 문제에 대해 이야기를 시작해 볼 수도 있다. 이런 식의 다른 반응을 통해 이전과는 다른 부부관계의 변화를 시작할 수 있다. 건설적 혼란을 위한 기술은 관계에 큰 도움을 준다. 이러한 기술을 사용할 때 배우자의 얼굴에서 놀라움과 당황스러움을 보는 것도 재미있는 일이다. 건설적 혼란을 시도하면 배우자는 어떻게 반응해야 할지 혼란스러워하는데, 이처럼 혼란을 줄 수 있는 기술에는 질문하기, 바꾸어 말하기, 주제에 머무르기, 잠시 중단하기가 있다.

질문하기 [質問-, asking the question] 부부관계에서 일반적으로 행해지던 상호관계에 변화를 주려고 상대방을 이해하기 위한 질문을 하는 기법이다. 부부치료에서 변화를 위한 건설적 혼란을 주는 기법 중 하나로, 질문을 통해 상호작용의 속도를 떨어뜨리고, 배우자를 이해하는 것에 정말 관심이 있다는 것을 상대방에게 전달하는 방법이다. 대개의 사람들은 싸움의 상황에 들어가면 방어적인 자세를 취하여 상대방의 감정이나 생각을 이해하려는 시도보다는 자신의 상태를 표현하는 데 집중한다. 자신의 타당성을 입증함으로써 부부간의 갈등상황에서 자신을 보호하는 데 도움이 된다고 생각하기 때문이다. 그러나 실제로는 도움이 되기보다는 부부관계에서 서로가 자신의 입장만 이해시키기를 원하여 부정적인 상호작용을 점차 확대시킬 뿐이다. 따라서 자신의 입장을 방어하기보다는 상대방의 생각이나 감정을 물어보는 질문을 함으로써 배우자의 생각과 느낌을 진심으로 이해하기를 원한다는 것이 상대 배우자에게 전달된다면 싸움의 강도는 약해질 것이고, 나아가 싸움의 방향이 다른 쪽으로 전환될 수도 있는 것이다. 질문하기 기법은 부부관계에서 발생하는 일반적인 상호작용의 틀을 깨고, 새로운 변화를 시도하기 위한 방법 중 하나로 사용된다.

바꾸어 말하기 [-, say in other word] 부부간 갈등이 발생했을 때 상대 배우자의 말을 정확히 이해하고 있는지 확인함으로써 서로 오해가 생기거나 갈등이 고조되는 것을 방지하기 위한 기법이다. 부부치료에서 변화를 위한 건설적 혼란을 주는 기법 중 하나로, 배우자가 말한 내용을 바꾸어 말함으로써 정말로 배우자의 말을 이해했는지 확인시켜 주는 것이다. 이 기술은 부부간의 싸움이 더 커지는 것을 막아 준다. 즉, 싸움이 고조되어 다른 문제로 확대되려 하거나, 갈등의 핵심에서 벗어나 지극히 방어적인 모습으로 자신에 대한 변호만 하려고 할 때 이 기법을 사용할 수 있다. 예를 들어, "당신은 내가 더 많은 일을 해야 한다고 생각하나 본데 내가 제대로 이해한 건가?"라고 말할 수 있다. 이렇게 말함으로써 갈등의 주제에서 벗어나지 않고 상대방의 의도를 정확하게 이해하면서, 방어적이기만 한 태도를 취해 상대 배우자에게 거부감을 일으키는 부정적인 효과가 감소한다. 부부간 갈등의 상황에서 이렇게 말할 수 있으려면 많은 훈련이 필요하지만, 싸움이 어떤 식으로 진행될지 예측 가능하고 지속적인 패턴이 있다면 그 변화를 위해 노력함으로써 새로운 변화를 기대해 볼 수 있다.

주제에 머무르기 [主題-, remain at the subject] 부부간 갈등이 발생하는 상황에서 한 가지 주제에 충분히 머무르도록 하여 논쟁의 초점이 흐려지는 일반적인 상호관계의 패턴에서 벗어나도록 하는 건설적 혼란의 기법 중 하나다. 처음에 싸움을 시작하는 시발점이 되는 주제에서 상호 대화가 벗어나지 않도록 해야 하는데, 갈등의 상황에서는 대개의 경우 싸움이 고조되거나 다양한 주제로 확대되는 경향이 있다. 이 경우 싸움을 먼저 시작한 사람이 처음의 주제에 머무르게 할 책임이 있다. 한쪽 배우자가 상대방에게 불만을 표현하는 것에 대해 "내가 지금 가장 노릇을 못하고 있다는 거야?"라고 상대 배우자가 반응한다면 다음처럼 대답할 수 있다. "절대 그런 의미로 말한 것은 아니야. 당신이 가장의 책임을 다하려고 노력 중이라는 것을 알고 있어. 다만 집안의 경조사를 챙기는 것에 대해 함께 의논하면 좋겠다는 말을 하는 거야."라고 말함으로써 논쟁의 주제가 다른 범위로 확산되지 않도록 노력한다. 이 기법은 부부간의 갈등이 확대되고, 아무런 성과 없이 끝나 버리고 마는 부정적인 결말에 변화를 주는 방법으로 사용될 수 있다.

잠시 중단하기 [-中斷-, time out] 부부간 갈등이 발생하는 상황에서 잠시 그 상황을 중단하고 서로 머물러 있도록 하여 새로운 변화를 유도하는 기법이다. 부부치료에서 변화를 위한 건설적 혼란을 주는 기법 중 하나로, 싸움이 매우 격렬해졌을 때 가장 좋은 방법이다. 짧게라도 잠시 싸움을 중단하는 것은 서로에게 상처 주는 것을 줄일 수 있다. 이 방법은 화가 났다고 해서 하고 싶은 말을 다 하는 것보다 더 효과적일 수 있다. 물론 이것으로 싸움이 끝나는 것이 아니고 다시 그 상황으로 돌아가야 한다. 그렇지 않으면 단지 싸움을 회피하는 것으로 오해받을 수 있기 때문이다. 이 방법은 부부간의 격렬하고 부정적인 상호작용을 감소시키고, 서로 진정이 되었을 때 다시 대화를 시도함으로써 이전과는 다른 패턴으로 상호관계를 형성하도록 유도하는 것이다.

건식섹스
[乾式-, dry sex]

여성이나 남성의 몸에서 분비되는 체액 없이 성관계를 갖는 행위. 성상담

성병이나 에이즈를 비롯한 성관계에서 비롯되는 감염을 예방하는 차원에서 고안된 성관계 방식이다. 많은 성인성 질환은 성기와 성기, 점막과 점막의 접촉으로 감염되고, 점막으로 이루어진 신체부위는 제각각의 특징적 분비물을 생성한다. 예를 들어, 입의 타액, 여성의 질 분비액, 남성의 정액 등이 모두 해당 부위 점막에서 생성되는 체액이다. 점막과 점막의 접촉은 체액과 체액의 혼합을 뜻하며, 이는 성 병균을 함유한 체액의 직·간접적 접촉으로 감염을 일으키는 원인이 된다. 이에 착안하여 개발된 성관계가 건식섹스다. 건식섹스를 하는 데는 몇 가지 규칙이 있다. 첫째, 성적 상대자를 설득하여 먼저 이해를 구해야 한다. 둘째, 타액을 교환하는 키스가 아니라 가벼운 입맞춤만을 허용하는 데서 시작하여 점막과 상관없는 목덜미, 가슴, 배, 허벅지 등의 신체부위의 피부로 키스를 유도한다. 셋째, 구강성교 시에도 반드시 콘돔을 착용한 상태에서 허용한다. 넷째, 손이나 손가락을 이용한 애무는 허용되지만 거기에 묻은 체액이 자신의 점막에 간접적인 접촉이 일어나지 않도록 주의하고, 남성의 사정 이후 묻은 정액은 반드시 비누와 같은 세정제로 씻어 내야 한다. 남성의 경우도 여성의 질 분비액을 씻어 내는 것을 잊어서는 안 된다. 다섯째, 성기결합을 원하는 경우, 반드시 콘돔착용 상태를 점검하고 허용할 수는 있지만 가급적 성기 대 성기의 결합은 거부하는 것이 좋다. 최근 개발된 여성용 콘돔도 사용 가능하다. 건식섹스는 성관계에서 발생하는 질환 예방을 목적으로 하기 때문에 이 같은 규칙을 지켜야 긍정적인 효과를 볼 수 있다. 따라서 귀찮게 느껴지기도 하지만, 현대에서는 가장 안전한 섹스 방법으로 인정되고 있는 경향이 있다.

건포도 명상 연습
[乾葡萄冥想練習, raisin meditation exercise]

건포도 먹기 과정을 통하여 변화되는 신체적 감각을 알아차리는 마음챙김을 바탕으로 한 명상치료기법의 하나. 명상치료

이 활동은 마음챙김명상 활동의 첫 회기에서 자기소개를 끝낸 다음 실시한다. 실시과정은 먼저 참여

자들에게 건포도를 몇 개씩 나누어 주고 마치 처음 보는 물건을 대하는 것처럼 호기심과 관심을 가진 채 바라보도록 한다. 그리고 천천히 건포도의 겉면에 주의를 기울이며 자세히 살펴본다. 건포도의 겉면을 손가락으로 만져 보고 질감이 어떤지, 어떤 냄새가 나는지, 어떤 느낌인지 알아차리면서 천천히 건포도를 입 안에 넣는다. 입 안에 있는 건포도를 느끼고 천천히 깨물면서 맛을 음미하고 맛과 감촉, 냄새를 알아차리는 동시에 건포도를 씹고 삼키면서 느껴지는 입과 목의 감각과 움직임을 관찰해 나간다. 이 과정은 신체감각의 변화를 알아차리는 것이다. 이 명상 활동에서 지켜야 할 것은 떠오르는 생각이나 감정이 있으면 판단하지 않고 그것을 있는 그대로 알아차린 뒤 다시 건포도로 주의를 기울이며 건포도에 대한 감각을 알아차리는 것이다. 건포도 먹기 명상은 우리 일상생활에서의 활동들이 자동조종의 과정으로 이루어진다는 것을 이해하는 데 도움을 주는 활동이다. 이 명상활동을 연습함으로써 일상생활에 대한 마음챙김을 할 수 있는 기회가 생긴다. 일상적 활동에 대하여 주의를 기울이며 자동조종 과정을 멈추고 그 순간의 경험을 알아차리게 되면 자유로운 느낌을 갖게 되어 더 많은 선택을 할 수 있다.

관련어 | 마음챙김, 마음챙김에 근거한 인지치료

걷기명상
[-冥想, walking meditation]

마음챙김을 근거로 한 치료기법의 하나로서, 의도적으로 걷기를 하는 동안 변화되는 신체적 감각을 알아차리는 정신적 훈련. 명상치료

실시과정은 먼저 눈의 시선은 발의 앞쪽을 향하게 하고 천천히 걷는다. 걷는 동안 몸의 움직임, 발의 무게, 이동되는 균형감, 걸을 때 동반되는 발과 다리의 신체적 감각이나 느낌에 주의를 기울인다. 이때 여러 가지 생각이나 감정이 떠오르면 그것을 있는 그대로 알아차린 다음, 걷고 있는 다리의 감각으로 부드럽게 주의를 이동한다. 일반적으로 걷기명상은 매우 천천히 이루어지지만 빠른 걸음으로 이루어질 수도 있다. 걷기명상에서는 목표지점을 정하지 않고 걷기를 하며, 목표는 단지 걷고 있음을 알아차리는 것이다. 걷기명상을 시작하는 초기에는 발과 다리의 감각에 주의를 기울이면서 시간이 지날수록 걷는 동안 신체 전체의 감각에 초점을 두어 주의를 확장한다. 걷기명상은 정좌명상을 하거나 몸 살피기 명상 활동을 하기 위해 조용히 앉아 있거나 누워 있는 것이 불안하고 불편함을 느끼고 때로는 분노의 감정이 일어나는 참여자의 명상 활동에 도움이 된다. 그리고 걷기명상훈련은 일상생활에서 계단을 올라가거나 길을 걷는 동안에 알아차림을 경험할 수 있는 기회가 된다. 일상생활에서도 이렇게 걷기명상을 함으로써 알아차림을 지속적으로 향상시킬 수 있다.

관련어 | 마음챙김, 마음챙김에 근거한 스트레스 완화, 마음챙김에 근거한 인지치료

검사
[檢査, test]

성격, 지능, 학력 등의 심적 능력이나 특성검사를 총칭. 심리검사

검사는 다양한 분야에서 사용되는 용어인데, 심리학에서 사용되는 경우도 정의는 학자에 따라 다소 차이가 있다. 그것들을 정리해 보면, 심리검사는 객관적으로 표준화된 절차에 따라 인간의 개인차라는 행동의 표본에 대해 측정하고자 하는 것이다. 그 결과는 득점이라는 수량적인 표현이 행해지며, 비교가 가능해진다. 심리검사는 선발, 배치, 분류 등에 사용되고, 상담에서도 검사가 이용되는 경우가 많다. 조사연구에서는 자료처리의 기본 기법의 하나다.

검사 배터리
[檢査-, test battery]

개인이나 집단을 평가하기 위한 2개 이상의 검사가 모인 종합 검사. 심리검사

배터리는 여러 부분으로 구성된 한 벌의 기구 또는 장치를 의미한다. 따라서 심리검사에서 검사 배터리는 직업적성검사(General Aptitude Test Battery)나 신경심리종합검사(Halstead-Reitan Neuropsychological Test Battery)와 같이, 능력적 특성을 측정하기 위하여 2개 이상의 하위검사로 구성된 종합검사를 말한다. 다시 말해, 비슷한 영역의 내용을 종합적으로 측정하기 위하여 2개 이상의 검사가 모여 하나의 배터리를 이루게 되는 것이다. 예를 들면, 심리검사 가운데 일반 지능검사는 학생의 학업 일반에 대한 성취 여부를 예견할 수는 있지만 직업 선택과 관련된 결정에는 그다지 도움이 되지 않는다. 이러한 결정에는 여러 가지 검사를 병행하는 것이 효과적인데, 이 같은 경우를 검사 배터리라고 한다. 여러 가지 검사의 득점을 종합하여 개인에 대한 결정을 내리는 데는 다음과 같은 세 가지 방법이 있다. 즉, 중다회귀방정식을 이용하는 방법과 복수의 임계점을 정하는 방법, 그리고 임상적 판단에 의한 방법이다. 상담에서는 목적에 따라 다면적 인성검사(MMPI)와 Y-G검사, 에고그램 등의 질문지법과 문장완성검사(SCT), 로르샤흐 검사, 주제통각검사(TAT) 등의 투사검사를 조합하여 사용한다.

검사이론
[檢査理論, test theory]

문항과 검사의 질을 분석하는 이론. 심리측정

검사이론에는 고전검사이론(classical test theory)과 문항반응이론(item response theory)이 있다. 고전검사이론은 검사도구의 총점에 따라 분석하는 이론으로, 검사에 의한 관찰점수는 진점수와 오차점수의 합성이라고 가정한다. 또한 피험자의 진점수를 알 수 없기 때문에 이론적으로 동일 검사를 동일 피험자에게 무한반복 실시하여 얻은 점수들의 평균점수로 추정한다. 반면에 문항 반응이론은 검사총점으로 문항을 분석하는 것이 아니라, 문항은 문항 하나하나의 불변하는 고유 속성을 지니고 있으므로 그 속성을 나타내는 문항특성곡선에 따라 문항을 분석하는 이론이다. 이는 잠재특성이론(latent trait theory) 또는 문항특성곡선이론(item characteristics curve theory)으로도 불린다. 하나의 검사는 피험자의 지식이나 능력의 정도(또는 재고자 하는 심리적 특성의 정도)를 재도록 고안된다. 피험자의 검사상 수행행위를 통해서 재려고 하는 것은 능력일 수도 있고, 인성 등 심리적 특성일 수도 있지만 이들은 직접적으로 측정될 수 있는 것이 아니다. 즉, 능력이나 심리적 특성은 길이나 무게처럼 직접적으로 잴 수 있는 것이 아니라 검사를 통해서 추정되는 변인일 뿐이다. 잠재 변인 모형에서는 이러한 '잠재하는' '보이지 않는' '직접관찰할 수 없는' 변인을 잠재적 특성(latent trait)이라고 하며, 이 잠재적 특성은 일차원적(unidimensional)이라고 가정한다. 즉, 하나의 검사를 구성하는 모든 문항은 하나의 잠재변인만 재고 있어야 하며, 각 문항이 이 목적을 얼마나 잘 달성하고 있는지는 문항특성곡선에 의해서 결정된다. 고전검사이론에서는 검사점수 빈도의 분포에 대하여 어떤 가정이 설정되지 않지만, 문항반응이론에서는 특정한 잠재 특성이 각 문항에서의 수행에 어떻게 영향을 미치는지를 나타내 주는 모형을 설정한다. 또한 고전검사이론에서의 검사점수나 진점수와는 달리 잠재 특성은 이론적으로는 $-\infty$에서 $+\infty$의 값을 취할 수 있다. 고전검사이론에서는 학생의 검사성적이 문항의 난이도에 따라 달라진다. 즉, 쉬운 문항이 실시되면 높은 성적을 얻고 어려운 문항이 실시되면 낮은 성적을 얻는다. 이와 같은 식으로 문항의 난이도나 변별도와 같은 문항의 특성

은 그 문항을 실시한 학생들의 특성에 따라 변한다. 예를 들어, 같은 문항이라도 실력이 높거나 그 문항이 다루는 내용에 대해서 이미 수업을 받은 학생들에게 실시하면 난이도 지수가 높게 나오고, 실력이 낮거나 문항의 내용에 대하여 수업을 받기 전의 학생들에게 실시하면 난이도 지수가 낮게 나타난다. 문항반응이론은 각 피험자의 특성이나 문항의 특성을 문항표본이나 시험이 적용된 피험자표본에 상관없이 추정하려는 절차라고 할 수 있다. 바로 이러한 이유 때문에 이 이론은 '표본으로부터 자유로운(sample free)' 것으로 표현되기도 한다. 문항반응이론의 이 같은 점은 고전검사이론과 비교했을 때 여러 가지 장점을 낳기도 한다(강승호 외, 1996). 문항반응이론의 장점은 불변성 개념(invariance concept)으로 문항 특성 불변성과 피험자 능력 불변성 개념이 있다. 문항 특성 불변성 개념(invariance concept of item characteristics)이란 문항의 특성인 문항 난이도, 문항 변별도, 문항 추측도가 피험자 집단의 특성에 따라 변화되지 않는다는 것이다. 만약 고전검사이론으로 문항을 분석하면, 능력이 높은 집단에서 검사가 실시되었다면 그 문항은 쉬운 문항으로 분석되고 능력이 낮은 집단에서 검사가 실시되었다면 어려운 문항으로 분석된다. 그러나 문항반응이론으로 문항을 분석하면 문항 특성은 피험자 집단의 특성에 따라 변하지 않는 것이다. 피험자 능력 불변성 개념(invariance concept of examine ability)이란 피험자의 능력은 어떤 검사나 문항을 택함으로써 변하는 것이 아니라 고유한 능력수준이 있다는 것이다. 즉, 고전검사이론에 의하면 쉬운 검사를 택할 때 어떤 피험자의 점수는 높아지고, 어려운 검사를 택하면 능력이 낮게 추정되는데 이는 모순이라는 주장이다. 문항반응이론에 의하면 어떤 피험자가 어려운 검사를 택하든 쉬운 검사를 택하든 능력 추정이 같다는 것이다. 이와 같은 장점 때문에 문항반응이론은 빠른 속도로 교육학 분야뿐만 아니라 심리학, 나아가 언어학 분야에도 적용되고 있는 것이다. 문항반응이론에 따라 문항 특성을 추정하는 모형은 다양하다. 가장 대표적인 모형은 문항 곤란도만을 추정하는 1모수(母數) 문항반응모형과 문항 곤란도, 문항 변별도 및 문항 추측도의 3모수를 추정하는 3모수 문항반응모형이다. 1모수 모형은 덴마크의 라쉬(G. Rasch)의 이론에 따라 개발되었기 때문에 라쉬모형이라고도 불린다. 문항반응모형에 따라 문항의 모수나 피험자의 능력 수준, 또는 다른 심리적 특성의 정도를 추정하는 수학적 절차는 고전적 검사이론에 비하여 매우 복잡하고 대부분 컴퓨터 프로그램에 의존하고 있다.

게놈
[－, genome]

몸이나 뇌 등 특정 유기체를 부호화하는 모든 유전자의 총합. 뇌 과학

한 생물종의 유전정보를 담고 있는 염기서열의 총합으로, 일부 바이러스를 제외하고 보통은 DNA에 저장되어 있다. 1920년 함부르크대학 한스 빙클러(Hans Winkler) 교수가 처음 사용한 용어이며, 게놈해독을 통해 질병과 유전자의 관계를 밝히는 등 인간 및 동·식물에 대한 무한한 정보를 얻기 위해 유전학 등에서 활발한 연구가 진행되고 있다.

관련어 | 유전자

게슈탈트
[－, gestalt]

자신의 욕구나 감정을 하나의 의미 있는 전체로 조직화하여 지각한 것. 게슈탈트

게슈탈트는 독일어 'gestalten(구성하다, 형성하다, 창조하다, 개발하다, 조직하다 등의 뜻을 지닌 동

사)'의 명사형으로, 전체, 형태, 모습이라는 의미가 있다. 게슈탈트라는 용어가 도입된 초기에는 '형태'라고 번역되었지만, 지금은 한국어에서 원뜻을 살릴 수 있는 단어가 적절하지 않아 원어 그대로 사용하고 있다. 게슈탈트 심리학자들에 의하면, 개체는 대상을 지각할 때 그것을 산만한 부분들의 집합이 아니라 하나의 의미 있는 전체, 즉 '게슈탈트'로 만들어서 지각한다고 하였다. 게슈탈트 치료에서는 게슈탈트라는 개념을 치료적인 영역에 확장하여 사용하는데, 여기서 게슈탈트란 '개체가 지각한 자신의 행동 동기'를 의미한다. 즉, 개체가 자신의 유기체 욕구나 감정을 하나의 의미 있는 행동 동기로 조직화하여 지각한 것을 말한다. 예를 들어, 어머니가 아이를 안아 보고 싶어 하는 것, 음악을 들으며 커피를 한 잔 마시고 싶은 것 등이다. 개체가 게슈탈트를 형성하는 이유는 우리의 욕구나 감정을 하나의 유의미한 행동으로 만들어서 실행하고 완결 짓기 위해서다. 개체는 단순히 객관적으로 존재하는 게슈탈트를 지각하는 것이 아니라, 어떤 상황 속에서 자신의 욕구나 감정, 환경조건과 맥락 등을 고려하여 가장 매력 있는, 혹은 절실한 행동을 게슈탈트로 형성한다. 만일 개체가 이러한 게슈탈트 형성에 실패하면 심리적, 신체적 장애를 겪는다. 따라서 건강한 삶이란 분명하고 강한 게슈탈트를 형성할 수 있는 능력에 달려 있다고 할 수 있다.

관련어 | 고정된 게슈탈트, 알아차림, 전경-배경

게슈탈트 대화
[-對話, gestalt dialogue]

일명 신체 신화라고 불리는 신체부분 은유 기법에서 게슈탈트의 언어자각 기법을 응용하여 글쓰기 또는 대화 기법으로 내담자의 감정 및 이미지를 자기소유화하고, 책임지기, 그리고 현재화시키기 등의 '나'에 대한 기술을 하는 기법.

무용동작치료

헬프린(Halprin)의 신체부분 은유 기법에서는 각 신체부분을 그림이나 동작으로 표현함으로써 내담자 자신의 문제나 작업주제를 탐색할 때, 상상적 동작이나 그림의 의미를 이해하고 특정 신체부분마다 목소리를 부여하여 말하도록 한다. 게슈탈트 대화 기법은 게슈탈트 기법에서 자아의 일부분 또는 다른 부분이 되어 역할연기를 하는 것과 같이, 나 자신을 특정 신체부분과 동일시하여 자신이 되어 보도록 내담자를 권유한다. 헬프린(2003)은 동작 중심 표현예술치료과정에 게슈탈트 대화를 적용했는데, 내담자의 자각(알아차림)을 촉진할 수 있도록 '나'에 대한 기술을 사용하여 기존의 무용동작치료에서 미흡했던 치료적 대화를 보완하고자 하였다. 예를 들어, 내담자에게 자신의 다리가 되어 말을 할 수 있다는 상상을 하도록 하고, "만약 이 다리가 말을 할 수 있다면 무슨 말을 할까요?"라고 물어볼 수 있다. 그러면 내담자는 '나' 기술이나 '나' 메시지를 사용하여 하고 싶은 말을 하거나 글쓰기를 하는 것이다. 이때 표현하는 언어를 신체언어나 동작언어를 사용하도록 하면, 상징적 이미지의 도출을 촉진하고 감정자각을 도울 수 있다. 여기서 사용할 수 있는 동작언어 표현을 예로 들면, "나는 두 발을 ~에 담그고 있다." "나는 그 일에서 손 떼고 싶다." "나는 ○○○에게 발목 잡혔다." "나는 ○○○에게 굽실 굽실댄다." 등 신체부분마다 수많은 동작은유가 가능하다. 또한 신체의 한 부분과 다른 부분이 대화를 하도록 유도할 수도 있다. 예를 들어, 머리-골반 사이의 대화, 배-머리 사이의 대화, 가면-이면 사이의 대화 등에 대해 게슈탈트 대화를 시도할 수 있다. 이러한 신체부분의 대화를 글쓰기로 표현하면 훌륭한 상징적 대화로 시적 대화(poetic dialogue)가 된다.

관련어 | 게슈탈트 무용동작치료

게슈탈트 무용동작치료
[-舞踊動作治療, gestalt dance movement therapy]

게슈탈트 치료의 신체자각(알아차림)을 통한 통합적 인식을 무용동작치료에 적용하여 신체 동작으로 통합적 인식을 시도하는 방법. 무용동작치료

게슈탈트 무용동작치료에서는 현재의 감정자각(알아차림)을 돕기 위해 신체자각과 동작자각을 중요시한다. 따라서 게슈탈트 심리치료에서 사용하는 주요 기법들을 동작과 함께 사용한다. 예를 들어, "나는 지금 ~를 느낀다."라는 언어 기법을 적용하여 동작하며 말하기(talking with movement)를 사용하고, 이를 통해 언어표현과 동작표현을 리듬 있게 사용하도록 한다. 또한 느낌과 동작의 상징을 사용하여 신체대화(body talks)를 하도록 촉진한다. 예를 들어, 내담자가 자각하는 신체의 부분이 되어 "나는 ○○○의 다리다. 나는 도망치고 싶다." "나는 ○○○의 손이다. 나는 주먹을 불끈 쥐고 치고 싶다."라고 하는 등 '나' 표현을 하는 언어를 사용하기도 하는데, 이 대화 역시 동작하며 말하기를 함께 하도록 한다. 핼프린 동작 중심 표현예술치료에서는 신체대화로서의 게슈탈트 대화, 양극성 동작 사이 왕복하기(shuttling), 동작을 반복하면서 이미지나 감정에 머물기(staying with it) 등 좀 더 구체적인 기법을 사용한다. 특히 즉흥동작 기법은 즉시성과 현장성을 지닌 동작과 함께 이미지 및 감정이 떠올라서 현재화하도록 해 준다. 무용동작치료 분야에서 게슈탈트 심리치료기법을 적용한 대표 학자는 번스타인(Bernstein, 1979)이다. 동작 중심 표현예술치료 분야에서 핼프린(Halprin, 2003)은 자각(알아차림)의 방법을 신체적 수준, 정서적 수준, 인지적 수준으로 더 구체화하였고, 이를 사용하는 의사소통 방법을 구체적으로 연구하였다.

관련어 게슈탈트 대화, '나' 기술문, 세 수준의 의사소통, 세 수준의 자각반응

게슈탈트 미술치료
[-美術治療, gestalt art therapy]

게슈탈트 이론에 기반을 둔 미술치료. 미술치료

게슈탈트 심리치료이론을 바탕으로 한 게슈탈트 미술치료의 대표적인 연구자는 라인(Rhyne, 1980), 징커(Zinker, 1977), 오클랜더(Oaklander, 1978) 등이다. 게슈탈트 미술치료를 처음으로 주창한 라인은 미술을 통하여 상담자와 내담자의 접촉방식, 소리와 몸짓, 움직임을 통한 형태의 운동지각 및 다른 감각을 유도하는 것을 게슈탈트 미술체험(Gestalt art experience)이라고 불렀다. 징커는 게슈탈트 치료에서 창조적인 과정을 제안하였고, 모든 창조적 활동은 운동과 더불어 시작된다고 믿어 음악리듬에 맞추어 신체적 반응을 불러일으킨 다음 그림을 그리도록 하였다. 게슈탈트 미술치료는 개인의 현실적인 욕구를 충족시킴으로써 개인의 잠재력을 계발하는 것이며, '지금-여기'를 강조하여 미해결 과제를 해결하도록 도움을 주는 것이 목표다. 이를 위하여 내담자가 표현한 시각적 메시지와 목소리 톤, 신체적 표현, 말의 내용 등 개인의 모든 표현을 탐색한다. 이 과정에서 내담자와 상담자 사이에 접촉이 일어날 수 있으며, 이 접촉은 내담자의 긍정적 변화를 촉진한다. 이때 상담자는 전체의 일부로서 자연스럽게 지각하고 능동적으로 반응하는 또 다른 유기체가 된다. 또한 상담자는 내담자가 스스로 만든 시각적 메시지의 형태와 패턴에 관심을 가지고, 선과 형태, 질감, 색채, 운동 등의 의미를 능동적으로 지각하여 각성하도록 도와준다. 이러한 목표를 수행하기 위한 치료기법은 꿈작업(dream work)을 비롯하여, 점토를 이용한 게임, 느낌 그리기, 선게임 등이 있다. 한 예로, 내담자에게 정서적으로 괴로움을 겪고 있는 분노, 공포, 슬픔, 놀람 등 일련의 단어에 대한 추상화를 그리게 한 다음, 그 그림들을 동시에 볼 수 있게 정리하여 토의한다. 상담자는 그림에서 주목을 끄는 형태를 확인하여, 그림에서 나타난 시

각적 심상과 내담자의 실제 생활과의 관련성을 탐색하도록 한다. 미술작품의 구성요소들은 전체로 지각되며, 내담자가 그 의미에 도달할 수 있도록 신체적 활동, 연극적 공연, 음악 또는 소리 등을 사용할 수 있다. 예를 들면, 미술작품의 색, 선, 형태를 신체적 움직임, 춤, 소리 등으로 표현하는 것이며, 이는 자기인식을 증진시키고 모든 감각기관을 이용하여 각성을 촉진한다. 이상과 같은 게슈탈트 미술치료의 의의는 다음과 같다. 첫째, 게슈탈트 미술치료는 내담자가 자신의 감정과 생각을 탐색할 수 있도록 도와주고, 표현하지 못한 것을 표현할 수 있도록 격려하는 데 관심을 둔다. 둘째, 게슈탈트 미술치료는 내담자가 스스로 해석하여 의미를 발견하고, 과거의 미해결 과제를 지금-여기에서 경험하도록 격려하여 점차 각성수준을 확장하고 자기 성격 가운데 잘 알지 못한 부분과 단편적 부분을 통합할 수 있도록 해 준다. 셋째, 게슈탈트 미술치료는 통찰로써 효과적인 행동을 발달시키고 실행하게 하는 인지적 작용, 다시 말해 변화의지를 고취하고 구체적인 변화노력을 증대시킨다.

관련어 | 게슈탈트 심리치료

게슈탈트 심리치료
[-心理治療, gestalt psychotherapy]

1940년대 펄스(F. Perls)가 창시한 후 여러 사람이 발전시킨 현상학적 · 실존적 치료형태. 게슈탈트

프리츠 펄스(F. Perls), 로라 펄스(L. Perls), 굿맨(Goodman) 등이 1940~1950년대에 걸쳐 개발한 심리치료접근이다. 지금-여기에 대한 인식과 개인과 환경 간 접촉의 질을 강조하는 경험적 심리치료로서 정신분석과는 달리 정신병리학적 현상에 대해 역동적인 해석을 거의 하지 않는다. 그리고 정신분석을 포함한 요소주의 심리학에 반대하여 게슈탈트 심리학의 영향하에 과정적이고 종합적인 심리학 운동으로 나타났다. 그래서 개체를 여러 개의 심리적인 요소로 분할하여 분석하는 대신에, 전체 장(field)의 관점에서 통합적으로 이해하고자 하였다. 게슈탈트 심리치료는 카렌 호나이(Karen Horney)의 정신분석 치료이론을 비롯하여 골드슈타인(Goldstein)의 유기체 이론, 빌헬름 라이히(Wilhelm Reich)의 신체 이론, 레빈(Lewin)의 장이론, 베르트하이머(Wertheimer) 등의 게슈탈트 심리학, 모레노(Moreno)의 사이코드라마, 라인하르트(Reinhard)의 연극과 예술철학, 하이데거(Heidegger)와 마르틴 부버(Martin Buber), 파울 틸리히(Paul Tillich) 등의 실존철학, 그리고 동양사상 등의 광범위한 영향을 받으면서 탄생한 치료기법이다. 게슈탈트 심리치료의 주요 개념은 게슈탈트, 전경과 배경, 미해결 과제 등이며, 여기서 건강한 삶이란 분명하고 강한 게슈탈트를 형성할 수 있는 능력과 같다고 보았다. 또한 개체가 게슈탈트를 형성하여 지각하는 것을 전경과 배경의 관계로 설명한다. 게슈탈트를 형성한다는 것은 어느 한 순간에 가장 중요한 욕구나 감정을 전경으로 떠올리는 것이다. 예를 들어, 배가 고프다는 것은 그 순간에 배고픔이 전경으로 떠오르고, 그때 하던 다른 일은 배경으로 사라진다는 것이다. 이와 같이 관심의 초점이 되는 부분을 전경이라 하고, 관심 밖에 놓여 있는 부분을 배경이라고 한다. 게슈탈트 치료는 알아차림과 에너지 사이의 상호관계에 중점을 두고 있다. 게슈탈트 치료자는 알아차림에 초점을 둔 '실험'을 제안하여, 내담자가 에너지의 차단으로부터 정신적 · 정서적 · 육체적으로 자유로워지려는 노력을 할 수 있도록 도와준다. 게슈탈트 치료에서는 내담자가 언어적 표현과 비언어적 표현, 감정과 행동, 사고와 감정 간의 모순을 자각하도록 직면기법을 사용한다. 게슈탈트 기법은 내담자가 자기 경험의 전체와 접촉할 수 있도록 하는 경험적인 활동들이다. 이처럼 게슈탈트 치료는 내담자가 생각하고 있는 것을 말하도록 하는 것이 아니라, 관찰 가능한 행동으로 접근하도록 한다. 게

슈탈트 치료자는 내담자가 알아차리지 못하는 내담자의 전(全) 인간—신체적 움직임, 정서적 일치, 언어—에 주의를 모은다. 내담자에게는 어느 순간에도 자신이 무엇을 느끼는지, 무엇을 원하는지, 무엇을 하고 있는지에 주의를 기울이도록 한다. 이 같은 게슈탈트 심리치료의 주요 목표는 알아차림과 접촉의 증진, 통합, 자립과 책임감 증진, 성장 및 실존적 삶을 살게 하는 것이다. 게슈탈트 치료의 목적을 한 가지만 꼽으라 한다면 알아차림의 증진일 것이다. 자신의 욕구와 감정을 정확하게 알아차려야 이를 환경과의 접촉을 통해 해소할 수 있게 된다. 내담자가 현재의 순간을 충분히 경험할 수 있도록 하고, 그들이 생각하고 느끼고 행하는 것을 충분히 알아차리도록 도와주는 일은 매우 중요한 것이다. 펄스는 끊임없이 외부의 것을 받아들이고 이를 동화시켜 개체를 변화시킴으로써 외부와의 유기적인 관계 속에서의 성장이 살아 있다는 것을 의미한다고 하였다. 즉, 개체는 성장을 해야만 살아갈 수 있고, 그렇지 않으면 부패한다고 보았다. 게슈탈트 치료의 목표는 유기체의 새로운 변화와 성장이 가능하도록 돕는 것이다. 즉, 내담자가 자신의 유기체적 욕구와 현실을 외면하지 않고 받아들여 자신의 에너지를 통합하고 자립하여 있는 그대로 보는 실존적 상황에 열려 있는 자세를 갖도록 도와주는 것을 주요 목표로 삼고 있다. 게슈탈트 심리치료의 단계는 문제의 출현, 외적 대립 작업, 내적 대립 작업, 통합으로 되어 있다. 첫째 단계인 문제의 출현은 지금-여기에서 주요한 갈등의 강도가 높아지면서 내담자가 문제를 자각하는 단계다. 치료자의 첫 번째 개입은 내담자의 즉각적 경험, 즉 행동에 대한 '어떻게'와 '무엇을'에 주의를 기울이도록 하고, '왜'에 대한 추론에서 멀어지게 하는 것이다. 이러한 과정을 통해 내담자는 자신의 사고와 감정, 감각에 대한 책임감을 증가시킬 수 있고, 언어적 행동과 비언어적 행동 사이의 밀접하고 기본적인 연결을 경험할 수 있게 된다는 것을 전달받는다. 첫 단계의 핵심은 내담자가 지금 어떠한 자각을 경험하고 있는지 탐색하는 것이다. 내담자는 대화할 때의 특정 문구, 예를 들면 '해야 한다'를 '원한다'로, '할 수 없다'를 '하지 않겠다'로, '그것'을 '나'로 바꾸고, 모든 내용을 현재시제로 표현해 보다 큰 책임감을 경험할 수 있도록 한다. 첫 단계의 마지막은 지시에 따라 즉각적으로 자각에 집중할 수 있고, 내담자가 현재의 감정과 감각을 느끼면서 표현할 수 있도록 하는 것이 특징이라고 할 수 있다. 둘째 단계인 외적 대립 작업은 내담자가 이제 증가하는 긴장을 수용하고 외적 대화의 형태로 그것을 탐색하도록 요구받는 단계다. 예를 들어, 내담자가 대인관계에 문제가 있을 때 2개의 의자를 사용하여 내담자가 자리를 바꾸어 앉으며 대화를 하도록 한다. 이 작업의 관건은 내적 갈등을 극적으로 표현함으로써 감추어진 감정을 자각하도록 만드는 것이다. 두 번째 단계가 끝날 때쯤 내담자는 자기발견의 과정에 몰두할 수 있고, 거의 지도를 받지 않아도 의자를 옮겨 가며 감정을 적절히 표현하고, 행동양식을 검토하고 수정할 수 있게 된다. 이것은 내담자가 의미 있는 타인과의 관계에 현존하는 직접적인 쟁점과 감정은 무엇인가, 관계 속에서 인지되는 숨겨진 감정과 안건은 무엇인가, 진술된 문제와 갈등에 대해 어떤 해결책을 바라는가를 표현하는 데 도움이 된다. 셋째 단계인 내적 대립 작업의 주요 초점은 내담자의 인격에 존재하는 중요하고도 상충되는 두 가지 면에 대해 직면시키는 것이다. 긴장의 양극을 충분히 극화하고 경험할수록 갈등은 더 많이 해결될 수 있다. 회기가 진행되면서 처음에는 보이지 않던 과거의 외상과 관련된 사고, 감정, 감각, 신체적 반응으로 점점 강렬해지는 내적 갈등을 관찰할 수 있다. 각 대립의 자각 수준이 증가함에 따라 긴장은 내담자가 견디기 힘들어질 때까지 지속될 수 있는데, 이 현상은 인격의 내파층을 나타내며 새로운 게슈탈트를 형성하는 데 전제 조건이 된다. 넷째 단계인 통합은 내담자의 인격에 분리되어 있던 요소가 통합되는 단계이며, 새로운 게슈탈트의 출현을 알리는 신호다. 이 단계의 핵심 요소는 문제에 대한 재구성과 새로운 인식에서 내적 갈등이 해결되는 것이다. 내담자가 상반된 한 면을 언어, 비언어적인 방법으로 표현하도록 격려함으로써 다른 상반된 면을 제대로 인정하고 존중할 수 있게 된다. 치료자의 안내로 극단적 측면이 서로를 향해 다가가 서로를 포용함으로써 각각의 양극단의 긍정적 특성을 통합시킨다. 어떤 내담자에게는 양극의 긴장을 조화시키고 통합시키는 방법으로 명상기법을 선택할 수 있다. 내담자의 인지적 재구성을 촉진하기 위해 치료자가 상담과정에서 관찰한 내담자의 변화에서 인식한 것을 제시할 수도 있다. 이때 주로 사용하는 도구는 대화, 비논리적인 점 찾아내기, 재정향, 고정관념 깨기, 재경험, 반복, 대극통합, 마음의 복구, 인식적 검토, 실체의 검토, 자각, 합류, 직면, 편향, 이분법, 미해결 과제 등이다. 게슈탈트 치료기법은 내담자의 억압된 감정이나 욕구 혹은 신체감각, 사고패턴, 행동패턴 등을 알아차리도록 도와주고, 적절한 접촉을 통해 억압된 부분을 해소해 주기 위해서 연극, 춤, 동작, 미술 등 다양한 예술적 전략을 포함한 창의적인 기법을 많이 사용한다.

관련어 게슈탈트, 게슈탈트 미술치료, 미해결 과제, 알아차림, 전경-배경, 접촉

게시판 상담
[揭示板相談, bulletin board counseling]

인터넷의 전자게시판을 이용한 온라인 공개토론 방식의 상담. 사이버상담

전자 게시판 상담이라고도 부른다. 게시판 상담은 인터넷 사이트의 게시판을 이용하여 내담자가 자신의 사연을 올려놓으면 상담자 개인 혹은 다수의 상담자가 상담답변을 작성해서 올려놓기도 하고, 경우에 따라 다른 내담자들이 또래상담 형식으로 답해 줄 수 있는 열린방으로 진행된다. 내담자들이 서로 고민을 함께하고 나름대로의 조언을 글로 작성하여 올릴 수 있기 때문에 상담을 통해 도움을 받을 수 있을 뿐 아니라, 내담자 스스로 상담자가 되어 보는 장점도 있다. 전자 게시판 상담은 기본적으로 모두가 볼 수 있는 공개의 형식이지만 비밀번호를 설정하여 비공개로 하면 제목은 모두 볼 수 있지만 내용은 상담자와 내담자만 확인할 수 있는 일대일 상담이 되어 이메일 상담과 동일한 특징을 갖는다. 그러나 이메일의 내용은 특정 내담자와 상담자 간에 주고받는 비밀상담 형식인 반면, 게시판 상담의 내용은 다수에게 공개된다는 점에서 차이가 있다. 게시판에 글을 올리는 내담자는 상담자의 답신 외에도 그곳을 이용하는 다른 방문객에게 자신의 문제에 대한 답신을 듣게 됨으로써 자신의 문제가 다른 사람에게 공유되어 관심받고 있다는 느낌을 가질 수 있다.

게이
[-, gay]

'즐거운, 유쾌한, 기쁜, 행복한'과 같은 사전적 의미를 지닌 감정언어로, 남성 동성애자(男性同性愛者)를 일컬음. 성상담

게이(gay)라는 용어가 남성 동성애자로 의미 전환이 일어나게 된 것은 부도덕성 혹은 음란함 등의 의미를 지닌 'immorality'라는 의미가 더해진 시점부터다. 이후 19세기 후반에 이르러 유쾌한 감정과 부도덕성의 의미가 합해져 게이는 동성애라는 말과 관련되었고, 1960년대 서양의 여성, 흑인 등의 인권운동과 함께 동성애자의 인권운동도 활발해지는 시대 흐름에 접어들면서, 20세기에 들어와서는 남성 동성애자를 일컫는 말로 일반화되었다. 현대 영어에서 게이는 원래 형용사였는데, 점차 명사화되어 동성애에 관련된 문화나 그 행위를 하는 사람이라는 뜻으로 변하였다. 20세기 초까지만 해도 동성애

는 정신질환으로 인식되고 있었으며, 『정신질환 진단 및 통계편람 제2판(Diagnostic and Statistical manual of Mental Disorders, DSM-II)』에도 질병으로 기재되었다. 그러다가 1967년 성 보호 법안(Sexual Offences Act, 1967)이 영국의회에서 통과되면서 동성애에 관한 비범죄화 규정이 확산되었고, 1973년 DSM-II 개정판에도 정신질환이 아닌 성적 지향의 혼란으로 바뀌어 기재되었다가 DSM-III 개정판에는 동성애 항목이 완전히 삭제되었다. 우리나라에서는 보통 남성 동성애자를 게이, 여성 동성애자를 레즈비언으로 칭한다. 이성애자를 일반적이라고 보는 기존의 사회를 비판하는 취지에서 동성애자는 역설적으로 이반(二般 또는 異般)이라 자칭하기도 한다.

게임
[-, game]

반복적으로 안 좋은 감정으로 종결되는 상호작용의 한 형태이며, 사회적 수준, 즉 표면적으로는 OK로 보이지만 심리적 수준에서는 OK가 아닌, 전환과 혼란이 일어나는 일련의 이면교류. 교류분석

번(Berne, 1964)은 게임에 대한 정의를 초기에는 '잘 감추어져 있지만 결국은 잘 정의된 결말로 이끄는 약점(gimmick)에 의한 일련의 이면교류'로 소개하였으나, 후기에 가서는 게임의 본질적 특성으로 6단계 공식에 맞는 것만 게임으로 제시하면서 게임의 본질적 특징으로 전환과 혼란을 들었다. 게임은 사람들에게 불쾌한 감정을 주는 교류이며, 때로는 그 종말이 죽음을 초래하는 경우도 있다. 게임은 명료하고 예측 가능한 결과를 향해 진행해 가고 있는 일련의 상보-이면교류다. 즉, 숨겨진 동기를 수반하고 자주 반복적이며 표면상으로는 속임수를 내장한 일련의 홍정이다. 게임은 한 사람의 인간으로부터 현재적인 자극과 잠재적인 자극의 양쪽이 발전한다는 특수한 교류이며, 이와 같은 이면적 게임을 받는 상대는 그 게임의 결말에 반드시 불쾌한 감정을 경험하게 된다. 인간이 게임을 하는 이유는 스트로크를 얻기 위한 수단이고, 시간을 구조화하는 방법의 하나다. 게임은 각자의 기본적 감정을 지키기 위해 연출되고 자신의 기본적 태도에 만족하기 위해서도 게임을 연출한다. 게임의 결말에서 연출한 사람은 그 사람의 생활자세(인생태도)를 강화하고 또한 이를 증명하게 된다. 게임분석(game analysis)은 이러한 파괴적이고 반복적인 행동의 패턴과 이의 결말을 분석하는 것으로 자아상태와 관련된 교류의 형태를 탐구하는 것이다. 초기 인생각본의 한 형태라고 할 수 있는 게임은 숨겨진 동기를 가진 일종의 암시적 교류다. 게임은 어린 시절에 형성된 초기 결정의 방식을 유지하고자 하는 교류의 한 유형으로서, 생활시간을 구조화하는 수단이 되며 애정이나 관심 등 스트로크를 받기 위한 암시적 수단이라고 볼 수 있다. 번은 게임의 특징을 다섯 가지로 소개하였다. 첫째, 게임은 반복적이다. 게임의 상대와 환경은 바뀌어도 게임의 유형은 동일하게 반복된다. 둘째, 게임은 어른 자아상태의 의식 없이 진행된다. 사람들은 보통 게임을 반복하면서도 자신이 게임을 하고 있다는 사실을 깨닫지 못하고 있다. 셋째, 게임은 항상 게임하는 사람이 라켓감정을 경험하는 것으로 종결된다. 넷째, 게임은 사람들 사이에 이면교류가 활성화된다. 어떤 게임이든 사회적 수준과 심리적 수준에서 다른 일이 벌어진다. 다섯째, 게임 뒤에는 항상 당혹이나 혼란이 따른다. 왜냐하면 게임하는 사람은 예기치 못한 일이 일어났다고 생각하기 때문이다. 이렇듯 게임을 하고 있는 사람은 자신이 게임을 하고 있다는 것을 거의 의식하지 못할 뿐 아니라 게임에 관여하는 두 사람 모두 또는 최소한 한 사람에게 종국에 가서는 부정적인 감정을 불러일으키게 된다는 것이다. 만약 어떤 사람이 자신이 게임을 알고 한다면 그것은 계략이지 더 이상 게임이 되지 않는다. 게임의 진행과정은 다음과 같다. 첫째, 게임을 하려는 사람은 숨겨진 동

기를 가지고 상대를 찾는다. 둘째, 약점이 있는 상대가 걸려들면 계략을 사용하면서 게임이 시작된다. 셋째, 처음에는 표면적으로 상보교류를 한다. 그러다가 게임이 확대되면서 어떤 전환을 맞는다. 넷째, 이것은 통상 엇갈림, 대립, 허둥대기와 같은 교차교류 형태를 띠며 두 사람 간의 관계는 혼란에 빠져 최종적으로 불쾌한 감정을 맛보면서 끝난다. 실제로 게임은 이러한 단계를 왔다 갔다 하면서 이루어진다. 사람은 게임의 결과 때문에 만성적인 부정적 감정인 라켓을 경험한다. 부정적인 감정인 라켓의 특징은 다음과 같다. 첫째, 인간의 생각이나 행동을 구속하고, 자연스러운 감정을 상쇄하여 지워 버린다. 다른 사람의 행동을 바꾸어 관심 등의 스트로크를 받으려는 숨은 의도가 있다. 둘째, 지금-여기에 맞지 않는 감정을 보이며 친밀한 상호 교류를 방해한다. 셋째, 한풀이 행동의 정당한 근거로 사용된다. 게임은 자신과 중요한 인물 간의 교류 중에서 게임이 있는지 확인하고 게임을 하고 있으면 거기서 탈출을 해야 한다. 게임에서 탈출하는 방법은 다음과 같다. 첫째, 게임 초기에 그것에 주의하고 의식적으로 이를 피한다. 즉, 숨은 동기를 간파한 다음 탈출하도록 한다. 둘째, 게임은 상대를 비난, 무시하는 데에서 시작하므로 상대의 인격을 무시한다든지, 경시하는 것과 같은 고민, 문제를 부정한다든지 얼버무리는 행동을 하지 않는다. 셋째, 객관적으로 어른 자아상태를 가지고 자신이 체험하는 주요한 감정과 행동 간의 관계를 객관적으로 관찰한다. 넷째, 드라마 삼각형의 게임일 경우 박해자, 희생자, 구원자 중 어느 역할도 하지 않는다. 다섯째, 기존의 교류형태를 바꾸어 본다. 보통 말하기보다는 경청하는 태도를 바꾸면 게임은 중단된다. 여섯째, 게임의 결말을 생각해서 그것을 철저하게 회피하는 수단을 구체적으로 강구해 본다. 번은 모든 게임은 6단계를 거쳐 진행된다고 소개하면서 이를 게임공식(game formula)이라고 지칭하였다. 속임수(con)+약점(gimmick)=반응(response) → 전환(switch) → 혼란(crossup) → 결말(payoff). 다음과 같이 첫 글자를 사용하여 나타낼 수도 있다.

$$C+G=R \rightarrow S \rightarrow X \rightarrow P$$

또한 게임마다 강도가 다르다. 게임의 강도 중 제1급은 주위 사람들에게 털어놓을 수 있을 정도의 결과를 초래한다. 제2급은 주위 사람들에게 털어놓기 힘들 정도의 심각한 결과를 초래한다. 마지막으로 제3급은 '병원이나 영안실까지 가야 끝날' 정도의 결과를 초래한다.

게임의 강도
[-強度, degree of game]

교류분석

⇨ '게임' 참조.

게젤의 성숙준비도이론
[-成熟準備度理論, Gesell's theory of maturation readiness]

인간의 발달은 성숙에 따라 결정된다는 발달이론. 발달심리

게젤이 제안한 이론으로, 아이의 운동발달이 '앉는다 → 선다 → 걷는다'와 같은 일정한 출현순서가 있다는 점에 주목하였다. 그리고 이 같은 발달은 신경계의 성장과 더불어 추진되며, 신경계의 성장을 유전자가 지배하고 있다고 생각하면서, 발달과정이 이처럼 유전자에 의해 방향 부여되는 기제를 성숙(maturation)이라고 불렀다. 발달의 속도는 환경 요인의 영향도 받지만 행동의 출현순서라는 발달의 기본 과정은 성숙에 의해 결정된다는 것이 이 이론의 기본 전제다. 이러한 전제하에 여러 가지 행동을 지배하는 신경계가 충분히 성숙하여, 행동수행을

위한 준비가 정비된 상태(readiness)가 되면 아이는 그들 행동을 자연스럽게 습득해 나간다. 이런 의미에서 게젤의 발달이론을 성숙준비도이론이라고 부른다. 이에 더해 게젤과 톰슨(Gesell & Thompson)은 일란성 쌍생아를 대상으로 계단 오르기, 적목(積木) 쌓기, 손의 협응 등의 실험을 통해 인간의 발달은 연습과 같은 환경요인보다 성숙요인이 훨씬 더 중요하다는 것을 검증하여 게젤의 이론을 뒷받침하였다. 성숙준비도이론에서는 당연히 행동출현의 시기가 내적으로 이미 정해져 있다고 주장한다. 이를 근거로 게젤은 영유아의 행동발달을 면밀하게 관찰하여 발달척도, 학교준비도검사(Gesell School Readiness Screening Test) 등을 개발하였다.

관련어 | 준비도

격려
[激勵, encouragement]

용기를 북돋워 주는 상담기법. 개인심리학

내담자는 병이 걸린 것이 아니라 의기소침한 사람이라는 기본 개념과 모든 인간은 열등감을 가지고 있다는 기본 개념은 아들러(Adler)의 상담에서 격려가 가장 기본적이면서 중요한 상담기법임을 말해 준다. 격려는 내담자가 자신의 열등감을 극복하고, 가치를 깨닫도록 도와주는 데 초점을 맞추고 있다. 이 밖에도 격려는 다른 사람에게 영감을 주거나 도움을 주기 위한 것으로, 특히 확신을 가지고 해결책을 찾으려는 노력을 할 수 있게 하고, 어떤 곤경도 대처할 수 있도록 돕는 것이다. 상담자는 내담자에게 능력과 유용성이 있다는 것을 깨닫도록 해 주어야 한다. 한 개인의 신념을 변화시키기 위해서는 그가 가진 강점과 장점을 인식하게 하여 용감하게 자기 삶의 문제에 다가갈 수 있도록 도와주는 것이 필요하다. 격려(encouragement)라는 말 속에는 용기(courage)가 들어 있다. 용감하게 삶의 문제에 다가가는 특성(quality)은 우리 주변의 모든 아름다움, 새로운 경험에서의 본질적인 가치, 새로운 발견을 만드는 것과 새로운 기술숙달의 만족감에 대한 자각을 높이는 것이다. 일관되게 격려를 해 주면 내담자는 자신이 할 수 있는 것에 대한 결점들을 받아들이는 가능성을 증가시키고, 최선을 다하려는 노력을 하게 된다. 때때로 시도가 실패하더라도 크게 좌절하지 않고 또다시 시도할 수 있는 용기를 갖게 된다. 격려에서 중요한 요인은 용기를 갖고 삶에 직면할 때 그 용기가 개인적 이익을 위해서가 아니라 공공의 유익을 위해서 나아갈 수 있는 용기의 방향성 문제다. 사적인 이익보다 더 큰 선(good)을 위해 행동할 때 인간은 적극적인 삶의 참여자로서 건강하게 살 수 있다. 희망이 효과적인 상담의 중요한 치료적 요건 중 하나라고 할 때, 격려는 내담자에게 희망을 주는 중요한 수단이 된다. 격려의 의미는 내담자에게 자기가치감을 심어 주고, 자신이 되어야 하는 모습이나 될 수 있는 모습이 아닌 현재 있는 그대로를 수용하는 것이다. 내담자가 혼자가 아니라고 느끼고, 상담자의 힘과 유능성에서 안전감을 느끼며, 긍정적인 것을 확대하고 부정적인 것을 제거하면서 희망을 갖게 되면, 낙심한 자들이 일어설 수 있다. 내담자에 대한 믿음을 표현하고, 비난하지 않으며, 과한 요구를 하지 않는 것 등은 내담자에게 희망을 준다. 내담자는 또한 이해받고 있다는 느낌에서도 희망을 가질 수 있다. 따라서 그가 두려워했거나 알지 못했던 과정을 시도해 봄으로써 희망을 얻을 수 있다. 격려에 관한 구체적인 방법에 대해서 애덤스(Adams)는 내담자에 대한 존중, 내담자의 믿음, 내담자의 능력에 대한 긍정적 기대, 노력의 가치, 개인을 지지할 수 있는 집단과의 협동작업, 집단에 속해 있다는 인식의 경험, 다른 사람으로부터의 필요한 기술 및 태도 개발 원조, 발달을 위한 개인의 흥미와 강점 이용, 노력이나 요구된 행동이 없어도 격려 제공 등을 주의하라고 제안하였다. 빈스방거

(Binswagner)가 제안한 격려의 방법은 다음과 같다. 첫째, 한 가지 일을 행할 수 있도록 도와주되 혼자서 할 수 있게 한다. 둘째, 취미, 휴가 또는 자신이 공유하고 싶어 하는 사건에 대해 기술하는 것을 경청한다. 셋째, 바쁘게 돌아다니며 어려운 과제를 완성하는 동안 끈기 있게 기다린다. 넷째, 더 많은 휴가시간을 가지거나 또 다른 과제를 완성한다. 다섯째, 자신에게 가치 있는 친구, 책, 기록 등을 공유한다. 여섯째, 부탁하지 않아도 친절하게 대한다. 일곱째, 쉽게 간과될 수 있는 상황에서 감사와 사의를 표하는 혹은 기억하는 편지를 보낸다. 여덟째, 다른 사람에게 행하거나 직업 혹은 주어질 수 있는 직업 상 자신의 능력이나 기여에 감사해 할 수 있도록 또 다른 것들을 중재한다. 크리스탄(Cristan)은 격려와 관련된 행동에 대해서 다음과 같이 말하였다. 첫째, 어떻게 하는가보다 무엇을 하는가와 더 관련되어 있다. 둘째, 과거나 미래보다 현재와 더 관련되어 있다. 셋째, 행위자보다 행위와 더 관련되어 있다. 넷째, 결과보다 노력과 더 관련되어 있다. 다섯째, 외적인 동기(예, 보상이나 처벌)보다 내적인 동기(예, 만족, 즐거움, 도전)와 더 관련되어 있다. 여섯째, 무엇을 배우지 않았느냐보다 무엇을 배웠느냐와 더 관련되어 있다. 일곱째, 무엇을 정확히 하지 않았느냐보다 무엇을 정확히 했느냐와 더 관련되어 있다.

격려에 의한 상담

[激勵-相談, counseling by encouragement]

격려를 통해 상대방의 어려운 문제를 해결하는 데 도움을 주려는 가장 기초적 수준의 상담형태. 목회상담

성경적인 상담을 주장한 크랩(Crabb)은 상담의 수준을 3단계로 나누어 설명했는데, 격려에 의한 상담은 첫 번째 단계다. 격려에 의한 상담은 특별히 상담에 대한 훈련을 받지 않고도 일상생활에서 하는 격려로, 가장 낮은 수준의 상담이다. 크랩은 이러한 상담은 기독교인의 친교의 만남에서 흔히 찾아볼 수 있는 것으로서, 이를 통해서는 상대방의 깊은 곳까지 들여다보지 못하는 얕은 수준의 관계라고 말하였다. 1단계 상담자는 내담자를 돕고자 하는 연민과 의지의 자세로 내담자를 대하며, 격려하고 위로하는 것이 주목적이다. 하지만 이러한 격려는 내담자가 부정적인 감정과 행동으로 가득 차 있을 경우 오히려 그러한 것들을 강화하는 결과를 가져올 수 있다고 지적하였다. 이 같은 실수를 피하기 위해서 상담자는 '미리 준비된' 응답을 하지 말아야 한다고 크랩은 제안하였다. 내담자의 말에 치료의 의도가 포함되어 있는 정형화된 응답이나 질문을 하면 오히려 내담자가 자신의 말을 충분히 하지 못하게 만들 수 있기 때문이다. 따라서 1단계 상담자는 내담자의 말에 위로와 격려를 해 줌으로써 내담자가 자신의 문제적 상황에서 보다 긍정적으로 반응할 수 있도록 도와줄 수 있지만, 중요한 것은 격려에 의한 상담은 때때로 내담자에게 격려보다는 권고를 해 주어야 하는 경우가 생길 수 있고 그때는 2단계 상담자에게 위탁하는 것이 바람직하다고 설명하였다.

관련어 | 기독교상담, 성경적 상담

격리

[隔離, disengagement]

가족 내에서 세대 경계 및 가족구성원 간의 경계가 명확하여 서로에게 침투하지 않는 상태. 가족상담

미누친(S. Minuchin)이 가족경계선과 가족구조를 설명하기 위해 사용한 개념이다. 부모세대와 자녀세대 간 각각의 제휴가 세대를 뛰어넘는 제휴보다 더 강하며 동시에 세대 간에 적당한 경계가 있는 상태를 건강한 핵가족의 조건으로 본다. 모든 가족구성원 간의 거리관계는 격리와 밀착이라는 양극단

선상에 놓여 있다. 격리된 상태는 밀착된 상태와는 반대되는 개념인데, 각 가족구성원 간이나 하위체계 간에 강력한 경계나 벽이 있을 경우 그 체계는 격리된 상태에 있다. 지나치게 독립된 태도로 서로를 대하며 거리감과 소외감을 느낀다. 가족에 대한 충성심과 소속감이 부족하고, 도움이 필요할 때 도움을 주고받는 능력이 부족하다. 또한 가족구성원 간의 의사소통이 원활하지 못하고, 가족체계가 보호지지체계로서의 기능을 하지 못한다. 격리된 상태의 가족들은 서로 고립되어 있기 때문에 내담자의 문제해결을 다른 가족구성원이 지원하기 어렵다.

관련어 | 경계선, 하위체계

격정 범죄
[激情犯罪, affective crime]

순간적인 감정폭발로 행해지는 범죄. 교정상담

순간적으로 나타난 격정에 따라 일어나는 범죄인 격정 범죄라는 단어는 롬브로소(C. Lombroso)가 타고난 범죄자와 구별한 범죄자 유형의 하나다. 따라서 분노나 질투 등으로 숙고를 거치고 이루어진 범죄나 항상 격정에 내몰리고 있는 성격을 가진 사람이 범한 범죄의 경우는 제외한다. 즉, 두 번 다시 일어날 것 같지 않을 정도의 외적 동기로부터 유발된 강한 감정에 내몰리거나 그 순간 일체의 사려분별을 하지 못한 채 범행을 저지르는 행위를 가리킨다. 아샤펜부르크(G. Aschaffenburg)는 범죄자를 일곱 가지 유형으로 나누고, 그중 하나인 격정 범죄자(affective criminal)는 특정 외적 자극으로 돌연 격정적이 되어 살인, 폭행, 방화 등의 범죄에 빠져든다고 하였다. 페리(E. Ferri)의 열정범인(熱情犯人)과 달리 깊은 숙고를 하지 못한다. 흥분에 휩싸여 의지나 이성이 마비되고 충동이나 욕동이 발산되기 때문에 일반적으로 재범이 적지 않다. 그러나 격정범죄는 흥분하기 쉬운 성격과 결부되어 일어나거나 또 노화에 따른 대뇌피질의 경화, 감정억제의 저하, 혹은 여성의 월경기 내분비 부조화나 욕동자극에 대한 저항력의 약화로 일어나는 경우도 있다.

견성
[見性, awakening the enlightenment]

참선이나 수행을 통하여 자신의 본성을 알게 되는 것. 동양상담

자신의 본성이나 성품인 인간의 가장 근본적인 마음을 알아차리는 것을 뜻하며 깨달음이라고도 한다. 여기서 성품은 물질적인 것과 정신적인 것 모두를 말하며, 이를 사무치도록 절실하게 알아 모든 법계의 실체가 자신의 본성과 둘이 아니라는 사실을 깨닫는 순간을 가리킨다. 이 순간에는 모든 것이 분명하므로 더 이상의 수행이 필요 없는 상태다. 이는 곧 열반이요 해탈로서, 부처가 되는 것을 일컫는다.

결단서
[決斷書, decision-making sheet]

권면적 상담에서 내담자의 잘못된 삶을 교정하기 위해 죄에 근거한 욕망과 성경에 근거한 결단내용을 문서로 작성한 것. 목회상담

내담자의 죄성을 지닌 욕망과 성경의 가르침을 따라가야 할 결단의 내용을 서로 대조시켜 이를 문서로 가시화한 것이다. 제이 애덤스(Jay Adams)는 인간이 자신의 잘못된 습관이나 행동에서 돌아서는 결단이 매우 중요하다고 설명하였다. 따라서 자신의 삶에서 이러한 결단을 잘 내리지 못하는 사람은 계속해서 어려운 문제에 빠지게 된다. 상담자는 내담자가 성경의 원리에 부합되는 긍정적인 변화의 결단을 하는 것을 도와주기 위해 결단서를 작성한다. 상담과정에서 작성한 결단서를 통하여 내담자

와 삶의 변화를 위한 결정에 대해서 더욱 많은 이야기를 나누어 보아야 한다. 결단서를 작성할 때 주의해야 할 점은 내담자가 자신의 죄를 인식하고 절망적인 감정의 상태에서 자포자기하는 심정으로 해서는 안 된다는 것이다. 이 같은 상태에서 하는 삶의 결단은 일순간의 감정에 따른 잘못된 결단일 가능성이 크고, 이는 내담자의 삶에 혼란을 가져올 수 있다. 진정한 변화를 위한 결단은 성경적인 원리와 가르침에 따라서 이루어져야 하며, 성경적 결단은 내담자의 삶이 하나님의 명령을 따르며 살 수 있도록 도와준다.

관련어 | 권면적 상담, 성경, 성화

결손가정
[缺損家庭, broken family]

부부 중심의 가족을 기준으로 했을 때 편부모 가정, 청소년 가장 가족 등 가족 중에 부, 모, 혹은 양친이 없는 가정. 가족상담

결손의 개념은 구조적인 측면과 기능적인 측면으로 나누어 볼 수 있지만, 일반적으로 구조적인 측면에서 논의된다. 기능적 결손원인으로는 가족관계와 가족기능상의 장애를 들 수 있다. 한편, 구조적인 결손원인으로는 배우자가 질병, 사고, 재해 등으로 사망했을 경우, 이혼, 별거, 가출 등으로 결혼관계가 해소되었거나 부양의 의무를 하지 않는 경우, 장기간의 입원이나 수감으로 동거할 수 없는 경우, 미혼부모 가족 등을 들 수 있다. 편부모 가정은 전통적인 가족형태에서 형성되는 지지체계가 부족하므로 자녀양육에 대한 책임이 가중된다. 이혼에 의한 결손가정에서는 자녀의 부적응 행동이나 자아개념 상실 등의 문제가 나타날 수 있다. 그러나 편부모가 충분한 애정, 관심의 표현, 일관된 훈육태도 등으로 자녀지도를 적절하게 하는 경우, 즉 가족의 기능이 결손되지 않는 한 부모자녀 관계가 원만하게 이루어질 수 있다. 편부와 편모에게 양육된 자녀의 행동을 비교연구한 결과에 따르면, 편부가정에 비해 편모가정에서 자녀의 적응적 문제가 더 많이 보고되었다. 양부모 가정과 비교했을 때 편모가정에서 모-자녀 간의 관계 형성이 덜 긍정적인 것으로 나타났다. 부의 부재상황을 수용하고 극복하려는 노력, 적절한 훈육과 절제된 애정표현 등은 모-자녀 간의 관계 형성에 도움이 된다.

결정
[決定, decision]

어린이가 각본 메시지에 대한 반응으로 자신의 인생각본을 써 내려가는 감정 및 현실검증 과정. 교류분석

'결단'이라고도 한다. 인생각본은 일련의 '결정'들로 구성된다. 어린이는 자신과 주위 사람 및 세상에 대한 '각본 메시지(script message)'에 대한 반응으로서 이러한 결정들을 내리게 된다. 각본 결정은 주변에서 일어나는 일에 대한 어린이 자신의 지각에 따라 이루어지며, 이러한 지각은 어린이 고유의 감정 및 현실검증으로 이루어진다. 다시 말해, 어린이가 자기 인생계획을 스스로 '결정'한다는 것이다. 동일한 환경에서 성장한다 하더라도 각자가 결정한 인생계획은 다를 수 있다. 교류분석에서 말하는 결정의 의미는 사전적인 것과는 다른데, 어린이의 각본 결정은 일반 사람이 의사결정을 할 때처럼 '사고'를 통해 이루어지는 것이 아니다. 초기결정은 말을 배우기 이전에 감정을 토대로 이루어진다. 또한 어른이 사용하는 것과는 다른 현실검증을 토대로 이루어진다. 금지명령을 피하는 하나의 방법으로 '복합결정(compound decision)'을 들 수 있다. 이는 어린이가 어린이 자아상태 속의 '작은 교수'를 통해, 살아남을 수 있는 목표와 자기욕구를 충족시키려는 다른 각본 메시지를 결합하는 것을 뜻한다. 각본분석을 하다 보면 이러한 복합결정을 흔히 발견할 수

있으며, 이는 각본이 어떻게 작용하는지 이해하는 데 중요하다. 굴딩(Goulding) 부부는 초기 결정이 사고보다 감정에 따라 이루어지기 때문에, 각본에서 벗어나기 위해서는 초기결정이 이루어지던 시기의 어린이 자아상태 감정과 재접촉하여 그 같은 감정을 표현함으로써 초기 결정을 새롭고 더욱 적절한 '재결정(redecision)'으로 바꿀 수 있다고 보았다. 이를 위해 상상, 꿈, 또는 초기장면의 연상 등을 통하여 어린 시절의 정신 외상적 장면을 회상함으로써 이를 재경험시킨다. 교류분석의 재결정 학파 상담자들은 일반 교류분석 상담자들보다 개인의 책임을 더 강조한다. 재결정 치료를 할 때 치료계약은 내담자와 상담자 사이에서 하는 것이 아니라, 내담자 자신과 계약을 하고 상담자는 증인이 된다.

결핍동기 – 성장동기
[缺乏動機 – 成長動機, deficiency motivation–growth motivation]

매슬로(Maslow)의 욕구위계에서 1～4단계에 속한 하위욕구와 최상의 단계인 성장욕구를 구분한 개념. 인간중심상담

매슬로는 인간은 여러 가지 다양한 욕구를 충족시키기 위해 동기화된다고 전제하고 욕구위계설(hierarchy of needs)에서 인간의 보편적인 동기를 서로 질적으로 구분되는 위계적 단계로 분류하여 소개하였다. 가장 아래에서부터 보면 생리적 욕구, 안전의 욕구, 사랑과 소속감의 욕구, 존중감의 욕구, 자기실현의 욕구로 구분된다. 각 욕구는 위계를 이루고 있어서 하위욕구가 만족되지 않으면 다음 상위욕구가 동기화되지 않는다고 보았다. 여기에서 1, 2, 3, 4단계에 속한 욕구는 결핍욕구로서 외부로부터 주어지는 것이며 반드시 충족되어야 개인이 정서적 안정을 느끼는 결핍동기다. 5단계에 속한 자기실현의 욕구는 외부로부터 독립적이며 자율적인 의미를 지닌다(장동원, 1997). 결핍욕구는 외부로부터 채워져서 우리 내부에서 부족감을 느끼는 경우 필요를 느끼고, 이를 충족시키고자 하는 강한 동기를 갖게 되는 욕구다. 또한 이것이 충족되면 더 이상의 욕구를 느끼지 않아서 이를 충족시키고자 하는 동기가 없어진다. 이처럼 결핍욕구와 결핍동기는 기본적인 생존의 욕구로서 본능과 유사하다고 볼 수 있다. 결핍동기는 결핍으로 인한 긴장을 유발하기 때문에 부정적인 형태라고 할 수 있다. 실제로 결핍이 심각하게 지속될 경우 정신적인 질병을 유발하기도 한다. 그러나 마지막 욕구인 자기실현의 욕구는 인간이 잠재적인 자기 자신을 실현하려는 경향, 그가 될 수 있는 모든 것이 되려는 욕구로서 충족이라는 끝이 있는 것이 아니라 계속해서 충족하고자 하는 끊임없는 동기가 생긴다. 인간은 자신의 삶의 경험을 보다 풍요롭게 하고 다양하게 하여 살아 있다는 기쁨과 열정을 더욱 증가시키려는 동기를 가진 존재라고 할 수 있다. 매슬로는 자아실현을 한 사람들에게서 끊임없이 성장하도록 동기를 부여하는 특성을 발견하였다. 그는 절정경험(peak experience)이 자존감을 향상시키고 자아실현의 동기를 더욱 향상시킨다고 보았다. 성장동기의 지속적 충족은 인간을 더욱 바람직하게 성장, 발달하도록 이끌기 때문에 성장동기는 적극적이며 성장, 발전, 진보로 표현되고 있다.

결핍가치 – 성장가치 [缺乏價値 – 成長價値, deficiency value – being value] 매슬로(Maslow)는 인간행동을 설명하고 이해하기 위하여 심리학을 크게 결핍심리학과 성장심리학으로 구분하고, 가치를 결핍가치와 성장가치로 구분하였다. 결핍가치는 구체적인 목표 대상을 지향하는 가치를 뜻하며, 성장가치는 인간이 태어날 때부터 가지고 있으며 가장 높은 가치는 인간성 그 자체에 존재한다. 성장가치에는 신뢰, 선, 미, 통합, 이분법 초월, 독특성, 필요, 정의, 단순성, 용이함, 자아충족, 생기, 완전, 완성, 질서, 풍요, 유희, 의미 등이 있다. 이러한 성장가치

가 충족되지 못하면 메타병리(metapathology)에 빠져 버린다. 메타병리는 사람들이 자신의 잠재력을 표현, 사용, 충족하는 것을 방해한다.

결핍사랑-성장사랑 [缺乏-成長-, deficiency love-being love] 매슬로(Maslow)는 인간행동을 설명하고 이해하기 위하여 심리학을 크게 결핍심리학과 성장심리학으로 구분하고, 사랑을 결핍사랑과 성장사랑으로 구분하였다. 결핍사랑은 다른 사람이나 대상이 자신의 욕구를 충족해 주기 때문에 그 대상을 사랑하는 것을 뜻한다. 이러한 이기적인 사랑은 자존감, 섹스를 위한 욕구, 고독의 두려움 등에서 비롯되고 이러한 방식으로 자신의 욕구가 충족되면 더욱더 이 같은 사랑이 강화된다. 성장사랑은 다른 사람의 성장을 위한 사랑을 뜻하며, 무소유적이고 타인의 행복에 더 많은 관심을 갖는다. 부모가 자녀를 사랑하는 것과 같이 무조건적 사랑이 성장사랑이다.

결핍인지-성장인지 [缺乏認知-成長認知, deficiency cognition-being cognition] 매슬로(Maslow)는 인간행동을 설명하고 이해하기 위하여 심리학을 크게 결핍심리학과 성장심리학으로 구분하고, 인지를 결핍인지와 성장인지로 구분하였다. 결핍인지는 대상을 단지 욕구충족을 위한 수단으로 인식하며 욕구가 강할 때 자주 나타난다. 강한 욕구는 사고와 지각에 영향을 주어 강한 욕구를 지닌 개인은 외부환경을 욕구충족과 관련시켜 지각한다. 성장인지는 환경을 보다 정확하고 효율적으로 지각하도록 하는데, 이는 기본적 욕구가 충족된 사람에게 더 잘 나타나고 지각을 왜곡하는 경향이 적다. 성장인지를 지닌 사람은 비판단적, 비평가적이며 있는 그대로를 인식하는 경향이 강하고, 독립적인 태도로 대상을 바라보면서 외부 대상 그 자체에 대하여 가치를 부여한다.

구호욕구 [救護欲求, need succorance] 다른 사람에게서 보호, 관심, 사랑, 배려를 받고자 하는 욕구를 뜻한다. 구호욕구는 매슬로(Maslow)의 결핍욕구 중 1~3단계에 해당하는 생리적 욕구, 안전의 욕구, 사랑과 소속감의 욕구와 관련된다. 대인관계 욕구 검사에서는 원조욕구와 의존욕구로 구분되기도 한다. 아들러(Adler)의 생활양식 중 획득형의 사람은 기생적인 방법으로 외부세계와 관계를 맺으며, 다른 사람에게 의존하여 욕구를 충족하는 특성을 보이는데, 이러한 경우에도 구호욕구 혹은 의존욕구가 강하다고 할 수 있다. 구호욕구 혹은 의존욕구가 강한 사람은 착하고 순종적이다. 의존을 해야 하기 때문에 다른 사람의 의견에 대해 반박을 하거나 자기주장을 제대로 하지 못하는 것이다. 결혼생활에서 바라는 것은 기대고 보살핌을 받는 것이다. 일상사나 집안의 큰 문제는 스스로 결정하지 못하고 누군가 알아서 해 주기를 바란다. 대신 헌신적으로 뒷바라지를 해 준다. 묵묵히 시키는 일이나 늘 하는 일은 잘하지만 조금만 복잡해져도 결정을 내리지 못한다. 그리고 사소한 문제만 생겨도 배우자에게 전화를 하거나 이야기를 해서 짜증을 불러일으키기도 한다.

사회적 승인의 욕구 [社會的承認-欲求, need for social approval] 매슬로(Maslow)의 욕구위계 중 네 번째 단계인 사랑과 소속감의 욕구와 관련된다. 사회생활 속에서 자신의 존재나 언동, 인격 등을 부모, 교사, 친구에게 인정받거나 존경받고 싶어 하는 욕구로, 마음의 안정을 유지하기 위한 가장 기본적인 사회적 욕구의 하나다. 이 욕구는 3, 4세경에 시작된다. 오늘날 경쟁사회에서는 특히 이 욕구가 생기는 장면이 많으며, 인격발달상으로도 보수나 칭찬의 말 등으로 승인(인정)의 욕구를 만족시키는 것이 중요하다.

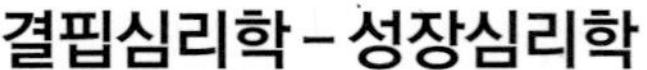

결핍심리학 – 성장심리학
[缺乏心理學 – 成長心理學, deficiency psychology-growth or being psychology]

인간행동을 설명하고 이해하기 위하여 매슬로(Maslow)가 제시한 개념으로서, 결핍심리학과 성장심리학의 두 분야는 서로 반대되는 개념. 인간중심상담

결핍심리학은 인간의 부정적 심리에 주목하여 정신병리의 원인과 치료에 초점을 둔 심리학이고, 성장심리학은 인간의 강점과 잠재능력을 개발하고 삶의 질을 향상시키며 인간의 보다 긍정적인 성장에 주목한 심리학이다. 제2차 세계 대전이 발발하기 전 심리학의 주요 과제는 크게 정신질환의 치료, 사람들의 삶이 더 생산적이고 충만해지도록 돕는 것, 재능을 발견하고 육성하는 것이었으나 전쟁 후 심리학은 인간기능에 대한 질병모델을 사용하여 주로 손상된 부분을 교정하는 데 초점을 맞추었다. 이러한 심리학의 접근은 정신질환 과정의 이해와 치료 분야에 큰 발전을 가져왔다. 하지만 이 같은 발전이 심리학의 다른 두 가지 과제, 즉 사람들의 삶을 보다 풍요롭게 하는 것과 재능을 길러 주는 것에 대한 관심을 잊게 하였다는 점에 주목하면서 심리학자들은 삶을 가치 있게 하는 강점과 자원에 대한 과학적 접근으로서 사람들이 삶에서 가장 좋은 특성을 개발하여 성장하고 발달하는 방향으로 변화될 수 있도록 하는 데 초점을 두기 시작하였다. 이때 질병모델에 근거한 심리학을 결핍심리학이라고 본다면 성장모델에 근거한 심리학을 성장심리학이라고 부를 수 있다. 긍정심리학 혹은 성장심리학은 긍정적이고 바람직한 인간의 특성으로서 희망, 지혜, 창조성, 용기, 영성, 책임감과 같은 개념에 주목하고 연구를 시작하였으며, 행복에 관심을 가지고 행복의 3대 조건으로 즐거움과 몰입, 삶의 의미를 제시하기도 하였다. 최근에는 성장심리학 혹은 긍정심리학 관점에서 긍정적 상태 및 믿음이 지니는 본질과 결과가 성취, 발달, 친밀한 관계, 집단 간 과정, 대처, 일, 건강 등의 다양한 맥락에서 어떻게 관련되는지 연구가 이루어졌다. 이 연구들은 긍정적인 믿음과 상태를 통해 현실적 사고와 건설적 행동이 촉진된다는 충분한 증거를 보여 주었다. 이처럼 성장심리학은 인간 자신의 행동과 경험에 대하여 가장 높은 자각상태를 유지하고 자아실현을 추구하기 위하여 행동하는 것으로, 절정경험(peak experience)과 자아실현(self-actualization)이라는 특성을 가지고 있다. 이와 관련된 개념은 성장동기, 성장인지, 성장가치, 성장사랑 등이다. 성장동기는 일차적으로 현재 상태에 대하여 만족감과 즐거움을 느끼면서 긍정적으로 가치가 있는 목표를 추구하는 것이다. 성장동기는 기본적 욕구가 충족된 후에 발생하며, 개인마다 고유한 삶을 지향하는 자아실현의 동기다. 성장인지는 환경을 보다 정확하고 효율적으로 지각하도록 하는데, 이는 기본적 욕구가 충족된 사람에게 더 잘 나타나고 지각을 왜곡하는 경향이 적다. 성장인지를 지닌 사람은 비판단적, 비평가적이며 있는 그대로를 인식하는 경향이 강하고, 독립적인 태도로 대상을 바라보면서 외부대상 그 자체에 가치를 부여한다. 결핍심리학과 성장심리학은 심리학에서 부정과 긍정의 통합과 균형의 필요성 및 중요성을 보여 준다.

관련어 | 결핍동기 – 성장동기

결혼만족도검사
[結婚滿足度檢查, Marital Satisfaction Inventory: MSI]

결혼만족의 중요한 측면인 여러 요인에 대해 만족도를 알아보는 검사. 심리검사

성적 불만족, 자녀양육, 자녀불만, 공격행동, 의사소통 불만 등과 관련된 결혼만족도를 평가하기 위해 1979년에 미국의 임상심리학자인 더글러스 스나이더(Douglas Snyder)가 개발한 검사다. 우리나

라에서는 이 검사의 개정판(MSI-R)을 기초로 1999년 에 권정혜와 채규만이 한국판으로 표준화하였다. 대상은 결혼을 한 부부다. 한국판 표준화 당시 우리 실정에 맞추어서 결혼만족의 중요한 측면인 부부관계 내 공격행동 정도를 평가하는 척도를 추가하였으며, 우리나라 결혼생활에서 배우자 가족과의 관계가 중요한 영향을 미치는 점을 고려하여 배우자 가족과의 갈등척도를 추가하였다. 총 160문항으로 구성되어 있으며, 전반적인 결혼불만족 정도와 결혼생활의 11개 영역에 대한 세부적 결혼만족 정도를 평가한다. 이 검사는 부부치료에서 중요한 여러 문제영역에 대해 세밀하고 민감한 정보를 빠르게 제공해준다. 부부치료를 할 때 라포를 형성하는 좋은 자료가 되며, 초기면접에서 활용하는 경우는 부부문제에 대해 보다 구체적인 정보제공이 가능함으로써 궁극적으로 치료동기를 높인다. 다면적 척도로 구성되어 부부치료에서 중점을 두어야 할 영역을 발견하고, 치료성과를 평가하는 데 유용하다. 일반 치료현장이나 임상현장에서 면접내용과 함께 부부들 자신이 결혼생활에 대해 보고하는 내용을 보다 체계적으로 정리할 수 있다. 예비부부나 중년부부의 관계개선을 위한 교육장면에서도 효율적으로 활용 가능하다. 우리나라 부부의 주요 갈등요인인 배우자 가족과의 문제를 평가에 추가했기 때문에 보다 현실적인 대한민국 부부의 문제 평가가 가능하다. 채점판이 필요 없는 수기 채점용 답안지와 일일이 규준표를 찾을 필요 없는 프로파일 기록지를 이용하여 처리 시간이 단축된다는 장점이 있다. 또한 표준점수 환산, 프로파일 및 간략한 해석자료가 제공되는 결과처리 파일을 무상으로 제공(자료관리기능 없음)한다. 하위구성 척도는 비일관적 반응 척도(얼마나 일관적인 방식으로 응답했는지 평가), 관습적 반응 척도(부부관계를 사회적으로 바람직하게 제시하고 왜곡하려는 경향성 평가), 전반적 불만족 척도(결혼생활에 대한 전반적인 불만족 분위기를 말해 주는 지표), 정서적 의사소통 불만족 척도(배우자에게 느끼는 애정, 정서적인 친밀감의 결여 정도 측정), 문제해결 의사소통 불만족 척도(부부 간 의견 차이 해결을 위한 의사소통상의 문제나 비효율성 평가), 공격행동 척도(배우자의 언어적 위협과 신체적인 공격행동수준 평가), 공유시간갈등 척도(배우자와 함께 시간을 보내는 정도 및 동지애의 정도 측정), 경제적 갈등 척도(가계관리와 관련된 부부간의 불일치 정도 평가), 성적 불만족 척도(성관계나 관련된 성적 활동의 양과 질에 대한 불만족 평가), 비관습적 성역할 태도 척도(성역할, 가사활동, 자녀양육 등에 대한 비관습적, 개방적 태도 평가), 원가족 문제 척도(불행한 어린 시절, 가족 또는 부모의 결혼생활 분열 등 원가족 내 갈등반영), 배우자 가족과의 갈등 척도(배우자 가족으로 인한 부부갈등 정도 평가), 자녀 불만족척도(자녀와의 관계에 대한 질 및 자녀의 정서, 행동적 상태에 대한 걱정 평가), 자녀양육갈등 척도(실제 자녀를 양육하는 과정에서 부부간에 겪는 갈등수준 평가)로 구성되어 있다.

결혼준비교육
[結婚準備敎育, premarital education]

결혼을 준비하고 있는 미혼남녀가 그들 자신의 관계와 결혼에 대한 생각을 평가하고, 결혼 후에 예상할 수 있는 여러 어려움에 대비할 수 있도록 준비하는 것을 돕는 예방과 교육에 집중한 프로그램. 부부상담

결혼준비교육의 개념은 크게 두 가지로 나눌 수 있다. 첫째, 광의의 개념으로 구체적인 결혼 대상자가 정해지기 전 결혼에 대한 전반적이고도 포괄적인 교육이다. 이는 주로 가정과 학교에서 이루어지는 의도적 · 무의도적 교육으로 결혼 및 가정생활 교육에 가까운 개념이다. 둘째, 협의의 개념으로 구체적인 결혼 대상자가 정해진 예비부부를 중심으로 성공적인 부부생활을 위한 교육을 말한다. 여기서

결혼준비교육의 목표는 예비커플의 결혼 안정성과 질을 높이는 데 있으며, 이를 위해 결혼준비교육 프로그램 등을 구성해서 실시한다. 한편, 이는 이혼숙려제도와 더불어 이혼 예방 프로그램의 역할을 하기도 한다. 이미 북미와 유럽에서는 1970년대 이후 '결혼생활도 배워야 하는 것'이라는 생각을 바탕으로 예방 차원의 결혼준비 개념이 도입되었다. 결혼준비교육은 1924년 그로브스(Groves)가 보스턴대학교에 정규강좌로 시작한 이래 우리나라를 포함한 다양한 문화권에서 시행되고 있다. 우리나라에서는 1970년대부터 대학부설 평생교육기관이나 여성기관을 중심으로 결혼준비교육이 시작되었다. 그러다가 1980년대와 1990년대에 들어서면서 기독교 단체나 교회를 중심으로 '결혼준비 혹은 결혼예비학교' 프로그램이 만들어졌다. 국내에서 개발, 실시하고 있는 기존의 결혼준비 프로그램의 내용을 빈도분석하면 다음의 결과를 얻을 수 있다. 일반 사회단체나 기독교단체를 통합했을 경우는 의사소통 및 갈등관리, 성, 결혼관, 자아상, 부부역할, 자녀교육, 재정, 애정의 빈도 순으로 교육내용이 구성되어 있다. 그리고 교회나 기독교 단체만을 대상으로 했을 경우는 결혼관, 성, 의사소통, 자녀교육, 자아상, 재정, 애정, 부부역할의 빈도 순으로 구성되어 있다. 박미경(1997) 역시 결혼준비교육의 내용 구성을 위한 외국과 우리나라의 주요 결혼준비 프로그램의 내용을 빈도분석한 결과, 의사소통, 갈등해결, 성생활, 가치, 재정관리, 역할기대, 결혼에 대한 기대 등의 내용이 교육되고 있음을 알아냈다. 결혼준비교육 프로그램에 대한 요구조사도 관련된 연구들을 분석해서 공통적인 내용을 모으면 의사소통 기술, 성생활, 결혼에 헌신, 갈등해결, 자기이해, 원가족 이해, 부부역할, 재정관리 기술, 결혼에 대한 현실적인 기대 등이 포함되어 있다.

경계선
[境界線, boundary]

가족원 개인과 하위체계의 안팎을 구분하는 테두리. 가족상담

경계선은 눈에 보이지 않지만 가족원 사이에 허용되는 접촉의 양과 유형을 규정한다. 즉, 경계선은 "누가 어떻게 참여하는지를 규정하는 일종의 규칙"이다. 경계선을 통해 가족원 개인 혹은 하위체계 간 친밀감의 정도, 정보의 상호교환 정도, 문제해결을 위해 상호교류하는 정도 등을 파악할 수 있다. 가족 위기 때마다 경계선을 탐색하는 것은 중요한데, 가족의 개인적 정체감의 강도와 가족원들 간의 친밀함의 수준을 드러내는 중요한 지표이기 때문이다. 구조적 가족상담(Structural Family Counseling)에서는 경계선을 세 가지 범주, 즉 경직된(rigid) 경계선, 명확한(clear) 경계선, 밀착된(enmeshed) 혹은 모호한(diffuse) 경계선으로 제시한다. 먼저 경직된 경계선은 가족원들이 '나는 나, 너는 너' 식의 지나치게 독립적인 태도로 서로를 대하는 경우다. 이러한 가족은 가족원이 서로 거리감과 소외감을 느끼고, 각자 자율적이고 독립적으로 기능한다. 그러나 가족에 대한 충성심과 소속감이 부족하고, 서로 도움을 주고받는 능력이 부족하며, 가족원 간의 의사소통이 원활하지 못하다. 반면에 너무 밀착된 경계선은 가족원이 '너의 일은 모두 나의 일'이라는 태도를 가지는 경우다. 가족원 개인의 정체성 구분이 모호하고, 가족원 간에 거리감이 없으며, 가족 전체의 강한 소속감으로 인해 각자의 자율성이 침해받는다. 가족원이 서로 지지하고 서로의 생활에 늘 관여하기 때문에 각자 자신의 문제를 자율적으로 탐색하고 해결할 수 있는 능력을 발달시킬 기회가 부족하다. 이러한 가족은 소속감과 친밀감을 중시한 나머지 가족원 개개인의 독립성과 자율성을 허용하지 않는다. 한 가족원에게 어떤 상황이 벌어지면 가족체계 전체가 반응한다. 한편, 가장 기능적인 가족은 명확한 경계선을 지닌 가족이다. 이러한 경우 가족

원은 자율적이고 독립적이면서도 동시에 필요할 때에는 서로의 안녕과 행복을 위해 협동하고 지지하며 서로의 삶에 관여한다. 즉, '우리'라는 집단의식과 함께 '나 자신'이라는 감각을 잃지 않는다. 대부분의 가족은 경직된 경계선으로부터 밀착된 경계선에 이르기까지 연속선상의 어느 한 지점에 위치한다. 가족의 경계선은 어느 날 갑자기 정해지는 것이 아니라 가족원 간의 지속적인 상호작용의 결과로 형성된다. 신혼 초 대부분의 부부는 밀착되고 모호한 경계선을 형성한다. 그러나 시간이 지남에 따라 부부가 서로의 욕구나 정서적지지 요구에 적절하게 반응하지 못하게 되면, 부부관계는 소원해지고 정서적으로 친밀한 교류 없이 독립적으로 행동하는 경직된 경계선을 형성하게 된다. 대부분의 경우 명확한 경계선이 가장 바람직하지만, 이상적인 경계선을 고려할 때 가족의 발달 주기나 기타 스트레스 상황 등을 고려해야 한다. 가족은 가족원 개인의 발달적 욕구 충족을 지원하는 한편 외부환경과 끊임없이 상호작용하는 체계이므로, 가족의 내적 및 외적 상황에 적절하게 적응하기 위해서는 경계선의 조절이 필요하다. 그러나 어떠한 경우든 극단적으로 밀착되거나 경직된 경계선의 경우에는 가족원의 일탈적인 행동이나 병리적인 증상이 나타날 수 있다.

관련어 격리, 하위 체계

경계선 상태
[境界線狀態, borderline state]

정서적 불안정으로 감정변화가 심하고 접근 단절의 인간관계가 반복되면서 자기 정체성이 혼란한 상태. 정신병리

경계선이라는 용어는 정신분석이론에서 경계선적 성격을 가진 환자를 지칭할 때 사용된다. 경계선 상태에 있는 사람의 가장 큰 특징은 불안정한 자기 정체성이다. 즉, 자신이 어떤 사람인지에 대한 생각이 매우 불분명하다. 이 유형의 사람들은 자신이 살 만한 가치가 있는지, 한 인간으로서 자기 존재의 의미가 무엇인지, 자신이 어떤 사람인지 등에 대한 생각이 뚜렷하거나 확고하지 못하며 혼란을 경험한다. 이처럼 자기정체성이 결여되어 있는 상태이기 때문에 끊임없이 타인의 보호와 지원에 의존하며 관계의 분리에 지나치게 민감하다. 특히 정서표현에서 두드러지게 기분이 돌변하는 정서적 불안정성이 나타난다. 정상적인 정서를 보이다가도 부적절하게 화를 내고 다음에는 흥분하거나 행복해하는 등 감정변화가 매우 심하다. 이 같은 변화는 몇 시간, 며칠 간격으로 일어난다. 기본적인 정서는 만성적 공허감과 권태감이다. 경계선 상태에서 나타나는 행동은 변덕스럽고 돌발적이며 무모하다. 사고를 자주 일으키고 싸움을 하고 자해하며 자살시늉을 하는 것과 같은 자기손상적 행동을 보인다. 또한 과식을 하고 도박을 하며 흥청거리며 물건을 훔치는 등 자기 파괴적인 행동을 하기도 한다. 경계선 상태가 나타나는 원인은 생물학적 요인과 환경적 요인으로 나눌 수 있다. 먼저 생물학적 요인은 가족력에서 나타나는 자율신경계의 과반응성이다. 아동기에 이들은 과잉민감성을 보이는데, 그 결과 항상 높은 자극수준에 노출되어 있다. 그러한 자극은 신경심리학적 측면에서 강렬한 자극추구 행동을 이끈다. 또한 환경적 요인으로는, 양육과정에서 히스테리적 특성을 지닌 부모모델에 노출된 아동이 자신의 관심이나 승인추구 행동이 무시된다는 느낌을 갖는 것이다. 그 결과 보호에 대한 외부 근원이 유지되지 못하고, 자신의 관심과 지지를 이끌어 내는 자신의 능력이 감소한다. 따라서 이들은 경계선 상태인 주기적 기분변화를 경험하게 되고, 악화과정이 진행되면 기분변화는 더욱 극적으로 바뀌어 마침내 경계선 성격장애가 형성된다.

관련어 경계선 성격장애, 정체성

경계선 성격장애
[境界線性格障碍, borderline personality disorder]

충동적이고 기분변화가 매우 심하고 주체할 수 없는 분노를 보이고 매우 불안정한 대인관계, 자기파괴적 행동의 위협, 만성적인 인지적 왜곡, 버림받을 것에 대한 두려움 등이 특성인 성격장애. 이상심리

성격장애의 유형으로, 극적인 성격을 특징으로 하는 B군 성격장애에 속한다. 경계선 성격장애를 보이는 사람은 다른 사람에게 버림받는 것에 대한 두려움이 강하며, 남성보다 여성에게 더 많이 나타난다. 매우 심한 불안정으로 DSM-Ⅲ에서 처음에 진단기준을 작성할 때는 불안정한 성격(unstable personality)이라는 용어를 사용했는데, 경계선(borderline)이라는 용어를 사용하면서 경계선 성격장애라는 용어로 확정되었다. 경계선이라는 말은 신경증과 정신증의 경계라는 의미로 사용되었다. 세계보건기구의 ICD-10에서는 정서 불안정 성격(Emotionally Unstable Personality)으로 명명하고, 이를 충동형과 경계형으로 분류하였다. 증상은 실제 또는 상상 속에서 버림받는 것을 피하기 위해 필사적인 노력을 하며, 극적인 이상화와 평가절하가 반복되는 불안정하고 강렬한 대인관계 양식, 심각하고 지속적이며 혼란되고 왜곡되거나 불안정한 자아상 또는 자아지각을 보이며, 성 · 약물 · 범죄 · 무모한 운전 · 폭식 등의 영역에서 자신에게 손상을 줄 수 있는 충동성, 반복적으로 자살을 시도하거나 자살위협, 자해행위를 한다. 극단적인 우울, 과민성, 불안 등으로 현저한 기분의 변화에 따른 불안정성, 만성적인 공허감, 부적절하고 심한 분노 또는 분노를 조절하기 어려움, 일시적으로 스트레스에 의한 망상적 사고 또는 심한 해리증상을 보인다. 경계선 성격장애의 원인으로는 생득적인 소인을 들 수 있다. 특히 욕구불만의 내성 취약성과 강한 공격충동 및 영아기의 정신발달상, 말러(M. Mahler)가 말하는 분리-개체화 단계(seperation-individuation phase), 특히 재접근기(reapprochement subphase)에서의 고착을 생각할 수 있다. 경계선 성격장애는 DSM-5에서 들고 있는 다른 성격장애의 특징을 함께 보이는 경우가 있으며, 정체감장애나 기분 순환성장애(cyclothymic disorder)와 뚜렷하게 구별할 필요가 있다. 경계선 성격장애의 치료에는 기본적으로 심리치료가 추진되며, 컨버그(Kernberg)는 수정을 가한 정신분석적 심리치료인 표현적 심리치료(expressive psychotherapy)를 주장하고 있다. 인지치료에서는 현실검증을 강화시키는 데 초점을 두며, 행동치료에서는 사회기술훈련, 분노조절 등을 적용한다. 약물치료로는 증상에 따른 투약 외에 소량의 향정신약이나 탄산리튬, 카바마제핀이 효과적인 경우가 있다. 약물치료 단독으로는 효과가 그다지 크지 않으므로 심리치료 및 가족의 지지를 함께 진행하면 좀 더 효과적이다.

관련어 | 경계선 상태, 기분 순환성 장애, 정신분열병

경계선 아동
[境界線兒童, borderline child]

지적장애와 정상 지능의 중간 지능 수준을 보이는 아동. 이상심리

지능지수(IQ)가 대략 75~85 정도에 속하는 아동을 뜻한다. 지적장애 아동을 위한 특수학급 혹은 특수학교와 같은 제도가 확립되어 있지만, 경계선 아동을 위한 제도는 미흡한 편이며 통상 일반 학교에 들어가서 교육을 받는다. 이 때문에 학습이 지체되는 경우가 많다. 따라서 일반적으로 경계선 아동은 특수학급에서 교육을 받는 것이 바람직하다고 할 수 있지만 차별교육 철폐론(main-streaming) 측의 반론도 만만찮은 편이다. 일반 학급에 경계선 아동을 포함시키기 위해서는 교사의 수업역량, 학급 집단 만들기의 역량 등이 뛰어나야 한다는 조건이 필요하다.

경력개발
[經歷開發, career development]

개인이 가장 보람된 삶을 추구하기 위하여 자신의 진로를 정하고 직업을 선택하며 새로운 직업 기회와 개인 목표를 환경에 대응하여 계속적으로 조율하는 삶의 주요한 과정으로, 개인의 경력과 관련된 각 단계가 비교적 독특한 문제나 주제 및 과제로 특징지어지는 여러 단계를 거쳐 앞으로 나아가는 지속적 과정. 진로상담

경력이란 어떤 일이든지 개인이 하는 평생의 모든 활동 및 관계 행동이라고 할 수 있다. 즉, 삶 속에서 진행되는 모든 일(totality of work)을 지칭하기 때문에 모든 사람은 근로자든 실업자든 경력을 가지고 있다고 해석할 수 있다. 피고용자의 활용도를 최적화하기 위하여 조직 내에서 피고용자를 계발 또는 승진시키는 데 쏟는 계획적, 조직적 노력의 과정으로서, 일반적으로 경력개발에는 승진을 위한 경로를 계획하는 것, 개인적 성장의 기회를 마련하고 직무능력을 향상시키는 것, 피고용자의 능력과 적성에 맞는 목표를 세울 수 있도록 상담을 하는 것 등이 포함된다. 이와 같이 경력(career)을 한마디로 정의하기는 어려운데, 연구자들 사이에서도 여러 가지로 설명되고 있으며 그중 그린하우스(Greenhause)는 다음과 같이 몇 가지로 나누어 정리하였다. '직업 또는 조직 내에서의 속성(property)'이라는 의미로 직무 자체(예, 영업, 회계)를 뜻하거나 종사(재직) 기간으로 해석될 수 있다. '진급(advancement)'이라는 의미로 사용될 때는 승진으로 이해되며, 조직이나 업무에서의 성취를 증대시키는 것이 된다. 또한 '전문직(profession)'이라는 의미로는 사무보조원 등과 구별되는 엔지니어, 법률가와 같은 전문가를 일컫는다. 이들은 경력을 가지는 것이지만 사무보조원은 그렇지 않다. 그리고 '직업 안정성(stability of a person's work pattern)'이라는 의미로는 직업의 연속성을 나타낸다. '일생에 걸쳐 지속되는 개인의 일과 관련된 경험'이다. 경력개발은 사람들의 생애가 비교적 독특한 주제나 과제로 특징지어지는 일련의 단계를 거쳐 진행해 나가는 연속과정이라는 데 근거한다. 생애발달 개념과 유사한데, 경력개발 모형은 일과 관련된 문제에 좀 더 강조점을 둔다는 점이 다르다. 경력개발의 각 모형은 다소간의 차이가 있으며, 또 상당한 공통점도 가지고 있다. 먼저 사람들은 일정한 단계에 따라 점진적으로 나아가며 각 단계마다 일련의 과제와 도전해야 할 일이 따른다. 또 각 단계마다 약간의 차이는 있지만 대략적인 연령범위도 설정되어 있다. 그리고 각 모형은 '일-가정-자기계발' 등과 모두 관련된 개인의 전반적인 삶의 시각에서 바라보고 있다. 사람은 비교적 예측 가능한 경력단계를 거치는데, 개인이 각 경력단계와 관련되어 개발할 과제를 이해한다면 각 경력단계에서 가장 적합한 목표와 전략을 개발할 수 있을 것이다.

관련어 | 진로발달

경련장애
[痙攣障碍, seizure disorder]

몸 전체나 일부 근육이 불수의적으로 급격하게 수축 혹은 떠는 현상. 특수아상담

두뇌의 전기에너지가 비정상적으로 방출될 때 일어나는 경련장애는 전통적으로 대발작, 소발작, 심리운동적 발작으로 구분한다. 최근에는 두뇌에서 방전이 일어나는 부위에 따라 부분 발작과 전신 발작으로 분류하기도 한다. 일반인이 흔히 연상하는 간질은 대발작이다(이소현, 박은혜, 2006). 간질은 전염되지 않으며 정신질환이나 지적장애 때문도 아니다. 지적장애인이 간질을 경험하는 경우는 있지만 간질이 지적장애의 원인이라고 볼 수는 없다. 러시아의 작가 도스토옙스키나 다이너마이트의 발명가 노벨 등 경련장애를 경험한 많은 사람이 실제로 평균이나 그 이상의 지능을 보인다. 경련장애는 심각한 경우에 두뇌 손상을 야기한다. 그러나 대개의 경우 경련은 두뇌에 유해한 손상을 일으킨다고 보

기는 어렵고, 대부분의 변화는 매우 미미하여 이러한 변화가 간질에 의한 것인지 아니면 간질을 야기한 또 다른 문제에 의한 것인지를 밝혀내는 것이 어렵다.

경로분석
[經路分析, path analysis]

1934년 라이트(S. Wright)가 개발한 것으로, 특정 현상에 영향을 미치는 변인들을 식별하고 이 변인들이 어떠한 경로를 거쳐 영향을 미치는지 변인들 간의 인과관계를 밝혀 인과모형을 찾아내는 통계적 방법. 연구방법

경로분석은 변인들 간의 상관계수에 근거하여 원인과 결과를 찾아냄으로써 어떤 현상을 설명하려는 데 목적이 있다. 경로분석은 독립변인이 3개 이상일 때 다른 통계방법보다 인과관계의 모형을 구체적으로 밝혀낼 수 있다. 즉, 독립변인이 여러 개일 때 어떤 독립변인은 종속변인에 직접 영향을 주고, 어떤 변인은 종속변인에 영향을 주는 다른 독립변인에 영향을 주어 간접적으로 종속변인에 영향을 줄 수 있다. 또한 독립변인끼리 서로 영향을 줄 수도 있다. 이러한 변인들 간의 관계를 모형으로 구안하는 방법이 바로 경로분석이다(성태제, 시기자, 2006). 종속변인에 영향을 주는 독립변인을 밝혀내고 현상을 설명하는 최적의 모형을 찾아내는 목적은 중다회귀분석(multiple regression analysis)과 같지만, 중다회귀분석은 간접적으로 종속변인에 영향을 주는 독립변인들 간의 인과관계를 밝히지는 못한다. 따라서 연구자는 경로분석을 통하여 중다회귀분석에서 파악하기 어려운 직접효과와 간접효과, 의사효과를 쉽게 파악할 수 있다. 즉, 경로분석은 연구자가 선정한 변인들 간 관계의 선형구조방정식의 회귀계수를 추정하는 것이다. 경로분석의 인과관계적인 시스템에는 두 종류의 변인군이 포함되는데, 독립변인군에는 X_1, X_2, ……, X_n 종속변인군에는 Y_1, Y_2, ……, Y_n 등이 포함된다. 다수의 회귀식이 연결되어 있는 경우 경제계량분석에서는 동시방정식모형이라고 한다. 이처럼 경로분석은 변인들 간의 관계성을 고려하는 경우에 사용된다. 2개 이상의 독립변인과 2개 이상의 종속변인 간의 관계를 평가한다는 점에서 정준상관분석(canonical correlation)과 유사하다. 따라서 경로분석은 하나의 종속변인을 갖는 회귀분석과 다르다. 특히 구조방정식모형과 다른 점은 요인분석을 통한 잠재 요인의 연결이 없다는 것이다. 또한 경로분석에서는 전체 모형의 적합성 평가보다는 각 경로의 유의성 여부에 주안점을 두고 있다. 연구에서 경로분석을 실시하는 절차는, 먼저 연구의 관심이 되는 변인들 간의 인과관계를 가정하여 모형을 설정하고, 변인들을 타당하고 신뢰할 수 있게 측정하여 변인들 간의 상관계수를 추정한 다음, 수집한 자료가 설정한 모형과 일치하는지 분석한다. 만약 일치하지 않으면 인과관계모형을 수정한 다음 수집한 자료와 수정한 모형이 일치하는지 검증한다.

관련어 | 구조방정식모형, 기술적 연구, 상관계수

경보대
[警報帶, alarm sheet]

조건형성 이론에 근거하여 고안된 야뇨증 치료도구. 이상심리

모우러(Mowrer)가 개발한 도구로, 약간의 물방울에도 전기회로가 작동하여 버저소리가 나도록 장치가 되어 있어 야뇨증 환자가 자신의 배뇨를 알 수 있도록 한다. 즉, 소변을 보기 쉽게 팬티나 침대 시트에 기구를 붙여 배뇨의 순간에 버저소리가 나서 환자를 깨우게 되는데, 이를 반복적으로 훈련하면 야뇨증 환자는 소변이 보고 싶으면 깨어나서 화장실에서 소변을 보게 된다. 이 도구는 행동주의적 접근에서 조작적 조건형성의 반응적 조건형성 원리를 근거로 제작되었다. 즉, 밤에 소변이 한 방울 떨어

지면 전기자극으로 잠을 깨워 화장실에 가는 행동을 증가시키는 것이다.

관련어 혐오자극, 혐오치료

경사진 배우자 선택
[傾斜-配偶者選擇, marriage gradient]

결혼할 배우자를 선택할 때 사회문화적인 요인들이 자신과는 다른 사람을 선택하게 된다는 이론. 부부상담

배우자 선택의 과정을 설명하는 이론 중 하나로, 결혼을 하지 못한 사람들의 이유를 인구학적인 관점에서 설명한 것이다. 이 이론의 핵심은 남성은 자신보다 사회적 지위가 한 단계 낮은 여성을 배우자로 선택한다는 점이다. 즉, 가부장적인 사회에서 남성은 결혼생활에서 권력을 갖기 위해 자신보다 낮은 교육수준, 나이, 직업을 가진 여성과 결혼하는 경향이 있다는 것이다. 반면, 여성은 자신보다 수준 높은 사람을 선택함으로써 그에게 의존하고 싶어하는 경향이 있다고 설명하였다. 이러한 배우자 선택의 결과로 사회의 하류층에 속한 남성은 선택할 여자가 없고, 사회의 상류층에 속한 여성은 배우자로 선택하기에 적당한 남성이 없어 결혼을 하지 못한다고 하였다. 이 이론은 남성에게는 사회적 성공이 강조되고, 여성에게는 순종적인 현모양처가 기대되는 사회에서 결혼을 하지 못한 이유를 설명하는 데 적절한 관점을 제시해 준다. 또한 암묵적으로 남성이 가장으로서 생계유지의 책임자로 여성보다 우월하다는 사회적 통념과 여성은 자기실현보다는 능력 있는 남성에게 다소 의존하여 수동적이고 편의주의적으로 인생을 살아간다는 이미지를 반영하고 있다.

관련어 여과망 이론, 욕구보상성 이론

경제가정
[經濟假定, economic assumption]

인간의 성격을 이루는 에너지는 항상 일정하게 유지된다는 정신분석적 접근의 가정. 정신분석가족치료

존스와 버트먼(Jones & Butman)이 정리한 정신분석의 철학적 가정 가운데 하나로, 인간의 성격은 일정한 양의 에너지를 가진다는 것이다. 일정한 양의 심리에너지는 원초적 본능의 형태로 마음속에 존재하며 그 에너지는 분출되거나 승화되는 과정을 거친다. 이 과정에서 전체 에너지의 양은 변하지 않고 항상 균형을 유지한다. 이처럼 에너지가 일정하게 균형을 유지하면서 잃거나 얻지 않는다는 의미에서 경제적이다.

경조증
[輕躁症, hypomania]

최고조의 조증보다는 행동 및 기분이 덜 심한 상태. 정신병리

경조증 상태에서는 유쾌한 기분을 보이며 평상시보다 활동적이고 주의가 산만하면서 자존감이 팽배해진다. 또한 잠을 안 자고 활동하다 보면 이삼일 후에는 지쳐서 행동이 줄어들지만 기분은 여전히 안절부절못하고 들떠 있는 것을 볼 수 있다. DSM-5에 따른 경조증의 진단기준은 다음과 같다. 첫째, 비정상적으로 의기양양하거나 과대 또는 과민한 기분이 적어도 4일간 지속되고 하루의 거의 대부분, 거의 매일 나타난다. 둘째, 기분 장해의 기간 동안 그리고 증가된 에너지, 활동성이 하위 증상들 중 세 가지 혹은 그 이상이 지속되고 대부분의 행동으로부터 주의를 기울일 만큼의 변화가 나타나고 심각성이 존재한다. 증상은 팽창된 자존심 또는 심하게 과장된 자신감, 수면에 대한 욕구 감소, 평소보다 말

이 많아지거나 계속 말을 함, 사고의 비약 또는 사고가 연달아 일어나는 주관적인 경험, 주의 산만, 목표 지향적인 활동의 증가. 고통스러운 결과를 초래할 쾌락적인 활동에 지나치게 몰두하는 경향 등이 있다. 셋째, 삽화는 증상이 없을 때의 개인의 특성과는 다른, 명백한 기능을 동반한다. 넷째, 기분의 장해가 기능의 변화가 타인들에 의해 관찰될 수 있다. 다섯째, 삽화가 사회적 · 직업적 기능에 현저한 장해를 일으키거나 입원이 필요할 정도로 심각하지 않다. 만약 정신증적 특징이 있다면 삽화는 조증으로 정의한다. 여섯째, 증상이 불질의 신체적인 효과에 기인하지 않는다.

경청하기
[傾聽 –, listening]

상담자가 내담자의 이야기를 온몸으로 주의를 집중하여 듣는 것. 가족치료 일반

모든 치료에서 상담자가 취해야 하는 가장 기본적이고도 중요한 태도 중 하나인 경청은 내담자의 이야기(객관적 사실 관계, 감정, 인생철학 등)를 온몸으로 주의를 집중한 채 듣는 것이다. 개인치료든 집단치료든 마찬가지로 경청은 가장 기본적이고 중대한 상담자의 태도다. 경청 중에서도 특히 로저스(Rogers) 등이 제창한 적극적 경청(active listening)은 중요한데, 이는 단순히 수동적으로 듣는 역할만이 아니라, 스스로 적극적인 관여를 해 가면서 마음을 가지고 '네' '예' '응' '으흠' 등 맞장구를 치거나, 응답내용의 중요 어구나 감정용어를 반복하면서 듣는 방법이다. 상담과정에서 상담자가 내담자의 말에 경청을 하면 상담자가 내담자의 말 하나하나에 중대한 관심을 가진 채 듣고 있다는 점이 분명해지기 때문에 내담자는 자신이 중요하게 생각되고 있다고 느끼며, 그 결과 자신을 중요시하게 된다. 가족치료에서도 특히 면접 초기에는 상담자가 경청의 태도를 취해야 한다. 이것은 많은 가족치료 학자들이 제안하는 것으로서, 미누친(Minuchin)의 가족구조 치료의 경우를 보면 '교류의 창조단계에서 틀 찾기'라는 데에서 가족구성원의 한 사람 한 사람에게 존경한다는 생각을 갖고 접하거나 '연기(enactment)의 기법'으로 실제 가족 속에서 교류장면을 재현시키는 장면에서도 경청을 사용한다. 이 과정에서 경청하는 것은 가족 중에 상담자를 참가시키는 계기가 된다. 나아가 합류(joining) 속의 추적, 수용시설, 무언극(pantomime) 등에서도 경청이 중요한 태도다.

경험양식
[經驗樣式, mode of experience]

다른 사람들과의 관계를 경험하는 방식. 성격심리

설리번(H. Sullivan)이 제시한 성격이론의 주요 개념 중 하나다. 그는 다른 사람과의 상호작용을 통하여 성격이 형성된다는 대인관계이론에서 성격의 구성요소로 역동성(dynamism), 인간상 형성(personification), 경험양식(mode of experience)을 제안하였다. 경험양식은 세 가지 인지 또는 사고의 수준에 따라 원형적(prototaxid) · 병렬적(parataxic) · 통합적(syntaxic) 경험으로 구분할 수 있다. 원형적 경험은 생후 몇 개월 동안에 경험하는 가장 기초적인 형태다. 유아는 단순하고 직접적으로 대인관계를 경험하며 그들의 감각, 생각, 감정의 관련성을 알지 못하고 이러한 관련성을 해석하지 못한다. 이 같은 경험은 무선적이고 비조직적이며 아주 순간적으로 발생하고 새로운 경험이 발생하면 사라져 버린다. 병렬적 경험은 대인관계에서 각 사건을 나열하고 그것들 간의 관계는 알지 못하지만 의미는 찾아낼 수 있는 단계에서 이루어진다. 여러 가지 경험을 나열하고 관련을 지으려고 하지만 논리적인 인과관계를 발견하지 못한다. 이 시기의 유아는 자신과 자

신이 아닌 것을 구별하며, 언어적 의사소통으로 대인관계를 형성해 나간다. 통합적 경험은 물리적, 공간적 인과관계를 이해하는 능력과 결과에 대한 지식에서 원인을 예측할 수 있는 능력을 가정한다. 과거, 현재, 미래의 논리적 통합을 통합적 양식이라 하고, 통합적 사고로 논리적 관계를 학습하고 비논리적인 것에 대한 자신의 지각을 검증한다.

관련어 | 설리번

경험을 조직화하기
[經驗-組織化-, organizing experience]

수퍼바이지가 수퍼비전을 통하여 최대의 학습경험을 하도록 수퍼바이저가 조직화하는 작업. 수퍼비전

수퍼바이저는 수퍼바이지가 자신의 상담훈련 과정에서 최선의 배움의 기회를 가질 수 있도록 행정적으로, 그리고 교육적으로 조직화하는 작업을 수행해야 한다. 수퍼비전에서 무엇을 배울 것인지, 평가는 어떻게 진행될 것인지, 위기 시에 어떤 과정을 밟아야 하는지에 대하여 조직화한 다음 수퍼바이지에게 알려 주고 상담 실습생인 경우 학과와 소통하여 수퍼비전이나 상담실습이 어떤 행정적 연결성을 가지고 진행될지에 대한 명확한 방침을 설정해야 하는 것이다. 맥너슨, 노렘과 윌콕슨(Magnuson, Norem, & Wilcoxon, 2000)은 수퍼바이저가 적절하게 수퍼비전 경험을 조직화하지 못하는 경우를 다음과 같이 제시하였다. 첫째, 기대를 명확하게 설명하는 것의 실패, 둘째, 책임의 기준 제공 실패, 셋째, 수퍼바이지의 필요를 평가하는 것의 실패, 넷째, 수퍼비전을 위한 적절한 준비의 실패, 다섯째, 목적이 있는 연속성 제공의 실패, 여섯째, 집단 수퍼비전에서의 공평한 환경 제공 실패를 들었다.

경험적 가족치료
[經驗的家族治療, experiential family therapy]

가족문제의 원인이 구성원에 대한 정서적 억압에 있다고 보고, 개인의 정서적 경험의 확장과 가족 간의 상호작용으로 가족 전체 문제를 해결하고자 하는 치료적 접근. 경험적 가족치료

경험적 가족치료에서는 가족문제의 원인이 각 구성원들에 대한 정서적 억압에 있다는 전제를 하고 있다. 따라서 가족의 문제가 변화되기 위해서는 무엇보다 각 구성원들의 현재(지금-여기) 자기 안에 있는 진정한 정서와 만나야 한다는 인본주의 심리학을 배경으로 한다. 또한 가족구성원들의 주관적인 다양한 정서적 경험을 중요시하는 현상학을 기초로 하고 있다. 경험주의 접근의 가족치료에서는 가족을 하나의 체계로 이해하기보다는 개인들의 집합으로 보며, 가족구성원 개개인의 변화를 통해 가족의 문제를 해결하고자 하는 입장을 취한다. 따라서 가족 안에서 일어나는 문제를 가족구성원들에게 말로 설명하거나 혹은 문제에 대한 통찰력을 제공하는 것이 아니라 각자 그 가족만의 특수한 상황이나 문화, 행동양식에 맞는 경험을 직접 해 보는 기회를 주어 문제를 해결하고자 한다. 이러한 치료의 목표를 요약해 보면, 가족구성원들의 정서적 느낌의 표현, 자발성과 창의력의 증진, 내면적 경험 및 외면적 행동의 일치를 통한 개인의 통합적 성장으로 가족 전체의 문제를 해결하고자 하는 것이다. 이를 위해 상담자는 가족의 억압된 감정에 관심을 갖고, 가족 상호 간에 정서적 감수성이 증진되어 정확하게 자신의 감정을 표현하고 서로 감정을 공유하는 데 도움을 주는 개입을 한다. 경험적 가족치료이론은 캘리포니아의 팔로 알토(Palo Alto)에 있는 MRI를 중심으로 1960년대 전후로 발달한 접근법이다. 이 이론의 대표적인 인물은 휘터커(Whitaker)와 사티어(Satir)인데, 두 사람은 다음과 같은 공통점을 가지고 있다. 첫째, 상담과정에서 자신과 다른 사람의 감정을 중요시하며, 둘째, 내담자의 성장을 지향하

고, 셋째, 상담과정에서 내담자의 정서적 경험과 치료적 활력이 효과적인 치료에 기여한다고 믿었다. 그러므로 상담자는 온정적이고 지지적이며, 또한 적극적이고 솔직하게 자신을 개방함으로써 치료를 촉진해야 한다고 생각하였다. 이와 같은 공통점에도 불구하고, 두 이론가는 상담의 구체적인 방법에서는 상이한 견해를 가지고 있다. 먼저 휘터커는 상담자 자신을 활용한 가족과의 자발적인 만남을 중요시하며, 만일 상담자가 온전한 인격을 갖춘 자로 개방적이고 진실한 사람이라면 별다른 기법을 사용하지 않아도 가족의 잠재력을 이끌어 낼 수 있다고 믿었다. 반면, 사티어는 체계화된 기법으로 상담과정을 계획하고 구조화하며, 정서와 느낌을 강화한 방법을 사용하였다. 최근에는 사티어의 제자이며 계승자로 알려진 반멘(Banmen)이 전통적인 경험적 가족치료를 체계적 단기경험치료 모델로 발전시켰고, 현재 태평양 사티어연구소의 소장으로 활동 중이다. 이들 외에도 게슈탈트 치료를 가족치료에 접목시키고자 한 켐플러(Kempler)와 인간관계에서 공간의 중요성을 인식하고 은유로 공간을 사용한 캔터(Kantor), 치료기법으로 조각 기법 및 인형극 등의 표현기법을 활용한 덜(Duhl) 등이 있다. 경험적 가족치료의 주요 기법으로는 가족 조각, 재정의, 은유, 역할극, 유머, 접촉, 나의 표현, 가족생활연대기, 빙산 탐색 등이 있다.

관련어 | MRI 모델, 가족 조각, 가족생활연대기

경험적 음악치료
[經驗的音樂治療, experimental music therapy: EMT]

신체생리와 관련된 음악이라는 구조 속의 경험이 치료목표에 직접 연관되는 방법. 음악치료

시어스(W. Sears)가 말하는 경험의 과정으로서의 음악치료로, 생리적 관점에서는 음악이라는 구조 속에서의 경험, 심리적 관점에서는 자신을 조직하는 음악에서의 경험 등을 강조하고, 사회적 관점에서는 타인과 연관된 경험 등을 중요시한 음악치료의 한 입장이다. 이 방법은 경험의 과정을 중요시하여 치료과정 중에 체험하는 경험 자체가 치료의 목적과 직접 관련된다. 시어스는 음악이 시간에 입각한 행동을 요구하며, 시간에 입각한 음악의 특성은 내담자의 현실감각을 일깨우고, 지금-여기(here-now)에 적합한 행동을 요구한다고 하였다. 시어스가 말하는 음악의 기능은 개인의 정서적 행동을 환기시키고 그에 따른 감각과 관련된 행동을 도출해 내는 것이다. 음악은 사회적으로 허용되는 범위 안에서 자기를 표현할 수 있는 방법과 집단 내 개인의 반응을 선택할 수 있는 기회를 제공한다. 또한 자신과 타인에 대한 책임감 있는 행동을 받아들일 수 있도록 해 주면서 언어 및 비언어적 교류, 의사소통 등을 강화하고, 협동과 경쟁의 경험을 제공하기도 한다. 치료적 환경 내에서 음악은 즐거움과 오락을 선사하며, 심리적인 관점에서 볼 때는 자신을 조직해 나가는 경험을 할 수 있다. 이외에도 장애인을 위한 보상적 행동 제공, 사회적으로 허용되는 상과 그에 반하는 상을 선택할 수 있는 기회 제공, 자기가치 증대 제공, 기관 및 지역사회 내에서 허용하는 현실적인 사회적 기술 및 개인적 행동양식 학습기회 제공 등의 기능을 할 수 있다. 이러한 입장에 서서 경험적 음악치료는 음악적 활동을 직접 체험하면서 치료적 효과를 도출해 낸다.

경험적 즉흥연주
[經驗的卽興演奏, experimental improvisation]

악기, 소리, 동작과 같은 개인의 음악적 경험을 집단 내에서 구성원들과 서로 나누는 과정으로 만들어지는 집단 즉흥연주 방법. 음악치료

리오던 브루시아 모델(Riordan-Bruscia Model)

인 경험적 즉흥연주는 1972년 리오던(A. Riordan)이 개발한 방법이다. 장애인을 대상으로 창의력, 자기표현력, 대인관계 기술 등을 신장시키기 위해 춤을 이용하여 만든 집단 즉흥연주를 뜻한다. 리오던이 개발한 이후 브루시아(K. Bruscia)가 이 모델을 음악치료에 적용하면서 음악치료의 한 기법이 되었다. 이 모델의 치료목표는 신체, 사회, 정서, 인지, 정신, 창조적 능력의 기능을 종합적으로 높이는 것이다. 실존주의 치료이론에 기반을 둔 경험적 즉흥연주는 장애인을 대상으로 출발한 것이지만 정상인 및 아동에게도 적용될 수 있다. 사용되는 음악에서의 변수가 통제되고 조작되며 자유롭게 변하도록 허용된다는 특징을 지니는 모델로, 경험적 즉흥연주가 이루어지는 상황이 실험실 상황과 유사하다는 이유로 'experimental'이라는 용어를 사용하여 '실험적 즉흥연주'라고 부르기도 한다. 이 기법을 사용하기 위해서는 간단하지만 주어지는 지침을 따를 수 있을 만한 인지적 능력과 음악이나 춤 활동을 할 때 리더의 동작을 모방할 수 있을 정도의 지능과 활동능력이 필요하다. 경험적 즉흥연주는 집단으로 행해지기 때문에 집단 내의 구성원들이 자신의 개인적 자기표현, 구성원 간의 자유 및 책임, 각각의 구성원들이 지닌 창의성 발전 등을 중요시한다. 치료사는 집단 내 구성원으로서 활동할 수도 있고, 집단 밖에서 집단을 돕는 원조자로 활동할 수도 있다. 경험적 즉흥연주는 자유롭게 이루어지는 경우도 있지만, 치료사가 제안하는 주제에 따라서 집단구성원들의 즉흥연주로 주제에 관한 사고를 형성해 나가기도 한다. 그 과정에 주제의 명료화가 이루어지고 각 개인의 주제가 서로 맥을 같이하며 연결되어 간다. 이 때문에 주요 활동으로 즉흥연주에 토의과정이 포함된다. 춤을 이용하는 경우에는 녹음된 음악을 사용할 때도 있고 즉흥연주를 할 때도 있다. 경험적 즉흥연주는 초점, 반응, 실험, 반응, 주제 찾기, 반응, 초점, 초점 조정, 리허설, 연결, 반응과 같은 반복적 절차를 거치면서 진행된다. 초점 절차 중에 치료사는 조건을 제시하고 이에 따른 즉흥연주를 요구한다. 이때 집단구성원들은 주어진 매개변수 조건하에서 즉흥연주를 하게 된다. 주제 찾기에서는 전 단계의 실험과 그에 대한 반응을 기반으로 해서 즉흥연주를 행한다. 경험적 즉흥연주를 할 때, 집단은 안전감과 안정성을 구축한 상태에서 구성원들 간의 공통적인 관심을 중심으로 응집력을 키우고, 과정을 반복하면서 구성원들의 표현범위를 넓혀 나간다. 집단 내 구성원들은 서로의 역할을 통해서 건강한 경쟁을 하고, 스스로를 강화시킬 수 있는 상대를 탐색하기도 한다. 초기에는 불평이나 불만으로 시작한 다툼이나 갈등이 나타나면서 치료사의 지도력에도 위기가 올 수 있지만 과정이 진행되면서 집단은 서로 노력하여 융화를 경험한다. 따라서 치료 후기로 나아갈수록 치료사가 제시하는 지시나 조건은 약화되고 집단 내에서 구성원들 스스로가 다양한 역할양식들을 실행하면서 통합의 단계로 나아가, 집단의 독립성을 구축할 수 있게 된다. 이때 집단구성원 각각이 사용하는 악기가 내는 소리는 그 개인의 정체성을 대변하는 도구가 되고, 음악으로 나누는 교류는 인간관계를 나타내면서 즉흥연주가 진행되는 동안 집단 내 주제가 명료해지면서도 서로 연관성이 생기게 된다.

경험적 하위이론
[經驗的下位理論, experiential subtheory]

학습상담

⇨ '삼원지능이론' 참조.

경험주의
[經驗主義, empiricism]

지식의 성립을 '경험'에 근거해서 정당화하려는 입장.

여기서 '경험'은 라틴어 'experientia'나 'empirica'에서 유래한 것으로, 이들 각각은 경험이나 경험에 의존하는 의술 등을 의미한다. 사실 '경험주의'는 고대 그리스에서 독단적인 원칙이나 법칙의 부당함을 지적하고 경험에서 주어지는 현상에 대한 관찰을 중시한 당시의 의료 업무 종사자를 가리키기 위해 사용한 말이다. 따라서 이 용어에는 현상, 관찰, 경험 등이 중요한 요소가 된다. 경험주의는 철학의 인식론 분야에서 가장 널리 알려진 이론 내지는 사조로서, 우리가 갖게 된 관념(idea)의 기원을 감각(sensation) 또는 인상(impression)에서 찾는 입장이다. 이에 따르면, 우리가 지식을 갖게 되는 것도 생득적이거나 본유적인 것이 아니라 우리의 감각기관의 활동에 기인한다. 그러므로 이 입장은 모든 관념을 감각자료(sense data)로 환원한다. 경험주의는 일찍이 고대 소피스트에게서도 출현하였다. 소피스트의 대표적인 인물인 프로타고라스(Protagoras)는 인간의 지식은 감각에 기초하며, 이 감각은 사람들마다 다르기 때문에 각각의 인식도 다르다는 관점에서 상대주의를 표방하였다. 이런 관점은 고르기아스(Gorgias)에게도 이어졌다. 그는 더 강하게 경험적 관찰을 강조하고 이 관찰이 지니고 있는 주관성을 근거로 회의주의를 표방하였다. 이 흐름은 키니코스학파, 에피쿠로스학파를 거쳐 중세의 유명론(唯名論, nominalism)까지 이어졌다. 중세 유명론의 대표적 주자인 오컴(Gulielmus Ockham)은 감각적 경험만이 우리 인식을 참되게 해 주는 것이라고 보면서, 사유를 통해 확보된 보편자는 이름에 불과하다고 하였다. 이 같은 오컴의 급진적인 경험주의가 바로 본격적인 경험론, 이른바 근대의 영국 경험론이 가능하도록 만들었다. 근대 영국 경험론을 대표하는 로크(John Locke), 버클리(George Berkeley), 흄(David Hume) 등은 모두 인식 성립의 근본 요소를 감각경험으로 보았다. 이들은 관념이 감각경험에서 비롯되었다고 주장하면서, 인간은 태어날 때 백지 상태(tabula rasa)였다가 감각경험으로 비로소 관념과 지식을 갖게 된다고 하였다. 사실 경험주의가 본격화된 것은 이들 영국 경험론자의 영향이라고 해도 과언이 아니다. 이들은 인간이 지성적 직관을 통해서 초월적 존재를 인식하고자 하는 형이상학자들을 비판하였고, 또한 이성적 사유에 기초하여 지식을 정당화하고자 하는 대륙의 이성론자들, 이른바 데카르트(René Descartes), 스피노자(Baruch Spinoza), 라이프니츠(Gottfried Leibniz) 등도 비판하였다. 이들은 관찰과 실험을 기본으로 하고, 추리에서 귀납법을 중시하였다. 이들의 학문적 경향은 현대 논리실증주의(logical positivism)로 이어졌다. 비엔나학파(Vienna Circle)의 슐릭(Moritz Schlick), 카르납(Rudolf Carnap), 노이라트(Otto Neurath) 등은 검증 가능성 이론(verification theory)에 입각하여 검증이 가능하지 않은 주장은 어떤 것도 의미 있는 주장으로 받아들이지 않으려고 하였으며, 이런 맥락에서 형이상학, 가치론과 관련된 학문 분야(윤리학, 미학 등)는 모두 학문의 자격이 없다고 주장하였다. 이들은 수학이나 논리학도 감각적 기호에 관한 약정체계로 파악하려고 하였다. 그러나 경험주의는 감각경험의 한계로 말미암아 상대주의와 회의주의로부터 결코 자유롭지 못하다. 그래서 선험주의(transcendentalism)나 이성론(rationalism)으로부터 부단히 반박을 받고 있기도 하다.

경험추론
[經驗推論, experience corollary]

켈리(G. Kelly)가 제시한 11개의 정교한 추론의 하나로, 사람의 구성개념체계는 사건의 반복을 연속적으로 구성개념함에 따라 변화된다는 것. 개인적 구성개념이론

어떤 일이나 사물에 대해 반복하여 구성개념을 하는 과정에서 전혀 예측하지 못한 일이 일어날 때가 있다. 그때 새로운 구성개념을 그 일에 맞추어 본다. 여러 가지 사건이 계속해서 나타남으로써 개인이 지니고 있는 구성개념은 타당화의 과정을 거친다고 볼 수 있다. 개인이 지니고 있는 가설 또는 예기(豫期)가 계속적으로 전개되는 사건에 비추어 바뀜에 따라 개인의 구성개념체계는 점진적으로 개선되고 발전해 간다. 이렇게 재구성개념을 하는 과정이 바로 경험의 과정이며, 이 같은 경험을 통해서 인생은 재구성된다.

관련어 | 개인적 구성개념, 구성개념, 구성개념체계

경험회피
[經驗回避, experiential avoidance]

특정한 사적 경험에 기꺼이 접촉하지 않은 채, 손해에도 불구하고 이러한 내적 사건의 형태나 빈도 및 상황을 바꾸려고 하거나 이에서 벗어나고자 하는 현상. 수용전념치료

대부분의 심리치료이론에서는 여러 형태의 정신병리를 경험회피라는 건강하지 못한 대처방법의 결과로 보고 있다. 여기서 경험이란 개인의 정서, 사고, 생리적 반응 등 모든 내적·사적 경험을 포함한다. 행동치료자들은 불쾌한 사건은 무시되고 왜곡되거나 잊히는 등 정서적인 회피는 보편적으로 발생한다고 보았다. 정신분석학적 관점에서는 개인적인 경험을 회피하는 것의 중요성을 인정하였고, 의식적으로 지각하기에는 너무 고통스럽거나 위협적이어서 억압시킨 것들을 떠올려 의식화하는 것이 바로 정신분석의 목적이라고 보았다. 인간중심 치료적 접근에서는 내담자 자신의 감정과 태도를 개방적으로 인식하는 것에 대한 도움의 과정을 강조하면서 경험에의 개방을 치료목표의 핵심으로 보았다. 정서중심적 접근에서는 정서를 의식화하는 과정을 치료적으로 강조하고 있으며, 이러한 과정이 방해받을 때 역기능이 발생한다고 보았다. 게슈탈트 치료자들은 많은 심리적 문제의 핵심이 고통스러운 감정이나 원치 않는 감정에 대한 두려움에 있다고 보았다. 실존적 심리치료자들은 죽음에 대한 두려움을 회피하는 것에 더 역점을 두긴 하지만 경험회피가 중심이라는 것에 동의하고 있다. 얄롬(Yalom, 1980)은 "이러한 두려움에 대처하기 위하여 인간은 죽음에 대한 자각에 방어를 한다. 그리고 그것이 인격구조를 형성하게 되는데, 부적응적일 경우에는 임상적 증상을 초래한다. 즉, 정신병리는 죽음을 초월하려는 비효과적인 방식의 결과다."라고 하였다. 경험회피에는 주로 억제와 상황적인 회피의 두 가지 형태가 있다. 억제는 원치 않는 생각, 감정, 기억이나 신체적 감각과 같은 부정적인 사적 사건의 즉시적인 경험을 제거하거나 통제하려는 적극적인 시도이다. 상황적인 회피는 원치 않는 사적 경험이 일어나는 관련 상황을 바꾸려는 것이다. 수용전념치료(ACT)에서는 특히 이러한 경험회피가 발생하는 원인으로 인간언어의 양방향성을 꼽고 있다. 언어적 유기체인 인간에게 혐오사건은 그 사건에 대한 언어적 기술로 전달되고, 그러한 혐오적 속성과 연합된 반응 또한 언어적으로 전달된다고 보는 것이다. 즉, 인간에게 불안은 다른 비언어적 유기체의 경우에서처럼 단순히 반사적인 신체상태와 행동 경향성의 분명한 조합은 아니다. 그것은 평가적이고 기술적인 언어적 범주다. 이에 혐오사건을 기술했던 언어가 다시 동일한 정서반응을 유발하며, 결국에는 실제 혐오사건뿐만 아니라 언어와 연합된 정서반응까지 이후에 회피하게 된다고 보았다. 경험회피의 결과는 심리적 경직성(psychological inflexibility)이다. 인간은 단념할 필요가 있을 때 그

릇된 수단을 이용하며, 또한 그릇된 이유를 위해 단념하거나 지속한다. 예를 들어, 인간이 깊은 상실을 경험했을 경우에 상실의 맥락에서 효과적이고 필요한 행동을 위해 상실에 대한 단순한 접촉이 필요할 때조차 상실감을 피하려고 회피, 억제, 문제해결 및 분석을 지속한다. 인간은 자기통제를 위해 바람직하지 않은 감정들에 초점을 맞추면서 정서적으로 빠져들거나, 견디기 위해 그 감정들을 억제하거나 회피하려는 시도를 한다. 하지만 이러한 경우에는 정서적 둔감이나 스트레스와 같은 이차적 수준의 반응을 초래한다. 정서적인 탐닉이나 억압적인 인내는 모두 다 현대사회와 '기분 좋아지기(feeling good)' 문화에서 인간에게 강요되는 해로운 선택이다. 이와 같이 문화적으로 신성시된 모델은 효율적인 삶을 살기 위한 개인의 능력에 부정적인 영향을 미친다. ACT에서는 탐닉이나 억압이 아닌 제3의 길을 제시한다. 인간의 고통은 인지적 융합과 경험회피로 조성되는 심리적 경직성에 그 기원이 있으므로 치료적 관계라는 맥락 속에서 수용, 탈융합, 초월적인 자기의식의 확립, 현재에 머무르기, 가치, 가치와 연결된 전념적 행동패턴의 확산 등을 통해 심리적 유연성을 경험적으로 확립하는 방향으로 나아가도록 직접적인 수반성과 간접적인 언어적 과정을 알아차리도록 돕는다(문현미, 2006). 요컨대, ACT와 관계구성틀이론의 관점에서 보면 경험회피는 사건을 평가하고 예측하고 회피하는 능력에서 나오며, 비록 단기간에는 도움이 되는 경우도 있지만 장기적 측면에서는 도움이 되지 않고 심리적 경직성을 초래한다. 따라서 이를 상쇄하는 심리적 과정으로서 ACT의 치료기법과 절차를 통해 수용과 유연성을 획득하도록 도움을 주어야 한다는 것이다.

관련어 | 관계구성틀이론, 수용전념치료, 심리적 경직성, 심리적 유연성, 인지적 융합

계란화
[鷄卵畵, egg drawing]

타원을 여러 가지 형태로 제시하여 자신의 욕구, 희망, 소망, 에너지 수준 등을 확인하는 기법. 미술치료

계란이라고 하는 물체 이미지를 자극하고, 타원의 테두리 안쪽에 초점을 두어 계란을 발견하고 파괴시켜 새롭게 탄생하는 과정을 그림으로 나타내는 것이다. 계란화의 특징은 타원 테두리의 공간(계란) 파괴에 내담자를 참가시켜 내담자와 치료자 쌍방이 예측하지 못한 새로운 것이 탄생하는 것을 묘사하고, 계란의 금은 내담자의 현재 심리적 에너지 강도를 나타낸다. 따라서 계란화의 실시는 치료자와 내담자의 관계형성에 도움을 주고, 내담자의 심리적 욕구를 파악할 수 있다. 계란화에 사용되는 타원의 테두리에는 다음과 같은 특징이 있다. 첫째, 자유로운 표현을 촉진하는 보호성, 유한성을 창출하여 내담자에게 심리적으로 안정된 이미지를 줄 수 있다. 둘째, 적당한 여백이 있다. 셋째, 타원의 테두리는 중심이 두 곳이므로 원의 테두리보다 중심화 경향이 적다. 넷째, 계란이라는 의미나 상징성을 가진 테두리로 지시를 받기 때문에 그림 이미지를 형성하는 동기를 부여한다. 준비물은 A4 용지를 주로 사용하지만 내담자의 욕구에 따라 다양한 크기의 용지를 사용할 수 있다. 그리고 연필, 24색 크레파스나 색연필 등이고, 실시방법은 다음과 같다. 먼저, 치료자가 용지에 계란 모양의 큰 타원을 그려서 내담자에게 "무엇으로 보이는가?"라고 물어보고 계란임을 인지시킨 뒤, "이 계란에서 무엇인가 탄생하려고 합니다. 그래서 당신이 계란에 금을 그려서 태어나는 것을 도와주십시오."라고 동기화시킨다. 다음으로 내담자가 계란에 금을 그린 다음 "계란에서 무엇이 태어날까요?"라고 묻고 "병아리."라는 대답에 "그렇지요." 등으로 반응하며, 그다음 "이 계란은 그림 계란이기 때문에 무엇으로도 태어날 수 있습니다. 당신이 금을 그려 주었기 때문에 당신의 계란이

라고도 할 수 있어요." "계란의 껍데기와 더불어 당신의 계란에서 나오면 좋겠다고 생각되는 것을 그려 주세요."라고 말하면서 다른 종이에 자신의 생각을 그리도록 한다. 마지막으로 채색에 대한 생각을 확인하고, 원할 경우에는 채색하여 완성하도록 한다.

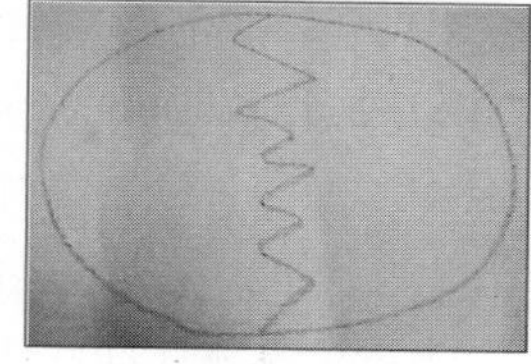

이와 같은 과정을 거쳐 완성된 계란화에는 표현이 명확하여 해석이 따로 필요 없다. 그러나 계란에서 나오는 것이 구체적이지 않으면 구체화시켜야 한다.

계부모 가족
[繼父母家族, step parent family]

부모의 어느 한쪽이 친부모가 아닌 가족의 형태. 가족치료 일반

재혼으로 형성되는 가족의 형태다. 계부모 가족은 한쪽 혹은 양쪽에서 데리고 온 자녀들로 구성된다.

관련어 | 한부모가족

계산자
[計算者, computer]

사티어(Satir)의 의사소통이론을 근거로 가족의 역기능을 설명할 때 분류되는 한 형태. 경험적 가족치료

이 유형의 가족은 대화를 할 때 거의 감정표현을 하지 않고, 조용하고 침착하게 행동하며 행동의 폭이 매우 제한되어 있다. 즉, 대화방식에서 감정표현을 거의 하지 않는 대신 사실에 대한 관심이 많으며, 대화를 통해 정보를 수집하는 형식을 취한다. 이러한 특성을 가진 가족들은 주로 지적인 능력을 사용하여 대화하고, 또한 추상적인 단어를 많이 사용하므로 듣는 상대방은 말하는 자의 의도가 무엇인지 파악하기가 애매하여 전달되는 말의 의미를 분석하려고 애쓰게 된다. 이 같은 대화 방식을 추구하는 사람들은 자신이 감정적으로 상처를 많이 받는 유형이기 때문에 대화를 할 때 감정적으로 다른 사람과 연결되는 것에 두려움을 가지고 있다. 따라서 의사소통을 할 때 가능하면 정서적으로 다른 사람과 연결되지 않으려고 한다.

계약
[契約, contract]

앞으로 취해 나갈 행동에 대해 상담자와 내담자 간에 서면으로 작성되는 약속. 교류분석

교류분석에서 계약이란 상담자와 내담자가 상담에 관련된 제반 사항과 목표행동, 행동변화를 위한 방법과 시기, 평가방법 등에 관련된 내용을 서면으로 작성하여 공식적으로 동의하는 것을 뜻한다. 계약의 기본 요소는 다음과 같다. 첫째, 명료하고 간결하며 단도직입적이어야 한다. 둘째, 문제에 대한 각성이 가능한 것이어야 한다. 셋째, 단순하고 쉬운 말로 기술되어야 한다. 넷째, 현실적으로 실행이 가능한 것이어야 한다. 다섯째, 계약적 문구로 만든다. 즉, '나는 ……을 변화시키려고 한다.' '나는 ……을 중지하고, 그 대신 ……을 하려고 한다.' '내가 해결해야 할 문제는 ……이다.'와 같이 작성해야 한다. 계약에 포함되어야 하는 내용은 다음과 같다. 첫째, 상담자와 내담자는 각자의 어른자아에 의한 대화를 통해 두 사람 모두 수용할 수 있는 상담목표

를 설정한다. 둘째, 상담자는 전문가로서의 기술과 시간을 내담자에게 제공, 내담자는 자신의 시간과 노력을 투입할 것을 서약한다. 셋째, 상담자와 내담자의 능력 및 행동 한계를 분명히 한다. 넷째, 계약은 적법하고 상담자는 상담윤리에 위배되지 않아야 한다. 다섯째, 상담자나 상담기관의 제한점을 내담자에게 제시해야 한다. 여섯째, 기타 계약은 상담자나 내담자의 책임사항을 분명히 한다. 계약을 체결하기 위해서는 자신과 타인에게 불만이나 필요 이상의 불쾌감을 품게 하는 것은 무엇인가, 무엇이 원인인가를 알 정도로 자신의 인생에 대한 접근방법에 관해서 충분히 자각하지 않으면 안 된다. 이러한 불만은 자주 변혁을 지향하는 동기가 된다. 교류분석 상담자들은 계약을 관리상의 계약과 임상적(또는 치료적) 계약으로 나눈다. 관리상의 계약은 상담료와 절차에 대한 상담자와 내담자 간의 동의를 말한다. 임상적 계약은 내담자가 어떻게 변화되기를 원하고, 또 이러한 변화를 얻기 위해 어떻게 할지 구체적으로 밝히는 것이다. 상담자는 내담자가 바라는 변화를 초래하기 위해 내담자와 함께 기꺼이 임할 것이며, 이러한 상담과정에서 어떻게 할 것인지를 말해야 한다. 계약의 사용목적을 살펴보면, 교류분석에서는 자율적 인간에 달성하기 위해서 어른자아기능을 강화하는 한 방법으로 상담자와 내담자 간에 계약을 한다. 교류분석에서 계약을 강조하는 이유는 '인간은 태어나면서부터 누구나 OK'라는 철학적 가정 때문이다. 상담자와 내담자는 동등한 입장에서 계약을 맺는다. 따라서 내담자가 원하는 변화에 대해 책임을 나누어 갖는다. 책임의 공유란 상담자와 내담자가 무엇을 변화시킬 것인지, 이러한 변화를 얻기 위해 각자 맡은 일이 무엇인지 분명하게 할 필요가 있다는 것이다.

계측
[計測, calibration]

내담자 또는 상대방의 비언어적 신호나 단서를 읽고 그것을 바탕으로 내적인 상태를 짐작하거나 알아맞히는 것. NLP

관측 또는 원어 그대로 캘리브레이션이라고도 한다. 예를 들어, 얼굴표정이나 눈동자의 움직임, 피부의 밝기나 긴장도, 목소리의 특성과 같은 외적인 단서를 감지하고 그것을 통해 사람의 내적 상태, 즉 느낌이나 생각의 방향 등을 알아내는 것이다. 이러한 계측이 제대로 이루어지기 위해서는 감각적 민감성이 있어야 한다. 또한 이렇게 계측이 제대로 이루어질 때 상담자가 내담자와의 효과적인 라포형성뿐만 아니라 변화를 위한 이끌기(leading)를 잘할 수 있다. 아울러 계측을 통해서 내담자에게 일어나는 변화를 정확하게 알아차림으로써 변화를 위한 과정이 제대로 이루어지고 있는지, 내담자가 상담자의 유도에 제대로 따라오고 있는지를 짐작할 수 있다. 그러므로 계측은 NLP의 모든 변화를 위한 과정에서 항상 사용하는 기법이라고 할 수 있다.

계획된 행동모형
[計劃-行動模型, theory of planned behavior]

아젠(Ajzen)이 설명한 중독의 발달과정. 중독상담

계획된 행동모형에서는 중독의 발달이 사회문화적인 영향을 받기는 하지만, 개인의 심리적 영향이 가장 결정적인 역할을 한다고 설명하였다. 따라서 행동의도(behavioral intention)가 개개인의 행동을 예측할 수 있는 가장 좋은 방법이라고 주장한다. 즉, 행동의도와 행동과는 밀접한 관련이 있다는 것이다. 이러한 행동의도는 다음의 세 가지 요소를 포함하고 있다. 첫째, 행동에 대한 태도다. 이것은 어떠한 행동에 대한 개인의 긍정적인, 혹은 부정적인

느낌을 말하는 것이다. 둘째, 주관적인 규범이다. 이것은 개인이 특정 행동을 할 것인지 안 할 것인지를 인식하게 하는 사회적인 압박을 의미한다. 셋째, 지각된 행동통제력이다. 이것은 개인이 자신의 행동을 조절할 수 있다는 신념을 뜻하는데, 개인의 과거 행동경험과 장애물을 극복할 수 있는 개인의 능력에 대한 믿음이다. 이러한 세 가지 요소가 상호작용하여 개인의 행동 의도를 형성하고, 이 행동 의도는 직접적인 행동의 유형을 결정하는 데 영향을 미치게 된다는 것이 계획된 행동모형이다.

관련어 | HAPA 모형, SBCM 모형, 중독

고객
[顧客, customers]

드세이저(de Shazer)가 분류한 상담자와 내담자 사이의 관계 유형 중 하나로, 치료의 마지막 과정에서 내담자의 문제와 해결을 위한 구체적인 목표가 명확하게 드러나는 관계. 해결중심상담

고객형의 관계에 있는 내담자는 자신의 문제해결을 위한 변화에 능동적이고 적극적으로 임하며, 상담자는 그러한 내담자를 도와줄 능력이 자신에게 있음을 확신하게 된다. 이러한 관계 속에서는 내담자의 치료동기가 매우 높고, 그 결과 또한 매우 긍정적으로 나타난다. 따라서 상담자는 치료의 전 과정을 통해서 내담자와의 관계를 고객형으로 유지할 수 있도록 지속적으로 주의를 기울여야 한다.

관련어 | 방문자, 불평자, 비자발적 내담자

고기능 자폐증
[高機能自閉症, high functioning autism]

자폐범주성장애의 진단기준을 일정하게 충족시키지만 특정한 상위능력을 가진 모든 유형의 자폐를 지칭. 특수아상담

자폐증을 보이는 사람들의 특징이 모두 똑같지는 않다는 것을 가장 잘 표현하는 용어가 1996년 윙(L. Wing)이 제안한 자폐 스펙트럼(spectrum)이다. 스펙트럼은 일곱 색깔 무지개가 변하는 과정을 통해 설명 가능한데, 빨간색에서 주황색으로 변할 때 우리는 빨간색과 주황색만 구별 가능하지만 그 중간중간에는 우리가 알 수 없는 미묘한 변화가 나타난다. 이와 마찬가지로 자폐증에서도 전체적으로 기능이 모두 떨어지는 전형적인 자폐증이 있고, 한 가지 특정 분야에서 탁월한 재능을 보이는 서번트증후군(Savant syndrome)도 있으며, 아스퍼거 증후군(Asperger's syndrome)도 있고 고기능 자폐증도 있다. 이렇게 구분되는 자폐증상뿐만 아니라 이들 사이에도 어떤 기능이 모두 떨어지는 사람도 있고, 반대로 어떤 기능이 더 탁월한 사람도 있다. 따라서 이들을 구분하지 않고 모두 하나의 연속체로 보자는 것이 자폐 스펙트럼을 주장하는 사람들의 논리다. 여기서 고기능 자폐증과 저기능 자폐증은 상반되는 용어라 할 수 있다. 저기능 자폐증은 전형적인 자폐증 또는 카너 증후군(Kanner's syndrome)이라고 부르는 반면, 고기능 자폐증은 아스퍼거 증후군과 동일시하기도 하고 또 다른 특징의 자폐증이라고 주장하는 사람도 있다. 고기능 자폐증은 임상과 학계에서 많이 사용되기는 하지만 공식적인 진단 용어는 아니다. 고기능 자폐증은 자폐의 증후를 보이면서 특히 화용론적 언어 사용에 뚜렷한 결함을 보이는 경우다. 영국의 국립자폐증학회(National Autistic Society)에 따르면 고기능 자폐증과 아스퍼거 증후군은 둘 다 자폐증후를 보이면서 평균이나 그 이상의 지능을 가진다는 점에서는 유사하지만 발병시기나 운동기술 결함 등의 특징에서 차이가 나타나는 것으로 알려져 있다. 그러나 두 상태 모두 정확한 원인을 단정적으로 제시할 수 없고 근본적인 표현형이 같기 때문에 이들을 위한 교육적 중재는 원인에 따른 치료적 접근보다는 행동적 증후에 따라 발생하는 다양한 교육적 요구에 개별적으로 접근하는 것이 바람직하다(이소현, 박은혜, 2006).

고기능 자폐인 경우에는 부모와는 서로 의사소통이 가능한 정도이며, 저기능 자폐인 경우에는 의사소통이 거의 이루어지지 않는다.

관련어 | 서번트증후군, 아스퍼거 증후군

고령화 사회
[高齢化社會, aging society]

국민의 총인구 중에서 65세 이상의 노인 인구가 7% 이상을 차지하는 상태. 중노년상담

유엔(UN)에서는 총인구에서 65세 이상의 노년 인구가 7% 이상을 차지하면 고령화 사회, 14% 이상이면 고령 사회(aged society), 20% 이상이면 초고령 사회(post-aged society)로 정의한다. 우리나라는 2000년 7월 1일을 기준으로 65세 이상 노인 인구가 7.1%를 차지하여 고령화 사회가 시작되었다. 이어 2019년에는 14.4%로 고령 사회가 될 것으로 보고 있다. 고령화 사회는 노동력의 고령화, 청소년 노동력의 감소에 따른 고령자의 부양, 사회보장제도의 기반 강화, 보건의료복지서비스의 확충, 고령자의 자립과 자아실현의 촉진, 고령자 고용 촉진 등 중요한 과제에 직면하게 되므로 이러한 과제를 처리해야 하는 상담자의 필요성이 점차 증가한다.

고무울타리
[-, rubber fence]

가족의 구성원인 개인의 정체성과 독자성을 찾으려는 시도가 가족의 모호한 경계선 때문에 무시되고 방해받는 것으로, 정신분열증 환자가 있는 가족의 독특한 특성 중 하나. 가족치료 일반

깨지기 쉬운 가족의 상호관계와 정원성(定員性)을 유지하기 위하여 이용하는 방어책을 기술하기 위하여 윈(Wynne, 1958)이 도입한 용어다. 이는 특히 정신분열병적 가족을 기술하는 데 이용한 것으로서, 윈은 치료자나 그의 제언을 받아들이는 것처럼 하면서도 결국에는 습관적인 형태로 돌아가는 가족의 성질을 가리켜 고무울타리라고 불렀다. 다시 말하면, 고무울타리의 가족은 바깥 측에 있는 것을 받아들이는 듯하다가 실제로는 받아들이지 않는 경직된 경계를 형성하고 있는 것이다. 이러한 가족은 주위환경과의 최소한의 접촉만 허용한다. 윈은 가족관계에서 가성 친밀성을 유지하려는 노력이 있으면, 가족구성원은 그 가족이 참으로 자기충족적인 사회체계인 것처럼 행동하려고 한다고 보았다. 그러나 가족은 활동하고 성장하는 체계이자 보다 큰 사회의 하위체계다. 그런 만큼 그 영향을 피할 수가 없기 때문에, 그러한 시도는 사실상 지속될 수 없다. 그럼에도 불구하고 자기충족이나 조화로운 관계성이라는 가족 신화를 유지하기 위해 가족은 고무울타리를 만든다. 생물학적으로 가족구성원일지라도 이러한 가족체계에서 위협적으로 간주되는 사람은 고무울타리의 바깥 측으로 심리적으로 배제해 버리고 추방하지만, 상담자처럼 가족구성원은 아니어도 가족구성원에 협조적인 사람은 가족체계의 내부로 들어갈 수 있다. 배제나 협조는 구조를 변화시키는 것이 아니라, 일시적으로 체계의 혼란만 초래할 뿐이다.

관련어 | 가성 친밀성

고백단계
[告白段階, confession stage]

융(C. G. Jung)이 내담자가 더욱 효과적으로 무의식적 정신에너지를 통합할 수 있도록 제안한 분석적 심리치료과정의 첫 단계로, 내담자의 강렬한 정서방출과 치료적 동맹관계를 형성하는 단계. 실존주의 상담자이자 심리치료사인 메이(R. May)가 『상담의 기술(Art of counseling)』(1989)에서 제시한 면접 과정의 한 단계. 분석심리학 실존주의 상담

내담자가 명확하게 이해하지 못하는 자신의 내적 문제와 감정에 대해 상담자에게 이야기함으로써 정

서를 경험하고, 의식적 및 무의식적 비밀을 상담자와 공유한다. 내담자는 자신의 개인사에 대해 카타르시스적으로 자세히 이야기하고, 분석가는 판단하지 않은 채 공감하고 경청하는 태도로 치료에 임한다. 내담자는 자신의 한계에 대해 상담자와 나누면 모든 인간이 약점을 가진다는 사실을 지각하며 인류와의 유대감을 갖는다. 융은 고백을 심리치료의 기본 요소라고 언급하였다. 고백은 내담자에게 수용감을 느끼게 하고, 인간 공동체로서의 개인에 대해 지각할 수 있도록 해 준다. 상담자는 오랫동안 외면했던 감정과 죄에 대한 내담자의 태도를 수용함으로써 치료과정을 촉진한다. 고백단계에서 상담자에 대한 내담자의 전이 현상이 나타나는 경우도 있다.

메이는 면접과정을 친밀한 관계의 수립, 고백, 해석, 내담자의 인격변형의 4단계로 구분하였다. 내담자와 친밀한 관계가 수립되면 고백이라는 면접의 중심적인 단계에 접어든다. 이 단계에서는 내담자가 터놓고 이야기하게 된다. 이것은 상담에서도 심리치료에서도 모두 중요한 부분이다. 고백은 매우 중요하기 때문에 상담자는 심리치료사들이 창시한 치료의 실제적 방법을 응용하기도 한다. 즉, 면접을 할 때마다 적어도 3분의 2는 내담자가 이야기를 하도록 해야 한다. 고백 자체에는 정화적 가치가 있다. 고백은 마치 수로를 물로 씻어 내는 것처럼 전의식에 고인 것을 의식화하도록 만들어 주므로 내담자가 객관적인 조명 속에서 자신의 문제를 검토하는 데 도움이 된다. 이때 상담자는 내담자의 고백에서 그 중심적인 문제점으로 방향을 돌려줄 수 있어야 한다. 내담자는 대부분 반드시 문제를 고백해야 하는 운명적인 순간을 회피한 채 꾸물거리거나 하찮은 화제를 가지고 횡설수설하는 경향이 있다. 실제로 개인 내부에는 어떤 무의식적 과정이 존재하고, 이에 따라 내담자는 무의식적으로 자신의 곤란 속의 가장 미묘한 부분을 회피해 버린다. 그러므로 상담자는 관계없는 여러 가지 진술의 바탕에 있는 진정한 문제를 감지하여 내담자가 그 문제에 대해서 이야기를 할 수 있도록 길을 열어 주어야 한다.

관련어 | 명료화 단계, 변형단계, 정화효과, 해석단계

고백효과 [告白效果, confession effects]

자신의 죄의식을 다른 사람에게 고백하면 그 죄의식이 사라져 다른 사람을 돕는 행동이 줄어드는 현상. 개인상담

사람이 사회에서 자신의 행위에 대하여 도덕적인 책임을 생각하는 감정상의 느낌을 양심이라 한다. 이 양심은 각자의 개인적인 도덕적 성장에 중요한 요인이며, 사회적 상호작용을 할 때 꼭 필요한 요인이기도 하다. 양심이 있는 사람은 타인에게 도움을 주지 못했다는 죄의식이 강할 때 그것을 덜기 위해 다른 사람을 도와주는 행동을 하는 경향이 있다. 그러나 자신의 죄의식을 누군가에게 고백하면 그 죄의식이 사라져 다른 사람을 돕는 행동이 줄어든다. 예를 들면, 가톨릭에서 행하는 고해성사는 영세를 받은 신자가 자신이 지은 죄를 뉘우치고 신부를 통하여 하느님께 고백함으로써 용서를 받는 일이다. 해리스 등(Harris et al., 1975)은 신자들에게 고해 성사 전과 후 시점에 일정 금액의 기부금을 요청하는 실험을 진행한 결과 고해 성사 후 마음이 편안해지면 기부행위가 오히려 줄어든다는 것을 발견하였다.

고부담검사 [高負擔檢査, high-stakes testing]

검사결과가 학교행정가, 교육정책 결정자, 자격증 발급청, 인사선발 주체 등이 중요한 결정을 내리는 데 활용되어 피험자에게 지대한 영향을 미치기 때문에 큰 심적 부담으로 작용하는 검사. 심리 측정

학생과 학교를 위해 어떤 결과에 대해 중요한 교

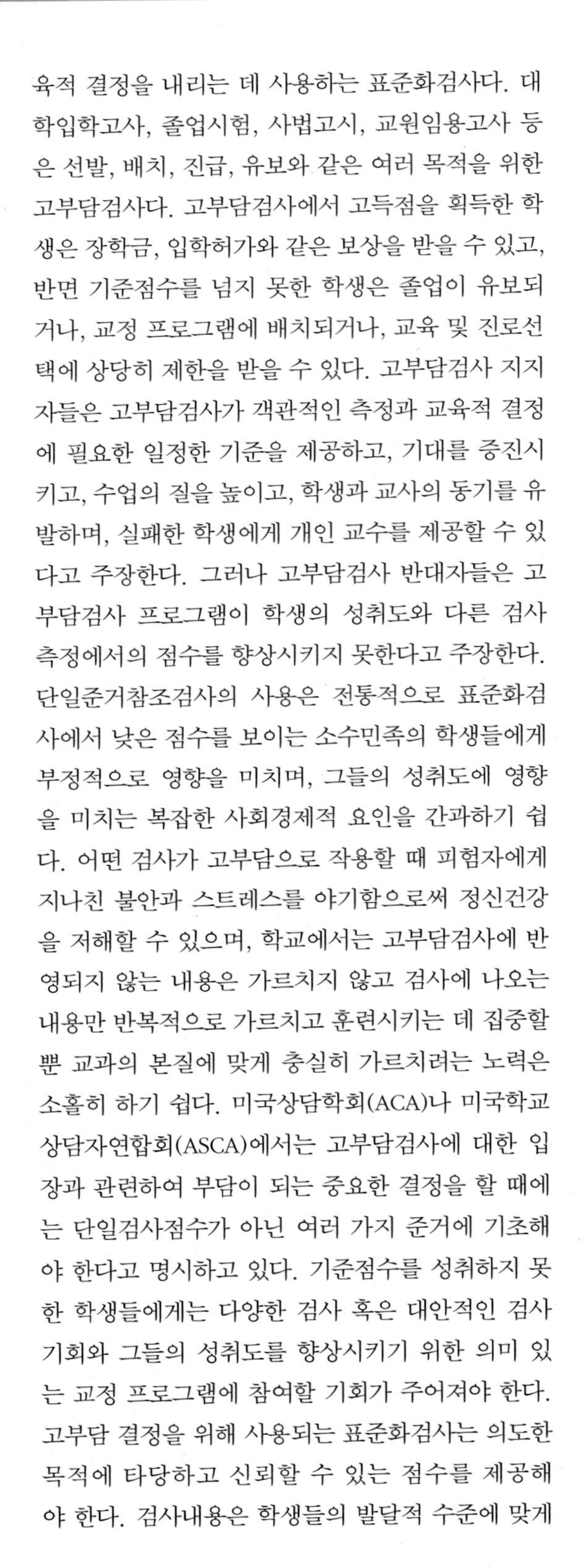

육적 결정을 내리는 데 사용하는 표준화검사다. 대학입학고사, 졸업시험, 사법고시, 교원임용고사 등은 선발, 배치, 진급, 유보와 같은 여러 목적을 위한 고부담검사다. 고부담검사에서 고득점을 획득한 학생은 장학금, 입학허가와 같은 보상을 받을 수 있고, 반면 기준점수를 넘지 못한 학생은 졸업이 유보되거나, 교정 프로그램에 배치되거나, 교육 및 진로선택에 상당히 제한을 받을 수 있다. 고부담검사 지지자들은 고부담검사가 객관적인 측정과 교육적 결정에 필요한 일정한 기준을 제공하고, 기대를 증진시키고, 수업의 질을 높이고, 학생과 교사의 동기를 유발하며, 실패한 학생에게 개인 교수를 제공할 수 있다고 주장한다. 그러나 고부담검사 반대자들은 고부담검사 프로그램이 학생의 성취도와 다른 검사 측정에서의 점수를 향상시키지 못한다고 주장한다. 단일준거참조검사의 사용은 전통적으로 표준화검사에서 낮은 점수를 보이는 소수민족의 학생들에게 부정적으로 영향을 미치며, 그들의 성취도에 영향을 미치는 복잡한 사회경제적 요인을 간과하기 쉽다. 어떤 검사가 고부담으로 작용할 때 피험자에게 지나친 불안과 스트레스를 야기함으로써 정신건강을 저해할 수 있으며, 학교에서는 고부담검사에 반영되지 않는 내용은 가르치지 않고 검사에 나오는 내용만 반복적으로 가르치고 훈련시키는 데 집중할 뿐 교과의 본질에 맞게 충실히 가르치려는 노력은 소홀히 하기 쉽다. 미국상담학회(ACA)나 미국학교상담자연합회(ASCA)에서는 고부담검사에 대한 입장과 관련하여 부담이 되는 중요한 결정을 할 때에는 단일검사점수가 아닌 여러 가지 준거에 기초해야 한다고 명시하고 있다. 기준점수를 성취하지 못한 학생들에게는 다양한 검사 혹은 대안적인 검사기회와 그들의 성취도를 향상시키기 위한 의미 있는 교정 프로그램에 참여할 기회가 주어져야 한다. 고부담 결정을 위해 사용되는 표준화검사는 의도한 목적에 타당하고 신뢰할 수 있는 점수를 제공해야 한다. 검사내용은 학생들의 발달적 수준에 맞게 적절한 수업과 자원으로 학습할 기회를 가진 교육과정에 한정해야 한다. 다양한 평가방법과 참평가(authentic assessment)는 불리한 조건에 있는 학생들의 고부담검사에서의 실패를 줄이며, 또한 교육적 · 직업적 기회를 넓혀 준다.

관련어 | 표준화검사

고소공포증
[高所恐怖症, acrophobia]

특정 공포증의 한 유형으로서 높은 곳이나 공중에 있을 경우, 높은 곳에 있을 것으로 예상되는 상황 등에서 강한 두려움을 느끼는 심리적 상태. 이상심리

특정 공포증은 특정 대상이나 상황에 대해, 혹은 발생할 것으로 예상되는 상황에서 일어나는 비합리적이고 근거 없는 두려움을 보이며 계속적으로 회피하게 된다. 이 같은 특정 공포증은 대상에 따라 여러 가지가 있다. 고소공포증 증상을 가지고 있는 사람은 높은 곳을 지속적으로 회피한다.

고위험군
[高危險群, high risk group]

신체적, 심리적, 법적, 경제적 부담을 야기하며 손실의 가능성을 지니고 있는 행동을 취하는 집단. 학교상담

난폭운전, 싸움, 흡연, 약물남용, 성행동과 같이 자신의 건강을 위협하거나 손상시키는 행동과 가출, 무단결석, 부정행위, 학교중퇴 등의 사회경제적 지위를 위협하는 행동을 일으키거나 일으킬 가능성이 있는 사람들이다. 이 같은 행동은 청소년에게는 정상적인 발달과정의 하나로 일시적으로 나타날 수도 있지만, 현실적으로는 부정적인 방향으로 전개될 가능성이 더 많다. 즉, 심각한 신체장애나 죽음, 법적 구속, 원하지 않는 임신, 소외감, 우울증, 정신

장애 등의 부정적 결과를 야기한다.

관련어 | 감각추구, 보호요인

고유세계
[固有世界, eigenwelt]

실존주의자들이 확인한 인간의 세계 내 실존적 양식의 하나로, 자기 자신의 독자적 세계. 실존주의 상담

고유세계는 인간의 자각, 자신과의 관련성을 전제로 하고 있지만 인간 속에 특이하게 존재하고 있는 것으로, 인간이 인간 존재의 중심이라는 것을 알고 또 인간의 특정한 가능성들을 인식하는 세계다. 그 양상은 인간의 행동, 선호 등을 정확하게 판단할 때 분명해진다. 또한 체험이 자신에게 의미하는 바가 무엇인지를 파악할 때 그것은 단순히 주관적이고 내면적인 체험에 불과한 것이 아니라 오히려 인간이 현실의 세계를 참된 틀(frame) 안에서 보는 기반이며, 인간이 관련성을 가질 때의 기반이 되는 세계라는 것이다. 이와 반대로 공허감이나 자기소외감은 자신의 독자적 세계에 대한 올바른 이해를 반영하지 못한다. 메이(May, 1983)는 "동양의 언어에서 …… 형용사에는 언제나 '나에게 있어서'라는 의미가 내포되어 있다. 즉, '이 꽃은 아름답다.'라는 것은 '나에게 이 꽃은 아름답다.'라는 뜻이다. 그것과 대조적으로 서구적 주체와 객체의 이원론에서 야기된 것은 우리 자신으로부터 완전히 분리되어 '그 꽃이 아름답다.'라고 하는 것이 가장 좋은 기술방법이란 것이다. 다시 말하면, 우리 자신과 그 꽃과의 관련성이 적으면 적을수록 그 기술방법은 더욱 진실에 가까워진다는 것이다. 이와 같이 고유세계를 고려하지 않는 것으로 무미건조한 주지주의를 윤택하게 하고 활력소를 상실해 온 것이지만, 그것뿐만 아니라 현대인들이 그 체험의 현실감을 상실해 왔다는 사실 또한 그것과 큰 관계가 있는 것이다."라고 말하였다. 아울러 그는 "만약 당신의 자존감이 …… 사회적 승인에 좌우된다면, 그것은 당신의 자존감이 아니라 보다 세련된 사회적 적응성의 한 형태다."(Ewen, 1980)라고 말하였다. 요컨대, 고유세계는 타자의 의견이나 기대에 좌우되는 세계가 아니라 인간이 자신의 긍지와 자존감 및 개인적 의미성을 향유할 수 있는 인간 특유의 세계다.

관련어 | 실존적 양식

고전검사이론
[古典檢査理論, classical test theory]

검사의 총점에 따라 분석하고 관찰점수를 진점수와 오차점수의 합으로 가정하여 전개한 검사이론. 심리 측정

1920년대 영국의 심리학자이자 통계학자인 스피어만(C. Spearman)이 소개한 이론이다. 이후 길퍼드(Guilford), 굴릭슨(Gulliksen), 마그누손(Magnusson), 로드(Lord), 노빅(Novick) 등이 더욱 다양한 형태로 발전시켜 오고 있다. 스피어만이 제안한 기본 모형에서 측정된 관찰점수 X는 진점수 T와 오차점수 e와의 합, 즉 X=T+e로 나타낼 수 있다. 이 경우 X와 e는 측정이나 검사를 시행할 때마다 변할 수 있지만 T는 고정된 값으로 가정한다. 그러나 수검자의 진점수를 알 수 없기 때문에 개인의 능력이 불변하다는 전제하에 반복 측정한 검사의 평균점수를 진점수로 추정한다. 즉, 진점수와 오차점수는 관찰할 수 없는 이론적인 가상개념이기 때문에 T는 동일한 검사를 동일한 수검자에게 반복하여 독립적으로 시행할 때 관찰된 점수 X의 이론적 분포의 평균이다. 예를 들어, 10개의 사지 선다형 문항으로 구성된 국어시험에서 영희가 8개를 맞추었다면 80점이고, 이것은 영희의 관찰점수가 된다. 이 점수는 영희가 시험내용에 대해 아는 정도를 정확하게 반영할 수도 있고 혹은 반영하지 못할 수도 있다. 영희가 실제는 60점 정도의 실력밖에 안 되는데 추측으로 답한 문항이 더 맞아서 80점이 되었을 수도 있

다. 아니면, 실제는 90점 정도의 실력인데 답안지에 체크하는 과정에서 실수를 범해 한 문항이 틀렸을 수도 있다. 영희의 관찰점수는 매번 시험을 치를 때마다 조금씩 차이가 있을 것이다. 이때 영희가 시험 내용에 관해 알고 있는 지식을 정확히 반영하는 점수를 진점수라고 한다. 그러나 진점수의 값을 정확히 안다는 것은 불가능하다. 단지 어느 정도일 것이라고 추정할 수 있을 뿐이다. 따라서 고전검사이론에서는 개인의 진점수는 특정 검사를 무수히 반복 실시했을 때 얻어지는 모든 관찰점수의 평균으로 정의한다. 물리적 변인과 달리 심리적 변인의 경우 개인의 진점수는 측정과정의 영향을 크게 받는다. 따라서 심리적 변인이 관련되었을 경우에는 개인의 진점수란 해당 검사에서의 진점수를 뜻한다. 만약 한 개인의 지능을 측정하기 위해 두 가지 유형의 지능검사를 실시했다면 개인은 2개의 서로 다른 진점수를 갖게 된다. 또한 오차점수는 무선변인(random variable)으로서 진점수와 상관이 없다는 것을 가정하고 있다. 스피어만은 자신이 제안한 상관계수를 인간의 심리적 특성의 측정에 적용하는 데 실제로 관찰된 점수는 오차를 포함하므로 오차를 포함하지 않은 진점수 간의 상관보다 낮다는 것을 지적하였다. 측정오차와 진점수 간의 상관관계가 없다는 가정하에 관찰점수의 분산을 진점수의 분산과 오차점수의 분산으로 분할할 수 있다고 하였다. 한편, 스피어만의 고전검사이론 모형은 현실적인 자료에 얼마나 적합한가를 객관적으로 검증할 수 없다는 단점이 있다. 또한 검사문항에 관련된 문항의 곤란도 및 문항변별도의 지수가 주어진 집단에 따라 달라진다는 점이 한계로 지적되고 있다. 고전진점수이론의 이러한 한계를 해결하기 위한 대안으로 문항반응이론 등의 신검사이론이 등장하였다.

고전적 조건형성
[古典的條件形成, classical conditioning]

파블로프가 개를 이용한 생리학 실험의 과정에서 개가 먹이를 접할 때 흘리는 침을 먹이를 주는 조교의 발자국 소리나 먹이 그릇만을 접했을 때도 흘리는 것을 관찰하고 체계적으로 정리한 행동수정의 원리. 행동치료

수동적 조건형성이라고도 불리는 고전적 조건형성은 다음과 같은 절차로 도식화될 수 있다.

1단계	무조건 자극(먹이) → 무조건 반응(침 분비)
2단계	중성 자극(종소리) + 무조건 자극(먹이) → 무조건 반응(침 분비)
3단계	조건 자극(종소리) → 조건 반응(침 분비)

1950년대에 울페(Wolpe), 라자루스(Lazarus), 아이젱크(Eysenck) 등은 임상장면에서의 공포치료를 도와주기 위해 동물연구에서 얻은 실험 연구결과를 사용하기 시작하였다. 그들은 헐(Hull)의 학습이론과 파블로프(Pavlov)의 조건형성(혹은 고전적 조건형성) 연구에 바탕을 두었다. 이들 개척자의 연구에 깔려 있는 특성은 상담절차의 실험적 분석과 평가를 중요시했다는 것이다. 체계적 둔감법의 발달에 대한 울페의 기여는 고전적 조건형성 모델에 기초를 두고 있고, 이것은 실험에서 도출해 낸 학습의 원리가 임상적으로 적용될 수 있음을 보여 주는 것이다.

관련어 | 조작적 조건형성, 파블로프

고전학파
[古典學派, Classical school]

교류분석

⇨ '교류분석의 학파' 참조.

고정간격강화계획
[固定間隔强化計劃, fixed-interval reinforcement schedule]

간헐강화의 하나로, 일정한 시간 간격이 경과한후에 발생하는 첫 번째 반응에 대해 강화인을 제공하는 강화계획. 행동치료

강화계획은 먼저 연속강화계획과 간헐강화계획으로 나누어지며, 간헐강화계획은 다시 간격계획(interval schedule)과 비율계획(ratio schedule)으로 분류한다. 간격계획에서는 마지막으로 강화를 받고 나서 얼마 동안의 시간이 경과했는가에 따라 다음 반응의 강화 여부를 결정한다. 간격계획은 강화요건이 고정되는가 혹은 변화되는가에 따라 고정간격강화계획과 변동간격강화계획으로 세분된다. 고정간격(fixed-interval: FI) 강화계획에서는 시간간격이 고정되거나 동일한 시간만큼 머무른다. 반응이 어떻게 일어나는지는 중요하지 않으며, 일정한 시간이 지난 후에 나타나는 특별한 첫 번째 반응행동이 강화된다. 강화를 받은 후에 강화를 다시 받기 위해 필요한 요건은 일정한 시간이 경과한 다음 표적반응행동을 다시 하는 것이다. 예를 들어, 고정간격 10초(FI 10초) 계획에서는 10초가 경과한 다음 발생하는 첫 번째 반응이 강화되며, 10초가 경과되기 전에 발생한 반응은 강화되지 않는다. 고정비율강화계획에서처럼 고정간격강화계획에서도 강화 후 휴지(postreinforcement pauses)가 나타난다. 일반적으로 고정간격계획에서 강화 후 얼마 동안은 반응이 적게 나타나거나 거의 나타나지 않다가 고정된 시간 간격이 거의 끝나갈 무렵이면 서서히 반응비율이 증가한다. 시간 간격이 점진적으로 증가하는 경우, 강화인이 주어진 직후에는 잠시 휴식이 일어나지만 점차 다음번 강화인이 주어지기 전까지 반응행동이 증가한다. 휴식의 길이는 시간 간격에 따라 다르다. 간격이 증가하면 휴식도 길어진다. 예를 들어, 매 주말 급여를 받은 노동자는 정확한 임금 지급일을 알고 있으므로 고용주에게 급여를 미리 재촉하지 않는다. 또한 매 4년마다 국회의원 선거가 시행되는 경우, 일단 선거가 끝나면 다음 선거 때까지 국회의원의 지역구 활동이 소강상태에 접어드는 것도 한 예다. 따라서 단순한 고정간격강화계획은 행동수정 프로그램에 자주 적용되지 못한다. 일단 강화인을 받은 후에는 다음 번 강화인을 얻기 위한 반응행동을 시작하기까지 상당 기간 휴식을 취하려고 하기 때문에 표적행동이 중단되는 경향이 있다. 휴식에 해당되는 고정시간 간격의 초반에는 반응행동이 천천히 나타나거나 아예 나타나지 않는다. 그러나 시간 간격의 끝부분에서는 다음번 강화의 순간을 기대하면서 반응행동이 활발해지고 증가하기 시작한다.

관련어 간헐강화, 강화계획, 고정비율강화계획, 변동간격강화계획, 변동비율강화계획

고정된 게슈탈트
[固定-, fixed gestalt]

전경과 배경이 원활하게 교체되지 못하고 게슈탈트의 욕구가 해결되지 못한 채 남아 있는 것. 게슈탈트

인간의 욕구나 감정이 전경으로 게슈탈트를 형성하고, 이것이 해결되면 배경으로 사라진 후 새로운 전경이 떠오르는 교체가 일어난다. 하지만 전경과 배경의 자연스러운 교체가 어떤 원인으로 방해를 받으면 게슈탈트의 욕구가 해결되지 못한 채 남아 있는 고정된 게슈탈트가 형성된다. 이런 경우 이전의 전경이 고착되거나 선명하지 못한 전경을 형성할 수 있다. 선명하지 못한 전경은 선명한 게슈탈트의 형성을 방해하여 개인의 욕구가 충분히 충족되지 못하고 미해결된 채로 남는다. 이로 말미암아 현재의 순간에 자기 자신이나 타인 혹은 환경과 접촉하는 것이 어려워진다. 결국 충족되지 않은 욕구들은 불완전한 게슈탈트가 되어 계속해서 주의를 끌고, 새로운 게슈탈트의 형성을 막는다. 주로 아동기

때 해결되지 못한 상황은 종종 '미해결된 상황' 또는 '불완전하게 형성된 게슈탈트'로 경험한다. 미해결된 상황들은 성인이 되어도 계속 그 사람을 방해한다. 즉, '지금-여기'에서의 기능과 관련되어 있는 행동, 지각 그리고 사고를 방해하는 경향이 있는 것이다. 이로 인해 심리 에너지를 묶어 버리고 소진시켜서 지금의 현실에서 효과적으로 기능하지 못하게 만든다. 미해결되고 불완전한 게슈탈트가 스트레스를 받아 도중에 부적절하거나 미숙하게 '종결된' 때 병리적인 현상이 정서적 · 인지적 · 행동적 양상으로 나타날 수 있다.

관련어 | 게슈탈트, 나는 ~이 화가 난다, 미해결 과제

고정비율강화계획
[固定比率强化計劃, fixed-ratio reinforcement schedule]

간헐강화의 하나로, 일정한 수의 반응이 발생한 후에 강화인이 주어지는 강화계획. 행동치료

강화계획은 연속강화계획과 간헐강화계획으로 나누어지며, 간헐강화계획은 다시 간격계획(interval schedule)과 비율계획(ratio schedule)으로 분류한다. 비율계획에서는 마지막으로 강화를 받고 나서 얼마만큼의 반응행동 횟수가 다시 나타났는가에 따라 다음 반응의 강화 여부를 결정한다. 비율계획은 강화요건이 고정되는가 혹은 변화되는가에 따라 다시 고정비율강화계획과 변동비율강화계획으로 세분된다. 고정비율(fixed ratio: FR) 강화계획에서는 정해진 수만큼 반응이 나타날 때만 강화가 주어진다. 예를 들어, 고정비율 10(FR 10) 계획에서는 강화인이 항상 열 번째 반응 후에 뒤따른다. 완제품을 일정한 수만큼 제작했을 때마다 특정 액수의 보너스를 지급하는 경우나, 과수원에서 포도 한 바구니를 수확할 때마다 일꾼에게 5천 원씩 지급하는 경우가 해당된다. 고정비율강화계획을 적용할 경우, 반응비율이 빠르게 증가하며 강화 직후 다음번 반응행동이 나타나기 전까지 휴식기가 비교적 짧다. 고정비율계획상에서 레버 누르기를 하는 동물은 먹이가 접시에 주어질 때까지 레버를 빠르게, 또 지속적으로 누른다. 그런 다음 먹이를 먹고 잠깐 멈추었다가 다시 레버를 누르는 반응을 보인다. 이렇게 강화 직후에 나타나는 휴식 시간을 강화 후 휴지(postreinforcement pauses)라고 하는데, 강화 후 휴지는 강화에 대한 반응의 비율이나 강화물의 크기 등에 영향을 받는다. 만일 강화에 요구되는 반응행동의 양이 점차 증가해 왔다면, 매번 강화인을 제공한 후 그리고 다음번 강화인을 받기 위해 반응행동을 하기 전 휴식이 있은 뒤에 반응비율이 높게 나타난다. 휴식의 양은 강화에 요구되는 반응행동의 양에 따라 차이가 있다. 즉, 너무 과도한 반응이 요구되거나 요구되는 반응의 양이 급격하게 증가하면, 휴식이 아주 길어지거나 반응이 전혀 나타나지 않는다. 예를 들어, 프로그램 초기에 영희가 3개의 수학 문제를 풀 때마다 강화를 받았다면, 이것은 FR 3에 해당한다. 다음 단계에서 영희가 강화를 받기 위해 6개의 수학문제를 풀어야 했다면 이것은 FR 6에 해당한다. 마지막 단계에서 영희가 9개의 수학문제를 풀고 난 후에 강화를 받았다면 이것은 FR 9에 해당한다. 이와 같이 강화계획이 단계적으로 증가할수록 강화효과가 오래 지속된다. 그러나 영희의 수학문제 푸는 반응이 프로그램 초기 단계부터 FR 9로 설정되었거나 혹은 FR 6의 중간 단계 없이 FR 3에서 FR 9로 갑자기 증가되었다면 마치 소거가 이루어진 것처럼 영희의 반응 행동은 오래 지속되지 못한다. 이처럼 고정비율강화계획에서 FR값이 점진적으로 도입될 경우, 강화를 받을 때까지 안정된 비율로 반응행동이 형성되고 이후 휴식이 나타난다. 강화 후 휴지의 길이는 FR값에 달려 있다. FR값이 커질수록 휴식기간이 길어지고 소거에 대한 저항도 커진다. 연속강화계획에 비해 간헐강화계획에 속하는 고정비율강화계획의 장점은, 첫째, 연속강화보

다 반응비율을 높인다. 둘째, 연속강화보다 포만이 서서히 일어나기 때문에 강화인의 효력이 더 오래 지속된다. 셋째, 연속강화보다 소거가 서서히 일어난다. 넷째, 고정비율강화를 받은 반응행동은 훈련 상황 이외의 장면에서 일어나는 간헐강화에 의해서도 효과가 유지된다.

관련어 간헐강화, 강화계획, 고정간격강화계획, 변동간격강화계획, 변동비율강화계획

고정역할치료
[固定役割治療, fixed-role therapy]

개인적 구성개념의 변화를 위해 켈리(G. Kelly)가 고안한 상담과 심리치료기법으로, 생활장면에서 구체적으로 고정된 특정 인물의 역할시연을 통해서 심리적 문제를 해결하려는 접근방법. 개인적 구성개념이론

고정역할치료는 자기 성격 묘사(self-characterization sketch), 고정역할 묘사(fixed-role sketch), 고정역할 시연(fixed-role enterprise)의 세 단계로 이루어진다. 현상학적 입장에서 내담자를 가장 잘 알 수 있는 사람은 내담자 자신이라는 가정하에 자기 성격 묘사가 시작된다. 이때 내담자에게 자기 자신에 관하여 기술하되 3인칭으로 시작하도록 한다. 어떻게 묘사해야 하는지 구체적인 내용을 제시하지는 않지만 내담자가 가능한 한 위협을 느끼지 않고 자기 자신에 관하여 객관적이고 자유롭게 표현하도록 해 주는 것이 중요하다. 자기 성격 묘사는 "나는 당신이 ○○○(이름)의 성격을 묘사하는 글을 써 보길 원합니다. 그가 연극의 주인공이라고 생각하며 기술하십시오. 다른 누구보다도 그 사람을 무척이나 가깝게 알고 있으면서 또한 아주 공감적으로 이해하고 있는 친구가 쓰듯 해야 합니다. 실제로 그 사람을 알고 있는 어떤 사람보다도 더 친밀하고 속속들이 깊이 있게 이해하는 어떤 가상 친구가 쓴다고 가정하십시오. 확실하게 3인칭으로 써야 합니다. 예를 들면 '○○○은 …….'라고 말하는 것으로 시작할 수 있습니다."(Kelly, 1955)라는 지시로 시행할 수 있다. 자기 성격 묘사의 목적은 내담자가 인접한 세계를 어떻게 구조화하는지, 그리고 이 구조와 관련하여 자기 자신을 어떻게 이해하고 있는지 파악하는 것이다. 내담자가 자기 자신을 기술하는 글을 쓰면 자기 성격 묘사의 결과를 기초로 내용의 순서, 주제의 변화, 문맥, 조직, 용어의 연결, 강조점의 변화, 재진술, 전체적 맥락 등 구성개념의 여러 측면에서 분석을 행한다. 이때 내담자의 특성을 좀 더 잘 이해하기 위해서 문장완성검사를 함께 활용하기도 한다. 자기 성격 묘사에서 얻은 정보를 분석하여 내담자의 특성을 파악한 다음, 이를 기초로 상담자는 고정역할 묘사를 한다. 내담자의 구성개념 체계가 변화되고 새로운 구성개념체계의 형성과 발달을 위해 충분히 실험할 만한 구성개념 특성을 지닌 인물의 특성을 묘사하여 그 인물의 고정된 역할을 제시하는 것이 이 단계의 주요 활동이다. 고정역할은 어디까지나 마치 그 사람인 것처럼 '가장(假裝)'해서 해 본다는 점에 유의해야 한다. 실험적 환상으로나 또는 일시적 가상으로 어떤 역할을 해 보면 내담자는 위협을 느끼지 않고 일종의 보호의식을 가진 채 고정역할에 임할 수 있다. 고정역할치료의 마지막 단계는 상담자가 작성한 고정역할 묘사를 내담자에게 제시하여, 이를 제대로 이해하고 고정역할을 수락하는지 확인한 다음 실제 생활에서 시연하도록 하는 것이다. 고정역할 시연은 2주 또는 그보다 긴 기간 실시하는데, 내담자는 고정역할 묘사를 매일 세 번 이상 읽어야 하며, 그 사람처럼 생각하고 느끼고 활동하고 말한다. 고정역할 시연이 계속되는 동안 상담자와 내담자는 자주 만나서 새롭게 발견되는 구성개념에 관해 논의한다. 또한 새롭게 습득한 구성개념이 가족관계, 교우관계, 직장관계 및 다른 중요한 삶의 장면에 어떻게 적용될 수 있는지 끊임없이 탐색해 가면서 시연하도록 한다. 고정역할 시연은 개인적으로 혹은 3~4명의 소집단으로 실시하는 것이 보통인데, 켈리는 역할 시연을

통한 구성개념의 재구성이 집단장면을 통해서도 성취될 수 있다고 밝히면서 발전의 6단계를 제시하였다. 1단계는 상호 지지의 분위기를 조성하는 것이다. 즉, 수용의 분위기를 만들어 내담자가 실험을 해 볼 수 있는 충분한 보장을 느끼도록 한다. 2단계는 일차적 역할관계를 형성하는 것이다. 집단 내에서 타인의 구성개념을 적용하고 이와 관련된 역할을 시연해 보려는 마음의 준비를 하는 단계다. 3단계는 상호 적극적인 일차적 역할 시연을 실시하는 것이다. 이 단계에서 집단의 구성원들은 자신의 역할에 관해 함께 실행하고 함께 생각해 본다. 4단계는 개인문제를 탐색하는 것이다. 집단의 구성원들은 위협이 최소화된 이해와 지지의 분위기 속에서 자신의 문제를 탐색한다. 5단계는 이차적 역할을 탐색하는 것이다. 즉, 집단 내에서 발달시킨 역할 관계를 집단 밖의 사건이나 사람들에게 적용해 보도록 권장한다. 6단계는 이차적 역할 시연을 실시하는 것이다. 집단의 구성원들은 자신의 새로운 역할을 집단 밖에서 적극적으로 실험해 보고 자신이 얻은 반응이 만족스러우면 그 역할은 타당화된다.

관련어 | 개인적 구성개념이론, 구성개념

고정적 시각심상
[固定的視覺心像, fixed visual imagery]

심상치료에서는 내담자 문제진단 및 해결에서 그 심상이 가변적인지 고정적인지를 판단하는데, 그중 내담자가 일단 떠올린 심상의 내용이나 모습이 그대로 고정되어 머물러 있는 것. 심상치료

내담자가 체험한 유도시각심상은 고정적 시각심상과 가변적 시각심상으로 나뉜다. 이 중 고정적 시각심상은 내담자가 심상을 한번 떠올리고 나면 그 형태나 내용이 변화하거나 사라지지 않은 채 처음 떠오른 시야계에 그대로 계속 머물러 있고, 상황에 따라서는 반복되어 나타나기도 하는 것을 말한다. 속성상 내담자가 지니고 있는 깊은 마음이 반영되는 경우가 많은데, 긍정적 혹은 부정적 정서가 강렬하게 수반되기도 한다. 이때 수반되는 정서는 내담자의 깊은 마음을 드러내 준다. 고정적 시각심상은 내담자가 겪은 사건, 중요한 시기, 상황 등이 정해진 메뉴처럼 계속 떠오를 수 있다. 그리고 가변적 시각심상과는 달리 반복적으로 계속 체험될 수 있고, 외부자극에 별로 영향을 받지 않는다. 장시간 고정적 형상을 지닌 채 동일한 모습으로 계속해서 내담자의 시야계에 머무르는 속성을 지닌 고정적 시각심상은 내담자의 깊은 무의식을 대변하며 나타나는 형태가 그대로 굳어 있는 것이 특징이다. 이 같은 고정적 시각심상은 내담자의 심적 긴장 및 부담스럽고 힘든 상황, 무의식적 갈등이나 깊은 마음에 품고 있던 중요한 문제 등을 해결하고자 하는 의도가 있을 때 체험할 수 있다. 집중력이 높은 성격이면서 가치관이나 소신이 분명한 사람이 쉽게 고정적 시각심상을 체험하고, 만성적 우울장애가 있는 경우도 고정적 시각심상을 체험할 확률이 높다.

관련어 | 가변적 시각심상

고착
[固着, fixation]

리비도가 특정 단계에 머물면서 그 후의 성격발달이나 부적응적 문제형성에 영향을 미치는 것. 정신분석학

심리성적발달의 초기단계를 원만하게 거치지 못하고 특정 발달단계와 대상에 얽매여 있는 상태를 뜻한다. 각 발달단계에서 추구하는 욕구가 적절하게 충족되면 다음 단계로의 이행이 자연스럽게 이루어지고 건강한 성격을 형성할 수 있다. 그러나 만일 각 단계에서 욕구가 지나치게 충족되어 방임되거나 혹은 결핍되어 좌절되면 다음 단계로 넘어가는 데 지장을 초래하고 성인이 되어서도 그 단계에 고착되어 성격형성에 문제를 보인다. 발달단계의 이른 단계에 고착될수록 정신병리적 문제가 더 심

각해진다. 아브라함(K. Abraham)은 히스테리는 남근기에, 강박신경증은 후기 항문기에, 정신분열병은 전기 구강기에 각각 고착된 것으로 보았다. 특정 단계에 고착된 사람은 고착된 단계에서와 유사한 방식으로 외부세계에 대처하는 경향성을 나타낸다.

관련어 | 심리성적발달

고쳐쓰기
[-, redrafting]

은유 아래 놓인 기억들을 더욱더 분명하게 인식하고 이해하는 과정. 문학치료(글쓰기치료)

글쓰기치료과정에서 참여자가 글을 고쳐 쓰는 모든 방식을 통칭하여 고쳐쓰기라고 한다. 참여자는 회기마다 하나의 글을 계속 고쳐 쓸 수도 있고, 동일한 글을 다른 인칭대명사를 이용해서 다시 쓸 수도 있다. 이 과정에서 새로운 시각을 발견하거나 자기통찰이 일어난다. 또한 이야기의 결말을 다시 고쳐 쓸 수도 있는데, 이야기의 결말을 고쳐 쓰면서 증상적인 면을 건강한 면으로 변화시키는 과정이 일어날 수도 있다.

고트프레드슨의 진로 포부 발달이론
[- 進路抱負發達理論, Gottfredson's theory of occupational aspirations development]

각 개인의 자아개념과 가치수준이 진로선택의 중요한 요소로 작용하는 것에 초점을 두어 연령별 진로선택의 변화과정을 제시한 이론. 진로상담

고트프레드슨은 진로선택의 발달과정이 개인의 자아개념의 발달과 가치수준에 따라 바뀐다고 주장하였다. 개인의 흥미, 지적 능력, 사회적 지위, 가치관, 성취동기 등이 직업선택의 발달에 영향을 준다는 견해에 따라 그녀의 이론을 직업 포부(occupational aspirations) 이론이라 한다. 개인이 진로를 선택하기 위해서는 자신의 자아개념과 외부환경을 탐색하게 되는데, 이때 두 조건이 불일치할 경우 개인은 사회적 환경에 적합한 진로를 선택하기 위하여 대안들의 범위를 좁혀 가면서 수용할 수 있는 직업의 한계를 설정하거나(circumscription), 현실적 환경에 적응하기 위하여 자신에게 덜 적합하지만 얻기 쉬운 직업을 선택함으로써 자신이 가장 선호하는 진로선택의 대안들을 포기하거나 자신의 직업 포부를 조절하는 타협(compromise)의 과정을 거친다는 것이다. 즉, 타협이란 교육, 고용 가능성, 고용의 관행, 가족적 책임과 같은 외부환경에 직업적 열망을 적응시켜 나가는 과정을 말한다. 이를 통하여 개인은 진로 자아개념이 발달하고 직업에 대한 선호도가 분화된다. 이러한 점에서 그녀의 이론을 제한과 타협의 이론으로 부르기도 한다. 이 이론에서 직업 포부의 발달과정은 힘과 크기 지향(orientation to size and power), 성역할 지향(orientation to sex role), 사회적 가치 지향(orientation to social valuation), 내적 · 독특한 자기지향(orientation to the internal, unique self) 단계로 구분한다. 힘과 크기 지향 단계는 3~5세경에 나타나며, 사고과정이 구체화되어 직업에 대하여 긍정적인 관점을 형성하는 시기다. 성역할 지향 단계는 6~8세경에 해당되며, 성역할과 자아개념이 형성되고 발달되는 시기로서 성역할에 따라 직업을 선호하는 경향이 뚜렷해지고 자신이 선호하는 직업을 비판적으로 평가하기도 한다. 사회적 가치 지향 단계는 9~13세경으로, 사회 계층에 대한 개념이 발달하여 주변상황에 따라서 자기자신을 인식하고 직업에 대한 선호도가 점차 발달하면서 선호도를 평가하기 위한 여러 가지 준거를 형성한다. 내적 · 독특한 자기지향 단계는 14세 이상을 말하며, 자아정체감을 형성하고 내적인 사고가 발달하는 시기로서 좀 더 깊은 자기인식과 다른 사람에 대한 지각이 이루어져 자아개념, 개인의 흥미, 능력, 가치, 성역할, 사회계층 등의 맥락에 비추

어 직업의 선호도를 평가함으로써 직업선호도가 점차 분화한다. 이러한 직업 포부 발달단계는 순서대로 발달하지만 속도는 지능의 수준에 따라 다르다. 그리고 이 같은 발달과정을 거쳐 개인마다 독특한 직업에 대한 인식을 발달시키게 되는데, 개인은 사회적 지위, 성역할, 직업영역의 세 가지 차원 간 공통점이나 차이점에 따라 직업을 인식한다. 세 가지 기준에 부합하는 진로선택의 대안들을 사회적 영역(social space)이라고 하며, 직업 포부는 사회적 영역 안에서 특정 시기에 나타날 수 있다. 직업 포부는 개인 자신과 직업의 적합성과 접근 가능성에 대한 지각을 조정하면서 바뀔 수 있다. 개인은 이처럼 발달단계를 거치면서 성역할, 사회적 가치, 흥미 등을 고려하고 진로선택의 범위를 좁히며 특정한 측면들을 포기해 나가는 타협의 과정을 지나게 된다. 이러한 타협을 위한 기본 원리를 고트프레드슨(Gottfredson, 1981)은 세 가지로 제시하였다. 첫째, 진로 의사결정을 위해 자아개념이 가장 중요하며 우선권을 가지는데, 직업영역에 대한 개인의 선호도, 사회적 지위, 성역할의 순으로 타협이 가능하다. 즉, 개인이 원하는 사회적 지위의 직업을 선택하기 위해서는 개인의 흥미영역에 있는 직업을 포기하고, 개인이 선호하고 기대하는 사회적 지위에 속하는 직업이라 해도 성역할에 맞지 않으면 포기한다. 둘째, 진로탐색 과정은 최상의 진로선택이 목표가 아니라 만족할 만한 선택을 하는 것이 목표다. 셋째, 진로선택을 결정한 이후에는 자신이 선택하는 과정에서 취한 타협에 심리적으로 적응해야 한다. 여기서 직업영역에 대한 타협은 심리적 적응을 이끌어 낼 수 있지만 사회적 지위와 성역할에 대한 타협은 적응에 어려움이 있다. 한편, 자아개념과 직업인식 간의 불일치가 작을 때는 평판이나 성역할에 대하여 자신의 흥미분야를 타협하지 않을 것이고, 중간 정도의 불일치일 때는 성역할을 포기하며, 불일치가 클 때는 다른 사람의 평판이나 성역할보다는 자신의 흥미를 희생시키는 타협을 하게 된다. 따라서 이 이론에 따르면 진로선택은 아동기부터 형성되기 시작하여 청년기 이후까지 발달하는 과정이며, 더불어 자아개념도 발달하여 진로선택을 함으로써 진로 자아개념을 발달시킬 수 있다. 진로선택에 대한 만족의 여부는 진로선택과 자아개념 간의 일치 정도로 결정된다.

관련어 | 긴즈버그의 진로발달이론, 슈퍼의 진로발달이론, 진로발달이론, 타이드만의 진로결정 과정 이론

골 형성 부전증
[骨形成不全症, osteogenesis imperfecta]

선천적으로 뼈가 약하여 특별한 원인이 없거나 신체에 최소한의 충격만 가해져도 뼈가 쉽게 부러지는 질환. 특수아상담

골 형성 부전증은 유전성의 결합조직질환으로 공막·내이(內耳)·인대·피부 등을 침범한다. 이전부터 여러 가지 증후군으로 불렸는데, 이들은 동일한 유전질환이 정도의 차이만 가지고 다르게 표현되는 것에 지나지 않는 것으로 보인다. 기본 형태로는 선천성(先天性) 골 형성 부전증과 지발성(遲發性) 골 형성 부전증, 반데르회베 증후군이 있다. 선천성 골 형성 부전증에 걸리면, 사산(死産)이 되거나 출생 당시 골절이 발견되는 경우가 많다. 수많은 골절 때문에 심한 불구가 되며 대개 어릴 때 죽는다. 지발성 골 형성 부전증에서는 출생 당시에는 정상이지만 그 뒤 병의 심한 정도에 따라 가벼운 일로도 몇 개 또는 많은 골절이 생기며 사춘기가 지나면 골절의 빈도는 줄어든다. 반데르회베 증후군은 지발성 골 형성 부전증과 청색 공막, 귀먹음이 함께 나타나는 것을 뜻하는데, 공막에 독특한 파란색이 나타나는 것은 공막이 너무 얇아서 맥락막의 색이 보이기 때문이다. 청력 소실은 내이에 있는 이소골(耳小骨)의 기형이나 두개골의 신경통로 변형으로 청신경이 눌리기 때문에 나타난다. 관절이 정상보다 더 펴질 수 있는 과신전성(過伸展性)과 지나치게 얇은

피부도 이 질환의 특징이다. 치유되기 어려운 골절의 경우 장기간 병상치료를 요하는 경우가 많다. 특정 치료법은 없고 경험치료가 주를 이루는데, 척추 문제에 따른 수술과 보조도구 및 자세교정이 필요하다.

골도청력
[骨導聽力, bone conduction hearing]

고막을 거치지 않고 두개골을 통하여 내이에 직접 전달되는 소리를 듣는 능력. 특수아상담

골(骨)에 전해지는 진동을 소리로 전환하여 내이에 직접 전달하기 때문에 고막이 손상되었더라도 소리를 들을 수 있고 귀에 부과되는 스트레스를 줄일 수 있다. 예를 들면, 귀를 막고 있어도 자신의 목소리는 상당히 크게 들을 수 있는데 이는 자신의 소리를 골도를 통해 듣기 때문이다. 골도청력은 기도청력보다 효율적이지는 않지만 전통적인 보청기를 사용할 수 없는 사람들에게는 골도청력 보청기가 대안이 될 수 있다.

골수염
[骨髓炎, osteomyelitis]

감염이 되어 골과 골수에 염증이 생긴 만성 또는 급성 병적 상태. 특수아상담

골수염의 원인으로는 박테리아나 화농균 등이 있다. 골수염은 뼈 근처에 있는 피부나 근육 혹은 힘줄에서 옮겨서 생기거나, 또는 인체 내의 혈액을 통하여 감염이 되기도 한다. 아동의 경우 긴 뼈가 주로 감염이 되고 성인의 경우 발, 척추, 골반이 주로 감염이 되는 부위다. 골수염의 위험요인으로는 최근의 트라우마 경험, 당뇨, 혈액투석, 수혈부족 혹은 정맥주사제 남용 등이 있다. 비장제거수술을 받은 사람 역시 골수염에 감염될 가능성이 높다. 골수염은 혈행성 골수염, 화농성 척추 골수염, 화농성 관절염 등으로 크게 구분할 수 있다. 혈행성 골수염은 감염세균이 종기(furuncle), 농포(pustule), 감염된 열상 혹은 비인두 같은 먼 병소에서 혈류를 통하여 일으키고, 급성 화농성 골수염은 보통 전신 쇠약, 피로감 등으로 시작되어 체온의 상승, 침범된 부위의 심한 동통이 수반된다. 화농성 척추 골수염은 최근에 빈도가 증가하고 있으며 주로 포도구균이 침범하여 일으킨다. 약물에 반응하지 않거나 만성으로 진행된 경우에는 수술로 죽은 뼈조직을 제거하고 화농을 밖으로 배출해야 한다.

공간
[空間, space]

조형예술의 한 요소로 앞뒤, 위아래의 모든 방향으로 뻗어나갈 수 있는 입체적 범위 혹은 아무것도 없이 비어 있는 곳. 미술치료

공간은 일반적으로 다음과 같은 네 가지 의미를 가지고 있다. 즉, 무한한 것으로서의 공간, 제한된 테두리 안에서의 공간, 다른 공간과의 관계 속에서의 공간, 인간과의 주관적인 관계 속에서의 공간이다. 그러나 우리가 공간을 전체로 파악하기는 어렵고, 공간을 파악할 수 있을 때는 공간이 우리 주위를 둘러싸거나 우리가 공간에 한정된 의미를 부여했을 때다. 다시 말해, 우리가 한정된 의미로 공간을 생각함으로써 우리는 감각, 특히 시각적 감각으로 공간에 접근할 수 있는 것이다. 이 같은 공간은 측정이 가능하기 때문에 객관적으로 공간의 크기가 결정되지만, 이 공간의 특성은 공간에 대한 우리의 주관적 관계에 따라 결정된다. 즉, 객관적인 공간은 시각적으로 지각되는 공간이고, 주관적인 공간은 각 개인과 관련되는 공간이다. 따라서 주관적인 공간은 현저한 주관적 해석이나 가치판단이 행해지는

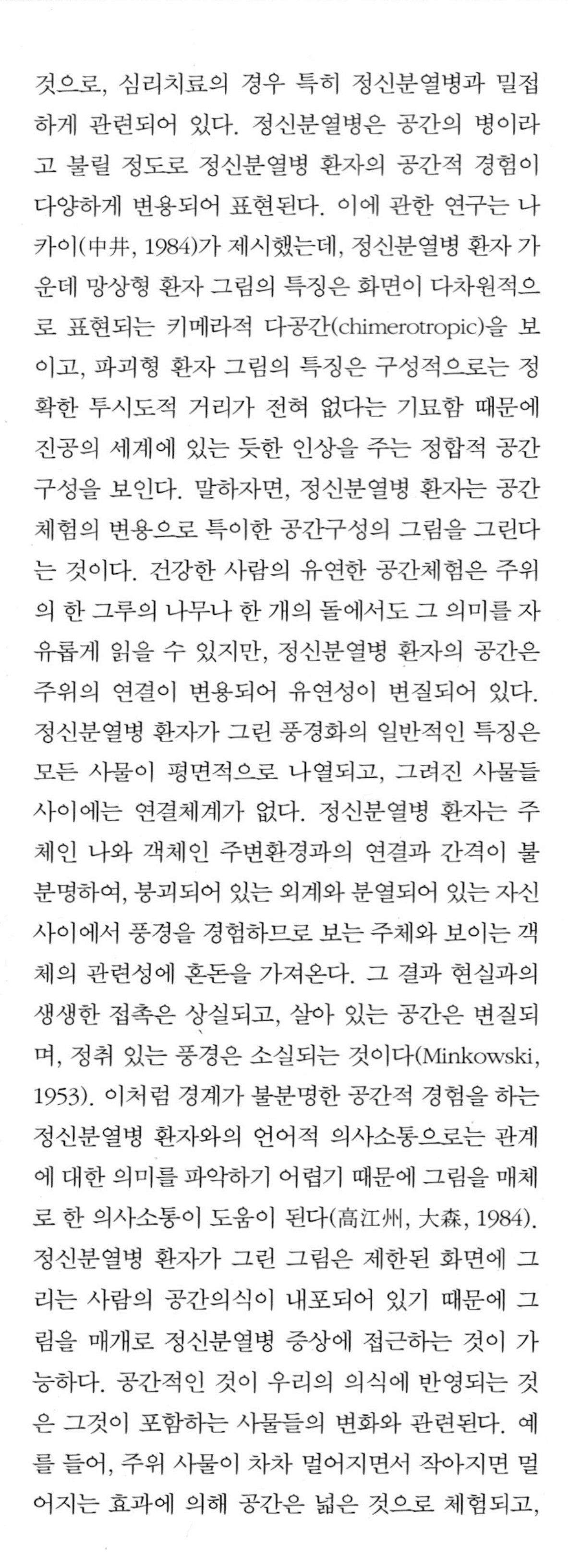

것으로, 심리치료의 경우 특히 정신분열병과 밀접하게 관련되어 있다. 정신분열병은 공간의 병이라고 불릴 정도로 정신분열병 환자의 공간적 경험이 다양하게 변용되어 표현된다. 이에 관한 연구는 나카이(中井, 1984)가 제시했는데, 정신분열병 환자 가운데 망상형 환자 그림의 특징은 화면이 다차원적으로 표현되는 키메라적 다공간(chimerotropic)을 보이고, 파괴형 환자 그림의 특징은 구성적으로는 정확한 투시도적 거리가 전혀 없다는 기묘함 때문에 진공의 세계에 있는 듯한 인상을 주는 정합적 공간구성을 보인다. 말하자면, 정신분열병 환자는 공간체험의 변용으로 특이한 공간구성의 그림을 그린다는 것이다. 건강한 사람의 유연한 공간체험은 주위의 한 그루의 나무나 한 개의 돌에서도 그 의미를 자유롭게 읽을 수 있지만, 정신분열병 환자의 공간은 주위의 연결이 변용되어 유연성이 변질되어 있다. 정신분열병 환자가 그린 풍경화의 일반적인 특징은 모든 사물이 평면적으로 나열되고, 그려진 사물들 사이에는 연결체계가 없다. 정신분열병 환자는 주체인 나와 객체인 주변환경과의 연결과 간격이 불분명하여, 붕괴되어 있는 외계와 분열되어 있는 자신 사이에서 풍경을 경험하므로 보는 주체와 보이는 객체의 관련성에 혼돈을 가져온다. 그 결과 현실과의 생생한 접촉은 상실되고, 살아 있는 공간은 변질되며, 정취 있는 풍경은 소실되는 것이다(Minkowski, 1953). 이처럼 경계가 불분명한 공간적 경험을 하는 정신분열병 환자와의 언어적 의사소통으로는 관계에 대한 의미를 파악하기 어렵기 때문에 그림을 매체로 한 의사소통이 도움이 된다(高江州, 大森, 1984). 정신분열병 환자가 그린 그림은 제한된 화면에 그리는 사람의 공간의식이 내포되어 있기 때문에 그림을 매개로 정신분열병 증상에 접근하는 것이 가능하다. 공간적인 것이 우리의 의식에 반영되는 것은 그것이 포함하는 사물들의 변화와 관련된다. 예를 들어, 주위 사물이 차차 멀어지면서 작아지면 멀어지는 효과에 의해 공간은 넓은 것으로 체험되고, 반대로 그것들이 커지면서 가까워지면 가까워지는 효과에 의해 공간은 좁은 것으로 체험된다. 공간체험은 그 속에 포함된 사물들의 변화에 매개되어 이차적으로 나타나는 것이다. 그리고 거기서는 멀어지는 효과와 가까워지는 효과라는 공간 역동이 큰 역할을 담당한다.

공감
[共感, empathy]

상대방의 관점에서 세계를 보고 타인이 느끼고 있는 감정을 파악하는 과정으로, 타인의 관점과 경험을 나눌 수 있는 능력.

대상관계이론 인간중심상담

감정이입이라고도 하는 공감은 상담장면에서 가장 중요한 상담자의 태도 중 하나다. 로저스(Rogers)가 인격변화의 필요충분조건의 가설 중에서 상담자가 지녀야 할 촉진적 태도의 세 가지 조건 중 하나로 제창한 이후 오늘날에는 대부분의 상담학파에서 그 중요성을 인정하고 있다. 공감이 인격변화에 중요한 이유는, 사람은 공감을 경험하면 해방되고 강해지며 안심을 할 수 있기 때문이다. 사람은 이해를 받고 나면 자신의 마음의 거처를 확보할 수 있는 것이다. 상대방의 내적 세계에 잠입하여 그곳에 흘러들어가 변화해 가는 것을 느끼거나 두려움, 분노 등에 민감해지는 과정으로, 이와 같이 상대방의 내적 세계에 살면서 어떤 비판도 하지 않고 배려하면서 거의 의식하고 있지 않는 의미를 느끼는 과정이라고도 할 수 있다. 그러나 상대방이 전혀 의식하고 있지 않은 감정을 꺼내는 것은 위협이 될 수 있기 때문에 해서는 안 된다. 상담관계에서 공감은 네 가지 기능을 한다. 첫째, 내담자는 자각의 가장자리에 있는 함축된 감정과 의미를 알 수 있다. 둘째, 잘 이해받고 있다는 것은 내담자의 자기존중감을 증진시킨다. 셋째, 내담자는 자신의 과거경험을 새로운 방식으로 접하고, 자기지각과 세계관을 수정할 수 있다. 넷째, 경우에 따라 내담자의 소외감이 해소된다. 이 같은 효과가 있는 공감은 동정과는 구분된다. 동정은 사람에게 비참한 느낌을 줄 수 있고, 동정을 보이는 사람과 받는 사람 사이에 거리가 존재하는 의사소통인 반면에, 공감은 함께하는 경험을 통해서 사람들이 가까워질 수 있다. 공감은 보통 깊은 수준의 대화를 통해서 마음의 문을 열 수 있는 힘을 부여한다. 반면 동정은 사람들로 하여금 자신을 상처받은 희생자로 바라보게 만들고 제한적인 대화를 이끈다. 공감은 내담자와 상담자가 자신을 인식하고, 긍정적인 변화를 촉진하는 가설을 발달시키도록 한다. 대상관계 상담 분야에서도 공감은 중요하다. 코헛(Kohut)의 전체 도식에서 공감은 핵심적인 개념이며, 공감을 대리적 내성, 일시적 내재, 혹은 경험에 가까운 관찰 등으로 정의하고 있다. 코헛이 제시하는 공감의 기능은 여러 가지다. 먼저 가장 추상적인 수준에서 보면, 공감은 정신분석 분야를 다른 학문 분야와 구분되게 하는 특징적인 개념이다. 인식론자였던 코헛은 과학의 연구대상과 연구방법은 정의를 해야 한다고 주장하였다. 물리학의 경우 대상은 외부에 존재하며 매우 구체적이므로 연구방법은 관찰법을 적용한다. 그러나 정신분석의 연구분야는 마음의 내적 작용이며, 물리학의 연구 도구나 방법으로 접근하기는 어렵다. 따라서 정신분석에서 사용하는 관찰법은 분석가가 내담자의 심리 내적 세계에서 일어나는 경험 안에 자기 자신을 일시적으로 둠으로써 내담자의 주관적인 경험을 탐색하는 형태다. 즉, 공감은 내담자의 심리세계에 존재하는 자료를 수집하는 하나의 도구가 된다. 분석가는 공감이라는 방법을 사용하여 자신의 고유한 정체성과 객관성을 잃지 않고 내담자의 내면으로 들어간다. 공감적 관찰은 내담자의 얼굴표정 혹은 내담자가 명백하게 드러내는 내용, 내담자의 상황에서 다른 사람들이 경험하는 것 등에 초점을 맞추는 것 이상이 된다. 가장 기능적인 수준에서 보면 공감은, 지지기능을 담당한다. 분석장면에서 분석가는 공감적 반응을 통해 내담자에게 긍정과 반영을 제공한다. 즉, 내담자는 분석가가 자신의 경험을 지각하고 이해할 수 있다는 것을 깨닫게 되고, 나아가 자신이 느끼는 감정에 타당성을 부여할 수 있게 된다. 이 같은 공감은 심리상담장면에서 주로 정의되어 왔지만, 일상적인 발달과정에서도 매우 중요한 역할을 한다. 자기대상의 욕구를 충족시켜 주기 위해서는 상대방의 욕구를 파악하는 공감적 감각이 필요하다. 이상적으로 공감적인 어머니는 유아의 초기 특정 스트레스원이 무엇인지 알아차릴 만큼 충분히 가까운 거리를 유지하면서 유아와 조율하고 유아의 요구에 즉각적으로 대처한다. 상담자는 공감과 동정심 간의 혼란을 피하기 위해 지속적인 노력을 해야 한다. 이러한 맥락에서 자기심리학에서는 공감을 일시적인 거주(temporary indwelling) 혹은 대리적 내성(vicarious introspection) 기능이라고 한다. 가족치료 분야에서 부부치료가인 라이스(Rice)는 로저스의 일치의 개념과 더불어 공감을 중시하였다. 또 엡스타인(Epstein) 등은 건강한 가족의 특징으로 공감적인 관여(empathic involvement)를 강조하였다. 이것은 가족구성원이 서로 생각이나 마음을 깊이 배려하면서 교류하는 관계에 있는 것이다.

관련어 | 공감척도, 관심기울이기

공감연습 [共感演習, empathy laboratory] 나탈리 로저스(Natalie Rogers)가 1983년 워크숍에서 처음 사용한 용어로서, 3인 1조(상담자 역, 내담자 역, 관찰자 역)로 수행하는 것이다. 내담자 역할을 하는 사람은 가공의 인물이 되어 행하는 역할연기(role playing)가 아니라 지금-여기에서 자신이 말하고 싶은 주제를 이야기한다. 그 점에서 미니상담과 유사하다. 면접연습을 약 20분 한 다음 세 사람이 각각 5분 정도 감상을 말하면서 총 35분간 진행하고, 세 사람이 역할을 교체하기 때문에 전체적으로는 105분간 진행한다. 개인상담 교육에서 공감연습은 큰 비중을 차지하며, 전체 교육일정에 따라 연습시간은 바뀔 수 있다.

공감적 이해
[共感的理解, empathic understanding]

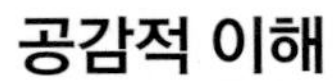

상담자가 내담자의 입장에서 내담자가 경험하고 있는 감정과 개인적인 중요한 의미를 정확하게 감지하고 또 상담자가 이해한 것을 내담자에게 전달해 주는 것. 인간중심상담

상담자가 내담자의 지각세계로 들어가서 완전히 익숙해지고 내담자가 경험하고 있는 감정과 생각의 변화흐름에 순간순간 민감해져서 내담자가 자신을 보는 것처럼 그를 보고 내담자가 자신을 받아들이는 것처럼 그를 받아들이고 내담자의 모든 숨겨진 부분까지 자유롭게 탐험하고 의식적·무의식적으로 느끼는 모든 부분을 함께 느끼는 것이 공감적 이해다. 이는 하나의 언어적 반응이 아니라 함께하는 과정이다. 따라서 인간중심상담의 가장 핵심적인 개념이다. 로저스(Rogers)는 공감이 세 가지 핵심적인 촉진조건 중에서 가장 훈련이 가능한 것이라고 보았다. 공감은 내담자가 느끼는 깊은 수준의 경험과 내담자의 사적이고 내부적인 것에 들어가서 상담자가 정확하고 민감하게 느낄 수 있는 능력이 있을 때 가능하다. 그것이 공포, 분노, 아픔, 혼란 그 무엇이든 간에 내담자의 내면에서 일어나고 있는 느낌의 변화에 매 순간 민감해지는 것과 내담자의 세계에 대한 느낌을 나누는 것이다. 공감은 '마치 ~인 것처럼'의 특성을 지닌 '내적 준거틀(internal frame of reference)'이다. 즉, 공감은 '상담자가 마치 내담자인 것처럼'이란 가정을 유지한 채 내담자의 내적 준거틀에 근거하여 파악한 그의 내면세계를 그에게 되돌려 주는 것이다. 로저스에 의하면, 공감은 정지된 상태가 아니라 몇 가지 국면을 지니는 일련의 과정이다. 즉, 내담자의 지각세계로 들어가 머물기-매 순간 감지된 의미에 민감해지기-비판단적이면서 일시적으로 체험하기-체험된 느낌 전달하기-정확성 점검하기 등의 과정을 거친다. 상담자의 공감적 이해는 내담자가 자연스럽게, 그리고 깊이 자신을 탐색하고 자신에 대한 이해를 증진하도록 한다. 공감적 이해를 통해 내담자는 소외와 외로움을 해소하고 자신의 있는 모습 그대로가 가치 있다는 느낌을 가질 수 있다. 더불어 내담자 스스로 부여해 왔던 제한과 한계에서 자유로워지는 기회가 되고, 정체성을 지닌 가치 있는 인간으로 자신의 존재를 확인하여 내담자 자신의 새로운 측면을 지각하는 자기개념의 변화효과가 있다. 물론 완전한 이해는 불가능하고 반드시 그럴 필요는 없다. 이해하려는 상담자의 욕구와 노력을 내담자가 이해하고 받아들일 때 상담은 진전된다. 공감을 측정하는 척도로는 트루액스(Truax)가 개발한 정확한 공감척도(accurate empathy scale)가 있는데, 이는 상담자의 공감능력을 9단계로 평가한다. 이 척도는 인간중심상담 외에도 공감을 중요한 상담효과 요인으로 인정하는 현대 다른 이론적 관점의 상담자들에게도 널리 활용되고 있다. 공감적 이해라는 말과 대조되는 개념으로 진단적 이해(diagnostic understanding)가 있는데, 이는 상담자가 자신의 틀로 내담자를 관찰, 기술, 해석하는 것이다. 즉, 냉철한 눈으로 거리를 두고 바라보는 태도로서 정신분석자의 태도가 대표적이다. 그러나 분석자가 대상 감정전이를 일으키면 객관적이고 냉철한 눈으로 바라볼 수 없기 때문에 정신분석 상담자는 교육분석을 받아 자신의 성격의 왜곡부분을 개조해야 하고, 이것은 진단적 이해의 조건이 된다.

관련어 | 가치의 조건, 내적 준거틀

공감적 추측
[共感的推測, empathic conjecture]

부부의 최근 상황과 경험을 비언어적, 상호관계적 그리고 전후관계적 신호를 통해서 추론하여 이를 적절하게 표현할 수 있도록 하는 기법. 정서중심부부치료

정서중심부부치료에서 상담자는 내담자의 경험을 공감적 추측을 통하여 확대하고 명료화함으로써 부부의 내적, 상호적 관계 안에서 새로운 의미가 도

출될 수 있도록 도움을 줄 수 있다. 공감적 추측에서 중요한 것은 부부경험의 심리적 원인이나 패턴에 집중하는 것이 아니라, 정서경험에 집중하여 이를 확대하고 명료화하는 것이다. 즉, 부부의 경험에서 느낀 자신을 보호하고자 하는 욕구를 표현하고 그 안에서의 절망, 위로받고 싶은 욕구, 거부와 버림받을 것 같다는 두려움 등의 애착반응을 조직화하여 명료화한다. 이러한 과정을 통하여 부부의 경험에 대한 새로운 의미가 부여되며, 이것은 내담자의 내적 그리고 상호관계적 패턴과 반응이 이전보다 한 단계 진보할 수 있도록 해준다. 공감적 추측의 기법을 사용하기 위해 상담자는 내담자의 경험에 공감함으로써 애착이론에 근거하여 부부의 상호관계 태도와 패턴을 추론한다. 그리고 내담자는 이러한 추론을 통하여 자신의 경험 중 정서부분에 집중하여 적절한 이야기로 표현하고 전개시킨다. 이때 주의할 점은, 상담자는 자신이 부여한 해석이나 의미가 내담자에게 영향을 미치지 않고 내담자 스스로 인식할 수 있도록 해야 한다.

관련어 | 비춰주기

단순한 공감적 추측 [單純-共感的推測, simple sympathetic presumption] 정서중심부부치료의 주요 기법 중 하나로, 내담자의 구체화되지 못한 정서경험을 상담자가 추측하여 명료화하는 것이다. 정서중심부부치료의 과정에서 내담자가 자신의 경험을 이야기하면 상담자는 내담자가 보고한 경험 이면에 내재되어 있을 법한 정서를 추론한다. 이러한 정서를 통하여 내담자는 자신이 보고한 경험에서 한 단계 나아간 경험을 할 수 있다. 또한 내담자가 아직 구체화하지 못한 경험을 추측함으로써 내담자가 그 경험을 명료화하고 구체화하는 데 도움을 준다. 예를 들면, 그동안 정서경험과 관련지어 생각해 보지 못했던 부부의 비언어적 반응이 관찰되었을 때 단순한 공감적 추측을 통하여 내담자가 이를 다시 한 번 생각해 보도록 할 수 있다.

복잡한 공감적 추측 [複雜-共感的推測, complicated sympathetic presumption] 정서중심부부치료의 주요 기법 중 하나로, 상담자가 부부의 상호작용 패턴과 개인적인 경험에 공감적으로 스며들어 추론하는 것이다. 상담자는 애착이론과 부부결합의 가정을 기초로 하여 부부의 경험에 대한 이야기를 듣고 추론과 해석을 한다. 이를 통하여 부부는 자신의 상호작용 경험들을 새로운 관점에서 이해하고 해석할 수 있으며, 상호작용 과정에서 드러나는 다양한 주제를 애착적인 관점에서 추론해 본다. 이와 같은 추론은 다음의 세 가지 방향 중 하나의 관점에서 이루어진다. 첫째, 방어전략으로 배우자로부터 자신을 보호하려는 욕구다. 둘째, 애착욕망으로 연결감과 안정에 대한 열망이다. 셋째, 애착 두려움과 환상으로 배우자에게 거절되거나 버림을 받을 것 같다는 두려움이다.

공감척도
[共感尺度, empathy scale]

상담에서 공감적 이해능력을 평가하는 척도. 심리검사

공감은 로저스(Rogers)의 내담자중심치료에서 강조한 것인데, 현대에는 다른 이론적 관점에 근거하는 상담자도 공감을 중요한 치료요인으로 인정하고 있다. 상담자의 공감능력을 평가할 수 있는 대표적인 척도는 홍경자(1983)의 공감이해 반응수준 평가질문지와 배릿과 레너드(Barrett & Lennard, 1962)의 상담관계 질문지(Barrett-Lennard Relationship Inventory)의 공감적 이해 소척도(Empathic Understanding Subscale: EUS)가 있다. 공감이해 반응수준 평가질문지는 로치(Roach, 1976)의 연구를 참고로 홍경자가 번안 및 개발한 것이다. 이는 상담의 사전검사에 실시하는 공감이해 반응수준 평가질문지 I과 사후 · 추수에 실시하는 공감이해 반응수준 평가질문지 II로 구성되어 있다. 검사별로 5개의 진술문으로 되어 있으며 상담자가 내담자의 입장에서 반응할 수 있는 내용을 적는다. 이 내용을 두 평가자가 칼크허프(Carkhuff, 1969)의 대인관계 기능 척도(이장호, 1986)의 공감적 이해 척도(1~5 수준)로 평가한다. 2명의 평가자 간 일치도는 사전 .88, 사후 .90, 추후 .87로 나타났다. 다음으로 배릿과 레너드의 상담관계 질문지 하위척도인 공감적 이해 소척도 EUS는 내담자가 지각한 상담자의 공감수준을 평가하는 검사로 정방자(1985)가 국내에 표준화하였다. 총 16개(역채점 8문항) 문항으로 6점 리커트 척도(1=전혀 그렇지 않다, 6=항상 그렇다)로 반응한다. 지시문은 "나의 상담자는 _______."으로 되어 있고 문항의 예는 다음과 같다. '나를 공감적으로 이해하려고 애쓴다.' '나의 어떤 말과 행동에 대해서 상담자가 갖는 선입견 때문에 나를 올바로 이해하지 못한다.' '내가 의도하는 바를 분명히 말하지 않아도 나를 이해한다.' 등이다. 총점 범위는 16~96점 사이이며, 점수가 높을수록 내담자가 지각하는 상담자의 공감수준이 높은 것을 의미한다. 크론바흐 알파계수는 .78~.82로 나타났다.

관련어 | 공감, 내담자중심치료, 로저스

공격성
[攻擊性, aggression]

해를 입히고자 하는 의도와 동기, 그리고 목적을 가지고 생명체에게 바람직하지 않은 행동을 가하거나 언어로 표출하여 상처를 주는 것. 발달심리

카우프만(Kauffman, 1989)은 공격성의 표출방법에 따라 직접적 공격성, 수동적 공격성, 자기회피적 공격성으로 분류하였다. 직접적 공격성은 공격성을 표출할 대상에게 직접 언어 또는 신체적 공격 행위를 가하는 것이다. 수동적 공격성은 직접 공격 행위를 하는 것이 두려워서 고집 부리기, 무조건 거부하기, 무조건 반대하기, 상대방 무시하기 등의 간접적 행동으로 표출하는 것이다. 자기회피적 공격성은 상대방을 공격하는 것이 두려워서 오히려 자신을 때리거나 벽에 부딪치는 등 자해행동과 같은 가학적 행동을 하는 것이다. 맥클렘(Macklem, 2003)은 공격성이 가해지는 형태에 따라 신체적, 언어적, 사회적 공격행동의 세 가지 유형으로 분류했는데, 신체적 공격행동은 때리기, 발로 차기, 꼬집기와 같이 신체적 해를 입히는 것이다. 언어적 공격행동은 놀리기, 협박하기, 약 올리기, 욕하기 등으로 상대방에게 심리적 해를 가하는 것이며, 사회적 공격행동은 따돌림, 소문내기, 이간질하기 등 대인관계에 해를 입히는 것이다. 또한 공격행동의 의도성에 따라 도구적 공격성과 적의적 공격성으로 나눌 수 있다. 도구적 공격성은 자신의 이익을 얻기 위하여 다른 사람에게 피해를 입히는 것이고, 적의적 공격성은 오로지 다른 사람을 괴롭히기 위하여 공격적 행위를 저지르는 것이다. 이러한 공격성의 형성과 발달에 관한 이론에는 행동주의적 측면의 보상이론, 사회학습이론의 모방이론, 사회인지론 등이 있다. 보상 이론의 대표적 연구는 패터슨(Patterson) 등(1967)을 들 수 있는데, 그들은 유치원 아동의 연구결과에서 공격적 행동이 긍정적 결과를 가져다주기 때문에 공격적 행동이 증가한다고 하였다. 또한 공격적 행동으로 인한 긍정적 결과는 이후에 공격적 행동의 결과에 대하여 긍정적 기대감과 높은 가치를 지니므로 공격적 행동이 지속된다. 반두라(Bandura, 1973)의 모방 이론에서 공격성은 공격적 행동을 하는 모델을 관찰하여 학습된다. 사회인지론에서 닷지(Dodge, 1986)는 잘못된 사회인지적 판단에서 공격성을 형성하게 된다고 주장하였다. 즉, 공격적 아동은 우연히 던진 공에 얼굴을 맞으면 공을 던진 아동이 자신에게 적의를 가지고 있다고 여기며(잘못된 귀인 편향), 상대방에게 적의적 행동을 하게 되어 상호 공격적 관계를 형성한다. 이에 따라 적의적인 귀인 경향을 강화하여 공격성이 지속적으로 유지되는 결과를 낳는다. 부모의 강압적인 양육태도, 기질적 요인, 공격적인 사

회환경과 매체 등이 공격성 형성에 영향을 미친다. 공격성을 다루기 위한 정신분석학 견해에서 공격성은 카타르시스를 통해서 해소될 수 있으므로 태권도, 유도, 레슬링 등의 격렬한 운동이 도움이 된다. 또는 부모의 양육방식이 공격성에 큰 영향을 미치기 때문에 자녀와 기능적인 상호작용과 효율적인 부모역할 등을 형성하기 위한 부모교육이나 부모훈련이 도움이 된다. 그리고 공격적 아동을 대상으로 분노조절훈련, 대인관계기술훈련, 문제해결기술훈련, 공감훈련, 사회기술훈련 등의 집단 프로그램이 공격성을 감소시키는 데 성공한 결과들이 보고되고 있다.

관련어 | 도구적 공격성, 적대적 공격성

공격성 발달 [攻擊性發達, aggression development] 해를 입히고자 하는 의도와 동기, 그리고 목적을 가지고 생명체에게 때리기, 모욕하기, 위협하기, 따돌리기 등의 바람직하지 않은 행동을 가하거나 언어로 표출하는 것에 대한 연령 증가에 따른 변화를 말한다. 인지발달이론가인 피아제(Piaget)에 의하면 7개월 영아가 자신의 목적을 위해 거친 행동은 보이지만 의도적인 해를 끼치지는 않기 때문에 이 시기의 영아는 공격성이 드러나지 않는다. 에론(Eron, 1983) 등은 1세 6개월에서 2세경의 유아는 도구적인 공격행동이 드러나기 시작하며, 3~6세경에는 놀리기, 욕하기, 흉보기, 모욕하기 등 언어적 공격성이 두드러지고 5세까지는 행동의 양이 증가하지 않는다고 하였다. 6세 전의 공격적 행위는 도구적이지만 6세 이후에는 적의적 공격성이 급격하게 증가한다. 5세까지 증가하지 않았던 공격적 행위는 취학을 하면서 학년이 올라갈수록 현저하게 증가한다. 아동 중기부터 청소년기에는 외현적인 공격적 행위는 점차 감소하지만 절도, 무단결석, 약물남용, 성적 비행과 같은 행동처럼 간접적으로 표현한다. 이와 같이 나이가 들면서 공격적 행위의 형태가 점점 반사회적 행동으로 바뀌어 간다. 그리고 공격성은 지속성을 띠기 때문에 6~10세에 보인 신체적, 언어적 공격행동은 청년기의 공격성을 예측하며, 10세에 공격적 경향을 보인 아동은 성인 초기 가족관계에서 보다 많은 갈등을 겪는다. 이 같은 공격성의 형성과 발달은 기질과 같은 생물학적 요인과 공격적인 매체, 부모의 강압적 행동, 역기능적인 가족관계 등의 사회환경의 영향을 받는다. 공격 성향이 강한 아동이 강압적인 가족과정 속에서 성장하면 사춘기에 반사회적 행동으로 발전하는 경향이 많다.

공과 무
[空-無, emptiness and nothing]

불교에서 자성(自性)을 일컫는 말. 동양상담

불교에서 말하는 공(Sunyata)은 일반적으로 비어 있는 것을 일컫는 허공과 혼동해서는 안 된다. 허공은 물체가 없는 공간을 의미하고 무는 있던 것이 없어진 상태를 가리키는 것으로 공은 그런 것을 말하는 것이 아니다. 지금 우리 눈앞에 존재하고 있는 존재 그것의 실체가 비어 있고 없다는 의미에서 공인 것이다. 그래서 『반야심경』에는 "색이 곧 공이요, 공이 곧 색인 것이다(色卽是空 空卽是色)."라고 제시하고 있다. 이는 색을 떠나 공이 존재할 수 없고, 공을 떠나 색이 존재할 수 없다는 것을 말하며, 수 · 상 · 행 · 식 또한 그와 같은 것이라고 말하고 있다. 그래서 모든 법은 생할 일도 없고 멸할 일도 없으며, 옴도 없고 감도 없다. 중생과 부처가 둘이 아닌 것이다. 중생은 본래부터 부처의 마음자리를 지니고 있는데 이것이 무명에 덮여 모르고 있을 뿐이다. 생사와 열반도 따로 있는 것이 아니다. 열반이 있으므로 생사가 있고, 생사가 있으므로 열반이 있다. 생사와 열반은 상관되어 있다. 생사가 곧 열반이요, 열반이 곧 생사다. 생사와 열반, 두 법에는 독자적인 존재성, 즉 자성(svahava)이 없다. 상대방의 도움 없이는 존재할 수 없기 때문이다. 이 두 가지가 서로 독자적인 존재성을 인정한다면 그것이 바로 분별이 된다. 분별은 두 가지의 실상을 바로 보지 못하는 망념에서 비롯된 것이다.

관련어 | 열반과 해탈

공동 제작 시
[共同製作詩, collective poetry, collaborative poetry]

한 사람 이상이 하나의 작품에 참여하여 쓰는 창조적 기법.
문학치료(시치료)

여러 사람이 복합적으로 참여하여 하나의 시를 만들어 내는 것이다. 학생들의 시 쓰기 교육에도 이 방법이 사용된다. 참여자들이 서로 연관된 방법을 발견해 가면서 서로 힘을 얻고, 글을 쓰는 부담도 덜 수 있다. 참여자들이 집단적인 분위기에 자신의 목소리를 참여시키기 위해서 서로 양식을 공유하면서 작업을 할 수 있도록 고안된 훈련기법이다. 사람들은 저마다의 사회적 양식으로 연결되어 있다. 가족은 선조에게서 받은 유전적 양식으로 서로 연결되어 있고, 시인들이나 예술가들도 자신의 작품을 표현할 때 사용하는 양식을 공유하기도 한다. 이를 바탕으로 해서 서로 비슷한 주제로 함께할 수 있는 공동체를 구축하고, 그에 참여하는 사람들이 드러내기 힘들어하는 부분들이 있을 때 공동 제작 시를 사용하면 참여를 좀 더 증대시킬 수 있다. 집단치료의 경우에서는 치료자도 함께 참여할 수 있으며, 회기 종반으로 향할 때 시행하는 것이 좋고, 현재 상황이나 집단에 지배적인 화제를 반영하는 것이 일반적이다. 이 같은 공동 제작 시는 집단의 응집력을 높여 주고, 집단관계 발전단계를 반영해 주기도 한다. 특히 혼자서 시를 쓰는 것에 두려움이 있는 참여자의 경우에는, 주제에 대한 구조화를 시킨 다음 그에 대해 모든 참여자가 한두 줄 정도 표현하는 방법으로 공동 제작 시를 만들어 보는 것이 글에 대한 두려움을 극복하는 데 효과적이다. 이렇게 만들어진 공동 제작 시는 성취감도 길러 주고, 그 집단의 감정도 확인시켜 줄 수 있다. 또한 그 회기에서 만들어진 공동 제작 시를 다음 회기의 토의 때 사용할 수도 있다. 특히 또래문화가 중요한 청소년들의 경우 공동 제작 시로 많은 효과를 거둘 수 있다.

공동사회
[共同社會, gemeinschaft]

사회구성원 간에 상호작용이 형성되고 상호 이해와 상호 부조가 성립되며 전체 집단의 이익과 번영을 추구하는 집단 형태.
사회복지상담

1887년 독일의 사회학자 퇴니스(Ferdinand Tonnies)가 저술한 『Gemeinschaft & gesellschaft』에서 처음 개념화되었다. 공동사회는 자연적 · 생득적 의지에 따라 결합된 집단으로서 실제적 · 유기적인 생명체이며 신뢰할 수 있고 내밀하며 배타적인 공동생활을 영위한다. 그렇기에 사람은 경험적으로 분리하기는 해도 본질적으로는 계속 결합해 있다. 모두가 신뢰에 찬 친밀한 집안끼리 생활을 하거나 각종 행 · 불행을 수반하면서 생활한다. 여기에서의 중요한 유대는 혈연, 지연, 우정이며, 사람들을 구체적 개인으로서 집합시키고 있다. 이러한 사회의 구체적인 예는 가족, 촌락, 소도시 등을 들 수 있다. 이런 점에서 상담장면의 참만남집단(encounter group)은 이익사회에서 출발하여 공동사회를 만들고자 하는 집단으로 규정지을 수 있다.

관련어 | 이익사회

공동의존
[共同依存, co-dependency]

알코올중독자의 가족구성원이 알코올중독자와 함께 생활하는 가족체계 내에서 습득하는 특정한 성향 및 행동. 종속 의존성, 병리적 의존성, 공동의존성이라고도 함. 중독상담

공동의존의 개념은 1940년대 알코올중독자와 동거하는 배우자 모임에서 유래하였다. 당시 알코올중독자를 치료하던 전문가들은 각 가족구성원이 알코올중독을 지속시키거나 강화하는 독특한 역할을 수행하고 있음을 발견하였다. 즉, 남편은 아내가 바가지를 긁어서 술을 마신다고 하고, 아내는 남편이 술을 마시기 때문에 바가지를 긁는 것이 정당하다고 말한다. 이 같은 정당성은 상대방의 행동을 더 강화시키는 역할을 하여 서로의 행동을 조장한다. 이런 방식의 관계를 공동의존 관계(co-dependent relationship)라고 한다. 알코올중독자는 가족체계 안의 공동의존 성향 때문에 중독에 대한 치료가 진행된 이후에 다시 이전의 가족체계 안으로 들어가면 알코올중독의 회복과정에 오히려 악영향을 미칠 수도 있다. 알코올중독자 가정에서 시작된 공동의존 개념은 1980년대에 들어서면서 사회적 현상으로 이해되기 시작했고, 1990년대에는 이에 대한 경험적 연구가 활발하게 진행되었다. 일반적으로 공동의존의 경향을 보이는 가족구성원은 가족 내 알코올중독자 때문에 자신의 욕구와 감정을 억제하고 무시하는 경향이 있다. 그리고 공동의존자인 가족구성원의 자기패배적인 행동은 알코올중독자를 만족시키고자 의사표현을 하고 홍미를 채워 주는 등의 행동으로 이어진다. 따라서 알코올중독자가 있는 가족구성원들은 낮은 자아정체감, 분노, 적개심, 미흡한 감정조절, 열등감 등의 특성을 많이 나타내며, 공포, 불안, 수치심을 경험하기도 한다. 또한 일중독증, 섭식장애와 같은 충동적인 행동발달의 형태가 나타나기도 한다.

관련어 알코올중독, 알코올중독자의 자녀

공동지도자
[共同指導者, co-leader]

집단작업을 할 때 하나의 집단을 지도하는 두 명 이상의 지도자. 집단상담

공동지도의 장점이라면 집단을 혼자 이끄는 것보다 함께 지도하는 것이 좀 더 쉽다는 점이다. 공동지도자는 집단을 계획하는 데 부가적인 생각들을 제공할 수도 있고 회기 중 지도에 관한 책임을 함께 나눌 수도 있다. 공동지도자들끼리 서로 지지하고 편안함을 줄 수도 있으며, 특히 집중치료집단이나 다루기 어려운 집단과 작업할 때, 한 지도자가 곤경에 빠지거나 지쳤을 때, 혹은 한 지도자가 잘못을 했을 때 다른 지도자가 집단을 지도할 수 있다는 이점이 있다. 집단구성원에게 문제를 다루기 위한 대안적 의견과 정보를 제공하는 데 서로 다른 관점을 제공할 수 있고, 집단에 대한 다양한 경험을 공유할 수도 있다. 공동지도자는 집단구성원에게 함께 잘 어울려 작업하는 효율적인 상호작용 기술과 협동의 좋은 모델이 될 수 있다. 이성의 공동지도자는 역할모델로 작용할 수도 있다. 그러나 집단지도자가 둘일 때 치료결과의 질이나 효과가 향상된다는 증거가 없다는 주장도 있다(Dies, 1994). 공동지도의 단점으로는 비효율적인 시간활용 및 공동지도자의 태도와 지도방법이 다른 경우 집단구성원에게 혼란을 야기할 수 있다는 점이다. 그리고 공동지도자는 한 팀으로 일해야 하는데 경쟁을 하거나 지배하려고 하면 문제가 발생한다. 따라서 공동지도자들은 각 회기를 계획하고 피드백을 나누는 시간을 반드시 가져야 한다. 공동지도에는 세 가지 모델, 즉 상호교체지도모델(alternate leading model), 공유지도모델(shared leading model), 초심자모델(apprentice model)이 있다. 집단 목적과 목표, 두 지도자의 경험, 공동지도자의 개인적 스타일, 그리고 공동지도자가 자신들의 노력을 조화롭게 만들 수 있는가에 따라 사용하는 모델이 다르다.

공동체감
[共同體感, community feeling]

보다 큰 공동체에 소속감과 신뢰감을 느끼고 공동체와 자기 자신을 동일시하는 자연 발생적인 감정으로서 개인심리학에서 사용되는 정신건강의 척도. 개인심리학

공동체감은 아들러(Adler)의 개인심리학에서 가장 특수한 위치를 차지하는 개념이다. 아들러에 따르면, 사회적 존재인 인간이 경험하는 많은 문제는 사회적 관계에서 수용되지 않을까 하는 두려움과 관련된다. 소속감을 느끼지 못할 경우 불안이 야기되고, 소속감을 느낄 때 인간은 자신의 문제에 직면하고 문제를 용기 있게 다룰 수 있다. 아들러는 이 개념을 사회적 집단에 대한 순응성과 소속감을 주창하는 지금-여기에서의 개념으로 확장했으며, 보다 일반적이고 추상적인 개념으로 공동체감을 설명하였다. 아들러는 공동체감의 올바른 발달 여부를 정신건강의 척도로 사용하여, 신경증, 정신병, 범죄, 알코올, 문제아동, 자살 등의 모든 문제는 공동체감의 결핍 때문이라고 보았다. 예를 들어, 정상 아동은 학교나 가정생활에 별 어려움을 느끼지 않고 잘 지내며, 사랑과 인정을 받고, 학업뿐 아니라 자신의 문제와 어려움에 직면할 만한 충분한 힘과 용기를 가지고 있다. 그러나 정서적 행동장애아는 우선 학습을 위주로 하는 학교생활에 잘 적응하지 못하고, 매일의 삶의 과제에도 적응하지 못한다. 이들은 일반적으로 사회적 기술이 부족하고, 주변 사람들과 많은 갈등을 겪으며, 부정적인 자아관, 타인관 및 세계관을 가지고 있다. 대부분 자신이 무시당한다고 생각하며, 심지어 태어날 때부터 불이익을 받고 있다고 믿으면서, 모든 인간에게 부당한 무시를 당하고 있다고 느낀다(Adler, 1966). 이들의 세계관은 황량하고 비관적이며, 친구나 어른들에게 접근하기가 쉽지 않아서 항상 주변과는 전투상황과 같은 처지에 있고, 다른 사람을 염두에 두지 않고 그들을 향해 적대감을 느낀다. 이들이 열등감을 극복하기 위해서는 공동체감을 발휘하여 다른 사람의 도움과 지지를 수용하는 것이 필요한데, 이러한 부정적인 타인관과 세계관은 공동체적 노력을 함께 발휘하지 못하게 한다. 이런 아동은 삶의 문제를 해결하는 데 새로운 것을 탐구하려는 시도를 하지 않을 것이고, 이는 새로운 삶의 경험을 방해하여 삶의 문제해결과는 더욱 거리가 멀어지면서 아이는 더 깊은 좌절과 낙담 속에 빠져 버린다(Dinkmeyer & Sperry, 2004). 이 같은 이유로 개인심리학에서는 공동체감의 향상을 주요 상담목표로 채택한다. 공동체감은 생활양식을 토대로 개인의 관심이 확장되는 것으로, 자아의 확장된 개념은 결국 가족, 공동사회, 모든 인류와 전 세계, 온 우주, 심지어 신의 영역까지 아우른다. 이러한 맥락에서 제한된 공동체감은 다분히 병리적이라 할 수 있고, 개인이 자아를 넘어서서 사람, 제도, 사상, 자연현상 등에 대한 관심을 증대시키면서 사회환경에 참여할수록 더 건강해진다고 본다. 아들러는 공동체감의 여덟 가지 수준을 언급하였다. 수준 1은 어머니다. 어머니와 아동의 관계는 사회적 관심의 가장 초기의 표현이다. 유아는 모든 기본적인 신체적 욕구를 제공해 주는 어머니를 전적으로 의존하기 때문에 초기에는 어머니에게서 자아를 분리해 낼 수 없다. 그러다가 점차 어머니로부터 부분적인 분리감을 유발하는 자아의 개념을 발달시킨다. 그럼에도 불구하고 유아의 공동체감은 기본적 욕구에 대해 부모에게 반응하는 것이 주이므로 아직까지는 아주 작은 것에 불과하다. 수준 2는 가족이다. 공동체감의 두 번째 수준은 어머니와의 관계를 넘어서서 아버지, 형제, 조부모, 친척 등의 확장된 가족구성원과 관계를 맺는 능력이 포함된다. 아동은 부모를 자아정체감의 확장으로 보기 시작하면서 점점 더 부모로부터의 분리감을 증대시킨다. 이 수준에서 공동체감의 주요 특징은 아동이 자아를 넘어선 맥락, 확장된 가족구성원과 관계 맺는 것을 배우게 된다는 것이다. 수준 3은 지역 공동체다. 아동은 학교를 가고 친구와의 관계를 형성하며 이웃이나 지역공동체에서의 활동을 통해 점점 더 많은 사람

들과 관계를 맺는다. 이들이 공동체감을 발달시킬 수도, 없을 수도 있다. 공동체감은 이웃과의 사회적 상호작용으로 점점 더 발달하면서, 전문가 집단, 조직, 자원봉사, 교회집단 등 지역사회의 이익에 봉사하는 활동과 관심까지 포함된다. 진정한 공동체감을 발달시키는 개인은 자신이나 자신의 가족의 복지는 공동체의 건강함과 밀접하게 관련되어 있음을 이해하게 된다. 그러나 이러한 지리적 개념을 뛰어넘는 공동체에 대한 가치와 중요성을 인식하지 못하면 다른 사람을 희생시키면서 자신의 지역사회에 대한 가치를 과대평가하고, 이때의 공동체감은 더 넓은 수준으로 확장되지 않으면 잠재적으로 역작용을 할 수 있다. 수준 4는 사회다. 공동체감의 네 번째 수준은 가족, 문화, 사회 등을 포함하는 지역사회로 관심이 확장된다. 개인은 사회가 지리학적으로 다른 지역, 인종, 종교 집단(직업, 사회경제적 집단) 등으로 구성되어 있다는 것을 깨닫게 된다. 사회 모든 사람들의 안녕이 가장 중요한 가치로 간주되면서 진정한 민주사회란 선택받은 특정 소수가 아니라 모두에게 유익한 사회임을 알게 된다. 이 단계의 공동체감을 가진 개인은 인류문화의 협력적인 결실이 개인의 복지에 얼마나 기여하는지 알 수 있다. 수준 5는 인류다. 이 수준의 공동체감은 모든 인류 혹은 인류와의 동일시와 관련된 관심을 의미한다. 이때 개인은 어떤 인간도 모든 인류에 대한 책임감에서 자유로울 수 없다는 사실을 깨달으며, 성, 계층, 출신 국적, 교육수준 등에 관계없이 공통된 본성을 가지고 있다는 것을 알게 된다. 모든 인간은 사회 속에서 태어나며, 모든 인간은 기본적으로 열등한 존재이고, 모든 인간은 고통, 상실, 외로움 등에 노출되어 있으며, 모든 인간은 죽는다는 사실을 알게 되는 것이다. 따라서 이 수준에서 개인은 과거와 현재와 미래의 모든 인간 존재와의 동일시가 가능해지며, 또한 국가적 · 종교적 기원의 경계를 극복하고 인간 개개인을 그 자체로 사랑과 존중과 기본적인 권리를 가진 가치 있는 존재로 바라볼 수 있다.

수준 6은 지구다. 개인이 동물과 식물을 가리지 않고 지구상의 모든 살아 있는 대상에게 관심을 갖는 수준으로, 모든 생물체와 지구상 생태의 균형 및 다양성에 대해 관심을 보인다. 전 지구를 살아 있는 유기체로 간주하는 것은 공동체감이 지구적인 수준에서 어떻게 드러나는지를 보여 주는 실례다. 살아 있는 유기체로서 모든 생명체는 존중받을 만하며 경외의 대상이 된다. 모든 개인은 이러한 자연이 지배의 대상이 아니라 자연환경과 조화롭고 협력하며 살아갈 것을 추구한다. 수준 7은 우주다. 이 수준은 정의하기 어려운데, 이때의 공동체감은 모든 생명체에게 있는 우주적 질서와의 동일시가 이루어진다. 인간은 과학문명의 발달로 이미 지구가 유일한 생명체의 온상지가 아님을 알게 되었고, 더 큰 우주에 대해 인식하면서 자신을 아주 미미한 존재로 받아들이고 우주적인 질서의 중요성을 깨닫는다. 이러한 우주적 질서에 대한 주의 깊은 인식은 개인이 공동체감과 협력을 증대하도록 도와준다. 수준 8은 신이다. 공동체감의 마지막은 개인이 모든 존재, 힘, 창조성 등의 원천인 신과의 동일시가 이루어지는 수준으로, 아들러는 신이 인간의 가장 최상의 목표임을 언급한 바 있다(Schuon, 1984). 인간은 종교적이며 신념을 지닌 영적인 존재로서, 이 수준의 공동체감은 특정 교리, 교의, 의식에 얽매이지 않고 인간과 신의 관계, 선과 악의 본성, 창조의 신비 등에 대해 정직하게 이해하고자 애쓴다. 이때의 개인은 인간과 신이 어떻게 관계되어 있고, 이 관계가 인간의 사고와 행동을 통해 어떻게 표현되는지 이해하고자 하며, 또한 사랑, 창조성, 민주성 등의 원리에 토대를 두고 인간 공동체의 이상을 현실화하기 위해 헌신한다. 독일어의 공동체감(gemeinschafsgefühl)은 영어로 번역될 때 사회적 느낌(social feeling), 공동체감(community feeling), 공공의 의도(communal intention), 공동체적 관심(community interest), 그리고 사회적 관심(social interest) 등으로 번역되었다. 이 중에서 사회적 관심이 가장 많이 사용되었지만, 지나치게 피상적이고 제한되어 있으며 문화적인 구속이 있다고 수십 년간 비판받아 왔다(O'Connell, 1991). 안스바허(Ansbacher, 1992)는 'gemeinschaftsgefühl'를 사회적 관심으로 번역하는 것이 오류가 있다면서 이러한 혼란을 명료화하고자 하였다. 그는 이 용어의 본래 의미를 나타내는 적절한 번역을 공동체감이라고 보고 사회적 관심의 오역을 수정하도록 요구하였다.

관련어 | 사회적 관심

공동치료
[共同治療, co-therapy]

수퍼바이저와 수련생인 상담자가 개인상담이나 집단상담에서 공동치료자로 함께 작업하는 것. 상담 수퍼비전

공동치료에서는 수퍼바이저와 상담자 두 사람이 상담사례와 그 특징에 대해 논의하고, 공동치료자로서 함께 작업을 한다. 따라서 공동치료를 할 때는 각자의 역할을 존중하는 것이 가장 중요한 태도라 할 수 있다. 때로는 수퍼바이저의 독단적인 생각대로 상담을 이끌어 간다거나, 내담자가 수퍼바이저를 더 신뢰한다면 상담에 부정적인 영향을 미칠 수 있다. 이러한 단점을 극복하고 서로 평등한 관계에서 공동치료가 이루어진다면 상담의 효과는 보다 긍정적으로 나타날 수 있다.

관련어 | 수퍼비전

공명
[共鳴, resonance]

작은 진동을 큰 진동으로 증폭시키는 진동의 자연과학적 의미처럼, 이야기치료과정에서 내담자 이야기의 특정 부분을 지목하고 반영하여 이야기함으로써 그 의미와 영향력을 확산시키는 것. 이야기치료 음악치료

이미지, 공명, 파장 등은 과학철학자인 가스통 바슐라르(Gaston Bachelard)가 사용한 개념으로, 마이클 화이트(Michael White, 2007)가 이야기치료의 기법 중 외부증인 질문(outside witness practice)을 위해 그 기본 철학적 의미를 적용하였다. 내담자의 대안적 이야기(alternative story)가 외부증인집단에 의해 다시 말하기로 조명되었을 때, 그 의미가 더욱 강화되고 내담자의 삶 속에서 더 강력한 영향력을 행사할 수 있게 되는 효과를 가진다.

관련어 | 다시 말하기, 반영, 외부증인집단

공상기법
[空想技法, fantasy method]

내담자에게 아동기 시절에 체험한 충격적인 사건이나 경험을 떠올리도록 하여 그 의미를 되살리는 방법. 이상심리

클라크(Clark, 1925)가 소개한 정신분석적 심상치료기법으로, 역동적 심상치료기법 중 하나다. 클라크는 정신분석적 접근이 힘든 만성 신경증, 경계선 성격장애 환자들을 심상체험을 통하여 치료할 수 있는 가능성을 발견하였다. 다시 말해, 클라크는 환자가 어린 시절을 다시 경험하는 것이 치료에 매우 중요한 역할을 한다고 보아 이에 아동기 시절에 체험한 사건 및 그 사건의 의미를 기억 속에서 되살려 내는 심상활용법을 제시하였다. 클라크의 심상기법의 주요 특징은 임상장면에서 내담자를 심상체험으로 인도할 때 그가 느끼고 생각하는 자신의 어린 시절 모습을 떠올리게 하여 자신이 체험한 심상의 내용과 의미를 보다 심층적으로 설명하는 것이다. 클라크의 심상치료과정은 다음과 같은 여섯 단계로 진행된다. 첫 번째 단계는 내담자를 먼저 침상에 눕힌 다음, 몸과 마음을 이완하도록 한다. 두 번째 단계는 눈을 감고 어린 시절의 경험 및 사건의 장면을 떠올리도록 인도한다. 세 번째 단계는 어린 시절에 느꼈던 감정, 생각, 행위 등을 상상하도록 유도한다. 네 번째 단계는 내담자의 중요한 내적 내용물

을 자세히 소개할 때까지 계속 상상하도록 유도한다. 다섯 번째 단계는 떠올린 어린 시절의 장면이 내담자의 실제 어린 시절 자체가 아니라는 점을 깨닫도록 해 준다. 여섯 번째 단계는 자신의 내적 문제점에 고착되어 있는 자신의 현재 상태를 깨닫도록 이끈다. 클라크는 심상체험 후의 분석작업에서 내담자의 심상내용의 의미와 내담자의 정신상태 등을 특히 중요한 것으로 간주하며, 그것들을 정신분석적 방법으로 해석하였고, 분석작업이 끝나면 다음 회기에 가져올 과제물을 제시하였다. 과제물은 내담자가 그 회기에 체험한 심상 및 회기 진행에 관한 모든 내용을 기록하는 것으로, 다음 회기에 치료자에게 제출한다. 이와 같은 방법은 오늘날 심상치료의 치료과정에서 자주 응용하는 방식이다.

관련어 | 심상치료

공상치료기법
[空想治療技法, daydreaming method, guided waking dream method]

백일몽 심상기법(白日夢心像技法)이라고도 하는데, 프랑스 심리치료사였던 드주와이어(Desoille)가 제안한 것으로 역동적 심상치료기법의 하나. 심상치료

눈을 감음으로써 현실을 내려놓고 의식에 대한 지각수준을 낮추어 마치 꿈을 꾸는 듯한 상태에 이르도록 하여, 내담자 무의식 내 여러 정신활동을 탐색하는 것이다. 공상치료기법은 최초의 구조화된 심상기법으로, 초기 심상치료에 많은 영향을 주었다. 드주와이어는 심상을 사물에 대한 인간 두뇌지각의 결과물로 보았다. 그는 인간이라면 누구나 출생부터 축적된 경험이 있고, 이러한 경험은 심상으로 저장되며, 이 심상은 인간이 외부 세상이나 환경과 접할 때마다 취하는 행동패턴에 결정적 요인으로 작용한다는 입장을 취하였다. 공상치료기법은 부정적 심상을 체험한 내담자가 그 부정적 심상의 의미를 올바로 자각할 수 있으면 스스로의 문제점을 극복 및 해결할 수 있다는 것을 기본으로 한다. 이에 따라 공상치료작업에서는 내담자가 이완된 상태에서 상담자가 내담자 편에 있다는 점을 인식시켜 주고, 나아가 그에게 강한 힘으로 자신의 문제에 대항하고 적응할 수 있는 방법을 제시한다. 공상치료기법은 두 가지로 구성되는데, 한 가지는 내담자에게 긍정적이고 이상적인 심상체험을 유도하는 것이고, 또 한 가지는 내담자에게 부정적 심상에 직면시키는 것이다. 먼저 긍정적이고 이상적인 심상체험 방법은 내담자가 심상을 체험하는 동안 즐거움, 환희, 안정감, 내적 만족감 등으로 인도하며, 내담자가 긍정적이고 희망적인 심상을 체험하는 점이 특징이다. 드주와이어는 이러한 심상을 긍정적 심상이 수직으로 상승하는 심상체험으로 간주하였다. 그다음 부정적 심상에 직면시키는 심상체험 방법은 내담자에게 부정적 감정이 수직차원으로 하강하는 심상체험을 하도록 만드는 것이다. 이처럼 심상이 하강할 때 부정적 감정이 나오는 심상체험이 부정적 심상이 수반된 심상체험이다. 공상치료기법의 주요 특징은, 내담자의 심리적·정신적 문제 및 무의식에 잠재된 갈등 요인 등을 심상을 통하여 포착할 수 있고, 이후에 이 문제들을 내담자 스스로 적극적으로 대처하고 극복하도록 인도한다는 점이다. 공상치료기법에서, 1차 작업에서는 먼저 상담자가 내담자에게 이완된 상태에서 심상체험을 유도한 다음 억압된 마음을 있는 그대로 직면하는 치료단계를 제시하고, 내담자의 성격과 관련된 문제점을 치유하기 위한 심상체험 방법 및 치료작업 등을 제시한다. 드주와이어는 초기 치료단계에서 남자 내담자에게는 검도의 심상을, 여자 내담자에게는 항아리 및 해변에 있는 배의 심상을 자주 다루었다. 2차 작업에서는 바닷속 잠수, 동굴 안 진입, 지하 속으로 들어가기, 용과 만나기 등을 통하여 이성부모나 동성부모와 같은 심상주제를 다룬다. 마지막 3차 작업에서는 오이디푸스콤플렉스 및 어린 시절부터 형성

되어 온 내담자 자신의 성격문제를 다루고 이를 치유로 인도한다. 내담자는 심상 속에서 성적 충동과 공격성, 파괴하고 싶은 충동을 겪으면서 불안, 우울, 죄책감 등을 동반하여 경험할 수 있다. 이와 같은 드주와이어의 공상치료기법은 특히 히스테리, 불안장애, 동성애 문제, 발기부전, 강박증, 광장공포증 등에 치료적 효과가 있다. 반면 해리, 선천적 정신병, 거식증, 심기증 등에는 적절하지 않은 것으로 알려져 있다. 한편, 공상치료기법은 초기 심상치료의 모델로서 오늘날 현존하는 많은 심상치료기법에 영향을 미쳤다. 즉, 드주와이어의 공상치료기법은 아사지올리(Assagioli)의 통합심리치료(Psycho-Synthese), 번(Berne)의 교류분석(TA), 모레노(Moreno)의 사이코드라마, 제이콥슨(Jacobson)의 점진적 이완법과 울페(Wolpe)의 체계적 둔감법뿐만 아니라 로이너(Leuner)의 KB 심상치료에도 영향을 주었다.

공생
[共生, symbiosis]

시프(Schiff)가 소개한 개념으로 둘 또는 그 이상의 개인이 마치 한 사람인 양 행동할 때 발생하는 것. 교류분석

공생관계에 놓일 때 사람들은 자신의 세 가지 자아상태를 모두 활용하지 못한다. 보통 누군가 어린이 자아상태를 배제시키고 어버이 자아상태와 어른 자아상태만을 사용하면, 상대방은 어린이 자아상태만 사용하고 나머지 두 자아상태는 닫아 버린다. 공생관계가 형성되면 서로 편안함을 느끼며 모두가 자신에게 기대하는 역할을 수행하게 된다. 그러나 이러한 공생관계의 편안함은 각자 특정 자아상태를 활용하지 못하고 배제시켜야 한다는 대가를 치른다. 물론 공생관계가 더 적절한 '건강한 공생'(Schiff, 1975) 상황도 드물게 있다. 부상을 당한 환자는 보통 어린이 자아상태에서 돌봄을 원하고, 의사와 간호사는 어른 자아상태와 어버이 자아상태로 반응하는 것이 적절할 것이다. 오로지 어린이 자아상태만 기능하는 아이와 어른과 어버이 자아상태로 반응하는 부모의 공생 역시 건강한 공생이다. 건강한 공생에서는 어떠한 자아상태도 디스카운트하지 않는다. 그러나 부모가 아무리 양육을 잘해도 자녀는 자신의 욕구를 완전히 충족하지 못한 채 발달과정을 거친다. 따라서 성인이 되어서도 어느 정도 공생관계를 나타내며, 어떤 공생이든 아동기에 충족하지 못했던 발달적 욕구를 충족하려는 시도라 할 수 있다. 공생관계에 놓인 사람은 각본 행동에서와 마찬가지로 자신의 욕구를 충족하기 위해 과거의 전략을 사용한다. 이러한 전략은 어릴 때는 최상의 전략으로 여겨졌지만 어른이 되어서는 적절하지 못하다. 그러나 공생에서는 성장한 뒤에 선택할 수 있는 것들을 자신도 모르게 디스카운트한다. 공생관계를 맺을 때마다 욕구를 충족하지 못했던 아동기의 상황을 부지불식간에 재연하게 된다. 그리고 부모나 권위적 인물과의 관계를 재설정하여 충족하지 못했던 욕구를 충족하려고 타인을 조종하려 했던 시도를 재연한다.

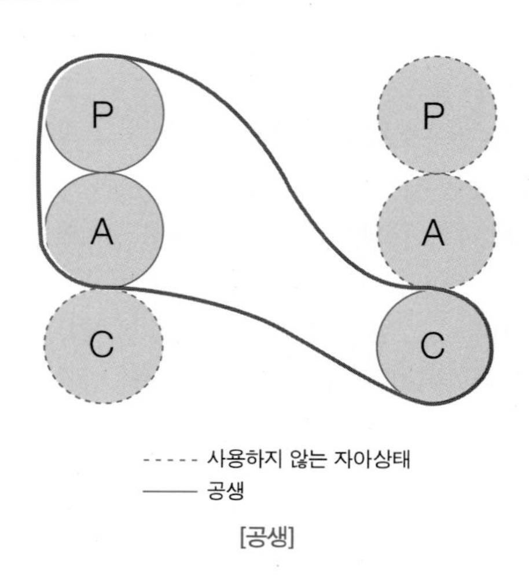

[공생]

공생적 단계
[共生的段階, symbiotic phase]

유아가 어머니와 자신을 이중적 단일체로 경험하는 단계. 대상관계이론

말러(M. Mahler)가 제시한 유아의 심리발달단계 중 하나로서, 생후 약 2개월부터 5개월 사이에 해당한다. 말러는 전체 심리발달단계를 정상 자폐적 단계(normal autistic phase), 정상 공생적 단계(normal symbiotic phase), 그리고 분리개별화 과정(separation-individuation process)으로 구분하였다. 자폐적 단계가 지나면, 유아는 어머니와의 특별한 정서적 애착을 확립하는 공생적 단계로 접어든다. 공생 안에서는 자신과 대상이 거의 정서적으로 구분되지 않는다. 어머니와 유아의 공생은 유아가 어머니와 자신을 이중적 단일체로 경험하는 것을 뜻하며, 이때 어머니는 유아 자신의 욕구를 충족시켜 주는 유사확장체(quasi-extension)로 지각된다. 공생의 필수적인 특성은 유아가 어머니라는 표상과 함께 환각적이고 망상적으로 모든 것이 전능하다고 믿는 융합상태를 이루는 것이다. 두 사람이 하나의 공통 영역을 점유하고 있다는 망상이 전제된다. 심각한 장애를 지닌 아동이 퇴행하는 상태가 바로 이러한 정신적 융합의 상태다. 이 단계의 유아는 아직 자기-타인 분화가 미숙한 상태이므로 혼란을 경험한다. 예를 들어, 유아는 자신의 눈이 움직일 때마다 혹은 자신이 어머니를 찾을 때마다 어머니가 마법처럼 나타난다고 느낀다. 또 어머니가 바라는 것과 자신이 바라는 것이 하나라고 생각한다. 이처럼 유아는 어머니와 자신이 두 부분으로 된 단일체로서 하나의 공동경계를 지닌 전능한 체계의 한 부분인 것처럼 지각한다.

관련어 | 분리개별화, 자폐적

공생적 정신병
[共生的精神病, symbiotic psychosis]

자폐적 경향이 있는 1.5~3세경의 아이들에게 발병하는 것으로 어머니와의 분리에 지나칠 정도의 불안을 보이는 상태. 이상심리

말러(Mahler, 1952)의 보고로 알려졌는데, 유아가 어머니와의 공생관계에서 벗어날 수 없는 상황에 있음을 말해 주는 것이다. 말러에 의하면, 모자관계는 생후 3개월경까지의 자폐단계와 2개월경 이후의 공생단계(symbiotic phase)를 거쳐 3세경까지 계속되는 분리개별화단계(separation-individuation phase)에 들어간다. 그러나 아이의 자아가 어머니로부터 분리되는 분리개별화과정이 순조롭게 진행되지 않을 경우, 아이는 분리에 대하여 지나칠 정도의 불안을 보이며 어머니와의 병적인 공생을 구하게 된다는 것이다. 다시 말해, 공생적 정신병이 발생한다. 말러는 정신분석학의 입장에서 공생적 정신병의 주요 특징을 다음과 같이 제시하였다. 이상한 불안이나 흥분, 성애적 본능과 공격적 본능의 혼동, 자신과 타인의 모호한 구별, 특정 성인에 대한 이상한 밀착, 자폐적 사고와 감정 및 행동 등이다.

관련어 | 공생적 단계

공시성
[共時性, synchronicity]

융(C. G. Jung)이 사건을 초자연적인 성질로 보기 위해 사용한 개념으로, 인간 정신 내의 주관적 경험과 외부 현실에서 동일한 시간에 다른 장소에서 일어나는 객관적 사건이 서로 의미가 있다는 것. 분석심리학

융에 따르면, 모든 관계를 단순히 인과적(因果的)으로 관련지을 수 없고, 분명 다른 진행관계 속에 놓여 있는 심리적 유사현상들이 있으며, 이러한 관계는 본질적으로 상대적 공시성이라는 상황에 놓여 있다. 정신과 신체가 궁극적으로 접촉하는 무의식

층은 공시성 현상의 배경을 이루는데, 이 현상에서 시간과 공간적인 확장이 일어나고 있음을 알 수 있다. 또 융은 시간이란 추상적인 개념이 아니라 구체적인 연속체처럼 보이기 때문에 공시적이라는 표현이 가능하다고 말하였다. 이러한 연속체는 상대적 공시성 아래 다양한 장소에서 인과적으로 설명할 수 없는 유사점을 지니고 있는 자질이나 기본 조건을 내포하고 있는 것으로, 동일한 생각들과 상징들, 심리적 상태들이 동시에 나타나는 경우가 해당된다. 예를 들면, 먼 곳에 떨어진 친구가 사망한 시각에 꿈에 나타나 손을 흔드는 것과 같은 것이다. 보통 사람들은 이러한 사건의 결과를 우연의 일치로 간주하지만, 융은 이러한 사건들이 우리가 집단무의식을 통해 다른 사람들, 더 나아가 우주만물과 연결되어 있음을 나타내는 것이라고 보았다.

공존세계
[共存世界, mitwelt]

인간의 세계 내 실존적 양식의 하나로, 자기 동료들과의 관계(즉, 대인관계)에 대한 인간세계. 실존주의 상담

공존세계는 인간 사이의 상호관계를 뜻하는 세계지만, 그렇다고 단순하게 집단이 개인에게 미치는 영향력이라든가 집단정신(collective mind)이라든가 여러 형태의 사회적 결정론(social determinism)을 뜻하는 것은 아니다. 이 세계가 다른 세계와 구별되는 특징은 동물의 집단(herd)과 인간의 공동사회(community)와의 차이에서 볼 수 있다. 즉, 인간집단 속에서 타자의 의미가 부분적으로는 그 타자에 대한 그 사람의 관계양식에 따라 결정되는 것이어서 개인의 의사결정, 타자에 대한 관여와 투신과 같은 여러 요인이 관련되고 있다는 것이다. 공존세계에서는 적응과 순응이 타당한 범주에 속하지 않는다. 인간관계에서 타인에게나 자신에게 적응하라는 요구는 상대방을 인간으로서, 현존재(Dasein)로서 수용하는 것이 아니라 도구적인 것으로 취급하는 것이다. 따라서 자신에게만 적응한다는 경우라 하더라도 그것은 자신을 한 대상으로서 오용(誤用)하고 있는 것이다. 이 세계에서 관계의 본질에 대해 메이(May, 1983)는 "그 만남 속에서 두 인간이 함께 변한다는 것이다. …… 관계에는 언제나 상호 각성이 포함되어 있다. 이것은 이미 그 만남에 의해서 상호 영향을 미치고 있는 과정이다."라고 하였다. 공존세계가 있다는 것은 대인관계의 사회성과 의미성을 강조하고 있는 것으로, 인간은 누구도 고립과 소외 속에서 의미 있는 실존을 성취할 수 없다는 것을 뒷받침해 준다.

관련어 | 실존적 양식, 현존재

공통성 추론
[共通性推論, commonality corollary]

켈리(G. Kelly)가 제시한 11개의 정교한 추론의 하나로, 사람의 심리적 과정은 그 사람이 다른 사람에 의해 사용되고 있는 것과 유사한 구성개념을 사용하는 것만큼 그 사람과 유사하다는 것. 개인적 구성개념이론

같은 일에 참여하는 두 사람이 있어도 제각각 다르게 구성개념을 갖게 되어 결국은 같은 일을 다르게 경험한다는 개성 추론(individuality corollary)과는 달리, 두 사람이 함께 구성개념을 할 수도 있고, 전혀 다른 사실에 대해 구성개념을 할 수도 있다는 것을 뜻한다. 다시 말하면, 인간의 심리적 과정이 사상을 예기(豫期)하는 방식에 따라 결정되기 때문에 만약 두 사람이 어떤 경험에 관해 같은 구성개념을 적용하고 있다면 두 사람은 심리적 과정이 동일하다고 말할 수 있다는 것이다. 이런 점에서 보면, 두 사람이 비슷한 행동을 취하게 되는 것은 비슷한 환경이나 사상에 접했기 때문이 아니라 환경이나 현상에 대해 가지고 있는 구성개념체계가 동일하기 때문이라고 할 수 있다.

관련어 | 개성 추론, 개인적 구성개념, 구성개념

공통특질
[共通特質, common trait]

모든 사람이 지니고 있는 반응 경향성. 성격심리

올포트(Allport)와 커텔(Cattell)이 제안한 성격특질 유형 중 하나로서, 올포트는 초기에 공통특질로 지칭했지만 이후 다른 특질 유형과 구분하기 위하여 그냥 특질로 명명하였다. 이는 한 문화에 속해 있는 많은 사람들이 함께 공유하고 있는 반응 경향성이며, 문화마다 그들만의 공통특질이 있다. 따라서 공통특질은 사회적 규범과 가치에 따라 바뀔 수 있다. 한편 커텔은 정도의 차이가 있지만 모든 사람들이 지니고 있는 특질을 공통특질이라고 하였고, 여기에는 일반적인 정신능력이나 지적능력, 외향성, 군거성 등이 속한다. 모든 사람이 가지고 있는 특질이지만 그 정도는 개인마다 다르다. 또한 모든 사람이 이러한 보편적 반응 경향성을 지니는 이유는 유전적 잠재력이 서로 비슷하고 같은 문화권 안에서 유사한 사회적 압력을 받기 때문이다.

관련어 | 개인특질, 독특한 특질, 특질

공포 반응을 보이는 아동
[恐怖反應 – 兒童, child who demonstrate fear symptoms]

먼지, 어둠 또는 큰 소리와 같이 구체적으로 전치된 공포로 불안을 표현하는 아동의 통칭. 아동청소년상담

아동은 위협적인 자극에 직면하면, 몸이 굳고 움직일 수 없게 되며 도와 달라고 울부짖으면서 긴장, 공포, 그리고 심지어는 죽음에 대한 두려움 등도 나타낸다. 아동기에 보이는 문제 중 가장 일반적인 것이 무서움을 타는 것이다. 두려움이란 두려운 사물에 대해 신체적으로나 언어 또는 행동으로 표현되는 것이며, 이것은 정상적인 반응으로 본다. 그러나 공포는 객관적으로 위험성이 없는데도 그러한 반응을 나타내거나 또는 객관적 위험성에 대해 과다하게 지나칠 정도로 두려움을 나타내는 경우다. 밀러(Miller, 1974) 등은 아동기 공포증을 신체적 상해에 대한 공포, 자연현상에 대한 공포, 사회적 불안, 기타 공포 등 네 가지로 나누었다. 그러나 DSM-IV나 DSM-5에서는 아동기 공포에 대한 범주가 없고, 공포장애에 대한 성인 범주가 아동에게 적용되기도 하지만 모든 아동의 경우 자신이 느끼는 공포가 지나치고 불합리하다는 것을 인식할 수 있는지는 분명하지 않다. 한편, 학령기 공포로는, 첫째, 악몽과 수면장애를 들 수 있는데, 공포나 불안, 기타 고통스러운 감정이 악몽이나 수면장애로 표출된다. 보통 피암시성이 강하고 정서적으로 미성숙한 아동이 몽유병적 경향을 많이 보인다. 둘째, 학교공포증을 들 수 있는데, 학교생활에 대한 공포와 집을 떠난다는 염려 때문에 발생한다. 이는 어머니의 과잉보호에 따른 아동의 의존적, 절대적 욕구가 어머니와의 격리를 두려워하기 때문이다. 마지막으로 경련의 공포를 느끼는데, 8~10세에 가장 많이 볼 수 있는 심리적 긴장에 의한 증상이다. 이는 목적이 없는 반복적이고 자동적인 운동 반응으로, 엄격한 부모 밑에서 긴장을 느끼는 아동에게서 발생한다. 이 증상은 2~6세에 주로 발현되는데, 아동은 평균 네다섯 가지의 공포를 가지고 있으며 4~5일 마다 한 번씩 공포 반응을 보인다는 보고도 있다. 다만 발달적으로 볼 때 나이가 들면서 많은 두려움이 없어진다. 그런데 아동들이 가지는 공포가 매우 흔한 일이라고 밝혀지기는 했지만, 격렬한 공포가 그렇게 자주 일어나지는 않는다. 하지만 격렬한 공포가 일어나는 경우에는 아동 자신에게나 부모에게 매우 심각한 문제를 야기하기도 한다. 아동기에는 구체적이고 직접적인 작용보다 상상적, 가상적, 비현실적, 초자연적인 것에 대한 공포가 많다. 또한 중시해야 하는 점은 이 시기의 공포 대상이 성인기에 이르러서도 그대로 공포를 유발한다는 것이다. 이 같은 증상의 치료로는 행동적 접근법이 많은데, 체계적 이완은

울페(Wolpe)가 불안, 불합리한 두려움, 공포증과 같은 부적응적인 정서 행동을 치료하기 위해 고안한 기법으로, '만약 불안의 억제가 불안이 존재하는 것에서 일어날 수 있다면 — 유발자극, 이것으로 불안과 자극 사이의 연결을 약하게 할 것'이라는 상호억제 원리를 임상에 적용할 수 있는 상대적 조건화의 과정을 의미한다. 치료적 방안 중 놀이치료에서는 행동주의자들이 사용한 간식(강화) 대신 놀이를 통하여 불안을 체계적으로 이완시켜 불안을 줄일 수 있다. 공포가 증가해도 놀이의 즐거움으로 상반된 활동을 할 수 있기 때문에 아동은 원하는 행동을 할 수 있는 것이다.

관련어 | 불안

공포관리이론
[恐怖管理理論, terror management theory]

인간이 결국 죽는다는 것을 인식하게 되면 실존적 불안 또는 공포가 생기며 자기 삶의 가치를 확인하려고 노력한다는 실존주의 심리학 견해의 일부. 실존주의 상담

사람들은 의미 있고 가치 있는 삶을 살기 위해 노력함으로써 공포에 반응한다. 그러나 공포관리이론은 대부분의 사람들이 삶의 의미를 스스로 규정하지 못한다고 본다. 대신에 그들은 사회문화적 합의와 과정을 사용한다. 이는 사람들이 자기 삶의 가치를 확인하는 데 집단정체감이 중요한 역할을 한다는 의미다. 죽을 수밖에 없는 운명의 신호는 사람들로 하여금 자신의 문화적 가치를 좀 더 보호하도록 만든다(Greenberg, Solomon, & Pyszczynski, 1997). 의미 있는 문화적 조직, 그들이 죽은 후에도 지속될 조직 속으로 자신들을 긴밀하게 짜 넣음으로써 그들은 인간으로서의 가치를 확인한다. 이 이론은 많은 연구를 촉발했는데, 그러한 연구 중 일부는 죽을 수밖에 없는 운명을 사람들에게 부각시키면 그들은 자신의 세계관을 지지하는 사람들에게는 호의적이 되고 지지하지 않는 사람들에게는 부정적이 된다는 것을 보여 주었다. 죽을 운명의 부각은 또한 사람들이 문화적 규범 자체에 더 집착하게 만들고, 더욱 이타적으로 행동하게 만들 수 있다. 그러나 죽을 운명을 부각시키는 것이 개인으로 하여금 항상 자신이 속한 집단을 지지하도록 만들지는 않는다. 사람들은 그 집단이 긍정적으로 보일 때는 그렇게 하지만, 그 집단이 부적절하다고 염려할 만한 이유가 있을 때는 죽을 수밖에 없는 운명의 자각은 사람들로 하여금 자신이 속한 집단과 일체감을 갖지 못하게 하고, 심지어 그 집단을 업신여기도록 만든다(Arndt et al., 2002). 요컨대, 공포관리이론으로 촉발된 연구결과를 실존주의적 견해와 관련시켜 보면 사람들에게 궁극적으로 죽을 운명임을 상기시켰을 때 그들은 자기 삶의 가치를 확인하려고 노력한다는 것이다.

공포증
[恐怖症, phobia]

불안장애의 한 종류로 특정 대상이나 상황에 대해 유발되는 지속적이고 현저하며 불균형적인 두려움을 느끼는 일종의 신경 질환. 이상심리

공포증에 시달리는 사람들은 공포의 대상이 되는 대상이나 상황에 마주했을 때 또는 예견할 때 이를 회피하려 하고 강렬한 불안을 느끼며, 이러한 상태가 6개월 이상 지속되면 공포증 진단이 내려질 수 있다. 불안이 특정 대상과 결부되지 않는 막연한 두려움이라면, 공포는 특정 대상이나 상황에 두려움이 결부되어 나타나는 두려운 감정이다. 공포반응은 자동적이고 조절이 매우 어려우며 전체적으로 퍼져 있다. 주요 증상은 가슴이 두근거리고 심장박동이 빨라지며, 손발이나 목소리가 떨리고, 숨이 가빠지고, 얼굴이 붉어지며, 어지럽고, 근육이 긴장되며, 배가 아픈 것 같은 느낌 등이 있다. 공포의 느낌이 심할 경우 혈관이나 운동장애 또는 발작 등이 일어날 수도 있다. 공포반응은 연령이나 경제력 등과

같은 외부 환경과 무관하게 발생한다고 알려져 있다. 공포증에는 광장공포증, 특정공포증, 사회공포증 등이 있다.

공황장애
[恐慌障碍, panic disorder]

갑작스럽게 무엇인지 모를 불안, 두려움, 공포를 느끼는 상태.
이상심리 특수아상담

공황발작을 반복적으로 경험하는 장애인 공황장애는 갑자기 엄습하는 강렬한 불안으로 다양한 신체증상을 수반하기 때문에 흔히 심근경색이나 히스테리성 증상, 심지어 간질로 오인되기도 한다. 많은 환자가 공황발작 증상이 나타나면 매우 당황하고 극심한 공포감에 사로잡혀 병원 응급실을 찾지만, 검사결과는 특별한 이상소견이 없고 응급실에서 잠시 안정을 취하면 증상은 저절로 호전된다. 공황장애는 예기치 못한 공황발작이 반복적으로 나타나므로 발작이 없는 시기에는 다시 발작이 일어날 것을 우려하는 예기불안을 느끼게 된다. 공황장애는 광장공포증이 동반되는 경우와 그렇지 않은 경우로 나눌 수 있지만, 광장공포증이 공황장애를 동반하지 않고 발병하는 경우는 매우 드물다. 공황장애를 독립된 질환으로 인정한 것은 비교적 최근의 일이지만, 질병의 특성이 환자의 일상생활에 미치는 영향력이 크기 때문에 최근에는 불안장애 가운데 가장 대표적인 질환으로 다루어진다. 공황장애 환자의 대부분은 다른 정신과적인 질병을 동시에 가지고 있으며, 이 중 가장 흔한 병발 질환은 우울증, 범불안장애, 사회공포증과 같은 불안장애, 성격장애, 신체형 장애, 물질관련장애 등이다. 공황장애는 매우 극심한 불안 증상과 신체적 증상을 수반하는 불안장애인 만큼 생물학적 원인이 깊이 관련되어 있는 것으로 알려져 있으며, 그 외 발병 원인으로는 유전적, 심리 사회적 요인을 들 수 있다. 주요 치료방법으로는 약물치료와 인지행동치료, 통찰 정신치료 등이 있다.

관련어 광장공포증, 불안장애

공황발작 [恐慌發作, panic attack] 예상하지 못한 상황에서 갑작스럽게 밀려드는 극심한 공포를 뜻한다. 이 증상은 공황장애가 매우 심하여 거의 죽을 것 같은 공포심이 유발되는 것으로, 강렬한 불안과 함께 심계 항진, 온몸 떨림, 호흡 곤란, 흉통이나 가슴 답답함, 어지럼, 발한, 질식감, 손발 이상 감각, 머리가 멍함, 쓰러질 것 같은 느낌이나 실제로 잠깐 실신하는 것 등의 신체 증상이 나타난다. 첫 공황발작은 피곤, 흥분, 성행위, 정서적 충격 등을 경험한 뒤 나타나는 경향이 있지만, 대부분의 경우에는 예측이 어렵고 갑작스럽게 나타난다. 10분 이내에 증상이 최고조에 도달하여 극심한 공포를 야기한다.

과대망상
[誇大妄想, grandiose delusion]

과장된 개념을 내포하거나 자신을 신격인 존재 또는 그런 존재와 특별한 관계에 있다고 생각하는 망상. 분석심리학

과대망상은 망상장애의 하나로, 정신분열증이나 양극성장애의 조증 에피소드 증상으로 나타나기도 한다. 과대망상은 자신이 유명하다거나, 전능하다거나, 강한 권력을 지니고 있다는 상상 속의 믿음을 보인다. 망상은 일반적으로 공상적이고, 가끔 초자연적이며, 과학 소설 혹은 종교적 망상이기도 하다. 예를 들어, 자신을 예수 그리스도가 환생했다고 믿는 것이다. 환자는 현실에 대한 감각을 잃어버린 것에 대해 통찰하지 못한다. 과대망상의 초기 증상은 환자의 자신에 대한 시각과 관련 있다. 과대 성향은 실제보다 더 크게 자신을 지각한다. 환자는 종종 자신이 사회에서 다른 사람들과 다르다고 믿는 경향이 있다. 그릇된 신념의 가장 일반적 징후는, 환자

들이 절대적 존재이건 아니건 간에 자신이 유명하다고 생각하는 것이다. 또 다른 징후는 환자들이 스스로 초자연적인 힘을 가졌다고 생각하면서 표현하는 것이다. 이는 인간이 날 수 있다거나 초자연적 힘을 가진다는 것과 같이 대개 불가능하고 공상적인 측면을 보인다. 또한 자신이 역사적 인물이라거나 역사적 인물의 환생이라고 생각한다. 과대 성향의 원인에 대해서는 현재 뚜렷하게 밝혀지지는 않았다. 아직도 정신분열증과 과대망상과의 상관관계에 대해서는 꾸준히 연구되고 있다. 과대망상장애의 잠재적 원인을 다루는 몇 가지 이론이 있는데, 가장 보편화된 것은 유전과 가족력이 주원인이라는 것이다. 수많은 다른 정신 질병처럼 가족력에 문제가 있는 사람은 더욱 위험한 상태로 발전할 가능성이 있다고 본다. 또 다른 견해는, 과대망상 증상이 환경자극에 대한 방어적 반응의 일부라는 것이다. 즉, 인간이 현실에 대항하여 자신을 보호하기 위한 방법으로 이러한 망상을 발달시킨다고 본다. 많은 과대망상 환자들이 항정신중 약물치료뿐 아니라 인지치료를 결합한 치료를 받는다. 이때 상담의 목표는 환자가 사고의 허위를 확인하기 위해 자신의 망상에 합리적으로 접근하는 것이다.

과대자기
[誇大自己, grandiose self]

자기애적 구조의 한 부분으로 전능감, 과대감, 과시적 자기애 등의 특징을 지니는 무의식적 심리구조. 대상관계이론

코헛(H. Kohut)은 자기애적 성격장애 치료과정에서 두 가지의 무의식적 구조가 활성화된다고 보았다. 첫 번째 활성화되는 무의식적 구조는 이상화된 부모 원상이며, 두 번째 활성화되는 무의식적 구조는 과대자기다. 코헛은 1971년부터 '자기애적 자기'라는 용어 대신에 '과대자기'를 사용하기 시작했다. 자기에 리비도가 투입된다는 점에선 자기애적 자기라는 용어가 적절하지만, 과대자기가 보다 더 풍성한 연상작용을 일으킨다는 이유 때문이었다. 과대자기는 붕괴된 일차적인 자기애의 행복한 상태를 회복하고자 하는 시도다. 이러한 무의식적 형태는 정상적인 발달과정을 변화시키고 궁극적으로는 발달을 위한 에너지를 제공한다. 과대자기는 자기 안에 완전하다는 느낌을 창조함으로써 잃어버린 행복한 상태를 복구하려는 노력의 산물이다. 유아는 어머니의 호의적인 반응을 통하여 자기가치감을 느끼는데, 이러한 대상경험은 정상적 발달의 근간이 된다. 유아는 부모와의 관계를 통해 부모에게 반영된 자기를 경험하고, 이를 통하여 자기인식을 발달시킨다. 따라서 모성적 환경이 제공하는 돌봄은 유아에게 최초의 자기대상으로 경험된다. 자기대상이란 유아의 필요에 반응하여 그러한 역할을 실행하는 사람이나 대상을 말한다. 특히 유아에게 가장 직접적이고 중요한 대상은 바로 어머니다. 유아는 어머니와 자신이 분리된 존재라는 것을 알지 못하며, 어머니가 즉각적으로 자신이 요구하는 것을 충족해 주기 때문에 어머니와 자신을 하나라고 느낀다. 이 과정에서 유아는 자기대상, 즉 어머니가 자신의 욕구를 지속적으로 잘 충족해 줄 것을 기대하며 그 자기대상을 더 이상화하고 싶어진다. 자기대상을 이상화할수록(이상화 욕구) 자신의 전능감이 커지기 때문이다. 적절한 양육적 돌봄이 제공된다면 과대자기는 건강한 야망으로 변형되고, 이상화된 부모상은 이상과 가치의 형태로 내재화되기 시작한다.

과도기 단계
[過渡期段階, transitional stage]

초기의 일방적 의존에서 벗어나 성숙한 상호 의존의 관계로 이동하는 중간 시기. 대상관계이론

페어베언(W. Fairbairn)이 소개한 자기발달단계

중에서 두 번째 단계로 첫 번째와 세 번째 단계를 연결하는 교량역할을 한다. 이 시기의 아동은 대상과 자신을 구별하기 위해 거절하는 기술을 사용하는데, 이와 동시에 여전히 대상을 의존하고 있다. 대상에 대한 양가감정이 지속되면서 대상을 수용할 필요성과 거절할 필요성을 모두 느낀다. 만약 이전 단계인 유아적 의존단계에서의 대상관계가 만족스러웠다면, 이 시기 동안 대상을 양분할 수 있고 거절을 사용하여 자아분화를 자연스럽게 성취해 나간다. 일차적 동일시에 근거하지 않은 대인관계를 형성할 수 있다. 그러나 동시에 여전히 어머니에게 의존하고 있기 때문에 새로운 유형의 양가감정에 직면하게 된다. 즉, 아동이 외적 대상과 너무 가까워지면 퇴행적인 동일시에 빠질 것이고, 따라서 새롭게 형성되는 분화된 자아개념이 위태로워진다. 반대로 아동이 외적 대상과 너무 거리감을 두면 버림받는 두려움에 직면하게 된다. 이러한 갈등은 과도기 단계의 아동이 외적 대상과의 관계에서 경험하는 불안의 원천이다. 과도기를 거치면서 유아적 의존단계의 유대를 포기할 수 없거나 포기하지 않으려는 사람은 정신병리적 증상을 나타낸다. 과도기 단계의 특징은 말러(M. Mahler)가 제시한 분리-개별화(separation-individuation) 과정과 유사하다. 자기-대상 간의 경계를 상실하지 않으면서도 의미 있는 유대관계를 유지하면서 양육자로부터 자연스럽게 분리되어 나오는 것이 이 단계의 발달과제다. 대상을 상실하지 않으면서도 거부하는 법, 즉 자기와 대상 간의 분화를 유지하면서 동시에 의존적인 대상관계를 형성하는 법을 배운다. 이 발달과제를 성공적으로 이루어 낼 때 아동은 보다 성숙한 상호의존단계로 나아갈 수 있다.

관련어 | 성숙한 의존단계, 유아적 의존단계

과도기적 공간
[過渡期的空間, transitional space]

위니콧(Winnicott, 1971)이 제안한 개념으로, 아동의 주도성과 자율성을 촉진하기 위하여 어머니가 아동에게 제공하는 놀이 환경. 미술치료

위니콧은 아동이 자신의 어머니가 보는 앞에서 혼자 노는 것을 배우려는 근본적인 욕구를 가지고 있으며, 이것은 그 어머니가 충분히 좋은 과도기적 공간을 제공했을 때 가능하다고 보았다. 따라서 과도기적 공간을 만드는 것이 어머니의 과제이며, 이 공간은 아동이 내면적인 욕구(needs)나 충동(drives)의 압박을 받지 않고, 환경의 요구에 침범되지 않는 곳이다. 어머니는 아동에게 강요하지 않으면서 유용한 대상들(usable objects)을 제공해야 한다. 과도기적 공간이 팽창되면, 아동은 이러한 대상들 가운데 어떤 것을 선택하여 사용할 수 있다. 어머니는 아동이 노는 것을 지켜보는데, 그 어머니의 바라보는 눈과 얼굴표정은 따뜻하여 아동을 긍정적으로 비추어 주고, 이것이 아동에게는 자신의 이미지를 사랑스럽고 긍정적으로 비추는 거울역할을 한다. 이와 같이 위니콧이 어머니와 아동 간의 놀이 공간적 관계에 초점을 맞추어 설명한 과도기적 공간을, 크레이머(Kramer)는 미술치료사와 환자와 도예실로 대치하여 설명하였다. 크레이머에 따르면 도예실은 과도기적 공간과 같은 곳이다. 그곳에는 충분히 좋은 치료사가 있고, 많은 양의 점토와 도구가 갖추어져 있어서 다양한 실험이 가능하다. 특히 중요한 것은 작업 자체가 내담자를 반영한다는 점이며, 미술치료사들이 과도기적 공간이 창조될 수 있도록 아동을 도와줄 수 있다는 점이다. 그 공간은 아동이 외부에서 오는 요구로부터 보호받는 곳이고, 미술작업을 통하여 상징적으로 살아가는 방법을 탐구하는 곳이며, 자아와 다른 사람과 문화의 영역과 그것들 사이에서 자유롭게 활동하면서 반복적으로 연습할 수 있는 곳이다.

관련어 | 치료로서의 미술

과독증
[過讀症, hyperlexia]

조기에 특별한 교수가 없어도 언어이해나 인지능력은 떨어지면서 단어 재인능력은 좋은 경우. 학교상담

평균 지능 혹은 평균 이상의 지능을 지녔으며, 단어를 읽는 능력은 그들의 연령이나 지능지수상으로 기대되는 것을 훨씬 상회한다. 일반 아동보다 더 빨리 글을 읽고 단어순서를 뒤섞어 놓아도 읽기 속도에 큰 차이를 보이지 않는다. 1967년에 실버버그(Silberberg)가 처음으로 명명하였고, 단어 인지능력이 일반적으로 기대되는 기술의 난이도를 훨씬 능가하는 특별한 능력으로 조명되었다. 그러나 몇몇 과독증에 걸린 사람들은 말을 이해하는 데 어려움을 겪는다. 니들만(Needleman, 1982)은 과독증인 아동에 대해, 첫째, 인지적 또는 언어적 발달의 지체를 보이는 집단에서 발생하고, 둘째, 5세 이전의 어린 나이에 발생하며, 셋째, 특정한 읽기교습을 받은 적이 없어도 인쇄된 형태의 글을 잘 읽을 수 있는 능력이 있고, 넷째, 충동적이거나 강박적인 성격을 가지고 있으며, 다섯째, 자신의 현재 지능에 비해 단어나 언어의 재인능력이 뛰어난 특징을 지닌다고 정리하였다. 대부분 과독증은 아스퍼거 장애, 자폐범주성장애, 의사소통장애 등의 다른 장애와 함께 나타난다.

관련어 | 아스퍼거 증후군, 자폐증

과식장애
[過食障碍, binge-eating disorder]

음식을 반복적으로 지나치게 섭취하는 상태. 이상심리

매우 빨리 먹고, 배가 부르고 불편해도 계속 먹으며, 배가 고프지 않아도 많이 먹고, 몰래 숨어서 먹는 증상을 보인다. 음식을 지나치게 많이 섭취하지만 신경성 폭식증의 특징인 의도적인 구토, 하제 사용, 과도한 운동, 굶기 등의 행동은 동반하지 않는다. 정서적으로는 자기혐오, 신체에 대한 혐오, 우울, 불안 등을 나타낸다. 이 증상을 촉발하는 유전적 요인은 찾을 수 없으며 우울함, 불안, 긴장 등의 부정적 정서를 해소하기 위하여 과식증상을 보인다는 견해도 있다. 이러한 증상은 대인관계, 직장 생활, 자아개념 등에 부정적인 영향을 미친다.

과업집단
[課業集團, task group]

특별한 목표나 과업의 수행을 위해 구성된 모임. 사회복지상담

이 집단은 위계집단의 범위를 넘어서 다양한 분야의 기능을 결합하고 목표수행과 효율성을 강조하며 목표가 달성되면 해산하는 것이 특징이다. 과업집단은 의무사항 이행, 조직이나 집단의 과업성취를 위하여 구성된 집단으로서 위원회, 행정집단, 협의회 등이 있다. 사회복지기관의 경우에도 특정 프로젝트가 있을 때는 직원 중에서 TFT(Task Force Team)를 구성하여 일정 기간 과업에 투입한다. 그리고 내담자중심으로 운영되는 사회복지기관에서는 내담자가 TFT의 구성원이 되어 프로젝트에 참여하기도 한다. 정신장애의 예방이나 사회 복귀의 일조로서 주목받고 있는 문제해결 기법(problem-solving technique)이나 A그룹은 과업집단의 대표적인 예다.

관련어 | 작업집단

과일반화
[過一般化, overgeneralization]

한두 번의 사건에 근거하여 일반적인 결론을 내리고 무관한 상황에도 그 결론을 적용시키는 오류. 인지치료

하나의 사건 혹은 하나 이상의 별개의 사건으로 결론을 내린 다음 이러한 결론을 비논리적으로 확장시켜 적용하는 것을 뜻한다. 한두 가지 증거나 우연히 발생한 사건을 바탕으로 모종의 결론을 내리고, 이 결론에 의존하여 모든 사태를 해석하려는 생각이다. 대부분의 미신적 사고는 바로 이 같은 과일반화에 기인한다. 대인관계에서 타인으로부터 비난을 당하고 난 뒤 '모든 사람'은 '어떤 상황'에서나 적대적이고 공격적이라고 생각할 수 있다. 한 학생이 시험성적이 좋지 않았을 때 '오늘 아침에 엄마가 잔소리를 늘어놓더니 시험을 망쳤어.'라고 생각하고는 엄마의 잔소리와 시험성적을 연결해 놓으면 지나친 일반화의 덫에 빠진 셈이 된다. 어떤 문제는 크게 보거나 혹은 '결코' '항상' '아무도' 등의 단어를 사용함으로써 더 중요하게 보이도록 할 수 있다. 이것은 이따금 일어나는 일이 계속 진행되는, 참을 수 없는 사건으로 느껴지도록 만드는 방법이다. 과장을 함으로써 그 상황의 진실을 넘어서게 되고 자신을 화나게 반응하도록 준비시킨다. 예를 들어, 이성으로부터 두세 번의 거부를 당한 학생이 자신감을 잃고 "나는 '항상' '누구에게나' '어떻게 행동하든지' 거부를 당한다."라고 결론지어 버리는 것이다. 그리고 시험이나 사업에 몇 번 실패한 사람이 '나는 어떤 시험(또는 사업)이든 내 노력과 상황변화에 상관없이 또 실패할 거야.'라고 결론지어 버리는 경우도 이에 해당한다. 또 다른 예로, 한 우울한 대학생이 시험에서 C학점을 받았다. 그는 이 결과를 못마땅해하며, '나는 뭐든 제대로 하는 게 없어.'라고 생각하는 것이다.

관련어 | 이분법적 사고, 인지왜곡

과잉보호
[過剩保護, overprotection]

자녀를 지나치게 보호하는 양육태도로, 신경증적(응석의) 생활양식을 만드는 주요 원인. 개인심리학

과잉보호를 하는 부모들은 아동에게 질식할 정도로 많은 사랑과 세심한 보호와 지나친 배려를 한다. 흔히 과잉보호아를 온실의 열대기후에서 자랐다는 의미로 익애(溺愛)를 받고 있는 아이라고 표현하기도 한다. 과잉보호로 양육된 아동은 자기중심적이고 이기적이 되기 쉽다. 그들은 자신들이 넘치게 받고 있는 애정과 관심에 만족을 느끼지 못하고, 일정한 도를 넘어 지나친 권력 추구로 이어진다(Adler, 1973a). 그러다가 결국 부모를 자신에게 복종시키고, 자기 권력의 한계를 계속해서 넓혀 나간다. 한편으로 이들은 의존적인 상태에 머무른다. 계속해서 보호와 감시를 받는 환경에서 자란 과잉보호아는 성장을 해서도 누군가가 자신의 욕구를 즉각적으로 만족시켜 주리라는 소망에 젖어 있다. 따라서 자주성이 부족하고, 욕구불만에 대한 내성이 낮고, 비교적 소극적이며, 자신의 문제를 해결하는 적절한 방법을 알지 못하고, 협동이나 타인에 대한 배려는 알지도 배우지도 못했기 때문에 가정 밖에서의 사회생활에서 점차 고립되며, 많은 좌절과 어려움을 경험하게 된다. 공동체감이 결여된 자기중심적인 우월성을 추구하는 것이다. 이는 신경증으로 자연스럽게 발달할 수 있다. 아들러는 과잉보호하는 부모의 여러 가지 모습 중에서 자녀에게 많은 사랑과 관심을 지속적으로 많이 제공하는 것이 문제가 아니라, 부모가 아동 주위를 돌면서 그들의 과제를 빼앗아 가는 것이 가장 문제라고 지적하였다. 이 같은 부모는 자녀에게서 삶의 모든 문제를 빼앗아 자신이 처리해 준다. 이 경우 자녀는 자신의 문제와 주변환경의 문제를 자율적으로 처리한 경험을 전혀 갖지 못하게 되고, 발달단계에 적합한 여러 가지 어려움을 해결할 능력을 발달시키지 못하며, 부모

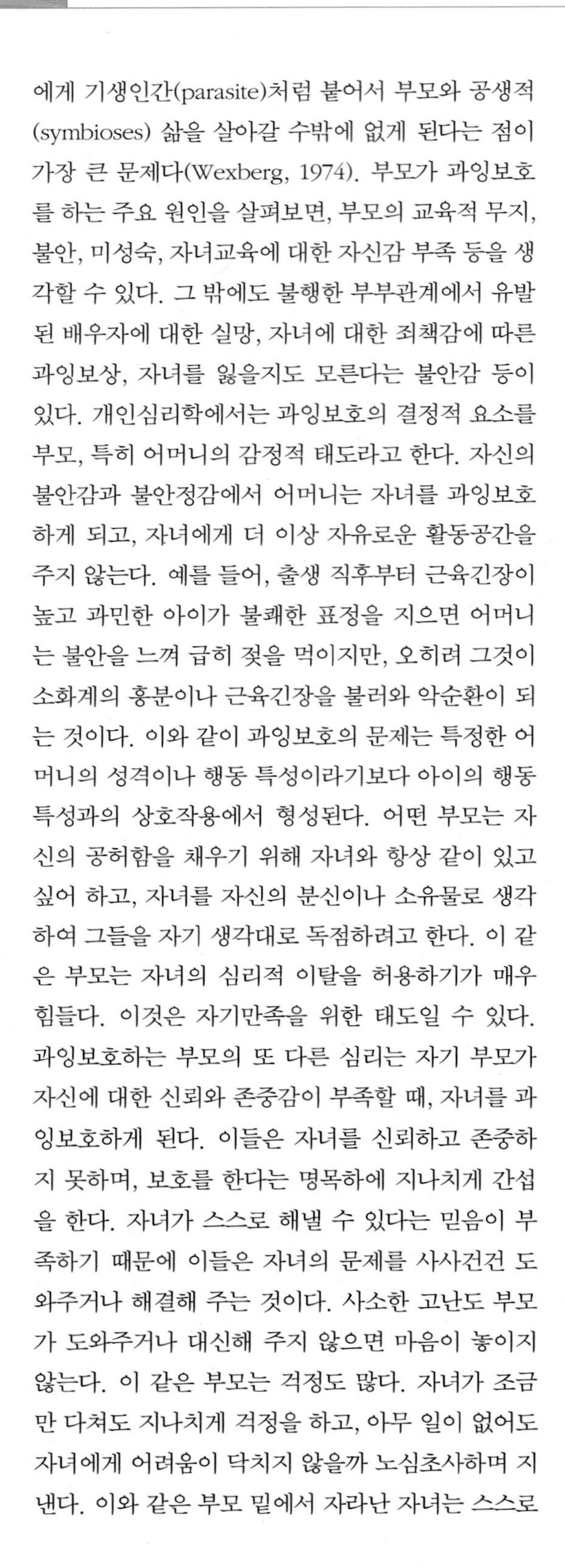

에게 기생인간(parasite)처럼 붙어서 부모와 공생적(symbioses) 삶을 살아갈 수밖에 없게 된다는 점이 가장 큰 문제다(Wexberg, 1974). 부모가 과잉보호를 하는 주요 원인을 살펴보면, 부모의 교육적 무지, 불안, 미성숙, 자녀교육에 대한 자신감 부족 등을 생각할 수 있다. 그 밖에도 불행한 부부관계에서 유발된 배우자에 대한 실망, 자녀에 대한 죄책감에 따른 과잉보상, 자녀를 잃을지도 모른다는 불안감 등이 있다. 개인심리학에서는 과잉보호의 결정적 요소를 부모, 특히 어머니의 감정적 태도라고 한다. 자신의 불안감과 불안정감에서 어머니는 자녀를 과잉보호하게 되고, 자녀에게 더 이상 자유로운 활동공간을 주지 않는다. 예를 들어, 출생 직후부터 근육긴장이 높고 과민한 아이가 불쾌한 표정을 지으면 어머니는 불안을 느껴 급히 젖을 먹이지만, 오히려 그것이 소화계의 흥분이나 근육긴장을 불러와 악순환이 되는 것이다. 이와 같이 과잉보호의 문제는 특정한 어머니의 성격이나 행동 특성이라기보다 아이의 행동 특성과의 상호작용에서 형성된다. 어떤 부모는 자신의 공허함을 채우기 위해 자녀와 항상 같이 있고 싶어 하고, 자녀를 자신의 분신이나 소유물로 생각하여 그들을 자기 생각대로 독점하려고 한다. 이 같은 부모는 자녀의 심리적 이탈을 허용하기가 매우 힘들다. 이것은 자기만족을 위한 태도일 수 있다. 과잉보호하는 부모의 또 다른 심리는 자기 부모가 자신에 대한 신뢰와 존중감이 부족할 때, 자녀를 과잉보호하게 된다. 이들은 자녀를 신뢰하고 존중하지 못하며, 보호를 한다는 명목하에 지나치게 간섭을 한다. 자녀가 스스로 해낼 수 있다는 믿음이 부족하기 때문에 이들은 자녀의 문제를 사사건건 도와주거나 해결해 주는 것이다. 사소한 고난도 부모가 도와주거나 대신해 주지 않으면 마음이 놓이지 않는다. 이 같은 부모는 걱정도 많다. 자녀가 조금만 다쳐도 지나치게 걱정을 하고, 아무 일이 없어도 자녀에게 어려움이 닥치지 않을까 노심초사하며 지낸다. 이와 같은 부모 밑에서 자라난 자녀는 스스로 '미숙하고 적응능력이 부족하고 자신감이 없다.'고 믿는다.

관련어 | 응석의 생활양식

과잉적응
[過剩適應, over-adjustment]

적응하려는 노력의 정도가 지나친 상태. 이상심리

건강에 좋은 음식물도 필요 이상으로 많이 섭취하면 병이 될 수 있듯이, 적응하려는 노력의 정도가 지나치면 균형을 잃고 부적응 상태에 빠져 버린다. 예를 들면, 학교나 직장 혹은 가정에서 기대에 부응하는 좋은 인간이 되어야 한다고 믿고 자신의 한계를 넘어서는 행동을 하면 결과적으로는 문제가 생기거나 심신의 이상을 초래하는 등의 역효과를 낳는다.

과잉행동
[過剩行動, hyperactivity]

끊임없이 움직이고 활동하며, 어떤 사건이 일어나는 것을 기다리지 못하고 충동적으로 행동하는 것. 특수아상담

일반적으로 주의산만, 충동성, 학습지체 등을 수반하는 경우가 많다. 미국정신의학회의 『정신장애의 진단 및 통계편람 제4판(DSM-IV)』에서는 과잉행동을 다음과 같이 정의하였다. 첫째, 손이나 발을 만지작거리고 자리에서 꼼지락거린다. 둘째, 교실이나 가만히 앉아 있어야 하는 상황에서 자리를 떠난다. 셋째, 상황에 걸맞지 않게 뛰어 돌아다니거나 기어오른다. 넷째, 조용히 놀거나 여가활동을 하는 것이 어렵다. 다섯째, 끊임없이 움직이는 모터를 단 것처럼 행동한다. 여섯째, 지나치게 말을 많이 한다. 과잉행동은 연령 또는 정신연령이 감소하면 증가하고 질병(예, 갑상선기능항진증), 심리상태(예,

불안), 상호작용 상태(예, 엄마의 우울), 신경학적인 질환(예, 주의력결핍장애)이 있을 때도 증가한다. 따라서 과잉행동 자체는 특정 진단이 아니며 다른 소견과 연관되어야 한다. DSM-5에서는 DSM-IV와 비교했을 때 과잉행동이나 ADHD 진단 기준에는 변화가 없으나, 몇 가지 자세한 실제 상황의 예들을 추가함으로써 진단 시 도움이 되도록 하였다.

관련어 | 과다 행동, 과잉 활동

과장
[誇張, magnification]

어떠한 사물이나 사실을 실제보다 크거나 작게 표현하는 것. 인지치료

인지치료와 인지·정서·행동치료 분야에서 소개하는 대표적인 인지적 오류 중 하나다. 과장은 그 방향성에 따라 두 가지 관점으로 이해된다. 먼저, 실제보다 부풀려 말하는 향대과장(向大誇張)의 경우, 사물의 모습, 크기, 특징 정도 등을 실제보다 좋고 크고 강하고 무거운 방향으로 확대하여 표현한다. 감정, 사상, 사물 등을 실제보다 과장하여 표현함으로써 더욱 선명한 인상과 강렬한 감동을 주려는 목적이 있다. 둘째, 실제 사실보다 줄여서 말하는 향소과장(向小誇張)은 사물이나 사실의 크기나 규모 특징, 정도 등을 축소하여 말하는 것이다. 작거나 좁거나 나쁜 방향으로 축소하여 말하는 것은 사실로 보면 축소지만 과장이라는 관점에서 보면 오히려 확대가 된다. 따라서 어느 진술이 과장인가 아닌가 하는 것은 실제 사실을 확대하여 말하는가 혹은 축소하여 말하는가가 아니라 그것을 과장하여 말하는가 그렇지 않은가에 달려 있다. 과장해서 말하는 내용은 실제 현실에서는 이룰 수 없거나 불가능한 것들이 거의 대부분이다. 인지치료자인 벡(A. Beck)은 정서장애가 있는 사람들의 자동적 사고 및 인지에는 특징적인 논리적 오류가 있음을 발견하고, 이러한 인지적 오류는 병리적인 정보처리방식과 관련이 있음을 주장하였다. 이는 통제집단보다 우울장애집단에서 더 빈번하게 발견된다. 우울한 사람들에게서 주로 나타나는 체계적인 인지적 오류는 선택적 사고, 임의적 추론, 과잉일반화, 개인화, 절대적 사고, 과장과 축소 등이다. 인지·정서·행동치료자인 엘리스(A. Ellis) 또한 많은 심리적 부적응의 이면에 비합리적인 신념체계가 존재함을 파악하고 비합리적 신념체계에서 파생된 인지적 왜곡을 소개하였다. 여기에는 과잉일반화, 선택적 추상화, 과도한 책임, 인과성의 영속성 가정, 자기참조, 재앙화, 이분법적 사고, 인위적 추론, 비현실적 결론, 불합리한 추론, 자기파괴적 결론, 과장과 축소 등이 속한다. 과장과 축소는 어떤 사건의 중요성이나 정도를 심하게 왜곡하여 평가하는 오류로서, 어떤 사건의 중요성을 지나치게 극대화하여 평가하거나 혹은 극소화하여 그 중요성을 무시해 버린다. 예를 들면, 공황장애를 가진 한 여성이 공황발작 초기에 어지럼을 느끼기 시작하자마자 '난 이 자리에서 곧 쓰러져 심장마비나 발작을 일으키게 될 거야.'라고 생각하는 것이다. 또한 친구의 물건을 훔친 아들의 어머니가 "내 아들이 네 살이었을 때 다른 아이의 사탕을 훔쳤어. 그 애는 범죄자가 될 운명이야."라고 말하는 것이다.

관련어 | 벡, 인지오류

과장하기
[誇張-, exaggeration]

내담자의 욕구와 감정을 알아차리도록 하기 위해 내담자의 말과 행동을 과장해서 표현하도록 하는 기법. 게슈탈트

내담자의 말과 행동을 과장해서 표현하게 함으로써 내담자가 자신의 욕구와 감정을 알아차리도록 도와주는 기법이다. 예를 들어, 손을 떨고 있는 내담자에게 손을 더 빨리 더 많이 떨어 보게 요구

하거나, 우울의 감정을 숨기고 작은 소리로 말하는 내담자에게 모기만 한 소리로 더 조용히 말하게 함으로써 자신의 억압된 감정을 알아차리도록 해준다.

과정노트
[過程－, process notes]

치료회기, 상담자와 내담자 사이에서 발생한 상호작용 과정, 내담자에 대한 상담자의 감정, 그리고 개입의 이유와 방법에 대한 내용 등을 담은 상담수련생의 문서화된 기록. 상담 수퍼비전

과정노트는 상담과 관련된 세부사항과 개입전략, 목표 등을 자세하게 기록하기 때문에 작성하는 데 시간과 노력이 상당히 많이 필요한 작업이다. 이는 상담수련생과 내담자 간의 상호작용에 대해 집중적으로 재검토할 때 유용한 자료가 된다. 또한 수퍼비전 과정에서 자기보고, 음성녹음, 사례관찰과 같은 다양한 기법과 함께 과정노트는 상담의 성찰과 수퍼비전의 개입에 대한 계획을 세울 때 유용하다. 하지만 매 상담회기마다 완벽한 과정노트를 작성할 의무는 없다.

관련어 | 사례노트, 음성녹음, 자기보고

과정연구
[過程硏究, process research]

상담의 내용과 결과가 아닌, 상담의 과정과 함께 구성원들의 행동과 상호작용에 초점을 두는 연구. 연구방법

과정연구의 기본 가정은 내용(content)만큼이나 과정(process)이 중요하다는 것, 어떻게 행해졌는가가 무엇이 행해졌는가만큼이나 중요하다는 것이다. 다시 말하면, 상담자와 내담자가 어떻게 의사소통을 하고 어떻게 함께 상담을 이끌어 갔느냐가 그들이 상담에서 무엇을 논의했는가 만큼이나 중요하다는 것이다. 또한 과정연구는 성과(결과) 연구와 구분되는데, 성과연구에서는 성과를 종종 상담 전과 후에 나타나는 변화로 평가한다. 반면, 과정연구는 이원체제(상담자, 내담자)든, 삼원체제(수퍼바이저, 상담자, 내담자)든, 다수준체제(가족, 상담집단, 조직)든 간에 한 체제의 구성원들 사이의 행동과 상호작용에 초점을 둔다. 개인상담과정에 대한 연구는 자연주의적 연구(naturalistic study)와 함께 1950년대에 시작되었으며, 질적 연구를 포함하여 많은 연구방법이 발전되어 왔다. 그렇지만 진로상담, 집단상담, 컨설턴트, 상담자 훈련을 포함한 다른 상담의 영역에서는 과정연구가 부족한 실정이다. 가장 내실 있게 연구되어 온 상담과정은 개인상담에서의 상담자와 내담자 간의 치료적 동맹(therapeutic alliance)이다. 연구결과에 따르면, 동맹은 상담결과와 관련이 있으며 상담동맹이 높다고 평가할수록 상담결과도 더 나은 것으로 나타났다(Horvath & Symonds, 1991). 놀라운 것은 상담자의 경험이나 역량 모두가 상담동맹에 대한 평가와는 아무 관련이 없다는 연구결과다(Dunkle & Friedlander, 1996). 결국 상담자, 내담자, 그리고 외부 관찰자는 상담 동맹에 대해서 아주 다른 관점을 갖고 있는 경향이 있다는 것에 주목해야 한다. 집단응집성, 집단구성원들이 경험하는 유대감은 연구에서 상당히 주목을 받은 또 다른 상담과정이다. 개인상담에서 동맹에 비유할 수 있는 집단응집성은 집단상담에서의 처치 결과뿐 아니라 집단상담 중에 집단구성원들이 보이는 수행과 관련이 있다. 더욱이 집단상담과정에 대한 연구들은 집단구성원들이 집단의 단계마다 상담과정을 다르게 가치 평가한다는 것을 밝혀 주었다(Shaughnessy & Kivlighan, 1995). 예를 들어, 개인이 어떤 집단에 처음 참가했을 때 집단의 다른 구성원들이 비슷한 문제나 감정을 경험하고 있다고 지각하는 것이 가장 중요한 것처럼 보인다. 집단상담이 얼마 동안 진행된 뒤, 구성원들은 카타르시스적인 방식으로 자신들의 감정을 공유하는 것에 가치

를 두는 경향이 있다. 과정연구에서 연구된 과정들은 성격상 외현적(명시적)일 수도 있고 내현적(묵시적)일 수도 있다. 외현적 과정으로는 구체적인 상담기법, 내담자의 참여, 내담자의 저항 그리고 외부적인 판단에 따라 평가될 수 있는 행동 등이 있다. 예를 들어, 상담자의 해석이 보통 수준의 깊이일 때, 다양한 상황에 적용될 때, 그리고 자주 반복될 때 도움이 되는 것으로 연구결과 밝혀졌다. 내현적 과정은 외부자에 의해 쉽게 관찰되지 않는 내적 반응과 사고를 가리키지만, 상담자와 내담자의 행동에 영향을 미칠 수 있다. 과정연구에서 밝혀진 2개의 공통적인 내현적 과정은 내담자가 부정적 반응을 숨기고 상담자에게 들키지 않기와 내담자의 부정적 반응보다는 긍정적 반응을 지각하는 상담자의 능력이다. 외현적 및 내현적 대인 간의 역동을 기술하는 것이 쉽지 않기 때문에 과정에 대한 연구자들은 체제 내의 과정을 탐구하기 위해 면접, 관찰, 조사, 비디오 녹화 등 다양한 양적 및 질적 연구방법을 사용하는 경우가 많다. 상담장면의 대인 간 역동을 연구함으로써 보다 효과적인 상담개입 방안을 발전시킬 수 있다. 과정연구의 결과는 상담 수퍼바이저와 상담자 양성 프로그램에도 도움이 된다(APA, 2009).

관련어 양적 연구, 질적 연구

과정전문가
[過程專門家, process consultant]

부부변화의 과정을 전문적으로 도와주는 상담자의 역할을 설명하는 것. 정서중심부부치료

상담자가 내담자의 부부관계를 통하여 정서경험을 재처리할 수 있도록 도와주는 것을 말한다. 치료 전반에 걸쳐 상담자는 부부가 서로에게 새로운 방식을 실험할 기회를 주고 부부가 만들고 싶은 관계 방식을 의식적으로 선택하도록 도와주는 역할을 담당한다.

관련어 안무, 협력자

과정집단
[過程集團, process group]

해결중심으로 접근하는 집단치료의 한 형태로, 내담자가 자신의 문제에 대해서 탐색하고 그것을 함께 나누는 시간을 갖는 집단. 해결중심상담

학교, 기관 그리고 병원의 환자를 위한 프로그램에서 종종 사용되는 해결중심접근의 치료를 시행하는 집단의 한 형태다. 과정집단의 목표는 내담자의 다양한 문제를 외재화하는 작업을 통해서 자신의 문제를 해결하는 능력을 증진시키는 것이다. 과정집단의 활동에서 사용하는 외재화 기법은 이야기치료를 창안한 마이클 화이트(Michael White)가 발전시킨 문제의 외재화 기법을 해결중심상담에 적용한 것이다. 즉, 내담자가 경험하는 문제를 대상화하고 의인화시킴으로써 문제의 정체성을 정확하게 파악하고, 해결책을 찾을 수 있는 예외상황의 발견을 용이하게 하는 효과가 있다. 과정집단에서 문제를 외재화하여 내담자에게 하는 질문의 형태는 다음과 같다. "문제가 없다면 당신의 삶은 어떠하겠는가?" "문제가 사라진다면 당신의 생활 속에서 누가 좀 다르게 행동하겠는가?" "문제가 더 이상 당신에게 영향을 미치지 않게 된다면 어떻게 생활하겠는가?" "만약 당신이 인생에서 문제가 없는 새로운 장, 즉 제2장을 쓸 수 있다면 지금의 제1장과는 무엇이 달라지겠는가?" "제2장에서의 생활에 대해 생각해 보라. 다음 한 주 동안 그 문제를 일으키지 않기 위해서 당신이 지금 할 수 있는 것은 무엇인가?" 등이다. 이러한 과정집단은 분노, 우울, 외상, 성학대, 신체적 학대, 욕구불만, 불안의 문제 등 다양한 문제를 해결하는 데 활용할 수 있다.

관련어 가족역동집단, 관계집단, 문제의 외재화, 분노관리집단, 오전-오후과정집단

과제분석
[課題分析, task analysis]

학습자가 수행해야 하는 과제를 더 단순한 하위과제로 분할하여 분석하는 활동 혹은 계획. 인지행동

모든 과제는 더 세분화된 하위과제로 나눌 수 있으며, 하위과제들을 누적하여 익히면 학습목표에 도달할 수 있다는 가정에 근거한다. 교수목표가 성취될 수 있도록 분석되어 있으면서도 계열화된 일련의 하위목표로 구성되어 있는 교수전략을 뜻한다. 특정한 기술이나 과제에 대해 각 학생의 개별 기능 수준에 적합한 교수목표를 설정하도록 해 주고 효과적인 진단적 기능을 지닌다. 교사가 체계적이고 논리적인 학습과제의 순서로 학생을 지도할 수 있도록 교수계획을 수립하는 데 활용되며, 단번에 학습하기 어려운 과제를 조금씩 점진적으로 학습할 수 있게 하는 교수방법으로도 활용된다. 또한 학생이 과제 내에서 무엇을 할 수 있고 무엇을 할 수 없는지를 파악하는 데 활용될 수 있으며, 학생의 성취 정도와 교사의 교수 효과성에 대한 세밀한 피드백을 제공하기도 한다. 과제분석을 효과적으로 하기 위해서는 그 영역에 대한 충분한 지식과 시간과 브레인스토밍이 필요하다. 과제분석을 계획하고 수행하기 위한 지침에는, 주요 과제의 범위를 한정하고, 관찰할 수 있는 용어로 하위 과제를 사용하고, 사용할 사람이 이해할 수 있는 수준의 용어를 사용하고, 학습자가 해야 할 과제를 기술하고, 학습자보다는 과제에 역점을 두어 계획하는 것 등이 있다. 과제분석을 위한 방법으로는 절차적 접근(procedural approach)과 위계적 접근(hierarchical approach), 그리고 이 두 접근을 결합한 방법이 있다. 절차적 접근은 특정 행동이 특정 목적에 도달하기 위해 연속적인 가르침이 있을 때 사용된다. 절차적 분석에 포함된 행동들은 서로 독립되어 있어 교체될 수 있는 것들이다. 접시 닦는 기술이 대표적 예인데, 접시 닦는 것을 가르치기 위해 어떤 교사는 모든 접시를 닦은 후에 헹구게 할 수도 있고 혹은 어떤 교사는 각 접시를 닦고 이용 단계로 넘어가기 전에 헹구게 할 수도 있다. 따라서 각 단계는 독립적이고 그것은 교사의 결정이나 학생의 요구에 따라 얼마든지 바뀔 수 있다. 한편, 위계적 접근은 선행기술을 확실히 포함하고 있으므로 바람직한 목표달성을 위해서는 반드시 위계적 순서를 따라야 하는 방식이다. 일반적으로 학습기술은 이 접근을 사용하게 되는데, 일련의 각 단계의 기술들은 이전의 기술습득에 의존한다. 마지막으로, 두 접근을 결합해서 사용하는 것은 정신운동과 인지기술을 요구하는 행동을 가르칠 때 유용하다. 예를 들면, 버스 타기와 같은 행동을 가르칠 때 혼합된 접근을 적용한다.

과제용지
[課題用紙, take away sheet]

필기를 위해 사용하는 종이나 과제수행을 약속하는 동의서. 생애기술치료

생애기술치료 상담과정 중에는 삶의 기술에 대한 내용을 내담자가 학습한다. 이때 관련 내용을 필기하기 위해서 사용되는 것이 과제용지다. 또한 상담 진행 중에 부여되는 과제를 기록하거나 이를 성실히 수행할 것을 약속하는 의미로 작성하는 동의서를 뜻하기도 한다.

관련어 | 생애기술치료

과제중심체제
[課題中心體制, task-centered system]

사회사업 실천모형의 하나로서 내담자의 욕구나 그가 처한 상황, 가능성을 적극적으로 평가하고 과제로서 행동목표를 설정하여 목표를 수행함으로써 문제를 해결해 나가려는 과정과 방법. 사회복지상담

1970년대 지역사회 서비스조직 모델을 토대로

더욱 체계적이고 효과적인 단기치료를 개발하기 위해 리드(W. Reid)와 엡스타인(L. Epstein)이 주창한 독특한 사회사업 실천모형이다. 이 모형은 내담자가 안고 있는 문제나 상황을 해결하거나 경감하거나 개선하려는 목적으로 행동목표를 과제로 설정하여 실천함으로써 스스로 문제를 해결할 수 있도록 돕는 것이다. 초기에는 과제중심체제가 개별 사회사업의 실천모형으로 적용되었지만 점차 그 개념이 확대되어 모든 사회사업 영역에 적용되었으며, 개인뿐만 아니라 가족 등의 집단에도 적용하게 되었다. 특히 내담자의 정신건강을 돕는 임상사회복지(clinical social work)의 영역에서 더 활발히 활용하였다. 이 모형은 단기해결치료, 펄먼(H. H. Perlman)의 문제해결과정 접근법, 스터트(E. Studt)의 과제개념, 홀리스(F. Hollis)의 사회사업 조력기법을 근거로 하여 형성되었다. 이 체제의 특징은 다음과 같다. 첫째, 16~20회기 정도의 단기개입과정으로서 과거보다는 현재의 상황에 초점을 두어 진행한다. 둘째, 개입은 사정 후에 설정한 행동목표를 수행하기 위해 수립된 계획에 따라 구조화된 방식으로 진행한다. 셋째, 문제해결을 위한 목표설정이나 실천계획 수립 등에서 내담자의 의견이나 대안을 존중하는 것으로 내담자의 자기결정권을 강조한다. 넷째, 내담자의 사회적 맥락을 검토하여 지역자원이나 주변인의 자원을 탐색하여 연결시킨다. 다섯째, 개입에 대한 책임성(accountability)으로서 개입의 진행과정, 목표설정, 목표달성 정도, 개입의 효과, 평가 등을 기록한다. 여섯째, 계약의 사용으로 개입 여부, 행동목표, 과제, 진행기간, 비용 등에 대한 내담자의 동의를 구하여 개입에 대한 책임과 개입에 대한 혼란을 예방한다.

관련어 | 단기치료, 임상사회복지, 해결중심단기치료

과제지향집단
[課題志向集團, task orient group]

집단원의 활동이 집단의 목표달성에 직접 관계되는 일에 초점이 맞추어져 있는 집단. 집단상담

구체적인 과제의 목적을 달성하기 위해 모인 구성원들의 집단을 뜻한다. 기업과 산업체 내 집단의 역동을 이해하기 위해 미국 국가훈련실험소(National Training Laboratory)에서 수행된 과제집단 관련 연구와 실험결과는 집단역동과 특징을 이해하는 데 도움이 되고 있다. 과제지향집단에서는 주로 의식적인 수준의 행동을 강조하고 집단역동을 활용하여 어떤 결과 또는 산물을 성공적으로 도출할 것인지에 초점을 둔다. 따라서 해결해야 할 과제에 대한 토의 및 실행 내용이 강조된다. 상호 결정된 목적에 도달하기 위해 결성된 특별팀(task force team), 위원회, 직원회의처럼 사전에 계획된 집단, 지역사회 기관과 조직, 토론집단, 스터디그룹 등의 구조가 포함된다. 과제지향집단의 대표적인 예로 토의집단을 들 수 있다. 토의집단 안에서는 상반된 의견이 용납되지 않으며 승패 혹은 옳고 그름의 시비를 가리고 결론을 도출한다. 상반된 의견으로 인해 강한 정서적 반응이 유발될 수 있으며, 이로 인해 과제해결을 위한 토의진행에 방해가 될 수 있다. 따라서 집단원에게 요구되는 규칙과 규범이 설정되고 형식적인 형태를 갖는다. 갑, 을 양측 혹은 여러 개의 분파가 생길 수 있다. 기업이나 산업체의 구성원들 간에 발생하는 문제는 흔히 가치관의 차이와 사회규준의 불일치 등과 관련된다. 이러한 요인들은 집단역동에 부정적인 영향을 미쳐 구성원들의 의사소통, 업무만족도, 동기수준, 생산성을 저하시킨다. 나아가 구성원들 간의 심리적 갈등, 하위집단화 등이 초래되기도 한다. 과제지향집단의 지도자는 조직 발달과 경영에 대한 이론적 지식을 갖추어야 하며, 집단을 공동지도하고 지도감독을 받은 활동경험도 필요하다. 과제지향집단과 대비되는 개념으로 과정지향

집단이 있다. 과정지향의 상황에서는 집단원들 간의 정서적이고 대인관계적인 측면에 우선적인 초점이 맞추어진다. T그룹(training group)이나 감수성 훈련그룹이 대표적인 과정지향집단의 예다. 정도의 차이는 있지만 과제지향활동과 과정지향활동은 모든 집단에 공통적으로 필요한 요소다.

관련어 | 집단구조

과학적 과정
[科學的過程, scientific process]

음악치료의 세 과정 중 하나로, 심리학의 과학적 타당성과 신뢰성을 지닌 과정. 음악치료

음악치료가 음악이라는 창의적 예술을 기반으로 하는 독특한 심리치료기법이지만, 내담자 치료에 대한 계획과 평가는 과학적 기반 위에서 행해진다. 음악치료 자체도 체계적 분야로서 과학적이고 실증적인 효과를 평가하고, 치료과정 중 드러나는 객관적 자료로 평가된다. 이는 음악치료에 관한 타당도와 신뢰도에서 중요한 부분이며, 치료사 또한 자신의 치료에 대한 과학적 효율성을 증명할 수 있는 과정이 된다. 내담자를 진단하기 위한 사정과정, 그에 따른 치료계획, 치료에 관한 평가 등 일련의 과정에서 과학적 과정을 통하여 효과를 증명하고 자료를 평가함으로써 내담자는 음악치료에 대한 신뢰성과 타당성을 인정할 수 있다.

과학적 사고
[科學的思考, scientific thinking]

합리정서행동치료

⇨ '정신건강기준' 참조.

과호흡증후군
[過呼吸症候群, hyperventilation syndrome]

호흡을 통해 이산화탄소가 과도하게 배출되어 동맥혈의 이산화탄소가 정상 범위 아래로 떨어지는 상태. 정신병리

정신신체장애로 인한 호흡기계 질환의 하나로서, 신체의 대사요구보다 더 빠르게 깊은 호흡을 함으로써 체내로 흡입되는 산소의 양은 많지만 빠른 호흡으로 과도한 이산화탄소를 배출하여 호흡성 알칼리증이 나타나는 것이 가장 큰 특징이다. 이 증상이 나타나는 데에는 신체적 원인과 심리적 원인이 있다. 신체적 원인은, 먼저 실제로 폐나 심장이 조직에 산소를 공급하고 이산화탄소를 배출하는 기능이 저하되었을 때 발생한다. 건강한 사람에게도 통증, 임신에 의해 나타날 수 있고, 신경계통의 신체적 이상 혹은 정신적 불안, 정신질환에 의해 나타날 수도 있다. 심리적 원인으로는 일시적인 불안, 스트레스, 대인관계에서의 갈등 등을 들 수 있으며 간혹 꿈이나 악몽에 의해서도 나타날 수 있다. 주로 불안하고 신경쇠약인 사람에게 많이 나타난다. 과호흡증후군이 심리적인 원인이 있다면 우선 겪고 있는 증상이 심각한 심장병이나 뇌질환에 따른 것이 아님을 충분히 이해하는 것만으로도 환자의 불안이 안정되고 증상이 좋아지는 경우가 있다. 왜냐하면 병에 대한 불안 자체가 증상을 더욱 악화시킬 수 있기 때문이다. 그러나 이러한 조치로도 호전되지 않으면 집중적인 상담이나 정신치료를 받거나 불안을 억제하는 약을 투여해야 한다. 또한 베타차단제 복용이나 운동 프로그램으로 증상이 개선되기도 한다.

관객
[觀客, audience]

사이코드라마의 5대 기본 요소 중 하나로서, 사이코드라마를 관람하는 사람. 사이코드라마

사이코드라마는 주인공(protagonist), 연출자(director), 보조자아(auxiliaries), 무대(stage), 관객(audience)으로 이루어진다. 관객은 사이코드라마가 실연되는 동안 함께하면서 사이코드라마에 참여할 수도 있는 다른 사람들을 일컫는다. 즉, 관객은 무대에 직접 올라오지 않는 사람들을 가리키는 말이다. 관객은 사이코드라마가 실연되는 동안 필요한 경우에 피드백을 줄 수도 있고, 주인공으로 등장할 수도 있으며, 보조자아로 활동할 수도 있다. 사이코드라마가 끝난 뒤에는 토론에 참여할 수도 있다.

관련어 | 보조자아, 사이코드라마, 주인공

관계
[關係, relation]

두 사람 이상의 사이에 정서적, 신체적, 인지적 교류가 발생한 상태. 개인상담

관계는 상담심리학의 기본적인 연구과제로서, 어떤 이론이나 장소, 목적, 방법을 불문하고 행동변화의 방법이나 조건을 연구하는 데 중요한 요소가 된다. 그런 만큼 상담심리학에서는 관계의 성립조건, 효과, 형성, 심화나 약화, 붕괴의 과정을 연구함으로써 개인 간의 관계, 역할 간의 관계, 집단문제의 관계, 조직과 개인 간의 관계, 조직과 지역 간의 관계 등을 이해할 수 있다. 특히 상담에서는 상담자와 내담자 사이의 관계가 필요불가결한 조건이라 할 수 있다. 이에 대하여 로저스(Rogers)의 인간행동중심이론, 참만남집단, 실존주의적 접근 등은 감정의 교류관계를 강조하고, 글라서(Glasser)의 현실요법이나 정신분석은 역할관계를 중시한다. 절충주의에서는 감정교류와 역할관계의 균형 잡힌 관계를 인간의 성장조건으로 제시하고 있다.

관련어 | KB 심상치료, 라포형성

관계성 [關係性, relationship] 두 사람 이상의 사이에서 심리적 · 정서적 · 신체적으로 연결되거나 관련되는 정도를 뜻한다. 상담자와 내담자 또는 가족구성원의 관련성 정도는 상담관계 형성이나 상담결과에 막대한 영향을 미친다. KB 심상치료의 여섯 번째 심상척도이자 KB 심상치료 중급단계의 첫 심상척도가 관계성이다. 관계성 심상은 유아기부터 형성된 내담자의 심리적, 정신적 세계의 구조와 내용을 분석하고 해석하기 위한 척도이며, 그런 만큼 심상치료에서 매우 중요하게 다루어진다. 또한 관계성 심상척도는 사회생활 능력 및 대인관계의 구조적 장애를 분석하는 척도다. 일반적으로 관계성 심상척도의 체험과정에서 내담자는 자신에게 중요한 자아상, 자신의 문제점, 성격구조 및 가치관의 원인과 이유를 올바로 인식하고 자각할 수 있다. 그러나 실제 임상장면에서 내담자가 관계성 심상척도를 체험하는 것은 쉽지 않다. 내담자가 떠올린 주요 인물은 내담자가 일상생활에서 그 인물과 복합적인 경험 및 감정을 갖고 있을 수 있기 때문에 그 인물의 심상을 떠올리는 것은 쉽지 않은 것이다. 다시 말해 내담자는 자신과 관련된 인간관계에서 받은 상처 때문에 많은 갈등과 어려움을 가지고 있는 것이다. 이와 같이 관계성 심상척도에서는 부모와의 관계, 형제와의 관계, 권위자와의 관계가 표현되어 나타나기 때문에 임상장면에서 매우 중요하게 다룬다.

관계 향상 시스템
[關係向上 -,
relationship enhancement system]

일상적인 관계의 문제를 다루는 기술을 전문적으로 훈련하는 심리교육적 접근의 프로그램. 기타 가족치료

버나드 거니 주니어(Bernard Guerney, Jr.)가 만든 프로그램으로서, 인간관계 특히 부부관계에서 발생하는 갈등을 명확히 이해하고 자신이 느끼는 감정을 수용 및 표현하며, 문제를 협상하고 해결함으로써 만족할 수 있도록 하는 데 목적이 있다. 이 프로그램에서는 주로 다음 세 가지 기술을 부부에게 훈련시킨다. 첫째, 자신의 감정을 자각하고 다른 사람에게 그것을 투사하지 않도록 책임을 지는 개인적인 표현기술이다. 둘째, 상대방의 감정과 동기를 경청하는 공감적 반응기술이다. 셋째, 들은 것의 의미를 이해했다고 반응하는 대화의 기술이다.

관련어 | 심리교육적 가족치료

관계구성틀이론
[關係構成 - 理論,
relational frame theory: RFT]

기능적 맥락주의의 관점에서 인간의 언어와 인지에 접근하고, 다른 심리적 기능 영역에 생각이 미치는 영향을 잠재적으로 변화시키는 방법뿐 아니라 생각이 전개되는 맥락적 요인을 강조하며, 인간은 학습을 통해 구축한 언어와 인지구조 틀에 의해 사고하고 행동한다는 관점. 수용전념치료

정신병리에 대한 수용전념치료(ACT)는 관계구성틀이론에 기반을 두고 있다. RFT에서는 임의적으로 유추한 관계가 인간 인지의 핵심이다. 인간은 다양한 자극사건들 간의 관계를 유추해 내고 조합하며, 유추된 관계를 통해서 임의적으로 맥락을 통제할 수 있는 존재다. 그런데 유추된 관계는 자극기능이 가능하며, 이 과정에서 경험회피가 발생한다(Hayes, 2004). 인간의 언어와 인지는 임의적으로 유추하여 관계를 구성하는 관계구성과 학습에 의존하는데, 관계구성적 학습과정에서는 직접적인 경험 자극이 아니라 사건과 관계를 구성하는 언어적 활동과 같은 매우 간접적인 수단을 통해서 새로운 형태의 행동이 확립된다. 이러한 관계구성은 상호 수반적 특성을 지니므로 언어적 상징과 행동 간 자극 기능의 전환이 가능해진다. 예컨대, 냄비라는 단어를 배운 어린아이가 가스 불 위에 있는 냄비를 만지게 되었다면, 이후에 냄비라는 단어를 들을 때마다 몸이 움츠러들 수도 있다. 이처럼 언어와 인지는 그것이 행위와 상호 교환될 때 심리적 의미를 창조한다. 이러한 양방향적 특성은 인간의 자기지각을 유용하게 만들지만, 동시에 이 같은 인지적 특성 때문에 인간의 자기지각은 고통을 초래하기도 한다. 따라서 인간의 언어와 인지는 양날을 가진 칼과 같다. 인간 인지의 양방향적 속성에 따라 인간은 이전에 고통스러웠던 사건에 대한 심리적이고 정서적인 반응을 현재로 회귀시킬 수 있다. 고통을 피하려고 애쓰는 동물은 그것이 발생한 상황을 회피함으로써 고통을 피할 수 있지만, 인간의 경우에는 언어 및 인지작용의 관계구성과 관련되어 생긴 고통이기 때문에 상황을 회피하는 것만으로는 고통을 피하는 것이 어렵다. 그래서 인간은 자기방어적으로 고통스러운 생각과 감정을 피하려고 애쓰기 시작한다. 이것이 경험회피인데, 실재와 접촉하지 못하므로 필요한 정보와 기술의 습득이 어려워져서 고통을 심화시키는 부적응적인 악순환을 초래하기 쉽다. 또한 관계구성적으로 학습된 내용이 인간의 행동을 조절할 수 있는 다른 원천을 지배해 버리는데, 이를 인지적 융합이라고 한다. 따라서 인지언어적인 관계구성으로 습득된 것이 지배적일수록 개인은 지금-여기의 경험을 덜 알아차리게 되고, 언어적 법칙에 더 지배를 받는다. 이와 같이 인간 조건을 구성하는 인지적이고 언어적인 과정은 인간에게 보이지 않는 세상을 상상할 수 있게 해 주지만, 정신착란이 일어나게 할 수도 있다. 예컨대, '나는 쓸모없어.'라는 생각과 융합되어 이러한 생각을 자신의 역

사 속에서 나온 생각으로 관찰하기보다는 이 생각이 문자적인 사실처럼 되어 자극의 기능을 하고, 또한 이에 대한 반응으로 수많은 문제를 야기할 가능성이 있다(문현미, 2006). 이와 같이 RFT는 언어와 인지가 행위와 경합되어 생길 수 있는 경험회피와 인지적 융합 등의 문제점을 지적하며, 그것에 대한 해결방법을 ACT에서 제시하고 있다. 관련 치유 기제로는 수용, 인지적 탈융합, 맥락으로서의 자기, 현재에 존재하기, 가치, 전념적 행동 등이 있다.

관련어 경험회피, 수용전념치료, 인지적 융합

관계망상
[關係妄想, delusion of reference]

어떤 동작이나 말, 노래, 가사, 책에 있는 문장 등이 자기 자신에게 특별한 관계가 있다고 믿는 망상장애의 유형. 정신병리

관계망상이 있는 사람은 사소한 일을 망상적 개념체계에서 생각하여 다른 사람의 사소해 보이는 행동 속에서 개인적인 의미를 판독한다. 예를 들면, 관계망상장애 환자는 어깨너머로 들리는 대화 내용이 자신에게 해당되고, 자기가 일상적으로 걸어 다니는 거리에 어떤 사람이 계속적으로 나타나면 자신을 감시하고 있다고 생각한다. 또한 텔레비전을 보거나 잡지에서 읽은 내용도 어떤 식으로든 자신과 연관된 것이라고 생각한다.

관련어 망상장애

관계망치료
[關係網治療, network therapy]

내담자의 문제를 치료하기 위해서 내담자를 잘 아는 가족이나 친구들과 함께 모여 시행하는 치료적 접근. 가족치료 일반

보통 내담자의 집에서 이루어지고 가족, 친구, 이웃, 그 외 다른 사람이 참가할 수도 있다. 이들은 상담의 과정에서 내담자를 지지해 주는 방식으로 치료에 도움을 준다. 스펙(Speck)과 앳니브(Attneave) 등이 시작한 치료법으로 가족, 확대가족, 이웃, 기타 전문가 등 가족구성원과 의미 있는 접촉을 갖는 사람들이 치료적 면접장면에 출석한다. 함께 참석하는 인원이때로는 50명에서 100명 정도가 되는 경우도 있다. 이 같은 인간의 관계망은 종족(tribe: 트라이브)이라고 호칭되어 왔다. 지목된 환자(IP)가 보이는 문제행동은 자신의 특성뿐만 아니라 좁게는 자신과 가까운 인간관계와 나아가서는 그 관계를 둘러싸고 있는 여러 가지 상황이 복잡하게 얽혀 작용한 결과다. 기존의 상담이론에서는 증상을 보이는 사람만 대상으로 치료를 하였고, 이 경우 일시적으로 치료가 되는 것처럼 보였지만 가장 큰 문제는 그 효과가 일상생활에서 장기적으로 지속되지 않는다는 점이었다. 장기적인 변화를 일으키기 위해서는 가족 자체의 체계 변화만으로는 치료의 한계가 있으며, 가족에 한정되지 않고 더욱 넓은 지원 관계의 도입이 필요하였다. 이에 따라 스펙과 앳니브 등은 문제해결에 도움이 된다고 생각하는 사람을 가족 외에서 찾아내서 가족치료에 참가하도록 하였고, 지원적인 관계망을 만들어 내담자의 변화된 삶을 적극적으로 지지하는 환경을 조성하기 위한 치료를 한 것이다. 어떤 사람들을 지원적 자원이라고 파악할지는 상담자와 가족이 생태도(ecomap) 만들기를 하면서 서로 이야기하여 정하는 것이지만, 그 작업 자체가 치료효과를 가지고 있다. 이 치료는 사회적 지원 관계망 만들기, 자조집단 만들기와 더불어 점차 주목을 받고 있다.

관계망형성
[關係網形成, networking]

사람과 사람, 그리고 집단과의 연결을 만들어 내는 커뮤니케이션. 생태학적 치료

원어 그대로 네트워킹이라고도 부르는 관계망형

성의 주요 목적은 정보와 연락처를 서로 공유하는 것이지만, 단순하게 자료를 전달하는 것을 넘어서 지식의 창조와 교환까지 확대할 수 있다. 관계망형성은 새롭게 창출되는 사상과 생각을 나눌 수 있게 하는데, 수직적인 것에서 수평적인 것으로 힘을 이동시켰다. 그 결과 개인의 삶을 완전히 자유롭게 하였다. 관계망의 형성으로 개인은 강해지고, 그에 속한 사람들은 서로 성장해 나갈 수 있었다. 즉, 관계망형성을 위한 환경에서의 보상은 다른 사람을 짓눌러서가 아니라 다른 사람을 강하게 함으로써 얻을 수 있는 것이다. 한편, 위계적 조직 내에서 정형화된 형태의 비공식 관계망형성이 존재한다. 관계망형성을 중시하는 사람들은 관계망형성을 위한 환경에서 일할 때 자신의 가치를 발휘한다. 이들은 쉬는 시간에는 자신만의 네트워크를 시작하고 참여하며, 서로 통하는 사람들과 접촉할 수 있는 기회를 갖는다. 오늘날 인간들은 한 네트워크에만 속하는 것이 아니라 은하수처럼 많은 네트워크 속에 살아가고 있다. 관계망형성은 자연적으로 주어지는 것이 아니며, 지속적으로 갱신하고 유지작업이 필요하면서 이를 재생산하므로 클럽이나 동창회 같은 각종 사교조직, 여가활동 등의 특정한 제도적 장치가 투입된다. 이러한 제도적 장치에는 개인적 성향, 기질과 함께 특정한 능력과 자질이 요구된다. 특히 여성의 관계망형성은 오랜 기간 지속되며, 접촉이 매우 빈번한 관계로 가족 간 관계가 중심이 되는 반면, 남성의 인간 관계망은 오랜 기간 지속되지만 빈번하게 만나지는 않는 관계로 친척, 동향, 동창생들 간의 관계가 중심이 된다. 여성은 어릴 때 부모에게서 모성적으로 행동하도록 배우며, 남성은 도구적 행동에서 전문화하도록 학습된다. 즉, 부모들은 가족으로부터 소년들의 해방은 재촉하지만, 소녀들의 해방은 저지한 채 독립적인 행동의 기회를 주지만 자식으로서의 순종을 요구한다. 남성들의 강력한 우정은 초기 사회화 과정에서 경험한 경쟁적인 팀 활동과 연결된다. 반면, 여성은 초기 사회화 과정에서 가족이나 친족 간 유대를 유지할 것을 요구받고 있는데, 관계망형성의 참여에도 제한을 받는다.

관계성 질문
[關係性質問, relationships question]

내담자가 문제해결의 상황을 자기중심적 생각에서 벗어나 중요한 타인의 시각으로 보면서 문제해결에 관한 새로운 가능성을 찾는 데 도움을 주는 질문. 해결중심상담

해결중심접근의 치료에서 내담자가 자신의 희망, 힘, 한계, 가능성 등을 지각하는 것은 중요한 타인이 자신을 어떻게 보고 있을까 하는 생각과 밀접한 관계가 있다고 본다. 따라서 내담자의 문제가 해결되었을 때 어떤 일이 일어날 것인지에 대한 예측과 함께, 그 문제가 해결된 자신의 삶에서 맺게 되는 다양한 관계가 어떻게 달라질 것인지에 대해서도 예측해 보는 것이 중요하다. 또한 문제가 해결되었을 때 다른 사람들이 내담자의 모습을 보고 어떤 생각을 할 것인지에 대해서도 예측해 보는 작업이 필요하다. 이렇게 관계성 질문을 통해 문제가 해결된 내담자의 삶을 다양한 입장에서 살펴보면, 이전에는 생각하지 못했던 새로운 해결의 가능성을 만들어 낼 수도 있다.

관계실험
[關契實驗, relationship demonstration]

가족의 체계에 대해 이해하고 있는 부부를 대상으로 그들이 가족체계에 어떠한 영향을 미치고 있는지 깨닫도록 하는 기법. 부부상담

포가티(Fogarty, 1976)는 관계실험을 통해 부부가 자신들의 부부체계와 가족체계가 무엇에 영향을 받고 있는지 인식하는 데 도움을 주기 위해 도망가는 사람과 쫓아가는 사람 부부를 예로 설명하였다.

한쪽은 계속 도망가는 행동을 하고 다른 한쪽은 상대방을 계속 쫓아가기만 하는 행동은 둘 사이의 관계를 개선시키기보다는 지속적으로 역기능적인 관계를 강화하는 영향력을 미친다. 따라서 도망가는 사람은 도망을 멈추고 쫓아오는 상대방을 향해 자신의 감정과 정서를 표현하도록 하며, 쫓아가는 사람은 쫓는 것을 중단하고 상대방에게 가까이 다가서는 것을 멈추도록 하는 것은 기존의 반복된 행동패턴이 흩어져 두 사람의 관계체계에 새로운 변화를 가져오는 효과를 줄 수 있다. 이러한 시도는 부부가 각자에게 혹은 두 사람 관계에서 어떤 일이 벌어지고 있는지와 변화의 필요성에 대해 인식하는 계기가 된다.

관계집단
[關係集團, relationship groups]

해결중심접근의 치료에서 사용하는 집단치료의 한 형태로, 각 구성원들의 문제가 해결되었을 때 어떤 관계 변화가 일어날 것인지 시간선상에서 탐색해 보도록 하는 것. 해결중심상담

관계집단 속에서 각 구성원들은 자신의 삶에서의 목적을 과거와 현재, 그리고 미래의 시간선상에서 여러 관계에 미치는 영향력에 대해 생각해 보는 기회를 갖는다. 즉, 상담자는 원하는 변화가 일어났을 때 가까운 장래에 바뀌게 될 여러 관계와 그 영향력에 대해 상상해 보고, 이러한 변화가 가능하도록 한 과거와 현재의 관계는 무엇이 될 수 있는지를 탐색한다. 이 같은 탐색으로 성공적이었던 친구관계, 사업관계, 가족관계를 회상함으로써 과거와 현재에 성공했던 예에서 배우는 기회를 얻고, 다른 집단구성원들의 피드백을 통해서도 문제를 해결할 수 있는 새로운 방법을 배울 수 있다. 관계집단에서 사용하는 질문의 예는 다음과 같다. "당신이 내일은 보다 좋아진 관계 속에서 깨어났다고 가정하십시오. 이 상황은 현재나 과거에 처했던 당신의 관계가 수정된 것으로 볼 수 있습니다. 새로운 관계에서 당신 자신에 대해 무엇을 믿을 것 같나요?" "만약 당신이 자신을 계속 믿고 있다면, 현재 당신의 삶과 일 그리고 가정의 관계에서 어떤 일을 더 많이 하고 있을까요?" "당신이 과거에 이런 방법으로 행동했을 때 당신에게 중요한 의미를 지닌 다른 사람들의 반응은 어떠했나요?" "만약 지금 당신의 이러한 관계를 확대해 나간다면, 당신에게 현재 중요한 의미를 지닌 다른 사람들은 어떤 말이나 행동을 할까요?" 등이다. 관계집단을 이끌 때 상담자가 질문에서 주의해야 할 점은, 그 질문들이 집단구성원들의 창조적인 믿음과 논리적인 행동에 초점을 맞추도록 해야 한다는 것이다. 즉, 구성원들의 잘못이나 과거의 실수에 대해서 논의하는 것보다는 예외의 상황이 벌어졌을 때를 상상하게 하는 등의 긍정적이고 창조적인 질문을 해야 한다. 관계집단의 한 회기가 끝난 다음에는 그날 집단에서 발언을 한 구성원들을 모두가 격려해 주고, 그것을 종이에 적어 서로 볼 수 있도록 해 주는 것도 좀 더 효과적인 관계집단이 되는 방법이다.

관련어 | 가족역동집단, 과정집단, 오전-오후과정집단

관념감각반응
[觀念感覺反應, ideo-sensory response]

무의식적 지식이나 신념이 일으키는 감각반응. 최면치료

관념역동반응의 일종으로, 시감각 · 청감각 · 촉감각을 포함한 오감적 반응을 말한다. 예를 들어, 맛있는 음식을 생각하면 침이 도는 미각적 관념감각반응과 과거 일을 생각하면 당시 경험했던 장면이 눈에 보이듯 선명하게 떠오르는 시각적 관념감각반응이 있다.

관련어 | 관념역동반응

관념역동반응
[觀念力動反應, ideodynamic response]

주변의 자극에 대해 의지나 의식과는 무관하게 일어나는 자동적 반응. 최면치료

무의식의 정보와 접촉하여 표출하는 것으로, 동의나 긍정의 의미를 표현할 때 고개를 위아래로 끄덕이는 것 또는 반대로 동의하지 않거나 부정의 의미를 표현할 때 고개를 좌우로 흔드는 것이 대표적인 예다. 이 같은 반응은 최면유도가 없는 상태에서도 볼 수 있으므로 일반적인 심리치료장면에서도 유용하다. 최면상태에서는 무의식과 접촉하도록 하기 때문에 치료과정을 단축시키는 효과가 있다. 대표적으로는 관념운동반응, 관념정서반응, 관념감각반응이 있으며, 많은 전문가가 이러한 것들을 소개하고 활용하고 있다. 치크(Cheek)와 레크론(LeCron)은 관념 역동법의 주요 옹호자이자 훈련가로서, 펜듈럼 기법과 손가락 기법의 다양한 사례를 소개하였다.

관련어 | 관념감각반응, 관념운동반응, 관념정서반응, 손가락 기법, 펜듈럼 기법

관념운동반응
[觀念運動反應, ideo-motor response]

무의식적 지식이나 신념이 신체의 근육에 영향을 미쳐 일으키는 운동반응. 최면치료

관념역동반응의 일종으로 무의식 정보가 신체신호로 전달되는 것이다. 이는 최면감수성이 낮은 사람에게 손가락과 같은 신체부위의 불수의적 운동반응을 통하여 직접 기억의 형태로 떠오르지 않는 무의식적 정보를 얻는 데 활용된다. 또한 깊은 수준의 최면상태에서도 특정 정보를 제대로 얻을 수 없을 때 활용할 수 있다. 대표적인 기법으로는 펜듈럼 기법과 손가락 기법을 들 수 있다. 프랑스의 유명한 화학자이자 국립역사박물관 관장이던 슈브럴(Chevreul)의 펜듈럼 연구에서 시작되었는데, 고대의 마술적 최면 전통 중 임신한 여인의 배 위에 펜듈럼이라고 불리는 추를 들고 추의 움직임으로 태아의 성별을 감별하는 풍습의 과학적 근거를 밝히면서 발견한 원리다. 슈브럴은 실험을 통하여 펜듈럼의 작용은 무의식적 관념이 근육 움직임에 영향을 미친 것을 밝혔다. 이후 미지의 대상이나 사실을 알기 위해 사용하는 추를 '슈브럴의 펜듈럼(Chevreul's pendulum)'이라고 부르고 있다. 이를 최면의 원리와 연결한 사람은 당시 의과대학 교수였던 베른하임(Bernheim)이다. 그는 프랑스에서는 처음으로 최면을 정상적인 현상으로 간주하고 최면의 이론과 실제를 과학적으로 연구한 인물로, 관념운동반응을 최면의 본질적인 성질로 설명하였다. 에릭슨(Erickson)과 로시(Rossi)도 그들의 저서에서 최면유도와 치료에서 활용되는 관념운동반응을 상세하게 소개하였고, 이를 활용한 치료사례 관련 논의와 실습내용을 다루었다. 에릭슨은 그 이전에 저항적인 한 내담자를 어떻게 다루었는지 설명하면서 관념운동 기법을 소개하였다.

관련어 | 관념역동반응, 손가락 기법, 펜듈럼 기법

관념정서반응
[觀念情緒反應, ideo-affective response]

무의식적 지식이나 신념이 일으키는 자동적인 정서반응. 최면치료

관념역동반응의 일종으로, 대부분의 공포반응이 관념정서반응의 대표적인 예라고 할 수 있다.

관련어 | 관념역동반응

관련적 음악치료
[關聯的音樂治療, referential music therapy: RMT]

개스턴(T. Gaston)이 소개한 사회적 관점에서의 음악치료이론으로, 음악치료 접근방법에서 내담자가 체험하는 과정을 음악 외적인 것에 관련시켜 치료적 목적을 달성하고자 하는 방법. 음악치료

음악치료를 사회적 관점에서 보는 입장으로, 음악을 매개로 한 치료사, 내담자, 집단구성원들 간의 교류를 통한 관계 확립, 혹은 관계의 재확립을 중시하는 방법이다. 관련적 음악치료는 예술작품을 볼 때 작품 자체의 미학적 측면 외에 작품 외적인 사물이나 조건의 관련성에서 그 작품의 가치를 찾고자 하는 자세인 관련주의를 바탕으로 한다. 관련주의자들은 예술작품은 저마다의 메시지를 담고 있기 때문에 작품을 접하는 대상에게 작품과 연관된 사건, 사상, 정서, 현상 등을 환기시키고, 전달해 주고, 이해를 이끌어 내는 힘이 있다고 생각하면서 음악 또한 그 음악에 대한 진정한 이해는 그러한 관련적 내용들을 탐색해야 이루어진다고 믿었다. 따라서 관련주의적 입장에서 보면, 음악을 대하는 대상들이 그러한 작품 외적 경험을 할 수 있도록 해 준다면 그 음악은 가치 있는 것이 된다. 이를 바탕으로 한 관련적 음악치료는 음악이 지니고 있는 언어적 성격을 기반으로 하여 음악이 마치 언어처럼 뭔가를 전달해 주기 때문에 하나의 상징체계로서 음악은 인간 내면의 변화를 도출할 수 있다는 입장을 취한다. 개스턴은 주로 집단 중심의 활동으로 진행되는 음악치료에서 집단참여자들의 관계형성이 음악을 통해서 음악 외적 경험을 가능하게 한다고 보고, 집단 내 상호 역동이 활발하게 일어나도록 하는 안전한 환경을 중요하게 생각하였다. 음악은 언어를 사용하지 않는 비언어적 교류수단이면서도 언어의 전달적 특징을 가지고 있어서 내담자의 감정표현을 자유롭게 해 준다. 따라서 음악에서 공유되는 정서적 경험을 가능케 할 수 있다. 그뿐만 아니라 음악을 통한 자아성찰, 즐거움 및 자기만족 경험 등이 일어나 정서 및 행동수정과 같은 결과에 이를 수도 있다. 개스턴은 음악이 지닌 개인을 위한 기능을 설명하면서 미적 표현 및 경험의 필요, 표현정서에 미치는 문화적 배경의 영향력, 음악과 종교 간의 관계, 의사소통으로서의 음악, 구조적 현실로서의 음악, 섬세한 감성과 연관된 음악, 만족의 원천으로서의 음악, 집단 내 음악의 극대화 등을 고려해야 한다고 하였다. 그는 음악이 지니고 있는 기능적인 면보다는 음악으로 표현되는 정서에 미치는 문화적 배경의 영향에 주목했으며, 음악에 대한 개인의 반응 또한 그의 고요한 문화적 맥락 안에서 발현된다는 것을 중요하게 생각하였다. 이러한 사상하에서 음악을 치료적으로 사용할 때 치료의 현장에서 음악을 촉진하는 원리로 상호관계성 확립 및 재확립, 자기성찰을 통한 자긍심 조성, 에너지 및 질서를 이끌어 내는 독특한 리듬의 잠재적 역할 등을 이야기하였다. 관련적 음악치료는 이러한 개스턴의 입장에서 집단 내 구성원들이 치료사 및 자기 이외의 다른 구성원들과의 관계형성과정을 거치면서 음악의 모호성을 바탕으로 정서와 감정을 배출하는 것을 중심으로 진행되는 방법이다.

관리격자이론
[管理格子理論, managerial grid theory]

조직 관리자의 행동을 분류하여 구체적이고 효과적인 지도력을 제시한 논리적 틀. 기업 및 산업상담

블레이크와 무튼(R. Blake & J. Mouton, 1964)이 정립한 이론으로서, 관리자가 목적을 달성하는 데 필요한 요인을 제시하면서 그것은 생산과 인간에 대한 관리자의 관심이 중요하다는 것을 강조하고 있다. 생산에 대한 관심이란 직무 중심적 행동, 구조 중심적 행동과 비슷한 것으로 과업 중심적인 감독자의 태도를 말한다. 인간에 대한 관심은 목표달

성을 위한 개인 몰입의 정도를 말하며, 복종보다는 신뢰에 기초하는 책임감과 대인관계에 대한 만족도를 나타낸다. 생산에 대한 관심과 인간에 대한 관심의 정도가 낮으면 1점, 높으면 9점으로 표현하여 점수에 따라 조합되는 지도자 유형이 격자의 형태를 이루고, 총 81가지 유형이 형성된다. 이 중 대표적인 지도자 유형은 무기력형(impoverished style), 과업형(task style), 컨트리 클럽형(country club style), 중도형(middle of the road style), 팀형(team style)의 총 다섯 가지다. 무기력형은 생산에 대한 관심과 인간에 대한 관심이 모두 낮은 1.1형으로서, 생산의 목표달성과 근로자의 사기앙양에 최소한의 노력만 기울이는 지도자다. 과업형은 생산에 대한 관심은 높지만 인간에 대한 관심은 낮은 9.1형으로서, 작업의 목적과 임무달성에만 초점을 두어 작업의 효율성과 생산성만 강조하고 근로자의 사기는 무시하면서 철저하게 지시와 통제만으로 관리하려는 지도자다. 컨트리 클럽형은 생산에 대한 관심은 낮지만 인간에 대한 관심은 높은 1.9형으로서, 근로자의 사기앙양을 강조하여 조직의 분위기를 편안하게 이끌어 나가지만 작업수행과 임무는 소홀히 하는 경향이 있다. 중도형은 생산에 대한 관심과 인간에 대한 관심 모두 보통인 5.5형으로서, 작업수행과 근로자의 사기앙양을 적절하게 맞추면서 관리해 나가는 지도자다. 끝으로 팀형은 생산에 대한 관심과 인간에 대한 관심이 모두 높은 9.9형으로서, 조직의 목표와 인간에 대한 신뢰를 모두 갖춘 사람에 의해 조직의 목표가 달성되며 근로자의 참여를 강조하는 팀 중심적인 지도자다. 팀형이 이 이론에서 가장 이상적인 지도자형이라 할 수 있다.

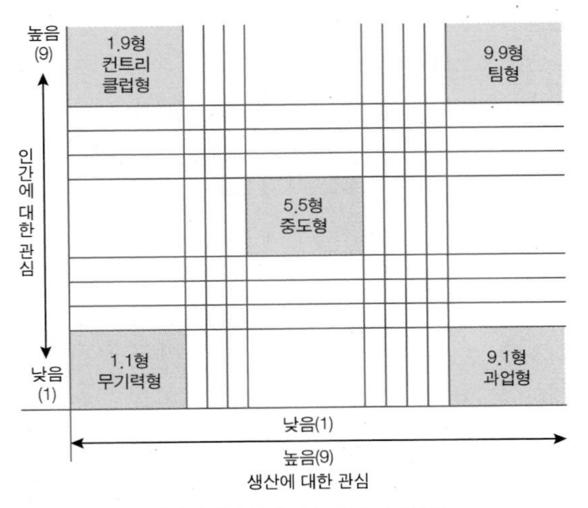

[관리격자이론에 따른 지도자 유형]

관심기울이기
[關心 – , attentiveness]

상담과정에서 상담자가 내담자의 호소문제 및 인간적 관심을 보이는 언어적, 비언어적 태도. 개인상담

관심기울이기는 상담자가 지녀야 할 기본 태도로서, 주로 상담의 초기단계에서 상담자가 내담자에 대한 관심이 있다는 것을 알리는 데 사용한다. 내담자에게 "그래요." "그랬군요." "아." "으음." "응." "참." 등의 단순한 음성 반응으로 관심을 표현할 수 있다. 또한 내담자의 자기노출에 대하여 부연(amplify), 반영(reflection), 요약(summary), 공감(empathy) 등의 기법을 사용하여 관심을 표현하기도 한다. 비언어적 태도의 관심기울이기는 시선, 자세, 몸짓, 얼굴표정, 목소리 등으로 나타날 수 있는데, 자연스럽고 일관된 눈빛으로 내담자와 시선을 주고받으며 내담자의 말에 적절하게 고개를 끄덕이고, 편안하고 진지한 얼굴표정과 따뜻하고 자연스러운 목소리를 내면서 적당한 속도로 말한다. 이러한 비언어적 태도를 'SOLER'로 나타내기도 한다. 즉, 차례대로 내담자를 똑바로 본다(squarely), 개방된 자세를 취한다(open), 내담자 쪽으로 몸을 기울인다(lean), 내담자와 눈을 맞춘다(eye contact), 이완된 자세를 취한다(relaxed)를 말하는 것이다. 이와 더불어 상담자는 내담자가 팔이 미칠 수 있는 거리에 위치하고 다가가는 움직임을 보이며, 부드러우면서도 상대의 느낌이나 자신의 느낌과 일치되는

표정을 짓고, 상대가 수용하는 만큼 신체적 접촉을 시도하여 관심을 보이고 도와주려는 열정을 나타낸다. 이 같은 상담자의 태도는 내담자에게 관심을 보인다는 것을 전달해 주어 내담자가 편안하게 자기노출을 하게 된다.

관련어 | 공감, 반영, 부연, 요약

관여
[關與, involvement]

라포형성을 포함하여 상담자와 내담자 간의 보다 광범위한 정서적 관계. 현실치료

현실치료의 상담과정은 관여, 책임의 소재 확인, 그리고 재학습의 3단계로 이루어진다. 글래서(W. Glasser)는 관여의 차원 없이는 진정한 상담이 이루어질 수 없다고 했으며, 상담자의 관여능력은 현실치료적 접근의 중요한 기술이라고 하였다. 상담자를 포함한 성공적인 사람과의 관여 없이는 내담자에게 어떠한 치료효과도 기대하기 어렵다. 내담자는 다른 사람들과의 관여에 실패했기 때문에 상담적 도움을 청하러 왔으며, 따라서 상담자는 상담 초기 동안 내담자에게 충분한 관심과 경청하는 모습을 보여 준다. 상담자는 전문인으로서보다는 오히려 한 인간으로서 내담자의 문제에 공감하고 정서적 관계를 형성하도록 노력한다. 상담자가 진정한 자기를 드러낼 때, 즉 자기 자신을 표출할 때 내담자와의 밀착된 상담관계가 형성될 수 있다. 또한 상담자가 내담자를 믿고 있다는 점과 내담자의 긍정적 변화에 대해 확신하고 있다는 것을 내담자가 느끼도록 한다. 상담자의 관여로 내담자는 수용되고, 보살핌을 받고, 관심을 받는 경험을 하지만, 상담장면에서는 서로에게 허용되는 것과 허용되지 않는 것을 포함하여 개인의 자유에 대한 한계를 분명히 설정하는 것이 필요하다.

관련어 | 재학습

관음증
[觀淫症, voyeurism]

다른 사람들의 성적 행위나 성적 부위를 몰래 봄으로써 성적 만족을 느끼는 성도착증의 일종. 성상담

절시증(竊視症, scopophilia)이라고도 하는데, 성행위를 하는 당사자들은 알지 못하는 사이에 그 장면을 훔쳐보거나 엿보면서 성적인 쾌감을 느끼는 증상을 말한다. 이들은 옷을 벗고 있거나 나체인 사람, 성행위 중인 사람 등을 몰래 관찰하거나 그러한 상상을 하면서 성적 충동을 느끼고 강렬한 성적 흥분을 경험한다. 관음증은 DSM-IV에서는 성적 장애 및 정체감 장애의 변태성욕 중 관음증으로 분류했으나, DSM-5에서는 성도착장애의 하위진단기준으로 관음장애로 분류하고 있다. 진단 기준에 따르면, 앞에 서술한 증상들이 최소 6개월 이상 지속되고 관음증적 공상, 성적 충동 및 행동 등이 임상적으로 심각한 고통을 유발하거나 사회, 직업, 그 외 중요한 기능 및 영역에 장해를 초래할 때 관음증으로 진단을 내린다. 주로 남성에게 나타나는 정신성적장애의 하나로 대개 15세 이전에 발병하는데, 원인은 밝혀져 있지 않다. 발병이 되고 나면 경과는 만성적인 경우가 흔하다. 증상이 이른 시기에 시작되거나, 행위의 빈도가 높거나, 수치심 또는 죄책감이 없거나, 약물남용을 병행하는 경우에 예후가 좋지 않다. 정상적인 성관계를 경험한 사람은 예후가 좋은 편이고, 자발적으로 치료를 원하는 경우에도 사법적 상황에서 의뢰된 경우보다 예후가 좋다. 정신분석적 입장에서 볼 때, 자녀가 어린 시기에 부모의 성교장면을 목격하면 그 자녀는 외상적 경험 때문에 거세불안이 유발되고, 성인이 되어서 수동적으로 경험한 외상을 능동적으로 극복하려는 시도의 일환으로 그 장면을 반복적으로 재연하면서 관음증으로 발전한다. 관음증 환자는 몰래 보면서 자위행위를 하거나 목격한 장면을 회상하면서 자위행위를 한다. 이들은 대개 미성숙하고, 정상적인 이성관계에 문제

가 있는 사람이다. 다시 말해, 이성을 사귀는 사회적 기술이 부족하고, 자신에 대해 부적절한 태도를 가지고 있으며, 열등감이 강한 경향이 있다. 관음증 치료로는 근본 원인을 제거하고자 하는 정신치료나 인지행동치료를 활용하기도 하고, 약물의 도움을 받을 수도 있다.

관점바꾸기
[觀點-, reframing]

어떤 경험, 상황, 사건, 사실을 문제되는 기존의 관점과는 다른 관점에서 바라보고 기존의 의미와는 다른 의미를 부여함으로써 문제에서 벗어나도록 하는 언어적 기법. 최면치료 NLP

인지적 재구성, 재구조화, 인지적 재해석이라고도 부른다. 사건, 상황, 사람 간 관계, 행동패턴 등 어떤 대상에 대한 인지에서 2차적 변화가 일어나는 것, 혹은 일어나도록 하는 인지적 변화와 개입을 의미한다. 예를 들어, '키가 작다.'고 하는 대신 '작은 고추가 맵다.'라는 차원에서 생각하고 말한다거나, '밤에 잠을 잘 못 이룬다.'고 고민하는 대신 '조용한 밤 시간을 잘 활용할 수 있어서 좋겠다.'고 생각함으로써 오히려 적극적인 자세를 취하는 것이다. 몸이 아픈 것에 대해서 고통스러워하기보다는 스스로를 돌아볼 수 있는 좋은 기회라는 식으로 관점바꾸기를 하여 자신의 상태를 수용할 수도 있을 것이다. 이 같은 관점바꾸기는 사람들이 자신의 실체를 만들어 간다는 철학적 구성주의에 근거하고 있다. 상담에서 관점바꾸기는 내담자에게 다르게 생각하도록 만들어 주어 새로운 관점으로 보게 하거나 또는 다른 요인을 찾도록 하여 사상(event)에 대해 다르게 반응하도록 이끈다. 사상에 대한 해석은 개인의 인지구조에 달려 있기 때문에 지각의 틀을 변화시키면 의미가 바뀌고 그처럼 의미를 바꿀 때 사람들의 반응과 행동 또한 변하게 된다. 상담에서 중시하는 변화의 개념을 1차적 변화(first order change)와 2차적 변화(second order change)로 구분할 때, 1차적 변화는 문제가 발생했을 때 그것을 해결하고자 하는 시도로서 경우에 따라 문제를 유지, 악화시키기도 한다. 2차적 변화는 역설적인 요소를 갖는 것으로서 문제를 완전히 다른 관점에서 생각하여 문제 자체가 아닌 것으로 바뀌는 경우를 의미한다. 관점바꾸기의 방법은 상황에 대한 틀을 바꾸는 맥락 관점바꾸기와 내용에 대한 틀을 바꾸는 내용 관점바꾸기의 두 가지 방법이 있다. 관점바꾸기 기법에는 세 가지 필수 전제가 있다. 첫째, 사람은 변화에 필요한 모든 자원을 가지고 있다. 둘째, 의사교류는 의식과 무의식 사이에서 형성된다. 따라서 의사교류의 중재가 적절히 이루어지면 무의식의 마음과 소통을 할 수 있고 필요한 자원을 무의식을 통하여 접할 수 있다. 셋째, 사람에게는 여러 부분이 있다. 무의식 역시 여러 부분으로 이루어져 있어서 각각은 여러 행동이 일어나도록 영향을 준다. 따라서 현재 변화시키고 싶은 부분과 관련된 의식과 무의식 사이에 의사교류가 일어나도록 할 수 있다. 이렇게 하여 발생한 무의식의 변화는 틀이 바뀌는 결과를 쉽게 만들어 준다. 즉, 분아들(parts)이 포함되어 있는 것이 사람이므로 각각의 분아는 어떤 행동영역을 만들어 내는 데 책임이 있다는 것이다. 관점바꾸기는 인지적 접근의 상담에서 가장 핵심적으로 사용되며, NLP는 물론 이야기 상담, 밀턴 에릭슨(Milton Erickson)의 상담 등 다양한 상담 접근에서 활용되고 있다.

내용 관점바꾸기 [內容觀點-, content reframing] NLP의 관점바꾸기의 하나로, 특정 진술에서 그 내용을 다른 것에 초점을 둠으로써 진술문을 다른 의미로 해석하거나 받아들이는 것이다. '이것은 어떤 다른 의미가 있는가?'와 같은 질문을 통해서 내용 관점바꾸기를 할 수 있다.

맥락 관점바꾸기 [脈絡觀點-, context reframing] NLP의 관점바꾸기의 하나로, 특정한 상황과 사건을 다른 맥락에서 해석하고 평가하는 것을 말한다. 예를 들면, '비가 온다.'는 것을 운동회라는 맥락에서 생각하면 나쁜 것이 되지만, 농촌의 모내기철이라는 맥락에서 보면 오히려 좋은 것이 된다. 이는 맥락에 따라 상황에 대한 평가가 달라질 수 있다는 말이 되므로 맥락 관점바꾸기에 해당한다. 맥락 관점바꾸기를 위해서는 '이 일을 어떤 다른 맥락에서 볼 때 다르게 평가될 수 있을까?'와 같이 물어볼 수 있다.

의미 관점바꾸기 [意味觀點－, meaning reframing] NLP의 관점바꾸기의 하나로, 어떤 상황이나 일을 기존의 의미가 아닌 다른 의미로 해석하는 것을 말한다. 예를 들면, '키가 작다.'는 것은 '작은 고추가 맵다.'는 의미로, '몸살에 걸렸다.'는 것은 '쉴 수 있는 기회가 생겼다.'는 의미로, '실패했다.'는 것은 '재도전할 수 있는 새로운 기회를 얻었다.'는 의미로 관점을 바꾸어 해석할 수 있다. 이와 같은 의미 관점바꾸기를 통하여 문제에서 쉽게 벗어날 수 있다.

관련어 | 긍정적 해석

관점의 변화
[觀點－變化, change of view]

인생에서 가 보지 않은 길의 가능성을 탐색할 수 있도록 하는 글쓰기치료기법. 문학치료(글쓰기치료)

글쓰기치료에서 '만약 ~했다면' 또는 '만약 ~하지 않았다면'과 같은 생각이 계속 떠오를 때, 선택하지 않은 상황을 선택했다고 가정하여 이후의 인생이 어떻게 변화할 것인지 쓰는 것을 관점의 변화라 한다. 이외에 나의 경험에 대해 1인칭으로 쓴 뒤에 다시 3인칭으로 화자를 바꾸어 쓰는 방법도 관점의 변화다.

관련어 | 3인칭 글쓰기, 보내지 않는 편지, 성찰적 글쓰기

관점의 전환
[觀點－轉換, switch perspectives]

글쓰기를 할 때 대개는 1인칭으로 글을 쓰는데, 이를 2인칭 또는 3인칭이나 관찰자적 입장에서 다시 써 보게 하는 치료기법. 문학치료(글쓰기치료)

언어학적 연구를 통해, 견디기 어려운 감정의 격변을 직접 경험한 사람들이 그 사건을 자신이 아닌 다른 관점에서 바라볼 수 있는 능력을 발휘했을 때 실제 정서적, 신체적 건강증진에 도움이 된다는 것을 발견하였다. 관점의 변화에서는 글을 쓸 때 사용하는 대명사가 가장 중요하게 활용된다. '나(I)'를 포함한 1인칭의 모든 변형은 당사자의 개인적인 관점으로, 모든 표현이 자기 입장에 집중되는 경향이 있다. 글을 쓸 때 자신의 경험을 2인칭이나 3인칭 혹은 관찰자적 입장으로 보면 같은 경험이라도 다르게 체험할 수 있다는 것이 관점의 전환기법의 기본 전제다. 글쓴이가 1인칭 대명사를 사용하는 비율이 낮아질수록 표현적 글쓰기가 더욱 큰 효과를 발휘한 것으로 나타났다. 관점을 전환하여 글을 쓰면 견디기 힘들었던 외상적 경험으로 인한 심신의 고통을 다른 차원에서 바라보는 시각이 생겨, 그 경험에 관해 폭넓게 이해하고 수용할 수 있다. 먼저 한 주제에 관해서 자신의 입장, 즉 1인칭으로 글을 쓴 다음, 그 글을 읽어 가면서 1인칭으로 표현된 모든 어휘에 표시를 한다. 그다음 같은 주제로 글을 쓸 때, 3인칭 대명사로 바꾸어 써 본다. 어떤 경우에는 상징적 독자를 정해 둔 다음 글을 쓸 수도 있다. 예를 들어, 자신에게 영향력을 미칠 수 있는 권위 있는 인물이나 비밀을 털어놓을 수 있는 가까운 친구 혹은 자신이 경험한 외상과 관련된 인물 등을 정해 두고, 그들이 읽는다는 전제로 글을 쓴다. 물론, 쓴 글을 그들에게 보여 주지는 않는다. 1인칭으로 자신에게 집중된 상태에서 글을 쓰는 데서 벗어나 관련 인물이나 관찰자적 관점에서 사건을 재조명하게 하여, 과거를 재구성하는 효과를 기대할 수 있다.

관점치료
[觀點治療, perspective therapy]

인간 삶의 문제를 바라보는 다양한 관점에 대한 성찰과 변형을 통해 내담자를 치료하고자 하는 접근방법. 철학상담

관점은 19세기에 등장한 철학의 주요 개념으로, 철학상담의 단서가 되는 것이다. 우리의 감정, 생각, 행동을 지배하는 관점을 형성하는 것은 우리를 사로잡는 담론들이며, 이것이 세상을 해석하는 요소가 된다. 관점은 이 요소의 틀을 이루고 있는 것으로서, 세상을 살아가는 데 중요한 매체다. 이 매체에 의해서 우리의 행복과 불행, 그리고 건강상태가 결정된다. 말하자면, 담론들이 모여 관점을 형성하고, 이 관점에 따라 우리의 삶이 작동하는 것이다. 결국 관점은 우리의 삶을 이루는 중요한 요소이며, 관점을 통하여 삶을 진단하고 병을 치료하는 것이 관점치료다. 니체(Nietzsche)는 계보학이라는 방법론으로 관점과 삶의 연관성 속에서 관점이 삶에 미치는 영향을 비판적으로 검토함으로써 관점의 가치를 평가하였고, 그 비판적 평가를 건강한 삶을 위한 가치창조라는 대안적 사유의 모색으로 전환시켰다. 다시 말해, 니체는 관점에 대한 연구와 관점의 전환을 통하여 삶의 진단과 치료라는 관점치료를 제시했던 것이다. 관점치료는 다음과 같은 4단계로 진행된다. 첫 번째 단계는 관점-성찰(perspective-reflection)이다. 내담자를 지배하고 있는 관점의 정체를 파악하는 단계로서, 내담자를 사로잡고 있는 관점들, 즉 인생관, 가치관, 세계관 등의 관점을 중심으로 내담자의 문제를 살펴봄으로써 내담자의 문제를 형성하고 있는 중심적 관점을 이끌어 낸다. 두 번째 단계는 관점-이해(perspective-understanding)다. 관점과 관점의 외적 상황의 역학관계를 추적하는 계보학적 단계로서, 이 단계에서는 문제의 관점들이 발생하게 된 유래를 파악한다. 다시 말해, 특정 관점이 문제시되는 내·외적 상황을 파악하는데, 그 원인을 특정 관점과 그 관점의 주변환경 사이의 역학관계 속에서 파악하는 것이다. 그렇게 함으로써 문제의 실마리를 모색한다. 세 번째 단계는 관점-공감(perspective-sympathy)이다. 문제시되는 관점을 심정적으로 이해하는 단계로서, 이 단계에서는 문제시되는 관점에 수반되는 심리적이고 정서적인 아픔과 고통을 공감함으로써 마음의 평정을 이루려고 한다. 마지막 단계인 네 번째 단계는 관점-조형(perspective-molding)이다. 관점의 이해와 마음의 평정을 기반으로 하여 문제를 실천적으로 변형하는 단계, 다시 말해 자신의 관점을 실천적으로 조형하는 단계다. 좀 더 구체적으로 자신의 관점에 대한 심화, 확장 혹은 변형을 선택하는 단계이자 실천하는 단계다. 그런 만큼 이 단계에서는 조형력(plastische kraft)이 필요하다. 조형력을 통하여 내담자는 자신의 관점을 심화, 확장, 변형할 수 있는 것이다. 요컨대 첫 번째 단계에서는 문제시되는 관점을 성찰하고, 두 번째 단계에서는 문제시된 관점의 내·외적 역학 관계를 이해하며, 세 번째 단계에서는 문제시된 관점에 수반되는 심리적이고 정서적인 아픔과 고통을 공감함으로써 마음의 평정을 시도하고, 마지막 단계에서는 관점의 이해와 마음의 평정을 기반으로 자신의 관점을 실천적으로 조형하는 것이다.

관찰법
[觀察法, observation method]

피험자의 행동을 관찰하여 자료를 수집하는 연구와 평가의 기본 수단. 연구방법

관찰법은 과학적 연구에서 가장 오랜 역사를 가진 방법인 동시에 연구의 기본 수단이라 말할 수 있다. 특히 유아를 대상으로 하는 연구는 관찰법에 의존하는 경우가 많은데, 왜냐하면 유아는 아직 자신의 생각이나 느낌을 제대로 표현할 수 없어서 질문

지나 검사 등 다른 방법으로 필요한 정보를 얻기가 어렵기 때문이다. 관찰다운 관찰이 이루어져 필요한 정보를 수집하기 위해서는 사전에 면밀하게 계획해야 하고, 타당하면서도 신뢰할 수 있고 객관적인 관찰이 이루어져야 한다. 따라서 관찰은 인간 이해의 가장 기본적인 방법이지만, 관찰자의 훈련과 기술이 크게 요구된다고 할 수 있다. 관찰법이 자료수집의 방법으로 유용한 경우는 반응자 스스로 자료수집을 위한 활동을 하거나 보고할 능력이 부족한 경우와 다른 측정 방법을 사용하면 연구대상의 사회적 상호작용 과정을 방해할 염려가 있는 경우다. 관찰법은 분류하는 기준에 따라 여러 가지로 나누어진다. 예를 들어, 관찰상황의 통제 여하에 따라서 자연적 관찰과 통제적 관찰로, 관찰자와 피관찰자 간의 참여 여하에 따라서 참여 관찰(participant observation)과 비참여 관찰(non-participant observation)로 나눈다(이종승, 2009). 자연적 관찰은 관찰상황을 조작하거나 인위적으로 특별한 자극을 주는 일 없이, 자연적인 상태에서 있는 그대로를 관찰하는 방법이다. 이는 자칫 잘못하면 관찰의 신뢰도가 떨어질 염려가 있어, 관찰자의 훈련이 특히 문제가 되고 피관찰자에게 접근하기 어려운 문제가 있다. 통제적 관찰이란 관찰의 시간·장면·행동 등을 의도적으로 설정해 놓고 이러한 조건하에서 나타나는 행동을 관찰하는 방법이다. 예를 들어, 관찰자가 밖에서 들여다볼 수 있도록 장치된 방 안에서 유아를 놀게 한 다음 유아의 놀이행동을 관찰하는 것이다. 통제적 관찰은 보통 실험적 관찰법이라고 하는데, 어떤 행동을 발생시킬 특정한 환경적 조건을 설정한 다음 필요한 동일 행동을 반복시켜 정확한 관찰을 되풀이할 수 있게 만든다. 독립변인을 통제할 수 있다는 인위적 조건 때문에 종속변인으로서의 피관찰자의 행동을 분석하기 쉽고, 실험 전후의 결과를 비교할 수 있다는 장점이 있다. 그러나 관찰조건을 통제한다는 것이 그렇게 쉬운 일이 아니라는 점과 아무리 독립변인을 통제하더라도 그에 개입될 오차변인 때문에 판단 및 해석에 오류를 범할 수 있다는 단점이 있다. 또한 관찰조건의 인위성 때문에 실제 생활장면에 그대로 적용할 수 있는가 하는 의문, 즉 일반화의 범위가 제한된다는 단점이 있다. 참여 관찰이란 관찰자가 피관찰자와 함께 생활하면서 피관찰자의 행동을 관찰하는 것을 말한다. 참여 관찰을 하는 경우에는 피관찰자가 의식하지 못한 상태에서 관찰하는 것이 최상의 방법이지만, 이것이 불가능하다면 아예 관찰자임을 알리고 피관찰자와 같이 생활하면서 그들의 행동을 알아본다. 참여 관찰은 심층적이고 포괄적인 연구를 할 수 있다는 점과 평소에는 관찰할 수 없는 특수한 행동에 관한 자료를 수집할 수 있다는 장점이 있다. 반면에 관찰자의 많은 인내와 용기가 필요하며, 감정적 요인의 영향을 받기 쉽고 경우에 따라서는 피관찰자가 관찰자를 의식한 나머지 일상 행동과는 다른 독특한 행동을 할 우려가 있다는 단점이 있다. 비참여 관찰이란 관찰자가 피관찰자의 생활에 참여하지 않고 관찰하는 것을 말한다. 대부분의 관찰은 비참여 관찰이라고 볼 수 있다. 이것은 통제적 관찰일 수도 있고 자연적 관찰일 수도 있다. 비참여 관찰에서는 피관찰자가 관찰자를 의식하고 있어도 하는 수 없다. 이 관찰의 장점은 관찰을 주지적이고 계획적으로 할 수 있다는 점이다. 그러나 심층적인 자료를 얻기 어렵고 피상적 관찰이 되기 쉬운 단점이 있다. 관찰의 방법과 관찰결과를 기록하는 방법에는 학생 개개인의 인성이나 적응 양식 등을 이해하기 위하여 구체적인 행동 사례를 될 수 있는 대로 상세하게 기록하는 일화기록(anecdotal record), 미리 정한 기준(시간, 인물, 상황 등)에 따라 관찰한 행동이나 사건 내용을 기록하고 그것이 일어난 환경적 배경을 자세히 이야기체로 서술하는 표본기록(sample record), 장기간의 관찰 중에 5분 혹은 10분, 더 짧게는 1분씩 시간을 잘라서 그 사이의 관찰사항을 정리하면서 반복하는 시간표집(time sampling), 관찰하고자 하는 특정 행동이나 사건이 발생하기를 기다렸다가 관찰하는 사건표집(event sampling), 그리고 같은 개인을 관찰자가 원하는 행동이 나타날 여러 가지의 장면, 즉 일반성을 확보하기 위해서 교실, 운동장, 교회, 자유놀이, 소풍 등의 장면에서 관찰하는 장면표집(situational sampling) 등이 있다. 한편, 질적 연구 자료수집에서 행해지는 관찰법은 연구자에 의한 완전한 비참여에서부터 협동연구자와의 완전 참여에 이르기까지 다양한 활동을 제시한다. 이러한 형태의 자료수집을 참여자 관찰이라 불리는데, 연구자에 의한 참여의 수준은 질문설계에 의존한다. 몇몇 질적 연구자들은 관찰에 앞서 질문이나 관찰의 지침서를 미리 준비한다. 이는 참여자 자료와 연구자 노트를 위해 기대되는 정보와 공간의 예정된 영역의 인쇄양식이다. 또 다른 질적 연구자들은 답사 내용을 자세히 기록하는 현장노트를 만들어 관찰을 이해하는데, 이미 설계된 지시문보다 형식적이지 않은 메커니즘에 의존하려는 선택을 할 수 있다. 여기에는 관찰자 코멘트, 분석 노트, 리플렉션, 현장일지, 사진, 오디오와 비디오 리코딩, 그림, 다이어그램 등이 있다.

관찰자 편향
[觀察者偏向, observer bias]

관찰결과를 평정할 때 관찰자의 기대가 행동을 보고하거나 확인하는 과정에서 오류로 이끄는 관찰자의 편견. 연구방법

관찰자 편향은 기대 효과와 비슷한 것으로 관찰자가 가설 또는 선행연구의 결과를 인식할 때 더 자주 나타나는 경향이 있다. 길퍼드(Guilford)는 관찰결과를 평정할 때 관찰자 편향성 때문에 발생할 수 있는 오류로 관용의 오류, 중심경향의 오류, 후광효과, 논리성의 오류, 근접의 오류, 대비의 오류 등을 제시하였다(Irwin & Bushnell, 1980, 재인용). 관용의 오류는 관찰대상에 대하여 지나치게 후하게 기록하려는 경향을 의미하며, 중심경향의 오류는 관찰결과를 기록할 때 가능하면 가운데 부분으로 기록하려는 경향을 의미한다. 또한 관찰자가 관찰대상에 대하여 좋은 인상을 가지고 있으면 관찰결과를 보다 좋은 쪽으로 기록하려는 경향이 있는데, 이를 후광효과라고 한다. 논리성의 오류는 논리적으로 관련 있는 항목에 대하여 같은 평정을 하는 경향을 의미하며, 근접의 오류는 가까운 위치에 있는 항목에 대하여 비슷한 평정을 하는 경향을 의미한다. 대비의 오류는 평가되는 속성을 어떻게 보느냐에 따라 자신과 정반대로 평가하거나 아주 비슷하게 평가하는 경향을 말한다. 한편, 리차즈(Richarz, 1980)는 관찰기록을 할 때 발생할 수 있는 오류로 누락의 오류, 첨가의 오류, 전달의 오류를 제시하였다(Bentzen, 1997, 재인용). 누락의 오류는 관찰대상의 행동을 이해하는 데 도움이 되거나 행동을 놓쳐 버리거나 필기를 잘못한 경우에 발생한다. 첨가의 오류는 현장에서 일어나지 않은 행동, 대화, 상호작용 등을 보고하거나 현장에 없었던 사람이 있었던 것처럼 보고하는 것과 같이 실제로 일어난 내용 이외의 정보를 포함시키는 오류를 말한다. 전달의 오류는 관찰한 행동에 대해 순서를 틀리게 기록하는 것을 의미하는데, 관찰기록을 할 때 시간을 기록하면 이러한 오류를 줄일 수 있다. 이외에도 관찰자는 성별이나 인종에 대한 편견 및 문화적인 편견 때문에 관찰결과를 평정할 때 오류를 가져올 수 있다. 이와 같은 관찰자의 오류는 관찰자 내 신뢰도 및 관찰자 간 신뢰도를 떨어트리고 연구결과의 정확도에 부정적인 영향을 미치기 때문에 관찰자 훈련을 통하여 극소화하도록 노력해야 한다.

관련어 | 편견, 후광효과

ㄱ

관찰집단
[觀察集團, group observing group]

실제로 수행하는 내부집단과 실제로 행해지는 집단을 관찰하는 외부집단의 2개 집단으로 나누어 이루어지는 상황, 혹은 두 집단 중 관찰을 하는 외부집단. 집단상담

관찰집단은 주로 집단상담의 교육목적으로 시행되고 있다. 혹은 일반적인 집단상담의 경우에도, 집단의 규모가 클 때 안집단과 밖집단으로 원을 이루게 되는데, 밖집단은 집단 회기가 시작되면 처음에는 관찰집단이 된다. 집단이 진행되면서 관찰집단은 실제 행하는 내부집단과 상호작용을 하면서 함께 역동을 만들어 가기도 한다. 관찰을 통해 집단을 분석하는 과정을 유리어항절차라고 하며, 이 경우 관찰되는 집단의 사적인 면은 전혀 없다.

관찰학습
[觀察學習, observational learning]

인지치료

⇨ '사회학습이론' 참조.

광범위 발달장애
[廣範圍發達障碍, pervasive developmental disorders]

매너리즘, 부적절한 사회적 행동, 비정상적이면서도 지체된 말과 언어의 발달 등을 포함하는 비정상적인 사회적 관계로 특정지을 수 있는 심각한 발달 장애. 특수아 상담

전반적 발달장애라고도 한다. DSM-IV에서는 자폐 장애, 아스퍼거 장애, 레트 장애, 소아기 붕괴성(헬러 증후군) 장애 등이 광범위 발달장애의 하위 유형으로 분류됐었다. 2013년에 발간된 DSM-5에서는 신경발달장애(Neurodevelopmental Disorders)라는 포괄적인 용어 내에 자폐 범주성 장애를 포함하고 있으며, 자폐 범주성 장애 내에 다섯 가지 범주성 장애의 특성이 기술되어 있다. 이들은 사회성, 의사소통, 인지, 행동 문제를 보이고, 이 장애가 있는 아동 대부분은 성인으로서 독립적인 생활을 하지 못한다. 자폐 장애와 아스퍼거 장애는 태어나면서부터 나타나는 반면에, 소아기 붕괴성 장애는 취학 전 이전에 비교적 정상적인 발달을 하다가 발생한다. 일반적으로 다섯 가지 유형, 즉 자폐 장애, 아스퍼거 장애, 레트 장애, 소아기 붕괴성 장애, 달리 세분되지 않는 광범위 발달장애로 나뉘는데, 이전에는 DSM-IV에서 사용된 광범위 발달장애로 불리다가 2000년대에는 학자들 사이에서 자폐 범주성 장애가 보편적으로 사용되고 있다(이승희, 2009). 이 중 자폐 장애, 아스퍼거 장애, 소아기 붕괴성 장애, 불특정 광범위 발달장애는 증상의 심각도만 다를 뿐 연속선상에 존재하는 하나의 장애를 나타내는 것이라는 연구 결과들을 반영하여 DSM-5(2013)에서는 자폐 범주성 장애로 통합되었으며, 레트장애는 진단학적으로는 신경장애로 구분하여야 한다는 주장으로 인해 DSM-5의 자폐 범주성 장애 영역에서 삭제되었다.

관련어 | 자폐 범주성 장애

광선치료
[光線治療, light therapy]

질환의 종류와 회복상태에 따라 색의 종류인 파장이 다른 빛을 환부에 비추어 병의 상태를 호전시키는 치료기법. 미술치료

광선치료를 하는 예를 들면, 푸른색의 빛을 비추어 신생아의 황달증상을 치료하는 경우가 있다. 이것은 세계 각국의 의료현장에서 시행되고 있는 것이다. 또한 태양광이 적은 북유럽에서는 광선을 비추는 방법으로 우울증을 치료하는 경우가 많다.

관련어 | 색채치료

광장공포증
[廣場恐怖症, agoraphobia]

불안장애(anxiety disorder)의 유형으로, 특정 장소나 상황에 대해 갑작스럽고 과도하게 불합리한 두려움을 느껴 그 장소나 상황을 피하는 증상. 

즉각적으로 피하기 어려운 장소나 상황에 놓여 있다는 것에 대한 불안 또는 갑작스러운 현기증이나 설사 등 조절하기 힘든 것과 같은 공황발작이나 공황상태가 되었을 때 도움받기 어려운 장소나 상황에 처할지도 모른다는 불안을 강하게 느끼는 것이다. 예를 들어, 엘리베이터, 자동차, 버스, 비행기를 타는 것, 다리 위에 있는 것, 혼자 집 안에 있는 것, 혼자 외출하는 것, 낯선 장소 등의 상황을 지속적으로 피하려고 한다. DSM-IV에서는 광장 공포증이 없는 공황장애, 광장 공포증이 있는 공황장애, 공황발작의 이력이 없는 광장 공포증으로 진단되었다. 그러나 DSM-5에서는 공황장애와 광장 공포증을 별도의 현상으로 보고 분리하였다. 상당한 사람들이 광장 공포는 있어도, 공황발작은 경험하지 않는다. 연구결과에 따르면 두 장애는 원인, 경과, 증상 등에서 구분된다는 보고가 있다. DSM-5의 진단기준에 따르면, 첫째, 두려움 혹은 불안은 다음 다섯 가지 상황에서 두 가지 혹은 그 이상 나타난다. 대중교통수단(예: 자동차, 버스, 기차, 배, 비행기)을 이용하는 것, 개방된 공간(예: 주차장, 시장, 다리)에 있는 것, 폐쇄된 공간(예: 쇼핑몰, 극장, 영화관)에 있는 것, 줄을 서 있거나 군중 속에 있는 것, 집 밖에서 혼자 있는 것이 있다. 둘째, 개인이 이러한 상황을 두려워하거나 회피하는 이유가 공황과 유사한 증상이 무기력하고 당혹스러운 증상(노인의 경우 쓰러질 것 같은 공포, 실금에 대한 두려움)이 나타날 경우에 그러한 상황을 회피하기 어렵거나 도움을 받을 수 없다는 생각 때문이어야 한다. 셋째, 광장 공포의 상황은 예외 없이 두려움과 불안을 유발한다. 넷째, 광장 공포의 상황들은 능동적으로 회피하거나 동반자가 옆에 있으면 극심한 두려움 혹은 불안을 인내할 수 있다. 다섯째, 두려움 혹은 불안은 광장 공포증적 상황에 의해 제기되는 실제적인 위험과 사회문화적인 상황에 비해 지나치다. 여섯째, 두려움, 불안, 혹은 회피는 지속적이고, 전형적으로 6개월 혹은 그 이상 지속된다. 일곱째, 두려움, 불안, 혹은 회피는 사회적, 직업적 손상, 혹은 중요한 곳에서 기능의 손상 혹은 임상적으로 심각한 고통이 야기된다. 여덟째, 만약 다른 의학적 상태(염증성 장질환, 파킨슨 병)이 존재하고 두려움, 불안, 혹은 회피는 명백히 지나친다. 아홉째, 두려움, 불안, 혹은 회피는 다른 정신장애의 증상에 의해 더 잘 설명되지 않는다. 예를 들어, 증상들은 특정공포증, 상황적인 유형에 국한하지 않는다. 주의할 점으로 광장 공포증은 공황장애의 출현을 무시하고 진단되어진다. 만약, 개개인의 증상 출현이 공황장애와 광장 공포증의 진단기준과 만난다면 둘 다 진단되어질 수 있다. 공황장애 환자의 약 3분의 1에서 2분의 1이 광장공포증을 동반하며, 시장에 가거나 병원에 가는 일 등 일상생활이나 직장생활을 수행하기 힘들기 때문에 다른 공황장애 환자보다 사회 적응이 더 힘들다. 그리고 광장공포증이 있는 공황장애 환자는 우울증을 동반할 가능성이 높다. 어떤 사람은 친구나 가족들이 함께 있으면 이러한 두려운 상황들을 잘 견디기도 하며, 이 광장공포증의 증상은 좋아졌다가 나빠지기도 한다. 광장공포증은 특수한 상황에 대한 회피가 주 특성이어서 사회 공포증, 특정 공포증, 심한 분리불안장애와 구별하는 것이 어렵다. 프로이트(Freud)의 정신분석학적 이론에서 공포증은 아동기 초기의 부모의 양육태도에 의해 형성된 것으로 본다. 아동기의 무의식적 갈등에 따른 방어로서 특정한 추동, 기억, 감정 등이 억압되어 불안이 다른 대상으로 대체된 것이다. 행동주의적 접근에서 파블로프(Pavlov)의 고전적 조건형성 이론에 의하면, 공포는 어떤 대상과 그 대상에 대한 불쾌한 자극이 연합되어 형성되는 것이다. 스키너(Skinner)의 조작적 조건형성에 의하면, 어떤 행동 뒤에 주어진 강화물이 공포반응을 형성하고 그것이 유지된다고 설명한다. 기질적 측면에서 공황발작에 대한 생물학적 취약성을 지니고 태어나서 공황발작 증상을 제거하기 위하여 그러한 상황들을 회피하려고 하는 사이에 자신의 생활양식과 환경을 제한시켜 광장공포증으로 발전하게 된다. 광장공포증 환자의 과거력 조사에서 약 50%가 아동기 때 격리불안 증상을 보였고, 이는 남자보다 여자에게 더 많이 보고된다. 남자보다 여자에게 더 흔하고 대부분 성인기에 발병하지만 가끔 10대 후반에 나타나기도 한다. 공황발작 증상이 있는 환자가 초기에 약물치료를 하지 않으면 약 50%가 광장공포증을 동반한다. 일부 광장공포증은 치료가 되지 않으며 치료가 되어도 재발할 가능성이 높다. 공황발작을 경험하는 광장공포증 환자에게는 대부분 공황발작을 제거하기 위한 삼환계 항우울제와 MAO 억제제 등의 우울증 치료제를 사용한다. 그러나 예기불안과 광장공포증을 감소하는 데는 약물이 효과적이지 않으므로 인지행동적 심리치료를 적용한다. 이와 관련된 심리사회적 접근에는 스트레스에 반응하고 극복하는 대처방식훈련, 자기지시(self-instruction), 이완훈련(relaxation training), 인지 재구조화(cognitive restructuring), 역설적 의도(paradoxical intention), 호흡훈련(respiratory therapy), 노출치료(exposure therapy) 등이 있다. 이 중에서 가장 많이 적용하는 것이 노출치료다.

관련어 | 공황장애, 불안장애

괴롭힘
[-, bullying]

강압적인 행동을 통해 상대방이 원하지 않는 행동을 하게 하거나 상대방을 통제하려는 행동. 아동청소년상담

올베우스(Olweus, 1978)가 처음 사용하기 시작한 개념으로, 한 학생 소속 집단 내의 한 명 또는 그 이상의 또래에게 반복적이고 지속적으로 소외당하거나 배척당하고 부정적 명칭이 부과되며 구성원으로서 역할수행에 제약을 받는 등 신체적 또는 심리적인 해를 입히는 일련의 언어적·신체적 공격 행동을 말한다. 'bullying'을 집단 괴롭힘이라는 용어로 사용하는 것은 따돌림에 대한 한국적 특성에 기인한 것이다. 우리나라에서는 따돌림을 당하는 학생은 왕따, 전따와 같은 용어로 공개적으로 지목이 되면 공개적 낙인이 되어 관계적 소외가 나타나고, 언어적·신체적 공격 행동이 병행되면서 폭력에 대한 암묵적 합리화가 이루어진다. 이러한 아동청소년에게는 학년이 올라가거나 상급학교에 진학해도 왕따현상이 지속적으로 유지되는 특성이 있다. 결국 괴롭힘이 한 사람에서 시작하여도 곧 집단적 현상으로 나타나기 때문에 집단 따돌림이란 용어를 사용하는 것에 무리가 없다. 이 같은 집단 따돌림은 직접적 괴롭힘과 간접적 괴롭힘으로 구분할 수 있다. 직접적 괴롭힘(direct bullying)은 구타나 폭행처럼 외부로 드러내어 능동적으로 공격행동을 가하여 괴롭히는 것이다. 간접적 괴롭힘(indirect bullying)은 소외나 심리적 배제처럼 외부로 드러나지 않으면서 특정 집단에서 소외를 시키거나 또는 심리적 갈등, 부적응을 갖도록 괴롭히는 것이다. 놀리거나 욕을 하거나 왕따를 시키거나 협박을 하여 상대방이 원하지 않는 행동을 하게 만드는 괴롭힘의 또 다른 강압적 행동으로는 겁을 주는 행동, 상대방의 물건을 빼앗는 행동, 때리는 행동이 있다.

교류
[交流, transaction]

두 사람 혹은 그 이상의 사람이 관계상황에서 사회적 교섭을 하는 단위. 교류분석

의사교류 혹은 의사거래라고도 한다. 교류는 교류자극(transactional stimulus)과 그에 대한 교류반

응(transactional response)으로 구성된다. 교류분석에서는 한 사람이 어떤 성질의 교류자극을 보내고, 그 교류자극을 상대방이 어떻게 지각하고 반응하느냐에 따라 대인관계의 문제와 의사소통의 성질이 결정되는 것으로 본다. 교류자극에 대한 지각과 반응은 상호작용하고 있는 두 사람이 각각 P(어버이 자아), A(어른 자아), C(어린이 자아)의 세 자아 중에서 어떤 자아상태가 기능하고 있느냐에 따라 결정된다. 사람들 간 대화의 패턴을 올바르게 이해하기 위해서는 전문적인 대화분석방법이 필요한데, 번이 소개한 교류분석에서는 대인관계에서 자아상태 간에 이루어지는 사회적 상호작용을 관찰 · 추론함으로써 개인의 행동을 이해하고 예견하는 방법을 제시하고 있다. 교류분석에서는 구조분석을 기초로 하여, 다른 사람과의 교류과정에서 어떤 자아상태가 관여하여 작용하고 있는지, 또한 어떤 유형의 교류를 하고 있는지를 확인하는 데 초점을 둔다. 그리고 그러한 교류가 의사소통이나 관계의 과정에서 일으키는 문제점이 무엇인지 분석하고 확인하여 문제를 해결하고자 한다. 구조분석은 개인 내면(intrapersonal)에 초점을 맞추는 반면, 교류분석(대화분석)은 개인과 개인 사이(interpersonal)에 초점을 맞춘다. 사람과 사람 사이에서 일어나는 교류를 분석(analysis of transaction)하면 세 가지 기본적인 유형이 나타난다. 첫째, 상보교류(complementary transaction)인데, 두 자아상태가 상호 지지하고 있는 교류로서 발신자가 기대하는 대로 수신자가 반응한다. 따라서 발신과 응답의 벡터가 평행하고, 동인이 있는 한 상호 지지적으로 대화가 계속된다. 여기서는 언어적인 메시지와 표정, 태도 등 비언어적인 메시지가 일치한다. 둘째, 교차교류(crossed transaction)인데, 두 사람 사이에 3개 또는 4개의 자아상태가 개입하여 상호 충돌함으로써 서로 기대하고 있는 발신과 수신이 이루어지지 않는 교류다. 이러한 경우에는 대화가 단절되고 인간관계에 부정적인 영향을 미친다. 셋째, 이면교류(ulterior transaction)인데, 상대방의 하나 이상의 자아상태를 향해서 상보적(현재적) 교류와 잠재적 교류의 양쪽이 동시에 작용하는 복잡한 교류다. 대화 속에 숨어 있는 상반된 의사를 동시에 교류하는 것으로서, 사회적(표면적) 수준에서는 당연해 보이는 메시지를 보내고 있는 것 같지만 심리적(이면적) 수준에서는 그 주된 욕구나 의도 또는 진의 같은 것이 숨겨져 있는 것이 특징이다. 교류는 언어에만 한정된 것은 아니며, 얼굴표정, 몸짓, 자세, 말투 등 비언어적인 것도 포함된다. 진솔한 대화가 잘 되지 않고 서로 불신하며 경계하는 사이에서는 교차교류나 이면교류가 자주 일어난다. 따라서 개인의 행동을 진정으로 이해하고 예언하려면, 외부로 표출되는 사회적 행동뿐 아니라 겉으로 나타나지 않은 심리적 저의도 파악해야 한다.

교류분석
[交流分析, transactional analysis]

미국의 정신과 의사 에릭 번(Eric Berne)이 창안한 인본주의적 인간관에 기반을 둔 성격이론인 동시에, 개인의 성장과 변화를 위한 체계적인 상담이론이자 기법. 교류분석

교류분석(TA)은 인간관계가 존재하는 모든 장면에 적용할 수 있는 상담이론이자 기법으로, 정신과 의사 번이 개발하였다. 임상심리학에 기초를 둔 인간행동에 관한 분석체계 또는 이론체계로서 '정신분석학의 안티테제(Anti-these)' 혹은 '정신분석학의 구어판'이라고 불린다. 인간, 삶, 그리고 변화의 본질에 대해 기본적인 신뢰를 갖는 철학적 가정에 기반을 두고 있으며, 이러한 가정은 다음과 같다. 첫째, 사람은 OK다. 사람은 그들 자신의 운명을 결정할 수 있고, 이 결정은 변화될 수 있다. 둘째, 모든 사람은 생각할 수 있는 능력을 가지고 있다. 뇌에 심각한 손상을 입은 사람을 제외한 모든 사람은 생각할 수 있는 능력이 있다. 그러므로 우리 각자는 삶에서 원하는 것을 결정한 것에 대한 책임이 있다.

각 개인은 궁극적으로 자신이 결정한 것의 결과에 따라 살아가게 될 것이다. 셋째, 결정(decision) 모형이다. 교류분석에서는 어른이 명백하게 스스로 패배하는 행동을 하거나 계속적으로 괴로운 감정을 느끼는 것에 대해 어린 시절에 결정한 전략을 따르고 있는 것이라고 본다. 사람은 어린 시절의 초기 결정에 책임이 있기 때문에 나중에 그는 어떤 결정도 변화시킬 수 있다. 즉, 재결정(redecision)이다. 만약 유아기에 한 초기 결단이 어른이 되어서 그의 삶에 편치 않은 결과를 초래한다면, 그 시대에 뒤떨어진 결단을 추적하여 그것들을 새롭고 더 적절한 것으로 변화시킬 수 있다. 교류분석은 성격이론으로서 사람들이 심리학적으로 어떻게 구조화되어 있는지를 우리에게 하나의 그림으로 보여 주는데, 이를 위해 자아상태모델이라고 알려진 세 가지 모델을 이용한다. 이 모델은 사람들이 어떻게 기능하는지, 즉 행위의 측면에서 보아 사람들이 자신의 성격을 어떻게 표현하는지를 이해하는 데 도움을 준다. 또한 교류분석은 아동 발달이론을 제공하고 있다. 인생각본이라는 개념은 우리의 현재 생활패턴의 유래를 설명해 준다. 인생각본이라는 틀 속에서 성인의 생활에서도 자신의 어린 시절의 전략을 어떻게 계속해서 재연해 나가는지, 또한 자기파괴적이고 고통스러운 결과를 가져옴에도 불구하고 우리가 왜 이 전략을 반복적으로 사용하고 있는지 등을 구체적으로 분석·설명하고 이에 대한 해결책을 제시하고 있다. 구체적인 적용 측면에서 교류분석은 심리치료 체계가 된다. 교류분석은 일상적인 생활문제부터 심각한 정신장애에 이르기까지 어떤 유형의 심리적 장애라도 치료할 수 있다고 말한다. 교류분석은 개인상담, 집단상담, 부부상담, 가족상담 등에도 모두 적용할 수 있고, 임상적인 장면 외에 교육적 상황에서도 활용할 수 있다. 또한 교류분석은 교사와 학생들이 분명하게 대화하고 비생산적인 직면을 피할 수 있는 방안을 제시해 준다. 그리고 경영과 대화훈련 및 조직분석에 탁월한 도구로 알려져 있으며, 전 세계의 수많은 기업이 연수 프로그램에 활용하고 있다. 그 외에 사회복지 기관, 경찰서, 보호관찰소, 교회 등에서도 유용하게 활용할 수 있다. 교류분석은 개인, 관계, 소통에 대한 이해가 필요한 곳이라면 어디에든 활용할 수 있다. 교류분석의 주요 개념으로는 자아상태모델(PAC 모델), 교류, 스트로크, 시간구조화, 생활각본, 디스카운트, 재정의, 공생, 라켓, 스탬프, 게임 등이 있다.

관련어 | 교류분석적 미술치료

교류분석의 학파
[交流分析-學派, schools of transactional analysis]

교류분석(TA)에서 서로 강조하는 이론과 기법에 따라 구분되는 3개의 주요 학파. 교류분석

교류분석의 주요 세 학파에는 번(Berne)의 화요 모임을 중심으로 한 '고전학파(The Classical School)', 밥(Bob)과 굴딩(Goulding) 부부가 교류분석에 펄스(Perls)의 게슈탈트 심리치료를 접목한 '재결정학파(The Redecision School)', 정신장애란 파괴적이고 일관성 없는 어버이 자아상태 메시지의 결과로 보는 재키(Jacqui)와 시프(Schiff) 부자를 중심으로 한 '카텍시스학파(The Cathexis School)'가 있다. 첫 번째 고전학파는 교류분석 초창기 번과 그의 동료를 중심으로 발전한 접근방법을 가장 잘 따르고 있다. 고전학파는 번이 이끌던 화요 모임을 중심으로 이루어졌기 때문에 '샌프란시스코 세미나학파(The San Francisco Seminar School)'라고 불리기도 하며, 아동기의 동기를 파악하고 어른 자아상태를 통해 이해를 촉진하기 위한 분석도구를 많이 사용한다. 에고그램(egogram)을 만든 듀세이(Dusay), 드라마 삼각형을 창안한 카프만(Karpman), 생활자세(life position)를 소개한 해리스(Harris), 스트로킹 프로파일(stroking profile)을 소개한 맥케나(McKenna) 등이

있다. 고전학파에서는 내담자에게 먼저 문제가 발생한 근본적인 원인을 이해시키고, 과거의 각본에서 벗어나 자율성을 획득하도록 행동을 변화시킬 계약을 맺는다. 이들은 집단치료를 선호하며, 집단과정을 가장 중요하게 여긴다. 치료자는 집단과정을 촉진하여 집단구성원들이 관계 속에서 드러나는 게임, 라켓티어링(racketeering), 각본 유형들을 자각하도록 개입한다. 고전학파는 치료자의 중요 기능을 내담자에게 새로운 어버이 자아상태 메시지를 제공하는 것으로 보며, 내담자가 자신의 행동을 변화시키면 감정도 달라진다고 믿는다. 그러나 고전학파에서는 감정을 표현하는 것에 초점을 두지는 않는다. 두 번째 재결정학파는 초기 결정은 사고보다 감정에 따라 이루어진다고 믿고, 각본에서 벗어나기 위해서는 초기 결정이 이루어지던 시기의 어린이 자아상태 감정과 재접촉하여 이를 새롭고 더욱 적절한 재결정으로 바꿀 수 있다고 본다. 이를 위해 상상, 꿈 또는 초기 장면의 연상 등을 통해 어린 시절의 외상적 장면을 회상하여 재경험시킨다. 한번 만들어진 초기 결정이 바뀔 수 없는 것은 아니다. 우리는 삶의 방향을 정하는 초기 결정을 만드는 데 일역을 담당했으며, 마찬가지로 우리는 적절하고 새로운 삶의 방향을 정해 줄 새로운 결정을 할 수도 있다. 내담자와 재결정 과정에 대해 상담할 때, 상담자는 내담자를 그들 초기 결정을 했던 초기 아동장면으로 데려간다. 그때 상담자는 내담자가 어린이 자아상태에서 재결정을 하도록 한다. 갑자기 인지적으로 변화를 결정했다고 해서 과거 수년간의 상황이 금세 바뀌는 것은 아니다. 따라서 초기 상황에 대해 지적으로도 새로운 결정을 해야 하지만 정서적으로도 새로운 결정을 해야 한다. 재결정은 끝이 아니라 시작이다. 재결정을 하면 내담자와 상담자는 결정을 강화할 새로운 행동을 연습하는 실험을 계획한다. 그러한 사람들은 다른 방식으로 생각하고, 다른 방식으로 행위하고, 다른 방식으로 느끼게 된다. 그들은 자율적인 능력을 발견할 수 있게 되며, 자유, 기쁨, 생동감을 경험할 수 있다. 예를 들면, 아동기에 수용한 '없어져라.'라는 금지에 따라 만든 '살고 싶지 않다.'라는 초기 결정을 바꾸려면 부모와의 초기 장면으로 돌아가 그 당시에 그들에게 느꼈던 감정을 훈습하고, 마지막에 가서는 자신에게(상징적으로 부모에게도) '살 것이다. 내가 태어나는 것을 부모가 바라지 않았더라도 나는 살 가치가 있다.' '자기파괴적 방식을 멈추고 충만하게 살기로 새로운 결정을 하였다.'라고 말을 하도록 격려할 수 있다. 세 번째 시프 부자는 정신과 환자를 치료하기 위해 카텍시스연구소를 설립하여 '재양육(reparenting)'이라 부르는 접근방법을 소개하였다. 정신장애란 파괴적이고 일관성 없는 어버이 자아상태의 메시지 결과라는 사실을 전제로 하며, 치료할 때 내담자를 어린 시절로 퇴행시켜 과거 어버이 자아상태에 에너지를 쏟지 않도록 한다. 치료자는 긍정적이고 일관된 새로운 어버이 자아상태 메시지를 제공하여, 이미 성장한 '유아'가 새로운 '어머니'와 '아버지'에게 의존하도록 재양육하는 것이다. 정신장애가 없는 내담자에게는 디스카운트에 대한 직면과 재정의를 강조한다. 수동적인 자세를 버리고 문제를 해결하기 위해 사고하고 행동하도록 장려하며, 집단에서는 직면을 통해 자타긍정의 생활자세를 요구한다. 이러한 직면을 시프는 '배려의 직면(caring confrontation)'이라고 불렀다(Stewart & Joines, 2010).

교류분석적 미술치료
[交流分析的美術治療, art therapy based transactional analysis]

교류분석 이론을 적용한 미술활동을 통하여 무의식적 각본을 시각화하고 그것을 청산하도록 하는 조력활동. 미술치료

교류분석은 미국의 정신의학자 번(Berne)이 임상심리학에 기초하여 개발한 성격이론이며, 개인의

성장과 변화를 위한 체계적 심리치료기법이다. 성격이론으로서의 교류분석은 인간의 성격이 심리적으로 어떻게 구조화되어 있는지 세 가지 자아상태(ego-state) 모델을 통하여 성격의 형성과정과 구조 및 기능을 보여 주며, 이 모델은 특정한 방식으로 구조화된 성격이 어떤 행동으로 표현되는지를 이해하도록 해 준다. 심리치료기법으로서의 교류분석은 인생각본이라는 틀 속에서 아동기의 전략이 자기패배적이고 고통스러움에도 불구하고 왜 성인이 된 현재의 삶에 계속해서 재연되고 있는지 그 이유를 설명하면서 이것을 극복하게 하는 것이다. 교류분석은 개인 및 관계와 의사소통이 필요한 곳은 어디든 활용될 수 있다. 교류분석의 의사소통 기법은 개인, 집단, 부부와 가족의 심리적 장애를 치료하는 데 유용할 뿐만 아니라 임상적 장면 외에도 관리와 의사소통 훈련, 조직분석, 그리고 교육적 상황 등에도 활용될 수 있다. 교류분석의 주요 개념으로는 구조분석인 자아상태모델과 생활자세, 교류분석, 게임과 라켓분석, 인생각본 등이 있다. 이와 같은 교류분석의 특성을 미술치료에 접목한 교류분석적 미술치료는 내담자로 하여금 자신의 모습을 명료화하거나 구체화하는 것이다. 여기서는 무의식적으로 나타나는 어릴 적 각본을 비언어적인 미술매체를 통하여 무의식을 의식화하게 함으로써 자신의 모습에 좀 더 깊이 접근하도록 도와준다. 다시 말해, 시각적 지각을 통하여 자아의 현재 상태를 깨닫도록 도와주는 것이다. 이를테면 교류분석에서는 스트레스를 받은 자아의 상태를 인생각본에 숨어 있는 무의식의 발현으로 가정하고, 그 원인과 내용을 추적한다. 교류분석에서는 인생각본을 돌아보며 그 상태에서의 감정이나 사고, 행동을 글로 표현하고, 역할연기로 재연해 보는 방법을 사용한다. 이에 더하여 내담자 감정의 보편성을 경험하며, 그러한 감정을 갖게 된 과정과 환기를 촉진할 수 있도록 구체화 · 시각화함으로써 의식화할 수 있게 만든다. 각본의 재연은 어린 시절의 문제를 근본적으로 해결하지 못하여 현재 그것을 해결하고자 하는 무의식의 발로이며, 무의식적 각본 재연을 시각적으로 의식화함으로써 각본을 청산하는 데 도움이 된다. 반복적으로 재연하는 각본을 적합한 미술매체를 사용하여 형상화하는 과정이나 완성된 작품을 보는 가운데 각본 재연의 이유를 통찰할 수 있다. 이와 같이 교류분석적 미술치료에서는 미술작업을 통하여 교류분석의 다양한 분석방법을 시각화, 구체화, 명료화하여 통찰하도록 한다. 교류분석적 미술치료에서 활용할 수 있는 구체적인 기법은 다음과 같다. 첫째, '나 어릴 적에'는 자신의 생육사를 그리는 것인데, 각본을 분석하여 패배자 각본에서 승리자 각본으로 바꾸는 데 도움이 된다. 둘째, '무엇이 보이나요?'는 일정한 시간 동안 눈을 감고 명상을 한 뒤 눈을 떴을 때 특히 주목되는 것을 그리는 것인데, 오감을 각성시키고 표현하는 데 도움이 된다. 셋째, '무엇으로 살아가는가?'는 자아상태의 긍정적인 면과 부정적인 면을 그리는 것인데, 자신의 자아상태 기능을 파악하는 데 도움이 된다. 넷째, '안전지대'는 지금까지 자신이 살아온 각본과 앞으로 살아가고 싶은 각본을 그리는 것인데, 자율적 행동으로 자기 변혁을 일으키는 데 도움이 된다. 이와 같이 교류분석적 미술치료는 개인뿐 아니라 부부, 가족, 집단 등의 단기 · 중기 · 장기 심층 미술치료로 적합하며, 구체적이고 명료하게 문제를 해결할 수 있다.

관련어 | 교류분석

교세포
[膠細胞, glia]

후방에서 뉴런을 도와 뇌의 활동을 가능하게 하는 뇌 세포.

뇌 과학

뇌의 백질을 구성하며 뉴런 주변에 위치한 전문

화된 뇌 세포로, 뉴런의 절연, 영양공급 등 보조역할을 담당한다. 뉴런보다 10배나 많이 존재하는데, 뉴런과 유사한 구조를 가지고 있지만 신경신호를 전달할 수 없고, 분열이 가능하여 뇌종양의 대부분은 교세포에 의한 것이라 할 수 있다.

관련어 | 뉴런

교수매체
[敎授媒體, instructional media]

교수-학습과정에서 교사와 학습자 사이에 정보를 전달하는 매개체. 인지치료

교육학에서 사용하는 용어로, 넓은 의미로는 모든 종류의 교수-학습과정에 동원되는 학습자료를 포함하는 일체의 교육환경을 말한다. 교과서를 포함한 모든 인쇄매체, 실물, 표본, 영화, 텔레비전, 게시판, 컴퓨터, 유아를 위한 장난감 등 교수-학습과정에서 동원될 수 있는 실물 매체가 모두 속한다. 학습자에게 전달하는 수업내용을 보다 일정한 형태로 보관할 수 있기 때문에 표준화가 가능하고, 교육내용의 효과적인 전달에 도움이 된다. 이처럼 교수매체는 주어진 교육목표를 가급적 효과적이면서 매력적인 방법으로 달성할 수 있도록 도와주는 것이 주요 기능이라 할 수 있다. 교수매체의 교육적 기능은 크게 매개적 보조기능, 정보전달기능, 경험구성기능, 교수기능의 네 가지로 나눌 수 있다.

교육과 훈련을 위한 집단
[敎育-訓練-集團, main group for teaching and training]

치료적 공동체의 교육적이고 훈련적인 목표의 달성을 위해서 개인 교육과 특별 워크숍의 형태로 운영되는 기술훈련집단. 중독상담

교육과 훈련을 위한 집단의 형태는 각각의 목적에 따라 개인의 성장을 위한 교육집단, 임상기술교육, 직업기술교육, 워크숍의 네 가지 형태로 나뉜다.

관련어 | 시설에서의 진행, 알코올중독, 주요치료집단, 치료적 공동체

교육심리학
[敎育心理學, educational psychology]

교육학의 분과 학문으로서, 교육의 현상과 과정을 심리학적인 측면에서 연구하여 실제 교육활동에 필요한 지식과 기술을 제공함으로써 효과적인 교수와 학습이 이루어지도록 하는 학문. 학교상담

교육심리학의 기본적 입장은 다음과 같다. 첫째, 교육의 능률성을 향상시키기 위하여 이론적 연구와 실천적 연구를 동시에 수행한다. 둘째, 심리학의 지식을 단순하게 응용하는 것이 아니라 교육의 궁극적인 목적에 따라 교육현장 안에서 문제를 찾고 그 해결방법을 추구하며 목적 달성도를 평가한다. 셋째, 학생, 교사, 학부모, 지역사회와 그들 간의 사회적 관계에 대하여 심리학적 역동과 구조를 실증적으로 파악한다. 연구의 영역에서 오수벨(Ausubel, 1969)은 교육심리학에 대해 학교에서의 학습에 초점을 두어야 한다고 주장하였다. 그는 학교학습의 문제는 학습에 대한 실험실 연구에서 이끌어 낸 기초과학법칙의 단순한 적용으로는 해결할 수 없다고 보았다. 헤르바르트(Herbart)는 페스탈로치(Pestalozzi)의 영향을 받아 인간의 행동을 과학적으로 설명하려면 심리학을 응용과학으로 해야 한다고 하였다. 그는 『일반교육학(Allgemeime Pädagogik)』(1806)이라는 저서에서 교육목적은 윤리학에서, 그 방법은 심리학에서 찾아야 한다고 하며 심리주의 교육학설의 체계를 세웠다. 위트록(Wittrock, 1967)은, 교육심리학은 일반심리학을 교육에 적용하는 응용학문이기보다는 교육에서의 심리학적 현상을 과학적으로 연구하는 기초 학문이라는 관점을 끊임없이 주장하

였다. 그는 교육심리학을 응용으로 보았을 때, 교육과 심리학 간에 벽을 쌓아 교육심리학이 일반 심리학의 이론 정립과 연구에 공헌할 수 있는 길을 막을 우려도 있다고 보았다. 손다이크(Thorndike)는 교육심리학 연구로 학습과 학습의 전이에 대하여 지대한 공헌을 하였고, 홀(Hall), 커텔(Cattell), 에인절(Angell), 저드(Judd) 등의 실험 심리학자도 그들 생애 초기에 교육심리학자가 된 사람들이다. 한편, 비네(Binet)와 시몽(Simon)은 1905년 정신검사를 처음 창안하였고, 1916년에는 미국 스탠퍼드대학교의 터먼(Terman)이 비네시몽(Binet-Simon) 척도를 개정하여 지능지수(IQ)라는 용어를 도입하였다. 이와 같이 지능검사는 개인차 측정의 기법을 개발하였으며 성격과 성격 이론의 연구에 크게 기여하였고, 오늘날 교육심리학 형성에 공헌하였다. 국내에서는 이성진 등(2009)이 교육심리학이 하나의 독립된 학문으로 위상을 갖기 위해서는 고유의 패러다임과 연구방법을 갖추어야 한다는 필요성을 제기하면서 교육현상에 대한 심리적 이해를 바탕으로 학습자와 교수자를 돕는 처방적 학문으로의 방향을 제안하고 교육심리학의 발전을 도모하였다.

교육최면
[敎育催眠, educational hypnosis]

교육적 상황에 적용하거나 활용되는 최면으로서 학습최면이라고도 함. 최면치료

학습자가 자기최면 연습을 통해 학습기술을 발달시키고, 불안을 조절하여 집중력을 기르는 등 학습자의 효과적인 학습을 돕는 데 최면의 원리와 기법을 적용하는 것이다.

관련어 | 최면

교정상담
[矯正相談, correctional counseling]

교정시설에서 범죄비행 등의 문제행동을 불러일으키는 사람들에 대하여 다시 사회인으로서 생활을 계속해 나가도록 하기 위한 상담. 교정상담

교정시설 및 이와 연관된 시설에서 범죄자나 재소자라는 특수 집단의 내담자를 대상으로 하는 상담을 뜻한다. 이는 사회에 적응하지 못하고 범죄를 저질러 교정시설에 수용된 사람들에게 사회에 적응할 수 있는 사고체계, 정서상태, 생활기술 등을 갖추어 나가도록 도움을 주는 것이다. 교정상담의 목표는 시설 적응과 사회 적응, 다시 말해 재소자들이 시설 내에서 잘 적응하고 나아가 형기를 마친 다음 사회에 복귀하여 정상적인 삶을 살아가도록 하는 데 있다. 이를 달성하기 위해서는 재소자들이 가지고 있는 자신과 세계에 대한 그릇된 인지체계, 그릇된 인생관, 그릇된 생활양식 등을 교정해야 하며, 구체적인 목표는 다음과 같다. 첫째, 긍정적 자아개념의 확립이다. 재소자의 경우 자신에 대해서 부정적인 태도를 가지고 있는 경우가 많다. 먼저 한 인간으로서의 자기존엄성을 인정하지 않거나 자신의 존재가치를 부정적으로 생각하는 경향이 있다. 이러한 태도는 심한 열등의식으로 자신을 포기함과 아울러 세상을 부정적으로 보는 결과를 초래한다. 따라서 교정상담에서는 부정적인 자아개념이나 자아상을 가지고 있는 내담자에게 긍정적인 자아개념을 형성하도록 만들어야 한다. 둘째, 합리적 사고능력의 신장이다. 범죄자는 비합리적인 사고로 판단하고 행동하는 경향이 많다. 이들의 사고는 지나치게 추상적이거나 공상적 또는 과대망상적이며, 현실감각이 없다. 그 결과 올바른 판단을 내리지 못하는 경우가 많은데, 잘못된 사고의 틀이 원인인 것이다. 상담을 통해서 이들이 합리적이고 현실적인 사고를 할 수 있도록 만들어야 한다. 셋째, 자기통제 능력의 강화다. 범죄자의 경우 자신의 욕구와 충동에 대한 통제능력을 제대로 갖추지 못한 경우가 많다. 따라서 교

정상담에서는 특히 이러한 자기통제 능력을 기르도록 하는 것이 중요하다. 이때 교정상담에서 가장 중요한 것은 지지적(supportive) 상담이다. 재소자의 대부분은 지지나 인정의 경험이 부족한 사람들, 다시 말해 일상생활에서 자신에 대한 긍정적인 지지를 받기보다는 항상 부정적인 평가를 받으면서 살아 온 사람들이기 때문이다. 그런 만큼 재소자는 자신에 대해서 부정적인 자아개념을 형성하게 되고 세상도 부정적으로 보는 데 익숙해져 있다. 이들이 경험해 보지 못한 것이 다른 사람으로부터의 인정이나 지지인 것이다. 따라서 교정상담에서는 상담을 통하여 이러한 지지를 경험할 수 있도록 만들어야 한다. 그리고 지지적 상담이 되기 위하여 상담자는 내담자의 입장을 공유하고, 내담자를 있는 그대로 받아들여야 한다. 이와 같은 교정상담에서 유의해야 할 점은, 상담자의 입장 내지 위치와 상담내용의 비밀보장 등이다. 먼저, 교정상담에서 상담자는 중점을 두어야 할 대상, 즉 상담이 재소자 위주인가 시설 위주인가의 문제에 직면한다. 재소자의 요구와 교정 당국의 규율이나 방침이 일치하는 경우는 문제가 없지만, 그렇지 않고 양자의 이해관계가 서로 다른 경우 상담자는 갈등상황에 놓인다. 규율을 지나치게 강요하면 내담자와의 신뢰 형성이 어려워지고, 규율을 어기면서 내담자와 신뢰관계를 형성할 수도 없기 때문이다. 따라서 교정상담에서는 내담자가 규율을 어기게 된 상황을 이해하고 수용하는 입장에서, 내담자의 행동에 대한 지지나 잘못된 행동에 대한 지적과 설득으로 떳떳하게 처벌을 받도록 하는 것이 바람직하다. 이와 더불어 교정상담에서 상담자의 위치는 공식적으로는 재소자를 관리하는 관리집단에 속해 있지만, 상담자의 역할은 재소자 편에서 그들을 도와주는 것이다. 따라서 상담자는 양 집단의 가교 역할을 맡는다. 다시 말해, 상담자는 양 집단에서 필요함과 동시에 불신을 받을 수 있는 입장에 있으며, 이 같은 상황에서 상담자의 처신은 매우 어려워질 수 있다. 다음으로 상담내용의 비밀보장(confidentiality)에 대한 문제다. 이는 내담자의 인권과 사생활보호 차원에서 상담자 윤리강령의 중요한 문제로서 모든 상담에 해당하지만, 교정상담에서는 특히 중요하다. 재소자는 대개 교정당국이나 타인을 불신하는 경향이 높기 때문에 이들에 대한 문제는 매우 신중하게 다루어야 한다. 교정상담에서 내담자는 상담 내용이 절대로 공개되지 않는다는 확신이 생겨야 상담에 응하지만, 상담내용이 다른 재소자에게 해를 입히는 것이거나 또 다른 범죄의 모의와 관련된 것일 경우, 상담자는 상담내용을 당국에 보고해야 할 의무가 있기 때문에 상당한 어려움이 따른다고 볼 수 있다.

관련어 | 갱생보호상담

교정적 정서 경험
[矯正的情緒經驗, corrective emotional experience]

이전에 부정적으로 느끼던 감정을 전혀 다르고 보다 긍정적인 감정으로 체험하는 것. 개인상담

정신분석가인 알렉산더(Alexander)가 제안한 개념이다. 그는 내담자가 부모에 대한 두려움을 상담자에게 전이할 경우, 상담자는 두려움의 대상이 아니라 정반대의 온화하고 따뜻한 태도로 내담자를 대함으로써 신경증의 원인이 되었던 부모에 대한 위협적 감정을 중화하고 교정할 수 있다고 주장하였다. 이렇게 과거에 갈등의 대상에게 받았던 감정과 다른 새로운 정서를 경험하는 것을 교정적 정서 경험이라고 한다. 이 경험에 따라 내담자는 내·외적인 갈등을 처리하는 능력을 향상시키는 것이다. 또한 그는 교정적 정서 경험을 촉진하기 위해서 다음과 같은 조건을 제시하였다. 첫째, 안전하고 우호적인 상황에서 과거의 외상적 경험을 회상한다. 둘째, 과거 경험을 회상할 때 강한 정서적 경험이 동반

되어야 한다. 셋째, 강렬한 정서를 경험한 후에는 과거와 같은 고통스러운 상황이 되풀이되지 않도록 안전감과 수용받는 경험을 갖도록 한다. 넷째, 자신의 전이 행동을 새롭게 통찰한다. 다섯째, 체계적인 현실검증을 한다. 알렉산더와 프렌치(French)에 따르면 정신분석치료의 역사는 5기로 구분할 수 있는데 제1기는 정화법, 제2기는 암시법, 제3기는 자유연상법, 제4기는 전이분석이며, 이 교정적 정서 전이는 제5기의 치료라고 하였다. 이렇듯 교정적 정서 전이는 단기 정신치료에서 재평가받고 있으며, 상담자의 역전이를 이용한 학습 또는 교육적인 치료라고도 할 수 있다.

관련어 | 단기치료, 역전이

교차거울반응하기
[交叉-反應-, cross-over mirroring]

거울반응하기 기법의 한 종류로서, 내담자의 신체언어에 상담자의 신체언어를 맞추되 내담자와는 다른 신체부위를 사용하는 것. NLP

교차 일치시키기(cross-matching)라고도 부르는데, 내담자가 말하는 일정한 리듬에 따라 발장단을 맞추는 것, 내담자가 자신의 머리를 만지거나 쓰다듬고 있을 때 상담자가 자신의 무릎을 만지거나 쓰다듬는 것, 내담자가 규칙적으로 발장단을 맞추고 있을 때 상담자가 손으로 책을 같은 속도와 리듬으로 치는 것 등이 있다. 중요한 것은 상대방과 서로 다른 신체부위를 사용하여 그의 신체언어에 맞추어 간다는 점과 그가 의식하지 못하는 상태에서 해야 한다는 점이다.

교차교류
[交叉交流, crossed transaction]

교류분석

⇨ '대화분석' 참조.

교차내성
[交叉耐性, cross tolerance]

한 약물에 대해 내성이 생겼을 때, 그 약물의 구조 또는 작용이 비슷한 다른 약물에 대해서도 내성이 나타나 약물효과가 감소되는 것. 중독상담

교차내성은 대부분 동일 계열 약물을 복용할 때 나타나는데, 아편제의 약물류는 화학적 성분이 같지 않아도 교차내성이 발생한다. 교차내성 때문에 다른 약물을 처음 복용한다 해도 효과가 감소하므로 비사용자가 사용하는 양보다 더 많은 양을 사용해야 비슷한 정도의 효과를 얻을 수 있다. 예를 들어, 헤로인 중독자가 내성 때문에 다른 아편제인 메타돈으로 약물을 교체한다고 해도 약물 비사용자가 처음 메타돈을 사용하는 양만큼 복용해서는 비슷한 효과를 느끼지 못한다. 이 경우 교차내성으로 인해서 오히려 보통보다 더 많은 양을 사용해야 비슷한 효과를 얻을 수 있는 것이다.

관련어 | 교차의존성, 내성, 메타돈, 아편, 중독, 헤로인

교차세대동맹
[交叉世代同盟, cross-generational coalition]

미누친(Minuchin)의 구조적 가족치료 개념으로 가족체계의 경계에 문제가 발생해서 부부체계 연합보다 부모 중 한 사람과 자녀와의 연합이 강해지는 체계 상태. 가족상담

가족 내 경계 문제는 교차세대연합이라는 문제를 야기한다. 경계란 가족의 상호작용 과정에 구성원

각자가 어떤 방법으로 참여할 수 있는가에 대한 규칙이다. 어떤 문화에 속한 가족에서든 위계적 구조를 유지시킨다. 이 규칙들은 부모이자 부부인 하위체계에 의해 성립되는데, 부부관계의 배타성뿐만 아니라 부모 단위체의 필수적인 리더십을 공고히 해 준다. 여기서 교차세대연합은 중요 하위체계가 약해지고 부모 중 한 명이 중요 하위체계 구성원보다 아이와 더 강한 동맹을 맺고 있는 상황이다. 가족 내에서 부모 중 한 명이 아이를 가장 친한 친구로 취급하거나 신뢰 대상으로 삼는 동맹을 이용하기도 한다. 자녀양육의 한 형태로 볼 수 있는 교차세대연합은 아이에게 너무 많은 힘을 부여해서 아이와 한 부모 사이에 전형적인 합의계약을 만들어 낸다. 아이는 부모의 절친한 친구가 되고 부모의 정서적 부담을 나누어 가지며, 이에 대한 보답으로 부모는 아이에게 권위적인 역할을 하지 않게 된다. 이러한 역동은 권위에 대항하거나 생활영역의 제한, 정서적 부담감에 따른 불안, 부모에게 과도한 정서적 충성심과 연결된 죄책감으로 인한 말썽부리기 등의 예견 가능한 문제로 이끈다. 예를 들어, 남편은 아이에게 엄마가 너무 허용적이라 말하고, 아내는 아이에게 아빠가 너무 완고하다고 말한다. 남편은 아이 양육에 별 관심이 없다는 아내의 비난 때문에 자녀 양육에서 점차 멀어진다. 곤란에 빠진 아내는 아이의 요구에 과도한 관심과 걱정으로 반응하고, 의무로부터 자유로워진 남편은 필요한 경우에도 반응을 보이지 않는다. 양쪽 모두 서로의 방식을 비난하지만 각자의 방식은 상대방의 행동을 지속시키며, 결국에는 아버지를 제외한 어머니와 아이의 교차세대 동맹이라는 결과를 가져오는 것이다.

교차의존성
[交叉依存性, cross dependence]

한 약물에 대해 의존성이 생겨 이를 중단하더라도 다른 약물에 대하여 똑같은 의존성을 보이는 것. 중독상담

교차의존성 현상은 약물이 상호 연관되어 있는 특성 때문에 나타나는데, 이를 이용하여 한 약물의 금단증상을 그 특정 약물이 아닌 교차의존성이 있는 약물을 투여함으로써 없앨 수 있다. 따라서 약물 중독자들이 기존에 사용하던 약물을 더 이상 구할 수 없을 때, 교차의존적인 다른 약물로 대치하여 사용할 수 있다.

관련어 | 교차내성, 약물의존

교차참조
[交叉參照, cross-reference]

저널쓰기 방법의 하나로, 특정 기록을 손쉽게 찾기 위한 체계적인 저널관리시스템. 문학치료(글쓰기치료)

프로고프(Progoff) 워크숍에 참가할 때 받는 저널(심리 공책)은 여러 부분으로 나누어져 있으며, 각 부분에는 해당 부분의 이름이 인쇄되어 있고 색깔로 식별되는 별지(divider)가 있다. 프로고프 저널을 사용할 때는 투명한 형광펜을 사용하여 각 기록이 색깔로 식별될 수 있게 함으로써 각 부분을 교차참조한다.

교차타당화
[交叉妥當化, cross validation]

전집에서 표집한 두 독립적인 표본을 대상으로 예언변인과 기준변인 간의 관계를 설정하는 과정. 통계분석

심리검사 도구개발과정에서 문항분석 결과를 일반화하기 위해 적용하는 과정이다. 한 표본을 대상

으로 문항분석을 통해 최종적으로 얻어진 문항을 다른 표본에 적용해 그 문항의 신뢰도와 타당도를 평가한다. 다른 표본에서도 여전히 검사도구의 신뢰도와 타당도가 높게 나오면 처음 표본의 문항분석 결과를 믿을 수 있다. 먼저, 검사점수와 기준변인 간 관련 자료를 한 표본에서 수집하여 상관계수를 계산하고 회귀방정식을 유도한다. 같은 전집에서 제2표본을 추출한 다음 이 집단에서 얻은 회귀방정식을 적용하여 예언된 기준점수를 구한다. 예언된 기준점수와 실제 얻은 기준점수 간 상관계수를 계산한다. 이렇게 해서 얻은 상관계수는 제1표본에서 얻은 상관계수와 큰 차이가 없어야 한다. 만약 너무 큰 차이가 있다면 처음에 얻은 상관계수는 우연한 오차요인에 따라 지나치게 과장된 것으로 해석할 수 있다.

교화에 의한 상담
[敎化-相談, counseling by enlightenment]

잘못된 신념을 가진 내담자가 근본적인 신념의 변화를 일으켜서 행동의 변화가 일어나도록 적극적으로 도와주는 상담 형태. 목회상담

성경적인 상담을 주장한 크랩(Crabb)은 상담의 수준을 3단계로 나누어 설명했는데, 교화에 의한 상담은 세 번째 단계다. 교화에 의한 상담은 약간의 선택된 사람들이 몇 주간의 특별한 훈련을 받은 상담자와 상담을 하는 것이다. 문제의 감정을 확인(1단계 상담)하고, 이에 따르는 문제행동에 대해 성경적 원리를 적용한 다음(2단계 상담), 문제행동을 일으킨 잘못된 신념을 찾는 것(3단계 상담)이 크랩이 설명한 상담의 단계다. 이에 따라 3단계 상담인 교화에 의한 상담은 잘못된 신념(erroneous beliefs)을 찾는 것이 목표다. 잘못된 신념은 잘못된 감정과 행동을 일으키는 원인이 되므로 신념의 변화가 일어나야 내담자의 근본적인 변화를 기대할 수 있다고 하였다.

관련어 | 기독교상담, 성경적 상담

구강기
[口腔期, oral stage]

유아의 욕구나 인식, 표현 등 모든 쾌감이 입으로 빨고, 삼키고, 뱉고, 깨무는 것 등을 통해 이루어지는 시기. 정신분석학

프로이트(S. Freud)가 설명한 심리성적발달의 첫 번째 단계로서 대략 0~1세 시기에 해당한다. 리비도가 입에 집중되어 입을 통한 감각적 쾌감이 외부세계와의 중요한 커뮤니케이션 수단이 된다. 아브라함(K. Abraham)은 이 시기를 다시 2개의 하위단계, 즉 구강 의존기와 구강 공격기로 구분하였다. 출생 직후부터 약 6개월경까지를 구강 의존기 혹은 구강 수용기(receptive stage)라고 한다. 생존에 필요한 빨기 반사가 발달하여 리비도가 젖을 빠는 데 집중된다. 유아는 구강부위의 빠는 자극을 통해 사회적이고 물리적인 환경과 접촉하는데, 어머니에게 의존하여 젖을 빨면서 이 세상에 대한 지각을 배우고 외부와의 관계를 확립한다. 유아는 태어나자마자 곧바로 음식에 대한 생물학적 욕구를 느끼는데, 이러한 욕구는 젖을 빠는 행위를 통해 충족된다. 배고픔이라고 하는 생리적 불쾌감은 젖을 빠는 행위를 통해 해소되는데, 이때 긴장감이 해소되면서 심리적 안정감을 얻게 된다. 그 후 생후 약 6개월경부터 1세경은 구강 공격기 혹은 구강 가학기에 해당된다. 이가 생기면서 서서히 젖을 떼는 과정에 적응하고 고형식의 음식을 씹고 깨무는 것을 배운다. 입으로 빠는 행위를 통한 쾌감뿐만 아니라 입으로 물어뜯는 데서 얻는 쾌감이 더해진다. 프로이트는 구강활동을 통해 얻는 쾌감은 지식습득이나 소유를 통해 얻는 쾌락과 같은 다른 형태의 활동으로 전환 혹은 대치될 수 있다고 보았다. 구강기에 고착된 성격을 구강형 성격(oral character)이라고 한다. 이 시기에 욕구가 과잉충족되거나 과잉결핍되는 경우 나

중에 의존적이거나 자기중심적인 구강형 성격이 되며, 폭음, 흡연, 과식, 험담, 수다 등 입과 관련된 문제행동을 나타낸다. 구강 공격형 성격은 풍자적이고 논쟁을 좋아하는 형태로 대치될 수 있다. 반면, 욕구가 적절하게 충족되면 자신감, 신뢰감, 독립성 등 안정된 성격을 발달시킨다.

관련어 | 구강성애, 남근기, 생식기, 심리성적발달, 잠복기, 항문기

구강기 성격
[口腔期性格, oral personality]

구강기에 나타나는 가학적인 소망이나 환상이 토대가 된 성격. 정신분석학

프로이트(S. Freud)의 심리성적 발달단계에서 가장 초기단계에 해당하는 구강기에는 유아의 욕구나 인식, 표현 등이 주로 입과 입술, 혀 등의 구강 주변에 관련된다. 구강기 동안의 과도한 욕구 만족 혹은 결핍은 구강기 고착을 일으켜 지나치게 낙관적 성향, 혹은 우울증을 유발하여 비관적 성향, 자기애적 성향 등의 병리적 특성을 갖게 한다. 특히 가학적인 형태로 나타나는 구강 공격성(oral aggression)은 물어뜯고, 먹어 치우고, 파괴하는 원시적 소망 혹은 환상과 연관된다. 깨무는 것이 좌절될 때 구강 공격성이 형성된다. 어머니가 자신의 유두가 깨물리게 될까 봐 유아를 거부하거나 너무 일찍 젖을 뗄 때 이러한 성격이 형성될 수 있다. 또한 젖을 먹고자 하는 욕구가 좌절될 때 구강 수동성(oral passive)이 나타날 수도 있다. 후일 심한 스트레스 상황에 놓였을 때 타인에게 의지하며 먹고, 마시고, 흡연하는 경향성이 강하게 된다. 구강기에 고착된 성격을 지닌 사람은 주변상황이 뜻대로 되지 않을 때 줄담배를 피운다거나 음식을 닥치는 대로 먹어 치우는 등 입을 통해 미충족된 욕구를 해소하고자 한다.

관련어 | 고착, 심리성적발달

구강성애
[口腔性愛, oral erotism]

유아가 욕구나 인식, 표현 등과 관련된 소망이나 환상을 주로 입과 입술, 혀 등과 관련짓는 것. 정신분석학

심리성적 발달단계의 첫 단계에 해당하는 구강기에는 유아의 욕동이 입을 중심으로 발달되는데, 젖을 빠는 구강기 만족과 젖을 빨아 먹은 후의 이완상태에 도달하려는 욕구가 강하다. 출생 직후에는 빠는 것으로 성적 욕동을 만족시킨다. 이후 이가 생길 무렵에는 깨무는 것으로 공격적 욕동을 충족시킨다. 프로이트(S. Freud)의 구강성애 개념과 달리, 야콥슨(Jacobson)은 유아기의 구강기 경험에는 어머니와 유아 사이의 미묘한 상호작용이 포함된다고 주장하였다. 야콥슨은 구강성애를 통해 자아 및 대상관계 형성과정을 구체적으로 설명하였다. 구강성애는 수유와 같은 먹는 행위에 국한되지 않고 피부, 점막, 청각, 시각, 운동 감각에 이르기까지 폭넓게 확대된다. 어머니가 유아에게 모유를 수유하는 것뿐만 아니라 가슴에 안고, 배에 올려놓고, 뒤집고, 입맞춤하고, 노래하고, 미소 짓는 행위 등 모든 것이 구강성애를 유발한다. 유아는 단지 어머니의 젖가슴만이 아니라 전체 어머니(whole mother)를 경험한다.

관련어 | 구강기

구개파열
[口蓋破裂, cleft palate]

위턱을 만드는 구개돌기가 붙지 않은 상태. 특수아상담

갈라진 위치에 따라 윗입술의 붉은색 부분에서 양 콧구멍 쪽으로 파열이 일어난 순파열인 양측 순파열(bilateral cleft lip), 윗입술의 중앙에서 생긴 수직 파열인 중앙 순파열(median cleft lip), 왼쪽 혹은

오른쪽 입술의 붉은 부분에서 콧구멍 쪽으로 생긴 순파열인 편측 순파열(unilateral cleft lip)로 구분할 수 있다. 구개파열의 종류로는 양측 구개파열(bilateral cleft palate), 완전 구개파열(complete or total cleft palate), 불완전 구개파열(subtotal cleft palate), 편측 구개파열(unilateral cleft palate)이 있다. 치료는 대개 수술로 입술과 구개의 갈라진 부분을 닫는 것인데, 한 번의 수술로 끝나는 경우보다는 단계적으로 여러 번에 걸쳐 시행하며, 대부분의 경우 태어난 지 1년 이내에 첫 번째 수술을 한다. 수술의 예후는 대체로 좋은 편이다.

관련어 | 구순파열

구금반응
[拘禁反應, reactions deriving from confinement]

구금상태에서 견디지 못하거나 구금에서 벗어나고 싶은 욕망에서 발생하는 심인성 정신장애. 교정상담

좁은 의미로 구금이 원인이 되었다고 인정되는 반응성의 정신장애다. 우리나라의 시설에서 보이는 구금반응으로는 구금신경증, 정신신체질환, 원시반응, 반응성, 몽롱상태, 반응성 기분 변조, 반응성 망상 등이 있다. 이처럼 좁은 의미의 구금반응은 구금에 대한 부적응이라는 생각이 배경에 있다. 이와 달리 넓은 의미의 구금반응은 좁은 의미의 구금반응과 차이가 있으며, 구금에 대한 반응을 부적응뿐만 아니라 개인으로서의 적응이라고 보는 사고방식도 있다. 교정시설에 구금된다는 것은 담 밖의 자유로운 사회와는 다르고, 비공식의 인간관계 속에 몸을 두는 것이다. 예를 들면, 형무소 사회에서는 수용자들이 만들어 낸 하위문화가 존재한다. 한편, 형무소 내에서는 교도관과 재소자라는 확고한 관계와 질서사회가 존재한다. 이 두 가지 가치체계(때로는 모순되는)의 존재는 충분히 스트레스로 가득하고, 나아가 인간관계의 복잡성에 따라 대세에 적응하지 못하는 사람(처우 곤란자)을 만들어 낸다고도 생각할 수 있다. 짐바르도(P. Zimbardo, 1977) 등은 시설에 구금되어 있는 상황이 얼마나 스트레스를 받는 것인지 실험을 통한 연구를 시행하였다. 그들은 대학의 지하에 형무소 모형을 만들고 남자 대학생을 교도관 역할과 제소자 역할로 무작위로 나누어 배치하였다. 그 결과 교도관 역할을 수행한 학생이 공격적, 권위적, 지배적인 데 비해서 제소자 역할을 수행한 학생은 수동적, 의존적, 무기력, 복종적으로 바뀌어 갔다. 이후로 정서 불안정이 되어 실험을 결국 중지할 수밖에 없었다.

구문 의미 이해력 검사
[構文意味理解力檢査, test of oral reading and comprehension skill]

이해언어에서의 언어발달장애를 판별하는 데 사용할 수 있으며, 단순 언어장애 아동의 하위유형을 판별하거나 상대적인 강·약점을 파악하고자 할 때 사용하는 표준화검사. 특수아상담

우리나라의 경우 배소영, 임선숙, 이지희, 장혜성(2004)이 만든 표준화 구문 의미 이해력 검사가 있다. 이 검사는 언어 이해력에 어려움을 보이는 아동 중, 특히 구문 의미를 이해하는 데 어려움을 보이는 아동을 판별하고자 할 때 사용한다. 또한 SLI(단순언어장애) 아동의 하위영역 중 아동이 가지고 있는 강점과 약점을 파악하고자 할 때, 치료교육의 기초 방향 및 치료효과를 살펴보고자 할 때 사용할 수 있다. 총 57개의 문항을 통하여 만 4세부터 초등학교 3학년 수준의 구문 의미 이해력을 측정한다. 문항별로 문법형태소에 초점을 맞춘 문항(~면서, ~밖에, ~려고 등), 구문구조에 초점을 맞춘 문항(~도, ~서, ~때까지, ~가~에게, ~하는 동안, ~고 나서 등), 의미에 초점을 맞춘 문항(뚱뚱하다, 싱싱한, 거울 앞, 몇, 가지런하다 등) 등으로 이루어져 구문 의미적 요소별로 분석할 수 있다. 검사를 마치면 원

점수를 계산하여 생활연령 또는 학년에 근거한 백분위를 찾아 현재 아동의 수준을 판단한다. 모든 아동이 문법이나 의미발달이 똑같이 습득되지 않을 수 있으므로 아동의 반응을 특정 항목의 개별적인 문법 또는 의미적 요소에 대한 완전한 이해로 해석하기는 어렵다. 따라서 구문 의미 이해력에 대한 종합적인 평가를 위해서는 아동 개별적 심화검사나 담화자료를 바탕으로 한 평가로 전반적인 판단을 해야 한다.

관련어 | 언어장애

구별적 모델
[區別的 –, discrimination model]

수퍼바이저 역할모델의 하나로 예비 수퍼바이저에게 수퍼비전을 가르치기 위한 모델. 상담 수퍼비전

구별적 모델은 수퍼바이저의 역할을 교사, 상담자, 자문가로 구분하고 각각의 역할에 따른 수행활동을 명시하여 수퍼비전의 지침으로 삼을 수 있도록 체계화한 것이다. 수퍼바이저는 수퍼비전 과정에서 담당할 수 있는 다양한 역할 중에서 어떤 역할을 수행할 것인지를 결정하기 위해서 상담수련생의 이론적 배경과 발달단계, 상담자로서의 능력과 같은 몇 가지 요인을 고려해야 한다. 버나드(Bernard, 1979)는 교사, 상담자, 자문가라는 세 가지 수퍼바이저의 역할과 그에 따른 상담과정 기술, 사례개념화, 개인화의 세 가지 수퍼비전 내용 영역으로 모두 아홉 가지 방법을 제시하면서 수퍼바이저가 수련생에게 반응할 수 있는 방법을 구조화하였다. 각각의 영역 중 세 가지 수퍼바이저의 역할에 대해 살펴보면 다음과 같다. 첫째, 수퍼바이저의 역할 중 하나는 '교사로서의 수퍼바이저'인데, 이 수퍼바이저는 수련생에게 상담기술 및 사례개념화 등을 가르치는 역할을 한다. 둘째, '상담자로서의 수퍼바이저'는 수련생이 상담자로서의 역량을 발전시키는 데 필요한 인간적 성장을 도모할 수 있도록 도움을 주는 역할을 한다. 셋째, '자문가로서의 수퍼바이저'는 비교적 동등한 입장에서 수련생이 제기하는 문제에 대한 의견을 제시하는 역할을 한다. 이러한 세 가지 수퍼바이저의 역할영역은 또다시 각각 상담자의 과정기술, 사례개념화, 개인화의 세 가지 수퍼비전 내용으로 분류할 수 있다. 첫째, 상담과정 기술(counseling process skills)은 상담자가 상담장면에서 일반적으로 사용하는 기술에 대한 영역이다. 즉, 초기 면접을 자연스럽게 하는 능력, 반영, 재인용, 요약, 해석 등의 상담기술을 수행할 능력, 내담자의 마음에 있는 것을 말하도록 도와주는 능력, 언어적 의사소통을 원활하게 하고 비언어적 의사소통을 구사하는 능력, 그리고 상담관계를 종결하는 능력 등이 이 영역에 포함된다. 둘째, 사례개념화(case conceptualization)는 상담자가 회기에서 내담자가 나누는 경험을 통해 그를 이해하고, 상담개입의 방법을 선택하는 기술의 영역이다. 이러한 개념화는 내담자가 말하는 것을 이해하고, 내담자의 진술에서 주제를 명확하게 찾아내며, 내담자에게 적절하거나 적절하지 않은 상담목표를 가려내고, 내담자가 표현하는 목표에 적절한 전략을 선택하며, 내담자의 향상과 변화를 발견하는 능력을 바탕으로 상담자가 내담자의 사례를 분석하고 사고하는 인지적인 과정으로 일어나는 것이다. 따라서 사례개념화는 상담자의 인지적인 과정이 올바르게 일어나도록 돕는 영역을 뜻한다. 셋째, 개인화(personification)는 상담자의 개인적 방식과 상담활동에서의 상담자로서의 역할을 통합하는 기술을 뜻한다. 즉, 상담의 이론과 전문가로서의 기술적 개입을 상담자 자신만의 방식으로 변형하여 적용 및 활용하는 것을 말한다. 이러한 개인화의 영역은 내담자와의 관계에서 권위를 갖고 자신의 특화된 지식과 기술에 대한 책임을 갖는 것에 대해 편안해질 수 있는 능력, 방어적이지 않은 상태로 내담자와 수퍼바이저로부터 도전과 피드백을 받을 수 있는 능력, 내담자와 수퍼바이저의 느낌, 가

치, 태도와 마찬가지로 자신의 느낌, 가치, 태도에 대해 편안해질 수 있는 능력, 내담자에 대한 기본적 존중 등을 포함한다. 이와 같이 구별적 모델에서는 세 가지 수퍼바이저의 역할에 따라 각각 세 가지의 수퍼비전 내용에 대해 구체적인 상황과 그에 따른 수퍼비전 개입방법까지 총 아홉 가지 영역으로 구분하여 자세하게 지침을 제시하고 있다. 따라서 이 모델을 통해서 수퍼바이저는 상담수련생의 능력을 평가하고, 그에 맞는 역할과 수퍼비전의 내용을 선정하여 적용하기가 매우 용이하다는 장점이 있다. 하지만 상담수련생의 능력에 대한 초기평가가 적절하게 이루어지지 않았다면 적절한 수퍼비전을 할 수 없으며, 수퍼비전을 할 때 수퍼바이저가 자신이 수행하기 쉬운 역할에만 머물러 있을 위험성이 있다는 단점도 가지고 있다.

관련어 | 수퍼바이저 역할모델, 할로웨이 모델

구상
[具象, plot]

인간이 자신의 삶에서 연속적으로 경험된 수많은 사건 중에서 몇 개의 사건을 선택하고 해석하여 의미 있는 해석의 구조를 형성한 가장 작은 단위로서, 원어 그대로 '플롯'이라고도 함. 이야기치료

인간은 누구나 삶을 살아가면서 수많은 사건을 경험하고, 그 경험을 자신만의 방식으로 해석하여 언어라는 매개체를 통해서 표현하게 된다. 하지만 경험된 모든 삶의 사건을 다 기억하고 각각의 사건에 의미를 부여하여 이야기하는 것은 아니다. 개인이 자신에 대해 혹은 자신의 삶에 대해 이해하고 정체성을 부여하기 위해서는 여러 가지 다양한 인생에서 경험한 사건 가운데 몇 가지를 선택하여 연결고리를 만들고 의미를 부여하여 해석하는 이야기 구조화의 과정을 거친다. 예를 들면, '내 아내는 요리를 잘한다.'고 생각하는 사람은 아내가 해 준 수많은 요리 중에서 맛이 아주 훌륭했던 경험도 있겠지만, 그저 일반적이었던 경험도 있을 수 있고 맛이 없었던 경험이 있을 수도 있다. 하지만 남편은 그중에서 맛이 좋았던 경험들을 선택하여 아내가 요리를 잘한다고 의미를 부여하여 해석한 것이다. 이처럼 선택한 경험에 의미를 부여하여 해석한 가장 작은 단위의 구조화된 이야기가 바로 구상이다. 구상은 비슷한 의미를 가진 다른 구상들과 연결되고, 그 의미가 더욱 강화되어 개인의 삶에서 긍정적으로 혹은 부정적으로 강력한 영향을 미치는 것(지배적 이야기)이 될 수 있고, 다른 구상들과 연결되지 못하고 삶에 산재하거나 기억되지 못하여 개인의 삶에서 그 영향이 미미하게 작용하면서 잘 드러나지 않을 수(감추어진 이야기)도 있다.

관련어 | 감추어진 이야기 , 이야기치료, 지배적 이야기

구성개념
[構成概念, construct]

추상적이고 가설적인 특성이나 속성의 존재를 가정하고 그것을 지칭하기 위하여 만들어 놓은 개념으로 구인(構因)이라고도 하며, 켈리(G. Kelly)의 개인적 구성개념이론에서 핵심 용어의 하나로 개인이 자신의 경험 세계를 이해하고 해석하는 사고의 범주. 개인적 구성개념이론 연구방법

연구방법이나 심리검사에서 사용되는 구성개념 혹은 구인은 추측해서 존재할 것이라고 믿는 어떤 특성을 가리키는 가설적 개념이다. 따라서 구성개념은 그것이 나타내는 구체적 실물이 없고, 직접관찰하거나 측정할 수 없다. 하지만 과학에서 매우 유용하게 쓰인다. 교육학이나 심리학에서 많이 사용되는 지능, 적성, 태도, 인지양식, 성취동기 등은 모두 구성개념의 일종이다. 추정해서 만든 가설적 개념은 우리의 감각기관으로 직접 관찰할 수 없는 것이 특징이지만, 관찰할 수 없다고 해서 가설적 개념이 애매모호한 것만은 아니다. 예를 들어, 전기(電氣)는 가설적인 개념으로서 우리가 눈으로 직접 볼

수 없고 다만 전기가 나타나는 상태나 현상만 볼 수 있다. 즉, 전류가 흐르고 있는 선에 전기난로를 연결하면 빨갛게 달아오른다든지 형광등이 밝게 빛나는 현상을 볼 수 있을 뿐이다. 이와 마찬가지로 지능의 개념도 그 자체는 눈으로 볼 수 없지만 지능이 나타내는 상태나 특징은 관찰할 수 있다. 즉, 지능이 높거나 낮은 사람들의 행동을 분별할 수 있는 것이다. 지능 외에 외향성, 우울 등의 심리적 속성은 직접 측정할 수 없고, 단지 개인의 행동을 관찰하여 심리적 속성을 추론 혹은 유추할 수 있을 뿐이다. 예를 들어, 외향성을 나타낸다고 보이는 특성이나 행동을 관찰하여 외향성을 추론하는 것이다. 이와 같은 구성개념이 측정되기 위해서는 구체적인 행동 표본으로 정의되어야 한다. 한편, 구성개념은 켈리의 개인적 구성개념이론에서 핵심 용어의 하나로, 개인이 자신의 경험세계를 이해하고 해석하는 사고의 범주를 가리킨다. 켈리(1955)는 "인간은 자신의 세계를 명백한 유형이나 판형을 통해서 보는데, 이 유형이나 판형을 자신이 창조하여 세계를 구성하고 있는 현실에 맞추어 보고 있다. 이렇게 맞추는 것이 항상 잘되는 것은 아니지만 그런 유형이 없다면 세상은 의미 있게 해석할 수 없는 미분화된 동질성의 것으로 보이게 될 것이다."라고 하였다. 여기서 유형이나 판형을 구성개념이라고 부르며, 개인이 지니고 있는 구성개념을 개인적 구성개념(personal construct)이라고 부른다. 그러므로 한 사람의 사고 범주 구조와 그 과정을 이해한다는 것은 그가 구성개념을 하는 방식, 즉 그의 개인적 구성개념을 이해한다는 말과 같다. 이러한 구성개념은 사건에서 추출되지만 다시 그 사건에 부과되어 그들을 지휘하고 각 경험의 의미를 결정짓는다. 이 같은 의미에서 구성개념은 일종의 통제수단이 된다고 할 수 있다. 다시 말해, 구성개념은 인간행동의 과정을 일정한 방식으로 제한한다. 구성개념의 실체가 사실적 요소의 실체와 다를지라도 개인은 사실적 요소에 의해서가 아니라 그의 구성개념에 의해서 행동한다. 따라서 구성개념이 지니고 있는 통제의 성격이 어떠하냐에 따라서 개인적 구성개념은 몇 가지의 다른 형태를 지니게 된다. 켈리는 구성개념이 그들의 요소에 대해 어느 정도의 통제를 가하고 있는가에 따라서 선매적(先買的,) 성좌적(星座的), 명제적(命題的) 구성개념의 세 유형으로 나누었다. 선매적 구성개념(preemptive construct)은 오로지 자신의 영역 안에 있는 구성원을 위해서만 구성개념의 요소를 선매하는 것인데, 이는 구성개념체계의 '오직(nothing but)'형으로서 극히 비융통적인 구성개념이다. 전형적인 흑백 논리적 사고방식이 이러한 구성개념의 극단적인 형태가 반영된 것이다. 이 구성개념은 우리 자신을 재해석하고 재조명해 보며 세계를 새로운 관점에서 바라볼 수 있게 하는 성장 가능성을 완전히 배제해 버린다. 성좌적 구성개념(constellatory construct)은 자신의 요소들을 다른 영역의 구성원으로 고착시키는 것으로, 판에 박힌 사고방식이나 유형적 사고방식이 이에 속한다. 즉, 하나의 사건이 어떤 구성개념 내에 포섭되면, 그 사건의 다른 특성들이 일정하게 고정되어 버리는 것이다. 예를 들어, 성좌적 사고의 유형은 '만일 이 사람이 프로 축구선수라면, 그는 분명 거칠고 무뚝뚝하고 둔할 것이다.'라고 판단한다. 따라서 성좌적 구성개념은 대안적인 견해를 택할 수 있는 기회를 한정시킨다. 마지막으로 명제적 구성개념(propositional construct)은 자신의 요소들을 다른 영역의 구성원 여부에 대해 아무런 내포를 하지 않은 것이다. 명제적 사고를 하는 사람은 새로운 경험에 대해 개방되어 있고, 자기주장적이기보다는 실험적 기초에 의해 수정된 관점을 받아들일 줄 알며, 객관적인 사고방식을 가지고 있다. 구성개념이 명제적일수록 그의 세계는 더욱 풍요해지고 관점의 경직성에서 오는 갈등도 감소한다. 일반적으로 선매적 혹은 성좌적 구성개념은 바람직하지 않으며 명제적 구성개념은 바람직한 것으로 생각된다. 그러나 켈리는 그러한 주장이 반드시 사실은 아니라는 점을 분명히 밝히고 있다. 만약 어떤 사람이 오직 명제적 구성개념만을 사용한다면, 그는 모든 가능성에 개방되어 어떤 결정도 내릴 수 없으므로 세상을 살아가는 데 극히 어려움을 겪을 것이라고 하였다. 따라서 선매적, 성좌적, 명제적 사고의 형태는 사건을 구성개념하는 데 모두 필요하다.

관련어 개인적 구성개념, 개인적 구성개념이론, 경험추론, 고정역할치료, 공통성 추론, 구성개념체계

구성개념체계
[構成概念體系, construct system]

사건에 적용하기 쉽게 의미 있는 위계적 순서로 정렬되어 있는 구성개념들 간의 관계 및 구조. 개인적 구성개념이론

구성개념은 성격의 단위인 반면에 구성개념들 간의 관계, 즉 구성개념체계는 성격의 구조로 되어 있다. 각각의 사람들은 서로 다른 구성개념을 사용할 뿐만 아니라 서로 다른 방식으로 구성개념이 조직화되어 있다. 비슷한 개인적 구성개념을 가지고 있는 두 사람도 그 구성개념이 서로 다른 순서로 이루어져 있으면 매우 다른 성격을 가질 수 있다. 구성개념은 어떤 것에 비해서는 하위개념이기도 하고, 또 다른 구성개념에 비해서는 상위개념이기도 하다. 이러한 조직화에 따라 개인은 정렬된 방식으로 한 구성개념에서 다른 구성개념으로 이동할 수 있고, 구성개념들 간에 갈등과 불일치가 있을 때는 다른 구성개념으로 넘어가기보다는 구성개념 속 수준 사이에서 상하로 움직임으로써 문제를 해결한다. 한 개인의 구성개념체계는 개인이 끊임없이 사건들 간의 유사점과 차이점을 인식하고 평가함으로써 바뀌어 간다. 이렇게 사건을 해석하고 재해석하는 과정에서 필연적으로 예측이 실패하는 경험을 하게 된다. 즉, 이전의 사건과 새로운 사건 간의 유사성에 대한 가정이 항상 유지되는 것은 아니다. 그럴 때 지금까지 사용한 구성개념은 수정하거나 폐기해야 한다. 구성개념을 수정하면 필연적으로 구성개념체계도 바뀐다. 개인적 구성개념체계의 사소한 이동과 수정은 끊임없이 일어난다. 우리의 구성개념체계는 많은 경험을 할수록 발전을 거듭한다. 켈리(G. Kelly)는 새로운 사건을 해석하는 것이 경험이며, 경험은 능동적인 과정이라고 말하였다. 경험을 얻기 위해서는 사람들이 과거에 사건을 해석하는 것과는 달리 해석해야 한다. 즉, 사건을 재해석해야 하는 것이다. 켈리(1980)는 사건이 사람을 변화시키는 것이 아니라 사람이 사건을 재해석하는 것, 즉 경험을 통해 자기 자신을 변화시킨다고 믿었다.

관련어 개인적 구성개념, 경험추론, 구성개념

구성적 대안주의
[構成的代案主義, constructive alternativism]

켈리(G. Kelly)의 개인적 구성개념이론을 구축하고 있는 철학적 신념의 하나로, 어떤 사건이든 여러 방식으로 해석될 수 있다는 생각. 개인적 구성개념이론

구성적 대안주의는 켈리(1955)의 "인간과 자연의 현상은 해석으로부터 자유로운 것이 없다. 인간의 현실적 지각은 언제나 해석에 따라 바뀌고, 객관적 세계나 절대적 진리와 같은 것은 존재하지 않는다."라는 주장에서 찾아볼 수 있다. 구성적 대안주의는 우주에 대한 현재의 모든 해석이 수정되고 변경되거나 혹은 다른 해석으로 대치되어야 한다고 주장한다. 신성한 것은 아무것도 없으며 절대적이고 불변적으로 정당한 정치, 종교, 경제 원리, 사회적 습관, 대학의 행정정책이란 있을 수 없고 사람들이 그것들을 다르게 볼 수 있을 때 그 모든 것은 변화를 한다는 것이다. 그런 이유로 켈리는 '해석으로부터 자유로운 세계관'은 없다고 주장하였다. 즉, 개인의 현실에 대한 지각은 항상 해석에 따라 바뀌는 것이며, 객관

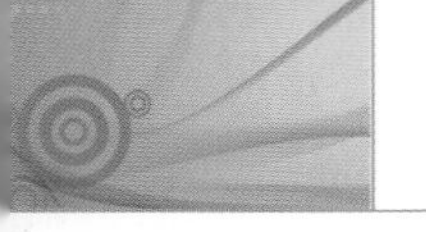

적 세계나 절대적 진리는 인간이 만들어 낸 허구에 지나지 않는다고 보았다. 여러 가지 사건이나 현상은 인간의 해석에 따라 제각기 다르게 인식되기 때문에 그것에 대해 구성개념을 할 수 있는 수많은 대안이 가능하다. 예를 들어, 소녀가 어머니의 지갑에서 돈을 꺼내 간 일을 생각해 보자(Hjelle & Ziegler, 1992). 그것은 무엇을 의미하는가? 이러한 사실은 다만 돈이 지갑에서 없어졌다고 생각할 수도 있을 것이다. 그러나 아동 임상치료사에게 이 사건의 해석을 부탁하면 그 치료사는 소녀가 어머니에게 거부당한 느낌에 대해서 자세한 설명을 해 줄 것이다. 이 거부는 어머니가 자신의 직업상의 목표추구를 포기하고 집에서 딸을 양육하면서부터 좌절을 느낀 데서 초래한 것일 수 있다. 그러나 어머니에게 묻는다면 자기 딸이 나쁘다거나 믿을 만한 가치가 없다고 말할지도 모른다. 소녀의 아버지는 가정교육이 부족한 탓이라고 말할 수도 있고, 소녀의 할아버지는 장난을 한 것이라고 생각할 수도 있다. 소녀 자신은 부모가 자신에게 충분한 용돈을 주지 않는 데 대한 반발이라고 생각할 것이다. 이처럼 돈이 없어졌다는 분명하면서도 변경될 수 없는 하나의 사건에 그 의미는 여러 가지 다른 방향으로 해석이 될 수 있다. 즉, 어떤 사건이든지 다양한 관점에서 조망할 수 있는 것이다. 켈리는 구성적 대안주의에 대한 자신의 주장을 본질이 무엇이든지 간에, 그리고 진리에 대한 탐색이 어떻게 결론이 내려졌든지 간에 현재 우리가 접하는 사건들은 우리의 지혜가 연구를 가능케 해 주는 것처럼 구성개념의 다양성에 따라 달라진다는 말로 요약하였다.

관련어 | 개인적 구성개념이론

구성주의
[構成主義, constructionism]

지식의 본질과 지식의 형성 과정에 대한 인식론적 논의에서 나온 이론으로, 지식의 절대성이나 지식을 의식과 외부 실재의 일치에서 찾는 기존의 객관주의를 거부하고 사고하는 개인의 자기 경험에 기초하여 구성되는 것으로 바라보는 입장.

철학상담 | 체계치료

구성주의는 행동주의나 인지주의와 같은 객관주의를 거부하며, 인식자 개인의 흥미와 관심에 따라 지식을 구성해 나가는 주관적인 면을 강조한다. 따라서 구성주의는 지식이 인식 주체와 독립하여 외부에 존재하는 것이 아니라 마음의 산물로서 인식 주체가 결정하는 것으로 본다. 객관주의에서는 사고 역시 객관주의의 경우 외부의 실재를 반영하거나 통제를 받는 것으로 이해되지만, 구성주의에서는 이 사고가 지각과 구성에 기초하고 있으며, 신체적이고 사회적인 경험을 통해 성장하는 것으로 본다. 이런 면에서 볼 때, 객관주의는 보편타당한 절대적 진리와 지식을 추구하고자 한다면, 구성주의는 맥락에 적합한 의미를 구성하는 데 집중한다. 바로 이와 같은 구성주의 이론에 정초를 놓은 사람이 피아제(Jean Piaget)다. 그는 발생적 인식론의 입장에서 지식은 개인과 환경이 상호작용을 통해 구성되는 것으로 보았다. 글라서스펠트(Ernst von Glasersfeld) 역시 근대 비코(Giambattista Vico)의 이론을 수용하여 인식이 인식 주체의 구성작용을 통해 성립됨을 주장하였다. 피아제와 글라서스펠트의 이 같은 입장이 인지적 구성주의다. 그러나 이런 개인적 구성주의에 반대하는 새로운 구성주의가 출현했는데, 바로 비고츠키(Lev Vygotsky)의 구성주의다. 그에 따르면, 인간의 인지발달은 사회적 상호작용과 문화활동에 대한 적극적 참여의 결과로 이해되어야 한다. '인지적 구성주의'가 인지발달에서 인식 주관의 작용을 중시한다면, '사회적 구성주의'는 사회와 문화의 영향에 더 주목한다. 이 사회적 구성주의 이후, 피아제의 인지적 구성주의는 학습자의 환경, 정서문제 등을 충분히 고려하지 않았다는 지적을 받았다. 이로 인해 신피아제 이론으로 발전해 가면서 개인의 지적 발달에 문화와 정서의 차이가 인지발달에 미치는 영향에 대해서도 주목하였다. 인식론에서 출발한 이러한 구성주의 개념은 다양한 학문 분야에 영향을 미쳤으며, 심리상담 분야에서는 켈리(Kelly)의 개인 구성이론적 상담, 체계론적 심리치료와 제2세대, 제3세대의 가족치료, 이중구속이론을 소개한 바츠라비크의 단기치료 등에 적용되고 있다. 구성주의 입장을 취한 학자로는 흄, 칸트, 니체(Nietzsche), 게슈탈트 심리학자인 메츠거(Metzger)와 쾰러(Köhler), 구성주의 심리학자인 피아제(Piaget)와 켈리, 인지심리학자인 나이서(Neisser)와 되르너(Dörner), 사회학자인 지멜(Simmel), 슈츠(Schütz), 루만(Luhmann), 표상적 상호주의자인 미드(Mead)와 고프먼(Goffman), 현상학적 사회학자인 버거(Berger)와 루크만(Luckmann), 민족학자인 가핑클(Garfinkel) 등이 있다.

구성주의 수퍼비전
[構成主義-, constructionism supervision]

현대심리학의 중요한 세계관인 포스트모더니즘 또는 사회구성주의적 접근을 배경으로 하는 수퍼비전. 상담 수퍼비전

마호니(Mahoney, 1991)는 구성주의라는 용어가 라틴어의 'construere'에서 유래하였고, 특수한 의미나 중요성에 대한 인간의 활동적인 해석에 강조점을 두면서 '해석하다' 혹은 '분석하다'의 뜻을 가지고 있다고 설명하였다. 이러한 구성주의적 철학이 상담에 적용되면 실제 인간 삶의 객관적인 사실보다는 개개인의 주관적인 경험을 더욱 중요시하게 된다. 또한 인간의 언어 사용에 대한 중요성에 관심을 집중하여, 현실을 구성하는 수단으로 언어를 이해한다. 구성주의적 접근의 수퍼비전은 이와 같은 구성주의의 기본 이념과 맥락을 같이하여, 수퍼바이저의 구성적 역할의 강조, 참여자 사이의 관계적인 평등을 유지하기 위한 시도, 그리고 수련생의 장점을 강조하는 특성이 있다.

관련어 내러티브적 접근의 수퍼비전, 심리역동적 수퍼비전, 인간중심 수퍼비전, 인지행동 수퍼비전, 체계적 수퍼비전

구성주의 심리학
[構成主義心理學, constructive psychology]

지식은 개인과 독립적으로 존재하는 것이 아니라 환경과의 상호작용을 통해 개인이 구성해 나간다는 점을 강조하는 학파. 체계 치료

구성주의 심리학자들은 인간의 의식을 다양한 요소로 분석하고, 이 요소들이 어떻게 인간 정신의 합성체를 구성하는지 그 내용의 공통 요인을 밝히는 데 초점을 두어 인간의식을 연구하였다. 독일의 빌헬름 분트(Wilhelm Wundt)의 영향을 받아 그의 제자인 미국의 심리학자 브래드퍼드 티치너(Bradford Titchener)가 소개한 심리학 체계로, 정신의 구성 내용과 구성요소 및 과정을 연구의 초점으로 삼았다. 이는 1879년 분트가 설립한 라이프치히 대학의 실험심리학연구소에서 주관 연구방법으로 사용했던 내성법(內省法, introspection)을 기반으로 인간의식의 공통 요인에 대한 연구를 시작한 데서 기인하며, 이 시점을 현대 심리학의 출발점이라고 보는 견해가 많다. 구성주의학파는 최초로 등장한 심리학의 학파였으나 의식적 경험 세계를 강조하는 내성법에 지나치게 의존하였기 때문에 가장 먼저 모습을 감추었다.

구성추론
[構成推論, construction corollary]

켈리(G. Kelly)가 제시한 11개의 정교한 추론의 하나로, 사람은 사건들을 반복적으로 구성개념을 함으로써 그 사건을 예기(豫期)한다는 것. 개인적 구성개념이론

우리가 어제 먹은 저녁은 오늘 먹은 저녁과 같은 것은 아니지만 우리가 사용하는 '저녁'이라는 구성개념은 동일성 또는 반복성을 나타내고 있으며, 이러한 현상들의 반복적 특징 속에서 우리는 반복적 주장을 탐지해 내고 이 주장을 범주화하여 삶의 현상과 경험의 세계를 이해하고 예측하려 한다는 것이다. 이러한 반복적 특징 때문에 우리는 사람의 현상을 예측할 수 있고, 만약 반복성이 상실된다면 이 세계는 질서와 법칙을 찾을 수 없는 혼돈의 세상이 될 것이다. 이렇게 반복되는 세계라 하더라도 그 속에서의 인간행동은 세계를 해석하고 의미를 부여하는 방식과 내용에 따라 제각기 달라진다고 할 수 있다.

관련어 | 개인적 구성개념, 구성개념

구순파열
[口脣破裂, cleft lip]

윗입술의 하나 혹은 그 이상에서 갈라짐이나 파열이 있는 상태. 특수아상담

태아기에 입술이 하나로 합쳐지는 과정에서 실패한 결과인 구순파열은 가장 흔한 선천성 결함 중 하나다. 천 명 중 한 명은 구순파열을 가지고 태어나는 것으로 알려져 있으며, 이는 흔히 구개파열과 함께 일어난다. 이 경우 구순파열은 구개파열의 직접적인 원인이 된다. 구순파열은 성형 수술로 치료가 가능하며 구개파열보다 예후가 좋은 편이다. 일반적인 부모에서 구순파열이 있는 자녀가 있을 경우 다른 자녀도 구순파열을 갖고 태어날 위험이 4~5% 정도 더 높게 나타난다.

관련어 | 구개파열

구어장애
[口語障碍, speech disorder]

의사소통에 필요한 말소리를 만들어 내는 데 문제가 있는 상황. 특수아상담

대표적인 구어장애로는 말소리 산출과 관련된 조음장애, 말의 흐름과 관련된 유창성장애, 목소리 조절과 관련된 음성장애 등이 있다. 유창성장애가 있는 사람은 소리, 단어, 혹은 문장을 말하는 데 어려움이 있고, 가장 심한 경우 말더듬 증상을 보인다. 조음장애는 분명한 이유는 없지만 가족력이 있는 것으로 추측하고 있다.

관련어 | 언어장애, 유창성장애, 음성장애, 조음장애

구원자
[救援者, rescuer]

교류분석

⇨ '드라마 삼각형' 참조.

구조기아
[構造飢餓, structure hunger]

교류분석

⇨ '시간구조화' 참조.

구조모형
[構造模型, structural model]

원초아, 자아, 초자아의 성격구조를 설명하는 모형. 정신분석학

프로이트(S. Freud)는 1923년 『the Ego and the Id』를 출판하면서 자아, 원초아, 초자아의 삼원적

구조모형(tripartite structural model)을 소개하였다. 지형학적 모형을 대체하는 이 모형에서 자아는 본능적 욕구와는 다른 것으로 간주되었다. 자아의 의식적 측면은 의사결정을 내리고 지각된 정보를 통합하는 심리적 세계의 집행자 역할을 한다. 자아의 무의식적인 측면에는 억압 등 방어기제들이 존재한다. 자아가 강력한 본능적 욕구, 특히 성적 욕구나 공격성에서 유발된 불안에 대처하기 위해서는 방어기제가 필요하다. 원초아는 오로지 긴장을 방출하는 데에만 관심을 두며 완전히 무의식적인 정신 내적 요소다. 원초아는 자아의 무의식적인 측면과 구조모형의 세 번째 요소인 초자아에 의해 조절된다. 초자아는 대부분 무의식적이지만 어떤 측면은 의식적이기도 하다. 초자아는 도덕적 양심과 자아이상으로 구성되는데, 도덕적 양심은 부모와 사회의 가치에 근거하여 금지되는 것들을 제시하는 반면에 자아이상은 무엇을 해야 한다거나 되어야 하는 것들을 제시한다. 자아와 비교했을 때, 초자아는 원초아의 열망에 대해 보다 더 민감한 경향이 있고 따라서 자아보다 더 무의식 속에 묻혀 있다.

관련어 | 원초아, 자아, 초자아

구조방정식모형
[構造方程式模型, structural equation modeling: SEM]

회귀분석, 경로분석, 요인분석을 병합한 모형으로서, 변인들 간의 인과관계를 명확하게 규명할 수 있는 통계적 방법.

통계분석

구조방정식모형은 경로분석보다 더 발전된 형태의 통계적 방법으로 최근 교육학, 심리학 등 여러 사회과학 분야에서 많이 사용하고 있는 분석방법의 하나다. 구조방정식모형을 많이 사용하는 이유는 다음과 같다. 첫째, 회귀분석과 비교할 때 구조방정식모형에는 매개변인의 사용이 가능하다. 회귀분석에서는 직접적인 인과관계만 분석할 수 있지만, 구조방정식모형에서는 여러 개의 종속변인을 가지는 여러 개의 회귀모형을 동시에 검증할 수 있다. 둘째, 경로분석과 비교할 때 구조방정식모형에서는 측정의 오차를 통제할 수 있다. 경로분석을 통하여 매개변인의 영향을 파악할 수 있지만, 경로분석에서는 잠재변인이 아닌 측정변인이 사용되기 때문에 측정의 오차를 통제할 수 없다. 반면, 구조방정식모형에서는 여러 개의 측정변인에서 추출된 공통 변량을 사용하므로 측정의 오차가 통제된 추정치를 얻을 수 있다. 따라서 구조방정식모형에 기초하여 산출된 값은 측정변인에 기초하여 산출된 값보다 더 정확하다고 할 수 있다. 셋째, 이론모형에 대한 통계적 평가가 가능하다. χ^2검증 및 다양한 적합도 지수(fit index)들을 적용하여 연구자가 개발한 이론적 모형이 실제 자료와 얼마나 부합되는지 평가할 수 있으며, 이를 기초로 연구자는 자신이 설정한 모형을 수용하거나 수정할 수 있다. 구조방정식모형은 잠재변인모형(구조모형)과 측정모형의 두 부분으로 구성된다. 잠재변인모형은 잠재변인들 간의 인과관계 및 상관관계를 나타내는 부분으로서 경로분석과 회귀분석의 형태를 보인다. 잠재변인은 직접적으로 관찰하거나 측정할 수 없기 때문에 여러 개의 측정문항을 통하여 이론적으로 구성되는 변인이다. 잠재변인모형은 독립변인의 역할을 하는 외생 잠재변인(exogenous latent variable)과 종속변인의 역할을 하는 내생 잠재변인(endogenous latent variable), 그리고 외생변인으로 설명되지 않는 나머지 부분인 오차변인(error variable)으로 구성된다. 한편, 측정모형은 잠재변인과 관찰변인들 간의 인과관계를 나타내는 부분으로 잠재변인과 관찰변인 및 오차변인으로 구성된다. 이 측정모형은 요인분석과 유사하지만, 요인분석에서는 많은 관찰변인이 적은 수의 요인으로 축약되는 것에 초점을 두지만 측정모형에서는 잠재 변인이 어떤 관찰변인을 통하여 가시적으로 드러나는가에 초점을 둔다(성태제, 시기자, 2006). 구조방정식모형을 적용하기 위해서는 타당하고 신뢰할 수 있는 측정이 전제되어야 하며 사례 수도 충분히 커야 안정적인 결과를 얻을 수 있다. 또한 자료와 잘 합치되는 이론모형을 구축하기 위해서는 연구자의 이론적 배경이나 경험적 배경이 강해야 한다. 구조 방정식의 분석절차는 먼저 이론모형 혹은 가설모형을 개발한 다음, 설정된 모형이 부정모형인지 포화모형인지 간명모형인지를 식별하며, AMOS나 LISREL과 같은 프로그램을 이용하여 각 미지수의 값을 추정하고, 이론모형이 실제 자료와 얼마나 합치하는지 여러 가지 적합도 지수를 활용하여 평가한다. 만약 이론모형과 실제 자료가 잘 맞지 않으면 모형을 수정하여 다시 평가한다. 모형을 평가하는 방법에는 단일모형 평가방법과 경쟁모형 평가방법이 있다. 단일모형 평가방법은 하나의 이론 모형만 제시하고, 그 모형의 적합도가 좋으면 그것을 선택하고 좋지 않으면 수정지수를 이용하여 모형을 수정한 다음 적합도가 좋으면 최종 모형을 선택하는 방법이다. 경쟁모형 평가방법은 이론적으로 가능한 여러 모형을 제시하고 모형 간 비교를 통하여 해석이 용이하고 자료와 잘 맞는 최종 모형을 선택하는 방법이다.

관련어 | 경로분석, 회귀분석

구조분석
[構造分析, structural analysis]

사람들의 성격이나 일련의 교류에 대하여 자아상태모델 관점에서 분석하는 것. 교류분석

교류분석에서 자아상태로는 어버이 자아상태(parent ego-state: P), 어른 자아상태(adult ego-state: A), 어린이 자아상태(child ego-state: C)의 세 가지가 있다. 번(Berne)은 자아상태를 '일관되게' 함께 발생하는 감정과 경험의 결합이라고 정의하고, 각 자아상태마다 전형적인 행동도 일관되게 함께 나타난다고 하였다. 교류분석에서 구조적 모델이 각 자아상태 안에 어떤 내용이 들어 있는지를 보여 준다면, 기능적 모델은 이들이 '어떻게' 작용하고 있는지를 나타낸다. 즉, 구조적 자아상태모델은 자아상태 내의 '내용(contents)'을 가리키고, 기능적 모델은 '과정(process)'을 가리킨다. 두 사람의 상호작용에 대해 말할 때에는 기능모델을 사용해야 한다. 하지만 한 사람의 성격을 살펴볼 때에는 구조모델이 필요하다. 사람들이 누군가를 보고 경청할 때 기능을 '관찰'할 수 있지만, 구조는 단지 '추론'할 수밖에 없다. 교류분석에서 세 가지 자아상태 사이에는 경계(boundary)가 있다. 자아상태의 구조모델에서 가장 중요한 것은 세 자아상태들 간의 경계가 명확해야 하며, 누구나 자신의 뜻에 따라 다른 자아상태로 자유롭게 이동할 수 있어야 한다. 이 경계는 일종의 반투막과 같아 정신에너지의 이동이 가능하다. 건강한 성격이 되기 위해서는 자아상태 간의 경계가 분명하면서도 동시에 개방적이어야 한다. 자아 경계가 지나치게 모호하거나 경직될 때는 자아에너지의 흐름에 지장이 생겨 병리적 성격을 드러내게 된다. 구조분석의 목적은 이러한 자아상태들 간의 불균형을 발견하여 바람직한 자아상태로 바꾸는 것이다. 이를 위해 첫째, 상담자는 내담자에게 구조분석의 의의 및 자아상태와 각 자아상태의 기능을 이해시킨다. 둘째, 내담자 자신의 행동 특징을 자신의 P, A, C와 관련지어 이야기한다. 셋째, 내부대화를 분석한다. 넷째, 자아기능 그래프인 에고그램(egogram)을 완성하고, 이를 근거로 내담자 자신의 자아기능에 대해 객관적으로 알 수 있도록 한다. 다섯째, 내담자의 행동 특징, 내부대화, 자아기능 그래프 등을 근거로 내담자의 자아상태에 오염이나 배제가 있는지 확인한다.

구조수립투쟁
[構造樹立鬪爭, battle for structure]

가족치료에서 치료 초기에 치료를 통제하기 위한 상담자의 책임. 경험적 가족치료

경험적 가족치료에서는 보다 효과적인 치료를 위해 가족구성원의 적극적인 참여를 유도해야 한다. 상담자는 치료의 초기과정에서 가족과의 적극적인 상호작용으로 이러한 자발적인 참여를 유도하고 이를 위한 규칙을 세워 나가야 하는데, 이 같은 상담자의 개입을 구조수립투쟁이라고 한다. 상담자는 치료에 필요한 구조를 수립하기 위해 때로는 단호해야 하며, 가족구성원과 타협을 하지 않아야 한다.

관련어 | 주도권 투쟁

구조에 근거한 체계이론
[構造－根據－體系理論, structure-based systems theory]

성격의 특질을 강조한 커텔의 성격이론. 성격심리

커텔(R. Cattell)의 이론은 성격을 환경과 관계하는 체계로 보며 인간의 변화와 성장을 이해하기 위하여 성격과 환경 간의 복잡한 교류를 강조하였다. 이 이론에 따르면 성격은 개인이 어떤 환경에 처했을 때 무엇을 할 것인가를 결정해 주는 것으로 정의된다. 즉, 인간의 행동이나 반응은 개인의 성격과 환경 간의 함수관계에 있다. 이를 공식으로 나타내면 $R=f(P, S)$로, R은 행동 또는 반응(reaction or response), P는 성격(personality), S는 상황 또는 자극(situation or stimulus)을 말한다.

관련어 | 특질

구조적 병리
[構造的病理, structural pathology]

자아상태 구조모델에서 자아상태들 간의 경계가 모호하거나 배제가 일어나서 자아상태들 간의 이동이 자유롭지 못한 현상. 교류분석

자아상태의 구조모델에서 가장 중요한 것은 세 자아상태들 간의 경계가 명확해야 하며, 누구나 자신의 뜻에 따라 다른 자아상태로 자유롭게 이동할 수 있어야 한다는 점이다. 그러나 때로는 두 자아상태의 내용이 서로 혼합되어 나타나는 오염(contamination)이 발생하기도 하고, 하나의 자아상태에서 다른 자아상태로 이동할 수 없는 상태인 배제(exclusion)가 일어나기도 한다. 이 두 가지를 구조적 병리라고 하는 것이다. 교류분석에서 세 가지 자아상태 사이에는 경계(boundary)가 있는데, 번(Berne)은 경계 때문에 발생하는 문제를 오염과 배제의 두 가지로 설명하였다. 이 중에서 오염은 자아경계가 약하거나 파괴되어 특정 자아상태의 에너지가 자아 경계를 침범하여 다른 자아상태에 자유롭게 흘러드는 현상을 말한다. 이러한 오염은 세 가지로 나뉜다. 첫째, 어버이 자아상태의 침범이다(P 오염). 어버이 자아가 어른 자아를 침범 또는 어른 자아가 어버이 자아로부터 오염되었을 때다. 이때는 어른 자아상태가 어버이 자아상태의 지배를 받는다. 따라서 어른 자아상태가 제 기능을 하지 못하게 되어, 과거 외부로부터 입력된 정보가 현실에 맞는지 여부를 식별하지 못하고 무조건 맹목적으로 신봉하게 된다. 번은 이를 '편견'이라고 하였다. 어버이 자아가 어른 자아를 침범한 사람의 대표적인 특징은 편견이 심하고 어떤 것을 맹신하며 자신의 편견이나 맹신을 현실로 착각한다는 점이다. 둘째, 어린이 자아가 어른 자아를 침범하는 것이다(C 오염). 어린이 자아가 어른 자아를 침범하는 것, 또는 어른 자아가 어린이 자아로부터 오염되었을 때는 어린 시절부터 견지해 오던 신념의 영향을 받아 사실에

입각하여 지각하고 사고하는 데 방해를 받는다. 어린이 자아가 어른 자아를 침범하여 어른 자아가 제 기능을 하지 못하기 때문에 아동기의 상황을 현재의 상황으로 착각하고 있는 것이다. 번은 어린이 자아의 침범으로 일어나는 전형적인 신념을 '망상'이라고 부른다. 셋째, 어른 자아가 어버이 자아와 어린이 자아의 두 가지 자아상태 모두로부터 오염 또는 침범당하는 것이다. 이를 이중 오염(double contamination)이라고 부르는데, 이러한 경우에는 어버이 자아의 슬로건을 내걸면서 어린이 자아의 신념으로 확인한다. 어른 자아가 어버이 자아와 어린이 자아의 이중 침범으로 제 기능을 하지 못하기 때문에 어버이 자아의 슬로건과 어린이 자아의 아동기적 신념 또는 전략이 현실에 맞지 않다는 사실을 깨닫지 못하고 맹목적으로 따른다. 이에 대한 예시를 들면 다음과 같다. 첫째, 어버이 자아상태가 어른 자아상태를 침범 또는 어른 자아가 어버이 자아로부터 오염된 경우 '여자는 남자보다 머리가 나쁘다.' 등의 편견, 사이비 종교에 대한 맹신, 기타 자기비하, 자기과신, 엘리트 의식 등이 있다. 이 밖에도 음식, 종교, 계급, 지방색, 성과 관련된 주제 등에 대한 편견이 심하며, 또한 편견과 아울러 감정과 정서를 동시에 나타낸다. 둘째, 어린이 자아가 어른 자아를 침범하는 경우, 자신이 구세주라든가 세상의 통치자라는 등의 망상을 예로 들 수 있다. 셋째, 어른 자아가 어버이 자아와 어린이 자아의 두 가지 자아상태 모두로부터 오염 또는 침범당하는 경우, '사람들을 함부로 믿어서는 안 된다.'라는 어버이 자아의 편견과 '나는 아무도 믿지 않을 것이다.'라는 어린이 자아의 신념이 결합된 경우를 예로 들 수 있다.

P A C P A C P A C

ⓐ P 오염　ⓑ C 오염　ⓒ 이중 오염

[자아상태의 오염]

한편, 번이 말한 대로 한 사람이 자신의 자아상태 중 하나 또는 두 가지를 사용하지 않을 수 있는데, 이를 배제(exclusion)라 한다. 그림에서 배제된 자아상태는 원 안에 X표를 하고, 다른 자아상태 간의 경계에 줄을 그어 놓았다. 어버이 자아상태를 배제시킨 사람은 이 세상에 대해 이미 형성되어 있는 규칙 없이 세상을 살아가면서 자신이 처한 상황마다 자신만의 규칙을 만들어 나간다. 어른 자아상태를 배제시킨 사람은 성장한 사람으로서의 현실검증 능력이 없이 내면에서 일어나는 P-C 간의 끊임없는 갈등이 반영된다. 어린이 자아상태가 배제된 사람은 어린 시절에 저장된 기억이 막혀 있기 때문에 냉담하거나 머리로만 반응하기 쉽다.

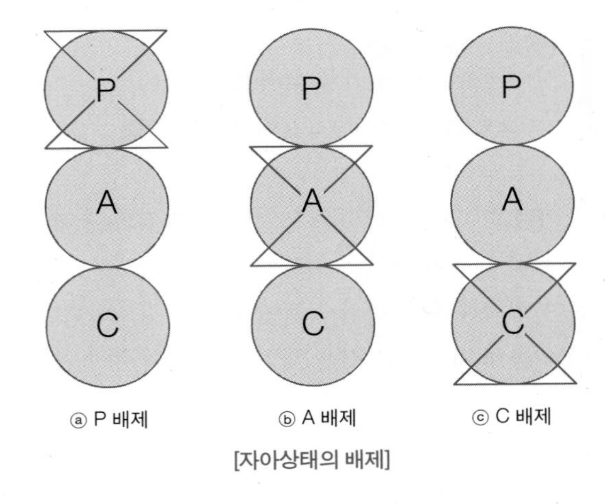

ⓐ P 배제　ⓑ A 배제　ⓒ C 배제

[자아상태의 배제]

세 자아상태 중 두 자아상태를 배제시킨 사람은 나머지 하나의 자아상태에서만 일관되게 반응한다. 어버이 자아상태에만 놓여 있는 사람은 오로지 자신의 어버이 자아상태 안에 내재해 있는 규칙만 따른다. 이를 일관된 '엄부형(일관된 P)'이라 부르기도 한다. 어른 자아상태에만 놓여 있는 사람은 즐길 줄 모르고 오로지 계획가, 정보수집가, 자료처리자 역할만 수행한다. 이를 '뉴스해설형(일관된 A)'이라 부르기도 한다. 어린이 자아상태에만 놓여 있는 사람은 항상 어린이처럼 행동하고 사고하고 감정을 느끼기 때문에 사람들 눈에는 미성숙하거나 히스테리컬한 사람으로 비춰지기도 한다. 이를 '피터팬형(일관된 C)'이라 부르기도 한다.

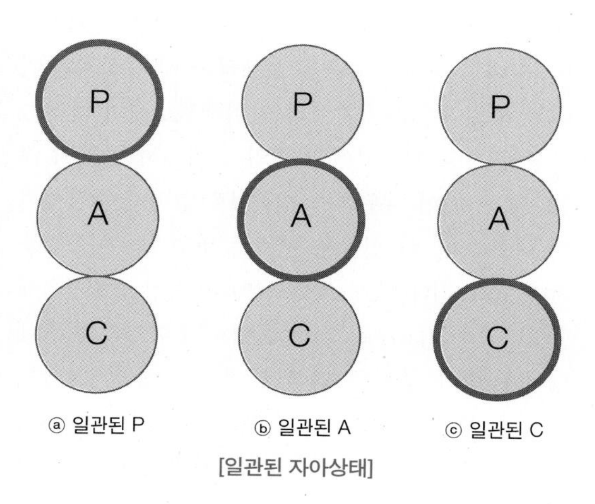

[일관된 자아상태]

구조적 역할 모형
[構造的役割模型, structural role model]

정신분열증 환자를 치료하기 위하여 역할이론을 적용한 연극치료. 사이코드라마

존슨(Johnson)은 즉흥극에서 역할을 하는 두 사람의 관계를 대역할적(impersonal), 개인 내적(intrapersonal), 개인 외적(extrapersonal), 대인적(interpersonal) 관점이라는 네 가지 측면에서 분석함으로써 정신분열증 환자를 대상으로 하는 연극치료 작업 모형을 제시하였다. 여기서 대역할적 관계는 역할 속에 있는 배우 갑과 을의 관계, 즉 2개의 극화되거나 투사된 역할의 관계를 말한다. 개인 내적 관계는 배우 갑 혹은 을과 역할과의 관계, 즉 개인과 페르소나의 관계를 말한다. 개인 외적 관계는 역할 밖에 있는 배우 갑과 역할 속에 있는 배우 을의 관계, 즉 한 개인과 한 페르소나와의 관계를 말한다. 대인적 관계는 역할 밖에 있는 배우 갑과 을의 관계, 즉 개인과 또 다른 개인의 관계를 말한다. 존슨은 이 역할 모형을 이용하여 망상형 정신분열증과 비망상형 정신분열증 집단을 구별하였다. 구조적 역할 모형은 정신분열증 환자의 경계 혼동의 정도를 진단하는 진단도구로 사용할 수 있으며, 또한 내담자가 개인과 페르소나 및 그 밖의 것들의 차이와 관계를 인식하는 데 치료도구로 사용할 수 있는 것으로 알려져 있다.

관련어 | 극적 역할연기검사

구조적 참만남집단
[構造的－集團, structured group encounter]

참만남집단의 일종으로, 각종 과제나 활동을 수행하는 등 비교적 구조적인 형태로 진행되면서 마음과 마음의 접촉을 깊게 하고 자기성장을 도모하는 것이 주목적인 집단. 집단상담

구조적 참만남집단은 게슈탈트 치료의 창시자인 펄스(Perls)의 흐름을 수용하는 기본적 참만남집단이다. 실존주의를 토대로 하여 상호 접촉의 체험과 자기발견을 목표로 한다. 또한 비구조적 참만남집단이 로저스(Rogers)의 흐름을 수용하여 과제나 역할이 없고 참가자가 내용이나 방법을 결정하는 것과 달리, 구조적 참만남집단은 정해진 틀 안에서 상호관계를 형성하기 때문에 단기간에 관계를 향상시킬 수 있다. 여기서 틀이란 대화의 주제, 집단의 크기, 집단의 구성원, 연습의 내용, 순서, 시간 배분 등을 집단지도자가 지정하는 것을 의미한다. 틀을 정해두는 것은 표현하기 쉽고, 심적 외상을 예방하기 쉬우며, 정해진 시간 안에 완결하기 쉽다는 장점이 있다. 또한 동기화와 준비성 등 참가자의 상태에 따라 전개될 수 있는 프로그램이 정형화되면 숙련자가 아니어도 활용할 수 있다는 장점이 있다. 그리고 교육현장에서는 문제를 가진 아이들이나 그 부모를

대상으로 하는 상담뿐만 아니라, 문제가 발생하기 전의 일반 아이들에 대한 개별적 상담으로서의 구조적 참만남집단도 필요하다. 예를 들어, 학기 초 교사가 소개 게임이나 손가락 싸움, 팔씨름 등의 과제를 내어 짧은 시간 안에 학급의 분위기를 띄우고 학급 내 인간관계를 활발하게 만들어 등교거부나 부적응적인 행동을 예방할 수 있다. 구조적 참만남집단은 직장이나 교육현장에서 유익한 효과를 창출할 수 있다.

관련어 나누기, 참만남집단

구조주의
[構造主義, structuralism]

인문학과 사회과학 전반에 걸쳐 다양하게 영향을 미친 사조로서, 인간 개인의 삶이 언어적 · 문화적 · 정신적 · 사회적 구조의 영향을 받고 있음을 강조하는 입장. 철학상담

20세기 중반에 등장한 구조주의는 원래 소쉬르(Ferdinand de Soussure)의 언어이론에서 비롯되었다. 그는 '구조주의 언어학'을 주장한 사람으로서, 언어를 서로 관련된 기호의 체계로 보았으며, 이 기호는 기표(記表, signifiant)와 기의(記義, signfié)로 이루어진다고 보았다. 기호의 의미는 어떤 사회 안에서 사용되는 언어의 준거체계로 확정되며, 체계로서의 언어(langue)는 개인이 실제로 행하고 있는 발화 행위, 즉 개인의 실제적 언어 사용(parole)에 근본이 된다. 물론 아이들은 언어를 배울 때 처음에는 랑그(langue)를 배우는 것이 아니라 부모의 파롤(parole)을 통해서 배우며, 성인이 되어도 방대한 랑그의 규칙을 모두 습득할 수 있는 것은 아니다. 인간이 기본적으로 발화하는 파롤은 랑그의 규제를 받지만 나름대로 자율성을 지니고 있다. 그래서 파롤이 랑그에 이따금씩 변화를 줄 수도 있다. 그러나 한 가지 분명한 사실은 세계의 이해는 랑그와 파롤의 관계를 통해 가능하다는 점이다. 그는 언어의 기호는 반성적으로 작용하는 것이지 지시(지칭)적으로 작용하는 것이 아님을 강조하였으며, 모든 언어의 의미는 언어 이전이나 언어 외적인 것을 통해서가 아니라 언어 자체 내에서 이루어진다고 보았다. 즉, 언어 이전에는 명확하게 식별 가능한 사물도 관념도 존재하지 않는다는 것이다. 이 같은 그의 입장은 주체가 언어를 규정하는 것이 아니라 언어가 주체를 규정한다는 현대 철학 사조의 시조가 되었으며, 근대적 주체의 죽음을 선포하는 데 결정적인 기여를 하였다. 그는 언어의 의미구조로서의 랑그는 자신의 정당성을 언어 외부의 실재에서 구하지 않음으로써 언어 외부에는 아무것도 없다는 주장에까지 나아갔다. 이 입장은 '텍스트 바깥에는 아무것도 없다.'는 데리다(Jacques Derrida)의 주장을 뒷받침해주었다. 라캉(Jacques Lacan) 역시 소쉬르의 입장에 영향을 받아 주체를 의식 안에서 마련하기보다는 무의식, 특히 언어의 구조에서 확보하려고 하였다.

언어구조를 통해 세계와 인간을 이해하려는 소쉬르의 구조주의는 옐름슬레우(Luis Hjelmslev)의 내포와 외연에 대한 논의, 방브니스트(Emile Benveniste)의 담화에 대한 분석, 그레마스(Algirdas Greimas)의 구조의미론, 야콥슨(Roman Jakobson)의 음운론을 거쳐 레비스트로스(Claude Levi-Strauss)에 의해서 한층 더 강화되었다. 그는 원시 종족의 기호와 분류체계를 분석하기 위해 민속학에 구조적 방법을 응용하였다. 일정한 무의식의 구조가 각 문화의 관습, 제도, 신화에 근본 바탕을 이루고 있다고 본 그는 언어를 익히지 않은 문화에서도 랑그처럼 사회구성원을 규정하는 체계로서의 기본 구조가 존재한다고 주장함으로써 인류학의 진전에 크게 공헌하였다. 그는 미개인의 '야생의 사고'에도 과학적인 합리적 구조가 존재한다고 제시하면서, 근대적인 사고만이 합리적이라고 생각하는 기존의 편견을 비판하였다. 이처럼 그는 구조인류학을 통해 민속학, 신화학, 인류학에 기여하였다. 이후에도 바르트(Roland Barthes)의 문화기호학에까지 이어졌다. 그러나 구조주의는

구조의 보편성, 초시간성에 대한 강조가 이루어져 주체가 전혀 고려되지 않거나 약화된다는 비판을 받았다. 이에 크리에스테바(Julia Kriesteva)는 기존의 정적인 구조주의를 비판하고, 발생적 구조주의를 제창하였다. 그녀는 기표와 기의를 분절적으로 바라보는 관점을 거부하고, 나아가 페노텍스트(phenotext, 현상으로서의 텍스트)와 제노텍스트(genotext, 발생으로서의 텍스트)의 관계에 대한 검토와 의미작용을 산출하는 주체에 대한 분석에 집중함으로써 주체가 구성되는 메커니즘을 연구하였다. 이후 구조의 고정성, 보편성에 대한 비판이 심화되면서 구조주의 안에 잠재된 모더니즘이 지향했던 합리성이 낳은 폭력성을 해체하기 위한 포스트구조주의가 탄생하였다.

구조화된 일지
[構造化 – 日誌, structured daily record]

내담자가 문제해결이 정체되었다고 느낄 때 매일의 삶을 자세하게 기록하도록 하는 과제의 하나. 해결중심상담

치료과정에서 내담자는 자신의 문제가 해결되지 않고 정체되어 있는 것 같은 느낌이 들 때가 있다. 또한 문제해결을 위해서 설정한 목표가 불분명하고 모호하거나, 명확하고 구체적인 목표설정에 어려움을 느낄 수도 있다. 이럴 때 해결중심상담의 상담자는 내담자에게 구조화된 일지를 쓰도록 하여 문제해결의 목표를 세우는 데 도움을 줄 수 있다. 구조화된 일지를 쓸 때 내담자는 자신의 일상생활에서 무엇을 했는지, 어떤 일이 있었는지, 그 일에 어떻게 대처했는지, 어떤 결과가 있었고 어떤 변화가 있었는지를 상세하게 기록해야 한다. 이렇게 일지를 쓰면서 내담자는 이전에 미처 인식하지 못하고 지나쳐 버린 삶의 작은 변화들을 쉽게 알아차릴 수 있다. 그리고 내담자가 자신의 문제가 일어나지 않는 예외상황을 발견할 수 있는 근거가 되며, 문제를 해결하기 위해서 실행 가능한 현실적인 목표를 정하는 데 도움이 되기도 한다.

관련어 | 놀람 과제

구조화된 프로필 설문지
[構造化 – 設問紙, structural profile inventory]

내담자가 선호하는 측면을 측정하고 평가하기 위한 설문지. 통합치료

라자루스(Lazarus)가 개발한 설문지로, 내담자가 선호하는 측면을 측정하기 위해 개인의 성장배경이나 생활해 온 환경, 개인력과 사회적 경험, 어려운 문제 등의 영역을 일곱 가지로 구분하여 측정할 수 있도록 하였다. 라자루스는 일곱 가지 영역을 BASIC I. D.라 하고, 각 영역을 파악할 수 있는 질문을 만들어 나열하였다. 설문지는 내담자가 각 질문에 해당되는 영역이 자신에게 어느 정도 중요한지 7점을 기준으로 평정하도록 되어 있다. 그 답을 순위대로 정렬하면 내담자가 상대적 강점을 가지고 있는 영역을 파악할 수 있다. 또한 그 결과를 보면 내담자가 변화를 주고자 하는 영역도 알 수 있다.

관련어 | BASIC I. D., 통합치료

구체적 조작기
[具體的操作期, concrete operational period]

인지치료

⇨ '인지발달이론' 참조.

구체화
[具體化, crystallization]

상담자의 어른 자아(A)가 내담자의 어른 자아(A)에게 내담자의 상태에 대해 설명하는 것. 교류분석

구체화의 전형적인 형태로는 내담자가 스트로크를 받기 위해 사용해 왔던 게임을 포기하도록 상담자가 내담자에게 설명하는 것이다. 이는 내담자가 필요하다면 게임을 포기할 수 있다는 것을 인식하도록 만드는 어른 대 어른 교류를 구성하는 것이다. 구체화의 예로는 "이제 당신은 당신이 원하는 스트로크를 얻을 수 있는 더 좋은 방법을 가지게 되었습니다."라고 내담자에게 말해 주는 것이다. 또 다른 예로는 상담자가 내담자에게 자신이 이해한 내용을 개괄해 주는 것이다. "당신의 부모님은 아직도 변화하기를 거부하는 것처럼 보이는군요. 비록 당신 내부 어딘가에 당신을 방해하는 어떤 요인들이 있어도, 당신이 원한다면 이를 떨쳐 내고 당신 스스로가 얼마나 가치 있는지를 깨달을 수 있습니다." 이 같은 표현은 매우 민감하게 들릴 수 있지만, 번(Berne)은 상담자에게 다음과 같은 주의를 당부하였다. "만약 상담자가 단순히 직업적인 충고만을 해 준다면 상담자는 어버이 자아상태가 되고 이에 따라 내담자의 '선택'은 더 이상 어른 자아가 아닌 어린이 자아상태에서의 순종이나 반항이 된다."

구체화 기법
[具體化技法, concretization technique]

사이코드라마에서 사용되는 기법으로, 주인공이 추상적으로 표현할 때 구체적으로 표현하도록 하는 것. 사이코드라마

이 기법은 주인공이 자신의 문제를 직접적으로 다루지 않으려고 주지화(主知化)나 애매모호함 등으로 방어하는 경우에 적용할 수 있다.

국립뉴욕치료모임
[國立-治療-, The National Therapeutic Society of New York City]

1903년 베셀리우스(Vescelius)가 창설한 음악치료 관련 기관. 기관

1903년 미국의 음악치료사인 베셀리우스가 음악을 매개로 하는 음악치료(music-therapy)를 통해서 질환으로 고통을 받는 사람들에게 도움을 주기 위해 음악인들을 모아 설립한 기관이다. 1900년대 초부터 일어나기 시작한 음악의 치료적 효과에 대한 관심을 기반으로 하여 몇몇 기관이 설립되었는데, 그중 가장 활발한 활동을 한 것이 국립뉴욕치료모임이다. 그녀는 입원환자뿐만 아니라 통원환자까지 대상으로 하여 음악과 관련된 동료들과 함께 음악적 치료에 관한 개념을 세워서 국립뉴욕치료모임의 이론적 기반을 확립하였다. 질환의 종류에 따른 다양한 음악적 활용 정보를 모아 이 기관의 활동을 활성화하기도 하였다. 국립뉴욕치료모임은 20세기 초 음악치료 태동에 큰 영향을 미쳐, 그 결과 1926년 일센(I. Ilsen)의 전국병원음악협회(National Association for Music in Hospitals), 1941년 시모어(H. Seymour)의 전국음악치료재단(National Foundation of Music Therapy)과 같은 기관이 설립되었다.

국제대학입학상담학회
[國際大學入學相談學會, National Association for College Admission Counseling: NACAC]

www.nacacnet.org 학회

국제대학입학상담학회(NACAC)는 고등학교상담, 대학상담, 그리고 대학의 허용 대리인으로서 독립적 상담과 고등학교에서 대학으로 가는 과도기에 있는 학생들에게 전문적인 입장에서 도움을 주는

곳이다. 즉, NACAC는 고등 및 대학 입학을 위한 학생과 가족을 교육하고 지원하는 전문가 단체라고 할 수 있다. 학생들에게 수준 높은 교육을 제공하고자 하는 목표를 가지고 1937년 중서부 지역의 대학 현장에 근무하는 대표자들이 설립한 NACAC는 1941년 대학입학상담학회로 명칭을 정한 뒤 공식적으로는 1995년부터 국제대학입학상담학회라는 명칭으로 불리게 되었고, 그 후 지금까지 이어져 오고 있다. 주요 활동으로는 온라인 채용 광고와 출판 광고, 온라인 광고, 국제회의 유치, 스폰서 등이 있다. 또한, 모든 학생이 보다 높은 수준의 교육을 받을 수 있도록 대학에서 허용하는 상담 커뮤니티를 헌신적이고 양질의 프로그램으로 제공하는 데 노력하고 있다. 대학입학과 학생서비스에 관계된 주제를 탐색하기 위해 매년 노력하고 있으며, 학생들의 요구, 조직의 윤리적 지침을 위한 학교상담 등의 활동도 수행한다. 회원은 1만 1천 명 이상의 대학입학 상담가와 전문가로 구성되어 있다.

국제드라마치료학회
[國際-治療學會, National Association for Drama Therapy Association: NADTA]

www.nadt.org 학회

드라마 치료는 적극적이고 체험적인 것으로서, 이러한 접근은 참여자가 자신의 이야기를 하고 느낌을 표현하거나, 카타르시스에 도달하도록 만들어 준다. 드라마를 통한 경험 이면의 심오함과 외연은 적극적인 탐구와 대인관계 기술을 강화할 수 있도록 해 준다. 참가자들은 드라마 속 배역에서 자신이 가지고 있는 삶의 방식에서의 강화를 발견함으로써 그것을 통한 기술을 확장할 수 있게 된다. 습관을 바꾸고, 기술을 개발하고, 감정적이거나 신체적인 통합, 그리고 개인적 성장은 드라마 치료를 통하여 참여자들이 자신의 문제를 예방하고 중재하며 처리방법 등을 발견하도록 만든다. 이와 내용을 바탕으로 국제드라마치료학회(NADTA)는 치료과정에서 드라마 및 연극 과정을 체계적으로 사용함으로써 치료적 목적을 달성하기 위해 설립된 학회다. NADTA의 활동은 미술, 음악, 춤, 문학치료 등의 영역뿐만 아니라 집단 심리치료와 사이코드라마 분야에서까지 다양하게 펼쳐지고 있다. NADTA에서는 드라마치료사(RDT) 자격증 제도를 시행하고 있는데, 드라마 치료와 관련된 분야에서 박사학위(드라마, 연극, 심리학, 상담, 특수교육, 사회사업, 레크리에이션 치료, 미술치료, 음악치료, 무용/동작 치료)를 받았거나 RDT/BCT의 감독하에 공인된 대학 또는 기타 교육조건을 갖추었을 때 자격증을 취득할 수 있다.

국제정신분석심리학회
[國際精神分析心理學會, National Psychological Association for Psychoanalysis: NPAP]

www.npap.org 학회

국제정신분석심리학회(NPAP)는 진화를 위한 동시대 정신분석 연구이론의 다양성을 대표하는 활기찬 전문가 학회라고 할 수 있다. 회원조직과 정신분석학의 경험이 있는 전문가를 양성하기 위해 1940년 테오도르 라이크(Theodor Reik)가 주축이 되어 비공식적 세미나를 개최하였고, 1948년 정신분석적 트레이닝연구소를 설립하였다. 그 후, 1950년 회원조직들이 뉴욕의 법률에 따라 통합되었으며, 1977년에 학회와 트레이닝연구소가 분할되고 현재까지 이어져 오고 있다. NPAP의 활동으로는 연구, 출판, 공적 교육, 문화적 사건, 커뮤니티 공간에서의 정신분석학 적용 등이 있다. 회원은 정신분석학 발달을 위해 연구하는 과학자들과 정신분석학자들로 구성되어 있다.

국제질병분류편람
[國際疾病分類便覽, International Classification of Diseases manual: ICD]

세계보건기구(WHO)에서 정신의학적 질병을 체계적으로 정리하여 발간한 책. 이상심리

이 편람은 인류의 건강관리와 처치를 목적으로 감염성 질환을 국제적 혹은 연차적으로 비교할 수 있도록 약 10년 간격으로 수정 · 보완하여 출판하고 있다. 초판은 1893년 국제통계기구에서 사람의 사망원인에 대한 목록을 제시한 것이다. 1948년 6차 개정판부터 세계보건기구가 주관하기 시작했고, 사망원인뿐만 아니라 질병감염의 원인을 포함하여 발간하였다. 1967년 이후에 모든 회원국이 이 편람을 채택하였고, 현재 사용하고 있는 것은 ICD-10으로서 1990년 5월 세계보건총회 43개 국가에서 승인하였고, 1994년에 세계보건기구 회원국에서 사용하고 있다. 현재는 아홉 가지 분류가 사용되며 각각을 다음 네 가지 항목으로 나누고 있다. 첫째, 질병, 장애 및 사인 통계 기본 분류표(4행의 기본 분류표 번호가 붙고 각각 17분류로 구분), 둘째, 사인 간단 분류표, 셋째, 유아 사인 간단 분류표, 넷째, 질병 분류표다.

관련어 | 정신장애진단 및 통계편람 제4판

군 기본권 전문 상담관
[軍基本權專門相談官, military basic rights professional counselor]

장병들의 심리적 갈등을 해소하고 정신건강의 증진을 도와 군 내 사고를 예방하는 목적으로 선발배치된 10년 이상의 군 경력자와 민간상담전문가. 군상담

심리적으로 고충을 토로하는 장병들이 전문적인 상담을 받을 수 있도록 배치한 전문 상담관이다. 과거 군에서는 병영생활고충상담관을 두어 병사의 병영생활과 임무수행을 위해 도움을 주었다. 이들은 전문적인 상담교육을 받지 못하였고 보직과 상담관을 겸직함으로써 전문적인 상담자 역할을 수행하는 데 부족한 면이 있었다. 이에 2005년 2월, 육군은 군 기본권 전문 상담 인력을 확보하고 운영할 계획을 국방부에 건의함으로써 군 병사의 심리상담을 위한 군 기본권 전문 상담관 선발과 상담실 운영을 실시하게 되었다. 이들은 논산훈련소, 연대, 해병대 포병 연대에서 활동하며 연대급 부대와 각 독립 부대에서 상담을 실시한다. 군 경력을 지닌 민간 인력과 순수 민간 인력이 포함되어 있으며, 전문 상담관이 없는 각급 제대는 군종 장교가 상담관을 겸직하도록 하였다. 기본권 전문 상담관은 장병들을 대상으로 개인 및 집단상담, 상담교육, 심리평가, 장병 인성교육, 기본권 교육, 그리고 지휘 간부들에 대한 지휘 조언 등의 역할을 맡고 있다.

군상담
[軍相談, military counseling]

군 집단 내 병사 개개인의 행동문제, 대인관계 개선, 주어진 훈련이나 업무수행의 효율성 등을 향상시키기 위한 조력과정. 군상담

군 집단 내 병사 개개인의 행동과 그들 사이의 관계를 개선하며, 나아가 그들의 훈련이나 업무수행 등 근무능률을 향상시키기 위한 목적으로 문제가 있는 개인이 그 문제를 스스로 해결하도록 다른 사람이 도와주는 일련의 과정이다. 또한 다양한 문화 여건에서 생활하고 있는 부하들 가운데 자신의 심리적 갈등이나 애로사항 때문에 능력을 보유하고도 맡은 바 업무를 효과적으로 수행해 나가지 못할 때, 업무수행 등 근무능률을 향상시키기 위하여 지휘 통솔자가 문제의 핵심을 파악하여 해결방안을 찾아 도와주는 과정으로도 볼 수 있다. 군인은 엄격한 위계질서 속에서 국가방위라는 특수한 임무를 수행함으로써 자유로운 개인적 생활이 제약을 받는다. 이러한 환경에서 개인은 개인의 욕구를 억제하거나

억압하는 것에서 오는 내적 갈등이 발생하여 동료들과의 관계에 어려움을 겪기도 한다. 이러한 갈등과 고민을 해결하기 위한 노력으로 각 군은 상담교육과 심리상담을 실시하고 있다. 지금까지 군에서의 상담은 주로 개인의 심리적 갈등이나 고통 때문에 개인적으로 능력이 있음에도 불구하고 자신의 업무를 효율적으로 수행하지 못할 경우 지휘 통솔자가 진행해 왔다. 이들은 부하의 문제를 확인하고 해결방안을 찾도록 도움을 주거나 스스로 문제해결을 하도록 돕는 것에 머물렀다. 그러나 최근에는 무장군인의 탈영, 자살 등의 사건으로 인하여 일상적인 업무수행을 위한 도움이나 조언보다는 인간 내면의 심층적인 심리적 문제나 사망, 사고 등에 따른 외상 후 스트레스 장애에 대한 전문적인 심리상담이 필요하다는 인식이 확고해졌다. 이에 한국상담심리학회는 군상담의 특별위원회를 구성하였고, 한국상담학회는 군상담학 분과학회를 두어 군 전문상담가를 배출하기 시작하였다. 또한 군상담학회는 군의 환경, 인적 자원 및 문화의 독특성을 바탕으로 개인의 핵심 역량을 강화하고 위기관리 및 문제예방능력을 확산시켜 군을 21세기 인재육성의 핵심 기관으로 정착시키려는 노력을 강조하였다. 군상담의 목표는 신입 사병이 빠른 시일 안에 환경에 적응하고 개인적인 문제나 고민을 해결하며 임무수행 과정에서 나타나는 문제를 적절하게 해결하는 것이다. 전문적인 심리상담자가 군에서 상담할 경우에는 다음과 같은 군의 특성을 이해해야 한다. 첫째, 군에서 모든 책임은 지휘관에게 있기 때문에 상담 결과에 대한 정보를 지휘관과 공유하고 협력하는 자세가 필요하다. 둘째, 대부분의 상담은 비자발적으로 이루어지고 때로는 상담자와 내담자의 면담이 계급관계에서 이루어진다. 그러므로 상담자는 초기에 내담자와 신뢰감과 친밀감을 형성하여 치료관계를 맺는 것이 중요하다. 셋째, 군상담은 군이라는 특수 조직의 한계 안에서 이루어지는 상담이다. 군의 조직은 개인적 감정과 권익보다는 군의 목적과 특수 임무와 같은 집단목표를 더 강조한다. 따라서 내담자에게 유익한 해결책이라 하더라도 실제 적용하는 데 어려움이 있기 때문에 내담자나 지휘관은 상담에 더욱더 소극적으로 임하게 된다. 넷째, 내담자의 대부분은 20대 청년이므로 정신적으로 미성숙하고 경험이 제한적이어서 감정에 집착하거나 치우칠 가능성이 많다. 다섯째, 내담자가 호소하는 문제의 대부분은 급격한 환경변화에서 비롯된다. 환경적응의 어려움을 벗어나기 위하여 거짓으로 문제를 호소할 가능성이 많아 신뢰할 수 있는 상담관계를 형성하기가 어렵다. 여섯째, 초급 지휘 통솔자들은 상담에 대한 지식과 상담능력, 그리고 경험이 부족해서 사병의 문제나 고충을 확인하고 이해하는 데 어려움이 있기 때문에 효과적인 상담으로 진행되기가 어렵다.

관련어 | 군 기본권 전문 상담관, 군인성교육, 병영생활전문상담관

군알파검사와 군베타검사 [軍－檢査－軍－檢査, Army Alpha and Army Beta Tests]

제1차 세계 대전 때 미국에서 신병선발을 위해 만든 최초의 집단 지능검사. 심리검사

미국에서 만들어진 최초의 지능검사로 제1차 세계 대전 당시 신병선발을 목적으로 시행되었다. 알파검사는 읽고 쓸 줄 아는 신병에게 실시하였고, 베타검사는 글자를 모르는 징집병에게 실시하였다. 전쟁에서 적군에 의해 사망하는 병사보다 아군의 실수로 사망하는 병사가 많아 어느 정도의 지적 능력이 있는 신병을 선발해야 한다는 필요성이 제기되었고, 이 목적을 달성하기 위해 만든 검사가 바로 군알파검사와 베타검사다. 군알파검사는 언어성 검사에 해당하고, 군베타검사는 비언어성검사에 해당한다.

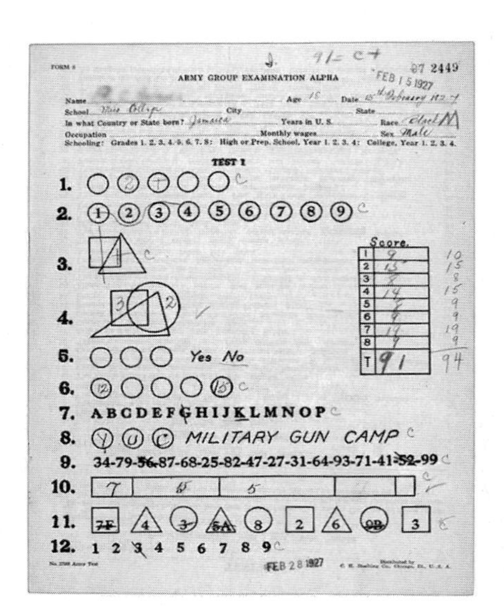
FORM 8

ARMY GROUP EXAMINATION ALPHA

87 2449

FEB 15 1927

Name ______ Age 18 Date 15th February 1927

School ______ City ______ State ______

In what Country or State born? Jamaica Years in U. S. ______ Race Black M

Occupation ______ Monthly wages ______ Sex Male

Schooling: Grades 1. 2. 3. 4. 5. 6. 7. 8: High or Prep. School, Year 1. 2. 3. 4: College, Year 1. 2. 3. 4.

TEST 1

1.

2. 1 2 3 4 5 6 7 8 9

3.

4.

5. Yes No

6.

7. ABCDEFGHIJKLMNOP

8. MILITARY GUN CAMP

9. 34-79-56-87-68-25-82-47-27-31-64-93-71-41-52-99

10.

11.

12. 1 2 3 4 5 6 7 8 9

Score.

FEB 28 1927

관련어 | 지능검사

군인성검사
[軍人性檢査, military personality inventory: MPI]

군의 부적응 정도를 진단하는 성격검사. 군상담

군의 부적응 정도를 진단하기 위해 1999년에 한국심리학회가 개발한 성격검사의 하나로, 입영자를 대상으로 한다. 검사의 목적은 정신병적 성향을 지닌 사병을 선별하여 군 입대를 배제하고, 군 부적응 정도를 진단하여 입영 후 지휘관의 병사지도에 참고할 수 있도록 병사의 심리적 특성에 관한 자료를 제공하기 위한 것이다. 이 검사는 총 365문항으로서, 하위영역으로는 긍정왜곡, 부정왜곡, 희귀반응의 3개 타당도 척도와 불안, 우울, 신체화장애, 정신분열증, 성격장애, 행동지체, 범죄, 공격-적대성, 군탈, 편집증의 10개 하위임상척도, 그리고 군생활 준비도, 집합성향, 자기도피, 적개심 표출, 신체증상, 규범 동조 및 반발의 6개 내용 척도로 구성되어 있다. 검사의 장점은 정신증적 문제뿐만 아니라 군에서 발생할 수 있는 군탈, 범죄, 군생활 준비도, 규범 동조 및 반발 등의 다양한 문제에 대한 정보를 확인할 수 있다는 점이다. 이 검사는 2006년 10월부터 병무청에서 실시하고 있다.

군인성교육
[軍人性敎育, military personality education]

장병 개인이 올바른 품성과 가치관을 확립할 수 있도록 노력하는 다면적이고 종합적인 교육체계. 군상담

장병들로 하여금 바람직한 가치관의 확립을 목표로 인간의 근본적인 성품의 중요성을 인식하고 건전한 정신적, 도덕적, 인격적 태도와 성격을 갖도록 하여 올바른 군인상을 정립하고 행동으로 실천하도록 함으로써 군생활을 효과적으로 영위하도록 하는 교육을 의미한다. 1973년에 정신 전력에 대한 연구를 시작하면서 군에서 실시하고 있는 정신교육의 일환이다. 이는 군의 성직자가 교관이 되어 단편적으로 실시한 인격지도에서 비롯되었다. 이후 간헐적으로 부대의 지휘관이 시행해 오다가 1992년 국방정신교육원(국정원)에서 실시한 '환경변화에 따른 군 정신교육 방향정립'에 대한 세미나에서 신세

대 장병에 대한 의식구조와 가치체계를 분석하였다. 이에 신세대 장병을 대상으로 군인다운 군인과 건전한 민주시민으로서의 자질향상을 위한 새로운 정신교육의 필요성이 대두되었다. 마침내 1993년 국정원에서 군인성교육 프로그램과 군인성교육 교관 요원반을 개설하였다. 1994년에는 감수성 훈련, 장병의식을 개혁하기 위한 『효과적인 장병 인성교육 지도서』와 『군인성교육 자료집』 『무엇을 생각하며 어떻게 살아가야 할 것인가?』 등의 책을 발간하여 군인성교육을 강조하였다. 국정원이 해체된 이후로는 2005년 10월에 육군리더십센터, 2006년 1월에 해군충무공리더십센터, 2006년 3월에 공군리더십센터가 설립되어 군의 인성교육 업무를 담당하고 있다. 또한 육군은 2001년에 '소부대 팀워크개발 기법', 2002년에 '육군 가치관 교육용 프로그램', 2003년에 인성교육 병사용 프로그램인 '심성수련', 2004년에 육군교육사령부와 한국인성개발연구원이 연구하여 마련한 '장병 인성교육 프로그램', 2006년에 '소부대 팀워크 프로그램'과 '육군 가치관 생활화 방안'을 개발하였다. 이 같은 교육을 위해서는 교관 및 훈육요원, 인성교육 전임교수 등을 선발하여 운영하고 있다. 이 프로그램은 병영 생활의 적응과 개인의 인격적 성장을 돕는 데 그 목적이 있다. 군 집중 인성교육은 다음과 같은 장점이 있다. 첫째, 프로그램을 실시하는 동안 장병의 언행을 면밀히 관찰하여 병사의 성격과 행동양식 및 문제점을 파악하는 것이 가능하다. 둘째, 장병 상호 간의 역동적 관계를 파악하는 것이 용이하다. 셋째, 보호 · 관심병사의 상담 참여가 쉽고 생활반 내의 위치, 타 병사와의 관계를 파악하기 쉽다. 넷째, 장병 상호 간의 이해와 신뢰감을 촉진하고 가족적 분위기를 도모하여 생활반의 가족화를 추구할 수 있다. 다섯째, 집단으로 실시함으로써 교육효과를 극대화할 수 있다. 군 장면에서 실시하는 인성교육집단의 형태는 생활반 단위로 이루어지는 집단상담, 병영생활 기간이 비슷한 병사들이 함께하는 계급별 집단상담, 자기계발에 초점을 두어 병사나 간부들을 대상으로 자발적인 참여로 구성한 구조화 집단상담, 성격이나 대인관계 및 적응상의 문제나 자살과 성 문제 등을 지닌 병사들을 대상으로 의무적으로 집단에 참여하도록 하여 병영생활전문상담관 또는 군종 장교 등이 실시하는 감정조절 프로그램, 자살예방 프로그램과 같은 구조화 집단상담 등이 있다.

관련어 | 병영생활전문상담관

굴절 오류
[屈折誤謬, refractive error]

광선이 하나의 투명조직에서 다른 조직으로 통과할 때 구부러지는 과정. 특수아상담

광선이 안구 내에서 적절한 각도로 굴절하여 상을 맺는 과정에서의 오류를 말한다. 굴절 오류의 종류로는 근시와 원시가 있다. 근시는 눈의 앞에서 뒤로의 거리가 정상보다 멀어져 망막에 정확하게 이미지가 생기는 것이 아니라 좀 더 앞에 이미지가 형성되어 가까이 있는 물체는 볼 수 있지만 멀리 있는 물체는 흐릿하거나 보이지 않는다. 원시는 정상보다 거리가 더 짧아서 광선이 망막에 모이는 것을 방해하며 멀리 있는 물체를 볼 때는 초점을 잘 맞출 수 있지만 가까이 있는 물체를 정확하게 보는 데 어려움이 있다. 굴절 오류는 안경이나 렌즈를 이용하여 보완할 수 있다.

굿이너프 인물화 지능검사
[-人物畵知能檢查, goodenough draw-a- man intelligence test]

인물화를 통해 지적 발달수준을 평가하는 검사. 심리검사

굿이너프(Goodenough)가 10세 이하의 아동지능을 측정하기 위해 개발한 인물화 지능검사다. 아이

들이 그린 인물상(人物像)을 채점하여 지적 발달수준을 추정하는 간편하면서도 신뢰성이 높은 검사다. 인물상(남자상)은 몸의 부분, 몸 부분의 비율, 인물상 부분의 명세화(明細化) 등 50개 항목으로 채점한다. 채점 기준에 따라서 패스(pass)한 항목별로 1점이 주어지고, 총점을 정신연령환산표와 비교하여 정신연령(MA)을 계산한다. 적용 연령은 3~9세 경까지이며 어디까지나 동작성의 지적 활동수준을 측정하는 것이라는 점에 유의해야 한다. 유아나 초등학교 저학년 아이들은 테스트 장면 외에서도 인물상을 즐겨 그리는 경향이 있으며, 그들의 작품으로 지적 수준을 추정할 수 있다. 1946년에는 마초버(K. Machover)가 성인용 성격검사(draw-a person test: DAP)로까지 확장하였다.

관련어 | 지능검사, 투사검사

궁극적 관심사
[窮極的關心事, ultimate concerns]

얄롬이 내담자가 실존적 존재로서 자각할 수밖에 없고, 그로 인해 갈등과 불안을 느낀다고 확인한 죽음, 자유와 책임, 존재론적 고독, 무의미성이라는 네 가지 삶의 주제. 실존주의 상담

얄롬(I. Yalom)은 인간이 무의식적으로 죽음을 부정하며 소위 '사랑'이나 '행복'을 추구하려는 것은 잘못된 것이며, 이러한 부정으로 사람은 진정한 의미에서 삶의 의미를 누리지 못하는 병리현상에 시달린다는 점을 지적하였다. 그에 따르면, 죽음과의 진실한 직면은 개인으로 하여금 자신의 삶과 목적에서 어떤 것이 진정한 목적인지의 물음을 심각하게 던지도록 만들며, 현실에서 죽음의 직면이 전인적이고 참삶의 핵심이 됨에도 불구하고 인간은 죽음에 대한 생각과 말을 원하지 않는다는 것이다. 이러한 현상을 설명하기 위해 얄롬은 실존주의 심리치료의 핵심이 되는 네 가지 요소인 죽음(death), 자유와 책임(freedom and responsibility), 존재론적 고독(existential isolation), 무의미성(meaninglessness)이라는 소주제를 다루었고, 이것이 인간의 궁극적 관심사임을 확인하였다. 이러한 소주제를 끌어내기 위해 그는 문학, 철학, 심리학, 신학의 분야에서 학제 간 교류를 통하여 실존주의적 사상의 은닉된 언어와 사상을 연결시키고 있다. 죽음은 불가피한 것으로 인간의 삶이란 유한하다는 것이고, 자유와 책임은 인간은 자신의 삶의 여정을 선택할 책임을 가지고 있으며 동시에 그 선택에 따른 책임을 져야 한다는 것이다. 또 존재론적 고독은 인간은 궁극적으로 이 세상에 홀로 와서 살다가 떠난다는 것이며, 무의미성은 인간은 사전에 결정된 의미를 갖고 있지 않는 무관심한 세계에 있다는 것이다. 얄롬(1980)에 따르면, 인간은 이러한 궁극적 관심사에 대한 자각으로 말미암아 갈등과 불안을 느낀다고 한다. 결국 인간의 심리적 문제를 해결하기 위해서는 궁극적 관심사에 대한 진정한 이해와 수용이 본질적이라고 보았다.

관련어 | 무의미성, 자유와 책임, 존재론적 고독, 죽음

권고에 의한 상담
[勸告 – 相談, counseling by exhortation]

내담자의 문제에 대한 성경적 지침을 제시해 줌으로써 문제해결의 방향을 안내해 주는 상담 형태. 목회상담

성경적인 상담을 주장한 크랩(Crabb)은 상담의 수준을 3단계로 나누어 설명했는데, 권고에 의한 상담이 두 번째 단계다. 권고에 의한 상담은 어느 정도 상담과 성경을 광범위하게 잘 알고 활용하는 훈련을 받은 기독교인이 행하는 상담이다. 크랩은 로저스(Rogers)가 "자신이 옳다고 생각하는 대로 행동하라(people to do what is right in their own eyes)." 라고 사람들에게 가르치는 것에 대해 비성경적이라고 강하게 비판하면서, 사람들은 흔히 문제환경에 자신의 뜻대로 반응함으로써 부정적인 결과를 가져온다고 하였다. 따라서 상담자는 내담자가 문제상황에 직면했을 때 어떻게 행동할지를 결정하는 것에 대해 노련한 충고(expert advice), 상식(common sense), 그리고 내적 판단(inner judgment)으로 도움을 주어야 한다고 말하였다. 또한 성경은 인간이 삶을 살아가는 데 안내서의 역할을 하기 때문에 상담자가 내담자의 무질서한 삶에 적절한 단계를 제시해 줄 때는 성경의 가르침과 원리에 따라야 한다는 것을 강조하였다.

관련어 | 기독교상담, 성경적 상담

권력분석
[權力分析, power analysis]

여성인 내담자가 자신의 삶에서 자신의 개인적이거나 외부환경에 변화를 줄 수 있는 힘이 무엇이 있는지 파악하고, 자신의 긍정적인 변화를 위해서 이러한 권력을 어떻게 이용하고 적용할 것인가를 배우도록 하는 여성주의 역량강화상담 기법. 여성주의 상담

여성주의 역량강화상담에서 권력분석을 하는 목적은 사회적인 지배 집단과 그에 종속되는 집단 사이 및 남성과 여성의 사이에 존재하는 권력의 유형과 그 상호작용을 여성인 내담자가 파악하도록 하고, 이러한 권력들이 자신의 삶에 미치는 영향력을 인식하여 내담자 자신이 능동적인 영향력을 미치고 적응할 수 있도록 강화하려는 것이다. 이 목적을 이루기 위해 여성주의 역량강화상담에서는 여성이 자신의 삶에서 여러 권력집단과의 상호작용에서 영향을 주고받았던 패턴을 파악하고, 이것이 내담자의 삶에 보다 긍정적으로 작용할 수 있는 방식으로 대인관계나 사회집단에 그 영향력을 발휘할 수 있도록 변화를 주는 것을 중심으로 하여 상담을 진행해 나간다.

관련어 | 문화분석, 성역할분석, 여성주의 상담, 여성주의 역량강화상담

권면적 상담
[勸勉的相談, nouthesis counseling]

1970년대에 신학자인 제이 애덤스(Jay Adams)가 창설한 기독교상담의 접근방법으로, 내담자의 상황에 맞는 성경의 원리를 적용할 수 있도록 격려하는 것. 목회상담

1970년에 제이 애덤스가 『Competent to Counsel』에서 주장한 기독교상담이론으로, 사랑과 깊은 믿음에서 나온 관심이라는 동기를 가진 상담자가 삶에서의 죄 때문에 고통을 받고 있는 내담자를 선하게 바로잡기 위하여, 궁극적으로 하나님께 영광을 돌리면서 하나님의 말씀을 통하여 상담하고 권면하여 변화시키는 상담기법이다. 제이 애덤스는 상담과정에서 성령의 역할을 중요시하며, 성령은 믿는 자의 참된 변화를 가져오게 하는 근원이라고 하였다. 성령의 사역을 돕기 위해 상담자는 상담과정에서 다른 무엇보다 성경의 말씀에 전적으로 의지하여 내담자를 도와야 한다고 주장하면서, 상담과정을 통해 성경말씀을 사용하여 내담자의 죄를 지적하고 하나님이 인간을 창조한 본래의 모습으로 돌아가는 성화의 과정을 이루도록 도와야 한다고 말

하였다. 따라서 권면적 상담의 목표는 내담자가 자신의 죄를 깨닫고 하나님의 말씀에 귀를 기울이고 순종하여 죄를 돌이킴으로써 옛 습관을 벗어 버리고 새 습관을 입은 새로운 사람으로 거듭나도록 하는 것이다. 이러한 내담자의 변화를 위해서 이루어지는 권면적 상담과정의 7단계는 다음과 같다. 첫째, 벗어 버려야 할 습관의 유형들에 대해 인식하는 것이다. 즉, 상담 초기에 내담자가 이미 습관이 되어 버린 자신의 죄악된 행동에 대해 인식해야 하는 필요성을 말한다. 둘째, 성경적 대안을 발견하는 것이다. 내담자의 죄악된 습관에 대해 인식이 일어나면, 상담자는 특수한 상황에 적용할 수 있는 성경의 원리를 제시해야 한다. 이를 위해서는 상담자가 내담자의 특수하고 다양한 삶의 상황에 적절하게 적용할 수 있는 성경의 원리를 찾아내는 능력이 무엇보다 중요하며, 상담자는 이를 위한 훈련을 해야 한다. 셋째, 변화를 위한 전체적인 상황의 구조화다. 내담자는 잘못된 죄악된 습관을 고치기 위해서 삶의 다양한 부분들, 즉 환경, 친구, 일정 혹은 새로운 생활에 방해가 되는 모든 것을 다시 정리하고 구조화하여 하나님이 원하는 새로운 생활유형으로 바꾸어야만 한다. 하지만 이러한 구조화는 쉽게 되는 것이 아니고 인내를 통한 지속적인 훈련이 있어야 가능해진다. 넷째, 죄의 나선형에 연결되어 있는 고리를 깨트리는 것이다. 내담자의 죄악된 습관들은 한 번에 굳어진 것이 아니라 고리처럼 연결되어 있는 다른 행동과 생각에 따라 발전된 것이다. 따라서 연결고리를 끊어 버린다면 문제가 되는 습관들은 자연히 개선된다고 본다. 예를 들어, 우울증으로 찾아온 내담자는 그러한 우울증이 처음 시작되었던 때, 즉 사소한 일상에서도 권태와 싫증을 느꼈던 때가 있었을 것이다. 권면적 상담에서는 이러한 잘못된 반응인 작은 죄들을 무시하고 그냥 놔두었을 때 우울증과 같은 큰 죄악의 고리로 이어진다고 보고 있다. 따라서 최초의 잘못된 반응이 어떻게 이루어져 왔는지 내담자에게 인식시킨 다음, 이를 하나님이 원하는 올바른 반응으로 어떻게 바꿀 것인지를 생각해 보고 시도해 보도록 만든다. 다섯째, 다른 사람의 도움을 얻는 것이다. 일단 한 유형이 습관이 되면 거의 그 사람의 부분이 되기 때문에, 삶을 변화시킨다는 것은 매우 어려운 일이다. 따라서 아이들의 나쁜 습관을 격려와 칭찬으로 고치는 것처럼 어른들에게도 죄악된 반응을 하나님을 기쁘게 하는 성경적인 반응으로 대치시키려고 할 때 자주 상기시켜 주는 격려가 필요하다. 이를 위해 가족이나 주위 사람들의 도움을 요청하기도 하고, 스스로의 다짐을 상기시킬 만한 계획을 세우기도 한다. 여섯째, 그리스도에 대한 전인적 관계를 강조하는 것이다. 내담자는 변화에 초점을 맞추지만 모든 변화가 하나님을 기쁘게 하고 그의 아들인 예수 그리스도를 영화롭게 하는 삶에 있다는 기본적인 사실을 기억하여, 내담자 삶의 전체가 하나님이 기뻐하는 삶으로 변화되도록 확장시켜야 한다. 일곱째, 새로운 유

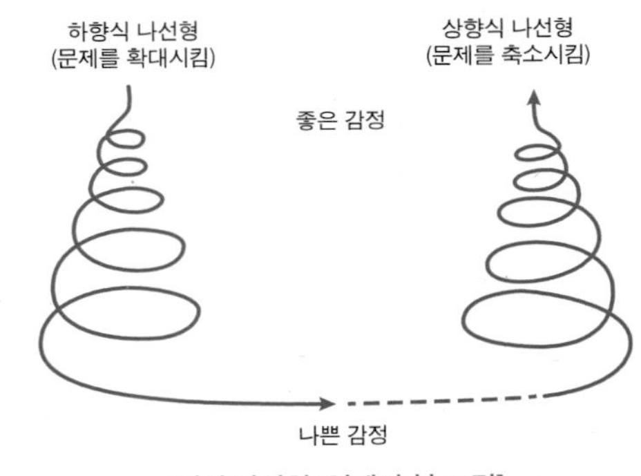

[죄의 나선형: 옆에서 본 그림]

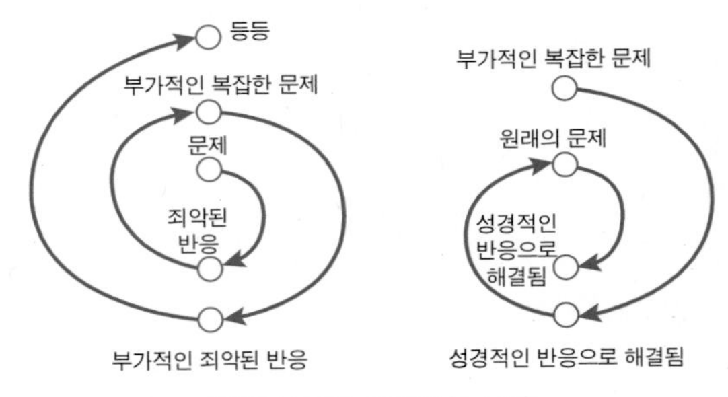

[죄의 나선형: 위에서 본 그림]

출처: Adams, J., 정정숙 역(1992). 상담학개론. 서울: 베다니.

형을 연습하는 것이다. 습관적인 유형은 한순간에 고쳐지는 것이 아니므로 끊임없는 연습을 반복하여 내담자 삶의 일부분이 되도록 한다.

관련어 결단서, 기독교상담, 성령, 성화

권면적 상담의 세 가지 요소
[勸勉的相談－要素, three elements in nouthetic confrontation]

권면적 상담을 하는 데 필요한 기본적인 요소. 목회상담

권면적 상담을 주장한 제이 애덤스(Jay Adams)는 이를 구성하는 세 가지 기본적인 요소에 대하여 다음과 같이 설명하였다. 첫째, 하나님이 변화시키고자 하는 내담자다. 권면(nouthesis)이라는 것은 피상담자의 변화를 목적으로 하고 있듯이 권면적 상담은 상담을 받으려고 하는 사람에게 반드시 어떠한 잘못이 있다는 것을 암시하고 있다. 따라서 인정을 하고 취급해야 하는 어떤 죄가 내담자에게 있다는 전제가 권면적 상담의 핵심이다. 둘째, 문제(죄)를 언어적 수단으로 권면하는 것이다. 권면적 상담은 죄를 가진 내담자의 행동유형이 성경적 원리에 부합하도록 개인을 올바르게 변화시키는 것을 의미한다. 일반적인 상담은 주로 행동의 원인을 분석하려고 하지만, 권면적 상담은 행동의 원인은 '죄' 때문이라는 것을 알고 있기 때문에 어떻게 행동했는가에 관심을 가지고 상담을 진행한다. 셋째, 내담자를 괴롭히는 생활이 변화되는 것이다. 권면적 상담의 이면에는 어떠한 목적이나 동기를 가지고 있는데, 이것이 바로 말로 징계하는 것은 상담자를 유익하게 변화시킨다는 것이다.

관련어 성화, 애덤스

권위적 유도법
[權威的誘導法, prescriptive guide]

상담자가 적극적이고 권위적으로 트랜스를 유도하는 방법. 최면치료

전통적 최면에서 일반적으로 사용된 트랜스 유도법으로, 허용적 유도법에 비해 상대적으로 최면감수성이 높은 사람에게 유용하다. 이는 귀속(attribution)과 예언(prediction)의 두 차원에서 적용될 수 있다. 귀속은 내담자가 어떤 상황이나 상태에 속해 있음을 암시하는 것으로, 예를 들어 "당신은 지금 이완되고 있습니다."라는 암시문을 통해 이완상태로 유도한다. 예언은 앞으로 어떤 일이나 상황이 생길 것임을 암시하는 것으로, 예를 들어 "당신의 오른팔은 점점 올라갈 것입니다."라는 암시문으로 오른팔을 들도록 유도한다. 허용적 유도법에 비해 신속하게 트랜스를 유도할 수 있는 장점이 있지만 저항을 불러일으킬 수 있다는 단점도 있다. 에릭슨(Erickson)도 허용적 유도법과 함께 혼합적으로 사용하였다.

관련어 최면, 최면감수성, 트랜스, 허용적 유도법

귀신망상
[鬼神妄想, demonomania]

귀신이나 악마에게 의지하고 지배받고 있다는 사고방식. 이상심리

귀신이나 악마 체험과 관련된 질환을 말한다. 귀신망상은 출현하는 귀신과 주체와의 관계에 따라 세 가지로 분류된다. 첫째, 외적 귀신망상(demonopathie extreme)이다. 이는 귀신이 환자의 외부세계에 있으면서 지배하고 박해한다고 믿는 경우다. 둘째, 내적 귀신망상(demonopa- thie interne)이다. 이는 귀신이 환자의 내부에 있으면서 지배하고 괴롭힌다고 믿는 경우다. 셋째, 진성 귀신망상(demonopathie vraie)이다. 이는 환자가 자신을 귀신 자체라고 믿는 일종의 화신망상이다. 귀신망상은 피해망상의 하나로 정신분열증과 친화성이 강하다. 유럽의 중세시대에는 귀신망상을 보이는 사람은 마녀사냥의 표적이 되었는데, 이를 비판한 의사 위어(J. Wier, 1563)는 정신의학의 새 지평을 준비한 것으로 알려져 있다.

규범
[規範, norm]

공동 목표의 성취를 위해 활동하는 모든 집단에서 용납될 수 있는 행동의 원리 혹은 표준으로서, 집단활동의 과정에서 채용하는 일종의 활동규약이자 집단이 자체 활동을 수행해 나가는 방법에 대한 책임 감수의 약속. 집단상담

규준 혹은 규칙이라고도 부르는 규범은 보통 명문화되어 있는 경우보다는 암시적으로 통용되고 있는 경우가 많기 때문에 그와 비슷한 집단경험을 해보지 않은 새로운 집단구성원은 재빨리 파악을 하지 못하여 얼마간 혼란을 경험할 수도 있다. 가장 기본적인 몇 가지 규범은 집단 도입단계의 오리엔테이션에서, 혹은 도입단계의 집단과정에서 집단상담자가 명시적으로 제시하고 준수할 것을 요청하기도 하지만, 대부분의 집단규범은 집단과정에서 집단상담자의 언행을 통하여, 집단분위기에 의해 암묵적으로 만들어지고 받아들여진다. 때때로 집단과정 나눔 등을 통하여 집단규범이 문제 제기되고, 수정되거나 새롭게 만들어지기도 한다. 집단이 시작될 즈음에 명시적으로 제안되는 집단규범의 예로는, 집단에서 나눠는 이야기에 관한 비밀을 지키는 것, 지금-여기에서의 감정을 중심으로 나누는 것, 집단과정에 적극적으로 참여하는 것, 촉진적인 피드백을 나누는 것 등이 있다.

규준지향검사
[規準指向檢査, norm referred test]

심리검사에서의 평가 종류 중 하나. 심리검사

규준지향평가와 준거지향평가의 두 가지로 구분하는 평가 종류 중 하나다. 평가준거별 평가유형을 살펴보면, 교육성과를 평가하기 위하여 준거 또는 목표를 기준으로 하느냐 혹은 평가를 실시해서 학습자가 받은 점수의 평균을 기준으로 하느냐에 따라 규준지향평가와 준거지향평가로 구분하는 것이다. 규준지향검사는 어떤 집단의 검사결과와 비교할 때 의미를 갖게 되는데, 이때 비교하는 집단의 검사결과를 규준이라 한다. 개인의 점수는 어떤 규준에 비교하는가에 따라 의미가 달라진다. 규준지향평가의 특징은 선발적 교육관에 근거하며, 개인차 범위의 극대화를 통해 엄밀하고 정확한 측정을 시도한다. 그리고 평가로 얻은 원점수를 해석하기 위해서는 비교규준이 필요하고, '무엇을 얼마나 성취하였는가?'가 아니라 '다른 학생과 비교하여 얼마나 잘했는가, 아니면 못했는가?'에 초점을 두며, 성취결과의 상대적 서열을 판단하는 데 관심이 있다. 또한 검사도구의 신뢰도를 강조하고, 검사도구는 '표준화검사'를 예로 들 수 있다.

규준집단
[規準集團, norm group]

피험자의 검사점수를 해석하는 데 참조하는 대상 모집단을 대표하는 피험자 표본. 심리측정

규준참조평가를 하거나 표준화검사를 제작할 때는 평가와 검사의 규준을 설정하기 위해서 사용하는 규준집단이 필요하다. 규준집단은 비교의 대상이 되는 집단으로서 어떤 특징을 공유하는 사람들로 구성된다. 예를 들어, 지능검사에서는 전국의 동년배가 될 것이고, 고등학교 내신등급의 성적산출

에서는 해당 고등학교 재학생이 될 것이며, 대학수학능력시험에서는 대학에 진학하고자 수능시험에 응시한 학생들이 각각 규준집단의 구성원이 될 것이다. 규준참조평가에서는 그 평가를 적용하게 될 모집단을 규정해 놓고, 이를 잘 대표할 수 있는 규준집단을 표집해야 한다. 여기서 타당하고 유용한 규준을 작성하려면 규준집단이 적절해야 한다. 규준의 양호도는 대표성, 적합성, 근대성의 세 가지 기준으로 판단한다(이종승, 2009). 즉, 규준집단은 모집단을 잘 대표할 수 있는 표집이어야 하며 편파적인 표집이어서는 곤란하다. 또한 규준집단의 특성은 검사 이용자가 비교해 보기를 원하는 피험자의 특성과 유사해야 한다. 그리고 규준은 현실의 실상을 잘 반영한 최근에 제작된 것이어야 한다.

관련어 | 규준참조평가, 표준화검사

규준참조평가
[規準參照評價, norm-referenced assessment]

한 피험자가 받은 점수가 다른 피험자들이 받은 점수에 의해 상대적으로 결정되는 평가방식. 심리 측정

상담결정을 촉진하기 위해서 한 개인을 다른 사람의 표본과 비교하는 것이다. 평가(assessment)와 검사(testing)라는 용어가 매우 관련이 있고 자주 상호 교환적으로 사용되고 있지만, 평가는 검사와 다르다. 평가는 의사결정과정에서 자료를 유용하게 활용하는 것인 데 반해, 검사는 평가를 위해 자료를 얻는 과정이다. 또한 규준참조평가는 내준 평가(ipsative assessment)와 준거참조평가(criterion-referenced assessment)와도 다르다. 내준 평가는 개인 내적 차이에만 관심을 두고 그것이 지지할 수 있는 추론과 결정에는 별로 관심을 두지 않는다. 내준 평가는 전문상담자가 시간 혹은 속성에 대한 개인 내적 차이를 이해하는 데는 도움이 되지만, 정상(正常) 혹은 이상(異常)에 대한 어떤 추론도 지원하지 못한다. 준거참조평가는 측정 가능한 표준(standard)과 관련하여 개인의 성취도를 비교하며, 규준참조평가에 대한 매우 강력한 대안적 혹은 보충적 평가방법이다. 규준참조평가는 전문상담자가 상담직을 수행하는 과정에서 여러 유형의 결정, 예컨대 선별적 결정, 진단적 결정, 예후적 결정, 치료적·중재적 결정을 촉진한다. 선별적 결정은 대개 '이 관찰이 전형적인 것과 현저하게 다른가?'에 대한 질문에 응답하는 것이다. 진단적 결정은 보통 선별적 결정을 수반하며, '이러한 관찰이 전형적인 반응과 현저하게 다르다면, 구체적으로 차이점은 무엇인가?'에 대한 질문에 응답하는 것이다. 예후적·중재적 결정은 보통 진단적 결정을 수반하며, '현저하게 차이점이 있다면, 시간에 따른 이러한 속성의 전형적인 과정은 무엇이며 그 속성의 발달을 증진 혹은 감소시키는 최상의 방법이 무엇인가?'에 대한 질문에 응답하는 것이다. 규준참조평가는 대개 규준참조측정으로 산출된 자료를 사용한다. 측정은 규칙에 따라 관찰사항에 대하여 수치를 부여하는 것이다. 규준참조측정의 경우, 관찰사항에 부여된 수치는 참조집단(reference group)의 측정된 속성이나 성취도와 상대적으로 비교하여 개인의 속성이나 성취도를 나타낸 것이다. 참조집단에서 누적된 자료(norm)는 규준을 만들어 낸다. 규준은 참조집단의 개인들이 획득한 점수의 평균 혹은 사전에 할당해 놓은 평점 배당 비율을 의미한다. 참조집단의 측정된 속성이나 성취도는 집중경향과 집단 내 점수의 차이에 의해 특성이 달라질 수 있다. 그러므로 한 개인의 관찰사항은 집단의 분산과 관련한 집중경향에서 얼마나 떨어져 있는가에 따라 특성이 달라질 수 있다. 점수가 원래 측정에서 어떠하든 간에 이들은 z점수(z score)라 불리는 단위로 전환된다. z점수는 규준참조평가에서 사용하는 기본적인 표준점수로서, 평균에서 편차점수(X−M)를 그 분포의 표준편차로 나누어 얻은 전환 점수의 하나다. z점수

의 산출은 관찰된 점수에서 집단의 산술적 평균을 빼고 그것을 집단의 표준편차로 나누면 되는데, 이를 공식으로 표현하면 z=(X-M)÷SD가 된다. 편차점수를 그 집단의 표준편차로 나누어 줌으로써 z점수는 평균이 0, 표준편차가 1인 분포로 전환된다. z점수를 계산하면 대개 -3과 +3 사이의 값을 가져 음수가 나온다는 점과, 또한 소수점을 갖는 문제가 있기 때문에 z점수와 동일한 것을 의미하는 다른 척도로 선형적(linear) 변환을 하는 경우가 많으며, 이때 많이 사용되는 것이 T점수(T score)다. T점수는 z점수를 평균이 50, 표준편차가 10인 분포로 전환시킨 표준점수로, z점수에 10을 곱하고 50을 더하여 계산한다. 즉, 공식으로 표현하면 T=10z+50이 된다. 규준참조점수로 또 많이 이용되는 것이 백분위(percentile rank)다. 백분위란 자료를 크기순으로 배열하여 어떤 자료의 값보다 낮은 값의 사례 수가 전체 사례 수의 몇 %인지를 나타내는 누적 백분율을 말한다. 예를 들어, 점수 80점의 백분위가 75라고 하면, 80점 아래의 점수가 전체 사례 수의 75%가 있다는 것을 의미한다. 규준점이 평균이든 관찰점수보다 낮은 점수든 간에 규준참조측정은 항상 개인을 집단의 성취수행과 비교한다. 결정을 내리기 위해서는 참조집단의 적합성을 평가하는 것이 중요하다. 예를 들어, 어떤 상담자가 8세 아동의 행동에 대한 선별적 결정을 하고자 한다면, 그 아동보다 나이가 너무 적거나 많은 아동들보다는 8세의 다른 아동들과 비교를 하는 것이 적합하다. 규준집단은 연령, 성별, 학력, 지역 등의 요인을 고려하여 평가될 수 있다. 모든 규준참조결정은 규준집단에 비추어서 이루어져야 한다. 예를 들어, 선별적 결정은 "민지의 측정된 읽기 성취도는 같은 지역에 있는 같은 연령의 다른 여아들의 읽기 성취도보다 유의미하게 높다."라고 진술되어야 한다. 규준참조검사로는 '웩슬러 아동용 지능검사 제4판(Wechsler Intelligence Scale for Children-Forth Edition)'과 '미네소타 다면적 인성검사-2(Minnesota Multiphasic Personality Inventory-II)'를 예로 들 수 있다. 이 검사들은 모두 개인의 점수가 표준화 집단의 전형적인 분산과 관련한 평균에서 얼마나 떨어져 있는지를 나타내는 z점수의 선형적 변환점수를 산출한다. 또한 미국의 대다수 국민을 대표할 수 있도록 연령, 인종, 교육수준, 지역 등을 고려하여 규준집단을 만들었고, 개인의 득점을 이러한 규준과 비교하게 된다. 한편, 개인은 궁극적으로 각각 독특하고, 참조집단이 모든 사람을 대표할 수 있을 만큼 적절하다고는 볼 수 없기 때문에 의사결정에서 규준참조자료를 사용하는 것에 대한 논쟁이 있다. 규준참조점수는 개인의 진짜 기능을 잘못 나타내거나 개인의 다양한 영재성을 지나치게 단순화시킬 우려가 있다.

관련어 | 규준집단, 백분위, 준거참조평가, 표준점수

규칙
[規則, rules]

상호성(reciprocity), 보상(rewardingness)과 함께 인간관계를 개발하고 강화하는 3개의 R 중 하나. 생애기술치료

생애기술치료에서는 누구나 다른 사람과의 인간관계에서 지침을 정하고 자신과 상대방에게 기대하는 행동을 명확하게 하기 위해서 형식적 혹은 비형식적 규칙이나 계약을 맺고 있다고 본다. 이러한 규칙들은 인간관계에서 매 순간 경험하는 위기에 집중하여 관계를 망가트리는 것을 방지하는데, 그것은 '보상공급'과 '갈등회피'의 두 가지 종류가 있다. 성공의 기쁨을 나누는 것과 같은 친밀함, 정서적인 지지와 같은 돌봄, 그리고 생일 선물이나 카드와 같은 변환된 보상들이 '보상공급'에 속한다. 그리고 외도를 하지 않는 것과 같은 신실함, 상대방의 사생활을 존중해 주는 것과 같은 사생활 존중은 '갈등회피'에 속하는 인간관계의 규칙이다.

관련어 | 보상, 상호성

규칙 있는 게임 놀이
[規則 -, game play with rule]

아동기에 접어들면서 실시하는 미리 만들어진 규칙에 따라 시행하는 게임 놀이. 놀이치료

전조작기에서 구체적 조작기로 도약하는 6세 이후의 피아제(Piget)의 인지적 놀이 발달단계의 마지막 단계로서, 정해 놓은 규칙에 따라 2명 이상의 놀이자와 경쟁하면서 승부를 겨루는 놀이형태다. 윷놀이, 줄넘기 놀이, 숨바꼭질과 같이 미리 만들어진 규칙에 따라 시행하는 게임이 주류를 이룬다. 때로는 놀이 그 자체보다는 규칙을 새로 만들고, 바꾸고, 협상하는 데 시간을 더 많이 보낸다. 규칙이 있는 게임 놀이는 유아기 말에 나타나기 시작해 아동기 말에 절정을 이룬다. 아동은 규칙 있는 게임 놀이를 통하여 규칙의 의미를 이해하고 규칙을 내면화하여 주어진 범위 내에서 자신의 행동을 통제할 수 있는 능력을 발달시켜 간다.

관련어 | 놀이치료

균형
[均衡, balance]

인간체계의 같은 수준에 있는 구성원들이 그들에게 필요한 책임감, 자원, 영향력을 균등하게 이용할 수 있는 상태. 내면가족체계치료

인간체계는 체계들이 균형을 이루고 있을 때 가장 잘 기능한다. 균형에는 체계의 건강에 아주 중요한 네 가지 차원이 있는데, 즉 개인이나 집단이 체계의 의사결정에 미치는 영향력의 정도, 개인이나 집단이 체계의 자원에 접근하는 정도, 개인이나 집단이 체계 내에서 가지는 책임의 수준, 그리고 체계의 경계들이 균형을 유지하는 정도다. 균형 잡힌 체계에서는 체계에 속한 각 개인에게 개인의 요구와 역할에 적절한 영향력을 가지게 하고, 체계의 자원에 접근할 수준과 적절한 책임을 질 것을 허용한다. 또 유사한 역할을 하는 사람들은 모두 평등하다. 게다가 체계 내의 하위체계에서 누가 관여할 수 있고, 어떻게 그들이 관여하는지에 대해 규정된 경계들은 너무 경직되지도 너무 산만하지도 않다.

관련어 | 부분들, 부분의 형태들

균형 원리
[均衡原理, principle of entropy]

정신세계에서 2개의 욕구가 있을 때 에너지가 보다 강한 욕구에서 약한 욕구로 이동하는 것으로, 융학파에서 엔트로피 개념을 바탕으로 제시한 정신역동성 기본 원리의 하나. 분석심리학

물리학에서의 엔트로피 원리는 일반적으로 두 물체가 접해 있을 때 에너지가 언제나 강한 물체에서 약한 물체 쪽으로 흐른다는 것을 뜻한다. 예를 들어, 어떤 사람이 방의 구석에서 뜨거운 열기를 방출한다면, 결국 방 전체가 뜨거워진다. 심리학에서의 엔트로피는 '흘러내리다'와 같은 모든 심리체계의 방향성이다. 등가원리에서는 체계 내에서의 교류에 대해서는 설명하지만 에너지가 흐르는 방향에 대해서는 설명하지 않는다. 균형원리에서는 평형형태를 위한 에너지 작동과정에 대해 설명한다. 일반적으로 반대 극이 극대화될수록 에너지는 많이 생긴다. 예를 들어, 청소년 시기에 소년은 더 남성다워지기 위해 노력하고, 여성은 더 여성스러워지기 위해 노력하는 것처럼 남녀 간 차이를 과장하는 경향이 있다. 이러한 성적 활동성은 거대한 에너지를 창출한다. 사람은 나이가 들면서 남녀의 서로 다른 모습을 점차 편안하게 생각한다. 나이가 들면 육체조차도 남성과 여성이 점차 비슷해진다. 이는 반대 극을 넘어서 양면을 다 보는 과정으로, 초월성이라고 부른다. 정신에너지의 분배는 평형이나 균형을 추구하는데, 자아의 이상적 상태는 균형이며 갈등이 없는

것이다. 성격은 이상적으로 모든 측면에서 정신에너지가 동등하게 분배된다고 가정하지만, 이 같은 이상적 형태는 결코 이루어지지 않는다. 예를 들어, 많은 에너지 과정이 무의식에서 사용된다면 정신과 신체는 그 에너지의 일부가 더 의식수준으로 향해야 한다고 생각한다. 이는 융(C. G. Jung)이 정신의 통합된 부분으로서의 자아를 고려했기 때문이다.

관련어 | 대립원리, 등가원리, 엔트로피

그 대신에
[–, instead]

내담자의 문제가 없어지는 대신에 무엇이 이루어지기를 원하는지 파악하기 위한 질문기법. 해결중심상담

상담과정에서 대부분의 내담자는 자신의 문제를 해결하기 위한 해결책에 대해서 이야기할 때, 주로 해결된 상태에 대해서 설명하기보다는 특정 문제가 없어지기를 원한다는 단편적인 묘사를 하는 특징이 있다. 예를 들어, "가족들에게 조그마한 일에도 신경질을 내는 일을 그만두고 싶어요." "중요한 일을 빨리 결정하지 못하고 자꾸만 머뭇거리는 버릇이 없어졌으면 좋겠어요." "모든 일에 부정적으로 생각해서 자꾸 자신을 비하하는 습관이 없어졌으면 좋겠어요."와 같이 현재 생활에서 제거하고자 하는 문제에 대해 주로 이야기한다. 하지만 이 같은 표현들에는 자신의 문제를 해결하기 위한 목표가 정확하게 무엇인지, 그리고 그 목표가 이루어졌을 때를 어떻게 알 수 있는지에 대한 명확한 정보가 부족하다. 이때 상담자는 '그 대신에'라는 질문기법을 사용해서 내담자가 원하는 것이 무엇인지 명확하게 해 주고, 문제해결을 위해 무엇을 해야 하는지를 보다 쉽게 이해하도록 도움을 줄 수 있다. 예를 들어, "그럼 가족들에게 신경질을 내는 대신에 어떤 행동을 하게 될까요?" "중요한 일을 빨리 결정하지 못하고 머뭇거리는 대신에 어떻게 행동하실 건가요?" "모든 일에 부정적으로 생각해서 자신을 비하하는 대신에 어떻게 생각하고 행동하실 건가요?"라고 질문함으로써 내담자가 원하는 문제해결의 목표를 명확하게 파악하는 것이다. 또한 내담자가 자신의 문제가 해결되고 있는 시점을 인식하는 데에도 도움을 줄 수 있다.

관련어 | '그러나' 피하기, 그 외에 또

'그러나' 피하기
[–, avoiding 'but']

해결중심접근의 단기코칭처럼 언어를 중심으로 하는 분야에서 상담자가 '그러나'라는 단어를 내담자에게 사용함으로써 내담자가 자신의 말이 무시당했다고 느끼는 것을 방지해야 한다는 개념. 해결중심상담

내담자가 이야기한 내용에 대해서 상담자가 "예, 그렇죠. 그러나……." 또는 "그런데……."라고 말하면 내담자는 상담자가 자신의 말에 동의하지 않거나 이의를 제기한다는 느낌을 받는다. 또한 상담자의 이러한 언어 사용에 대해서 내담자는 자신의 의견이 무시당했다는 느낌을 받을 수도 있다. 상담자가 내담자와의 대화에서 부정적인 영향력을 미치는 '그러나'를 사용하는 예는 다음과 같다. "정말 지금 얼마나 힘들고, 그로 인해 많이 의기소침해 있다는 상황이 이해가 됩니다. 그러나 지금 그 힘든 상황에서 벗어나려는 시도를 해 본 적이 있나요?" "정말로 그 문제를 해결할 다른 방법이 없는 것 같다는 절망적인 심정은 이해가 갑니다. 그러나 혹시라도 미처 생각하지 못한 방법이 있는지 다시 한 번 생각해 보시겠어요?" "그 일 때문에 정말 많이 실망하고 힘드셨겠네요. 그러나 그 감정에서 벗어나려고 조금이라도 노력해 보시겠어요?" 이처럼 상담자가 무심결에 사용하는 '그러나'의 부정적인 영향을 방지하기 위해서 베르크와 서보(Berg & Szabo, 2011)는 상담자가 '그러나'의 사용을 피하고, '그리고' 혹은 '그러면'을 사용할 것을 권하였다. '그리고' 혹은 '그러면'을 사용하면 상담자가 내담자의 한 일이나 말에 수

용하면서, 거기에 조금 덧붙인다는 것을 암시하는 것이다. 즉, 상담자는 내담자의 행동이나 생각의 방식을 수용하고 있으며, 상담자는 내담자가 달성한 것에 추가함으로써 함께 문제를 해결해 나갈 수 있다는 협력의사를 표현하는 좋은 방법이 되는 것이다. 이와 같은 '그러면'이라는 대화기술을 사용하는 예는 다음과 같다. "그 일로 얼마나 힘들었을지 상상이 됩니다. 그러면 그 대신에 일어나길 바라는 다른 일이 있나요?" "정말로 많은 일을 시도해 보셨네요. 그러면 이제까지 시도해 본 일 중에서 가장 크게 도움이 되었던 것은 무엇입니까?"

관련어 그 대신에, 그 외에 또, '왜' 피하기

그 외에 또
[－外－, what else]

상담자가 내담자의 대답에 '그 외에 또'라는 용어를 반복적으로 사용함으로써 내담자의 생각을 확장시켜 주는 질문기법. 해결중심상담

내담자는 대부분 자신의 문제상황이나 다른 사람에게 받은 평가에 대해서 단순하게 대답하는 경향이 있다. 이러한 경우에 상담자는 계속해서 그 외에 또 다른 무언가가 있는지 반복해서 질문을 해보아 내담자로부터 보다 상세한 이야기를 이끌어 낼 수 있다. 또한 내담자가 상담자의 계속되는 질문에 대답을 하는 과정에서 자신의 긍정적인 반응이나 다른 사람에 의한 긍정적인 평가를 거듭 생각해 보는 기회가 되므로, 그로 인한 긍정적인 영향력이 강화되는 효과가 나타날 수도 있다. '그 외에 또' 기법을 사용하여 상담자가 질문을 하는 예를 들어 보면 다음과 같다. 먼저, "당신의 남편은 당신의 변화를 알아채면 어떻게 반응할 것 같은가요?"라고 질문을 한다. 상담자의 이 같은 질문에 내담자는 간단한 대답을 할 수 있을 것이다. 그러면 다시 상담자는 "남편의 그러한 반응 외에 또 다른 반응이 있다면 무엇이 있을까요?"라고 물어본다. 내담자가 이 질문에 다시 대답을 하면, 상담자는 또 "그 외에 또 다른 어떤 반응을 할 수 있다고 생각하나요?"라고 거듭 질문함으로써 내담자의 생각을 좀 더 확장시켜 나갈 수 있을 것이다. 베르크와 서보(Berg & Szabo, 2011)는 이처럼 반복적인 질문은 다섯 번까지 가능하다고 제안하였다.

관련어 그 대신에, '그러나' 피하기, '왜' 피하기, 좋은 이유

그 자기
[－自己, the Self]

개인적이고 자아의식적 차원의 자기(self)와 구별하여, 인간의 에너지 원천인 우주에너지와 연결된 우주적 존재로서의 인간이 가진 특별한 성질. 무용동작치료

에너지 또는 빛으로도 표현되는 그 자기는 빛나는 정신적 원천인 초월적 자기를 말한다. 원래는 의식의 자각(알아차림)과 의도를 표현하는 개인적 성격의 '나', 그리고 소문자 '자기(self)'는 그 자기(the Self)의 반영 및 발현으로 나타나는 것임에도 불구하고, 인간은 항상 그 자기에 반항하고 어긋나는 선택을 하기 때문에 초월 및 영성상담에서는 자기 및 자아를 극복하고 그 자기와 조율하고 정렬하는 조력과정을 제공한다고 주장한다. 정렬이란 개인의 의지 및 개인의 선택이 초개인적 의지의 원천인 그 자기와 조화를 이루고 일치되는 것을 말한다. 그 자기가 우주적 존재와의 연결이라고 해도, 의식과 무의식의 위계적 단계를 가지고 저 높은 무의식 영역에만 위치하는 것이 아니라 어느 곳에서나 존재하는 편재성과 만능성을 가지고 있다는 전제를 바탕으로 한다. 따라서 우리가 그 자기의 전체성과 중심성을 느끼거나 느끼지 않거나 상관없이, 일시적 느낌이나 어떤 신념에 갇혀 있을 때도 항상 우리 내부 어느 곳에나 그 자기는 존재한다고 본다. 때로는 절망과 분열의 한가운데서도 그 자기로 각성되어 있

다. 만약 우리가 그 자기와 함께 연결된다면 중심 잡힌 존재감을 느낀다. 그래서 신체자각(알아차림)을 이용하는 모든 신체기법 및 무용동작치료들도 정신적인 그 자기와의 조화와 더불어, 신체의 에너지 흐름과 긴장의 흐름을 해소하는 데 관심이 있다. 그 자기라는 개념은 심리학 분야에서 융(Jung)의 인간의식의 확대연구에서 시작되었으며, 초개인심리학 분야인 아사지올리(Assagioli)의 정신통합연구의 주요 개념에도 속한다. 그 밖의 대표적인 학자로는 영성(spirituality)까지 관심을 두는 무용치료자 초도로(Chodorow, 1991)와 동작 중심 표현예술치료 분야의 핼프린(D. Halprin, 2003)이 있다.

관련어 | 자기, 자아

그들 – 자기
[– 自己, they-self]

특별한 역사 · 문화적 시기에 우리가 선택하지 않은 세상 그곳에 던져진 거기–존재(being–there)의 존재임을 직면하고, 여기(here) 나의 존재가 아니라 거기(there) 나와 함께 있는 타인 중 하나인 자신의 존재를 규정하는 것. 무용동작치료

하이데거의 현존재(Dasein) 연구에서는 우리가 성, 계급, 인종과 같이 스스로 선택하지 않은 세상에서 산다고 보았다. 그리고 익명의 다수에 속하는 사람들인 타인을 의미하는 '그들'의 정형화된 말과 행동을 어쩔 수 없이 따라해야 하는 존재라고 하였다. 이것은 인간이란 자신이 태어난 특정한 사회에서 요구하는 방식에 부합하여 살아야 하는 겉치레로서의 삶을 말한다. 이러한 인간 존재의 특성을 하이데거는 '비본래적 실존'이라고 하였다. 이렇게 인간 스스로의 의지대로 살아갈 수 없는 존재적인 모순, 다른 사람들이 형성해 놓은 일정한 틀 안에 자신의 삶을 끼워 넣어야 하는 인간 존재와 같이 비본래적인 특성을 지닌 인간 존재를 하이데거는 '그들–자기'라는 말로 표현하였다. 표현예술치료 분야에서 실존적 현상주의 치료의 중심 개념인 '여기 그리고 지금'의 자각(알아차림)과 연결하여 전제적 개념인 거기 존재와 그들–자기의 개념은 레빈과 레빈(S. K. Levine & E. G. Levine, 1999), 그리고 레빈(S. K. Levine, 2005)이 연구하였다. 이로써 상담 및 심리치료의 이론적 배경으로 현상주의 철학과 섬세하게 연결다리를 놓아 주고 있다.

관련어 | 거기 – 존재

그랜트 연구
[– 硏究, Grant Study]

하버드대학교 2학년 268명의 생애에 관한 종단적 연구. 발달심리

1937년 미국 하버드 의과대학의 알리 벅(Ali Bock) 교수가 연구를 시작하여 1967년부터 조지 베일런트(George Vaillant)가 이어받아 완성하였다. 연구의 재정지원을 한 백화점 재벌 그랜트(Grant)의 이름을 따서 그랜트 연구라고 이름 지은 이 연구는 2009년 시사월간지 'Atlantic Monthly' 6월호에 공개되었다. 연구의 목적은 청년기부터 노년기까지를 종단적으로 추적연구하여 건강한 노년기를 예측하는 심리적 특성, 사회적 요인, 생물학적 변화과정을 확인하는 것이다. 연구의 대상은 1937년에 하버드대학교 2학년 남학생 268명이었고, 이들을 72년간 추적조사하였다. 그중에는 존 F. 케네디와 워싱턴포스트의 벤 브랜들리 부사장도 포함되어 있다. 연구대상자들은 2년마다 신체적 · 정신적 건강, 결혼생활, 일, 은퇴, 취미생활, 그 외의 생활에 관한 질문지를 작성하였다. 그리고 5년마다 전문의에게 건강 검진을 받으며 대상자마다 간격을 달리하여 대인관계, 경력, 노년기 적응에 관해 심층면접을 실시하였다. 이러한 과정을 거쳐 2009년까지 72년간 추적하고 분석한 결과를 2009년 5월 12일에 발표하였다. 연구의 결과, 첫째, 47세경까지 형성된 인간관계가 이후 생애를 결정하는 데 가장 중요하다. 둘째, 평범해 보이는

사람이 가장 안정적이며 성공적인 삶을 이룬다. 셋째, 연구대상자 중 3분의 1은 정신질환을 호소하였다. 넷째, 노후의 행복한 삶을 위해서 고통에 적응하는 성숙한 자세, 교육, 안정적 결혼, 금연, 금주, 운동, 적당한 체중 등의 일곱 가지 요소가 필요하다. 이 중 50세에 5~6개 요소를 지니고 있는 사람 106명 중 50%가 80세에 행복하고 건강했으며, 7.5%는 불행하고 신체적 고통을 호소하였다. 50세에 3개의 요소를 지닌 사람 중에는 80세에 행복하고 건강한 사람이 없었다. 3개 이하의 요소를 지닌 사람은 3개 이상을 지닌 사람보다 80세 이전에 사망할 확률이 3배나 높다. 또한 65세에 성공적인 삶을 누리는 사람의 93%가 형제자매와의 관계는 좋은 것으로 나타났다. 그는 이 연구를 통해 개인의 성공적인 삶에 가장 중요한 것은 자신의 삶에 중요한 의미를 지니는 사람들과 관계를 지속하는 것이며, 행복은 결국 사랑에서 얻어진다고 결론지었다. 그리고 성인기를 전기, 중기로 구분했는데, 성인 전기는 25~35세를 말하며 일에 몰두하고 결혼을 하여 현실적인 삶을 살아가는 시기로 직업 강화 단계다. 성인 중기는 35~49세까지를 말하며 인생에서 가장 평온하고 행복한 시기이고, 45~55세는 정서적으로 성숙하고 자신을 되돌아보며 인간관계를 재정립하는 전환기로서 생의 의미를 유지하는 시기라고 하였다. 또한 그는 연구대상자들이 삶에 적응하기 위해 사용하는 여러 방어기제를 성숙 기제, 미성숙 기제, 정신병적 기제, 신경증적 기제의 네 가지로 구분하였다. 즉, 삶의 여유와 지속적이며 긍정적인 관계를 유지하는 성숙 기제, 정신적 갈등과 불만을 신체적 질환으로 표현하는 미성숙 기제, 현실에서 도피하거나 왜곡하는 정신병적 기제, 삶에 대하여 지나치게 불안하게 여기거나 두려워하는 신경증적 기제 등이다. 그는 가장 성숙한 방어기제로 이타적 행동, 승화, 유머, 억제를 꼽았다.

관련어 | 성인기

그레이프프루트
[-, Grapefruit]

림프의 울혈제거, 소화자극, 혈액정화, 담즙분비 촉진, 가스배출, 공기정화 능력이 있는 열매에서 얻은 오일로서, 미국, 서인도 제도, 브라질, 이스라엘, 나이지리아에서 생산. 향기치료

그레이프프루트는 높이가 30미터까지 자라는 크고 활력이 좋은 나무로, 단일의 굵은 기둥을 이루는 주경과 여러 개의 측지가 있다. 과실은 커서 직경이 15센티미터까지 이르며, 일반적으로는 구형이지만 흔히 측면이 눌린 형태에 밝은 노란색에서 오렌지색을 띤다. 그레이프프루트 오일은 정신을 고양하고 의식을 회복시키는 효과가 있어서 스트레스, 우울, 신경탈진 치료에 유용하다. 특히 겨울에 무기력하고 우울한 사람들에게 추천된다. 또한 열을 식히고 정화하며 울혈을 제거하는 효능이 있어서 열이 있는 간이나 림프의 울혈제거에 도움이 된다. 간에 열이 축적되면 복부팽만, 변비, 구역질과 같은 문제가 생기는데 여기에는 입에 쓴맛이 돌고 화를 잘 내는 증상이 수반된다. 그레이프프루트는 간을 시원하게 하고 내장의 정체를 풀어 움직이게 함으로써 이러한 증상을 완화시킨다.

그림 후 질문
[-後質問, post drawing inquiry: PDI]

집-나무-사람과 같이 그림검사를 실시한 후에 보다 많은 정보를 수집하기 위해 내담자에게 주어지는 물음. 미술치료

집-나무-사람 그림검사를 실시한 후에 내담자로 하여금 보다 많은 정보를 확인하기 위하여 다음과 같은 질문을 한다. 먼저 집 그림에 관한 질문은,

'이 집은 어디에 위치해 있습니까? 이 집 근처에 다른 집이 있습니까? 이 그림 속의 날씨는 어떻습니까? 이 집은 당신에게서 멀리 있습니까? 혹은 가까이 있습니까? 이 집에 누가 살고 있습니까? 이 집에 살고 있는 사람들은 어떤 사람들입니까? 가정의 분위기는 어떻습니까? 이 집을 보면 무엇이 생각납니까? 이 집을 보면 누구의 일이 생각납니까? 당신은 어떤 집에 살고 싶습니까? 당신은 이 집의 어느 방에 살고 싶습니까? 당신은 누구와 이 집에 살고 싶습니까? 당신의 집은 이 집보다 큽니까? 작습니까? 이 집을 그릴 때 누구의 집을 생각하고 그렸습니까? 이것은 당신의 집을 그린 것입니까?' 등이 있으며, 특수한 집인 경우에는 그 집을 그린 이유를 확인한다. 나무 그림에 관한 질문은, '이 나무는 어떤 나무입니까? (확실하지 않을 때는 상록수인가 낙엽수인가 등 예를 들어 질문한다.) 이 나무는 어디에 있습니까? 하나의 나무만 있습니까? 숲속에 있는 나무입니까? 이 그림의 경우 날씨는 어떻습니까? 바람이 불고 있습니까? 불고 있다면 어떤 바람이 어느 방향으로 불고 있습니까? 해가 떠 있습니까? 떠 있다면 어느 쪽에 떠 있습니까? 이 나무는 몇 년쯤 된 나무입니까? 이 나무는 살아 있습니까? 죽었습니까? 만약 죽었다면 언제쯤 어떻게 죽었습니까? 이 나무는 강한 나무입니까? 약한 나무입니까? 이 나무는 남자와 여자 중 어느 쪽을 닮았다고 봅니까? 이 나무는 당신에게 누구를 생각나게 합니까? 이 나무는 당신에게 어떤 사람을 느끼게 합니까? 이 나무는 당신에게서 멀리 있습니까? 가까이 있습니까? 이 나무에 필요한 것은 무엇입니까? 이 나무는 당신보다 큽니까? 작습니까? (상흔 등의 특별한 모양이 있는 경우) 이것은 무엇입니까? 어떻게 해서 생겼습니까?' 등이 있다. 남녀 각각의 인물화에 대한 질문은, '이 사람의 나이는 몇 살쯤 되었습니까? 결혼을 했습니까? 결혼을 했다면 가족은 몇 명 정도이며, 어떤 사람들입니까? 이 사람의 직업은 무엇입니까? 이 사람은 지금 무엇을 하고 있습니까? 지금 이 사람은 무엇을 생각하며 어떻게 느끼고 있습니까? 이 사람의 신체는 건강한 편입니까? 약한 편입니까? 이 사람은 친구들이 많습니까? 어떤 친구들이 있습니까? 이 사람은 어떤 성격의 사람입니까? 장점과 단점은 무엇입니까? 이 사람은 행복합니까? 불행합니까? 이 사람에게 필요한 것은 무엇입니까? 당신은 이 사람이 좋습니까? 싫습니까? 당신은 이러한 사람이 되고 싶습니까? 당신은 이 사람과 함께 생활도 하고 친구가 되고 싶습니까? 이 사람을 그리고 있을 때 당신은 누구를 생각하고 있었습니까? 이 사람은 당신을 닮았습니까?' 등이다. 이외에 특별한 모습이나 형태를 보이거나 그림에서 이해하기 곤란한 부분에 대해서도 그 이유를 확인하고 각각의 그림에서 추가하고 싶은 것이 있는지 확인한 다음 더 그리고 싶어 하면 그리도록 해 주면서, "당신이 바라던 대로 잘 그려졌습니까? 어떤 부분이 그리기 어려웠고, 마음에 들지 않습니까?"라는 질문으로 검사활동을 마무리한다.

관련어 | 나무그림검사, 인물화, 집-나무-사람 검사

그림어휘력검사 [-語彙力檢査, Peabody Picture Vocabulary Test: PPVT]

2세 0개월부터 8세 11개월 아동의 수용어휘능력을 측정하기 위한 지능검사. 심리검사

아동의 어휘능력을 측정하기 위해 1995년에 김영태, 장혜성, 임선숙, 백현정이 개발한 검사로, 2세 0개월부터 8세 11개월 아동을 대상으로 한다. 미국의 Peabody Picture Vocabulary Test-Revised (PPVT-R)와 우리나라 문헌을 기초로 개발한 이 검사는 정상 아동은 물론 지적장애, 청각장애, 뇌 손상, 자폐증, 행동 결함, 뇌성마비 등으로 언어에 문제가 있는 아동의 수용어휘능력을 평가하는 데 활용할 수 있다. 일반 지능을 측정하기 위한 간편 검사도구로 사용되는 개인용 어휘검사이며, 정기적으

로 개정되고, 4개의 그림이 그려져 있는 175장의 도판으로 구성되어 있다. 피험자는 검사자가 제시하는 자극에 가장 유사한 그림을 지목해야 한다. 검사의 문항은 PPVT-R의 문항을 기초로 해서 예비 검사 178문항 중 부적절한 문항을 제외한 112문항으로 구성(A, B, C, D, E 5개의 연습문항)되어 있다. 품사별로는 명사(57%), 동사(20%), 형용사(12%), 부사(1%)로 이루어져 있으며, 범주별로는 동물, 건물, 음식, 가구, 가정용품, 신체부위, 직업, 도형, 식물, 학교 및 사무실의 비품, 기구 및 장치, 악기, 교통기관으로 이루어져 있다.

그림자
[-, shadow]

본능적으로 번식과 생존에 초점을 둔 도덕과 관계가 없는 정신의 초도덕적, 인류 발생 이전의 동물적인 측면으로, 인간의 어둡고 사악한 측면을 나타내는 원형. 분석심리학

그림자는 자아(ego)나 자기상(self-image)과 반대되는 개념으로, 우리 자신이 용납하기 어려운 특질과 감정으로 구성되어 있다. 억압된 약점, 부족한 점, 본능으로 구성된 무의식적 마음의 한 부분인 그림자는 아니마와 아니무스, 페르소나와 함께 원형에 포함된다. 모든 사람은 그림자를 이유로 움직인다고 할 만큼 그림자는 개인의 의식적 삶에서 쉽게 나타나지 않고 병적이다. 융(C. G. Jung)에 따르면, 그림자는 본능적이고 비합리적이며 투사적 경향이 있는데 이러한 투사는 자아와 현실세계 사이에 두꺼운 환각을 형성하여 개인을 고립시키고 손상시킨다. 융은 또한 인간의 어두움을 위한 축적기능에도 불구하고 그림자는 창조성의 소재지라고도 언급하였다. 이는 인간성의 어두운 측면, 그의 사악한 그림자, 재미없는 학자에 대항함으로써 삶의 진실한 영혼을 나타낸다. 그림자는 꿈, 비전, 다양한 양식으로 나타날 수 있고 대개 꿈꾸는 자와 동일한 성별의 인간으로 나타나기도 한다. 그림자는 인생의 어두운 특징으로 나타날 가능성이 있으며, 마음의 무계획적이고 원시적인 측면이다. 그림자의 외형과 역할은 개인의 살아온 경험에 따라 다르다. 왜냐하면 그림자의 대부분은 간단히 유전되어 온 집단무의식보다 개인무의식에서 발전되기 때문이다. 꿈에서 그림자와의 상호작용은 인간의 마음상태를 발견하도록 한다. 그림자와의 대화는 그 사람이 갈등하는 욕구나 긴장과 관련 있다. 경멸하는 인물과의 동일시는 자신이 인정하지 못한 다른 점을 가지고 있는 것을 의미한다. 융은 그림자가 단순히 한 층으로 만들어진 것이 아니라 더 많은 것을 포함하고 있다고도 하였다. 가장 높은 층은 의미 있는 흐름과 인간적 경험 방향의 징후를 포함한다. 이는 주의변화, 단순망각, 억압에 의해 개인 안에서 무의식적 요소를 만든다. 그러나 모든 층 아래 모든 인간의 정신적 내용의 형태인 원형이 존재한다. 이러한 그림자의 가장 아래층을 융은 집단무의식이라고 말하였다.

관련어 | 그림자 원형, 아니마, 아니무스, 원형, 페르소나

그림자 원형
[-原型, archetypal shadow]

융(C. G. Jung)이 제안한 개념으로 인간이 경험하는 무의식적 측면의 가장 기본적인 잠재적 요소. 분석심리학

인간은 자신이 가진 성격의 어두운 측면을 더 깊이 탐색할수록 정신적 삶의 도구적 구조에 접근한다. 그림자 원형은 인간의 내부적 열등기능 때문에 개인의 삶에 개입된다. 인간은 타인에게서 자신의 그림자를 보는 경향이 있다. 타인에게 자신의 어두운 면을 투사하고, 적이나 마녀로 해석할 수도 있다. 이때 인간은 혼돈을 경험하고, 무의식의 다른 측면은 수많은 이미지로 나타난다. 그림자 원형은 그림자 같은 인물, 꿈꾸는 자와 같은 동일한 성별의 열등한 존재, 좀비나 깨어난 시체, 어두운 모형, 보이지 않는 어떤 것, 약물중독자, 타락, 꿈 안에서 뒤

에 숨어 있는 형상, 자신을 위협하는 것, 때때로 남동생이나 여동생, 신입생, 외국인, 하인, 창녀, 어두움에 있는 불행한 인물 등으로 나타난다. 또는 뚜렷하지 않은 인물처럼 나타나고, 명백하게 보이지 않는다. 그림자 원형은 유행하는 문화 속에서도 발견된다. 예를 들어, 그림자 원형이 배트맨이나 닌자 거북으로 나타날 수도 있다. 인간은 그림자 원형으로 인해 흑인은 인간의 적이라고 여길 수도 있고, 공산주의자는 악마라고 무비판적으로 지각할 수도 있다. 사탄은 대중적 지역의 가장 거대한 그림자 원형이다.

관련어 | 그림자

그림지능검사 [-知能檢査, Pictorial Test of Intelligence: PTI]

언어표현에 어려움이 있는 아동을 위한 지능검사. 심리검사

지적 능력을 특정하기 위해 1986년에 프렌치(French)가 개발한 검사로, 우리나라에서는 서봉연, 정보인, 최옥순이 표준화하였다. 대상은 언어표현에 어려움이 있는 4~7세의 아동이다. 그림어휘, 정보 및 이해, 형태변별, 유사성, 크기와 수, 즉시 회상의 6개 하위검사가 본래의 수용적 언어기능을 요구한다. 검사자는 네 가지 가능한 답을 나타내는 그림카드를 제시하면서 이에 관한 질문을 한다. 이 검사는 언어적 반응을 요구하지 않고 최소의 신체적 반응만 요구하는데, 아동은 답을 지적하도록 요구받는다. 그러나 카드는 검사자가 신체적 장애를 지닌 아동의 눈 동작을 관찰하여 반응을 결정하도록 설계되어 있다. 검사시간은 약 45분이고, 표준점수(평균이 100, 표준편차가 16)를 산출하며, 뛰어난 규준집단과 용인할 만한 신뢰도 및 타당도를 지니고 있다. 검사는 낱말그림을 보여 주고 해당 그림을 선택지에서 골라내도록 하는 등 언어적 이해도를 측정하는 어휘 능력검사, 아동이 일상생활에서 흔히 볼 수 있는 그림을 보기 카드로 보여 주고 그것과 같은 그림을 문제카드에서 골라내는 등 같은 형태와 비슷한 형태 간의 차이를 지각하는 능력과 미완성의 형태를 머릿속에서 완성하는 조직능력을 측정하는 형태변별검사, 아동이 성장하는 동안에 습득한 지식과 일반적인 상식 및 문화적 · 교육적 배경에 관한 정보를 얻을 수 있고 주위 환경에 대한 민감도를 알 수 있는 정보 및 이해 검사, 그림이 있는 문제카드에서 나머지 3개와 개념적으로 다른 하나의 그림을 찾아내도록 하여 추상화 능력을 측정하는 유사성 찾기 검사, 수학적 추리력을 측정하는 수 개념 검사, 잠깐 동안 본 그림을 곧바로 회상해 내는 단기기억력을 측정하는 회상 능력검사로 구성된다. 교육용과 임상용 모두 사용 가능하며, 검사문항과 응답의 선택지가 모두 그림으로 되어 있기 때문에 주위가 산만한 학령 전 아동이나 학습에 흥미가 없는 아동에게도 쉽게 사용할 수 있다. 질문이 간단하고 그에 대한 응답은 손가락이나 눈짓으로 해도 되므로 간단한 지시를 이해할 수 있는 아동이면 누구나 아는 것을 충분히 나타낼 수 있다. 대형 그림카드 뒷면에 문제가 적혀 있어 검사실시가 간편하고, 응답은 사지선다형으로 되어 있어 채점도 간단하면서 객관적이기 때문에 교사, 치료전문가, 학부모 등 누구나 3~4회 정도 연습하면 쉽게 실시할 수 있다. 편차치 지능지수와 정신연령의 두 가지 규준을 작성해 두어 아동의 지능이 같은 나이 또래의 집단에서 볼 때 어느 수준에 있는지 알 수 있고, 동시에 몇 살 정도의 지능수준인지도 알 수 있다. 또한 지능지수대조표를 전체 규준 지능지수와 지역 규준 지능지수로 나누어 작성해 놓았기 때문에 아동의 지능수준을 다각도로 비교 가능하다. 이 검사는 개인용 지능검사이므로 지적 능력을 측정하고 관찰을 통해 여러 가지 성격적, 정서적 특성에 대한 참고 자료도 얻을 수 있다. 일반 지능검사로는 지능 측정이 어려운 지적장애아의 정신연령이나 지능지수도 쉽게 추정할 수 있다.

극
[極, pole]

개별 구성개념(construct)의 이분의 각 일단에 있는 대비관계의 두 극. 개인적 구성개념이론

개인적 구성개념이론을 제안한 켈리(G. Kelly)는 구성개념들이 양극적이라고 가정하였다. 즉, 모든 구성개념은 양분된 각각의 끝에 하나씩 모두 2개의 극을 내포하고 있어서 하나의 구성개념은 '친절 대 불친절' '안정 대 변화 가능'처럼 한 쌍의 반대되는 특성으로 이루어진다. 내담자가 해석하려는 사건에 적용하고 있는 극은 구성개념의 출현 극(emergent pole)이라 불린다. 만약 내담자가 어떤 사람을 친절하다고 생각하면 그는 출현 극으로 '친절한'을 가지고 그의 친절한 구성개념을 적용하고 있는 것이다. 반면, 사건에 활동적으로 적용되고 있지 않은 구성개념의 끝은 암묵적 극(implicit pole)이라 불린다. 암묵적 극은 구성개념의 본질을 규정하는 데 출현 극만큼 중요하다. 내담자가 사람들은 불친절할 수 있다는 암묵적 인식을 갖고 있지 않는 한, 누군가가 친절하다고 생각하는 것은 의미가 없다. 따라서 내담자가 구성개념을 사용할 때 그 속에서 헤매고 있다 해도 차원의 양 끝은 구성개념의 존재 자체에 포함된다.

관련어 | 개인적 구성개념이론, 구성개념

극대화
[極大化, magnification]

어떤 사건의 의미나 중요성을 실제보다 지나치게 확대하는 인지적 오류. 인지치료

벡(Beck)이 제시한 인지왜곡 중 하나다. 이 인지왜곡은 주변의 사건이나 상황을 왜곡해서 그 의미를 해석하는 정보처리과정에서 범하는 체계적인 잘못을 말하며, 자신의 실수나 결점을 실제보다 훨씬 크게 인식하는 경향을 말한다. 우울한 사람은 부정적인 일의 의미를 크게 확대하는 잘못을 범하는 경향이 있고, 또 자신의 단점이나 약점은 매우 중요한 것으로 걱정하면서 자신의 장점이나 강점은 별것 아닌 것으로 과소평가하는 경향이 있다. 때로 이러한 경향성은 자신을 평가할 때와 타인을 평가할 때 적용하는 기준을 달리하는 이중 기준(double standard)의 오류로 나타날 수 있다. 예를 들어, 인지왜곡이 심한 사람은 친구가 자신에게 한 비판에 대해서는 평소 친구의 속마음을 드러낸 중요한 사건으로 확대해서 받아들이고, 자신을 칭찬한 경우에는 이를 축소해서 인식하는 경향을 나타낸다.

관련어 | 극소화

극소화
[極小化, minimization]

어떤 사건의 의미나 중요성을 실제보다 지나치게 축소하는 오류. 인지치료

어떤 사건이나 상황이 가지는 과거나 현재의 중요성을 지나치게 축소하는 것이다. 이러한 전략은 무엇인가를 부정하려고 하거나 자신이 얼마나 당황했는지를 축소하려고 할 때 주로 사용한다. 우울한 사람들은 긍정적인 일의 의미를 지나치게 축소하는 인지적 오류를 범하는 경향이 있다. 예를 들어, 친구가 자신에게 한 칭찬에 대하여 내담자는 그냥 듣기 좋으라고 지나가는 말로 한 것뿐이라고 그 중요성을 축소해서 받아들인다. 때로는 이러한 경향이 자신을 평가할 때와 다른 사람을 평가할 때 적용하는 기준을 달리하는 이중 기준(double standard)의 오류로 나타날 수도 있다. 예를 들어, 자신의 잘못에 대해서는 매우 엄격하고 까다로운 기준을 적용하여 큰 잘못을 한 것으로 크게 자책하는 반면, 다른 사람이 행한 같은 잘못에 대해서는 매우 관대하고 후한 기준을 적용하여 별 잘못이 아닌 것으로 평가한다.

관련어 | 극대화, 인지오류

극적 역할연기검사
[劇的役割演技檢查, dramatic role playing test]

존슨이 개발한 연극치료적 진단도구. 사이코드라마

이 검사는 존슨(Johnson)이 개발한 연극치료의 역할모델인 구조적 역할 모형을 토대로 만들어졌는데, 내담자에게 상황과 인물을 제시하고 그 안에서 역할연기를 하도록 한 다음, 여러 측면에서 그 결과를 평가하는 것이다.

관련어 | 구조적 역할 모형

근로자 지원 프로그램
[勤勞者支援 -, employee assistance program: EAP]

기업의 생산성에 영향을 미치는 근로자의 제반 문제를 해결하기 위해 개발된 사업장 기반 프로그램. 기업 및 산업상담

생산성에 영향을 미치는 직무조직과 근로자의 건강, 부부 및 가족생활 문제, 법률 및 재정 문제, 알코올 및 약물남용, 정서적 문제, 직무 스트레스 등의 해결에 도움을 주는 프로그램이다. 이를 위한 지원 활동으로는 심리상담, 컨설팅, 코칭, 의뢰, 사후 관리 서비스 등이다. 1930년대 미국에서 알코올이 원인이 된 근로자의 사고가 빈번해지자 이를 예방하고 치료하기 위하여 직장 알코올중독 프로그램(occupational alcoholism programs: OAP)을 실시하였는데, 이것이 오늘날 근로자 지원 프로그램의 전신이 되었다. 국내에는 1999년 Dupont 코리아에서 도입한 이래 2000년 이후 삼성, LG, 현대 등 대기업과 외국계 공기업을 중심으로 발전하였다. 최근에는 프로그램의 대상이 직장의 근로자 개인뿐만 아니라 그의 가족, 조직, 지역사회에도 확대하여 지원하고 있다. 이 프로그램은 기업의 규모, 사업 내용, 근로자의 구성에 따라 여러 가지 모형이 있다.

내부모형 [內部模型, internal model] 근로자 지원 프로그램의 전통적인 형태로서 기업조직 내에 한 부서나 담당자를 두어 운영하는 형태다. 대부분 대기업에서 이루어지는 이 모형의 진행과정은, 먼저 근로자가 서비스를 신청하는 접수단계를 거쳐(intake) 근로자의 문제를 평가하는 사정단계(assessment) 이후 사정을 바탕으로 직접적인 서비스를 제공(provide)하거나 지역체계에 의뢰(referral)한다. 근로자에 대한 접근성이 뛰어나고 근로자의 욕구를 충족시킬 수 있는 서비스를 제공하며, 문제 발생의 원인이나 책임을 분명히 할 수 있고 조직적 차원의 개입이나 근로자 권익보호, 정책결정에 도움이 된다는 장점이 있다. 이에 반해 운영비가 많이 들고 기업이 운영에 책임이 있기 때문에 근로자에 대한 비밀유지가 어렵다는 단점이 있다. 또한 근로자의 사정과 개입에 대한 전문성이 낮을 수 있으며 서비스의 내용이 매우 제한적일 수 있다. 이 모형은 유연성이 부족하여 조직구조가 변화 가능성이 많거나 경쟁적이고 변화가 필요한 업종에서 사용하기에는 부적합하지만 조직 내 정보가 외부로 유출되는 것을 꺼리는 조직에는 유용하다.

노동조합모형 [勞動組合模型, union model] 노동조합이 운영 주체자로서 조합원에게만 근로자 지원 프로그램 서비스를 제공하는 형태다. 조합원 지원 프로그램(members assistance programs: MAP)이라고도 하는 이 모형에서는 상담기술을 훈련받은 동료 노조원이나 자원봉사자가 상담전문가로 활동하기 때문에 근로자의 비밀보장과 상담관계 형성에 도움이 된다. 운영비가 절감되며 동료애를 형성할 수 있다는 장점이 있다. 이에 반해 동료 노조원이 상담자로 활동하므로 전문성이 부족하여 서비스의 질이 낮아질 수 있고, 자원봉사자의 활동이 미비할 경우에는 프로그램의 운영에 어려움을 가져온다는 단점이 있다. 또한 노조에 가입하지 않은 근로자는 혜택을 받을 수 없다. 우리나라는 이 모형을 단독으

로 운영하기보다는 내부형이나 외부형을 적용하면서 기업주와 노동조합이 협력하는 과정으로 나타나고 있다.

외부모형 [外部模型, external model] 조직이 조직 외의 전문기관과 협약을 맺어 서비스를 지원하는 형태로, 서비스는 조직이나 사업장의 내부 또는 외부에서 이루어지는데 최근 이 모형이 점차 활성화되고 있다. 왜냐하면 조직 자체에서 근로자 지원 프로그램을 운영하는 것이 운영비와 인력관리에 대한 부담을 줄일 수 있고, 조직구조의 변화에 따라 운용할 수 있으며 조직의 특성과 욕구를 반영하는 서비스를 탄력적으로 제공할 수 있기 때문이다. 또 다른 장점으로는 근로자의 개인적인 비밀이 보장될 가능성이 높아 상담에 대한 욕구를 충족시켜 줄 수 있다는 것이다. 또한 다양한 서비스에 대한 전문가를 확보할 수 있어서 각 영역에 대한 전문적인 서비스를 제공할 수도 있다. 이에 반해 근로자의 접근성이 낮아질 수 있고, 계약의 파기나 미체결로 서비스가 갑자기 종결이 되거나 상담의 지속성이 낮을 수 있다는 단점이 있다. 그리고 비용절감을 이유로 서비스의 질을 낮출 가능성도 있다.

정부지원모형 [政府支援模型, government sponsored model] 우리나라 근로복지공단이 제안하였으며 우리나라에서 처음으로 시행한 프로그램으로, 정부의 재원과 민간의 전문인력이 결합하여 운영되는 모형이다. 즉, 우리나라에는 한국EAP협회가 있어 협회에서 EAP(근로자 지원 프로그램) 전문가를 양성하고 EAP를 도입한 기업에 서비스 지침과 서비스를 제공하면서 EAP 상담을 지원한다. 노동부에서는 한국EAP협회에 사업비를 지원하고 관리, 감독하는 역할을 한다. 한국EAP협회에는 2007년부터 고용노동부의 지원을 받아 100여 명의 EAP 전문가가 활동하고 있으며, 2009년부터 온라인상담서비스를 시행하고 있다. 이 모형은 고용인원이 50인 이하인 중소업체나 영세사업장을 중심으로 구직자, 여성근로자 등의 사회취약 계층까지 서비스를 확대하고 있다.

컨소시엄 모형 [-模型, consortium model] 지역의 여러 기업이나 조직이 연합 또는 제휴하여 운영하는 형태로, 경제적 비용을 절감하고 인력관리에 대한 부담을 줄일 수 있다는 장점이 있는 모형이다. 조직 외부에서 상담이 이루어지기 때문에 근로자의 개인적 비밀보장과 자율성을 증진시킬 수 있다. 이에 반해 다양한 기업을 상대하기 때문에 근로자 지원 프로그램 전문가가 각 기업의 이념, 사업내용, 직무구조 등을 충분히 파악하지 못하여 근로자에 대한 이해가 부족해 상담관계 형성이 어려워질 수 있다. 우리나라에서는 보건복지부의 지역사회혁신 서비스로 이 모형을 진행했지만 큰 성과를 거두지 못하였다.

협회모형 [協會模型, association model] 동일한 직업적 특성을 지닌 사람들로 구성된 형태로, 구성원들의 직업적 특성과 전문성에 대한 이해를 증진시킬 수 있으며, 고용주는 서비스 이용 등에 대한 책임에서 벗어날 수 있다는 장점이 있는 모형이다. 이에 반해 기업이나 조직의 특성과 욕구를 반영하지 못하여 조직의 적극적인 도움이나 조직과 근로자 간의 의사소통, 근로자를 위한 정책을 결정하는 데 어려움이 있다는 단점이 있다. 우리나라에서는 이 모형으로 진행하는 근로자 지원 프로그램은 아직 없다.

근본주의
[根本主義, fundamentalism]

종교적 교리의 절대적 진리성에 충실하려는 입장. 원리주의라고도 함. 철학상담

경전에 나와 있는 내용이 절대적으로 오류가 없

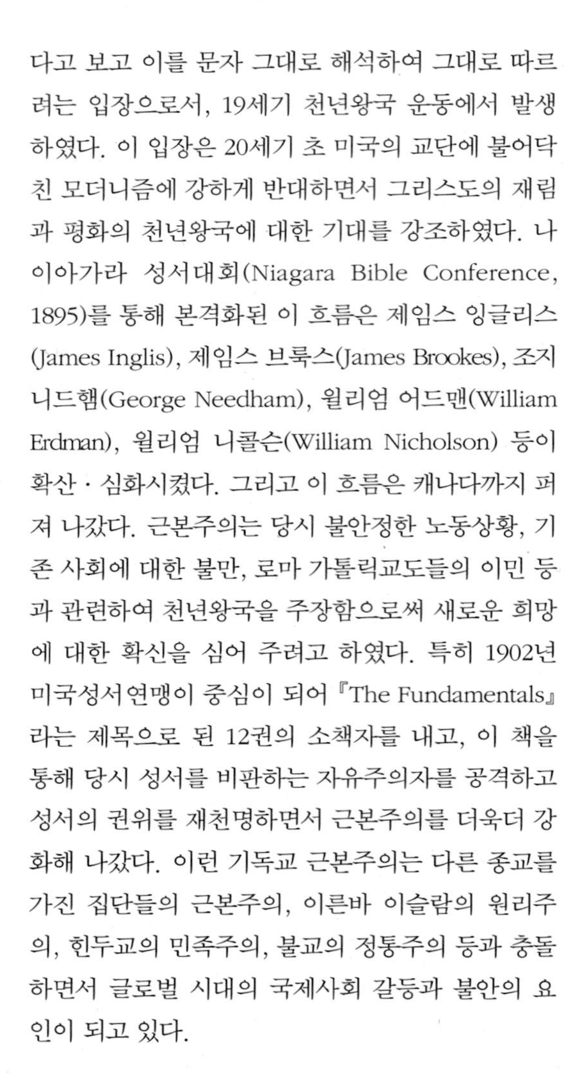

다고 보고 이를 문자 그대로 해석하여 그대로 따르려는 입장으로서, 19세기 천년왕국 운동에서 발생하였다. 이 입장은 20세기 초 미국의 교단에 불어닥친 모더니즘에 강하게 반대하면서 그리스도의 재림과 평화의 천년왕국에 대한 기대를 강조하였다. 나이아가라 성서대회(Niagara Bible Conference, 1895)를 통해 본격화된 이 흐름은 제임스 잉글리스(James Inglis), 제임스 브룩스(James Brookes), 조지 니드햄(George Needham), 윌리엄 어드맨(William Erdman), 윌리엄 니콜슨(William Nicholson) 등이 확산 · 심화시켰다. 그리고 이 흐름은 캐나다까지 퍼져 나갔다. 근본주의는 당시 불안정한 노동상황, 기존 사회에 대한 불만, 로마 가톨릭교도들의 이민 등과 관련하여 천년왕국을 주장함으로써 새로운 희망에 대한 확신을 심어 주려고 하였다. 특히 1902년 미국성서연맹이 중심이 되어 『The Fundamentals』라는 제목으로 된 12권의 소책자를 내고, 이 책을 통해 당시 성서를 비판하는 자유주의자를 공격하고 성서의 권위를 재천명하면서 근본주의를 더욱더 강화해 나갔다. 이런 기독교 근본주의는 다른 종교를 가진 집단들의 근본주의, 이른바 이슬람의 원리주의, 힌두교의 민족주의, 불교의 정통주의 등과 충돌하면서 글로벌 시대의 국제사회 갈등과 불안의 요인이 되고 있다.

근위축성 측삭 경화증
[筋萎縮性側索硬化症, amyotrophic lateral sclerosis: ALS]

척수, 뇌 및 인근 뇌간들이 천천히 퇴행하는 질병. 뇌과학

루게릭병이라고도 하는데, 뇌의 신경세포, 특히 운동신경이 점차 죽어 마비가 되면서 운동장애, 근육쇠약, 호흡부전 등의 증상을 나타내다가 죽음에 이르는 치명적인 질환이다.

관련어 | 근위축증

근위축증
[筋萎縮症, muscular atrophy]

신체 사지의 근육이 점차 위축되는 질병. 특수아상담

불사용 위축은 단순히 근육을 사용하지 않아서 나타나는 현상으로, 움직임이 제한되는 직업에 종사하거나 활동수준이 낮은 경우 나타날 수 있다. 이런 종류의 위축증은 운동과 적절한 영양을 공급하면 회복이 될 수 있다. 이보다 심각한 근위축증으로는 신경성 근위축증이 있다. 근육신경 관련 질병이나 상처를 입었을 때 나타나는 것으로, 이는 원인이 불분명하다. 특히 근위축증 중 가장 많이 발생하는 근위축성 측삭 경화증의 경우 미국 메이저리그 선수 루게릭이 이 병으로 사망한 데서 루게릭병이라고 불리기도 한다.

관련어 | 근위축성 측삭 경화증

근육무장
[筋肉武裝, muscular amor]

정신분석학자였던 라이히(Reich)의 신체심리학 연구에 의한 개념으로, 인간이 총체적으로 경험한 내용들이 단지 정서적이고 심리적으로만 경험될 뿐 아니라, 근육 긴장 및 수축의 형태로 근육 속에 저장되어 만성적으로 남는 신체심리적 흔적. 무용동작치료

개인의 과거경험이 정서 및 이미지와 함께 근육 속에 긴장의 형태로 저장된 근육무장은 특정 자세, 제스처 및 얼굴표정, 기타 행동적 특성으로 표현되면서 성격무장으로 닻을 내려 개인의 특정 성격 패턴을 유지하게 만든다. 근육무장은 우주적 에너지와 관련된 오르곤(orgone)이라는 생물학적 에너지의 막힘과 흐름이 개인의 근육 속에 영향을 준다는 생각을 기초로, 근육무장을 해소시키려고 신체적 치료와 함께 심신치료를 시행한다. 라이히는 1924년부터 1930년까지 정신분석 연구에 몰두했지만, 개

인의 정서가 신체과정에 뿌리를 내리고 있기 때문에 정서를 단순히 마음속의 사건들로 취급하는 것과 원초아(id) 및 초자아(superego)를 실제적 정신체라고 취급하는 것은 오류라고 하면서 정신분석을 비판하였다. 그의 근육무장 이론 및 성격무장 이론은 게슈탈트 심리치료에 영향을 주었고, 신체 및 움직임에 대한 자각(알아차림)을 중시하는 신체심리학을 배경으로 하는 수많은 신체심리치료 및 무용동작치료에 영향을 주었다.

관련어 | 성격무장, 오르곤 치료

근이영양증
[筋異營養症, muscular dystrophy]

지체 근육의 위축을 나타내는 유전성 질환. 특수아상담

뒤센형 근이영양증(Duchenne muscular dystrophy: DMD)은 열세 가지의 근이영양증 가운데 가장 흔하다. DMD는 여아보다는 남아에게 훨씬 더 빈번하게 나타나고, 대개 2~5세 사이에 근육의 위축이 나타난다. 근이영양증 아동은 달리거나 계단을 오르는 데 어려움을 겪고, 배를 앞으로 내밀고 등이 움푹 들어간 이상한 자세로 걷는다. 대부분 근이영양증 아동의 위축된 부위의 하지근육은 지방조직에 의해 대체되기 때문에 상대적으로 비대해진다. 근이영양증 아동은 눕거나 앉은 자세에서 일어서는 것이 어렵고, 쉽게 넘어질 수 있다. 또한 10~14세에 이르면 걸을 수 없게 된다. 대개 마지막에 손과 손가락의 소근육의 기능이 상실된다. 의사와 치료사들은 가능한 한 오랫동안 보행이 가능하도록 특수 브레이스나 여러 가지 보조기구의 사용을 제안하고 있다. 근이영양증의 치료법은 아직 알려져 있지 않으며, 대부분의 경우 치명적으로 진행된다. 이 질환에 대한 대처법은 손상되지 않은 근육의 기능을 가능한 한 오랫동안 유지하고 보존하도록 하는 것과 아동과 가족이 질병에 따른 활동의 제약을 잘 극복하도록 정서적인 지원을 제공하는 것이다. 이들은 규칙적인 물리치료, 운동, 적절한 보조기구 사용 등으로 장기간 독립심을 유지할 수 있으므로 가능한 한 활동적으로 움직일 수 있도록 격려해야 한다. 그러나 이들이 가벼운 자극에도 사지가 탈구될 수 있다는 점에 유의하여 이동을 보조해야 할 때는 팔을 잡고 들어 올리지 않도록 주의해야 한다.

근전도
[筋電圖, electromyography: EMG]

근육이 수축할 때 근육과 신경계에서 발생하는 미세한 활동전위를 측정하는 방법. 뇌 과학

말초신경과 근골격근에서 형성되는 전기현상을 증폭시켜 형성한 전기적 파장을 관찰하여 분석하는 전기진단법이다. 기본적인 검사로는 반복신경자극검사, 신경전도검사, 침근전도검사가 있다.

반복신경자극검사 [反復神經刺戟檢查, repetitive nerve stimulation: RNS] 운동신경을 반복적으로 자극하여 얻은 복합근 활동전위의 변화를 평가하는 근전도 검사법이다. 근육 위에 기록전극을 부착하고 다양한 빈도의 신경자극을 주어 얻은 파형의 증감을 관찰하며, 신경근육 이음부에 이상이 있는지 살펴보는 데 유용하다.

신경전도검사 [神經傳導檢查, nerve conduction study: NCS] 말초신경에 전기적 자극을 가하여 발생한 복합전위를 통해 신경기능을 평가하는 근전도 검사법이다. 말초신경의 한 부위에 전기자극을 가하면 신경 또는 근육의 일정 부위로 활동전위가 전이되는데, 이를 측정하여 신경전달 경로상에 이상이 있는지 판별한다. 활동전위의 잠복기, 진폭, 전도속도, 지속시간 등을 측정하고 이를 정상치와 비

교하여 평가한다.

침근전도검사 [針筋電圖檢査, needle EMG] 근에 바늘을 찔러 얻는 근섬유의 전기적 활동을 평가하는 근전도 검사법이다. 가는 침전극을 몇 군데 근육에 삽입하여 근육에서 나오는 전기적 활동을 평가한다. 때로는 해당 근육을 환자에게 직접 움직이도록 지시하면서 관찰하기도 한다.

관련어 | 기능적 전기자극

근접발달영역
[近接發達領域, zone of proximal development: ZPD]

아동이 스스로 해결하거나 성취할 수 있는 능력과 자신보다 인지수준이 높은 또래나 성인의 도움을 받아 과제를 해결하거나 성취할 수 있을 것으로 기대되는 능력 간의 차이. 발달심리

아동의 지적 능력을 설명하기 위해 비고츠키(Vygotsky)가 도입한 것으로서, 그는 아동의 인지능력을 향상시키기 위해서 아동 자신보다 인지수준이 높은 성인이나 교사의 조언 또는 가르침이 필요하다고 강조하였다. 이때 도움을 주는 성인이나 교사는 아동의 수행수준에 맞도록 도움의 수준이나 양을 적절히 조절하면서 지도하고 가르쳐 스스로 수행해 나가는 새로운 인지구조가 발달하게 된다. 이렇게 아동을 지도하고 가르치는 조절방안을 비계작업(scaffolding)이라고 한다. 발판화를 촉진하기 위해서는 대화가 가장 효과적인 방법이며, 발판화의 수준은 성인의 일방적 결정이 아니라 아동과의 상호작용 속에서 결정하는 것이 바람직하다. 근접발달영역과 발판화를 기초로 한 학습의 한 형태로는 유도된 참여가 있다. 이는 여러 문화권에서 볼 수 있는 학습의 형태로서, 아동이 성인의 활동을 관찰하고 참여하는 상호작용 활동을 통하여 인지와 사고 능력이 향상되는 것이다.

관련어 | 비계작업

근친상간
[近親相姦, incest]

혈연관계에 있는 가족이나 가까운 친척관계에 있는 사람끼리의 성관계 혹은 이에 준하는 성적 행위를 이르는 말. 성상담

부부를 제외한 친족 간의 성관계로, 현대에는 법적으로 금지되어 있다. 현대에서 근친상간은 거의 모든 문화권에서 금기시되고 있지만, 그 범위는 문화마다 다르다. 혈연에 의한 관계만 근친상간으로 보는 문화권도 있고, 우리나라와 같이 입양이나 재혼에 따른 관계도 금지하는 경우가 있다. 고대 이집트 왕조, 고대 페르시아, 하와이 원주민의 상류계층 등에서는 형제혼을 인정했고, 잉카제국에서는 황실의 순수 혈통을 지키기 위해 근친혼을 유지하기도 하였다. 하지만 근친상간으로 인한 유전적 질환과 같은 생물학적인 유전적 문제, 사회문화적 · 심리적 문제 등의 이유로 대부분의 문화권에서 금기시되고 있다. 과거 우리나라는 동성동본 혼인을 법으로 금하기도 하였다. 재혼으로 인한 의붓아버지와 딸 사이의 근친상간은 가정붕괴로 이어지기도 하며, 모자간, 부녀간의 근친상간은 아동학대로 규정된다.

글쓰기 과정
[-過程, writing process]

작문에서 글쓰기 교수방법 및 연구에서의 핵심 개념. 문학치료(글쓰기치료)

일반적으로 글쓰기 과정이란 작문에서 글쓰기 교수방법 및 연구에서의 핵심 개념을 일컫는다. 이런 시각에서의 글쓰기 과정에 대한 연구는 작가가 초고를 쓰고, 교정을 하고, 편집을 하는 방법에 초점을

둔다. 그러나 글쓰기치료에서의 글쓰기 과정이라는 용어는 이 개념을 말하는 것이 아니다. 치료적 글쓰기를 일반적인 작문과 비교했을 때 가장 큰 차이점은 작품의 생산이 아니라 글을 쓰는 과정에 초점을 둔다는 사실이다. 작품에 초점을 두면 내담자들이 글쓰기에서 나오는 특별한 힘을 찾을 수도 없고, 그 힘을 사용하도록 할 수도 없다. 치료적 글쓰기에서의 글쓰기 과정의 첫 단계에서는 개인적이고 사적인, 아무도 비평하지 않고 문법이나 문장의 법칙, 글의 형식 같은 것과는 아무 상관없이 글쓴이를 제외한 청중의 관심과는 전혀 무관하게 되도록 해야 한다. 치료적 글쓰기는 모든 글쓰기와 관련된 활동을 과정으로 인식한다.

글쓰기치료
[-治療, writing therapy]

생활 속의 문제를 해결하거나 자기성찰을 더 깊이 하기 위해 사고나 감정을 글로 쓰는 모든 치료 및 개선행위의 통칭.

문학치료(글쓰기치료)

글쓰기는 인류 역사와 함께 시작되었지만 실제로 글쓰기의 치료적 가능성에 대한 숙고는 1960년대에 와서야 고개를 들기 시작하였다. 대개 저널치료라는 용어는 일기 형식을 중심으로 할 때 쓰는 경우가 많고, 글쓰기치료는 저널치료를 포함한 모든 쓰기 행위의 치료적 적용을 일컫는 경우가 많다. 아이라 프로고프(Ira Progoff)가 처음 뉴욕에서 집중저널치료(Intensive Journal method)라는 이름으로 워크숍을 개최한 것이 저널치료 혹은 글쓰기치료 분야의 시발점이다. 프로고프는 수년간 자신의 내담자들과 함께 '심리 공책(psychological notebook)'을 만들었고, 그의 집중 글쓰기에서 이를 활용하여 3공 바인더(three-ring notebook)를 만들어 여기에 각각의 색깔로 글쓴이의 생활탐색 및 심리치유에 관한 여러 면을 기록하였다. 프로고프의 이러한 방식은 세계 각지에 급속도로 전파되었고, 이제 25만 명이 넘는 사람들이 이 방법을 경험하였다. 1978년 개인적 성장 및 정서적 안녕감을 위한 글쓰기를 주제로 한 프로고프의 세 권의 저서가 출판되면서 글쓰기치료는 그 기반을 굳건히 다졌다. 프로고프 외에도 영국의 라피두스(Lapidus), 미국의 볼드윈(C. Baldwin), 레이너(T. Rainer) 등이 많은 글쓰기 기법을 개발하였고, 미국시치료협회(National Association for Poetry Therapy)와 같은 기관들이 활동영역을 넓히면서 더욱 확장되었다. 1985년에는 애덤스(K. Adams)가 자기발견(self-discovery), 창조적 표현, 생활력 향상 등 일반적인 목표를 두고 워크숍을 개최하여 글쓰기치료기법이 일상생활에서도 활용될 수 있음을 증명하였다. 글쓰기치료에서 바라보는 인간은 누구나 독립적인 사고기술을 가지고 있으며, 글쓰기라는 훈련을 통해서 얼마든지 발전해 나갈 수 있는 진취적인 존재다. 교사나 촉진자가 학생이나 내담자의 글에 대해 피드백을 주는 상호작용을 통해서 서로 의사소통이 가능해지고, 문제해결력을 증강시키며, 학술적 능력이나 자기표현 능력을 계발해 나갈 수 있다는 것이 글쓰기치료의 기본 입장이다. 글쓰기치료는 질병에 대한 물리적 증상 감소뿐만 아니라, 정서적 갈등 유화, 자기인식 양성, 행동조절, 문제해결, 불안감소, 현실지향 원조, 자긍심 증대 등의 심리적 효능도 가지고 있다. 글쓰기치료는 자신에 대해서 상세하게 알도록 해 주는 것에 중점을 둔다. 이는 치료작업을 하는 데 많은 저항의 근원이 될 수 있는 수치심을 다루는 확실한 방법이 될 수 있다. 글쓰기는 인식하지 못하고 있던 것을 발견하게 하거나 억압된 것을 회복시키는 방법이 될 수도 있다. 한편 글쓰기에서는 집단에서뿐만 아니라 치료사와 내담자 간에도 비밀유지가 먼저 지켜져야 개별 내담자가 치료사 혹은 다른 구성원과 쓴 것을 나눌 수 있다. 글쓰기치료의 궁극적인 목표는 글쓰기를 통한 의식의 확장 및 통합이라고 할 수 있다. 글쓰기는 예전에는 표현하지도 못하고 다가가지도 못했던

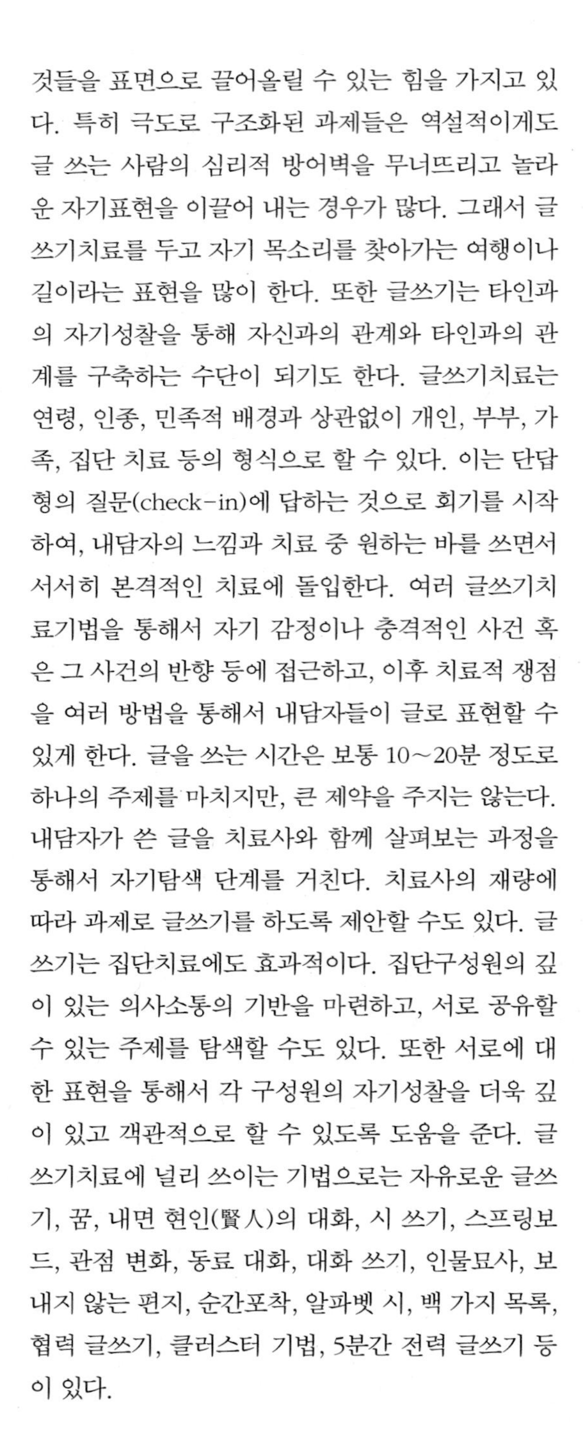
것들을 표면으로 끌어올릴 수 있는 힘을 가지고 있다. 특히 극도로 구조화된 과제들은 역설적이게도 글 쓰는 사람의 심리적 방어벽을 무너뜨리고 놀라운 자기표현을 이끌어 내는 경우가 많다. 그래서 글쓰기치료를 두고 자기 목소리를 찾아가는 여행이나 길이라는 표현을 많이 한다. 또한 글쓰기는 타인과의 자기성찰을 통해 자신과의 관계와 타인과의 관계를 구축하는 수단이 되기도 한다. 글쓰기치료는 연령, 인종, 민족적 배경과 상관없이 개인, 부부, 가족, 집단 치료 등의 형식으로 할 수 있다. 이는 단답형의 질문(check-in)에 답하는 것으로 회기를 시작하여, 내담자의 느낌과 치료 중 원하는 바를 쓰면서 서서히 본격적인 치료에 돌입한다. 여러 글쓰기치료기법을 통해서 자기 감정이나 충격적인 사건 혹은 그 사건의 반향 등에 접근하고, 이후 치료적 쟁점을 여러 방법을 통해서 내담자들이 글로 표현할 수 있게 한다. 글을 쓰는 시간은 보통 10~20분 정도로 하나의 주제를 마치지만, 큰 제약을 주지는 않는다. 내담자가 쓴 글을 치료사와 함께 살펴보는 과정을 통해서 자기탐색 단계를 거친다. 치료사의 재량에 따라 과제로 글쓰기를 하도록 제안할 수도 있다. 글쓰기는 집단치료에도 효과적이다. 집단구성원의 깊이 있는 의사소통의 기반을 마련하고, 서로 공유할 수 있는 주제를 탐색할 수도 있다. 또한 서로에 대한 표현을 통해서 각 구성원의 자기성찰을 더욱 깊이 있고 객관적으로 할 수 있도록 도움을 준다. 글쓰기치료에 널리 쓰이는 기법으로는 자유로운 글쓰기, 꿈, 내면 현인(賢人)의 대화, 시 쓰기, 스프링보드, 관점 변화, 동료 대화, 대화 쓰기, 인물묘사, 보내지 않는 편지, 순간포착, 알파벳 시, 백 가지 목록, 협력 글쓰기, 클러스터 기법, 5분간 전력 글쓰기 등이 있다.

글자 수수께끼
[-字-, acrostics]

각 행의 첫 글자나 첫음절을 사용하여 쓰는 시나 그 외의 글쓰기 형태. 문학치료(시치료)

아크로스틱(acrostic)이란 용어는 그리스어 'ákros(맨 위)'와 'stichos(시)'를 더해서 나온 말이다. 아크로스틱은 강제적 글쓰기의 한 종류다. 우리나라에서 아크로스틱과 가장 비슷한 형식을 찾으면 3행시를 들 수 있다. 즉, 이름이나 어떤 의미 있는 말의 첫 글자나 첫음절로 시작하여 전체의 큰 의미를 다시 창출해 내는 형식이다. 첫 글자로 시작하는 것이 가장 보편적이지만 드물게 첫 글자와 마지막 글자를 같이 맞추는 경우도 있다. 덴마크 사람들에게 아크로스틱을 소개한 인물인 윌리엄(William)이 대표 학자인데, 그는 15자 스탠자(4행 각운 시)로 자신의 이름(WILLEM VAN NASSOV)을 첫 음절로 하여 아크로스틱을 만들었다. 가장 유명한 아크로스틱은 로마 학정 당시 기독교인의 비밀암호였던 'ICHTHYS'일 것이다. 이 낱말은 그리스어로 물고기라는 뜻인데, 예수 그리스도(Iesous CHristos), 신의 아들(THeou Yios), 구세주(Soter)라는 단어에서 각각 머리글자를 따서 모은 것이다. 여기서 물고기가 예수 그리스도를 상징하게 되었다.

금기
[禁忌, taboo]

특정 대상이나 장소 등과의 접촉을 금지하는 것. 정신분석학

폴리네시아어 'tabu'에서 유래된 용어로 '~을 금지하다.'는 뜻이다. 폴리네시아어에서 'ta'는 '표시하다.'이며, 'bu'는 '강하게'라는 의미를 담고 있다. 따라서 'taboo'는 '강하고 확실하게 표시한다.'는 뜻으로서, 전염성의 위험이 있는 것을 확실하게 표시해서 금지하는 규칙 및 그 결과 금지된 것 등에 해당한

다. 폴리네시아 지역에서는 부족원들의 행동과 의례의 규칙, 추장의 명령, 아이에게 어른의 소지품에 손을 대지 말라는 금지, 다른 사람의 일에 관여하는 것을 금지하는 것 등의 다양한 의미로 사용된다. 이처럼 의미가 다양하기는 하지만, 집단 내 구성원들의 행동에 대한 강력한 구속력을 지니며 이를 어겼을 때에는 집단적인 제재가 가해진다는 점에서는 공통적이다. 예를 들어, 전 세계적으로 근친상간은 금기로 여겨진다. 한편, 타이완의 어떤 고산족에게는 변사자(變死者)의 초상을 치르고 있을 때 외부인이 그 마을에 들어오는 것을 금기로 삼고 있다. 프로이트(S. Freud)는 1913년에 출간한 『토템과 터부(Totem and Taboo)』에서 원시사회의 토템과 금기 현상을 정신분석학적으로 해석했으며 오이디푸스 콤플렉스의 보편성을 설명하였다.

금단증상
[禁斷症狀, withdrawal symptoms]

지속적이고 반복적으로 사용해 오던 특정 물질의 사용을 중단했을 때 나타나는 생리적, 인지적, 기능적인 부적응 행동변화. 중독상담

금단증상은 인간의 혈액이나 조직 내 특정 물질의 농도가 저하되었을 때 나타나는 현상으로, 그 증상은 사용한 물질에 따라 다르다. 일반적으로 특정 물질에 대한 금단증상이 나타나면 이를 완화할 목적으로 다시 그 물질을 복용하고자 하는 욕구가 생긴다. 예를 들어, 코카인의 압도적인 쾌락효과 때문에 어떤 사용자들은 약물을 구하고 그것을 무한정 자가 복용한다. 약물사용의 초기에는 약물이 주는 쾌감을 즐길 수 있지만, 점점 약물사용 기간이 지속되면 약물로 인한 쾌감보다는 해당 약물의 사용을 중단했을 때 찾아오는 불쾌한 감정인 금단증상을 상쇄하기 위해 다시 약물을 사용하게 된다. 이는 약물이 뇌의 불쾌한 효과를 담당하는 기능에는 아무런 영향을 미치지 않고, 유쾌한 효과를 담당하는 기능에만 지속적이고 반복적으로 작용하여 그 기능을 둔감, 쇠퇴시키기 때문이다. 따라서 시간이 지날수록 약물을 복용했을 때 원래 추구하던 쾌락은 점점 줄어들고 불쾌한 고통만 상대적으로 극대화되는 현상이 벌어지는 것이다. 이로 인해 약물 의존자는 결국 쾌락의 느낌을 위해서가 아니라 극도의 불쾌한 감정과 느낌을 없애기 위해서 약물을 복용하게 된다. 금단증상은 일반적으로 의학적 문제를 일으킬 위험이 높고 재발할 확률이 높으므로 정확한 진단과 즉각적인 치료가 동반되어야 한다. 금단증상을 일으키는 물질에는 알코올, 아편류, 진정제, 수면제, 항불안제, 암페타민, 코카인, 니코틴 등이 있다. 금단증상은 복용한 약물의 종류에 따라 조금씩 다르게 나타나는데, 주로 불안, 불면증, 우울증, 집중력 저하, 경련, 정신질환 증세 등이 있다. 금단증상의 정도도 해당 약물의 사용기간, 용량, 감량속도, 기저 정신, 신체상태에 따라 다르다.

관련어 | 날로르핀, 내성, 니코틴 금단, 물질사용장애

금단치료
[禁斷治療, abstinence treatment]

마약, 알코올, 수면제, 각성제와 같은 물질에 대한 의존성을 감소시키기 위해 행해지는 치료. 이상심리

의존하는 물질을 입수하지 못하도록 하고 이탈증상을 적절하게 치료하기 위해 물질에 의존하는 사람을 입원시켜 금단치료를 실시한다. 금단치료는 즉시 이탈법, 급속이탈법, 점감이탈법으로 나뉜다. 원칙적으로는 즉시 이탈법이 실시되는데, 이 방법으로 위험이 수반될 때는 비슷한 약리작용을 가진 약물 혹은 교차내성을 가진 약물을 사용하기도 한다. 예를 들어, 모르핀에 의존하는 사람에게 메타돈 유지 치료(methadone maintenance treatment)를 실시하거나 알코올 이탈증상에 파라알데하이드를 사용하는 것이다. 동시에 이탈 증상을 경감시킬 목

적으로 비교적 단기간에 감량하는 급속 이탈법 혹은 장기간에 걸쳐 감량하는 절감이탈법을 실시하는 경우가 있다. 최근에는 마약 이외의 약물에 대해 이탈증상을 보이는 사람에게 고통을 체험시키는 데 치료적 의의를 두는 입장도 대두되고 있다.

금지명령
[禁止命令, injunction]

부모의 내면에 있는 어린이 자아상태(C)에서 자녀에게 내리는 메시지이며, 아이에게 어떤 것을 받아들이지 못하게 금지함으로써 자녀의 어린이 자아상태에 부정적 메시지로 축적됨. 교류분석

부모의 어린이 자아상태에서 나오는 메시지는 '금지명령'과 '허용(permission)' 두 가지가 있다. 금지명령은 부모의 어린이 자아상태에서 발해지고, 어린아이의 어린이 자아상태로 향하는 부정적이고 금지적인 각본 메시지이며, 세 가지 수준으로 분류된다. 첫째, 제1도 금지명령은 사회적으로도 인정받고 있는 온건한 것으로 승자의 각본에 기여하는 금지명령이다. 예를 들면, "너무 무리해서 몸이 탈이 나게 하면 안 돼."와 같은 것이다. 둘째, 제2도 금지명령은 어딘가 내용적으로 비뚤어져 있어 비승리자 각본이 되는 금지명령이다. 예를 들면, "이것을 아빠에게 보여서는 안 돼!"라든지 "아이는 그런 텔레비전을 봐서는 못 써!"라는 것으로 부모 측면에서의 당혹이나 모순이 나타난다. 셋째, 제3도 금지명령은 명확하게 불합리한 내용을 가지고 자녀에게 공포심을 안겨 주는 금지명령이다. 예를 들면, 눈을 부라리며 "두 번 다시 이런 짓을 하면 살려 줄 수 없어!"라고 노한 소리를 지르거나, 심한 고통을 안겨 주는 체벌을 가하는 경우다. 이것은 패배자 각본을 초래한다. 금지명령과 부정적인 대항금지명령을 구별하는 방법에는 두 가지가 있다. 첫째, 대항금지명령은 언어를 통해 주어지고 금지명령과 허용은 언어를 배우기 이전에 주어진다. 물론 금지명령이 언어로 들릴 때도 있다. 예를 들면, "존재하지 말라."라는 금지명령을 받은 사람은 "차라리 태어나지 않았더라면!" 또는 "나가 죽어라!"라는 말이 떠오를 수도 있다. 둘째, 금지명령과 허용은 초기 아동기에 주어지지만 대항금지명령은 그 후에 주어진다. 대체로 어린이는 말로 주어지는 명령을 받기 이전에 금지명령이나 허용을 받는다. 일반적으로 금지명령은 6~8세가 될 때까지 계속 주어지고, 대항금지명령은 3~12세 사이에 주어진다(Stewart & Joines, 2000).

급성 스트레스 장애
[急性 - 障碍, acute stress disorder]

불안장애의 한 유형으로, 충격적이고 고통스러운 외적 사건을 경험한 뒤 2일에서 1개월 이내에 불안, 두려움, 공포, 해리성 증상 등이 나타난 상태. 이상심리

자신이나 타인이 생명을 위협하는 사건이나 죽음 또는 심각한 장애 등을 경험하거나 목격한 후에 극심한 두려움이나 불안, 공포, 무력감 등을 느끼는 장애다. 이와 관련되어 나타나는 증상으로는 수면장애, 과민함, 집중의 어려움, 지나친 경계심, 극도로 놀라는 반응, 안절부절 행동 등이다. 이에 더하여 정서반응의 마비 · 소외 · 결핍에 대한 주관적 느낌, 주변자극에 둔감해지고 멍한 상태에 있거나 현실감이 없어지며 이인증, 외상경험에 대하여 중요한 부분을 기억하지 못하는 해리성 기억상실 등의 해리성 증상을 나타낸다. 고통스러운 경험은 환각, 환상, 환청, 꿈, 착각, 반복되는 영상으로 재경험되거나 그 경험으로 인한 감각이 더욱 뚜렷해지거나 그 경험과 관련된 대상이나 자극에 노출되면 고통스러워한다. 그래서 고통스러운 경험을 떠올리게 하는 자극이나 대상을 피하려고 한다. 이러한 증상 때문에 직장생활, 작업수행능력, 사회적 관계형성, 일상생활에서 정상적으로 기능하기가 어렵다. 이러한 외상경험은 대개 1개월 이후에 사라지지만 그렇지 않은 경우에는 외상 후 스트레스 장애로 이어질 가

능성이 높다.

관련어 | 외상 후 스트레스 장애

급성 알코올중독
[急性 - 中毒, acute alcohol intoxication]

짧은 시간 내에 갑자기 많은 양의 알코올을 섭취하여 나타나는 육체적, 심리적 이상반응. 알코올 명정(酩酊) 혹은 대취(大醉)라고도 함. 중독상담

급성 알코올중독의 상태에서는 일반적으로 보행이 곤란해지고, 평소에 하지 않았던 돌출행동을 하는 등 행동의 변화가 나타나기도 하며, 성적 혹은 공격적 충동을 느끼는 심리적 변화가 나타나기도 한다. 또한 혈중농도가 0.5% 이상이 되면 호흡마비가 일어나고 급성중독사하는 경우도 있다.

관련어 | 물질사용장애, 알코올중독, 중독

긍정격하
[肯定格下, disqualifying the positive]

분명히 존재하는 자신의 장점이나 긍정적 측면을 깎아내리고 평가절하하는 행동. 인지치료

벡(Beck)은 주변의 사건이나 상황을 왜곡해서 그 의미를 해석하는 정보처리과정에서 범하는 체계적인 잘못으로 다양한 인지왜곡을 소개했는데, 그중 하나인 긍정격하는 자신의 긍정적 경험, 훌륭한 수행, 두드러진 자질 등을 고려하지 않고 부정적으로 지각하는 현상이다. 즉, 개인이 긍정적인 측면들을 능동적으로 무력화하는 것이다. 예를 들어, 시험에서 좋은 성적을 받았을 때 이를 자신의 노력과 역량으로 돌리는 대신 운이 좋았을 뿐이라고 생각하거나, 공을 잘 차는 아이가 그 능력을 가진 자신에 대해서는 생각하지 못하고 배구를 잘하는 학생을 부러워하면서 공은 누구나 잘 찬다고 말하는 것이다.

긍정심리영화
[肯定心理映畫,
positive psychology movie]

웨딩(Wedding)이나 니믹(Niemiec) 등이 제창한 것으로, 긍정 심리학 분야와 연관된 영화. 영화치료

긍정심리영화는 영화의 치유적 힘과 심리학을 접목하려는 시도가 긍정심리학 분야에서 일어나고 있는 것이다. 웨딩과 니믹 등은 긍정심리영화를 제창하면서, 인간의 지혜와 지식, 용기, 휴머니티, 정의, 절제, 초월이라는 6개의 긍정적인 분야와 연관된 영화들을 소개하였다. 이들은 긍정심리영화의 기준을 다음과 같이 제시하였다. 인물은 창조, 용기, 사랑, 친절 같은 피터슨(Peterson)과 셀리그먼(Seligman)이 제시한 긍정심리학의 24개 특질을 고루 지니고 있고, 고난에도 불구하고 자신의 강점을 극대화하는 방향으로 나아가야 한다. 그리고 인물이 어떻게 고난을 극복하고 자신의 강점을 유지하고 세워 나가는지 성격묘사가 들어가 있어야 하며, 영화의 분위기가 영감과 희망을 주어야 한다. 이러한 긍정심리영화는 영화에서 여러 가지 긍정적인 심리적 영향을 받을 수 있다는 영화의 치유적 요소를 활용한 것이라 할 수 있다.

긍정적 의도
[肯定的意圖, positive intention]

어떤 행동이나 신념 뒤에 숨어 있는 긍정적인 소망이나 목적. NLP

긍정심리학적 상담접근이나 NLP에서는 모든 행동에 긍정적 의도가 있다고 본다. 따라서 아무리 나쁜 문제나 증상에도 보이지 않는 무의식적인 긍정적 의도가 있다고 할 수 있다. 예를 들어, 다른 사람에게 관심을 받기 위하여 의도적으로 문제행동을 하는 아이에게서도 긍정적 의도를 발견할 수 있다.

또한 사람들이 술로 스트레스나 부정적 정서를 해소하고자 한다면 그러한 것이 습관화되어 알코올중독자가 될 수 있는데, 이 경우에 그는 무의식적 차원에서 작용한 긍정적 의도에 따라 결국 알코올중독자가 되었다고 할 수 있다. 따라서 아무리 큰 문제행동이나 병적인 증상이라 하더라도 긍정적 의도가 있기 때문에 그것을 찾아내어 다룸으로써 치료적 효과를 극대화할 수 있다. 예를 들어, 담배를 끊고자 하는 사람의 경우는 흡연을 통하여 인간관계적 차원에서 외로움을 벗어난다거나 긴장을 쉽게 해소하는 등의 긍정적 의도를 제대로 다룰 때 좀 더 쉽게 금연의 효과를 볼 수 있을 것이다.

긍정적 의미 부여
[肯定的意味附與, positive connotation]

가족구성원들의 역기능적인 게임에 긍정적인 의미를 부여하여 재명명하는 밀란모델의 기법. 전략적 가족치료

역기능적인 상호작용을 하는 가족체계를 관찰해보면, 구조화되고 정형화된 상호작용 방식이 오히려 문제 증상이 더 일어나도록 강화하고 있다는 것을 발견할 수 있다. 이것을 가족게임이라고 하는데, 이러한 가족게임에 긍정적인 의미를 부여하고 더 활발한 상호작용이 일어나도록 자극하는 기법이 긍정적 의미부여다. 즉, 가족에게 나타나는 문제 증상은 오히려 가족의 응집력과 항상성을 강화시키는 긍정적인 작용을 하는 것이라고 가족들에게 재명명(再命名)하는 것이다. 이것은 은연중에 자신들이 잘못된 상호작용의 게임을 하고 있다고 생각하는 가족구성원들에게 자발적인 인식과 변화에의 동기를 자극한다. 또한 가족구성원들이 서로 상대방의 상호작용을 긍정적으로 바라보게 되고, 변화에 대한 저항이 줄어드는 효과도 있다. 예를 들어, 자녀의 우울증으로 고민하고 있는 가족에게, '자녀의 문제행동에 따라 오히려 갈등이 계속되고 있는 부부가 자녀에게 집중함으로써 결과적으로 부부갈등이 감소되어 가족 간의 결속이 강화되는 긍정적인 기능을 하고 있다.'라고 말하는 것이다. 그리고 치료자는 이러한 긍정적인 효과를 유지하기 위해서 자녀는 계속 우울하도록, 부모는 연합하여 이러한 자녀를 돌보는 일에 더욱 집중하도록 지시한다. 가족들은 이러한 치료자의 지시를 따르면서 자신의 역기능적인 게임의 상호작용을 자발적으로 깨달아 변화에의 동기를 강화시킬 수 있다.

긍정적 전이
[肯定的轉移, positive transference]

내담자가 상담자에게 우호적이고 친밀한 감정을 갖는 전이. 정신분석학

정신분석에서 전이는 내담자가 인생 초기의 의미 있는 대상과의 관계에서 발생했으나 억압되어 무의식에 묻어 둔 감정, 신념, 욕망을 자신도 모르게 상담자에게 표현하는 현상을 뜻한다. 전이는 내담자가 상담자에게 부여하는 모든 투사의 총합이다. 그러나 상담자에 대한 내담자의 모든 감정이나 태도를 무조건 전이로 간주하지는 않는다. 내담자의 반응행동이 현재 상황에 비추어 보아 실제적인 이유가 있는 행동이라면 전이로 볼 수 없다. 전이에는 긍정적 전이와 부정적 전이의 두 가지 형태가 있는데, 두 형태 모두 해결되지 않은 아동기 갈등이 재현된 것이다. 긍정적 전이는 내담자가 상담자를 특별히 좋아하고 이상적인 인물로 보는 것이다. 내담자가 상담자를 좋아하게 된다거나 혹은 상담자의 사랑과 인정을 받으려고 할 경우 긍정적 전이가 나타난다.

관련어 | 부정적 전이, 전이, 전이분석

긍정적 중독
[肯定的中毒, positive addiction]

정신건강을 향상시키고 기본욕구를 만족시키는 행동을 하는 상태. 현실치료

글래서(W. Glasser)와 우볼딩(R. Wubbolding)은 개인의 정신건강단계를 변화를 추구하는 단계, 긍정적 증상의 단계, 긍정적 중독의 단계로 구분하였다. 긍정적 증상단계에서는 욕구좌절을 덜 경험하고 욕구충족을 위한 효과적인 대처방법을 선택한다. 자신이 원하는 것을 얻기 위해 어떻게 해야 하는지를 깨닫고 있으며, 책임 있는 행동을 선택하고, 가정과 직장에서 원만한 삶을 유지한다. 합리적인 생각하기를 통해 자신이 통제할 수 있는 것과 통제할 수 없는 것을 구별하고, 자신이 선택한 것에 대해 책임을 인식한다. 긍정적인 감정과 생리반응이 나타난다. 긍정적 증상단계에서 한층 더 발전하면 긍정적 중독상태로 향상된다. 자존감과 성취감을 증진시키는 생각하기, 활동하기, 느끼기를 선택함으로써 다섯 가지 기본욕구를 건강한 방식으로 충족하고 행복한 삶을 살아간다. 글래서는 긍정적 중독에 해당하는 여섯 가지 구체적 행동기준을 제시하였다. 첫째, 자신이 자발적으로 선택하는 행위로서 하루에 한 시간을 전념할 수 있으면서도 경쟁적이지 않은 것, 둘째, 쉽게 할 수 있으면서도 너무 많은 심리적 에너지를 소모하지 않아도 되는 것, 셋째, 혼자 할 수도 있고 다른 사람들과 함께 하더라도 그들에게 의존하지 않아도 되는 것, 넷째, 자신에게 신체적, 심리적, 혹은 영성적 가치가 있는 것, 다섯째, 지속적으로 할 경우 자신을 향상시킬 수 있는 것, 여섯째, 스스로를 비판하지 않고서도 할 수 있는 것이다. 예를 들면, 규칙적으로 운동하기, 일기 쓰기, 연주하기, 명상하기 등이 긍정적 중독에 해당하는 활동이다.

관련어 | 부정적 중독

긍정적 해석
[肯定的解析, positive interpretation]

내담자가 문제행동이라고 여기고 있는 것을 긍정적으로 바꾸어 주는 치료기법. 최면치료

에릭슨 최면의 치료기법 중 역설적 개입의 하나로, 자신에 대한 부정적인 관점을 긍정적인 관점으로 대체해 주는 것이다. 넓은 의미에서 관점바꾸기의 한 형태이며, 사람들은 누구나 비난이나 비판에 대해 거부반응을 보인다는 일반적인 속성을 역이용하는 기법이다. 예를 들어, 화를 잘 내는 사람에게는 솔직한 사람으로, 소극적이고 수동적인 행동 성향은 사물을 있는 그대로 수용하는 능력이라고 해석해 줄 수 있다. 극단적인 예로, 도끼를 들고 아내의 뒤를 쫓는 남편을 아내와 더 가까워지고 싶어 하는 사람으로 해석할 수도 있다.

관련어 | 관점바꾸기, 에릭슨 최면

기관열등성
[器官劣等性, organ inferiority]

출생 이후 10세경까지 아이들의 생활에 지장을 주는 신체장애 내지는 질환. 개인심리학

시각이나 청각 등 감각기관의 장애, 소아결핵이나 소아신염(小兒腎炎), 소아천식(小兒喘息)과 같이 운동 제한이 필요한 질환, 색소모반(色素母班, 외부의 멍이나 점)이나 만성피부염과 같이 외견상 문제를 일으키는 질환 등이 있다. 기관열등성이 있는 아동이 자신의 기관열등성에 보이는 태도는 세 가지 유형으로 나타난다. 첫째, 열등기관 자체를 단련한다. 예를 들면, 눈에 기관열등성이 있었기 때문에 오히려 미술에 뜻을 두어 판화가(版畵家)로서 성공한 사례도 있다. 둘째, 열등기관을 단념하고 다른 기관을 단련하여 보상한다. 예를 들면, 음악가 중에는 시력이 약한 사람이 많다. 셋째, 좌절하고 낙담하

여 스스로 보상하지 않고 다른 사람에게 의존한다. 이 유형의 아동은 응석의 생활양식을 발달시키기 쉽다. 기관열등성이 있는 아동을 교육하는 사람들은 세 번째 유형이 되지 않도록 주의해야 한다.

관련어 | 보상, 열등감, 우월추구, 응석의 생활양식

기꺼이 경험하기
[－經驗－, willingness]

적극적이고 의도적으로 가치 있는 삶의 방향으로 나아가는 것을 경험하는 과정에서 개인의 경험 전체에 대해 개방적인 태도를 갖는 것. 수용전념치료

기꺼이 경험하기는 수용의 또 다른 말로, 일상용어에서 수용이 수동적인 의미를 전달할 수 있기 때문에 상담자는 수용의 적극적인 자세를 전달하기 위해 기꺼이 경험하기라는 용어를 사용하기도 한다. 예컨대, 수용전념치료(ACT)에서 직면연습은 흔히 기꺼이 경험하기 연습으로 불린다. 기꺼이 경험하기는 그 순간에 사적 경험의 세계에 대해 '예'라고 대답하는 것으로, 내적 경험이 무엇이든지 그 자체로서 현재 순간을 만나면서 동시에 의도적으로 가치 있는 행동을 취하는 과정을 통해 발전한다. 기꺼이 경험하기는 쉽게 바꿀 수 있는 상황이나 사건 혹은 행동을 수용하라는 것이 아니다. 예컨대, 지금 누군가에게 학대를 당하고 있다면 학대를 수용하라는 것이 아니라 고통 중에 있음을 수용하고, 이에 따라 상기된 힘든 기억을 수용하며, 학대를 멈추기 위해 필요한 절차를 밟는 데서 오는 두려움을 수용하라는 것이다. 중독문제가 있다면, 물질남용을 수용하라는 것이 아니라 약물사용의 충동을 수용하고, 선호하는 대처전략(즉, 약물사용)을 포기하는 데서 오는 상실감을 수용하며, 감정조절을 위해 약물에 의존하던 것을 중단할 때 나타나는 정서적 고통을 수용하는 것이다. 기꺼이 경험하기는 개방성과 허용, 그리고 그 순간 느껴지고 감지되고 보이는 것과 함께 현재에 존재하는 특성을 지닌다. 이는 하나의 지속적인 과정으로서 경험되며, 충분히 인내하여 더 좋은 것으로 바꾸기 위해 무언가를 기다리는 것이 아니다. 기꺼이 경험하기는 원래 자극적인 것으로, 내담자의 가치에 따라 달라지지만 자신의 감정을 상하게 한 친구에게 전화를 하거나, 배우자와 대화를 할 기분이 아니어도 기꺼이 대화를 하고, 논쟁을 하고 싶을 때 방어적인 태도를 기꺼이 내려놓는 것, 말하기 두렵지만 기꺼이 '사랑해.'라고 말을 하는 것 등에서 찾아볼 수 있다. 기꺼이 경험하기는 ACT 개입의 핵심적인 기능적 목표 중 하나다. ACT에서 치료자는 내담자로 하여금 힘든 생각, 느낌, 감정 등을 경험하기 위한 선택을 할 가능성을 높이는 구체적인 활동에 참여하도록 함으로써 수용의 행동을 구축하려는 시도를 한다. 심리적 수용은 맥락으로서의 자기, 인지적 탈융합, 현재 순간에 머무르기와 더불어 마음챙김의 한 요소이기도 하다. 불쾌하고 원치 않는 고통스러운 내적 경험을 통제하고 관리할 때 경직되고 잘못 적용된 시도는 최소 다음과 같은 두 가지 방식으로 부작용을 초래할 수 있다(Luoma, Hayes, & Walser, 2007). 첫째, 고통스러운 감정, 사고, 감각, 기억 등을 줄이거나 제거하고자 하는 시도는 역효과를 초래하기도 하며, 심지어 더 큰 고통을 가져올 수 있다. 고통을 느끼지 않으려는 시도에서 유발된 고통은 ACT에서 '오염된 고통'으로 불린다. 반면 '순수한 고통'은 삶을 살아가는 데 자연스럽고 자동적인 결과로서의 고통을 의미한다. 실제로 힘든 생각이나 감정을 억압하려는 시도는 반동효과를 낳아 감정이나 사고가 오히려 더 심해지기도 한다. 외상 후 스트레스 장애처럼 안 좋은 기억에 대해 생각하지 않으려는 노력은 종종 바로 그 기억을 유발해 내는 경향이 있다. 삶의 무의미함에서 벗어나고자 종일 누워 있는 우울한 사람은 자신의 삶의 무의미함에 대한 두려움을 더욱 확인하게 될 뿐이다. 공황은 적어도 부분적으로는 불안하지 않으려는 개인 투쟁의 결과다. 둘째, 좋은

감정만을 추구하며 사는 삶은 우리가 가장 깊숙이 믿고 있는 가치를 위해 살지 못하도록 한다. 흔히 중요한 일을 하는 것은 때로는 고통스럽거나 적어도 취약함을 느끼게 하는데, 정확한 이유는 신경 쓰는 것은 그 자체로 우리가 어느 곳에서 상처받을 수 있고 또 상처받아 왔는지를 보여 주기 때문이다. 이러한 고통과 가치 간의 연결은 경험회피가 왜 그 같은 손실을 가져오는지 부분적으로 설명해 준다. 경험회피는 어떠한 경험을 조절하거나 통제하거나 회피할 수 있도록 하기 위해 가치 있게 여기는 방향, 관계, 활동에서 이탈하도록 할 수가 있다. 예컨대, 사회적 불안을 가진 사람은 창피함을 피하고자 하는 욕구 때문에 친구가 없을 수 있지만, 바로 그 불안이 그에게 사람이 얼마나 중요한지 알려 주는 지표이기도 하다. 이와 유사하게 만성적이고 지속적으로 경험회피를 하는 사람은 느끼지 않으려는 것에 지나치게 몰두하기 때문에 일상생활에서 자신이 무엇을 바라는지에 대한 인식을 결코 향상시킬 수 없을 것이다. 치료시간 중에 기꺼이 경험하기 요소를 사용해야 하는 때를 가장 명확하게 알려 주는 신호는 경험회피다. 어떤 치료시간 내에서 어려운 내용을 다루면, 내담자는 화제를 바꾸거나 피상적이 되거나 농담을 하고, 문제가 있다는 것을 부인하거나 자신의 감정과 일치하지 않는 단어를 사용하기도 한다. 치료시간의 초반에 내담자가 지나치게 소극적이거나, 애쓰는 느낌이 들거나, 똑같은 내용에만 집착하는 것 등은 기꺼이 경험하기를 사용해야 할 필요성이 반영된 것이다. 치료의 후반에는 논쟁, 과도한 논리성, 동기 결여, 수동성, 치료자에게 책임을 미루고자 애쓰는 느낌이 들 경우 등이 기꺼이 경험하기 과정을 다시 해야 할 필요가 있음을 알려 주는 지표가 될 수 있다. ACT에서는 기꺼이 경험하기를 돕기 위해 다양한 자발성과 노출훈련이 사용되는데, 이러한 훈련에서 중요한 것은 내담자가 사적 사건을 통제하려는 의제를 버리고 스스로 이러한 사건에 자신을 노출시키는 것이다(Hayes, 2004).

관련어 | 마음챙김, 수용전념치료, 심리적 수용

기념 책자
[記念冊子, memory books]

단편적으로 들어오던 이야기나 가까운 가족 또는 친구들이 전하는 실제 생활 이야기를 모아서 하나의 책자로 만드는 것으로서 스크랩북이라고도 함. 문학치료

기념 책자는 실제 생활 속에서 일어난 사건에 대한 이야기를 시간 순서대로 모아 두는 것이다. 이 같은 기념 책자가 오래된 기억들을 환기시키기도 하고 집안 어른들과의 대화에 활력을 불어넣기도 한다. 기념이 되는 사진을 첨부하거나, 그에 대한 설명도 조금씩 곁들일 수 있다. 가족들, 예를 들어 할아버지나 할머니께서 어떤 삶을 사셨다는 일화 등을 통해서 자부심을 일으킬 수도 있다.

기능
[機能, function]

융(C. G. Jung)이 제안한 개념의 하나로 정신에너지 활동의 형태. 분석심리학

리비도(libido)의 징후로서 다양한 조건 아래 동일한 원칙을 가지고 있다. 융은 인간이 세상을 살아가면서 갖게 되는 삶의 기능을 사고, 감정, 감각, 직관의 네 가지 심리적 기능으로 구분하였다. 이 중 잘 발달된 기능을 주 기능이라 하고, 가장 발달이 안 된 기능을 열등기능이라고 하였다. 감각기능은 실제 현실이 무엇인지에 기반을 두고, 사고기능은 대상이 어떤 의미인지 우리가 인식하도록 하고, 감정기능은 대상의 가치를 말해 주고, 직관기능은 주어진 상황에서 대상이 어디에서 왔고 어디로 가는지를 일깨워 준다. 모든 기능은 정신을 통해 존재하지만 늘 한 기능이 나머지 다른 기능보다 의식적으로

더 발달한다. 만약 한쪽으로 치우쳐 발달하면 종종 신경증이 발생하기도 한다. 사람이 한 가지 기능만 의식화하면 할수록 그 기능의 리비도에 더 많이 투자하고, 다른 기능에서 리비도를 더 많이 끌어당긴다. 각 기능은 매우 오랜 기간 빼앗긴 리비도를 허용하지만, 결국 시간이 흐르면서 점차 반응하게 된다. 나머지 다른 기능들의 리비도가 없어지면 점차 의식 식역(識閾) 아래로 가라앉게 되고, 결합된 연결은 사라지면서 마지막으로 무의식 속으로 상실되어 버린다.

관련어 감각, 감정, 사고, 열등기능, 직관

기능분석
[機能分析, functional analysis]

개인이 느끼거나 생각하거나 행동할 때 기본이 되는 마음의 세 가지 자아상태가 생활 속에 어떻게 작용하고 기능하는지를 보는 것. 교류분석

교류분석에서 구조적 모델이 각 자아상태 안에 어떤 내용이 들어 있는지를 보여 준다면, 기능적 모델은 이들이 '어떻게' 작용하고 있는지를 나타낸다. 즉, 구조적 자아상태모델은 자아상태 내의 '내용(contents)'을 가리키고, 기능적 모델은 '과정(process)'을 가리킨다. 기능분석은 다섯 가지 자아상태로 나뉜다. 어버이 자아는 비판적 어버이(critical parent ego: CP)와 양육적 어버이(nurturing parent ego: NP)로 구분되고, 어른 자아상태(adult: A)가 있으며, 어린이 자아는 자유로운 어린이(free child: FC)와 순응하는 어린이(adapted child: AC)로 구분된다. 첫째, 비판적 또는 통제적 어버이는 자신의 가치관이나 생각하는 방법을 올바른 것으로 보고 그것을 양보하려고 하지 않는 부분이다. 다른 사람의 권리를 고려하지 않고 비현실적인 고집을 부리거나 또는 다른 사람의 자존심을 말살해 버리는 것과 같은 행동을 해서 상대방을 화나게 하든지 혹은 그들로부터 따돌림을 받을 수도 있다. 비판적 어버이의 경우 양심이나 이상과 깊이 관련되어 있어서 주로 비평이나 비난을 하지만 동시에 아이들이 생활하는 데 필요한 여러 가지 규칙 등도 가르친다. 비판적 어버이가 지나치게 강하면 거만하고 지배적인 태도, 명령적인 말투, 칭찬보다 질책하는 경향 등이 있으며 상대방을 깔보는 느낌을 주는데, 흔히 원맨쇼(one-man show) 유형이라고 한다. 즐겁게 웃거나 유머를 사용하는 일이 드물고, 주변 사람들로 하여금 눈치를 보게 만든다. 이 같은 비판적인 자아를 연출하는 사람은 배우자나 친구, 아이들을 편안하게 대해 주지 못하기 때문에 대체로 어려운 사이가 된다. 비판적 어버이가 높고 겉마음과 속마음이 일치하는 사람은 타인 부정형(You're not OK)인 경우가 많다. 둘째, 양육적 또는 보호적 어버이는 친절, 동정, 관용적인 태도를 나타내는 부분이다. 아이들, 부하, 후배 등을 위로하고 격려하며 친부모와 같이 돌보는 것이 양육적 어버이의 작용이다. 벌보다는 용서하고 칭찬하는 생활태도를 보이며, 다른 사람의 고통을 자신의 것처럼 받아들이려는 보호적이고 온화한 면을 가지고 있다. 다른 사람의 괴로움을 자신의 일처럼 느끼는 양호적인 부모 밑에서 자라면, 그 아이는 양호적인 말 사용이나 몸짓을 익히게 되고 이를 자주 사용한다. 그러나 NP가 지나치게 강하면 아이의 숙제를 대신해 주거나, 아이가 해야 할 일에 대해 대신 책임을 져 주는 등 과잉보호적인 행동으로 나타날 수 있다. 양육적 어버이가 높고 겉마음과 속마음이 같은 사람은 타인 긍정형(You're OK)인 경우가 많다. 셋째, 어른 자아상태인데, 사람은 현실적응을 위해서 필요한 지식을 축적하고 그것을 합리적으로 이용하는 컴퓨터와 같은 부분을 가지고 있다. 컴퓨터와 같이 냉정하게 합리적으로 사물을 판단하고 처리해 갈 때 어른 자아상태가 작용하고 있는 것이다. 어른 자아상태에서는 감정에 지배되지 않는 자유로운 입장을 취하고 울거나 웃거나 질책하거나 비꼬거나 걱정하거나 하는 일은

없다. 이런 의미에서 어른 자아상태는 지성, 이성과 깊이 관련되어 있고 합리성, 생산성, 적응성을 가진 채 냉정한 계산에 따라 합리적 작용을 한다. 그러나 어른을 이른바 통상적인 어른(성인, 성숙한 인간, 군자)이라고 보는 것은 잘못이다. 어른 자아상태가 수행하는 작용은 자료를 수집하여 이들을 다만 합리적으로 판단하는 것뿐이다. 넷째, 자유로운 어린이는 자연스러운 어린이(natural child: NC)와 작은 교수(little professor: LP)를 합친 개념으로 성격 중에서 가장 생래적인 부분이다. 이상적으로 말하면 자유로워서 어떤 것에도 구애받지 않는 자발적인 부분이며 창조성의 원천이라고도 할 수 있지만, 제멋대로여서 의존적인 면도 가지고 있다. 작은 교수는 모든 사람의 내부에 존재하고 있는 재치 있는 작은 어린아이의 모습을 나타내는 것이다. 비록 훈련을 받은 적은 없지만 어린아이는 창의적이고 직관적이며 자신이 바라는 바를 얻기 위해 자신과 다른 사람들을 대하는 법을 안다. FC는 일반적으로 밝고 유머가 풍부해서 선천적으로 갖추어진 예술적인 소질이나 직관력 등도 이 FC에서 온다고 할 수 있다. FC가 높은 사람 중 겉마음과 속마음이 같은 사람은 자기 긍정적(I'm OK)인 면이 강하다. 다섯째, 순응하는 어린이인데 성인, 주로 부모로부터 훈련을 받고 영향을 받아 형성된 어린이 자아상태의 한 부분이다. AC는 자신의 본래 기분을 누르고 부모님이나 선생님의 기대에 따르려 노력하는 부분이다. 성장하면서 FC에 여러 가지 수정이 가해진 것이다. 구체적으로 싫은 것을 싫다고 말하지 못하고 간단하게 타협해 버린다거나, 또는 별로 좋아하지도 않는 이웃에게 공손하게 인사를 해야 한다든가 하는 예가 AC의 모습이다. AC는 자연스러운 감정을 보이지 않으며, 자발성이 결여되고, 타인에게 의존하기 쉬운 모습을 갖는다. 보통은 말이 없고 얌전한 소위 '착한 아이'지만 성장한 후에는 반항하거나 공격적인 모습을 보이기도 한다.

기능적 가족치료
[機能的家族治療, functional family therapy]

가족기능의 긍정적인 회복을 위해 다양한 전략적 접근을 사용하는 치료적 접근법. 인지행동 가족치료

행동주의자였던 알렉산더(J. Alexander)가 행동주의 이론에 전략적 개념을 혼합하여 만든 가족치료이론이다. 이름에서 알 수 있듯이 이 이론은 가족의 기능에 초점을 맞춘다. 가족치료사들은 가족 행동이 친밀해지도록 가족행동의 재정의를 통하여 가족구성원들이 서로의 행동을 선한 측면에서 보도록 한다. 또한 가족 간 친밀감 향상을 위해 긴급 관리 프로그램(Contingency Management Program)을 만든다.

기능적 경계선의 침범
[機能的境界線 – 侵犯, violation of functional boundary]

자녀 중 한 명이 부재한 부모를 대신하여 부모의 역할을 수행함으로써 부모-자녀 간 경계선이 모호해지는 것. 가족치료 일반 기타 가족치료

부모화 현상을 경험하는 자녀들이 겪는 대표적인 역기능이다. 편부 또는 편모 가족인 경우 자녀들 중 한 명이 부재한 부모를 대신하여 부모역할을 한다. 이로 인해 부모와 자녀 사이의 경계선이 약해지면서 산만한 경계선을 갖게 된다. 산만한 경계선은 자녀가 쉽게 부모의 기능을 하게 만들어 편부 혹은 편모의 정서적 어려움을 자녀가 달래 주는 어른역할을 담당한다. 특히 편부나 편모인 경우에는 자녀 중 한 명이 거의 동등한 어른역할을 하여 기능적으로 한쪽 부모역할을 한다. 즉, 자녀 중 한 명이 부모의 영역에 있고 자신의 부모영역을 침범해서 어른역할을 하는 것이다.

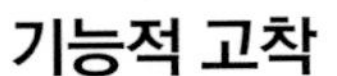

기능적 고착
[機能的固着, functional fixedness]

한 대상을 그것의 가장 일반적인 한 가지 사용법만 가지고 있는 것으로 지각하여 다른 기능으로의 사용 가능성에 대해 닫혀 있는 경향. 인지치료

강력하게 습관적인 기능을 하는 물체의 다른 기능을 좀처럼 볼 수 없는 현상을 말한다. 일상에서 흔히 경험하는 문제의 대부분은 지식의 결여가 아닌 기존 지식을 적절히 활용하지 못하거나 혹은 기존 지식을 한 방향으로만 적용하려는 문제해결 전략에서 발생한다. 던커(Dunker, 1945)의 촛불 문제 실험을 보면, 탁자 위에 성냥, 압정 상자, 초 등이 놓여 있고 이것을 이용해서 벽면에 초를 붙여 촛불을 켜는 것이다. 문제의 핵심은 각 소품의 기능적 특성에 있다. 한 조건에서는 상자 속에 압정이 들어 있고, 또 한 조건에서는 상자가 비어 있다. 이 문제의 해결법은, 압정을 이용해서 상자를 벽에 부착시켜 초를 세울 수 있는 받침을 만드는 것이다. 실험 결과, 상자 안에 압정이 있는 경우에는 참가자의 43%가 문제를 해결한 반면, 상자가 비어 있는 조건에서는 대부분의 참가자가 이 문제를 해결하였다. 즉, 상자에 물건이 담겨 있을 때는 받침보다 용기의 용도가 강조되었기 때문에 상자의 새로운 기능을 인식하기가 어려웠던 것이다. 예를 들어, 어떤 사람이 아파트에서 여러 개의 짐 상자를 옮기고 있는데 문을 고정하는 장치가 없어서 매우 불편하다 느끼면서도 그 상자 중 하나를 문을 고정하는 용도로 사용할 수 있다는 사실을 깨닫지 못할 수도 있으며, 동전이 비상시에 드라이버로 사용될 수 있다는 것을 파악하지 못할 수도 있다. 이는 우리의 지각이 경직되어 있다는 의미다. 이러한 현상은 정신적 · 심리적 문제에 시달리는 사람들에게서 자주 발견된다. 우리는 세상에 대한 다양한 지식을 가지고 있지만 우리의 기억은 도식(스키마)의 형태로 구성되어 있다. 그러나 실제 문제해결 상황은 도식화된 지식과 일치하는 경우가 많지 않다. 따라서 누군가 갈등이나 고민 또는 어떤 증상에 빠져 있다면, 자신이 처해 있는 상황을 받아들이는 데에 자신의 도식에서 벗어나 새로운 시각으로 해석해 보는 것이 매우 중요하다.

관련어 | 인지적 터널

기능적 맥락주의
[機能的脈絡主義, functional contextualism]

이상행동은 그것이 발생한 상황적이고 역사적인 배경에서 가장 유용하게 이해될 수 있고 실용적인 목표가 행동변화에 영향을 미친다는 관점. 수용전념치료

수용전념치료(ACT)의 철학적 기초는 기능적 맥락주의다. 여기서 핵심적인 분석단위는 바로 맥락 내에서 현재 진행 중인 행동(ongoing act in context)이다. 또한 전체적인 사건에 초점을 맞추고 사건의 속성과 기능을 이해하기 위해 맥락의 역할에 민감하며, 실용적인 진리와 구체적인 과학적 목표를 중시한다. 따라서 ACT에서는 심리적 사건을 '역사적이고 상황적으로 규정된 맥락 및 그와 상호작용하는 전체로서의 유기체가 진행하고 있는 행동 세트'로 개념화한다. 또한 전체적인 행동을 설명하기 위하여 부분적인 구성요소로 환원하거나 확장하려는 시도에 저항한다. 행위의 의미와 기능은 상호작용 안에서 발견될 수 있으므로 사건이 관여된 맥락에서 내담자의 문제행동을 떼어 내면 문제의 속성과 해결방법을 놓치게 된다는 것이다. 그리고 맥락적 변인들만이 직접적으로 조작할 수 있기 때문에 맥락을 바꾸지 않고는 심리적 사건에 영향을 줄 수가 없다. 이에 ACT 치료자는 맥락 내에서 현재 진행 중인 행동이 내포하고 있는 결과에 내담자가 초점을 맞추도록 함으로써 그 행동을 기능적 단위로 조직하고자 한다. 이때 기능적 맥락주의에서는 모든 형태의 행동의 진리기준(truth criterion)이 성공

적인 작동이므로 목표와 가치를 명료화하는 것이 필요하다(Hayes, Masuda, & De Mey, 2003). 즉, ACT에서 참이 되는 것은 실효성을 발휘하고 있는 것으로, 행동의 효과는 그것이 내담자의 구체적 목표 또는 개별적 가치실현에 도움이 되는 바로 그만큼만 참이다. ACT가 이전의 행동치료와 다른 측면은 '나쁜 것은 버리고 좋은 것만 갖는' 기계적 접근이 아니라 '나쁜 생각은 그저 하나의 생각일 뿐 그 이상도 그 이하도 아니라고 그저 바라보기'를 강조하는 맥락주의적 관점이라는 점이다. 그러므로 ACT 치료자는 사적인 경험의 형태를 바꾸려 노력하기보다는 사적 경험의 기능을 변화시키려고 시도하는데, 이는 어떤 형태의 경험(예, 생각이나 느낌)이 다른 형태의 활동(예, 외현적 행동)과 전체적으로 관련되어 있는 그 맥락을 조작함으로써 이루어진다(김채순, 2012). 이러한 철학적 기초에 근거해 ACT는 크게 여섯 가지 치료과정, 즉 수용, 인지적 탈융합, 현재에 머무르기, 맥락으로서의 자기, 가치, 전념적 행동으로 이루어진다.

관련어 | 수용전념치료, 심리적 유연성

기능적 생활훈련
[機能的生活訓練, functional life training]

기능적 생활의 활동을 수행하는 데 평생 적용되는 훈련.
특수아상담

기능적 생활훈련은 장애 때문에 발생하는 의존성을 최소화하고 생산적이면서 독립적이며 행복한 삶을 영위할 수 있도록 도와준다. 또한 가정 · 학교 · 지역사회에서 올바른 사회적 기능을 통하여 사회에 통합할 수 있도록 지원한다. 기능적 생활훈련은 신변처리와 같은 기초적인 기능적 생활훈련에서부터 가정과 학교, 그리고 사회에서 안전하고 독립적인 생활을 영위하는 데 필요한 지식과 기술에 이르기까지 포괄적인 내용이 포함된다. 기능적 생활훈련의 목표는 이 훈련의 중요성을 알고 바른 생활습관을 기르며, 보건과 위생생활로 건강한 신체를 유지하는 것이다. 또한 기능적 생활에 필요한 개인 및 사회생활 기능을 익혀 자립적으로 생활하도록 하는 데 있다. 훈련 내용에는 식생활 기능, 의생활 기능, 건강과 위생생활 기능, 가정생활 기능 및 사회생활 기능이 포함되어 있다. 식생활 기능은 식사도구 사용하기, 외식하기, 조리 준비하기, 상 차리기, 음식 먹기, 주방기기 사용하기, 음식 조리하기 및 설거지하기 등이다. 의생활 기능은 의복 선택하기, 의복 관리하기, 세탁하기, 의복 착용하기 및 의복 손질하기 등이다. 건강과 위생생활 기능은 신체 청결 유지하기, 응급 처치하기, 생리 처리하기, 화장실 이용하기, 건강 관리하기 등이다. 가정생활 기능은 가사 돕기, 손님 접대하기, 구난사태 대처하기, 청소하기, 가정의례 참여하기 및 절약하기 등이다. 그리고 사회생활 기능은 공공시설 이용하기, 화폐 사용하기, 통신수단 이용하기 및 대인관계 유지하기 등이다.

한편, 일반 아동은 국어, 사회 등 교과내용을 습득하기 위해 읽기기술을 습득해야 하는 반면에 특수아동은 독립적인 삶을 영위하기 위해 신문 읽기나 전화번호부 읽기 등의 읽기기술을 배워야 한다. 특수아동에게는 기능적 학업기술을 가르친 다음 실생활에서 적용할 수 있도록 연습활동을 해 보아야 한다. 기능적 읽기의 연습활동에는 지역사회의 표시판, 음식점의 메뉴, 광고, 시간표 및 약의 라벨 읽기가 포함된다. 기능적 쓰기의 연습활동에는 편지 쓰기, 메모하기, 쇼핑 목록 작성하기 등이 포함된다. 기능적 수학의 연습활동에는 온도계나 체중계 등의 측정도구 이용하기, 시계 보기, 달력 보기, 물건 구입하기 등이 포함된다. 이러한 활동 중에는 한 가지 기술만이 아니라 여러 기초 기술이 필요한 경우가 많기 때문에 활동을 계획할 때는 이러한 모든 기초 기술의 수행능력을 고려해야 한다.

기능적 자기공명영상
[機能的磁氣共鳴映像, functional magnetic resonance imaging: fMRI]

두뇌 신경조직의 자기적 영상신호를 통해 두뇌 활성화를 시각화하는 기법. 뇌 과학

신경활동이 증가할 때 국소부위의 혈류 및 산소 소비량의 증가 때문에 상대적으로 강해진 자기적 영상신호를 관찰한다. 이를 통해 특정 인지과정 수행과 특정 두뇌영역의 연관성을 밝힐 수 있다. 이는 방사성 동위원소를 사용하지 않음으로써 연구대상자의 범위를 넓히는 장점이 있지만, 청각 소음의 강도가 높고 특수 제작된 장비가 필요하다는 점 등의 단점도 있다. 그럼에도 불구하고 내측 측두엽 외에도 전두엽과 같은 다양한 두뇌영역의 기능을 기억 관련 정보처리적 측면에서 규명하는 데 기여하고 있다.

기능적 자율성
[機能的自律性, functional automomy]

올포트(G. Allport)가 제창한 동기부여에 관한 개념으로, 개인의 행동이 과거에 입각해서 예견되는 것이 아니고 오히려 그 시점에서 갖고 있는 신념이나 세계관에 따라 목적에 대해 자율적으로 기능하는 것. 성격심리

사람의 행동을 불러일으키는 동기는 일반적으로 인간이 누구나 갖고 있는 기본적인 욕구와 관련하여 설명할 수 있다. 이것을 환원주의(reductionism)라고 한다. 사람의 고도의 정신적인 행동이나 사회적 행동은 기본적인 욕구만으로는 설명할 수 없다고 본 올포트는 사람의 동기도 본능이나 무의식인 수준의 욕구에 의존하는 것이 아니라 각자 가지고 있는 그 시점에서의 기능이나 구조에 따라 자율적으로 작용한다고 주장하였다. 올포트는 개인의 현재 상황의 영향을 강조하였고, 개인의 행동을 이해하는 데는 현재 무엇을 원하고 추구하는지를 파악하는 것이 가장 중요하다고 보았다. 기능적 자율성은 성숙하고 정서적으로 건강한 성인의 동기를 아동기의 경험과 독립적으로 보는 것이다. 기능적 자율성의 원리는 성인의 동기는 최초에 그 동기가 나타났던 초기 경험과 관련되지 않는다. 올포트는 기능적 자율성의 두 가지 수준으로 '지속적 기능 자율성'과 '고유 자아기능 자율성'을 제안하였다. 지속적 기능 자율성이란 보다 기초적 수준으로 낮은 수준의 습관적 행동과 관련된 것이다. 이는 어떤 외적 보상 없이도 계속되거나 지속되는 일상적 과업을 수행하는 습관적 방식을 말한다. 고유 자아기능 자율성은 지속적 기능 자율성보다 훨씬 중요하고 성인 동기를 이해하는 데 필수적인 것이다. 고유 자아(proprium)는 올포트가 만든 용어로서, 자아(ego) 혹은 자기(self)를 나타내는 말이다. 고유 자아기능은 자신의 정체감을 유지하는 조직화 과정으로 이를 통해 우리는 세계를 지각하는 방법, 경험으로부터 기억하는 것, 사고가 지향되는 방법을 결정한다. 우리의 지각 및 인지 과정은 선택적이기 때문에 수많은 자극 가운데 관심과 가치를 두고 있는 자극만 선택한다. 고유 자아의 조직화 과정은 에너지 수준 조직화, 숙달과 능력, 고유 자아 패턴화의 세 가지 원리가 지배한다. 기능적 자율성은 어떤 행동이 처음에는 다른 이유로 행해졌다 하더라도 나중에는 그 행동 자체가 목적이나 목표가 된다는 점을 이야기한다. 즉, 이전에 단지 목적을 위한 수단이었던 것이 지금은 그것 자체가 목적이 된다는 것이다. 다시 말해서, 행동을 일으켰던 최초의 이유는 사라졌지만 행동은 여전히 지속되는데 이것이 기능적 자율성의 본질이다. 예를 들어, 대학에서 필요에 의해 어떤 과목을 수강한 학생이 나중에는 그 과목 자체에서 기쁨을 얻게 되는 것이다.

기능적 전기자극
[機能的電氣刺戟, functional electrical stimulation: FES]

마비된 근육의 운동기능을 복원시키기 위하여 전기자극을 사용하는 기법. 뇌과학

정상인에게서 특정 동작수행에 관여하는 근들의 근전도를 구하여 전기자극기를 통해 환자에게 입력함으로써 특정 동작수행을 돕는 방법이다. 일상생활에 필요한 동작을 수행할 수 있는 전기자극을 수동적으로 환자에게 전달하여 마비근의 운동기능 복원을 돕는다.

관련어 | 근전도

기대된 정서와 즉각적 정서
[期待-情緖-卽刻的情緖, expected emotion and immediate emotion]

뢰벤슈타인(Loewenstein)과 러너(Lerner)가 의사결정 시 나타나는 정서를 구분한 것. 정서중심치료

뢰벤슈타인과 러너는 의사결정을 할 때 나타나는 정서를 기대된 정서와 즉각적 정서로 구분하였다. 기대된 정서는 의사결정으로 생길 결과물에 대해 개인이 어떤 정서를 느낄지 스스로 예측한 것이고, 즉각적 정서는 의사결정을 하는 당시에 느끼는 정서다. 정서는 의사결정에서 핵심적 역할을 하기도 하지만, 이들 두 가지 형태의 정서는 의사결정의 효율성을 제한할 수도 있다. 즉, 기대된 정서와 관련하여 의사결정에 따른 결과에 대한 정서를 예측할 때 오류를 범해 잘못 예측할 수 있고, 즉각적 정서가 미래의 중요한 측면을 무시하도록 만들 수도 있다.

기대신념
[期待信念, anticipatory belief]

어떤 물질을 사용하거나 행위를 함으로써 만족감, 효율성, 사회성 등이 증대될 것이라는 예감. 중독상담

기대신념 때문에 한번 약물을 사용하거나 혹은 어떤 행위를 하여 그 효과를 경험하게 되면, 계속해서 그 약물을 사용하거나 행동을 지속적으로 하려는 경향을 띤다. 따라서 기대신념은 약물이나 행위로 인한 의존을 강화시키며, 결국 중독에 빠지는 요인이 된다.

관련어 | 중독, 위안지향적인 신념, 행동중독

기독교상담
[基督敎相談, christian counseling]

상담의 전 과정을 통해 성경의 권위를 인정하고, 그 원리를 적용하는 것으로 내담자의 문제를 해결하는 상담 접근방법. 목회상담

기독교상담은 보다 광범위하고 적극적으로 일반 심리학의 이론과 치료기법을 수용한 목회상담학자들에 대한 반향으로 일어난 흐름의 하나로, 상담과정과 목적이 성경의 권위와 신학의 적용을 더욱 강조하고 있다. 기독교상담은 1975년 이후 일어난 복음주의 운동과 관련이 있는데, 복음주의 운동이란 심리학의 연구에 편중된 목회상담학에 대한 문제점을 제기하고, 기독교인을 위한 상담활동이 하나님의 복음의 원리에 입각해서 이루어져야 한다고 주장한 신학운동의 하나다. 목회상담이 계속해서 발전하는 가운데 일반 심리학의 무분별한 도입과 적용에 대해 기독교 사회 내에서 점차 반감을 가지는 학자들이 나타났고, 성서의 높은 권위를 인정하고 그리스도교의 교리에 충실한 상담을 해야 한다는 주장이 확산되면서 복음주의적 운동이 현대목회상담운동과 함께 발전하였다. 복음주의 운동을

처음으로 제창한 사람 중 한 명인 평신도 나래모어(Narramore)는 그동안의 심리학적 지식과 경험의 발달을 이용하여 복음과 성서의 메시지를 인간의 정신건강을 위해 사용하는 방법을 모색해야 한다고 주장하였다. 그의 복음주의 운동은 이후 여러 학자에게 영향을 미쳤는데, 사상을 함께한 대표적인 학자가 제이 애덤스(Jay Adams)다. 애덤스는 세상의 심리학을 적용하여 그리스도인의 영적인 문제를 치료하는 것은 불합리하며, 오로지 성서와 기독교 전통에 입각하여 상담을 해야 한다고 주장하였다. 그는 상담과 관련된 훈련에는 지식이 거의 없는 신학자였는데, 1970년에 『Competent to Counsel』을 출간하면서 이른바 '권면적 상담(nouthetic counseling)'을 주장하며 오로지 성경 안에서 발견한 원리만으로 상담이 이루어져야 한다고 하였다. 또한 비슷한 시기의 복음주의 상담자로 로렌스 크랩(Lawrence Crabb)이 있다. 그는 『Basic principles of Biblical Counseling』에서 성서를 바탕으로 한 상담을 주장하였다. 1988년에는 애틀랜타에서 전 세계의 복음주의를 표방하는 기독교상담자들이 모여 대회를 열고, AACC(American Association of Christian Counselors)라는 협회를 구성하기로 결의하였다. AACC는 2007년 현재 약 2만 4천여 명의 회원을 가진 큰 단체가 되었다. 기독교상담학의 비교적 짧은 역사에도 불구하고 이렇게 많은 회원을 확보할 수 있었던 이유는, AAPC(American Association of Pastoral Counselors)가 신학에 대해 보다 진보적인 입장을 취하고는 있지만 회원자격을 신학교육을 받은 전문상담자로 엄격하게 제한한 것에 비해 AACC는 보수적인 신학적 입장을 고수하고는 있지만 회원자격을 기독교상담에 관심 있는 모든 상담자로 문턱을 낮추었기 때문이다.

관련어 격려에 의한 상담, 교화에 의한 상담, 권고에 의한 상담, 권면적 상담, 목회상담

기본 참만남집단
[基本-集團, basic encounter group]

친밀한 집단경험을 통하여 태도, 가치관, 생활양식의 변화 등 참가자의 개인적 변화를 목표로 하는 집단. 집단상담

1960년대 초에 T-집단의 집단상담자들이 기존의 인간관계 훈련집단의 모형이 갖고 있는 유용성의 한계를 보완하기 위하여 발전시킨 것이다. 참만남집단은 면대면의 상호작용이 가능한 6~20명으로 구성된 소집단활동이 주가 된다. 또한 이 집단은 지금-여기의 상황에 초점을 두고, 개방성과 솔직성, 대인적 맞닥트림, 자기노출, 그리고 직접적인 강한 정서적 표현을 하도록 한다. 즉, 집단과정에서는 참가자들이 습관적인 지각이나 역할행동을 배제하고, 자신의 행위나 가치관에 대하여 스스로 책임을 지도록 하며, 분노나 적개심을 포함하는 감정과 사고를 솔직하게 있는 그대로 표현하도록 한다. 상담 초기에는 침묵과 피상적인 의사교환, 자기노출에 대한 저항감 등이 나타난다. 그러나 상담이 진행될수록 점차 자신의 부정적 감정과 집단에서 느끼는 대인감정을 표현하는 것이 가능해진다. 집단에서 참가자들이 좀 더 수용적이고 개방적일 때 기본적인 만남이 이루어지고 긍정적인 감정과 친밀감을 표현하면서 행동변화의 단계로 발전한다.

관련어 감수성 훈련

기본욕구
[基本欲求, basic needs]

선택이론에서 소개하는 인간의 다섯 가지 기본적인 욕구. 현실치료

글래서(W. Glasser)는 뇌의 기능과 기본욕구를 연관시켜 설명하였다. 선택이론에 따르면, 모든 유기체는 합목적적이며 뇌에서 유발되는 기본욕구에 의해 내면적으로 동기화된다. 모든 인간에게는 대뇌

피질 부위에 해당하는 신뇌(new brain)에서 유발되는 사랑과 소속감(belonging), 힘과 성취(power), 자유(freedom), 즐거움(fun)의 네 가지 심리적 욕구와 대뇌피질 하위부위에 해당하는 구뇌(old brain)에서 유발되는 생리적 욕구인 생존(survival)의 욕구가 있다. 먼저 사랑과 소속감의 욕구는 인간의 기본욕구 중에서 다른 사람들과 함께 사랑하고, 나누고, 함께하고자 하는 속성을 뜻한다. 글래서는 사랑과 소속감의 욕구를 세 가지 형태, 즉 사회집단에 소속하고 싶은 욕구, 직장에서 동료에게 소속하고 싶은 욕구, 가족에게 소속하고 싶은 욕구로 구분하였다. 인간은 사회적 동물로 가정, 학교, 직장, 사회에 소속되어 인간관계를 유지하면서 사랑을 주고받고자 하는 속성이 강하다. 사랑과 소속감의 유사어는 돌봄, 관심, 참여 등인데, 이 사랑과 소속감의 욕구가 구체적으로 표현되는 양태는 결혼하여 자기 자신의 가족을 형성하는 것, 친구를 사귀는 것, 청소년이 또래집단에 속하는 것, 성인이 단체모임에 가입하는 것 등이다. 생존욕구와 같이 절박한 욕구는 아니지만 인간이 살아가는 데 원동력이 되는 기본적인 욕구다. 힘과 성취의 욕구는 경쟁하고, 성취하고, 중요한 존재로 인정받고 싶어 하는 속성이다. 글래서는 인간은 각자 자신이 하는 일에 대해 칭찬과 인정을 받고자 하는 기본욕구를 가지고 있다고 보았다. 예를 들어, 학생이 좋은 성적을 받았을 때 혹은 직장인이 자신의 능력을 인정받고 승진했을 때 힘과 성취의 욕구가 충족되었다고 볼 수 있다. 인간은 자신의 환경에 영향을 미치며 환경을 통제하고 싶어 한다. 모든 것이 뜻대로 되기를 바라며 그러한 힘이 자신에게 있기를 바란다. 힘에 대한 욕구가 강할 경우 사랑과 소속감에 대한 욕구 등 다른 욕구와 갈등을 유발할 수 있다. 사랑과 소속감에 대한 욕구를 충족하고자 결혼하지만, 부부 사이에 힘에 대한 욕구를 채우고자 서로를 통제하려고 하다가 결과적으로 부부관계를 파괴하기도 한다. 사회적인 지위와 부의 축적 혹은 직장에서의 승진과 같이 힘과 성취를 더 중요하게 생각하고 일에만 매달리는 직장인의 모습은 가족과의 사랑과 소속감의 욕구를 희생시키는 것이다. 자유의 욕구는 선택, 독립, 자율성 등의 의미를 내포하는 속성이다. 거주지, 대인관계, 종교활동 등을 포함한 삶의 모든 영역에서 스스로 선택하고 자신의 의사를 마음대로 표현하고자 하는 욕구를 뜻한다. 글래서는 자신의 자유욕구를 충족해 나가는 데 있어서 다른 사람의 자유를 침해하지 않도록 타협하고 절충하는 자세가 중요하다고 강조한다. 즐거움의 욕구는 여러 가지 새로운 것을 배우고 놀이를 통해 즐기고자 하는 속성이다. 즐거움의 욕구는 모든 인간이 지니고 있는 기본적이고 유전적인 지시에 해당된다. 암벽 타기, 자동차 경주, 번지 점프를 하는 경우처럼 즐거움의 욕구를 충족하기 위해 때로는 생명의 위험도 감수한다. 즐거움의 욕구를 충족하는 활동 유형에는 단순한 놀이도 있지만 학습과 같은 활동도 포함될 수 있다. 새로운 것을 학습하면서 느끼는 즐거움은 신기한 경험이 될 수 있다. 그러나 즐거움을 추구하는 욕구와 다른 욕구들 간에도 갈등이 발생할 수 있으며, 그 결과 한 가지 욕구충족을 포기해야 하는 경우도 있다. 예를 들면, 어떤 사람은 배우는 즐거움에 몰입한 나머지 사랑과 소속감의 욕구충족을 포기하기도 한다. 생존의 욕구는 생명을 유지하고 생식을 통해 자신을 확장시키고자 하는 속성이다. 생물학적인 존재로서의 인간조건을 반영하는 욕구다. 뇌의 가장 오래된 부분인 구뇌(old brain)에서 생성된 것이다. 구뇌는 호흡, 소화, 땀 배출, 혈압 조절 등 신체구조를 움직이고 건강하게 유지하도록 하는 과업을 수행한다. 대부분 구뇌 단독으로는 효과적으로 작동할 수 없기 때문에 뇌의 다른 부분, 즉 거대하고 복잡한 대뇌피질 혹은 신뇌라고 불리는 부분의 도움이 필요하다. 예를 들어, 체내에 수분이 부족할 때 의식적인 행동을 주도할 수 없는 구뇌는 신뇌에게 구조신호를 보내서 갈증을 호소한다. 신뇌의 지원작용으로 일단 갈증이 해소되고 나면 욕구가 충족되었기 때문에 일정 시간이 지나 다시 갈증을 느낄 때까지 더 이상 갈증에 대해 관심을 갖지 않는다. 글래서에 따르면, 행동의 원천은 유전인자의 속성이다. 유전인자의 속성에는 땀을 흘리는 것이나 추위에 떠는 것과 같은 일련의 생리학적 지시가 포함되어 있다. 이것은 구뇌의 영역에 속한 것으로서 의식적인 의지로 선택할 수 없는 부분이다. 구뇌의 기능은 생존에 필수적인 요소이지만 개인이 일상생활을 영위하는 데에는 지배적인 영향을 미치지 못한다. 이와 같은 다섯 가지 욕구의 기본 특징은 다음과 같다. 첫째, 생득적이고 일반적이고 보편적이다. 둘째, 개인 내의 욕구들 사이에서 혹은 개인과 개인 간의 욕구충족 사이에서 갈등이 일어날 수 있기 때문에 상호 갈등적이고 대인 갈등적이다. 셋째, 개인 내의 욕구뿐만 아니라 개인과 개인 간 욕구에서 서로 균형을 유지하려고 한다. 넷째, 개인의 욕구는 일시적으로 충족되었다가도 다시 불충분한 상태로 되돌아가기 때문에 지속적인 욕구충족 상태를 유지하기 어렵다. 다섯째, 욕구충족의 심리상태는 영원히 지속될 수 없으며 바로 이러한 이유로 인해 기본욕구는 행동 동기의 근원이 된다. 삶의 질을 높이기 위해서는 이러한 기본욕구를 바람직하게 충족시키는 것이 중요하다. 이때 욕구 자체는 직접적으로 충족될 수 없으며, 단지 욕구를 충족시켜 줄 수 있는 구체적인 대상을 통해 이루어진다. 사랑 자체를 추구하는 것이 아니라 사랑하고 사랑받을 수 있는 특정한 한 대상을 찾는 것이다. 이처럼 기본욕구를 충족해 주는 구체적인 대상 혹은 방법은 바람(wants)이 되어 좋은 세계(quality world)라고 불리우는 심리적 영역 안에 사진첩으로 간직되어 있다. 예를 들어, 갓 태어난 유아는 사랑과 소속감의 욕구로 동기화되어 있지만 그것이 무엇인지 또 어떻게 충족되어야 하는지를 아직 모른다. 단지 홀로 남겨지는 것이 고통스럽고 불쾌하다는 것을 알고 이러한 상황에 대처하기 위해 울음을 터트린다. 유아의 울음소리를 들은 어머니가 다가와서 사랑과 애정으로 다독거려 준다. 비로소 유아는 자신의 욕구가 충족되어 만족감을 느끼게 된다. 이러한 관계가 반복되면 유아는 어머니를 자신의 욕구를 충족해 주는 중요한 대상으로 인식하고, 마치 감각체계의 사진기처럼 좋은 세계 내에 어머니의 모습을 저장해서 간직한다. 나중에 성인이 되어서도 외로울 때면 언제나 좋은 세계 안에 저장해 둔 어머니의 모습을 기억해 내고 위로를 받으려 한다. 유전적 특성을 지닌 욕구는 모든 사람이 공통적으로 가지고 있지만, 이러한 욕구를 충족시키는 방법으로서의 바람(wants)은 개인마다 특이하고 차이가 있다. 개인의 경험이 확대됨에 따라 좋은 세계 안에는 다양한 사진들로 채워진다. 좋은 세계는 개인의 삶에 있어서 매우 중요한 부분이다. 이 세계 안에 있는 것들은 개인의 주요 관심사이기 때문에 그것들을 찾기 위해 노력한다. 그러나 좋은 세계와 관련이 없는 것에는 별로 관심을 두지 않는다. 예를 들어, 어떤 학생의 좋은 세계 안에 학교, 교사, 수업 내용 등이 들어 있다면 성공적인 정체감을 형성하는 데 도움이 되는 반면, 좋은 세계 안에 약물, 갱집단 등의 사진첩이 들어 있다면 학교생활에서 성공하기 어려울 것이다.

관련어 | 바람

기본적 오류
[基本的誤謬, basic mistakes]

개인 생활양식의 일부가 되는 신화, 비합리적 신념, 자기패배적 측면을 일컫는 개인심리학의 용어. 개인심리학

생활양식을 조사하는 과정에서 파악되는 주요 내용으로, 생활양식의 자기패배적 측면, 즉 다른 사람으로부터의 철회, 회피, 이기심, 권력에 대한 열망, 신화, 비합리적 신념 등을 말한다. 기본적 오류는 소속과 의미의 욕구를 충족하기 위해 아이가 발달시키는 최초의 생각이다. 그것은 아이가 살면서 자

신의 위치와 입장을 세우려고 나름의 투쟁을 하는 동안 자신의 견해로 도출된 부적절한 결론이다. 일반적으로 개인은 자신이 기본적 오류를 지니고 있다는 것을 인식하지 못한다. 상담자는 내담자가 지니고 있는 현재의 기본적 오류를 명료화하도록 도와주어 문제를 확인하고 기본적 오류를 수정하도록 해야 한다. 초기에 잘못 발달된 신념을 발견하고, 그 생각들이 어떻게 잘못되었는지, 그리고 그것들이 사회적 · 인격적 기능을 효율적으로 발휘하는 데 어떤 방해를 하는지 내담자가 통찰할 수 있도록 도와야 한다. 기본적 오류에는 과잉 일반화, 안전에 대한 잘못된 혹은 불가능한 목표, 인생과 인생의 요구에 대한 잘못된 지각, 자기 가치의 최소화 또는 부인, 잘못된 가치관 등이 있다(Mosak & Dreikurs, 1973).

관련어 사적 논리, 생활양식, 초기기억

기분일치효과
[氣分一致效果, mood congruence effect]

사람이 특정한 기분상태에 있을 때, 그 기분과 유인가가 일치하는 재료를 쉽게 저장하거나 회상하는 경향. 정서 중심 치료

정서일치효과 또는 감성일치효과라고도 하는데, 우리의 기억은 기분 혹은 정서 상태에 영향을 받아서 정서가 긍정적일 때는 긍정적 기억이, 정서가 부정적일 때는 부정적 기억이 더 잘 떠오른다는 것이다. 즉, 기분이 좋으면 세상의 모든 사물이 긍정적으로 보이고 즐거웠던 과거기억이 쉽게 상기된다. 또한 우울한 사람들은 인생에서 부정적인 일을 더 잘 회상하고, 자신에게 일어났던 좋은 일을 회상하는 데에는 어려움을 겪는다고 보았다. 라즈란(Razran)의 연구결과에 따르면, 역한 냄새를 맡아서 기분이 나빠진 피험자들과 공짜로 점심을 먹게 되어 기분이 좋아진 피험자들에게 아무 관련이 없는 어떤 이슈에 대해 판단하게 했을 때 기분이 나빠진 피험자들이 훨씬 더 부정적인 판단을 하는 경향이 있었다.

이러한 현상이 일어나는 이유에는 여러 가지 이론이 있다. 심리역동이론에 따르면 우리가 감정을 통제하려고 많은 노력을 기울이지 않는 한, 우리의 감정은 그 감정을 느끼게 된 계기와 아무 상관이 없더라도 저절로 유입된다고 한다. 또 다른 이론으로는 조건형성이론을 들 수 있는데, 감정은 단순한 시간적 · 공간적 조건형성으로 인해 그 감정의 원인이 되는 상황과 관련 없는 생각에 부착된다는 것이다. 이 두 이론과 달리 감성이 사고나 행동에 연결되는 인지적인 혹은 정보처리기제를 강조하여 감성과 인지 사이의 이러한 연결을 통하여 감성 유입이 나타난 것으로 보기도 한다. 일반적으로 유쾌한 기분에서는 기분일치효과가 두드러지지만, 슬픈 기분이나 불안한 기분을 경험한 사람에게서는 기분일치효과가 일관성 있게 나타나지는 않는다. 우울한 사람들은 유쾌한 사람들보다 오히려 남을 더 많이 도와주기도 하고, 긍정적인 사건을 더 잘 회상하기도 한다.

기쁨의 관계
[- 關係, the pleasure bond]

결혼생활이나 이성과의 관계에서 보다 깊고 지속적인 관계를 유지하기 위해서 성행위나 육체적인 매력을 유지하는 것 등으로 서로 기쁨을 주고받는 관계. 생애기술치료

전통적으로 성행위에 대한 주도권과 책임은 주로 남성에서 주어져 왔다. 하지만 시대가 변함에 따라 성행위에 따르는 기쁨은 남성과 여성이 함께 노력하고 표현할 때 획득되는 것이라는 의견이 지배적이다. 사실, 성적인 만족이 감정적으로 가까워지는 것에 기여를 한다는 근거는 없지만, 이보다는 친밀한 성적인 관계로 인한 여러 가지 영향과 상대방과 기쁨을 주고받는 소통이 보다 친밀한 관계를 형성하는 데 영향을 미친다고 할 수 있다.

관련어 돌봄의 관계, 동료로서의 관계, 신뢰의 관계, 의사결정의 관계, 친밀한 관계

기술언어
[技術言語, skills language]

내담자의 행동을 설명하고 분석하여 구체적인 삶의 기술의 장점과 단점을 고려하여 설명하고, 이를 통해 내담자의 삶의 기술 중 부족한 점을 보완하고 훈련시키기 위한 치료계획을 세우는 일련의 활동. 생애기술치료

상담자는 기술언어를 통해서 내담자의 문제를 더 명확히 할 수 있다. 즉, 기술언어를 통해 내담자의 문제를 지속시키는 삶의 기술상 단점을 밝혀 치료목표를 명확히 하는 역할을 한다.

관련어 | 기술용어로의 재진술

기술용어로의 재진술
[技術用語－再陳述, restatement in skills terms]

치료과정에서 내담자의 문제를 일상적인 용어로 설명하고 명료화한 다음, 이러한 문제를 유지시키는 데 내담자가 어떻게 생각하고 행동하는가에 대한 가설을 재진술하도록 하는 것. 생애기술치료

내담자에게 부족한 사고 및 행동기술에 관하여 수집된 정보를 잘 분석한 다음, 왜 그러한 문제들이 계속해서 내담자의 삶에 유지되고 있는지에 대한 가설을 설정하고, 이를 내담자가 인식한 뒤 그것을 스스로 재진술하도록 하는 것이다. 물론 이 가설은 보다 정확하고 다양한 정보가 수집되면 얼마든지 수정될 수 있는 것이다. 상담자는 내담자가 기술용어로의 재진술을 할 수 있도록 하기 위해서 내담자의 부족한 기술을 파악해 내는 질문을 하고, 내담자가 지닌 기술적 장점이나 자원도 함께 파악할 수 있는 질문을 해야 한다. 재진술 과정은 내담자 스스로 자신의 문제가 일어나는 삶의 기술상 원인을 인식하고 받아들이게 함으로써 변화로의 의지를 격려하는 효과가 있다.

관련어 | 기술언어

기술적 연구
[記述的硏究, descriptive research]

연구대상이 되는 특정 현상의 특징이나 진행과정 또는 관계를 조사 · 분석하여 그 결과를 비교 해석하고 사실대로 기술하는 연구. 연구방법

변인의 조작이나 조건의 통제 여부에 따라서 기술적 연구와 실험적 연구(experimental research)로 구분한다. 기술적 연구의 특징은 연구대상을 객관적으로 관찰하고 분석할 뿐 연구자가 변인을 조작하거나 조건을 통제하지 않는다는 점이다. 반면에 실험적 연구는 연구자가 변인을 임의로 조작하거나 조건을 통제하는 실험과정을 거쳐 변인들 간의 인과관계를 밝히고자 한다. 이러한 기술적 연구와 실험적 연구는 상담분야에서 자주 사용하는 연구방법이다. 특히 기술적 연구방법은 경향, 의견, 선호도, 그리고 변인들 간의 관계와 같은 연구자가 관심을 갖고 있는 현상을 기술하도록 도와준다. 또한 집단의 차이에 관한 정보를 제공해 주기도 한다. 이와 같은 기술적 연구는 연구목적이 고유한 특성(민족성, 사회경제적 지위, 장애 등), 도덕적인 이유로 조작할 수 없는 특성(약물남용, 위험한 행동 등), 실제적인 이유로 조작할 수 없는 특성(상담참여, 학교배치 등)을 기술하고자 할 때 적합하다. 기술적 연구의 방법으로는 조사연구(survey research), 인과 비교연구(causal comparative research), 상관 연구(correlational research), 역사적 연구(historical research), 사례 조사연구(case study research), 현장 조사연구(field study research), 탐색적 연구(exploratory research) 등이 있다. 조사연구는 무엇이 존재하고 있는지를 파악하여 사실대로 기술하고 해석하는 연구로, 상담분야에서 널리 사용되는 방법이다. 다양한 현상에 대한 조사 대상자의 생각, 특성, 인식 및 태도에 관한 가치 있는 정보를 산출할 수 있다. 예를 들어, 전문상담교사는 고등학생의 사이버 폭력의 실태와 영향력을 조사하기 위해서 전

국의 고등학생을 대상으로 조사를 실시할 수 있다. 이때 연구자는 다음과 같은 질문을 한다. 사이버 폭력이 어떻게 퍼져 나가는가? 사이버 폭력을 누가 누구에게 하는가? 사이버 폭력이 어떤 형태로 이루어지는가? 사이버 폭력이 학생들에게 미치는 영향은 어떠한가? 연구자는 자료를 수집하기 위해서 질문지, 면접, 전화, 우편, 인터넷을 이용한 조사 등 여러 방법 중 선택할 수 있다. 일반적으로 조사연구는 일시에 많은 양의 정보를 수집할 수 있고, 다른 연구방법에 비하여 비교적 쉽게 연구를 수행할 수 있다는 장점이 있는 반면, 자칫하면 피상적인 정보를 얻게 되거나 표본조사의 경우 표집에 따른 오차를 수반하게 된다는 단점이 있다. 인과 비교연구는 개인으로 구성된 집단 간에 어떤 특성 또는 상태에서 차이가 발생하는 원인이나 이유를 밝히고자 하는 연구다. 다시 말하면, 집단 사이에 어떤 변인에서 차이가 관찰되는 경우 이러한 차이를 초래한 주요 원인이 무엇인지를 찾아내고자 하는 것이다. 인과 비교연구의 접근방식은 이미 발생한 결과에서 출발하여 그것의 원인을 탐색하는 회고적(retrospective) 방식과 원인에서 시작하여 그것의 효과를 탐색하는 전망적(prospective) 방식이 있다. 상관연구는 학업 성적과 시험공부에 들인 시간 간의 관계 혹은 자기효능감과 집단상담 참여 간의 관계처럼 두 변인 간의 관계를 기술하는 데 사용한다. 인과 비교연구가 집단 비교를 조사하는 데 초점을 두었다면, 상관연구는 두 변인 간 관계의 정도를 조사하는 데 초점을 맞추고 있다. 상담 관련 문헌을 보면 다양한 범위의 상관계수를 보고하고 있기 때문에 그 관계의 정도를 해석하는 데 필요한 정보를 가지고 있어야 한다. 1.0의 상관계수는 두 변인이 완전한 관계에 있음을 의미하고, 0의 상관계수는 두 변인이 완전히 독립되어 있다는 것, 즉 아무런 상관이 없음을 의미한다. 다른 상관계수들은 표본의 크기, 유의 수준 등과 밀접한 관계가 있기 때문에 상관의 정도를 해석할 때 상관계수만으로는 쉽게 알 수 없다. 관계의 방향에 따라 상관은 정적 혹은 부적일 수 있다. 정적 상관은 학교에 다니는 아동의 연령이 증가할수록 수학적 계산능력이 증진되는 것과 같이 두 변인이 같은 방향(증진 혹은 감소)으로 움직이는 관계를 말한다. 부적 상관은 갈등해결 프로그램에 참여하는 횟수가 많을수록 중학생의 공격적 행동이 감소하는 것과 같이 두 변인이 서로 다른 방향(한 변인의 점수가 높아질수록 다른 변인의 점수는 점점 낮아짐)인 관계를 말한다. 두 변인이 상호 관련되어 있다는 것은 두 변인이 공변하고 있음을 뜻할 뿐, 상관관계가 있다고 해서 반드시 인과관계가 있다고 볼 수 없다는 점에 유의해야 한다. 예를 들면, 직전 진로상담 참여와 직무만족도 사이에 매우 높은 상관관계가 있다는 연구결과가 있을 때, 여기서 한 변인이 다른 변인의 변화를 일으킨 원인이라고 단정 지을 수 없다는 것이다. 역사적 연구는 과거사건을 조사하고 해석하는 것인데 양적, 질적 또는 두 방법을 혼합할 수 있다. 이런 종류의 연구는 과거의 사건, 사람, 기관, 또는 직업(상담)을 보다 완전하게 이해하기 위해서 사용할 수 있다. 역사적 연구의 목적은 현재와 관련하여 과거를 이해하거나 또는 과거와 관련하여 현재를 이해하는 데 있다. 하지만 이 같은 탐구방법은 이해를 증진시킬 수는 있지만 과거의 사건에 기초하여 현재 발견한 것을 일반화할 수 없다는 한계가 있다. 역사적 연구에서 발견된 것은 사실 이후에 발견된 것이라서 많은 사건들이 계획된 것이 아니고 통제 불가능한 요소에 기인한 것이다. 통제가 불가능하기 때문에 연구자는 그것이 발생한 이유뿐만 아니라 발생한 내용에 대해서도 추론해야 한다. 따라서 역사적 연구자들은 자주 다른 사람의 문서나 보고서와 같은 자료에 근거해서 결론을 도출해야 한다. 한편, 연구자들이 원자료에 접근할 수 있거나 연구 참가자들과의 대화 또는 직접적인 관찰에 주로 관심을 갖고 있을 때는 사례 조사연구와 현장 조사연구를 수행한다. 사례 조사연구는 질적인 패러다임으로 분류되고, 상담분야의 연구자들이 친숙하

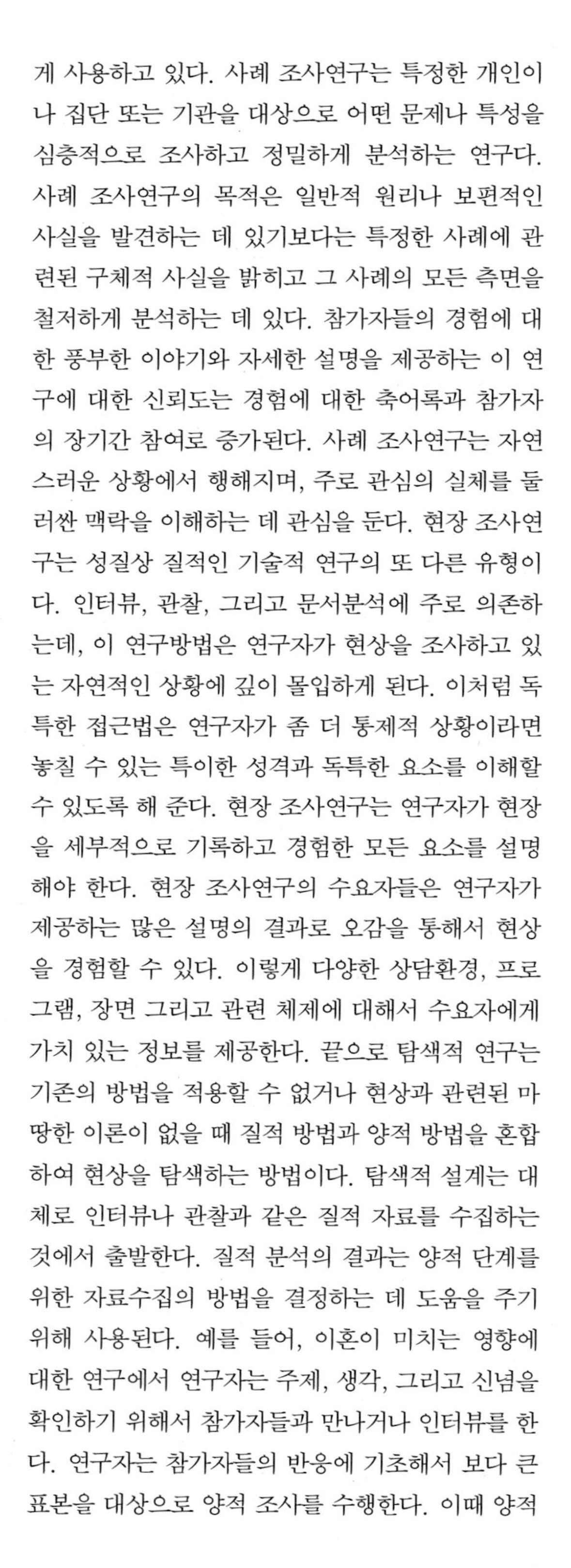

게 사용하고 있다. 사례 조사연구는 특정한 개인이나 집단 또는 기관을 대상으로 어떤 문제나 특성을 심층적으로 조사하고 정밀하게 분석하는 연구다. 사례 조사연구의 목적은 일반적 원리나 보편적인 사실을 발견하는 데 있기보다는 특정한 사례에 관련된 구체적 사실을 밝히고 그 사례의 모든 측면을 철저하게 분석하는 데 있다. 참가자들의 경험에 대한 풍부한 이야기와 자세한 설명을 제공하는 이 연구에 대한 신뢰도는 경험에 대한 축어록과 참가자의 장기간 참여로 증가된다. 사례 조사연구는 자연스러운 상황에서 행해지며, 주로 관심의 실체를 둘러싼 맥락을 이해하는 데 관심을 둔다. 현장 조사연구는 성질상 질적인 기술적 연구의 또 다른 유형이다. 인터뷰, 관찰, 그리고 문서분석에 주로 의존하는데, 이 연구방법은 연구자가 현상을 조사하고 있는 자연적인 상황에 깊이 몰입하게 된다. 이처럼 독특한 접근법은 연구자가 좀 더 통제적 상황이라면 놓칠 수 있는 특이한 성격과 독특한 요소를 이해할 수 있도록 해 준다. 현장 조사연구는 연구자가 현장을 세부적으로 기록하고 경험한 모든 요소를 설명해야 한다. 현장 조사연구의 수요자들은 연구자가 제공하는 많은 설명의 결과로 오감을 통해서 현상을 경험할 수 있다. 이렇게 다양한 상담환경, 프로그램, 장면 그리고 관련 체제에 대해서 수요자에게 가치 있는 정보를 제공한다. 끝으로 탐색적 연구는 기존의 방법을 적용할 수 없거나 현상과 관련된 마땅한 이론이 없을 때 질적 방법과 양적 방법을 혼합하여 현상을 탐색하는 방법이다. 탐색적 설계는 대체로 인터뷰나 관찰과 같은 질적 자료를 수집하는 것에서 출발한다. 질적 분석의 결과는 양적 단계를 위한 자료수집의 방법을 결정하는 데 도움을 주기 위해 사용된다. 예를 들어, 이혼이 미치는 영향에 대한 연구에서 연구자는 주제, 생각, 그리고 신념을 확인하기 위해서 참가자들과 만나거나 인터뷰를 한다. 연구자는 참가자들의 반응에 기초해서 보다 큰 표본을 대상으로 양적 조사를 수행한다. 이때 양적 조사의 문항은 현상에 대한 연구자의 이론적 가정이 아닌 참가자들의 경험에 근거하여 작성된다.

관련어 | 사례연구, 상관계수, 조사연구

기술통계
[記述統計, descriptive statistics]

어떤 사상(事象)에 대하여 관찰하거나 측정한 결과의 특성을 전체적으로 파악할 수 있도록 요약 · 기술해 주는 통계적 방법. 통계분석

자료를 통계적으로 처리하는 일은 수집해 놓은 자료를 의미가 드러나도록 분석하는 과정이라고 볼 수 있다. 자료를 통계적으로 분석하는 방법은 기술통계와 추리통계(inferential statistics)로 대별된다. 기술통계는 하나의 주어진 집단을 기술 · 요약하는 데 관심이 있을 뿐 이 집단에서 얻어진 결과를 가지고 다른 어떤 집단의 특성을 추정하는 데는 관심이 없다. 통계적 분석의 주요 관심은 한 개체에 대한 측정치가 아니라 집단으로서의 전체적 특성을 요약하고 기술해 주는 데 그 의의가 있는 것이다. 반면에 추리통계는 표본에서 얻어진 어떤 특성의 통계치를 기초로 표집에 따른 오차를 고려하면서 전집의 모수치를 확률적으로 추정하는 통계적 방법이다. 표본의 자료를 토대로 하여 가설을 검증하거나 앞으로의 사상을 확률적으로 예측하는 것이 추리통계의 주요 과제다. 기술통계와 추리통계의 근본적인 차이점은 연구결과의 일반화에 있다. 연구결과를 일반화하려면 일반화할 수 있는 모집단이 있어야 하므로 추리통계에서는 표집방법이 고려되어야 한다. 반면 기술통계는 모집단을 고려하지 않고 얻어진 자료만을 요약하고 정리하는 단계에 머문다. 이와 같은 기술통계는 귀납적 논리와 수학의 한 분야로서 상담연구자들이 자료를 숫자와 그래픽 형태로 요약하고 조직하기 위해 사용한다. 경험적인 질문에 대답하기 위해서 상담연구자들은 보통 통계적

인 분석에 자료표본을 수집한다. 원자료는 조직적이지도 않고 정형화되어 있지도 않다. 관찰된 것을 이해하고 표시하기 위한 하나의 방법으로 연구자들은 그래프와 표를 사용한다. 자료를 조직화할 수 있는 가장 좋은 방법은 도수분포(frequency distribution)로 점수들을 표로 만드는 것이다. 도수분포는 측정치를 크기의 순위에 따라 나열한 다음, 각 측정치에 해당하는 개체 수를 빈도로 나타낸 것이다. 도수분포를 표로 만들면 점수의 분포를 보다 쉽게 파악할 수 있고, 통계적 처리도 간편하게 할 수 있다는 이점이 있다. 또한 자료는 그래프 형태로도 기술할 수 있다. 그래프 형태로 나타내는 것 중 하나가 도수다각형(frequency polygon)이다. 이는 두 축으로 자료를 표시한다. 수평축은 변인의 값을, 그리고 수직축은 그 값에 대한 빈도를 나타낸다. 자료를 파악하는 또 다른 방법으로는 그래프로 표시하는 것이다. 이런 방법을 히스토그램(histogram, 도수분포도 혹은 기둥도표라고 함)이라고 한다. 양적 변인과 연속변인에 대해 사용하는 히스토그램은 묶음경향과 점수분포를 설명해 준다. 히스토그램은 도수분포표를 자료로 하여, 계급구간을 밑면으로 하고 도수를 높이로 해서 그린 그림인데 측정된 변인에 대한 점수의 빈도를 나타내 주는 연속적인 막대로 구성되어 있다. 히스토그램과 비교해서 더 자주 사용하는 것은 막대그래프(bar graph)다. 히스토그램과 비슷하지만 칸과 막대 사이에 간격이 있다. 그 간격은 변인의 수준에 대한 질적인 차이를 나타낸다. 질적 변인은 종류에 따라 다르고 양적 변인은 양에 따라 다르다. 앞서 언급한 바와 같이 기술통계는 자료를 이해하기 위하여 숫자와 그래프를 포함한다. 자료를 기술하는 데 숫자적으로 사용되는 여러 가지 방법 중 가장 잘 알려진 것은 집중경향치(central tendency)와 변산도(variability)다. 집중경향치는 한 집단의 측정치 분포에서 가장 전형적이고 대표적인 하나의 값으로 요약해서 기술해 주는 지수인데, 여기에는 평균치와 중앙치, 그리고 최빈치가 있다. 변산도는 상담연구자들에게 자료의 분포가 평균을 중심으로 어느 정도 밀집 또는 분산되어 있는지를 설명해 준다. 변산도가 크면 클수록 그만큼 개별 측정치가 평균에서 널리 흩어져 있다는 의미다. 변산도에는 범위(range), 분산(variance), 표준편차(standard deviation)가 포함된다. 범위는 점수분포에서 최고점과 최저점 사이의 간격을 말한다. 분산은 분포를 구성하는 모든 사례에서 그 분포의 평균을 빼서 나온 편차점수들을 제곱하고, 이를 모두 합한 다음 그 분포의 사례 수로 나눈 값이다. 즉, 분산은 표준편차의 제곱값으로 상담연구자들은 이를 통하여 평균 주변의 점수분포를 추정한다. 표준편차는 편차를 제곱하여 모두 합한 값을 사례 수로 나눈 것의 제곱근이다.

관련어 | 변산도, 상관계수, 집중경향치, 추리통계

기시감
[旣視感, déjà vu]

낯선 어떤 것을 전에 미리 본 것같이 느끼는 것. 정신병리

기억장애의 하나인데, 실제로는 경험하지 않은 것을 마치 경험한 것처럼 생생하게 느끼는 것을 뜻하며, 전에 알고 있던 것이 생소하게 느껴지는 미시감(jamais vu)과 반대의 개념이다. 사람, 장소, 상황, 소리, 생각 등과 관련하여 기시현상이 나타날 수 있다. 기억은 정보가 들어와서 하나의 정신적 상(象)으로 등록되고, 저장되고, 유지되었다가 후일 회상되는 일련의 과정이다. 이러한 기억과정은 감정의 영향을 받을 수 있는데, 망각이나 기억 착오는 부정적 감정에 대한 방어적 목적이 관련된다. 특정한 사람이나 장소, 혹은 상황 등이 잊고 싶어 하는 고통스러운 과거의 경험과 연관되어 있을 경우에는 방어차원에서 기시감과 같은 기억장애가 나타날 수 있다.

관련어 | 미시감

기억 폭
[記憶幅, memory span]

의식 속에서 동시에 활성화할 수 있는 항목의 수 혹은 기억의 용량. 인지치료

단기기억의 폭을 의미하는 기억 폭과 작동기억의 폭을 의미하는 기억 폭이 있다. 단순한 숫자 폭이나 철자 폭은 단기기억의 폭을 의미하는 것으로, 문장 읽기와 체스의 수 읽기 등은 작동기억의 폭으로 간주한다. 발달적으로 4~16세 사이에 작업기억의 폭은 2배에서 3배 정도 증가하고, 8세 이후에는 완만하게 증가한다. 4세 때 보통 아이들은 평균적으로 3개의 숫자를 차례대로 기억할 수 있다. 12세경에는 3배가 되어 6개의 숫자를 기억할 수 있고, 16세에는 7~8개의 숫자를 기억할 수 있다.

기억노화
[記憶老化, memory aging]

나이가 들어갈수록 외부의 자극이나 정보를 지각하고 저장하고 인출하는 능력이 점차 감퇴되는 현상. 중노년상담

나이가 들수록 신체적 기능의 저하와 함께 인지기능에도 노화가 일어난다. 기억노화는 발달과정에서 자연스럽게 변화되는 정상적 기억노화(normal memory aging)와 질병이나 다른 요인 때문에 생기는 병리적 기억노화(pathological memory aging)로 구분된다. 정상적 기억노화의 대표적인 현상은 건망증(forgetfulness)인데, 날짜나 이름을 잊거나 자동차 열쇠를 어디에 두었는지 등은 정상적인 기억노화 과정의 특징이라 할 수 있다. 이를 다른 용어로는 최소 기억손상, 노화 관련 기억손상, 정상적 인지노화, 양성노화 건망증으로 표현된다. 병리적 기억노화는 치매, 뇌혈관문제, 영양문제, 신진대사 장애, 뇌진탕 등의 질병으로 인한 기억에 어려움을 갖는 것을 말한다. 주로 가족이나 가까운 사람들의 이름을 잊거나 장소와 시간을 혼동하거나 열쇠로 자물쇠를 여는 것과 같은 단순한 운동과제를 하지 못하는 증상을 보인다. 이 경우에는 원인을 찾아 적절한 치료를 받으면 인지적 결손이 회복될 수 있다. 다만 치매로 인한 인지적 결손은 회복되기 어렵다. 알츠하이머 등의 치매는 점진적으로 기억력이 손상되며, 파킨슨병은 기억력은 손상되지만 언어능력에는 변화가 없다. 정상 압력 뇌수종(normal-pressure hydrocephalus) 조건, 신진대사, 내분비 혹은 전해질 장해, 영양실조, 알코올중독으로 인한 기억장애는 적절한 치료를 받으면 인지력이 회복된다. 그리고 노인기에는 여러 질병으로 약물치료를 받게 되는데, 이 약물이 노인의 기억이나 인지영역에 영향을 미친다. 약물에는 항균제, 고혈압 약, 진통제, 항히스타민제, 심혈관 약 등이 있는데, 약물 부작용에 따른 기억력이나 인지적 문제는 충분히 회복될 수 있다. 이와 같이 신경생리학적 원인 이외에 갑작스러운 슬픔, 망상장애, 우울증 같은 정신병리적 조건으로 기억력 문제가 발생하기도 한다. 우울한 노인들은 기억력의 손상을 호소하고 기억과제 수행에 어려움을 보인다. 이 같은 이유로 알츠하이머 환자의 초기증상은 우울증과 혼돈되기도 하며, 심각한 우울증과 알츠하이머 초기단계에 공존하기도 한다. 기억력의 저하를 단순히 연령의 증가와 관련시키는 것은 힘들고, 상당히 복잡한 상황이다. 기억력은 연령 간 차이보다는 같은 연령대 내의 개인차가 더 크다. 성공적인 노화란 기억력에 문제가 없는 것이 아니라 변화에 적응하는 것을 의미한다.

관련어 | 기억, 노화, 성공적 노화

기억발달
[記憶發達, memory development]

연령 증가에 따른 외부정보를 저장하는 능력의 변화.
발달심리

기억공간은 감각기억, 단기기억, 장기기억으로 구분할 수 있는데, 감각기억과 장기기억의 용량은 연령에 따른 변화가 발생하지 않으며 단기기억은 연령에 따라 증가한다. 생의 초기에는 이전에 본 것을 다시 보면 알아보는 재인기억이 발달하며 생후 1년 사이에 상당히 정교해진다. 영아는 생후 9개월경이 되면 지연모방 능력을 형성하는데, 이 시기부터 영아는 회상기억 능력이 있다. 뇌와 신경계의 수초화가 급격하게 증가하고 정보처리속도가 빨라지는 유아기에 이르면 단기기억 능력이 급격하게 증가한다. 이러한 기억능력은 성인기까지 지속되지만 50세 정도가 되면 대부분의 사람들은 기억력이 점점 감퇴된다고 보고한다. 그러나 이 시기의 기억력 감퇴는 기능적 변화 때문에 쇠퇴하는 것이 아니라 정보처리속도가 예전보다 많이 느려지는 것이 감퇴의 원인이라고 여러 연구에서 밝힌 바 있다. 이러한 기억력 감퇴는 60~65세가 되는 노년기에 접어들면 사람의 이름, 날짜, 물건을 둔 장소 등을 잊어버리거나 혼동하는 등의 현상으로 나타나게 된다. 이 시기에는 재인기억, 회상기억, 단기기억, 주의력, 작업기억 등의 능력이 감퇴하고 비교적 장기기억의 감퇴는 단기기억보다 적다. 그래서 노년기의 기억 중 흥미로운 점은 최근에 일어난 일을 기억하기보다는 아주 오래 전에 일어난 일을 더 잘 기억한다는 것이다. 이러한 기억을 먼 기억 현상이라 한다. 한편 기억 전략에는 주의집중과 주의배분, 시연, 조직화, 정교화, 인출 등이 있으며, 연령이 증가할수록 주의집중기간이 늘어나며 관련이 없는 정보나 자극에 대한 주의를 차단하는 배분능력이 향상된다. 정보를 기억하기 위해서 자발적으로 정보를 암송하려는 시연은 초등학교 1학년 이후부터 급격하게 발달하기 시작하지만 이 시기에는 자발적으로 시연전략을 사용하지는 않는다. 자발적으로 시연을 하기 위해서는 사용결함단계를 거치는데, 이 시기에는 자발적으로 시연을 생성하지만 효율적으로 사용하지 못한다는 것이다. 따라서 시연을 자발적으로 생성하고 효율적으로 사용하는 시기는 대략 초등학교 5학년이 되었을 때다. 의미가 있거나 관련된 정보들을 묶어 범주화하는 조직화 전략은 다른 기억 전략에 비하여 다소 늦게 발달하는 경향이 있지만 4세가 되면 스크립트적 범주에 의한 조직화 전략을 사용하여 정보를 기억할 수 있다. 예를 들면, '옷'이라는 범주로 구분하게 하는 것보다는 '유치원갈 때 입는 옷'으로 제시하면 아동은 그와 관련된 정보들을 조직하고 범주화할 수 있다. 이 전략은 9~10세경이 되면 좀 더 광범위한 분류학적 범주에 따른 조직화 전략으로 발달하며, 지각적 범주보다는 개념적 범주로 정보를 조직할 수 있게 된다. 주어진 정보와 그와 관련된 다른 정보들을 서로 연관시켜 기억하려는 정교화 전략은 조직화 전략과 마찬가지로 늦게 발달하는데, 5세경이 되면 초보적인 정교화 전략을 사용하지만 청년기가 되어야 자발적으로 사용할 수 있다. 이 전략이 늦게 발달하는 이유는 무관한 정보들을 서로 연관시키기 위해서는 주어진 정보의 의미를 확대하고 통합해야 하는데 이는 정보에 대한 많은 배경지식이 있을 때 가능하기 때문이다. 이러한 전략들을 사용하여 저장한 정보 중에서 필요에 따라 신속하고 효율적으로 정보를 기억해 내는 인출 전략은 외적 정보탐색 능력이 급격하게 진전하는 입학 전 아동기에 발달한다. 그러나 입학 전 아동에게 인출단서를 제시하면 정보를 기억해 내지만 자발적으로 인출단서를 사용하여 기억해 내는 것은 불가능하다.

관련어 | 인지

기억상실장애
[記憶喪失障碍, amnestic disorder]

이전에 학습한 내용이나 새로운 정보나 자극을 습득하여 저장, 회상, 재인하는 능력의 손상. 이상심리

기억상실장애에 시달리는 사람은 새로운 정보를 학습하는 능력이나 이전에 학습한 정보나 사건을 회상하는 능력에 결손을 보이고, 이를 원인으로 사회적 기능, 직업적 기능, 일상생활 기능에 어려움을 나타낸다. 기억능력 중 자발적으로 기억해 내는 회상능력에 가장 큰 손상을 보이고 자극을 제시하고 기억해 내는 재인능력도 손상된다. 기억상실의 증상은 대뇌의 손상부위에 따라 언어 및 시각 자극과 관련된 손상, 최근 사건보다는 더 오래된 사건을 더 잘 기억하는 현상 등을 나타내기도 한다. 초기단계는 의식의 혼란과 장소와 시간에 대한 지남력장애를 보이지만 자신에 대한 지남력장애는 보이지 않는다. 기억손상을 보완하기 위해 가상적인 사건을 말하는 작화증이 나타나지만 시간이 경과하면 자연스럽게 사라진다. 환자는 자신의 이러한 증상에 대한 통찰이 없으며 주변사람들이 보고하는 장애를 부인한다. 이와 관련하여 자발성의 결여, 정서적 둔마, 무감동증, 표면적으로 친근하고 우호적이지만 감정 표현의 깊이가 없고 매우 제한적이다. DSM-IV 진단기준에서 기억상실장애는 섬망, 치매, 그리고 기억상실장애 및 기타 인지장애의 하위진단에 속하였다. 그러나 DSM-5에서 기억상실장애는 사라지고, 섬망, 치매, 그리고 기억상실장애는 신경인지장애로 변경이 되었다. 주요 신경인지장애(Major Neurocognitive Disorder)는 한 가지 이상의 인지적 영역(복합주의, 실행 기능, 학습 밑 기억, 지각-운동 기능 또는 사회적 인지)에서 과거의 수행 수준에 비해 심각한 인지적 저하가 나타나는 경우를 말한다. 이러한 인지적 저하는 본인이나 잘 아는 지인 또는 임상가에 의해서 인식될 수 있다. 이러한 인지적 손상으로 인해서 일상생활을 독립적으로 영위하기 힘들 경우에 주요 신경인지장애로 진단된다. 주요 신경인지장애는 알츠하이머 질환, 뇌혈관 질환, 충격에 의한 뇌손상, HIV 감염, 파킨슨 질환 등과 같은 다양한 질환에 의해서 유발될 수 있다. DSM-5에서는 주요 신경인지장애를 그 원인적 요인으로 작용하는 질환에 따라 다양한 하위유형으로 구분하고 있다. 경도 신경인지장애(Minor Neucognitive Disorder)는 주요 신경인지장애에 비해서 증상의 심각도가 경미한 경우를 말한다. 인지기능이 과거의 수행 수준에 비해 상당히 저하되었지만 이러한 인지적 저하로 인해서 일상생활을 독립적으로 영위할 수 있는 능력이 저해되지 않는 경우를 말한다. 주요 신경인지장애와 마찬가지로, 경도 신경인지장애는 알츠하이머 질환, 뇌혈관 질환, 충격에 의한 뇌 손상, HIV 감염, 파킨슨 질환 등과 같은 다양한 질환에 의해서 유발될 수 있으며 그 원인적 질환에 따라 다양한 하위유형으로 구분되고 있다. DSM-IV에서 치매(dementia)로 지칭되었던 장애가 DSM-5에서는 그 심각도에 따라 경도 또는 주요 신경인지장애로 지칭되고 있다. 이러한 신경인지장애는 노년기에 나타나는 가장 대표적인 정신장애로서 기억력이 현저하게 저하되고 언어기능이나 운동기능이 감퇴하며 물체를 알아보지 못하고 일상생활에 필요한 여러 가지 적응능력이 전반적으로 손상된다. 지금은 진단체계에서 몇 가지 변화가 있었지만 DSM-IV의 진단기준에 따르면 기억상실장애는 원인에 따라 일반적인 의학적 상태로 인한 기억상실장애, 물질로 유발된 지속적 기억상실장애, 달리 분류되지 않는 기억상실장애라는 하위유형이 있다.

달리 분류되지 않는 기억상실장애 [-分類-記憶喪失障碍, amnestic disorder not otherwise specified] 일반적인 의학적 상태의 직접적인 생리적 효과 또는 알려져 있지 않은 물질로 인한 기억력 장애다. 예를 들면, 신경심리검사 등에서 인지기능의 장애가 발견되는 가벼운 신경인지장애, 뇌진탕

후에 나타나는 기억장애 등이다.

물질로 유발된 지속적 기억상실장애 [物質 - 誘發 - 持續的記憶喪失障碍, substance - induced persisting amnestic disorder] 약물남용, 처방약물의 부작용, 독소노출 등의 물질사용에 따르는 기억력 장애다. 기억상실을 유발하는 물질에는 알코올, 진정제, 수면제, 항불안제 등이 있다. 알코올을 장기적으로 섭취하면 티아민이 결핍되어 기억장애를 일으키며 일단 발병하면 어느 정도는 회복될 수 있지만 대부분 영구적으로 지속된다. 진정제, 수면제, 항불안제로 발병한 기억장애는 치료를 하면 완전한 회복이 가능하다. 이외에 기억장애를 일으키는 독소는 납, 수은, 일산화탄소, 유기 인산염 살충제, 공업용 용매 등이 있다.

일반적인 의학적 상태로 인한 기억상실장애 [一般的 - 醫學的狀態 - 記憶喪失障碍, amnestic disorder due to a general medical condition] 머리 특히 측두엽에 외상경험이 기억장애에 직접적인 원인이라는 증거가 뒷받침될 경우에 내려지는 기억력 장애다. 기억력 장애가 1개월 미만일 경우에는 일시적 장애이고 1개월 이상 지속될 경우에는 만성적 기억장애라 진단한다.

기저선 상태
[基底線狀態, baseline state]

평상시에 유지되는 습관적인 마음의 상태. NLP

평소에 안정된 마음의 상태를 유지하고 있는 사람도 있지만 늘 긴장하고 불안한 마음의 상태를 유지하는 사람도 있다. 이때 경험하는 내적인 상태, 즉 시각적 · 청각적 · 신체감각적 표상을 포함하는 내면적 경험의 상태 전체를 NLP에서는 기저선 상태라고 한다. 우울증 환자의 기저선 상태는 무력감, 비관적인 태도, 부정적인 감정상태로 특징지을 수 있다. 반면에 성취하는 사람들은 높은 자기존중감, 낙천적이고 긍정적인 자신감과 유능감, 밝고 건강한 미래에 대한 희망적 태도와 같은 기저선 상태를 가지고 있다. 행동주의 상담에서는 구체적인 목표행동 혹은 표적행동의 기본적인 발생비율을 기저선이라고 보는데 이에 비해 NLP에서는 심리 내적인 상태를 기저선 상태로 본다는 차이점이 있다.

기적질문
[奇蹟質問, miracle question]

내담자의 문제가 해결되었을 때의 긍정적인 미래상을 구체적이고 명료하게 볼 수 있도록 하기 위한 기법 중 하나. 해결중심상담

내담자가 자신의 문제에 대한 예외를 발견할 수 없는 경우 잠재적인 예외를 발견하기 위해서 사용하는 해결중심상담의 한 기법이다. 예를 들어, "만일 기적이 일어난다면 당신의 삶이 어떻게 바뀔 것이라고 생각하나요?"라고 치료자가 내담자에게 질문하는 것이다. 이러한 기적질문을 통해 내담자는 만족스럽게 기능하는 미래 자신의 모습을 엿볼 수 있다. 기적질문은 구체적으로 규정되고 현실적이면서 성취 가능한 목표를 설정할 능력이 없는 내담자를 상대로 드세이저(de Shazer)가 처음으로 활용하였다. 그는 실제 상담과정에서 내담자에게 "어느 날 밤 잠든 사이 기적이 일어나 이 문제가 해결되었다고 상상해 보세요. 기적이 일어난 줄 어떻게 알았을까요? 무엇이 다를까요? 당신이 남편에게 기적에 대해 아무 말도 하지 않았는데 남편은 그것을 어떻게 알까요?"라는 질문을 통해서 잠재적인 예외를 발견하는 시도를 하였고, 이를 통해 보다 구체적인 목표를 세워 나가는 데 많은 도움을 받았다. 이후 베르크(Berg)와 그의 동료들은 절망에 빠져 있는 내담자와 상담하면서 "기적이라도 일어난다면 모를까."

라는 말을 듣고 힌트를 얻어 내담자에게 문제가 사라졌을 때 자신의 생활이 어떻게 될지 상상해 보는 것의 효과를 발견함으로써 기적질문의 효과성을 인식하게 되었다. 그 후로 기적질문은 해결중심적 치료자들에게 유용한 도구가 되었다. 기적질문에 대한 대답은 내담자에 따라 다양한 형태로 나타나는데, 이를 세 가지로 분류해 볼 수 있다. 첫째, '구체적이지 않은 기적'이다. 내담자들은 종종 구체적인 행동으로 표현되지 않는 대답을 하는데, 이때는 그 대답을 명료화할 수 있도록 치료자가 격려해 주어야 한다. 둘째, '불가능하거나 일어나지 않을 것 같은 기적'이다. 이는 내담자들이 가시적인 해결질문에 대해서 불가능하거나 일어나지 않을 것 같은 목표로 대답을 하는 것이다. 예를 들어, 돌아가신 부모님이 다시 살아 돌아오거나 멀리 이사 간 친구가 다시 돌아온다는 등의 대답이다. 이러한 대답을 하는 내담자들은 종종 상실감이 잠재되어 있다. 치료자는 내담자의 숨겨진 욕구를 찾아내어 불가능하거나 일어나지 않을 것 같은 바람 대신 현실적인 대답을 할 수 있도록 격려해 주어야 한다. 셋째, '나는 다른 사람들이 달라지기를 원해요라는 기적'이다. 내담자들이 기적을 묻는 치료자의 질문에 자신의 행동을 바꾸려 하기보다는 다른 사람들의 행동이 먼저 변화되기를 바라는 것이다. 이 경우에 치료자는 먼저 자신의 행동을 변화시켜야 다른 사람들의 행동을 변화시킬 수 있다는 상호관계의 개념을 내담자가 이해하도록 도와주어야 한다. 기적질문을 상담과정에 하는 이유는 다음과 같다. 첫째, 치료의 목표를 설정하기 위해서다. 해결중심상담은 일반적으로 목표를 설정해 놓고 치료를 진행한다. 치료의 목표를 설정할 때 기적질문을 사용함으로써 내담자가 원하는 목표를 알아낼 수 있고, 또한 언제 치료가 끝날지 알려 주는 단서가 된다. 둘째, 가상적으로 기적을 체험하는 기회를 준다. 내담자가 기적에 대한 이야기를 할 때 마치 실제로 그 일이 이루어진 것과 같은 동작과 느낌으로 이야기할 가능성이 높다. 이 과정을 통해 문제가 해결되었을 때의 기쁨을 미리 맛볼 수 있는 기회가 된다. 셋째, 예외에 대한 준비를 할 수 있다. 기적질문으로 내담자의 문제가 일어나지 않는 예외를 발견할 수도 있고, 그러한 예외가 발생하였을 때 내담자가 어떻게 행동할 수 있는지 연습해 볼 수도 있다. 넷째, 개선된 이야기를 창조할 수 있다. 기적질문을 할 때 내담자들은 그러한 기적이 일어나고 있다는 것을 알 수 있는 여러 가지 단서와 변화에 대해서 이야기할 수도 있다. 그 이야기를 바탕으로 기적질문을 하기 전 내담자의 삶에 대한 인식을 기적질문 이후에 개선할 수 있게 된다.

관련어 | 가정하기 문형, 예외 질문

기질
[氣質, temperament]

외부환경에 반응하는 총체적인 정서적 표현양식을 보여 주는 개인의 성격적 소질. 발달심리

기질에 관한 연구는 토마스와 체스(Thomas & Chess, 1977)가 시작하였다. 그들은 뉴욕 종단 연구(New York Logitudinal Study: NYLS)를 통하여 기질의 아홉 가지 구성요인을 밝히고 기질 질문지(parent temperament questionnaire: PTQ)를 개발하였다. 영아들을 양육하는 부모를 대상으로 질문지를 실시한 결과, 영아들의 기질은 순한 아동(easy child), 까다로운 아동(difficult child), 더딘 아동(slow to warm up child)의 세 가지 유형으로 구분되었다. 기질은 개인차가 있는 것으로서, 영아가 출생한 후 외부환경에 적응해 나가는 방식이며 개인적 경향성으로 성인기의 성격형성에 큰 영향을 미친다. 또한 생물학적인 근거가 있기 때문에 타고난 경향이며 발달과정에서 비교적 영속적이고 안정적이다. 기질은 공통적이지 않고 개인마다 서로 다른 특성을 나타낸다. 따라서 인간의 성격이나 행동발

달에 관한 개인차 연구의 주요한 주제라 할 수 있다. 토마스와 체스가 제시한 기질의 세 가지 유형 중 순한 아동은 일상생활이 대체로 규칙적이고 정서가 안정되어 있으며 환경변화에 잘 적응한다. 더딘 아동은 활동량이 적고 반응강도가 약하며 순한 아동보다 일상생활이 약간 덜 규칙적이고 환경변화의 적응이 늦은 편이다. 연구에 참여한 영아 중 40%는 순한 아동, 10%는 까다로운 아동, 15%는 더딘 아동으로 구분되었고, 나머지는 어느 유형에도 속하지 않는다고 밝혔다. 이는 지금까지 연구되어 온 기질의 유형 중 가장 일반적인 분류방식이다. 세 유형 중에서 까다로운 아동은 새로운 외부환경의 자극에 대해 민감하고 적응하는 데 어려움이 있으며 감정의 기복이 심하고 부정적 정서를 자주 표출한다. 그래서 이 유형의 아동은 특히 더 많은 문제행동을 보일 가능성이 높다는 견해가 있다. 기질을 형성하는 데 유전적 요인이 크게 작용하기 때문에 성인에 이르기까지 비교적 일관되고 안정적으로 유지된다. 그러나 외부환경, 즉 어머니의 성격이나 양육방식이 영아의 기질에 적합하게 이루어진다면 문제행동을 일으키는 까다로운 아동도 보다 나은 성장과 발달을 도모할 수 있다. 이와 같이 부모의 양육방식이 아동의 기질적 특성과 조화롭게 작용하여 아동이 환경에 잘 적응하고 성장하도록 최적의 상태가 되도록 할 때 조화의 적합성이 이루어졌다고 말한다. 토마스와 체스가 제시한 기질의 특성은 활동수준, 규칙성, 접근/철회성, 적응성, 반응강도, 반응역, 기분상태, 주의산만성, 주의기간 및 주의지속성 등 아홉 가지다. 활동수준은 아동이 깨어 있는 동안의 신체적 움직임의 강도를 말한다. 규칙성은 수면, 공부, 식사, 배변시간 등과 관련된 기능의 예측 가능 정도를 말한다. 접근/철회성은 음식, 장난감, 사람과 같은 새로운 자극에 대해 처음 나타내는 반응형태를 말하는데, 접근성은 자극에 대해 긍정적으로 반응하는 것이고 철회성은 부정적으로 표현되는 반응이다. 적응성은 새롭거나 변화된 환경에 대해 바람직하게 반응하는 것이다. 반응강도는 에너지 수준을 말하고, 반응역은 반응을 일으키는 데 필요한 자극의 양이며, 기분상태는 불쾌, 슬픔, 화와 같은 부정적 감정이나 즐거움, 좋아함 등의 긍정적 감정을 말한다. 주의산만성은 필요에 따라 행동이나 행동의 방향에 대해 효율적으로 주의를 기울이는 정도다. 주의 기간 및 주의 지속성에서 주의 기간은 선택한 활동을 계속해서 해 나가는 시간의 길이이며 주의 지속성은 방해자극에도 불구하고 활동을 끝까지 마무리하는 것이다. 이는 지금까지 연구된 기질의 구성요인 중 가장 많이 적용하고 있는 기질의 특성들이다. 이외에 부스와 플로민(Buss & Plomin, 1984)은 정서성(emotionality), 활동성(activity), 사회성(sociability)으로 기질이 구성되어 있다고 보았다. 정서성은 기분 나쁨, 화 등의 감정적 반응이며 활동성은 활력, 민첩성, 끊임없는 움직임이나 행동 등의 신체적 활동이다. 사회성은 다른 사람과 함께 지내는 것을 좋아하는 성향이다. 로스바트(Rothbart, 1986)는 반응성과 자기조절의 차원에서 기질의 개인차를 설명하였고, 케이건(Kagan)은 낯선 상황이나 사람에 대해 수줍음이 많고 주저하며 소극적이고 위축된 기질을 행동억제라 하였으며, 이는 비교적 안정적인 특성을 지니고 있지만 환경적 요인으로 바뀔 수 있다고 하였다. 영아의 기질을 평가하는 데에는 부모보고형 질문지를 작성하거나 부모 관찰을 행한다.

관련어 | 자기조절

기질특질
[氣質特質, temperament trait]

개인의 일반적인 행동패턴이나 정서적 반응 경향성. 성격심리

커텔(R. Cattell)의 분류에 따른 성격 특질로, 기질특질은 어떤 상황에서 어떻게 행동하고 어떻게 반응할 것인가에 영향을 미치는 특성이다. 예를 들

면, 개방적, 사교적, 대담함, 초조함 등으로 표현되는 특질이다.

기초선
[基礎線, baseline]

독립변인이 주어지기 전에 혹은 실험처치(중재)를 시작하기 전에 현재의 상태를 그대로 유지하면서 표적행동과 관련된 자료를 수집하는 것. 연구방법

행동치료에서는 치료나 훈련 절차를 도입하는 것을 처치(treatment)라 하는데, 이에 대해 처치를 가하지 않는 조건을 기초선(혹은 기저선)이라고 한다. 즉, 처치하기 전에 목표행동의 발생빈도를 측정하거나 기록한 것이 기초선이다. 일반적으로 기초선은 처치 전에 설정되는 것으로 처치효과를 밝히는 기준이 될 수 있다. 즉, 처치 전인 기초선 단계에서의 행동빈도를 측정하고 처치 후의 행동빈도를 측정하여 비교함으로써 처치 전후의 변화를 분석할 수 있다. 물론, 처치 전후의 변화에 처치효과뿐만 아니라 다른 요인도 개입될 수 있으므로 인과관계를 설명하는 데는 한계가 있다. 행동수정 연구의 첫 단계는 이 기초선 측정에서 시작되므로, 일정한 기간 평상시와 똑같은 조건에서 문제행동, 즉 수정하고자 하는 목표행동(표적행동)을 관찰하여 기록한다. 행동수정가들이 목표 행동을 직접 측정하고, 이 측정치의 변화를 보고 문제의 개선 정도를 파악하는 가장 좋은 지표로 사용한다는 점에서 기초선 단계는 중요하다. 예를 들어, 아이가 학교에서 어려움을 겪고 있다면 행동수정가는 아이의 지능검사 점수보다는 읽기 결함, 부주의한 행동, 다른 아이들과의 과도한 싸움과 같은 문제를 구성하는 특정 행동과잉 혹은 행동 결핍에 대한 기초선에 훨씬 더 관심이 많을 것이다. 행동수정가는 이러한 기초선 평가를 한 다음, 바람직한 행동변화를 가져올 수 있는 효과적인 처치 프로그램을 설계한다. 한편, 미술치료 분야에서의 기초선은 사물의 위치를 설정하고 방향과 거리를 표현하는 방법으로 공간을 구분하는 기준이 되는 선을 말한다. 아이의 그림에서 기초선은 땅과 동일시되며, 기초선과 대응되는 것으로 나타나는 것이 하늘선이다. 이것은 보통 종이의 맨 위쪽에 나타나며, 기초선과 하늘선 사이의 공간을 공기라고 한다. 특히 나무그림에서 기초선은 뿌리와 더불어 상징적으로 피험자의 현실과의 접촉 및 그 접촉의 안전성을 나타내는 것으로 가정되어 있다. 실험처치 이전에 미리 기초선을 관찰 측정하는 이유는 첫째, 평상시 행동과 행동수정 기간 중의 행동이 서로 어떻게 다른지 비교하는 근거를 마련하기 위해서다. 즉, 연구자가 종속변인의 현행 수준에 대한 정보를 얻음으로써 미래의 변화를 비교할 수 있는 근거를 확보하기 위한 것이다. 둘째, 종속변인에 대한 수행과 환경에 대한 부가적인 정보를 얻을 수 있는 기회로 활용하기 위해서다. 예를 들어, 연구자가 기초선 자료를 수집함으로써 수행수준이 매우 불안정하다는 사실을 발견하게 된다면 수행에 영향을 미치는 특정 변인이 아직 밝혀지지 않고 있다는 것을 의심할 수 있으며, 또한 수행수준이 안정되지 않았기 때문에 중재를 시작할 수 없다는 결론을 내릴 수 있다. 사례를 들어 보면 다음과 같다. 박 선생님은 여름연수에서 배운 자기감독기법을 자신의 학급에서 해당되는 학생에게 적용하기로 하였다. 수업시간에 자리에 오래 앉아 있지 못하는 기훈이에게 점검표를 주고, 매 2분마다 자신이 잘 앉아 있는지 체크해서 기입하도록 하였다. 다음 그림에서 보는 바와 같이 중재를 시작하기 전에 기훈이의 착석행동 수행수준은 40분 수업 중 약 50% 수준이었으나, 중재 실시 후 약 90% 가까운 수준으로 향상되었다. 여기서 기훈이의 40분 수업 중 착석 행동의 수행 수준 50%가 기초선에 해당된다. 그림과 같은 AB 설계 연구에서는 기훈이의 향상된 수행수준이 반드시 박 선생님의 중재 때문이었다고 결론짓기가 어렵다. 이것은 이러한 결론을 내리기 어렵게 하는 요인들, 즉 중재 실시와 비슷한 시기에 외부에서 행동교정

을 받았다거나 기훈이가 성장하면서 스스로 태도가 향상된 경우일 수도 있기 때문이다. 그러므로 이러한 경우에는 독립변인과 종속변인 간의 기능적 관계를 입증한다고 볼 수 없다. 기능적 관계를 입증하기 위해서는 중재의 반복된 소개와 제거를 통한 ABAB 설계를 해야 한다.

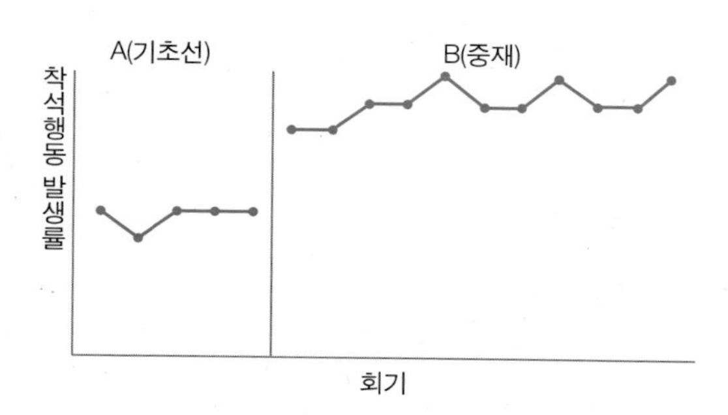

[기훈이의 자기감독기법 적용에 의한 착석행동 발생률]

출처: 이소현, 박은혜, 김영태(2000). 교육 및 임상현장 적용을 위한 단일대상연구. 서울: 학지사. p. 76.

관련어 단일대상연구설계

기초연구
[基礎硏究, basic research]

실제 문제의 해결에 관련된 정보를 제공하려는 것이 아니라, 학술적이고 과학적 이론의 기초 정보를 제공하기 위한 연구. 연구방법

연구는 목적에 따라 기초연구와 응용연구(applied research)로 분류할 수 있다. 기초연구는 어떤 사실에 대한 이론을 규명하여 지식을 확장시키는 역할을 하는 연구로서, 원리 혹은 특정한 사실을 발견하거나 이론을 발전시키고자 하는 목적이 있다. 따라서 세심한 연구절차를 거치지만, 현장의 문제점을 해결하기 위한 연구결과의 응용에는 관심이 부족하다. 기초연구는 일반적으로 실험실에서 동물을 대상으로 연구가 이루어지는 경우가 많은데, 고등정신 기능 및 작용에 대한 실험연구를 기초연구의 예로 들 수 있다. 알려지지 않은 사실이나 새로운 이론을 도출하려는 기초연구의 결과는 여러 연구에 적용할 수 있다. 반면, 응용연구는 실제 문제상황에서 이론적 개념을 검토하거나 특정 상황의 진행과 결과를 개선시키는 데 목적이 있다. 따라서 대부분의 상담연구는 응용연구이며, 상담과정의 발전과 상담결과에 대한 일반화를 시도하기 위한 연구라고 할 수 있다. 응용연구의 예로는 여러 가지 상담기법에 대한 조사를 통하여 어느 것이 분노조절에 좋은 방법이고, 각기 다른 상담기법의 장단점은 무엇인지 파악하여 상담현장에 적용하고자 하는 연구를 들 수 있다.

기초학습기능수행평가체제수학검사
[基礎學習技能遂行評價體制數學檢査, Basic Academic Skills Assessment: BASA-Mathematics]

수학학습 수준평가를 위한 학습검사. 심리검사

수학학습의 발달수준을 진단, 평가하기 위해서 2000년에 김동일이 개발한 검사로, 대상은 초등학교 1학년부터 성인까지다. 검사의 소요시간은 25분이며, 학습부진 아동이나 특수교육 대상자의 수학수행수준을 진단·평가하는 국내 최초의 검사다. 실시가 간편하고 시간이나 비용이 적게 들기 때문에 자주 실시할 수 있는 개인용 표준화검사이며, 수학능력을 직접 측정하므로 전체 집단에서 차지하는 아동의 상대적인 위치에 대한 정보뿐만 아니라 어떤 부분이 부진한지 확인할 수 있도록 아동의 문제에 대해 구체적으로 정보를 제공한다. 진단과 더불어 교수계획이나 중재의 효과를 평가하고 아동의 수학 학습수준의 성장을 모니터링하는 데에도 사용할 수 있다. 검사의 특징은 아동의 수학 수행수준에 관해 명확하고 효과적인 의사소통이 필요할 때 사용하며, 교육적 의사결정을 위해 상대적으로 짧은 기간 수학 학습수준 발달과 성장을 측정하는 데 유

용하다는 점이다. Ⅰ·Ⅱ·Ⅲ 수준의 학년단계검사와 통합단계검사로 구성되어 교육과정에 따른 아동의 수준을 쉽게 파악하며, 학습부진 아동이나 특수교육 대상자를 위한 교육적 정보를 제공한다. 교사나 치료자가 집단보다는 아동 개개인을 지도하고자 하는 경우 프로그램 효과 판단에 적합하다. 검사는 네 가지로 구성되어 있는데, Ⅰ단계 검사는 1학년 수준, Ⅱ단계 검사는 2학년 수준, Ⅲ단계 검사는 3학년 수준, 통합단계는 1, 2, 3학년의 내용을 모두 다루는 문제를 담고 있다. 초등 1학년 학생에게는 Ⅰ단계와 통합단계, 초등 2학년 학생에게는 Ⅱ단계와 통합단계, 초등 3학년 이상 학생에게는 Ⅲ단계와 통합단계 검사를 실시한다. 결과의 백분위가 15% 이하인 경우에는 아래 학년 단계의 검사를 실시하여 백분위를 확인한다.

기초학습기능수행평가체제쓰기검사 [基礎學習技能遂行評價體制－檢査, Basic Academic Skills Assessment: BASA-Written Expression]

쓰기문제를 가진 학생의 지도목적으로 쓰기능력의 발달수준 측정 및 평가를 위한 학습검사. 심리검사

쓰기문제를 가진 아동을 지도하기 위한 쓰기능력의 발달수준을 측정 및 평가하는 검사로, 2000년에 김동일이 개발하였다. 대상은 초등학교 1학년부터 성인까지이며, 검사의 소요시간은 40분이다. 대안적인 평가 체제인 교육과정 중심 측정(curriculum-based measurement) 절차에 따라 제작된 이 평가 체제는 쓰기에 문제가 있는 아동을 지도하기 위하여 현재 수행수준을 정량적, 정성적으로 평가하고, 교육적 의사결정을 위하여 상대적으로 짧은 기간(매주)에 아동의 쓰기능력 발달과 성장을 측정하는데 유용하다. 아동의 쓰기능력의 발달을 반복되는 측정을 통하여 나타낼 수 있고, 쓰기 부진 아동이나 특수교육 대상자를 위한 교육적 정보제공에 도움이 되며, 비용에 따른 효과 측면에서도 바람직하다. 특히 교사나 치료자가 전체 집단보다는 아동 개개인을 지도하고자 할 때 프로그램의 효과 판단에 적합하다. 개인검사로서 이야기 서두 제시 검사의 형태로 실시하며, 아동이 주어진 시간 안에 얼마나 많은 글자를 얼마나 정확하게 쓰는가를 측정한다. 검사자는 아동에게 이야기 서두를 제시한 다음, 1분간 생각하고 3분간 이야기 서두에 이어질 내용을 쓰도록 한다. 검사는 기초 평가와 형성 평가로 나누어 실시하며, 검사의 채점은 쓰기 유창성 수준을 측정하는 정량적 평가를 기본으로 하되, 아동의 쓰기수행에 대한 부가적인 정보를 얻기 위해 정성적 평가를 실시할 수 있다. 기초평가를 통해서는 수행수준을 진단하고 형성평가를 통해서는 쓰기능력의 발달을 모니터링할 수 있다. 이처럼 기초평가의 하위영역 중 정량적 평가는 아동의 쓰기 유창성 측정을 위해 실시하는데, 아동이 쓴 글에서 정확한 음절의 수를 계산해서 기록하는 것이다. 정확한 음절의 수는 총 음절에서 오류가 있는 음절의 수를 뺀 값이다. 이를 위해 아동이 쓴 글에서 발견된 오류를 유형에 따라 기호로 표시해 두어야 하며 그 유형에는 '소리 나는 대로 쓰기' '삽입' '대치' '생략'이 있다. 또한 정성적 평가는 부가적인 평가로서 아동의 쓰기 능력에 대한 구체적인 정보를 얻기 위해 실시하는데, 이야기 서두 제시 검사에서 아동이 쓴 글에 대해 '글의 형식' '글의 조직' '글의 문체' '글의 표현' '글의 내용' '글의 주제' 영역으로 나누어 분석적으로 평가한다. 매 검사회기마다 검사자는 무선적으로 하나의 검사자료를 뽑아서 실시하며, 대상의 쓰기수행을 점검한다.

기초학습기능수행평가체제읽기검사 [基礎學習技能遂行評價體制-檢査, Basic Academic Skills Assessment: BASA-Reading]

부진 아동의 선별, 읽기장애 진단을 위한 학습검사. 심리검사

부진 아동을 선별하고 읽기장애를 진단하기 위한 읽기 유창성 검사로서, 2000년에 김동일이 개발하였다. 대상은 초등학교 1학년부터 성인까지이고, 소요시간은 35분이다. 실시가 간편하고 시간이나 비용이 적게 들기 때문에 자주 실시할 수 있는 지역규준의 개인용 표준화검사다. 이 검사는 읽기능력을 진단하고, 형성평가로 활용이 가능하며, 학습효과를 확인하고 이에 맞게 진도나 교수계획, 중재계획을 수립하는 데 유용하다. 또한 읽기능력을 직접 측정할 수 있기 때문에 아동이 전체 집단에서 차지하는 상대적인 위치에 대한 정보는 물론, 읽기와 관련하여 어떤 부분이 부진한지 확인해 볼 수 있다는 장점이 있다. 진단과 더불어 교수계획이나 중재의 효과를 평가하고 아동의 읽기 수행능력에 대한 성장을 모니터링하는 데에도 사용할 수 있다. 이 검사는 대상의 읽기 수행수준에 관해 명확하고 효과적인 의사소통이 필요한 경우와 교육적 의사결정을 위하여 상대적으로 짧은 기간(매주 혹은 매일)에 대상의 성장을 측정하는 경우에 사용한다. 반복되는 측정을 통해 아동의 학습능력의 발달을 확인해 볼 수 있다. 특수교육 대상자를 위한 교육적 정보를 제공하며, 비용에 따른 효과 측면에서 경제적이다. 또한 교사나 치료자가 집단보다는 아동 개개인을 지도하고자 할 때 프로그램의 효과 판단에 적합하다. 검사결과에 따라서 대상의 현재 수행수준을 진단하고 이에 적절한 개별화 읽기교수와 중재계획 및 자문에 필요한 교수-학습전략을 검사지침서에 함께 제공한다. 교수-학습전략은 기초선 설정단계와 구체적 중재단계로 나누어 읽기 부진 아동의 선별, 일반적 읽기 지도, 오류유형 찾기, 읽기 심화지도, 독해지도 영역으로 구분되어 있으며, 영역별로 일반지침과 세부전략이 소개되어 있다. 검사의 실시방법은 다음과 같다. 기초평가는 기초평가용으로 제작된 읽기 검사자료 1을 3회 실시하여 아동의 기초선(baseline)을 확인한다. 형성평가는 이야기 자료를 통해 지속적인 읽기 수행능력 성장을 점검한다. 기초 평가의 하위검사 중 읽기 검사자료 1은 개인검사로서 아동이 주어진 시간 안에 얼마나 많은 글자를 얼마나 정확하게 읽는가를 측정하는 내용으로 구성되어 있다. 검사자는 아동에게 이야기를 제시하고 지시에 따라 1분 동안 되도록 또박또박 읽도록 한다. 아동이 틀리게 읽은 글자에 사선(/)을 긋고, 빠트리거나 더 넣거나 잘못 발음한 글자는 모든 틀린 글자로 간주한다. 검사자는 검사자용 검사지 오른편에 기재된 글자 수를 보고 아동이 맞게 읽은 글자 수를 세어 기록한다. 읽기 검사는 총 3회 실시하며 1회는 읽기 검사자료 1-(1) '토끼야 토끼야', 2회는 읽기 검사자료 1-(2) '분명히 내 동생인데', 3회는 다시 읽기 검사자료 1-(1)을 실시한다. 읽기 검사자료 2는 독해력을 측정하기 위한 집단용 검사로서 문맥에 맞는 적절한 단어를 선택하는 문항으로 구성되어 있다. 매 일곱 단어마다 한 단어를 선택하여 여러 가지 보기를 제시하고 이 중에서 적절한 단어를 고르도록 제작되었다. 검사자는 문항에 응답하는 요령을 집단에 지시하고 3분 동안 아동이 옳게 선택한 문항 수를 계산한다. 아동은 시간이 될 때까지 확실하지 않더라도 옳다고 생각되는 단어를 빠짐없이 선택해야 한다. 형성평가 하위검사 중 읽기 검사자료는 기초평가를 통해 읽기 수행수준을 확인한 다음, 다양한 이야기 자료를 활용하여 지속적으로 대상 아동의 읽기 발달을 모니터링할 수 있다. 실시방법은 기초평가의 읽기 검사자료 1과 같다. 매 검사회기마다 검사자는 무선적으로 하나의 검사자료를 뽑아서 형성평가를 실시하여 대상 아동의 읽기 수행수준을 점검한다.

기초학습기능수행평가체제초기수학검사
[基礎學習技能遂行評價體制初期數學檢査, Basic Academic Skills Assessment: BASA-Elementary Numeracy]

수학 학습장애 혹은 학습장애 위험군 아동의 조기판별 및 초기 수학준비기술 평가를 위한 학습검사. 심리검사

수학 학습장애 혹은 학습장애 위험군 아동을 조기에 판별하고 초기 수학준비기술을 평가하기 위해서 2000년에 김동일이 개발한 검사로, 대상은 만 4세 이상이다. 검사의 소요시간은 약 30분이며, 아동의 수 감각능력 발달 정도를 반복적으로 평가하고 진전도를 측정할 수 있는 수행평가체제다. 실시가 간편하고 시간과 비용이 적게 들기 때문에 자주 실시할 수 있다는 장점이 있으며, 세분화되어 있는 하위검사를 통해 부족한 부분의 확인 및 중재전략에 관한 구체적인 정보를 제공받을 수 있다. 검사의 특징은 학습 및 발달 지체 위험 아동이나 특수 유아를 위한 조기교육 진단정보를 제공하며, 교육적 의사결정을 위해 상대적으로 짧은 기간의 유아기 초기 수학 학습수준 발달과 성장을 측정하는 데 유용하다. 반복적인 측정을 통해 유아의 학습능력의 발달을 확인할 수 있고, 기초평가를 통한 수행수준 진단과 형성평가를 통한 유아의 초기 수학능력의 발달을 모니터링할 수 있다. 이 검사는 크게 기초평가와 형성평가의 두 가지로 구성되어 있다. 기초평가로 아동의 현재 수준을 점검 및 기초선을 확인하여 그를 기준으로 한 목표치를 설정한다. 후에 형성평가를 이용하여 지속적으로 유아의 초기 수학 학습능력을 확인함으로써 발달 정도를 파악, 궁극적으로 수학 학습에 필요한 능력을 증진시킬 수 있다. 총 180문항으로 수 인식(1~100까지의 수를 빠르고 정확하게 읽는 능력 측정)이 80문항, 빠진 수 찾기(1~20까지의 수 중 연속된 세 수에서 수들의 배열규칙을 찾아 빠진 수를 인식하는 능력 측정)가 30문항, 수량 변별(두 수 중 어떤 수가 더 큰지 변별하는 능력 측정)이 40문항, 추정(수직선 위에서 수의 위치를 추정해 보는 능력 측정)이 30문항이다.

기초학습기술
[基礎學習技術, basic learning skills]

학습을 가능하게 하는 가장 기본적인 기술. 특수아상담

일반 아동은 초등학교에 입학하여 저학년 시기에 읽기, 쓰기, 산수의 기초학습기술을 학습하고 고학년 시기에는 과학이나 사회 등 내용 중심의 교과학습을 위해서 이미 지니고 있는 기초학습기술의 적용방법을 학습한다. 중고등학교에서는 기초학습기술이 이미 습득되었다는 가정하에 내용 중심의 교과목 학습을 강조한 교육과정이 적용된다. 그러나 학습장애, 지적장애 학생들은 기초학습기술 습득이 부족하여 학력 향상에 어려움을 겪는 경우가 많다. 이들이 기초학습기술을 완전히 익힐 수 있도록 하기 위해서는 개별적인 중재를 제공해야 한다.

기폭제
[起爆劑, trigger]

트라우마로 발생하는 다양한 신체적 · 심리적 증상. 기타 가족치료

'트리거(trigger)'의 사전적 의미는 '방아쇠가 발사되다' '폭발하다' 등인데, 트라우마 경험을 재경험하도록 만드는 자극을 의미한다. 즉, 과거의 트라우마 경험을 떠올려 재경험하도록 만드는 자극을 트리거라고 한다. 트라우마는 신체적, 정신적으로 여러 가지 형태의 후유증을 남긴다. 원인을 알 수 없는 통증, 반복되는 불면과 악몽, 식욕부진, 불안, 공포, 우울, 기억상실, 집중력 감퇴, 무기력감, 대인기피증 등 다양한 증상을 야기한다. 이 같은 증상이 나타나는 것은 트라우마의 피해자가 마음이 약해서가 아

니라 트라우마의 지속적인 영향력 때문에 생기는 것이다. 트라우마는 한 번의 일회적 경험이 아닌 날마다 매순간 재경험되기 때문이다. 트라우마 경험의 특징을 보면 먼저, 과도한 각성으로 민감하게 반응하여 불안, 분노, 공포감에 압도되면서 심장박동과 호흡이 빨라지는 현상이 나타난다. 다음으로, 과소각성으로 정상적으로 있어야 할 반응이 없어지거나 둔감해져 감정의 기복이 없고 호흡도 밋밋한 현상이 나타난다. 이처럼 과도각성이나 과소각성을 통하여 트라우마의 피해자는 날마다 트라우마를 일상 속에서 재경험한다. 우리 속담에 "자라 보고 놀란 가슴 솥뚜껑 보고 놀란다."라는 말이 있다. 무엇인가에 한번 놀란 사람은 나중에 그것과 비슷한 자극에도 소스라치게 놀란다는 뜻이다. 트라우마 역시 경험을 하고 한참 동안 시간이 흐른 뒤에도 처음에 트라우마를 받았던 사건과 비슷한 경험을 하면 고통을 느낀다. 예를 들면, 대구지하철 참사사건에서 살아남은 사람들은 지하철 입구만 보고서도 놀라 트라우마를 경험한 당시의 고통과 느낌을 다시 경험하게 된다.

기행증
[奇行症, mannerism]

개인의 성격과 어울리는 특유의 습관적이고 불수의적인 반복행동. 인지행동

상동행동(stereotype)보다는 덜 지속적이고 덜 단조로운 행동이며 성격방어가 나타난 형태다. 성격방어란 개성 있는 특징을 보여 주는 여러 가지 지속적인 태도와 타인에게 접근 혹은 반응하는 방식을 뜻한다. 독특하고 일정한 버릇을 뜻하는 기행증이나 가식 등의 형태로 나타나는데, 지속적인 불안이나 정서를 방어, 해소, 또는 배출하는 수단이 된다. 예를 들면, 얼굴을 찡긋찡긋한다든지 걸어가면서 이상한 몸짓을 계속하는 것처럼 독특하고 이상한 버릇이다. 주로 기질성 정신장애나 조현병에서 나타난다.

관련어 | 상동행동

긴장병
[緊張病, catatonia]

사고장애인 정신분열병의 유형으로, 현실이나 주변환경에서 분리되어 흐리멍덩한 상태나 흥분상태 혹은 이 두 상태가 교대로 나타나는 질환. 이상심리

긴장병에는 다양한 유형이 있다. 먼저, 외부자극에 반응하지 않고 불러도 대답하지 않으며 한곳만 바라보고 계속 앉아 있거나 기묘한 자세를 유지하거나 치료자가 사지를 움직이려고 하면 저항하고 무리하여 움직이면 인형처럼 그대로 자세를 유지하면서 정서적 혼미, 거절, 경직, 자세 유지를 나타내는 유형이 있다. 반면, 함부로 움직이고 돌아다니거나 파괴적이고 공격적이 되며 격심한 흥분을 나타내는 유형이 있다. 또한 이 두 유형이 교대로 나타나기도 한다.

긴장이완
[緊張弛緩, relaxation]

심신의 긴장상태를 완화하여 근육이나 정서를 평온한 상태로 만들어 유지시키는 것. 심상치료

마음이나 몸을 이완시키는 것인데, 신체적으로는 지나치게 긴장되어 있는 부분을 완화하고, 심리적으로는 흥분을 가라앉혀 안정시키는 것을 말한다. 긴장이완은 동·서양을 불문하고 생활상의 지혜로 간주되어 왔지만, 셀리에(Selye)의 학설 이래 스트레스 장면에서도 긴장 없이 느긋해질 수 있음의 중요성이 강조되었다. 긴장이완을 측정하는 생리적 지표로는 근전도, 심장박동수, 뇌파 등이 있고, 심리

적 지표로는 MAS, STAI, POMS, ATCES 등 여러 가지 지표화된 검사가 개발되어 있다. 긴장이완을 실현하기 위한 절차로는 신체감각에 대한 수동적 주의집중, 자기암시, 복식호흡법, 긴장이완과 관련된 이미지의 상기, 근육을 의도적으로 긴장시킨 뒤 이완시키는 방법 등이 있다. 체계적 방법으로는 마음으로 들어가는 슐츠(Schultz)의 자율훈련법, 몸에서 시작하는 제이콥슨(Jacobson)의 점진적 이완법, 주체적 노력으로 자신을 이완시키는 자기이완훈련법 등이 잘 알려져 있다. 이는 모두 심신 양면, 유기체 전체의 자기이완이 가능하도록 자기활동능력을 높이는 방법이다. 긴장이완은 스트레스, 불안, 공포, 만성긴장 등의 증상을 경감·극복하기 위한 기초가 된다. 울페(Wolpe)에 따르면, 이 증상들은 자극이 초래하는 습관성 반응이고, 자극에 직면했을 때 이 증상들을 일시적으로 약화시키는 것을 반복하면 자극과 반응의 결합이 약해져서 증상이 경감된다. 이는 인간뿐만 아니라 동물실험에서도 실증된 사실이며, 이 증상들을 일시적으로 약화시키는 수단으로 긴장이완절차가 가장 많이 이용되고 있다. 내담자는 스트레스와 불안반응을 불러일으키는 것을 많이 말하는데, 이때 상담자의 수용적 태도는 내담자 마음의 긴장이완을 매개로 이야기한 것에 따른 스트레스반응을 줄여 준다.

긴장이완훈련
[緊張弛緩訓練, strain relief training]

행동수정방법 중 체계적 둔감법의 앞 단계에 적용하는 점진적 이완훈련. 행동치료

긴장이완을 달성하기 위하여 사용하는 방법으로, 흔히 제이콥슨(Jacobson)의 점진적 이완훈련을 수정하여 내담자가 상담자의 지시에 따라 온몸의 근육군을 점차 긴장시켰다가 푸는 과정으로 구성되어 있다. 상담자는 심상안내를 통해, 온몸이 따뜻해지면서 긴장이 풀리고 평온해진다는 것을 암시한다. 또한 국부적인 근육군을 긴장시켰다가 푸는 것에 내담자가 세심한 주의를 기울이게 하면서, 상반되는 자극이나 반응이 일어나지 않도록 조심시킨다. 긴장이완훈련 기간에 치료시간의 약 절반을 이 훈련에 소비하고, 다음 치료 때까지 집에서 연습하도록 한다. 긴장이완에서 지켜야 할 점은, 첫째, 근육군을 긴장시켜서 풀 때까지 내담자는 그 근육군에 온 정신을 집중시킬 것, 둘째, 긴장을 풀 때는 갑자기 풀 것, 셋째, 근육을 긴장시켰을 때와 긴장을 풀 때의 기분의 차이를 생생하게 감상하도록 할 것 등이다. 제이콥슨이 원래 제안한 것에서 수정된 여러 가지 변형이 있다. 내담자에게 연습방법을 안내하는 것부터 시작되는데 가장 널리 활용되는 방법을 살펴보면 다음과 같다. 이 기술은 상담자가 구두로 해도 되고, 미리 인쇄해 두었다가 내담자로 하여금 읽게 해도 된다. "긴장을 푸는 방법은 연습을 하면 잘 할 수 있게 됩니다. 처음에는 20분 내지 30분쯤 걸려야 완전히 할 수 있지만, 차차 연습하면 10분 내지 15분이면 됩니다. 원리는 간단하게, 근육을 긴장시켰다가 풀면 근육이 차차 완화되어 깊은 긴장이완의 상태에 들어가게 된다는 것입니다. 주의할 점은 ○○씨가 풀고자 하는 근육부분에 ○○씨의 정신을 집중해야 한다는 것입니다. 대체적으로 순서는 다음과 같습니다. 우선 근육군을 긴장시키십시오. 그리고 풀고, 어떤 한 근육군을 긴장시킬 때 '하나, 둘, 셋, 넷, 풀고' 하는 식으로 다섯을 세는 것이 좋습니다. 근육의 긴장을 풀 때는 빨리 한번에 탁 푸는 것이 가장 효과적입니다. 처음에는 각 근육군을 두 번씩 연습하십시오. 연습을 거듭하면 어느 근육군이 긴장이완에 가장 큰 도움이 되는지 알게 됩니다." 이 같은 설명이 끝난 다음 내담자에게 의자에 편하게 앉도록 한다. 가능하면 내담자가 가장 편한 자세로 앉을 수 있게 뒤로 조절이 가능하고 팔걸이가 있는 의자가 좋다. 흔히 수평선에 가까운 자세가 가장 편한 자세인데, 그 이유는 신체의 근육이 완

전히 의자에 의지할 수 있기 때문이다. 그러나 이러한 의자가 없을 때는 팔걸이가 있는 편한 의자면 된다. 실제로 근육군을 긴장시켰다 푸는 연습을 시작하기 전에 상담자가 시범을 보여 주는 것이 도움이 될 것이다. 그리고 안경을 낀 내담자는 안경을 벗게 하고, 허리띠를 너무 졸라매지 말고, 방은 가급적 방음 장치가 되어 있는 곳이 좋다. 긴장이완훈련 녹음을 일부분 소개하면 다음과 같다. "자, 의자에서 될 수 있는 대로 편하게 자리 잡으세요. 우선 숨을 길게 한두 번 쉬고…… 됐습니다. 이제 두 팔을 앞으로 뻗으세요. 내가 다섯을 셀 때까지 주먹을 점점 세게 쥐세요. 하나, 둘, 셋 좋습니다. 넷, 풀고……. 팔은 떨어지는 대로 자연스럽게 떨어뜨리고, 긴장을 했을 때와 긴장을 풀고 난 뒤에 손과 팔에 드는 기분이 어떻게 차이가 있는지 느껴 보세요. 자, 이번에는 아래쪽 팔에 주의를 집중시킵니다. 팔을 앞으로 뻗되 이번에는 손으로 밀다시피 하나, 둘, 셋, 넷. 자, 풀고……. 팔이 가는 대로 두고 아래쪽 팔에 오는 따뜻하고 짜릿한 감각을 느껴 보세요. 자, 됐습니다. 이번에는 왼쪽 팔입니다. 팔꿈치를 꺾어서 이두박근(위쪽 팔)을 굽히세요, 내가 다섯을 셀 때까지 점점 더 하나, 둘, 셋, 넷, 풀고……. 온 팔의 긴장이 풀어지면서 손가락 끝까지 무겁고 따뜻한 기분이 들 것입니다. 이번에는 이마에 주의를 집중시킵니다. 눈썹을 위로 찡그리듯 올립니다. 하나, 둘, 점점 더 셋, 넷. 자, 그 반대로 풀고……. 이마의 근육을 펴요, 완전히 더… 더… 됐습니다. 이번에는 눈과 코 근처입니다. 눈을 감으세요. 더… 더… 하나, 둘, 셋, 긴장을 느껴 보세요. 넷, 풀고……. 눈을 감고 있는 동안 눈이 시원합니다. 오랫동안 책을 읽고 난 뒤 눈을 감았을 때 느끼는 그런 기분이지요. 이번에는 입술과 뺨과 턱 부근입니다. 입술을 다물고 입의 양쪽을 뒤로, 뒤로, 두 귀가 있는 쪽으로 끌어당기세요. 하나, 둘, 셋, 넷, 풀고……. 턱이 축 처지면서 긴장이 풀립니다. 이번에는 아래, 위 이를 꽉 물고 목구멍의 긴장을 느끼면서, 하나, 둘, 점점 더… 셋, 넷, 풀고……. 목을 늘어뜨리고 편한 자세로 두세요. 긴장을 풀면 풀수록 숨 쉬기가 편하고 고른 것을 느끼게 됩니다. 됐습니다. 자, 그러면 어깨에 힘을 주어 두 어깨를 귀에 닿을 만큼 올려 봅니다. 하나, 둘, 셋, 좋습니다… 넷, 풀고……. 어깨가 축 처지게 하고 양 어깨 전체에 오는 따뜻하고 짜릿한 기분을 느껴 보십시오. 어깨에서 팔로 팔에서 손가락 끝까지 짜릿한 기분이 흐르는 것이 느껴집니다. 이번에는 등을 활 모양으로 구부리세요. 내가 다섯을 셀 때까지 하나, 둘, 셋, 넷, 풀고……. 됐습니다. 온몸을 의자에 내맡기십시오. 의자에 몸을 맡기고 긴장을 더 푸세요. 됐습니다. 이번에는 배에다 주의를 기울이고 다섯을 셀 때까지 힘을 주세요. 하나, 둘, 셋, 넷, 풀고……. 배의 근육을 완전히 푸세요. 이제 숨을 쉴 때마다 배 근육의 긴장이 점점 더 풀립니다. 그리고 숨을 쉴 때마다 온몸의 긴장이 풀립니다. 자, 더… 더… 어때요? 숨 쉬기가 편하고 깊게 숨을 쉴 수 있지요? 자, 이번에는 허벅다리에 주의를 기울입니다. 두 다리를 앞으로 뻗어 다리와 발가락을 머리 쪽으로 구부리면서 허벅다리에 오는 긴장을 느껴 보세요. 하나, 둘, 셋, 더… 더… 넷, 풀고……. 두 다리를 떨어트리고 긴장되었을 때와 긴장이 풀렸을 때의 차이를 느껴 보세요. 따뜻하고 짜릿한 기분이 온 다리에 흘러내리는……. 자, 두 다리를 한 번 더 앞으로 뻗습니다. 이번에는 발가락을 머리 반대쪽으로 굽히면서 무릎 뒤쪽 근육을 긴장시킵니다. 하나, 둘, 셋, 넷, 풀고……. 긴장이 완전히 풀렸습니다. 발가락 끝까지 흐르는 평안하고 따뜻한 기분을 만끽해 보세요. 자, 이제 긴장을 더 풀기 위해 지금까지 긴장했다가 풀기를 한 온몸의 근육의 이름을 차례차례 말할 테니 편안한 마음으로 긴장을 점점 더 풀어 나가세요. 내가 말할 때마다 그 근육부분의 노곤한 기분을 음미해 보세요. 이마, 눈과 코 주위, 입술과 뺨과 턱, 얼굴 전체를 흐르는 따뜻하고 노곤한 기분을 느끼면서, 이 노곤한 물결이 목 부근으로 흘러내리도록 해 보세요. 어깨로,

그리고 팔을 거쳐서 손가락 끝까지, 가슴을 건너서 등 뒤로, 배 근처로, 이제 허벅다리의 긴장이 풀리면서 숨 쉬기가 편해지고 규칙적으로 됩니다. 자, 무릎 뒤로 해서 발끝까지." 긴장이완이 끝나고 내담자의 각성을 돕기 위해서는 다음과 같은 방법을 사용한다. "잘했습니다. 그러면 온몸의 무거운 기분을 덜고 신선한 기분을 넣어 드리기 위하여 내가 다섯부터 하나까지 거꾸로 세겠습니다. 내가 하나를 셀 때 눈을 뜨고 신선한 기분을 찾으세요. 다섯, 넷, 몸을 뻗고 싶으면 쭉 뻗으세요. 셋, 둘, 하나!" 이 훈련을 처음 시작할 때는 각 근육군을 두 번씩 긴장-이완시키는 것이 좋다. 실제로 소요되는 시간은 평균 25분 정도 걸린다고 보고되고 있지만, 그보다 짧을 수도 있고 길 수도 있다. 울페(Wolpe)는 어느 근육군부터 시작하는지는 중요한 문제가 아니지만, 온 근육군의 긴장이완에 평균 6회기를 설정하고 체계적으로 실시해야 한다고 주장하였다.

관련어 | 체계적 둔감, 탈감

긴즈버그의 진로발달이론 [-進路發達理論, Ginzberg's theory of career development]

진로선택의 과정을 연령별 단계로 제시한 이론. 진로상담

긴즈버그(1951)는 정신분석학자이며 정신과 의사인 긴스부르크(Ginsburg), 사회학자인 애셀레드(Axelrad), 심리학자인 허머(Herma) 등으로 구성된 연구팀을 이끌면서 직업선택이론을 개발하고 검증하려 하면서, 처음으로 직업선택이론을 발달적 관점에서 접근하였다. 그는 진로선택의 내용보다는 과정에 초점을 두어 6세경부터 22세경까지의 진로발달단계를 제시하였다. 진로발달의 단계는 환상기(fantasy period), 시험기(tentative period), 현실기(realistic period)의 세 단계로 구분하였다. 환상기는 6~10세의 아동기에 해당되며, 이 단계에서는 진로에 대한 관심이 놀이를 통하여 표출되고 이러한 관심은 부모나 주변환경의 영향을 받는다. 이 시기의 진로 활동은 직업에 대한 선호도를 표출하는 것에서 그친다. 시험기는 11~18세를 말하며, 이 단계는 다시 흥미단계(interest stage), 능력단계(capacity stage), 가치단계(value stage), 전환단계(transition stage)의 4개 하위단계로 구분한다. 흥미단계는 11~12세경을 말하며 자신이 좋아하는 것과 싫어하는 것에 대하여 명확히 결정을 하는 시기로서 자신을 인식하게 된다. 능력단계는 12~14세경을 말하며 자신이 흥미를 가지고 있는 분야에 대한 직업적 열망과 능력을 시험해 보려 하며 직업에 대한 보수, 교육, 훈련에 대하여 인식하는 시기다. 가치단계는 15~16세경을 말하며 자신의 직업선호와 직업유형에 대하여 명확하게 지각하고 가치관과 생애목표에 비추어 자신의 직업선호와 유형을 평가하는 시기로서 진로선택을 결정하는 데 주관적 가치가 더 큰 비중을 차지한다. 전환단계는 17~18세 전후를 말하며 이 시기의 직업선호와 진로선택에서는 개인의 흥미나 가치관과 같은 주관적 요인보다는 직업환경 등의 외적 요인들에 주의를 기울이고 관심을 보이면서 이전 시기보다 좀 더 현실적인 측면을 강조한다. 이론의 마지막 발달단계인 현실기는 18~22세경에 해당되며, 이 시기는 개인의 흥미, 능력, 가치, 교육기회와 더불어 직업의 요구조건, 작업환경 등의 외적 요인을 고려하여 진로를 선택하고자 한다. 현실기는 다시 탐색 단계(exploration stage), 구체화 단계(crystalization stage), 특수화 단계(specification stage) 등의 하위단계로 구분된다. 탐색단계는 대학입학 초기단계로서 직업선택에 필요한 교육이나 경험을 쌓는 시기지만 이때의 진로선택은 대부분 애매모호하고 결단력이 부족한 것이 특징이다. 구체화 단계는 개인의 가치, 성격, 적성 등의 주관적 요소와 직업환경 등의 외적 요소를 통합하여 진로를 선택하고, 선택한 진로영역에 대한 목표를 설정하여 몰입

하고자 한다. 그러나 이때의 진로선택은 언제든지 변화가 가능해 '유사 결정의 시기'라고도 한다. 특수화 단계는 자신이 선택한 진로의 목표를 수행하기 위하여 전문교육이나 훈련을 받는 것과 같이 좀 더 세밀한 계획을 세우고 실천하는 시기다. 진로선택 발달과정은 정서적 안정, 개인적 요인, 가정의 사회경제적 위치 등에 따라 빠를 수도 있고 늦어질 수도 있다. 초기 연구는 생애 초기의 진로선택이 중요하다고 강조했지만 최근의 연구는 진로발달을 전 생애적 과정으로 받아들이고 있다. 교육장면에서 발달단계별 과제를 제시해 주어 학생들의 수준에 적합한 진로지도와 교육이 이루어질 수 있도록 한 것이 가장 큰 공헌이라 할 수 있다. 그러나 연구대상이 미국의 중산층 백인 남성 청소년이므로 다른 민족이나 여성, 농어촌 지역 등에 일반화하는 데 제한이 있다는 것이 단점이다.

관련어 고트프레드슨의 직업 포부 발달이론, 슈퍼의 진로발달이론, 진로발달이론, 타이드만의 진로결정 과정 이론

길 그림
[-, draw a road]

헤인스(Hanes, 1997)가 개발한 것으로, 개인의 전체적인 삶의 궤적을 통찰할 수 있는 투사검사이자 미술치료기법.

미술치료

헤인스는 1985년부터 길 그림이 미술치료의 한 기법으로 적용 가능성이 있다는 생각에 연구를 시작하여 여러 가설과 사례를 종합한 후 『Roads to the unconscious』를 집필하였다. 길 그림은 내담자의 무의식에 쉽게 접근할 수 있는데, 내담자의 근원, 인생 여정, 현재까지의 경험, 그리고 미래에 대한 생각이 반영되어 있다. 즉, 무의식의 원초적 단계에 가라앉아 있는 억압된 심상들을 시각화하는 데 유용하다. 이렇게 시각화된 그림을 통하여 자기 삶의 상징이나 은유적 표현을 통찰함으로써 자신을 이해하고 수용하여 자신이 현재 경험하고 있는 문제를 해결하거나 미래 삶의 방향을 선택하거나 결정하는 데 도움을 줄 수 있다. 길 그림은 양로원, 교도소, 의료원과 같은 시설에 있는 사람들에게도 유용하게 적용해 볼 수 있다. 그러나 그가 연구에서 제시한 가설들은 미국문화에 고유한 것이어서 다른 문화권으로 일반화하기에는 한계가 있다. 길 그림의 장점은 비교적 그리기가 쉽고, 중성적인 주제로 방어를 최소화시킬 수 있으며, 그림을 잘 그리지 못하는 사람도 부담 없이 그릴 수 있다는 점이다. 길 그림을 그리기 위해서는 8절 도화지, 크레파스, 물감, 색연필, 사인펜 등의 필기도구가 있어야 하며, 실시하는 데 걸리는 시간은 35~40분 정도다. 실시방법은 먼저, 명상음악을 들려주면서 다양한 길을 떠올리게 한다. 그 길은 어디에 있는 길인지, 길 주위에는 어떤 것들이 있으며, 어떤 도로표지판들이 있는지, 분위기는 어떤지, 그리고 자신은 그 길의 어디쯤 가고 있는지 등으로 안내한다. 다음으로 명상을 하며 떠올랐던 길을 용지에 그려 보도록 한다. 그리는 방향은 자유롭게 하고, 다 그린 다음 그림 뒷면에 첨부되어 있는 질문지에 제목과 그림에 대한 설명을 적도록 한다.

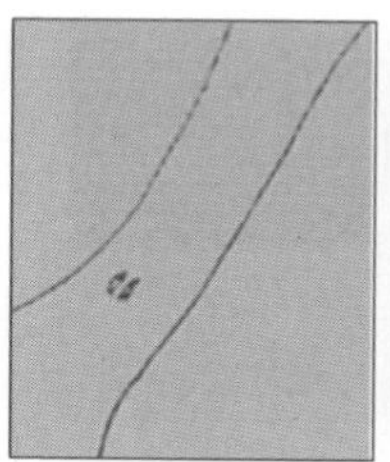

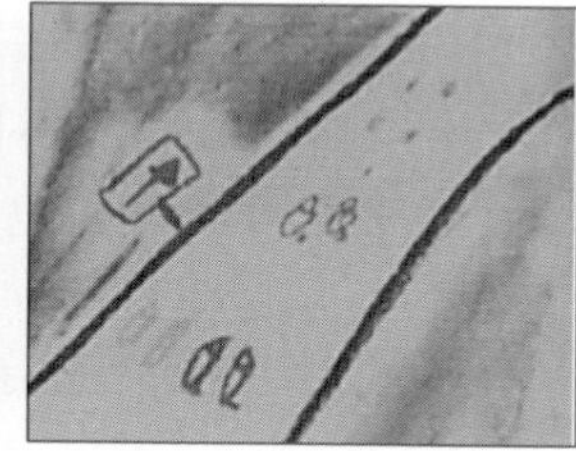

출처: 정현희(2007).

길 그림의 해석기준은, 첫째, 자신의 삶에 대한 평가와 미래 삶의 기대로서, 이것은 길 그림의 전체 분위기, 길의 느낌, 길의 구성, 길의 모양, 방해물, 길의 원근, 도로표지판 등장, 다리의 표현, 나의 위치 등 9개의 영역으로 구성되어 있다. 둘째, 중대한 선택 순간의 유무로서 교차로, 다리 표현, 표지판 등

장이 해당된다. 셋째, 용지의 구조나 방향과 길의 방향이다. 그러나 길 그림의 해석에서 치료자가 명심해야 할 것은 개개의 길 그림이 모두 독특하므로 길 그림의 개인적 의미를 간과해서는 안 된다는 점이다. 이것은 결국 길 그림의 의미는 길을 그린 사람만이 충분히 이해할 수 있다는 의미다.

관련어 | 투사검사

길퍼드 성격검사
[-性格檢查, Guilford Personality Inventory: GPI]

길퍼드(Guilford)가 개발한 인성검사. 심리검사

미국의 심리학자 길퍼드 등이 고안한 세 종류의 성격검사를 말한다. 이 성격검사는 질문지 형식으로 되어 있으며, 우리나라에서는 교육, 임상, 산업 등 각 분야에서 널리 이용되는 대표적인 검사의 하나다. 현재 성인용, 고등학생용, 중학생용, 초등학교 2학년 이상 6학년까지의 네 종류가 있다. 검사는 12척도로 구성되어 있고, 각 척도에 10개의 질문항목이 있으며, 합계 120개의 질문항목으로 이루어져 있다(초등학생용은 각 척도 8개 항목). 검사절차는 검사자가 질문항목을 하나씩 읽으면 피험자는 그것에 대하여 '예' '아니요' 중 하나에 표시하는 간단한 것으로, 소요시간은 약 30분 정도다. 채점도 용이하며 결과는 얻어진 각 척도의 교정(백분율로 표시)을 연결, 프로필을 그리는 평가자료가 된다. 프로필에는 전체 경향에서 다섯 유형으로 나누어 판정기준으로 하고 있다. 다섯 유형은, 첫째, A형(평균형), 둘째, B형(폭발형-활동적이지만 정서 불안정, 사회 적응을 하기 어려운 유형), 셋째, C형(진정형-정서 안정, 사회 적응적이며 다만 적극성이 결여되어 있는 유형), 넷째, D형(지도자형-이상적 성격, 정서 안정, 사회 적응적이며 활동적, 인간관계도 훌륭하게 해 가는 유형), 다섯째, E형(내계 지향형-정서 불안정한 사고, 소극적 · 내향적인 성격으로 햄릿 유형)이다.

관련어 | 성격검사

길항
[拮抗, antagonism]

한 약물이 다른 약물을 수용하여 효과를 나타내는 수용체의 작용을 동결시키는 속성. 중독상담

인체에 두 가지 약물이 투여되었을 때 서로 효과를 소멸시키는 현상을 말한다. 이러한 속성을 이용하여 아편양제제의 중독을 치료할 때 약물요법의 하나로 사용하기도 한다. 예를 들어, 날록손(naloxone)과 날트렉손(naltrexone)은 아편길항제인데, 이러한 약물을 복용하면 아편제제를 복용한다 해도 그것이 인체의 뇌나 중추신경계에 작용하여 효과를 나타내는 과정 자체를 차단하거나 해당 약물이 인체에 흡수되는 것 자체를 방해하기 때문에 아편제제가 그 효과를 나타내지 못한다.

관련어 | 날로르핀, 날트렉손, 아편길항제

깨진창문이론
[-窓門理論, broken windows theory]

시카고대학의 범죄학 교수인 켈리(G. Kelly)가 제시한 이론으로, 깨진 창문을 방치하면 그 지역의 치안유지가 제대로 이루어지지 않고 흉악범죄가 더 많이 발생한다는 논리적 틀. 위기상담

익명성이 보장되고 책임이 분산되어 있으면 자기규제의식이 저하되어 몰개성화가 발생하면서 정서적, 충동적, 비합리적 행동을 저지르고 주위 사람들의 행동에 쉽게 휩쓸린다는 짐바르도(P. Zimbardo)의 이론을 바탕으로 한다. 이 이론에 근거하여 학교폭력을 예방하기 위한 대책이 세워지고 있다. 즉,

학교에서의 규범의식 함양, 심리상담 체제, 비행방지 교실 운영과 같은 학생 지도체제 구축, 학교와 지역경찰 간의 연락협의회 등 학교와 관계 기관의 연계를 통한 지역 지원시스템 구축 추진 등을 실시함으로써 학교폭력의 문제성을 학교뿐만 아니라 사회적 합의, 학교와 가정, 지역사회와 연계하여 적극 대처해 나가고 있다.

관련어 | 몰개성화

꺾은선 그래프
[-, polygon]

도수분포를 막대에 나타낸 도표인 히스토그램(histogram)의 기둥머리를 직선으로 연결해서 그림으로 나타낸 것. 통계분석

막대그래프를 히스토그램이라 하는데, 각각의 막대는 급간의 정확 하한계와 정확 상한계에서 수직으로 선을 위로 그어서 그린다. 꺾은선 그래프는 막대 대신 선을 긋는다. 선이 꺾인 곳은 X축에서 각 급간의 중간점과 Y축에서 해당되는 빈도수가 서로 만나는 점이다. 예를 들어, 한 급간의 중간점이 72이고 그 급간이 7명을 포함한다면, X축의 72와 Y축의 7을 서로 선을 그어서 만나는 곳이다. 이런 식으로 각각의 점을 찾아서 선을 잇는다. 꺾은선 그래프를 그릴 때는 Y축의 높이를 정하는 문제가 제기되는데, 일반적으로 사용되는 원칙은 수평선(abscissa)의 4분의 3을 높이로 정한다. 즉, 높이가 3일 때 기초선(baseline)은 4가 된다. 이러한 규칙을 지키지 않고 마음대로 그래프를 작성하면, 같은 자료를 가지고 꺾은선 그래프를 그려도 다른 모양의 결과를 가져온다.

꽃심상
[-心像, the flower]

KB 심상척도 중 하나로, 내담자의 심리 및 정신적 문제, 마음의 기능, 구조, 특징과 같은 마음의 큰 테두리를 파악하는 기능을 하는 유도시각심상척도. 심상치료

심상척도 분석을 할 때 꽃심상체험에서 꽃의 형태나 모습은 체험자의 의식 및 전의식에 담긴 내용을 표현하며, 꽃심상 뒤에 맺히는 배경은 무의식 세계를 드러내는 것으로 본다. 꽃심상을 통해서 내담자의 유도시각심상 체험능력을 파악하는 단계를 플라워 테스트(Flower-Test, Blumen-Test)라고 한다. 내담자에게 꽃심상척도를 적용해 보면, 그 내담자가 유도심상에 어느 정도 몰입하여 어느 수준까지 체험이 가능한지 가늠해 볼 수 있다. 또한 꽃심상은 내담자가 내적인 부담을 별로 느끼지 않고 마음을 집중하여 심상체험을 할 수 있기 때문에 정신장애가 있는 내담자에게도 큰 어려움 없이 적용할 수 있다. 하지만 심상척도의 첫 단계라 할 수 있는 꽃심상체험에서도 내담자의 심리 및 정신적 문제가 많이 노출되고 심상을 매개로 한 체험이 일어나는 경우가 많다. 이는 꽃의 모양이나 상태, 줄기나 꽃봉오리의 기울기 등의 형태적 표현으로 파악이 가능하다. 꽃심상의 체험방법은 내담자에게 자신의 마음에서 보이는 꽃을 눈앞에 떠올리게 한 다음, 그가 체험한 꽃의 형태나 색채 등을 상세하게 진술하도록 하는 것이다. 내담자가 깊이 이완될수록 체험된 심상내용은 뚜렷하게 자각된다. 꽃심상체험의 소요시간은 내담자마다 다른데, 심상체험을 한 뒤 눈을 뜨고 현실감각을 되찾을 때까지의 시간이 내담자에 따라 다르게 나타난다. 꽃심상 분석의 대상은 내담자가 체험한 꽃심상에 어떤 꽃이 어떤 모습으로 나타나는지, 꽃의 종류나 꽃잎의 상태가 어떠한지, 꽃 주변에 있는 벌레나 동물 또는 자연이나 환경이 어떠한지, 내담자의 묘사방식, 색채, 심상을 표현할 때의 표정이나 자세, 표현하는 언어 등 모든 요소가 해당된다. 치료자는 심상을 유도하면서 내담

자가 체험한 꽃의 모든 것을 관찰하고 부분마다 담고 있는 의미와 꽃심상 전체가 의미하는 것을 면밀하게 파악하는 능력을 갖추어야 한다. 이에 더해 꽃심상을 체험하는 동안, 혹은 체험 직후에 수반되는 내담자의 감정을 놓쳐서는 안 된다. 체험 작업에 수반되는 감정은 내담자가 지니고 있는 내적 감정과 마음이다. 이는 내담자 문제해결 단계가 나아가야 할 방향을 제시하는 중요한 단서가 된다. 체험 작업을 할 때 따르는 감정적 표현들이 내담자의 심층을 파악할 수 있도록 한다는 말이다. 꽃심상체험만 제대로 실행되어도 내담자의 깊은 마음에 담긴 것을 파악할 수 있고, 내담자 심상으로 표현된 내담자 마음의 전반적인 구조를 알 수 있다.

관련어 | KB 심상치료, 심상척도, 유도시각심상

꾀병탐지검사
[-病探知檢査, Miller Forensic Assessment of Symptoms Test: M-FAST]

정신장애의 위장을 선별하기 위한 검사. 심리검사

법정이나 교정장면 등에서 자신의 이익을 위한 정신장애 위장을 선별하기 위해 2001년에 홀리 밀러(Holly Miller)가 개발한 검사로, 우리나라에서는 2009년에 이수정과 김재옥이 표준화하였다. 대상은 18세 이상 성인이며, 구조화된 면담형식으로 진행된다. 법정이나 교정장면 등에서 정신상태에 대한 평가는 귀책사유를 판정하는 데 결정적인 요인으로 작용하고 있다. 이러한 이유로 기소를 피하거나 심리적인 손상에 대한 금전적 이득을 얻기 위해 꾀병을 나타낼 수 있다. 따라서 꾀병탐지를 효율적으로 선별하기 위해 정신장애에 대한 객관적인 증거의 필요성이 증대되고 있다. 이 검사는 비정상적 증세의 과장을 변별함으로써 정신감정절차의 집행을 판단하는 근거를 제공한다. 하위척도 중 먼저, 3문항으로 구성된 보고-관찰(RO) 문항은 피험자의 자기보고와 관찰된 행동을 비교할 수 있도록 해 준다. 이 척도의 점수가 높다는 것은 피험자의 자기보고가 관찰된 행동과 불일치한다는 뜻이다. 7문항으로 구성된 극단증상(ES) 문항은 실제 정신과 환자 집단에서 전형적으로 나타나는 증상보다 훨씬 극단적이고 흔치 않은 증상을 측정한다. 이 척도의 점수가 높다는 것은 피험자가 매우 극단적이고 일반적이지 않은 증상을 보고한다는 뜻이다. 7문항으로 구성된 희귀조합(RC) 문항은 거의 함께 나타나지 않는 증상으로 구성되어 있다. 이 척도의 점수가 높다는 것은 피험자가 일반적인 기분장애 및 정신장애에서는 잘 나타나지 않는 비일관적인 증상 조합을 보고한다는 뜻이다. 5문항으로 구성된 특이환각(UH) 문항은 정신과 환자들에게서는 자주 보고되지 않는 증상을 평가한다. 이 척도의 점수가 높다는 것은 피험자가 일반 정신과 환자들 사이에서는 나타나지 않는 극단적이고 특이한 정신병적 증상을 보고한다는 뜻이다. 1문항으로 구성된 특이증상진행(USC) 문항은 피험자 자신의 정신장애 증상의 진행에 대한 지각을 평가한다. 이 척도에 기초하여 피험자의 반응을 해석하는 것은 매우 주의를 기울여야 한다. 1문항으로 구성된 부정적 자아상(NI) 문항은 피험자가 부정적인 자기지각을 가지고 있는지를 평가한다. 이 문항은 피험자가 일반적인 정신과 환자 집단에서는 잘 나타나지 않는, 자신에 대해 과도하게 부정적인 견해로 구성되어 있다. 두 파트로 구성된 피암시성(S) 문항에 '예'라고 응답하는 피험자는 피암시성이 높을 가능성이 있다. 이와 같은 경우 자신이 경험하고 있는 증상에 대한 검사자의 암시에 쉽게 영향을 받는다.

꿈
[-, dream]

수면 중에 나타나는 보편적이고 정상적인 퇴행현상.
정신분석학

꿈꾸는 동안의 사고와 감정은 주로 시각적이거나 청각적인 형태를 지닌다. 심한 불안이 동반될 경우에는 악몽(nightmare)이라고 한다. 프로이트(S. Freud)는 초기 저서 『꿈의 해석(The interpretation of dreams)』(1900)에서 처음으로 꿈의 정신분석적 의미에 대해 기술하였다. 꿈은 잠재내용의 소원 성취와 관련이 있는데, 유아적 외상경험의 해결뿐만 아니라 부가적인 심리적 기능이 있다. 그에 따르면, 꿈꾸기와 꿈의 형성은 꿈작업의 결과물이다. 수면 중에는 보편적인 퇴행이 일어나고 의식적 검열기능이 약화되기 때문에 꿈작업에서 원초적 형태의 기능이 재생된다. 꿈작업이란 전치, 응축, 대체 등에 의해 특징지어지는 일차적 정신과정을 사용하여 잠재적 꿈의 사고를 현재몽으로 변환시키는 작업을 뜻한다. 유아적 욕동 유도체, 방어, 그리고 그것들에 대한 최근의 표상뿐만 아니라 그것들과 관련된 갈등에 영향을 미쳐 수면 중의 사고내용을 시각적인 이미지, 즉 꿈으로 변형시킨다. 위협적인 사고와 감각은 잠재몽의 내용이다. 무의식적 정신활동은 잠재된 내용을 자각하지 못하게 한다. 잠재몽의 내용은 다양한 구성요소로 이루어진다. 첫째, 소음, 바람, 방해자극뿐만 아니라 신체적 감각과 같이 밤 동안 예민하게 느껴지는 감각자극이다. 둘째, 깨어 있는 동안 어느 정도 해소되기는 했지만 여전히 일부 남아 있는 걱정과 두려움 같은 생활의 잔재다. 셋째, 충족하고자 하는 억제된 성적 혹은 공격적 본능 등이 포함된다. 억제된 원초아의 충동은 잠재몽 내용의 가장 핵심적인 요소이며 심리적 에너지의 근원이다. 꿈을 형성하기 위해서는 억압된 원초아의 작용이 필요하다. 한편, 꿈은 하루 일과 중에 일어났던 사건들과 색정적(erotic)이며 공격적인 유아적 욕동과 소원 간의 접촉에 의해서도 형성된다. 꿈을 형성하는 가장 중요한 재료는 유아기의 무의식적 소망과 욕동이다. 이렇게 형성된 꿈은 유아적 욕동을 효과적으로 위장하고 있다. 꿈꾸기 며칠 전에 경험한 일상생활 속의 사건, 인상, 지각, 생각, 느낌 등은 그 자체로는 사소한 것일 수 있지만 억압된 유아적 갈등이나 본능적 욕동 및 소원과 무의식적으로 연관되어 수면 중에 현재몽으로 드러난다. 잠을 깬 후에도 왜곡과정은 그대로 유지되는 경향이 있다. 즉, 꿈에 대한 이차과정이 나타나는데, 현재몽의 혼란스럽고 모순적인 내용을 인정하지 않고 그것들을 그럴 듯하게 포장한다. 자아는 의식적으로 혹은 무의식적으로 꿈을 편집하고 수정한다. 혼란스러운 꿈에 일정한 순서와 구성적 논리를 보태어 그 꿈이 의미가 있는 이야기가 될 수 있도록 한다. 예를 들어, 시어머니의 혹독한 시집살이 때문에 불안신경증이 생긴 30대 여교사가 있다. 그녀는 무더운 어느 날 마당에 개 한 마리가 돌아다니는 꿈을 꾸었다. 개는 늙고 털이 빠져 흉측한 몰골을 하고 있었는데, 그녀는 막대기를 들고 쫓아가면서 그 개를 사정없이 마구 때렸다. 개는 비명을 지르며 달아나면서 사립문에서 그녀를 돌아보았다. 놀랍게도 개는 시어머니의 얼굴을 하고 있었다. 그 순간 그녀는 깜짝 놀라 잠을 깼다. 교사로서의 도덕성 때문에 시어머니를 미워하며 때려 주고 싶어 하는 자신의 욕구를 자책하였다. 무의식 안에 억압되어 있던 욕구가 꿈으로 드러난 것이다. 프로이트는 꿈을 '무의식에 이르는 왕도(royal road to the unconscious)'라고 하였다. 정신분석 치료에서는 꿈과 꿈의 해석작업을 분석과정의 중요한 요소로 간주한다. 분석가는 내담자의 꿈을 사용하여 무의식적 내용을 해석하고 그것을 의식에 통합시키는 작업을 하는데, 이러한 측면에서 꿈의 치료적 유용성이 인정되고 있다.

관련어 | 꿈분석, 꿈작업

꿈 그리기
[-, dream painting]

분석심리학적 미술치료기법의 하나로, 내담자에게 억압되어 있던 감정이나 무의식적 사고를 통찰할 수 있도록 하는 기법. 미술치료

꿈은 무의식의 내용물로 만들어지며, 꿈의 일반적인 기능은 심리적 평형의 회복이다. 융(Jung)의 표현에 따르면 꿈은 보상적 역할을 한다. 꿈은 상징적 의미가 있는 무의식적 심상의 형태이기 때문에, 꿈을 그리는 것은 꿈을 분석하는 데 많은 도움이 된다. 꿈 그리기는 내담자로 하여금 가장 인상 깊었던 꿈의 내용을 그리게 하는 것이며, 그려야 할 상세한 장면을 찾아가는 가운데 문제해결의 실마리를 찾을 수 있다. 준비물은 A4 용지, 채색도구, 연필, 공책 등이고, 실시방법은 다음과 같다. 먼저, 내담자에게 자신이 꾼 꿈의 내용을 떠올릴 수 있도록 시간을 준 뒤, A4 용지에 꿈의 내용을 단어나 그림 또는 상징으로 표현하도록 한다. 다음으로 꿈의 이미지를 색채와 형태로 표현해 보도록 한다. 마지막으로 내담자가 꾼 꿈의 완전한 이미지를 창조하기 위하여 용지에 내담자가 생각하는 꿈의 이미지를 가능한 한 상세하게 표현하도록 한다. 그림을 다 그린 다음 치료자는 내담자에게 꿈을 형상화하는 작업과 관련하여 질문을 하면서 대화를 하거나 대화가 어려울 경우에는 일지에 기록하게 하여 내담자의 꿈을 더 깊이 탐색하도록 한다.

관련어 | 분석심리학적 미술치료

꿈과 대화하기
[-對話-, dialoguing with dreams]

문(Moon, 2007)이 제안한 것으로, 실존적 미술치료 접근을 바탕으로 한 꿈 이미지를 다루는 기법. 미술치료

이 기법을 사용하는 데에는 다음과 같은 세 가지 기본 전제가 있다. 첫째, 꿈을 있는 그대로 보며 숨어 있는 의미를 가정하지 않는다. 둘째, 치료사는 내담자의 꿈의 이미지와 작품에 나타난 내용에 초점을 맞춘다. 셋째, 해석적 언급은 하지 않는다. 실시방법은 다음과 같다. 먼저, 꿈 이미지를 그리게 한 다음 그 꿈을 다시 글로 쓰게 한다. 그러고는 꿈을 그린 작품을 치료사와 내담자 사이에 두고, 글로 쓴 꿈의 내용을 내담자에게 읽게 한 뒤, 다시 치료사가 그 글을 내담자에게 읽어 준다. 이 경우, 내담자는 자신의 꿈을 두 번 들으면서 많은 것이 떠오를 것이다. 말하자면, 이 기법은 내담자의 꿈에 대한 그림과 글을 통하여 꿈에서 중요한 것이 무엇인지 내담자 스스로 찾을 수 있게 만들어 준다. 내담자는 중요한 문제를 중심으로 자신의 생각과 느낌을 돌아볼 수 있다. 치료자는 내담자의 자유연상에 의한 말을 그대로 반복하여 내담자에게 들려준다. 내담자에게 나타난 중요 문제를 항목별로 묶어 서로 연결하도록 하고, 중요 항목별로 묶은 것을 내담자의 삶과 연관시켜 글로 쓰게 한다. 완성된 문장들을 요약적으로 하나의 문장으로 만들도록 하는데, 바로 이것이 꿈이 주는 본질적 메시지(essential message)다. 마지막으로 꿈에 대한 반성으로서 어떤 행동을 설정하고 그것을 시행하도록 한다.

꿈분석
[-分析, dream analysis]

꿈의 내용과 과정을 탐색하여 개인의 특유한 사적 논리와 생활양식을 파악하는 작업. 융(C. G. Jung)이 창시한 분석심리학에서 사용된 주요 치료기법의 하나로, 꿈을 분석하여 내담자의 무의식 내용을 드러내는 신경증적 치료방법. 개인심리학 분석심리학 정신분석학

아들러(Adler)에게 꿈분석은 생활양식 탐색의 주요 자원으로, 프로이트(Freud)나 융(Jung)의 꿈분석과는 많이 다르다. 아들러는 꿈속에 보편적인 상징이 담겨 있다고 생각하지 않고, 꿈을 꾸는 사람마다 꿈의 요소 의미가 특수하다고 보았다. 그래서 꿈

ㄱ

에 나오는 대상과 사건에 고정된 의미를 두지 않았다. 아들러의 치료에서는 본질적으로 꿈을 통해 꿈꾸는 사람의 행동을 해석한다. 꿈은 사적이고 특이한 용도로 전환이 가능한 꿈꾸는 자의 사적 논리를 반영하고 있다. 꿈의 내용과 과정은 개인이 삶에서 무엇을 하는지 보여 준다. 꿈에서 보여 주는 태도나 패턴은 삶을 깨우치는 것들이다. 꿈은 개인의 사고처럼 개인의 논리나 자신, 타인, 세계에 대해 사고하는 논리적이고 독특한 방식과 일치한다. 그러나 꿈속에서는 개인이 지금-여기를 어떻게 지각하고 자신과 타인과 세계에 대해 우리가 갖는 기대를 우리가 어떻게 지각하는가가 보다 명백하게 드러난다. 꿈과 관련된 개인의 생활양식은 모든 비언어적 의사소통처럼 삶의 태도와 방향을 드러낸다. 꿈은 단기적이고 해결에 초점을 둔 치료에 유익하게 사용할 수 있다. 꿈은 현재 생활의 여러 가지 문제에 관한 내담자의 사고를 요약해 준다. 또한 상징, 은유와 단순화를 통해서 문제에 대한 상식적인 해결에 도움을 주거나 아니면 방해를 할 수도 있는 개인의 사고방식을 내포하고 있다. 내담자의 상상과 사고에 대해 이해한다면 내담자의 사고방식을 이용해서 행동에 도움을 주는 해결책을 찾아 준다. 꿈은 그날의 마무리되지 못한 문제들에 대한 해결책을 제공해 주며, 일상의 대처방식이나 활동양식과 일치한다. 꿈은 개인에게 새로운 것을 요구하지 않으면서 문제에 대한 해결책을 창출한다. 아들러는 꿈을 '문제를 쉽게 해결하려는 시도'로 보았다. 또한 꿈은 다음 날 깨어 있는 삶을 위해 정서를 생산하는 미래를 보는 경험이기에, 미래상황에 대한 의미 있는 연습이 된다. 꿈에 사용되는 몇 가지 기제가 있다. 첫째, 개인은 어떤 그림, 사건, 일어난 일을 선택한다. 왜냐하면 상징은 그 자체가 보다 선호하는 대처양식에 대해 정당성을 부여하기 때문이다. 둘째, 꿈은 은유적이고 우화적이며 유추적이다. 꿈이 아주 정확해서 상식적인 의미로 사용되면, 개인을 동기화하고 정서를 야기하는 데 사용할 수 없다. 꿈은 '만약 ~하다면 어떻게 할 것인가?'의 형태로 문제에 대한 해결을 제시한다. 꿈의 신비한 정도는 꿈꾸는 자가 일반상식으로 문제를 해결하기 원하지 않는 정도를 반영한다고 말할 수 있다. 셋째, 꿈은 단순하다. 꿈에서 우리는 문제를 줄이고 요약하고 은유로 표현한다. 그리고 그것을 마치 원래 문제와 같은 것으로 취급한다. 문제를 단순화하는 방식은 문제를 다루는 일상적 방식과 같다. 아들러학파 상담자는 주로 꿈의 내용과 과정에 관심을 두고 내담자의 태도에 대한 가설을 확인하는 데 내담자의 꿈을 활용한다. 아들러 상담에서는 꿈을 활용하여 상담시간을 단축한다. 상담자는 꿈을 통해 문제의 요점을 빨리 찾을 수 있고, 꿈의 메시지를 추출해 내거나 변화를 촉진하기 위해 꿈 언어 자체를 활용함으로써 행동변화를 촉진한다. 아들러의 꿈분석방법은 직접적이고 실제적이다. 상담자는 내담자가 묘사한 꿈을 그대로 받아들여, 꿈에서 느껴지는 대로 세부적으로 꿈을 관찰한다. 꿈이 길고 복잡하고 혼란스럽고 극적이며, 또는 짧고 지시적인가에 주목한다. 꿈의 내용과 과정이 꿈꾸는 자의 표상(관념)과 일치하는 방법을 공식화한다. 상담자는 잠자기 전에 꿈꾸는 자의 마음에 있었던 것이 무엇인지 묻는다. 꿈이 해결할 수 있는 문제가 무엇인지도 묻는다. 꿈의 내용에서 내담자의 표상과 위치에 주목하여 내담자가 꿈 내부에 있는지, 외부 관찰자인지를 묻는다. 상담자는 내담자에게 다른 사람이 그에게 어떻게 행동하는지에 주목하도록 한다. 내담자가 행동하는지 또는 내담자가 다른 사람과 동일하게 행동하는지 또는 다른 사람과 어긋나게 행동하는지를 관찰하도록 한다. 상담자는 타인의 표상, 행동의 맥락과 다른 비인격적 이미지, 예컨대 집, 빌딩, 차, 동물과 같은 이미지에 주목한다. 상담자는 꿈에서 의미나 패턴을 찾기 위해 꿈꾸는 자에 대해 알고 있는 것은 모두 활용한다. 상담자는 특이하고 상징적인 활용으로 대상의 표상을 관찰한다. 그리고 꿈에서 일어난 감정과 꿈에서 깨어난 후의 감정을 묻는다. 꿈분석은 상담자와 내담자의 협동적 과정이고, 해석이 내담자와 일치하지 않으면 옳지 않은 것이다. 또한 초기기억, 현재 문제, 평소 경향 등 다른 증거들과 함께 조화되어야 한다.

융의 이론에 따르면 꿈에는 무의식적 소망 이상의 피할 수 없는 진실, 철학적 견해, 착각, 원초적 환상, 기억, 계획, 비합리적 경험 등이 포함되어 있다. 이 같은 꿈을 분석하는 데 융은 객관적 접근과 주관적 접근을 제시하였다. 객관적 접근은 가령 꿈에 아는 사람이나 현실과 관계있는 사건이 등장했을 때 그것이 꿈꾸는 자의 실제 현실과 어떤 관계가 있는지 살펴보는 것이다. 예를 들어, 어머니가 꿈에 나타난 경우 현실세계의 어머니를 의미하며, 여자친구가 꿈에 나타난 경우는 현실세계의 여자친구를 의미한다. 한편, 주관적 접근에서는 꿈에 나타나는 모든 등장인물이나 사건이 꿈꾸는 자의 심리적 요소, 즉 무의식적 경향, 감정, 생각 등을 나타낸다. 예를 들어, 살인자가 누군가를 상처 내는 꿈을 꾼다면 꿈꾸는 자는 자신에게 있는 살인충동에 대해 알아차려야 한다. 융은 꿈꾸는 자가 자신의 꿈에 대한 주관적 접근의 해석을 받아들이는 것은 어렵다고 언급하였다. 하지만 가장 좋은 꿈분석은 꿈속의 등장인물과 사건이 꿈꾸는 자가 스스로 인식하지 못하는 측면을 나타낸다는 것을 알아차리는 것이다. 융은 아니무스, 아니마, 그림자와 같은 원형이 꿈의 상징과 인물을 통해 나타난다고 믿었다. 이때 꿈을 통해 나타나는 무의식적 태도는 주로 의식에서 숨겨진 부분이다. 이러한 상징으로 나타나는 원형들은 무의식적 태도에 대한 인식을 증가시키고, 정신의 표면적인 부분을 통합하며, 완성된 자아를 이해하도록 해 준다. 융은 꿈에 대한 과거와 미래, 인과론과 목적론을 함께 제시하여 꿈을 과거와 외부적 현실에 있을 원인과의 관련성 속에서 탐색하고, 다른 한편으로는 꿈을 그 자체가 지닌 미래 지향성과 내적 현실과의 관련성 속에서 탐색하였다. 꿈꾸는 자의 개인적 상황에 대한 명확한 이해 없이 꿈 상징에 대해 의미를 부여하는 것을 경계하기도 하였다. 융은 프로이트(S. Freud)가 했던 것처럼 각각의 꿈을 개별적으로 해석하기보다는 꿈꾸는 자가 일정한 기간에 걸쳐 보고하는 일련의 꿈을 분석하는 것을 더 선호했고, 프로이트의 자유연상 기법 대신 확충법을 사용하였다. 확충법은 꿈꾸는 자와 분석자가 상징들의 이해를 확장하려는 시도로 어떤 주제가 탐색될 때까지 같은 상징을 계속해서 재평가하고 재해석하는 치료기법이다. 융은 꿈꾸는 자에게 하나의 주제가 나타날 때까지 그 요소에 대한 연상이나 반응을 반복하도록 하였다.

관련어 | 꿈작업, 분석, 사적 논리, 생활양식, 초기기억

꿈실연
[－實演, dream presentation]

꿈을 지금-여기서 일어나고 있는 것처럼 연기하는 것.
사이코드라마

사이코드라마의 창시자 모레노(Moreno)는 프로이트(Freud)와 동시대 사람으로서, 프로이트의 정신분석이 사람들의 꿈을 분석하는 것이라고 한다면, 자신은 사이코드라마를 통하여 사람들에게 꿈을 꿀 수 있는 용기를 주겠다고 하였다. 모레노는 단순한 꿈치료를 말하는 것이 아니라 사람들이 삶을 새롭게 꿈꿀 수 있도록 사이코드라마를 통해서 돕고 싶다고 하였다. 그는 사람들이 아동기에 지니고 있던 자발성과 창조성을 잘 활용하면 그들의 삶이 개선될 수 있다는 확신을 가지고 있었고, 개개인이 가진 어떤 환상도 생산적일 수 있다고 보았다. 개인적 차원에서 보면 꿈은 한 사람 인생의 시나리오의 일부이며, 보편적 차원에서는 인간 존재의 본질적 주제를 구현하는 고전적 드라마라고 할 수 있다. 이와 같은 맥락에서 사이코드라마의 주인공이 꿈을 꾸었다면 자신이나 보조자아를 통하여 꿈속의 모든 이미지, 즉 생물과 무생물을 모두 묘사한다.

주인공은 꿈의 이미지를 창조적이고 표현적인 과정에 맞추어 자발적으로 따라가면서, 꿈이 주는 의미를 깨닫고 이것을 자신의 삶에서 긍정적으로 통합하게 된다.

관련어 사이코드라마, 자발성, 주인공, 카타르시스의 원리

꿈작업
[-作業, dream work]

꿈과의 접촉을 통해 분열된 자아의 많은 부분과 만나고 통합을 이루어 가는 기법. 게슈탈트

펄스(Perls)는 삶의 어려움은 성격의 잃어버린 부분들 때문인데, 그것들이 모두 꿈속에 있다고 하였다. 꿈의 모든 국면은 자신의 성격에서 부정된 부분 또는 우리 자신의 일부를 외부로 투사한 것을 나타낸다고 보았다. 꿈에 나오는 대상들은 사람이나 물질이나 모두 우리 자신의 투사물인 것이다. 그래서 꿈작업을 통해 외부로 투사된 나의 일부를 다시 찾아 통합할 수 있게 된다. 펄스는 정신분석의 꿈작업처럼 꿈을 분석하고 분할하여 망가트려서는 안 되고, 꿈을 해석하는 것이 아니라 삶에 끌어들여와 부분들 간의 통합이 이루어지도록 작업을 해야 한다고 주장했다. 프로이트(Freud)에게 꿈이 무의식으로 가는 왕도라면, 펄스에게 꿈은 통합으로 가는 왕도다. 외부로 투사된 것을 다시 찾는 방법은 꿈에 등장한 각 부분을 차례로 동일시해 보는 것이다. 꿈작업을 하는 동안 상담자는 내담자가 꿈의 부분들이 되었을 때 어떤 말을 하고 어떤 감정을 느끼는지, 그리고 어떤 행동을 하는지 혹은 어떤 행동을 회피하는지를 면밀하게 관찰하여 내담자에게 피드백을 해 주어야 한다. 꿈의 부분과 동일시하여 그 입장을 투영하는 연습을 변형(transform)이라고 한다. 이러한 변형과정을 통해 투사된 에너지와 접촉이 이루어지고, 유기체의 조정능력이 발휘된다. 꿈을 활용하여 내담자의 내면세계를 탐색하는 데에는 꿈의 부분들이 서로 싸우거나 대화를 하도록 만드는 방법도 있다. 이때 부분들끼리 빈 의자 기법을 사용하여 대화를 하도록 할 수 있다. 이렇게 대화를 하면서 또는 싸우면서 서로에 대해 이해하고 서로의 차이점을 인정하며, 나아가 통합이 이루어지는 것이다. 반복적으로 꾸는 꿈과 정서적 긴장을 지닌 꿈은 특히 좋은 소재를 만들어 낸다. 게슈탈트 치료에서 꿈이 중요한 것은 꿈이 자기가 자기에게 주는 실존적 메시지이기 때문이다. 현재 삶에 의미가 없는 것이라면 결코 꿈에 나타나지 않는다. 게슈탈트의 다른 작업과 마찬가지로 꿈작업에서 주의할 점은, 꿈의 내용이 마치 지금-여기에서 일어나는 것처럼 상상하면서 작업해야 한다는 것이다. 이런 경험을 통해 내담자는 꿈을 그냥 이야기하는 것보다 훨씬 더 깊이 꿈에 몰입할 수 있고, 그때의 욕구와 감정을 좀 더 생동감 있게 경험할 수 있다.

‘나’ 기술문
[- 記述文, ‘I’ statement]

게슈탈트 무용동작치료의 대표적 기법으로, 치료과정에서 자각한 내용을 언어적 표현으로 나타내는 것. 무용동작치료

이 기법은 게슈탈트에서 중시하는 감정표현과 신체 자각반응 표현과 더불어 인지적 표현도 촉진하는 역할을 한다. 인지적 표현을 위해 ‘나는 ~를 생각한다.’ 대신 ‘나는 ~를 상상한다.’라고 하는데, 이것은 인간의 정신기능에 중요한 상상기능을 촉진하는 예술적이고 치료적인 방법이라고 할 수 있다. 또한 ‘나’ 기술문은 지각심리학 과정을 분명히 밝히고, 연결하는 감각증진의 의사소통으로서의 역할을 한다. 그리고 내담자의 회기 진행과정에 따라 처음에는 느낌을 중심으로 표현하고, 그다음에는 생각과 상상을 연결하여 표현하고, 그다음 시각적, 청각적, 운동 감각적 자각과 연결하여 표현하도록 촉진한다.

관련어 게슈탈트 무용동작치료

나 - 너 관계
[- 關係, I-Thou relationship]

자신의 전체 인격을 기울여 타자를 대하는 관계. 실존주의 상담

한 존재가 세계를 대하는 두 가지 태도 중 하나다. 부버(M. Buber)는 1923년 『나와 너(Ich und Du)』라는 저서를 통해 대화의 철학이라는 종교적 실존주의 철학을 소개하였다. 그는 인간을 일종의 ‘사이(between)’ 속에서 살아가는, 즉 관계의 존재라고 규정하였다. ‘나’라는 개체는 독자적으로 존재할 수 없고 주변에 항상 타자가 있기 마련이다. 우리가 세계를 대하는 태도에는 두 가지 방식이 있는데, ‘나-너(I-Thou)’ 관계와 ‘나-그것(I-It)’ 관계다. 이때 ‘너’ 혹은 ‘그것’은 인간일 수도 있고 사물일 수도 있다. 행위자인 ‘나’는 타자가 ‘너’인지 혹은 ‘그것’인지에 따라 변한다. ‘나-너’ 관계에서는 자신의 전 인격을 기울여 상대방과 마주 대한다. 두 존재가

순수하고 진실하게 만나는 상호적인 대화적 만남으로서 가장 깊고 의미 있는 관계다. 관념에 의해 조작되지 않으며 상대방이 객체화되지도 않는다. 인간은 '너'와 대면하는 것에서만 참된 '나'가 된다. 반면에 '나-그것' 관계에서는 상대방이 관념적 표상으로 대상화되어 존재한다. 그 대상이 자신의 관심사에 어떻게 도움이 될 것인지의 측면에서 관계를 맺는다. 이는 자기중심적인 만남이며 일방적인 독백의 만남이다.

나누기
[-, sharing]

집단과정의 체험에 대하여 집단지도자와 집단구성원들이 생각과 느낌을 상호 공유하는 것. 집단상담

나누기는 구조적 참만남집단과 사이코드라마에서 주로 행해지는 것으로서, 일반적으로 각 집단회기와 특별하게는 마지막 회기의 끝부분에 행해진다. 특히 구조적 참만남집단 모형에서는 나누기가 하나의 중심적 활동으로 자리매김하였다. 왜냐하면 집단구성원의 체험은 고유한 것이지만, 그 고유한 체험에서 생긴 감정을 언어화함으로써 집단구성원 사이에서 감정을 공유할 수 있기 때문이다. 또한 다른 사람의 체험을 들음으로써 자기 통찰이 촉진되고 그 속에서 새로운 것을 느낄 수 있기 때문이다. 무겁고 고통스러운 감정도 서로 나누게 되면 경감되어 치유될 수 있다. 이러한 점을 감안하여 구조적 참만남집단의 지도자는 나누기에서 다음의 두 가지 사실에 유의해야 한다. 첫째, 해석이나 분석 및 비판은 배제하고 어디까지나 개인의 체험을 집단구성원과 공유하도록 한다. 왜냐하면 평론가적 의견은 방어를 강하게 하고 집단구성원들 사이의 자기개방을 억제하기 때문이다. 둘째, 부정적인 감정을 나타내는 집단구성원의 자기개방을 중요하게 다룬다. 그렇게 느낀 것을 의식화하여 자기해석이 가능하도록 이끄는 것에서 자기인식이 심화되기 때문이다. 한편, 사이코드라마의 경우는 워밍업에서 시작하여 나누기에서 끝이 난다. 여기서 나누기는 주인공이 연출한 드라마에 대하여 다른 집단구성원이 말하는 것, 다시 말해 주인공의 자기개방에 대하여 다른 사람이 응답하는 것이다. 이때 감상이나 비판적 의견은 금지되며, 나누기를 계속하는 가운데 주인공이 태어난다. 자신의 경험에 대해 효과적으로 공유하고 나면 주인공은 홀로인 듯한 느낌을 갖지 않게 된다. 그들은 기본적으로 수용받는 감정을 지니며, 개인적 관심사를 계속 드러내는 것에 대한 강화로서 다른 참가자의 연기에서 피드백을 받는다. 집단상담이 발전해 오면서 현재는 대부분의 집단상담에서 나누기를 진행하고 있다.

관련어 구조적 참만남집단, 사이코드라마

나는 ~이 화가 난다
[-, I resent ~]

미해결 과제를 해결하기 위해 '나는 ~이 화가 난다'라는 말로 시작되는 진술만 하도록 고안된 기법. 게슈탈트

모든 완성되지 않은 게슈탈트는 해결을 요구하는 미해결 과제로 보통 불완전하게 표현된 듯한 형태로 나타난다. 내담자들은 이제까지 완결되지 않았던 과제를 완결 짓는 실험을 하게 된다. 그 과제가 집단구성원에 대한 표현되지 않은 감정이라면 상담자는 내담자에게 그것을 직접적으로 표현하도록 요청한다. 게슈탈트 상담자는 표현되지 않은 감정 중에서 '원한'이 가장 흔히 나오는 의미 있는 감정이라는 것을 발견했으며, 이 문제를 다루는 방법으로 '나는 ~이 화가 난다.'라는 말로 시작되는 진술만 하도록 의사소통을 제한하는 게임을 적용하였다.

관련어 고정된 게슈탈트, 미해결 과제, 실험

나명상기법

[-冥想技法, I meditation technique]

사이코드라마의 준비단계에서 사용하는 기법으로, 자신을 재인식하는 계기를 마련하도록 함. 사이코드라마

나명상기법의 실시방법은 다음과 같다. 먼저, 약 1분 동안 자신을 머리에서 발끝까지 명상하고 몸의 기능을 명상하며, 또 자신의 정신적 기능 및 자신과 맺고 있는 인간관계 등을 명상한 다음, 종이에 자신의 긍정적인 면 다섯 가지를 찾아 적어 보도록 한다. 이 과정은 보통 10분 정도 실시한다. 한 사람씩 돌아가면서 발표를 한 다음 느낀 점을 나누어 본다.

관련어 | 명상, 사이코드라마, 워밍업

너명상기법 [-冥想技法, You meditation technique] 사이코드라마의 준비단계에서 사용하는 기법으로서 다른 사람의 긍정적인 면을 바라볼 수 있는 기회가 되는 이 방법은 다음과 같이 실시한다. 자신이 가장 사랑하는 사람이나 잘 아는 사람 중 한 명을 택하여 나 명상과 같은 방법으로 머리에서 발끝까지 명상하면서 긍정적인 면을 적어 보도록 하고, 집단원 각각에게 덕담과 칭찬을 하도록 한다.

나무그림검사

[-檢査, tree test]

자아상을 확인하기 위하여 나무를 그리게 하는 투사적 그림검사. 미술치료

나무그림을 처음으로 심리검사의 보조도구로 생각하여 적용한 사람은 스위스의 직업상담가인 유커(Jucker)였다. 그 후 독일의 신경과 의사인 비트겐슈타인(Wittgenstein) 박사는 환자들에게 집중적으로 나무그림검사를 적용하여, 환자의 당시 상황과 나무그림이 비슷한 것을 발견하였다. 그는 나무그림을 통하여 비트겐슈타인 지수(Wittgenstein-index)를 만들었다(Koch, 1997). 이후 코흐(Koch)는 1946년 이래로 많은 나무그림을 분석하여 인성을 파악하였고, 특히 아동들에게는 인성뿐만 아니라 성장 발달 검사로도 적용할 수 있다는 것을 밝혔다. 또한 최면 상태에서 어린 나이로 돌아가 나무를 그리게 하여 연령에 따른 나무의 특징에 대한 자료를 작성하였다. 나무그림검사는 나무가 특정 인물을 상징하며, 그 사람에 대하여 가지고 있는 감정과 욕구를 나타낸다고 보았다. 특히 자기상을 직접적으로 나타내며 무의식적으로 느끼고 있는 자기 자신의 모습을 나타낸다. 나무그림검사의 장점은 실시하는 데 내담자의 거부감이 적고, 기록이 남아서 발달이나 치료의 과정을 검토하는 데 가치가 있으며, 검사할 때의 상태를 관찰할 수 있다는 것이다. 반면에, 단점은 실시는 간단하지만 해석하는 데 연령변인이 고려되어야 하고, 문화적 차이 때문에 상징적 의미의 기계적 적용을 피해야 한다는 것이다. 그래서 아직 우리나라 실정에 맞는 나무그림검사에 관한 이론체계가 마련되어 있지 않아서 집-나무-사람(HTP) 검사의 일부로 실시하고, 심리검사의 보조검사로 사용하고 있다. 준비물은 A4 용지, 2B 혹은 4B 연필, 지우개 등이고, 실시방법은 다음의 지시어로 시작한다. "네가 잘 그릴 수 있는 과일나무 한 그루를 그려라." 특별한 특징에 관한 해석은 '마술적' 의미를 지니고 있다. 나무줄기에 홈이나 상처가 있는 것은 발달과정에서 상처나 사고를 입은 것으로 해석한다. 홈의 위치와 나무의 전체 높이를 비교해서 발달 장애의 시기를 추적하기도 한다.

관련어 | 그림 후 질문, 집-나무-사람검사

비트겐슈타인 지수 [-指數, Wittgenstein-index] 나무그림검사에서 내담자가 그린 나무의 높이로 내담자의 실제 연령을 추정할 수 있는 숫자다.

이를 계산하는 방법은 다음과 같다. 내담자가 그린 나무의 전체 높이를 실제 연령으로 나누면 된다. 즉, 나무의 전체 높이(mm)/연령은 지수다. 예를 들면, 검사에서 나무의 높이가 230밀리미터이고 나이가 39세라면 지수는 반올림하여 6이 된다. 지수를 내담자의 그림에 적용하면 다음과 같다. 나무그림에서 165밀리미터 위치의 나뭇가지가 날카롭게 꺾여 있다면 165를 지수 6으로 나누면 27.5이므로, 내담자는 27세경에 어떠한 외상으로 큰 변화를 가져왔다고 해석할 수 있다.

나우리공동체
[－共同體, I & We Therapeutic Community]

서울시립 동부아동상담소에서 미국의 Daytop TC 프로그램을 기초로 하여 운영하는 가출, 폭력, 약물과 같은 문제행동과 부적응 행동, 공격성 등 정서적 문제를 가진 18세 이하 청소년의 치료를 목적으로 하는 치료적 공동체. 중독상담

'나우리'란 나와 우리(I and We)의 줄임말로서, 아동과 청소년의 다양한 문제는 자신의 행동과 사고에 대해 어떻게 반응하는지에 대한 문제일 뿐만 아니라, 타인과의 상호작용 방식과도 관련성이 있다고 본다. 따라서 이러한 문제들을 해결하기 위해서는 아동과 청소년 혼자만의 노력으로는 부족하며, 공동체를 통해 다함께 노력해야 한다는 점에서 치료적인 공동체 생활을 강조한다. 이 공동체에 속한 아동과 청소년은 서로 긍정적인 행동과 사고를 적극 지지해 주며, 사랑과 믿음 그리고 정직 등의 강조를 통해 신체적, 정신적인 성장을 돕는다. 또한 규칙적인 생활과 각종 프로그램을 통해서 프로그램을 마친 후에도 사회에 잘 적응할 수 있도록 도움을 주는 것이 목적이다. 나우리공동체 치료 프로그램의 입소 대상자는 거리상담을 통하거나 가정 및 학교, 사회복지기관의 의뢰를 통하는 방법, 혹은 아동학대 신고로 가정에서 분리할 필요가 있다고 판단된 18세 이하의 아동 청소년이다. 나우리공동체는 이러한 아동 청소년들의 부적응 행동이나 정서적 문제를 치료하기 위한 공동체 생활을 통해 그들의 부적절한 환경에서 격리시켜 보다 적응적인 사회생활이 가능하도록 해 준다. 나우리 치료공동체의 프로그램은 크게 1단계 오리엔테이션, 2단계 치료, 3단계 사회복귀 준비, 4단계 사회복귀, 5단계 추후 지도의 다섯 단계로 나뉘어 있다. 이 프로그램에는 주 1회의 개별 상담 및 단기 특수 집단상담이 포함되어 있으며, 대화하기와 또래법정 등의 모임은 수시로 시행된다. 프로그램의 진행 중에는 각 구성원들이 자신의 단계별 위치를 명확히 알 수 있도록 하며, 다음 단계로 진행하기 위해서는 작문 또는 구두 테스트를 거쳐야 한다. 또한 각각의 단계는 공동체 내에서 지위의 서열로 인정을 받는다. 이 같은 나우리공동체의 치료 프로그램은 모두 네 가지 치료적인 측면에서 접근하고 있다. 첫째는 행동 형성 및 관리적인 측면이다. 예를 들어, 치료적 공동체의 규칙을 위반한 아동 청소년에게 제재를 가하는 방법으로는 단계별로 tool이라고 부르는 방법을 적용한다. tool은 잘못에 대해 친구처럼 부드럽게 지적하는 것부터 hair cut, time out과 같이 강화된 tool이 있다. 둘째는 지적인 영역의 발달적 측면이다. 어떤 행동 또는 행위가 인간의 선함을 나타내고 반영하며 그것을 드러내는 행위라고 규정하여, 생활이 안정되고 조직화된 후 생의 의미를 찾고자 노력하도록 한다. 셋째는 감정적, 심리적 발달 측면으로 행동과 문제에 대한 통찰을 얻고 진실을 발견함으로써 변화를 유지하고자 한다. 넷째는 역할, 생존 기술적인 측면으로 프로그램 종료 후 자신의 생존을 위해 자립할 수 있는 계획을 세우도록 돕는 것이다.

관련어 | 참만남집단, 치료적 공동체(TC)

나의 생활연대기
[-生活年代記, life chronology]

개인이 출생해서 현재까지 경험한 주요 생활경험을 연대별로 나열한 그림. 경험적 가족치료

이 그림을 통해 개인은 자신의 인생경험을 되돌아보고, 재인식하며, 탐색하는 과정을 거친다. 이 과정은 개인이 자신의 삶을 재구조화하고 긍정적으로 변화하여 성장할 수 있는 정보가 된다. 나의 생활연대기를 그리기 위해서 내담자는 우선 지금까지의 삶에서 경험한 주요 사건을 기억하고, 이를 수평선 위에 연대별로 나열한다. 그다음 그 사건들이 자신에게 영향을 미친 정도를 긍정과 부정의 차원으로 분류한 뒤, 그 사이를 이어서 그래프로 완성한다.

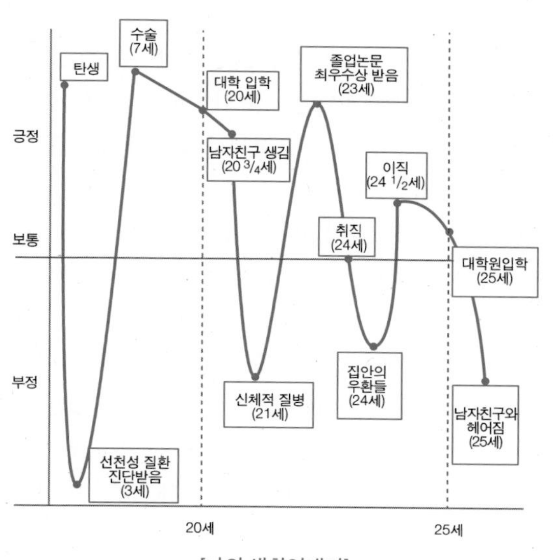

[나의 생활연대기]

출처: 정문자, 정혜정, 이선혜, 전영주(2007). 가족치료의 이해. 서울: 학지사. p. 192

관련어 | 가족생활연대기

나의 입장
[-入場, I-position]

다른 사람이 하는 행동에 대해 지적하고 비난하는 것이 아니라 자신이 무엇을 생각하고 느끼는지 표현하도록 하는 기법. 가족치료 일반

이 기법은 감정적으로 화가 나 있고 속상한 상태에서 문제의 원인을 추적하거나 상대방에게 책임을 추궁함으로써 이어질 수 있는 부정적 대화의 악순환에서 벗어날 수 있는 해결방법을 찾기 위한 것이다. 긴장된 상태에서 나의 입장을 취하면 정서적 충동에서 벗어나 상황을 안정시키는 효과가 있다. 예를 들어, 남편이 아내에게 "집이 왜 이 꼴이야."라고 말하는 대신에 "집이 깔끔하고 단정하게 정리되어 있으면 좋겠어."라고 표현하는 것이다. 이렇게 하면 상대방은 말하는 사람의 상태와 생각을 알 수 있기 때문에 반응적이고 악순환적인 대화에서 벗어날 수 있다. 상담자는 치료과정 중에도 내담자가 이 기법을 사용하여 정서적 긴장의 상황에서 벗어날 수 있도록 격려하도록 한다.

낙서
[落書, scribbling]

글쓰기의 긴장감을 덜어 주기 위한 저널기법. 문학치료(글쓰기치료)

낙서 또는 줄 긋기(line drawing, doodling)는 글쓰기의 긴장감을 덜어 주기 좋은 저널기법이다. 글쓰기에 익숙하지 않거나 부담스러워하고, 또는 잘 쓰지 못할 것을 걱정하는 습관적이고 무의식적인 두려움을 가지고 있는 경우에는 먼저 선 그리기나 낙서로 시작해 보는 것이 좋다. 멋대로 줄을 긋는 선화(線畵)나 낙서는 긴장을 풀고 감정을 이완시키며 억압된 감정을 열고 내면의 목소리를 탐구하기 위한 멋진 말문 열기 준비작업이 된다. 그림을 그리면 그 후에 글이 더 쉽게 따라오기도 한다. 게다가

낙서는 재미도 있다. 이 저널기법은 마치 아기가 '우우' 거리면서 소리를 지르거나 기어 다니는 것이 나중에 말하기와 걷기로 이어지는 것처럼 글쓰기로 가는 즐거운 놀이와 같은 준비단계라고 할 수 있다. 특히 자의식이 강한 사람들에게 도움이 되는 기법이다.

관련어 | 카타르시스 글쓰기

낙인
[烙印, stigma]

어떤 대상에게 부정적인 편견이나 고정관념을 강하게 갖는 것. 정신병리

원래는 쇠붙이를 불에 달구어 찍는 도장을 의미하는데, 가축이 자신의 소유임을 표시하기 위해 혹은 어떤 사람이 범죄자임을 쉽게 알도록 하기 위해 사용되었다. 낙인은 낙인이론(labeling theory)의 범주 내에서 논의되는 개념인데, 심리적 장애의 원인에 대해서는 관심을 두지 않고 오히려 특정한 개인의 진단을 위해 명명된 사실, 즉 명칭에 더 큰 비중을 두는 현상에서 비롯되었다. 어떤 사람에게 정신병 환자라는 명칭이 붙으면 주변 사람들이 그에 대한 부정적인 판단을 하게 되고 그 결과 이전과는 다르게 그를 대한다. 이러한 상태가 지속될 경우, 낙인이 찍힌 개인은 자신의 자기지각을 부정적으로 변화시키고, 결국 그 자신뿐만 아니라 주변 사람이 보기에도 더욱더 그 명칭에 부합되도록 행동하는 악순환이 계속된다. 치료를 받은 정신질환자의 사회 복귀는 그가 속해 있는 지역사회의 문화적 특성에 따라 예후가 달라질 수 있다. 특히 조현병의 치료효과는 문화적 배경에 따라 차이가 있음이 밝혀지고 있다. 사회적 이동이 별로 없는 사회, 치료에 적극 참여하는 가족, 정신질환에 대한 사회적 고정관념이나 편견, 낙인문제가 별로 없는 사회에서는 정신질환자에 대한 치료효과가 더 높은 것으로 예견된다. 브라운(G. Brown)은 정신질환자가 속하게 되는 집단 내에서 적대적이며 침범적인 감정이 여과되지 않고 그대로 표현될수록 정신질환자의 퇴원 후 예후가 나쁜 것으로 보고하였다.

관련어 | 낙인이론, 낙인효과

낙인이론
[烙印理論, labeling theory]

일탈 혹은 범죄행동이 특정 행동에 대한 사회문화적 평가와 소외의 결과로 규정된다고 보는 이론. 인지행동

일탈행동이 행위자의 심리적 성향이나 환경적 조건 때문에 발생되기보다는 사회문화적 요인에 따른다고 보는 이론이다. 일탈행동에 관한 이론으로서, 1960년대 시카고학파에 속하는 레머트(E. Lemert), 베커(H. Becker), 키추스(J. Kitsuse), 메차(D. Matza) 등이 제창하였다. 일탈행동을 단순한 사회병리현상으로 다루어 온 기존의 관점에서 탈피하여, 일탈이라는 것은 행위자의 내적 특성이 아니라 주위로부터의 낙인으로 만들어진다고 보았다. 미드(Mead)의 상징적 상호작용 이론과 슈츠(Schutz)의 현상학적 사회 이론에 근거한다. 상징적 상호작용 이론은 사람들이 서로 의사소통하고 교류하는 가운데 의미를 교환하는 것을 중시하는데, 낙인이론에 따르면 일탈은 결국 행동하는 사람과 그 사람을 보고 판단하는 사람 간의 상호작용의 결과물이다. 개인이 정신병자 혹은 전과자로 낙인찍힐 때 그는 그러한 칭호에 걸맞은 행동을 반복적으로 하기 쉽다. 이러한 행위는 그 칭호를 정당화하는 순환적 과정으로 나타난다. 종래의 일탈연구가 일탈행동이나 일탈행위자를 판정하는 객관적이고도 보편적인 기준을 전제하고 있음을 비판하는 낙인이론은 일탈개념이 한 사회의 문화적 구성물이며, 따라서 일탈행동을 규정하는 사회적 과정 자체를 문제시하는 데서 일탈연구가 출발해야 한다고 주장하고 있다. 즉, 기존의

일탈연구는 '사람들이 왜 일탈행동을 하게 되는가'를 밝히기 위해 일탈행동의 심리적 동기, 동기를 유발하는 환경적 요인, 일탈행위자의 사회적 지위 등에 주된 관심을 가져왔다. 이에 반해 낙인이론은 '어떤 사람의 어떤 행동이 왜 일탈로 규정되는가'를 밝히기 위해 개인의 행동에 대한 사회적 반응, 사회적 낙인이 행위자의 정체성 형성에 미치는 영향, 일탈의 증폭과정 등에 관심을 둔다. 예를 들면, 가난한 집안 형편으로 고등학교를 중퇴한 십대 청소년이 또래와 함께 절도를 하다가 경찰에 잡혀 실형을 선고받았다. 이때 낙인이론에 따르면, 그를 일탈행동을 행한 범죄자나 비행 청소년이라고 사회적으로 규정했기 때문에 그의 그러한 정체성이 더 강화되고 결국 범죄자로 살아가게 된다. 낙인이론에서는 왜 비행행위를 하는가에 대해서는 설명하지 않는다. 다만, 어떤 과정을 거쳐서 일탈행위자나 범죄자로 살아가는가를 설명하는 데 초점을 둔다. 따라서 그가 도둑질한 것 자체가 문제가 아니라, 그것을 범죄라고 규정하면서 그를 일탈행위자로 만드는 것이 더 문제인 것이다. 그가 일탈행위자로 한번 규정을 받으면 주변 사람들에게 영원히 범죄 가능성이 있는 사람으로 인식된다. 결국 이 같은 불이익 속에서 그는 다시 범죄를 저지를 가능성이 커진다. 낙인이론의 문제의식 이면에는 현대사회에 대한 다원적인 사회관이 내포되어 있다. 고도로 분화되고 복잡한 현대사회에는 다양한 집단과 상호 모순된 규칙이 대립적으로 존재하고 있으며, 따라서 일탈행동과 일탈행위자에 대한 판단은 맥락에 따라 달리 이루어져야 한다는 것이다. 특히 낙인이론은 일탈의 예방과 치유를 위해 설립된 교도소, 소년원, 정신병원, 복지갱생시설 등이 흔히 그 본래의 임무를 저버리고 일탈을 영속화하고 있음을 비판하고 있다. 학교 또한 학생의 생활과 진로를 지도하는 과정에서 일부 집단에게 부당한 낙인을 부여하는 경향이 있는 것으로 지적되고 있다.

낙인효과
[烙印效果, stigma effect]

부정적인 편견이나 고정관념에 따른 낙인이 찍히면 실제로 그렇게 되는 현상. 정신병리

사회학, 심리학, 범죄학, 정치학, 경제학 등 광범위한 학문분야에서 낙인이론(labeling theory)의 범주 내에서 논의되는 용어다. 경제학적 관점에서 볼 때, 시장의 신뢰를 잃은 기업의 경우에는 추후 어떤 제품을 시장에 내놓아도 소비자들로부터 부정적으로 받아들여지고 외면당할 수 있다는 것이다. 정신의학 영역에서는 환자가 속해 있는 환경 내에서 발생하는 낙인이 정신질환의 재발에 미치는 영향에 관해 연구되고 있다. 범죄나 정신질환과 같은 과거 경력이 현재 그 사람에 대한 개인적인 평가에 영향을 미치면, 그 결과 낙인이 찍히게 되고 의식적으로나 무의식적으로 그렇게 행동하게 되는 경향성이 높아진다. 즉, 주변 사람들에게 범죄자로 낙인찍힌 사람은 결국 또다시 범죄를 저지르게 되고, 정신질환자로 낙인찍힌 사람은 또다시 정신질환이 재발될 수 있다는 것이다. 낙인효과와 상반되는 개념으로는 피그말리온 효과(pygmalion effect)가 있다. 주변 사람들로부터 긍정적인 기대와 지지를 받으면 그 기대에 부응하기 위해 더욱 노력하고 이에 따라 실제로 긍정적인 성과와 결과가 나타난다. 반면에 부정적인 낙인이 찍히면 결국 부정적인 행태를 보이게 된다.

관련어 | 낙인, 낙인이론

난독증
[難讀症, dyslexia]

읽기, 쓰기, 철자에서 어려움을 겪는 읽기장애의 한 유형. 특수아상담

난독증은 학습장애 중에서도 가장 많이 나타나는 유형으로, 장애의 정도는 경도부터 중도까지 다양

하게 나타난다. 중재가 빠를수록 예후는 더 좋은 것으로 알려져 있다. 난독증은 눈이나 귀로 받아들인 이미지를 변환하는 두뇌능력의 결함 때문인데, 이는 시각이나 청각장애, 지적장애, 두뇌 손상 또는 지적 결손이 원인은 아니다. 난독증에는 다음과 같은 몇 가지 유형이 있다. 첫째, 트라우마 난독증은 읽기와 쓰기를 관장하는 두뇌영역에서 손상이나 트라우마를 입었을 때 나타나는 것으로, 오늘날 학령기 인구에서는 찾아보기 힘들다. 둘째, 중심성 난독증은 좌뇌 피질의 역기능이 원인이다. 중심성 난독증이 있으면 초등학교 4학년 이상의 읽기능력을 습득하는 경우가 매우 드물고 성인이 되어서도 읽기, 철자, 쓰기에서 지속적으로 어려움을 겪는다. 주로 가족력이 있으며 여자보다 남자에게 더 많이 나타난다. 셋째, 발달적 난독증은 태아 발달단계의 호르몬 분비와 관련이 있으며, 아동이 성장하면서 사라지고 남자에게 더 많이 나타난다.

관련어 | 읽기장애

난청
[難聽, hard of hearing]

대개 보청기를 착용했을 때의 잔존청력이 청각을 통한 정보 교환이 어렵기는 하지만 가능한 정도. 특수아상담

최초로 음을 탐지하는 수준을 뜻하는 청력 역치가 36~54dB일 때를 경도, 55~69dB일 때를 중등도, 70~89dB일 때를 중도, 그리고 90dB 이상일 때를 최중도의 청각장애로 분류한다. 최중도의 범주는 통상 농(deaf)이라고 한다. 난청이 있을 때 일정한 볼륨범위나 특정 주파수의 소리만 들을 수 있는 경우도 있다. 이 경우 의사소통을 할 때 보청기나 독화에 많이 의지하고, 수화를 사용하기도 한다. 난청이 있으면 자신의 말을 들을 수 있는 능력이 현저히 떨어지기 때문에 구어장애를 동반할 가능성이 높다.

관련어 | 청각장애

난화 그리기
[亂畫 - , scribbling]

휘갈겨 그리거나 긁적거리는 그림으로 주로 유아기에 보이는 그림형태로서, 미술치료의 초기에 내담자의 저항이나 불안을 감소시키고 치료에 대한 흥미와 친밀감을 형성하는 치료적 활동과 진단적 도구로 사용되는 정신분석적 미술치료기법. 미술치료

난화는 유아의 미분화 단계에서 볼 수 있는 착화 상태를 말하며, 그리기 도구로 종이 위에 마음대로 휘갈겨 그리는 것이다. 그래서 방어기제가 강하게 작용될 수 있는 비교적 지적 수준이 높은 사람들에게도 유용하게 사용할 수 있다. 유아에게 난화는 어깨와 팔 전체를 움직여 그리는 것으로 의도성이 없는 결과물이고, 성인의 경우에는 인지적인 결과물로서가 아니라 무의식적 자료나 잠재된 의미를 발견하는 데 주로 사용된다. 그렇기 때문에 왼손을 사용하게 하거나 눈을 감고 그리게 하는 것도 도움이 된다. 말하자면, 난화는 그림을 그린 사람의 무의식 속에 잠자고 있는 상상을 표출시키고 저항감을 줄이는 데 도움을 줄 수 있기 때문에, 내담자의 무의식을 탐색하고자 할 때 사용하거나 미술치료작업의 초기단계에서 매체에 대한 탐색이나 이완을 위하여 사용한다. 준비물은 A4 용지, 크레파스, 연필이나 볼펜 등이고, 실시시간은 제한이 없다. 실시방법은 다음과 같다. 먼저, 팔을 상하와 좌우로 크게 돌리면서 경직되고 억제된 몸과 마음을 이완시킨 다음, A4 용지에 연필이나 볼펜으로 낙서하듯이 자유롭게 선을 그린다. 다음으로 그려진 선들에서 형상을 찾고, 거기에 선을 더하여 형상을 구체화시키며 채색을 한 뒤 제목을 붙인다. 그런 다음 연상작업을 통하여 난화에서 찾은 형상을 내담자의 심리와 관련하여 이야기하도록 하고, 그림이 내담자 자신에게 보내는 메시지를 찾아보도록 한다. 이와 같은 난화는 맥나미(McNamee, 2004)에 따르면, 미술 교육가 카네(Cane)에 의해 유려한 연속적인 선을 가진 일종의 놀이로 제시되었고, 진단그림 시리즈는 1965년

미술치료사 울만(Ulman)에 의해 공식화되었다. 또한 울만은 난화의 사용을 위한 프로토콜(protocol)과 그림의 정신분석적 해석에 입각한 성격평가를 제공하였으며, 난화의 진단과 치료적 사용의 발달을 서술하였다(McNamee, 2004). 한편, 난화를 활용한 것으로 난화 상호 이야기와 난화 게임(squiggle drawing game: SDG)이 있다.

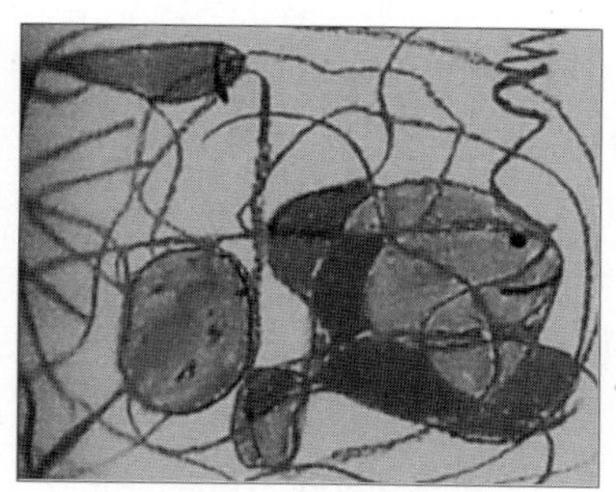

출처: 정현희(2007). 실제 적용 중심의 미술치료. 서울: 학지사.

관련어 | 스퀴글, 스퀴글 게임

난화 상호 이야기 [亂畵相互 –, mutual scribble story making: MSSM] 치료자와 내담자가 각각의 종이에 휘갈겨 그린 그림을 서로 교환하여 이미지를 찾고 이야기를 나누는 미술치료기법이다. 야마나카(山中)는 난화에 나카이(中井)가 개발한 테두리기법(fence technique)을 더하여 이 기법을 개발하였다. 실시방법은 다음과 같다. 먼저, 치료자와 내담자가 각각 A4 용지에 테두리 선을 그어서 교환한다. 다음으로 내담자와 치료자가 각자 난화를 그린 뒤 치료자가 그린 난화에는 내담자가 이미지를 투사하여 형상을 완성하고, 내담자가 그린 난화에는 치료자가 이미지를 투사하여 형상을 찾아 완성한다. 그런 다음 그 난화에 대하여 이야기를 나누어 본다. 이와 같이 치료자와 내담자가 역할을 교환함으로써 상호관계 형성에 도움이 되고, 또한 내담자가 난화에 자신의 무의식을 투사하여 형상화함으로써 내담자의 무의식을 보다 쉽게 의식화시켜 내담자 스스로 자신의 문제를 인식하도록 해 준다. 이와 같이 난화 상호 이야기는 자신의 감정이나 내적 갈등을 난화에 투사하여 이야기를 나누는 과정에서 내담자의 심리상태를 이해하고 지지해 준다는 장점이 있다. 이로 인해, 난화 상호 이야기는 특히 직접적으로 자신의 내적 갈등을 표현하기 어려워하거나 꺼리는 내담자의 상담에 많이 이용되고 있다.

날로르핀
[–, nalorphine]

아편계 마약 중독자를 치료하기 위한 아편길항제의 일종. 날로핀이라고도 함. 중독상담

날로르핀을 아편계 중독자의 몸에 투여하면 아편으로 인한 도취감, 진통작용, 경련 등에 대해 길항작용을 하여 그 효과를 소멸시킨다. 장기간 사용하면 날로르핀도 의존성이 생기며 투약을 중단하면 어지럽고, 하품, 설사, 발열, 체중 감소 등의 금단증상이 나타난다.

관련어 | 금단증상, 길항, 아편길항제

날트렉손
[–, naltrexone: REVIA]

아편이 주는 주관적인 쾌감을 감소시키는 효과가 있어서 주로 아편중독을 치료하기 위해 사용되는 약물. 중독상담

날트렉손이 가지고 있는 아편계에 대한 길항작용은 경우에 따라 72시간까지 지속될 수 있어서 이를 이용하여 인체 내에서 아편의 작용을 차단하는 길항제로 사용한다. 하지만 아편계 약물에 중독된 환자를 치료하기 위한 약물요법으로 날트렉손을 투여할 때, 인체의 내부에서 자연적으로 생성되는 아편양제제의 진통효과까지 차단하는 단점이 있다. 따라서 수술이나 질병 때문에 느끼는 통증을 억제할

목적으로 진통제를 사용하는 환자에게는 투여를 제한하고 있다. 날트렉손을 이용한 치료를 기존의 행동치료와 병행할 경우 중독 재발률을 50%에서 20%까지 떨어트릴 수 있다고 한다. 또한 날트렉손은 재발한 약물중독 환자들이 다시 치료 프로그램에 참여하도록 유도하는 효과가 있다. 날트렉손은 아편뿐만 아니라 알코올에 대한 갈망을 감소시키는 데에도 효과가 있는 것으로 확인되므로 알코올중독의 치료에도 사용한다. 일부 사람들에게서 날트렉손을 복용한 후 1~2주 동안 두통, 불면, 피로, 현기증, 메스꺼움, 구토 등의 부작용이 나타나며, 18세 이하의 사람이나 임산부, 수유 중인 여성, 간 질환이 있는 사람에게는 투약을 금하고 있다.

관련어 | 아편, 아편양제제

남근기
[男根期, phallic stage]

리비도가 생식기에 집중되어 자신의 성기를 만지거나 환상을 통해 쾌감을 느끼는 시기. 정신분석학

프로이트(S. Freud)가 설명한 심리성적발달의 세 번째 단계로서 4~6세에 해당한다. 아동이 남아의 신체와 여아의 신체 간의 차이점을 인식하기 시작하는 시기다. 성에 대한 호기심, 성적 환상, 자위, 성역할 동일시, 성역할놀이와 같은 행동들이 나타난다. 아동이 자신과 반대의 성을 지닌 부모에 대해 가지고 있는 무의식적 근친상간의 욕망으로 다양한 심리적 갈등이 발생한다. 오이디푸스콤플렉스(Oedipus complex)와 거세불안(castration anxiety)은 남아가 환상과 행동을 통해 어머니에게 갖게 되는 성적 소망에서 비롯된다. 프로이트는 오이디푸스콤플렉스를 '인간이면 누구나 성장과정 중에 경험하는 인류의 보편적 현상이며 신경증의 핵심적 원인'이라고 하였다. 남아는 어머니의 사랑을 차지하는 데 아버지를 경쟁자이자 위협적인 존재로 인식하고 아버지에 대해 질투심과 적개심을 갖는다. 이때 남아는 자신보다 힘이 더 강한 아버지가 자신이 어머니를 좋아하는 것을 알아차리고 그 보복으로 자신의 남근을 제거할까 봐 두려워하게 되는데, 이것을 거세불안이라고 한다. 남아의 거세불안과 상반된 현상으로 여아에게는 남근선망(penis envy)과 엘렉트라 콤플렉스(Electra complex)가 나타난다. 여아는 남아에게 있는 남근이 자신에게는 없다는 것을 발견하고 자신이 성기를 잃어버렸다고 믿으며 남근을 부러워한다. 여아는 자신이 처음 사랑했던 어머니에게 남근이 없다는 것을 발견하고는 그 사실에 대해 실망하고 부정적인 감정을 느끼며, 그 결과 사랑의 대상을 어머니에서 남근을 가지고 있는 아버지에게로 옮겨간다. 이때 여아는 아버지의 관심과 애정을 획득하기 위해 어머니와 경쟁한다. 남아와 여아는 각자 이성(異性)의 부모에게로 향한 욕망과 동성(同性)의 부모에 대한 적대감 때문에 죄책감을 느끼고 자신의 성적 욕망을 억압한다. 결국 동성의 부모와의 동일시(identification)을 통해 이러한 갈등을 해소해 나간다. 아동은 부모의 행동 특성을 모방하고 부모를 통해 전수되는 사회의 규범을 내재화하는데, 이러한 과정을 통해 자아와 초자아가 발달한다. 그러나 이 시기에 내적 콤플렉스를 원만하게 해결하지 못하면 권위에 지나치게 복종하고 두려워하거나 매사에 경쟁심을 보이는 퇴행적인 행동이 나타나고, 청소년기 성 정체감(性正體感) 확립에 큰 혼란을 겪게 된다. 남근기에 고착된 성인 남성은 항상 자신의 남자다움과 강함을 드러내려고 하기 때문에 경솔하고 과장되며 야심적인 행동 특성을 나타낸다. 한편, 남근기에 고착된 성인 여성의 경우는 성적(性的) 관계에서 순진해 보이지만 난잡하고 유혹적이며 경박한 특성을 나타내기도 한다. 또한 이 시기에 해결되지 못한 오이디푸스콤플렉스와 엘렉트라 콤플렉스는 동성애나 성 전환증(transgender) 등으로 나타나며, 남성의 성적 무기력이나 여성의 불감증과 같은 신경증의 원인이 되기도 한다.

관련어 | 거세불안, 거세 콤플렉스, 구강기, 남근선망, 생식기, 심리성적발달, 엘렉트라 콤플렉스, 오이디푸스 콤플렉스, 잠복기, 항문기

남근기 성격
[男根期性格, phallic personality]

남근기에 성적 욕동이 성적 기관을 중심으로 발달되어 형성되는 성격. 정신분석학

심리성적발달단계의 남근기에서는 아동의 욕동이 성적 기관 중심으로 발달된다. 이때 나타나는 소망이나 환상을 다루어 가는 방식에 따라 성격형성이 영향을 받는다. 남근기는 성기영역이 성적 흥미와 자극, 그리고 쾌락의 초점이 되는 시기다. 남근기 성격발달은 오이디푸스콤플렉스와 관련된다. 오이디푸스콤플렉스란 남아가 어머니에 대해 성애적 사랑을 느끼며 아버지를 경쟁자로 인식하여 시기와 적개심을 갖는 것이다. 자위행위가 증가하며 이성의 부모와 성적 관계를 맺는 무의식적인 환상이 동반된다. 남아의 경우 오이디푸스콤플렉스에서 비롯되는 근친상간적 소망은 거세불안으로 억압되며, 아버지와 동일시함으로써 거세불안을 완화하고 점차 초자아를 형성해 나간다. 남근기에 고착된 성격은 매우 복잡하여 단일한 형태로 기술하기 어렵다. 일반적으로, 남아가 자신의 성애적 감정을 어머니에게 거절당하고 아버지로부터 위협감을 느꼈다면 성인이 되어서도 지속적으로 부적절감을 느끼게 되며, 이성관계에서 소극적인 모습을 보이거나 혹은 과잉행동을 통해 과도한 남성성을 나타내고자 한다. 동일한 기제로, 여아가 자신의 성애적 감정을 아버지에게 거부당하고 어머니로부터 위협감을 느꼈다면 성인이 되어 자신의 여성성을 무시하거나 지나치게 과장해서 드러낼 수 있다.

관련어 | 고착, 남근기, 심리성적발달

남근선망
[男根羨望, penis envy]

여아가 남아의 남근을 선망하여 갖고 싶어 하는 것. 정신분석학

프로이트(S. Freud)가 제시한 심리성적발달단계의 남근기 중에 나타나는 현상으로 남아의 거세불안에 대응되는 개념이다. 거세불안에는 위협이 내포되어 있으므로 남아로 하여금 근친상간의 소망을 포기하도록 만드는 데 반해, 남근선망에는 보복위협이 존재하지 않는다. 정신분석에서는 여성의 남성에 대한 동경, 열등감, 반감 등은 자신에게 남근이 없다는 인식에서 비롯된다고 본다. 남근이 없이 태어난 여아는 열등감을 느끼며 남근을 소망한다. 여아의 초기 애정대상은 어머니다. 그러나 여아가 남근기에 접어들면 아버지와 다른 남자들은 남근을 갖고 있는 반면에 자신과 어머니는 남근이 없다는 사실을 깨닫는다. 자신이 거세되었다고 생각하는 여아는 어머니를 미워하고 남근을 갖고 있는 아버지에게로 애정을 옮겨 간다. 여아는 아버지와의 성적인 결합을 통해 그의 남근을 공유하거나 혹은 상징적으로 남근에 해당되는 아기를 얻을 수 있기를 바란다. 남근선망이 강할 경우 여아는 자신의 여성성을 수용하기가 어려워지고 성 정체감 형성에 문제가 생길 수 있다.

관련어 | 거세 콤플렉스, 남근기, 엘렉트라 콤플렉스

남성발기장애
[男性勃起障碍, male erectile disorder]

남성이 질 삽입이 완성될 때까지 음경 발기상태에 도달하지 못하거나 음경 발기상태를 유지하지 못하는 장애. 정신병리

성반응주기를 흥분기(excitement phase), 고조기(plateau phase), 절정기(orgasmic phase), 해소기(resolution phase)의 4단계로 구분했을 때, 흥분

기에 관련되는 남성의 대표적인 성기능장애다. 성적 흥분이 지속적이고 반복적으로 장애를 받는 경우이며, 발기력이 약하거나 유지되지 않아서 성행위를 성공적으로 마무리하지 못한다. 과거에 단 한 번도 성공적인 성행위를 완수한 경험이 없는 경우를 원발성(primary) 장애라고 하며, 반면에 과거에는 발기에 문제가 없었지만 어느 시점부터 발기장애가 나타나는 경우를 이차성 발기장애(secondary erectile disorder)라고 한다. 대체로 원발성은 약 1%로 매우 드물고, 대부분 이차성발기장애가 많은데, 성인 남성의 약 10~20% 정도로 보고된다. 임상적으로 성적 자극에 의해 전혀 발기가 되지 않는 경우는 드물다. 대부분 발기가 되더라도 곧 이완되어 버리는 부분발기장애가 많다. 남성의 음경 발기 기전에는 대뇌 고위 중추, 변연계, 척수, 척수의 발기중추에서 나와 음경해면체에 이르는 발기신경, 그리고 음부신경이 관여한다. 음경 발기현상은 음경 내로 혈액이 충만되어 음경이 팽창하면서 발기강 내의 압력이 높아지고 강직도를 얻는 것을 뜻한다. 발기의 유형은 외부의 성기자극에 따른 반사 발기와 대뇌에서 자극이 전달되는 심인성 발기로 나눌 수 있다. 발기가 이루어지기 위해서는 신경 및 혈관계가 작동해야 하며, 그 외에도 내분기계 및 심리적 요인도 함께 영향을 미친다. 그러므로 이들 중 어느 한 요인이라도 문제가 발생하면 발기장애가 나타난다. 원인에는 기질성 혹은 복합성 원인도 있지만 대부분 심인성인 경우가 많다. 기질성 원인으로는 유전적 질환, 감염, 당뇨, 약물남용, 음경혈관계 장애, 다발성 경화증 같은 신경계 장애, 척수 손상 등이다. 심리적으로는 징벌적 초자아, 신뢰감 결여, 부적절감, 공포, 불안, 긴장 등이 있다. 개인적 갈등이나 신체적 문제에 대한 관심에서 유발된 불안은 종종 발기부전을 초래한다. 신체적 원인에는 식사 패턴, 호르몬 불균형, 약물 사용 등이 해당된다. 기질적 원인에 의한 발기장애와 기능적 원인에 의한 발기장애를 구별하기 위해서는 수면 시 음경 발기, 근육 강직 시의 종창, 음경 혈압, 음부신경의 잠재시간 등을 측정한다. 예를 들어, 야간의 성기 팽창(nocturnal penile tumescence: NPT)을 측정하는 경우 만약 야간 발기가 일어난다면 발기장애의 원인은 생리적인 것이 아니라 심리적인 것일 가능성이 높다. 남성발기장애 치료에는 주로 정신역동적 접근, 가족체계 치료, 인지행동적 기법 등이 통합되어 적용된다.

남성성 추구
[男性性追求, masculine protest]

여성성이 지닌 열등성을 남성적 행동으로 과잉보상하는 행동으로서, 남성적 항의(저항)라고도 함. 개인심리학

아들러(Adler)의 초기 개념으로 남녀가 부족감과 열등감을 대신하려는 노력으로 갖는 과잉보상의 한 형태를 의미한다. 대개의 경우 여성은 남성보다 사회적으로 불리한 입장에 놓이는 경향이 있기 때문에 자신이 여성이라는 데 열등감을 품기 쉽다. 이 열등감에 대하여 여성들이 보이는 반응은 다양하다. 어떤 여성은 자신이 여성이라는 사실을 받아들인다. 어떤 여성은 자신이 여성임을 필요 이상으로 강조한다. 어떤 여성은 자신이 여성이라는 사실을 거부하고 남성 이상으로 남성적으로 행동하려고 한다. 마지막 경우를 남성성 추구라고 한다. 어떤 여성들은 지나치게 보상적이 되어 신경증적 증상을 보이는 병리적 행동까지 하는 우월 콤플렉스를 보이기도 한다. 이들은 여자로서의 성역할을 완전히 거부하기도 한다.

관련어 보상, 우월추구

남성적 저항
[男性的抵抗, masculine protest]

자아의 강함과 약함에 대한 은유적 표현으로 신경증에 걸리기 쉬운 개인의 특성. 정신분석학

아들러(A. Adler)가 자아의 강인함을 은유적으로 표현하기 위해 사용한 용어다. 그는 생물학적 성 차이와는 무관하게 남성성과 여성성이라는 용어를 사용했는데, 열등감을 과잉보상 받으려는 시도 때문에 오히려 신경증에 걸리기 쉬운 개인의 특성을 남성적 저항이라는 용어로 표현하였다. 나아가 좀 더 제한적인 의미에서 이와 대비되는 개념으로, 여성이 여성적 역할에 반발하고 거부하는 것을 여성적 저항(feminine protest)이라고 표현하였다. 프로이트(S. Freud)의 남근선망 개념이 지나치게 직설적이고 생물학적이라고 여긴 아들러는 사회문화적인 관점에서 여성의 열등감을 설명하고자 하였다. 여성은 신체적 결함이 아니라 남성 지배적 문화 분위기로 인해 열등감을 느낀다고 주장하였다. 그는 생물학에 근거한 프로이트의 거세불안, 남근선망 등의 욕동심리학적 개념에 동의하지 않았으며, 인간의 성격발달에 영향을 미치는 지배적 요인을 권력(power)이라고 보았다.

관련어 거세불안, 남근선망, 보상, 열등감

낭만 회복하기
[浪漫回復 -, recovery of romance]

이마고 부부치료에서 부부간에 뇌 중추의 즐거움을 활성화하도록 돕는 것. 이마고치료

부부는 대개 연애기간이나 낭만적인 시기에는 살아 있다는 느낌과 함께 즐거움을 공유한다. 그 기간에는 긍정적인 메시지를 주고받으며 서로를 돌보기 때문이다. 그러다가 시간이 지나면서 낭만적인 감정이 사라지고 서로를 돌보는 행동 대신 상처를 주는 행동이 증가한다. 이는 부부관계에서의 안전감을 사라지게 할 뿐 아니라 위협감을 준다. 이 상황에서는 서로 살아남기 위해 방어벽을 치고 자신을 보호하려고 애를 쓴다. 이때 이마고치료사는 부부간에 즐거움을 주는 행동을 증가시키도록 함으로써 종전의 낭만적인 감정을 회복하는 데 도움을 줄 수 있다. 이를 통해 부부는 즐거움을 제공하는 사람으로 상대방을 다시 보게 되고 관계를 강화해 나갈 수 있다.

낭만주의
[浪漫主義, romantism]

18세기 후반에서 19세기 중엽 사이에 독일, 프랑스, 영국을 중심으로 유럽 전역에 걸쳐 전개된 사상으로, 고전주의와 대립되며 인간의 자유로운 상상력과 감수성을 중시하는 사조. 미술치료

낭만주의는 신고전주의(neoclassicism)의 합리주의에 반발하여 일어난 것으로서 객관보다는 주관을, 이성보다는 감정을 중요시하고, 법칙보다는 자유를 중시하고 개성을 존중하며 무한한 것을 동경하였다. 낭만주의 미술가들은 아카데미즘, 특히 나폴레옹 제정을 정점으로 대혁명 전후에 걸친 신고전주의의 딱딱하고 까다로운 규범에 반발하였다. 즉, 낭만주의 미술가들은 그리스 · 로마적인 고전을 버리고 중세와 고딕 양식을 지향하고, 오리엔탈리즘을 단순한 이국취미 이상으로 승화시켰다. 낭만주의 회화에서는 그림의 주제보다는 그리는 방법, 즉 주체적 방법이나 주관적 표현을 중시하였다. 낭만주의의 생생하고 역동적인 표현양식은 신고전주의와는 대조적으로 극히 유동적이고 약동적이며, 극적인 움직임과 내부에서 표출되는 강력한 인상을 초래한다. 신고전주의가 비례와 균형에 의한 정면성의 원리를 확립한 반면, 낭만주의는 내적 상상력의 표현에 적합한 비대칭, 깊이 표현에서의 사선구도, 강렬한 색채효과를 낳았다. 낭만주의 미술에서는 형식보다 표현이 선행되었고, 경직된 선이나 정

돈된 형태보다는 있는 그대로의 생생한 것으로서의 산뜻하고 강렬한 색채가 중시되었다. 그런 맥락에서 아름다운 것뿐만 아니라 추한 것까지 그렸던 것이다. 이와 같이 인간의 이성보다 감성을 강조하고 객관적인 묘사보다 주관적인 표현을 중시하는 낭만주의 미술사상은 미술치료의 정신과 같은 맥락에 있다고 할 수 있다.

낮은 기술/높은 감수성
[-技術/-感受性, low skill/high sensitivity]

표현예술치료에서 상담자는 예술적 기술은 전문적이거나 높은 기술을 요구하지 않는 대신에 높은 감수성이 필요하다는 개념. 무용동작치료

특정 영역의 여러 예술치료를 통합하여 창의적 예술치료로 발전시키는 과정에서 상담자에게 예술적 기술은 전문적이거나 높은 기술을 요구하지 않고, 대신 높은 감수성이라는 전문적 자질이 필요하다는 것을 낮은 기술/높은 감수성이라고 표현한다. 예술 중심의 치료경험에서 내담자는 예술훈련을 받았거나, 혹은 예술경험이 없거나에 상관없이 의도를 명료하게 표현하도록 촉진되어야 한다. 이를 위해 내담자의 내적 감각 수준-신체 감각적 · 정서적 · 인지적 상징 차원들이 상호 연결되어야 하며, 이 감각의 수준들은 표현의 예술매체들과 상호작용을 해야 한다. 표현예술치료자들의 전문적 자질의 기준으로 낮은 기술/높은 감수성을 제시한 대표적인 학자는 레빈(S. K. Levine)이다.

낯가림
[-, fear of stranger]

낯선 사람을 대하는 것이 싫고 두려움을 갖는 현상. 발달심리

낯가림은 크게 영아기 낯가림과 유아기 이후의 낯가림으로 구분할 수 있다. 영아기의 낯가림은 영아가 어머니와 다른 사람을 구별하는 반응으로서 자신이 알지 못하는 사람에 대한 거절반응으로 볼 수 있다. 이 반응은 생후 6개월경부터 나타났다가 약 9~12개월경 대부분 사라진다. 이것은 낯익지 않은 신기한 대상에 대한 두려움을 나타내는 것이며, 정서적 측면의 성숙이 일어나고 있는 것으로 볼 수 있다. 그러나 낯가림은 개인차가 있는데, 대부분 다른 사람을 대하는 어머니의 태도에 영향을 받는다. 다른 사람이 자신의 아이에게 접근할 때 과도하게 경계하는 어머니의 태도가 아이에게 전달되면서 낯가림이 생긴다. 한편, 유아기의 낯가림은 다른 사람 앞에서 부끄러워하거나 침묵하고 때로는 말을 더듬는 등의 행동으로 표현된다. 이러한 반응은 어머니에 대한 분리불안, 신경질, 내향성, 주의 깊음, 완전벽 등과 관련이 있다. 영아기의 낯가림은 그 시기의 일반적 특성이기 때문에 크게 문제될 것은 없다. 그러나 유아기의 낯가림은 다른 사람과의 상호작용에서 적극성이 부족하기 때문에 또래를 사귀거나 다른 사람과의 의사소통이 힘들어질 수 있다. 유아기 이후의 낯가림이 경증(輕症)인 경우에는 청년기부터 성인기에 걸쳐 성격 특성으로 남아도 사회생활에 어려움을 가져오지는 않는다. 그러나 중증인 경우에는 학령기나 청소년기에 선택적 함묵증, 강한 분리불안, 나아가 등교거부 등의 문제행동을 야기할 수 있으므로 충분한 주의가 필요하다. 그래서 이 시기의 영유아는 가정 내에서나 놀이장면에서 자주성이나 주도성을 촉진하도록 지도하는 것이 필요하다.

관련어 | 분리불안

내가 아니다 기법
[– 技法, not me technique]

주인공에게 자신의 방식과 완전히 다른 방식으로 연기하도록 하는 방법. 사이코드라마

개인의 역할을 확장하는 기회를 얻을 수 있는 기법으로서, 주인공은 스스로 결정한 행동을 하거나, 지시에 대해 아주 솔직한 방식으로 표현하거나, 조심스럽고 간접적인 방식으로 대처하거나, 혹은 과감하게 맞서는 방식 등으로 그 장면을 연기할 수 있다.

관련어 사이코드라마, 주인공

내관치료
[內觀治療, naikan therapy]

일본에서 만들어진 심리치료 활동으로서 자기관찰, 자기성찰을 주요 기법으로 하는 전문적 활동. 동양상담

모리타[森田] 치료와 더불어 일본의 독자적인 심리치료의 하나다. 내관은 한자이며 일본어로는 나이칸(ないかん)이라 한다. 즉, 나이칸은 자기 자신과의 상담이라는 표현이 어울리는 일종의 수행기법에서 유래하였다. 일본의 요도신수라고 하는 불교 승려를 중심으로 일련의 무리가 자신들의 미시라베 수행법이라고 하는 종교적 의식에서 나이칸 요법을 만들었다. 요시모토 이신은 일반인이 쉽게 실천할 수 있도록 종교적 특성을 없애고 세 가지 명상주제를 개발하였다. 첫째는 다른 사람으로부터 받은 것이 무엇인가? 둘째는 그들에게 되돌려 주어야 할 것이 무엇인가? 마지막으로 그들에게 자신이 어떤 걱정을 끼쳤나? 등이다. 내관에의 저항이라고도 할 수 있는 각종 현상이 수행과정에서 나타나지만, 그것들을 초월하면 다른 사람의 자신에 대한 애정이 점점 느껴져 감사하는 마음과 상쾌함이 자연스럽게 솟아오른다고 한다. 나이칸의 핵심 이론은 자기 자신의 이기심에 대한 합리화 등을 버리고 자기 자신의 모습에 직면하여 자신이 다른 사람으로부터 얼마나 큰 봉사를 받고 있는가 하는 점을 깨닫게 됨으로써 자신도 사랑을 받고 있다는 인식을 얻어 실존적 구제를 경험한다는 것이다. 일본에서 명성을 얻기 시작한 것은 제2차 세계 대전이 끝난 후이며 미국 등 서구세계에 알려진 것은 1970년대다. 나이칸을 서구세계에 소개한 사람은 레이놀즈(Reynolds)다. 나이칸에서는 수행을 매우 강조한다. 일본에서는 최근까지 매년 약 2,000여 명이 집중적인 나이칸 요법을 받고 있는 것으로 알려져 있으며, 추수연구를 통해 볼 때 그 치료효과도 긍정적인 것으로 보고하고 있다. 현재는 병원과 시설에서 내담자의 상태에 원법을 적용시키면서 정신생리적 질환(심신증)과 신경증, 일부의 정신병, 약물 의존의 치료와 교정 영역 등에서 효과를 올리고 있다.

관련어 모리타 치료

내담자
[來談者, counselee]

심리적인 문제나 어려움을 혼자 해결하는 데 어려움을 느껴 상담자의 도움을 받아 해결하고자 하는 사람. 개인상담

특정 문제를 가진 사람이 그 문제를 혼자서 해결하는 데 한계를 느끼는 경우 상담을 전문으로 제공하는 상담실이나 치료실을 찾게 된다. 내담자가 경험하는 문제들은 여러 종류가 있으며, 어떤 문제는 일시적이지만 또 어떤 것은 장기간에 걸쳐 문제가 지속된다. 내담자가 겪는 문제의 특성은 정서적 · 인지적 · 행동적 측면에서 살펴볼 수 있으며, 통합적인 관점에서 바라보아야 한다. 첫째, 해결되지 않은 감정을 표현하지 못하고 억압하여 심리적 문제가 되는 경우가 있다. 둘째, 사고방식 때문에 심리적 문제가 발생하는 경우다. 셋째, 내담자의 목적, 희망, 욕구를 방해하는 행동 때문에 발생한다. 내담자가 상담을 신청하는 방법은 전화, 인터넷, 혹은 직

접 상담실을 방문할 수 있고, 대부분 전화로 상담을 받고 싶다는 의사를 전달하는 경우가 많다. 청소년의 경우 직접 신청하기보다는 부모나 교사 등의 대리인이 상담을 신청한다. 그리고 전화나 인터넷을 통하지 않고 직접 상담기관을 방문하는 경우는, 내담자가 상담절차를 모르고 있거나 문제해결이 시급하다는 판단이 들 때다. 급한 경우라면 곧바로 개입이 이루어질 수 있어야 한다. 내담자는 상담을 통해서 상담자와 관계를 맺으며, 이를 상담관계라고 한다. 상담관계는 대면, 전화, 인터넷, 서신 등으로 맺을 수 있다. 대면상담은 직접 만나서 하는 상담을 의미한다. 내담자가 상담기관을 방문하거나 혹은 내담자가 있는 곳에 상담자가 방문하는 것이다. 이와 같은 대면 상담은 대화를 통해서 이루어진다. 전화상담은 전화를 이용하여 대화를 나누는 것인데, 익명성과 이용상 편리함이 장점이다. 최근 들어 인터넷이 발달하면서 전자우편, 게시판, 문자, 화상 등의 방법으로 상담이 진행되기도 한다. 상담에서 내담자와 상담자가 지켜야 하는 규칙은 서면동의와 비밀보장이다. 서면동의를 하는 이유는 상담관계에서 내담자가 능동적으로 참여할 수 있도록 하기 위해서다. 서면동의를 통해서 상담과정에 관련된 것이 무엇인지 이해할 수 있게 된다. 비밀보장은 상담자와 내담자 사이에 이루어지는 구두계약이다. 접수면접을 할 때 내담자와 이야기한 내용을 비밀로 유지할 것을 알려 준다. 하지만 자기 자신이나 다른 사람을 해칠 위험이 있는 경우에는 비밀보장 규칙을 지키지 않을 수 있다.

내담자 개념화
[來談者槪念化, conceptualization of client]

상담자가 내담자에 대한 인식 이외의 다른 요소에 대한 정보를 효과적으로 통합하여 진단을 내리는 것. 상담 수퍼비전

상담자는 내담자와의 상담과정을 통해서 내담자의 말, 인식, 느낌, 생각, 다양한 관계형성 등의 요소를 통합하고, 이론과 경험을 바탕으로 진단을 내린다. 이러한 내담자의 진단을 내리는 것은 상담자에게 매우 중요한 일인데, 부적절한 진단은 내담자의 문제를 해결하는 데 부정적인 영향을 미치고, 상담이 모호한 방향으로 흘러가게 만드는 요인이 된다. 이는 상담자 자신의 전문가로서의 인식보다는 내담자의 인식과 입장에 바탕을 두었기 때문에 생기는 현상이다. 이 때문에 상담자는 내담자를 특정 진단의 예외형으로 보거나 부정확하게 진단하는 실수를 범하는 것이다. 예를 들면, 내담자가 실제로는 우울증인데, 우울한 내담자의 다양한 형태 혹은 우울증과 관련된 반추하고 되풀이되는 부정적인 사고 패턴을 강박증의 특징으로 잘못 진단하는 경우가 있다.

관련어 | 사례개념화, 통합발달모델

내담자 권리
[來談者權利, client's authority]

상담과정에서 내담자가 주장하고 요구할 수 있는 법률상 능력이나 이익. 상담윤리

상담을 하기 전에 상담자는 내담자에게 그의 권리를 알리고 동의를 구해야 하는 윤리적 책임이 있다. 이와 관련하여 한국상담심리학회는 "(1) 내담자는 비밀유지를 기대할 권리가 있고 자신의 사례기록에 대한 정보를 가질 권리가 있으며, 상담계획에 참여할 권리, 어떤 서비스에 대해서는 거절할 권리, 그런 거절에 따른 결과에 대해 조언을 받을 권리 등이 있다. (2) 상담심리사는 내담자에게 상담에 참여 여부를 선택할 자유와 어떤 전문가와 상담할 것인지 결정할 자유를 주어야 한다. 내담자의 선택을 제한하는 점은 내담자에게 모두 설명해야 한다. (3) 미성년자 혹은 자발적인 동의를 할 수 없는 사람이 내담자일 경우, 상담심리사는 내담자의 최상의 복지를

염두에 두고 행동한다(3.다.).”라고 명시하고 있다. 미국상담학회(ACA, 2005)는 “상담자는 제공하는 모든 서비스에 관해 내담자에게 자세히 설명해야 한다. 상담자는 목적, 목표, 기법, 절차, 한계점, 잠재적 위험요소, 서비스로 얻을 수 있는 이익, 상담자의 자격, 자격증, 경력, 상담자의 자격 상실이나 사망으로 인한 상담종결, 그 외에 적절한 정보에 관해 설명해야 한다. 상담자는 진단의 의미, 계획된 심리검사나 보고서, 상담료 및 지불방식 등을 내담자가 확실히 이해할 수 있도록 조치해야 한다. 내담자는 비밀보장의 권리를 가지고 있으며, 그것의 한계(수퍼바이저가 있거나 전문가팀이 함께 치료할 때)에 관해 설명을 들을 권리가 있다. 내담자는 상담기록에 관한 확실한 정보를 제공받고 계속해서 진행되는 상담에 참여할 권리가 있으며, 서비스나 변경된 방식에 대해 거절할 권리가 있고 그런 거절의 결과에 관해 조언을 받을 권리가 있다(A.2.b.).”라고 내담자의 권리 및 상담자의 고지의무를 강조하고 있다. 한편 미국심리학회(APA, 2002)는 “첫째, 행동기준을 설명한 후 받는 동의의 기준에 따라 치료에 대해 충분한 설명을 하고 동의서를 받을 때 심리학자는 치료관계를 형성하면서 최대한 빨리 내담자 혹은 환자에게 치료의 본질과 예상되는 치료 절차, 치료비, 제삼자 관여 문제 및 비밀보장의 한계에 관해 알려주고, 내담자 혹은 환자에게 질문을 하고 답변을 들을 수 있는 기회를 충분히 제공해야 한다. 둘째, 일반적으로 알려져 있지 않은 기법과 절차로 구성된 개입방법에 관해 충분한 설명을 하고 동의서를 받을 때 심리학자는 내담자 혹은 환자에게 그 개입방법이 어떻게 개발되었는지, 잠재되어 있는 위험요소나 대체할 수 있는 개입방법이 무엇인지, 그리고 참여가 자발적이어야 한다는 점을 알려야 한다(10.01.).”라고 규정하여 권리에 대한 설명을 한 뒤 그와 관련된 내담자의 동의를 받아야 한다고 명시하였다.

설명 후 동의 [說明後同意, informed consent]

내담자가 상담과정에 대한 자신의 권리를 상담자에게 충분히 설명을 들은 다음 상담 여부를 선택하거나 그 내용을 승인하거나 시인하는 일이다. 상담을 시작하기 전에 동의를 받는 가장 큰 목적은 내담자가 상담 및 심리치료에 자발적으로 참여하고, 상담작업에 몰입할 수 있도록 동기와 기회를 부여하기 위해서다. 그리고 상담자와 내담자의 역할에 대한 경계를 설정하고 치료관계의 본질을 명확히 하며 상담과정에서 내담자의 동의가 필요한 경우를 예견할 수 있는 정보를 내담자에게 지속적으로 제공할 수 있다. 상담자는 내담자의 이해 수준을 명확하게 평가하여, 내담자가 내용을 충분히 이해할 수 있을 정도의 정보를 제공해야 한다. 설명을 들은 뒤 내담자가 그 내용에 대하여 자발적으로 선택할 수 있으며 언제든지 동의를 철회할 자유가 있다는 것을 안내한다. 내담자가 이성적으로 결정할 능력이 부족한 경우에는 부모나 보호자의 동의를 받으며, 이러한 동의가 법적 효력을 갖도록 상담자의 설명 내용과 내담자의 동의를 문서화한다. 설명 후 동의 과정은 전문가의 윤리적 측면에서 바람직할 뿐만 아니라 내담자의 권리와 능력을 향상시키는 데 도움이 됨으로써 임상적 측면에서도 중요하다고 할 수 있다. 설명 후 동의에 포함되어야 할 내용은 상담과정, 상담자의 배경, 상담 관련 비용, 상담기간과 종결, 상담내용에 대한 수퍼비전, 상담중지, 상담의 이점과 위험성, 전통적 상담에 대한 대체방안, 상담내용의 녹음과 녹화, 내담자가 자신의 상담 파일을 열람할 수 있는 권리, 진단분류와 관련된 권리, 비밀보장의 본질과 목적 등이다.

관련어 상담구조화, 실천계약

내담자 기대
[來談者期待, client's expectation]

내담자가 심리치료의 현장에 찾아올 때 가지고 있는 다양한 기대와 생각. 해결중심상담

해결중심상담에서는 내담자가 심리치료의 현장에 어떤 기대와 생각을 가지고 왔는지를 아는 것이 문제해결의 목표를 정하는 데 중요한 영향을 미친다. 따라서 심리치료에 찾아온 내담자의 다양한 기대와 생각에 대해 세심하게 논의하고, 그것을 명확하게 구체화하여 문제해결의 목표를 설정하는 것이 상담자의 중요한 과제다. 하지만 상담자와 내담자가 심리치료의 과정과 결과에 대해서 서로 다른 기대를 가지고 있다면, 치료에 대한 긍정적인 효과를 기대하기가 힘들다. 또한 상담자와 내담자 사이에 발생할 수 있는 이러한 기대의 불일치는 치료가 진행되면서 여러 가지 문제를 일으킬 수도 있다. 따라서 해결중심접근의 심리치료에서는 보통 첫 면접에서 내담자가 치료에 대해서 어떻게 생각하는지, 어떤 기대를 가지고 있는지에 대해 확인하는 과정이 이루어지고, 상담자는 이러한 내담자의 기대를 바탕으로 실제 치료에서 어떤 일이 일어나는지, 상담자와 내담자의 역할은 무엇인지에 대해서 명료화, 구체화하여 내담자에게 설명해 준다. 또한 만일 내담자가 이전에 다른 심리치료를 받은 적이 있다면, 이전 치료에서 어떤 일이 있었는지 정확하게 알아야 한다. 내담자의 이전 심리치료경험이 다음의 심리치료에 대한 기대에 영향을 미칠 수 있기 때문이다. 내담자와 상담자의 관계를 연구한 결과를 살펴보면, 심리치료에 대한 상담자의 기대와 내담자의 기대가 서로 다를 수 있고, 이러한 차이를 서로 명확하게 하는 것이 보다 긍정적인 치료결과를 가져온다고 설명하고 있다.

내담자 주관 은유
[來談者主管隱喩, client-generated metaphor]

내담자가 직접 만드는 은유. 문학치료(은유치료)

상담 및 심리치료의 장에서 창작되는 창조적 은유는 치료사나 내담자가 만들어 내는 이야기가 주를 이룬다. 치료의 장에서 만들어지는 은유는 내담자의 문제나 문제의 대상이 되는 존재 혹은 현상에 대한 직접적인 언급 없이 우회적인 표현을 만들어 내는 과정 및 그 결과물로, 크게 내담자 주관 은유, 치료사 주관 은유, 협력적 은유의 세 가지로 구분할 수 있다. 이는 은유치료로 유명한 호주의 조지 번스(George Burns)가 많이 쓰는 분류법이다. 그중에서 간단하고 간접적인 치료사의 지도 및 안내에 따라서, 혹은 치료사와의 치료적인 대화 중에 내담자가 직접 만드는 은유를 내담자 주관 은유 혹은 내담자가 만드는 은유라고 한다. 은유치료의 가장 큰 장점은 내담자가 지니고 있는 문제나 문제가 되는 대상 혹은 현상을 직접 언급하지 않으므로 내담자가 자신의 상처를 직접 드러내야 하는 고통을 피하고, 내담자가 자신의 문제를 자신과 분리시켜 거리를 둠으로써 그것을 객관화할 수 있다는 것이다. 특히 내담자가 직접 만드는 내담자 주관 은유는 내담자가 자신의 문제에 인격이나 성격을 부여하고, 그것을 구체화하여 마치 살아 있는 존재 혹은 객관화된 사물로 만듦으로써 그것에 대한 관점을 달리할 수 있게 한다. 또한 내담자 주관 은유는 치료사들이 내담자의 증상이나 문제에 맞는 은유나 이야기를 개발해야 하는 부담에서 벗어나게 해 준다. 내담자가 직접 은유적인 이야기를 만들 경우 치료사의 지시적인 이야기로 치료를 하는 경우보다 저항이 훨씬 적고, 내담자가 직접 만들기 때문에 치료사들이 내담자의 은유나 이야기에서 치료에 필요한 정보를 훨씬 더 많이 얻어 낼 수 있다. 치료 중 치료사와 내담자의 이야기에서는 의식하면서, 혹은 의식이 되지

않은 상태에서도 여러 가지 은유적인 표현이 나오게 된다. 일상적인 대화에서도 우리는 계속해서 부지불식간에 은유적인 표현을 사용한다. 내담자가 치료 중에 발화하는 은유적인 표현을 단서로 해서 치료사는 내담자가 자연스럽게 은유적인 이야기를 만들 수 있는 배경을 형성해야 한다. 그렇게 하기 위해서 가장 중요한 것은 내담자의 말에 귀를 기울여야 한다는 것이다. 내담자의 이야기 속에서 내담자의 문제나 문제가 되는 대상 혹은 현상에 대한 은유적인 표현이 나오면, 그것에 구체적인 형상 및 성격을 부여하고 하나의 캐릭터를 만든 뒤, 그 캐릭터가 어떤 문제를 어떤 자원을 가지고 어떤 해결책을 선택하는지에 대한 대화를 하면서 내담자가 스스로 이야기를 구성해 나가도록 한다. 이때 주의해야 할 점은 치료사의 의도대로 대화를 끌고 나가서는 안 된다는 것이다. 내담자 주관 은유는 창작 주체가 내담자이므로, 치료사는 내담자가 은유적 이야기 캐릭터에 자신을 이입시켜 자신의 자원을 발견하고, 자신의 이야기 속 캐릭터가 그 자원으로 희망적인 결말을 맞을 수 있도록 보조적인 역할을 해야 한다. 현대에 오면서 치료사가 주도하는 일방적인 상담이나 치료는 거의 퇴색하고, 점점 내담자가 중심이 되거나 내담자와 치료사의 상호작용을 중시하는 상담 및 심리치료가 강세를 보이고 있다. 내담자 주관 은유는 이런 흐름의 대표적인 맥이라고 할 수 있다.

관련어 협력적 은유

내담자(훈련생)중심의 코칭
[來談者(訓練生)中心-, client(trainee)-cantered coaching]

내담자(훈련생)의 목표를 이루기 위한 상담자(코치)와 내담자 간의 협력. 생애기술치료

코칭에서 보다 이상적인 상담자와 내담자의 관계는 내담자중심의 코칭이라고 할 수 있다. 이 관계의 가장 큰 특징은 상담자가 내담자를 자율적인 존재라고 믿는 것이다. 따라서 상담자는 계획을 세우고 목표를 이루기 위해서 내담자와 함께 서로의 지식과 기술을 이용하여 가능한 한 공동으로 일할 때 이러한 내담자중심의 코칭이 이루어질 수 있다. 더 나아가 내담자중심의 코칭관계를 통해서 생애기술을 습득하는 속도나 방향성까지 함께 결정할 수 있고, 이러한 내담자의 자율적이고 적극적인 참여는 상담이 종결된 후에도 자신을 스스로 도울 수 있는 셀프코칭(self-coaching)의 단계에 이르도록 한다.

관련어 상담자(코치)중심의 코칭, 셀프코칭, 인생코칭

내담자중심치료
[來談者中心治療, client-centered therapy]

내담자의 현상학적 세계에 초점을 두어 내담자의 자아실현을 도와주는 상담 접근법. 인간중심상담

로저스(Rogers)가 창안한 심리상담이론으로 처음에는 지시적 상담에 대비되는 의미를 부각하여 비지시적 상담이라고 불렸다. 그러다가 내담자중심상담으로 변경되었고, 현재는 인간중심상담이라고 부른다. 이는 상담자가 내담자의 문제를 분석하여 원인과 처방을 지시하는 기존 방법을 비판하면서 내담자의 잠재력을 신뢰하며 수용적이고 비지시적인 분위기를 강조한 이유로 비지시적 상담이라고 한 것이다. 그러나 비지시적 상담이라는 용어가 기법을 강조하는 측면이 있어서 내담자를 중요시한다는 것을 강조하기 위해 내담자중심치료로 이름을 바꾸었다. 내담자중심치료에서는 상담자의 인간적 태도를 중시하면서 내담자의 주관적 세계를 파악하기 때문에 내담자를 가장 잘 이해할 수 있다고 강조하였다. 내담자중심의 접근에서 중요한 개념으로는 자기조회(self reference)가 있다. 이것은 자기개념의 측정에서 내담자가 자신에 대해 말하는 것을 의

미한다. 성공사례에서는 자신에 대한 긍정적인 발언이 증가하는 반면 부정적 및 양가적 발언은 감소하는 것이 증명되었다. '자신은 어떠한가?'라고 자문하여 실제로 느끼는 것과 함께 조회하여 체험과정을 촉진하고 개념화를 이끌면서 자신에 대한 의미를 명확하게 한다. 로저스의 내담자중심치료의 전개과정을 역사적으로 살펴보면, 첫째, 비지시적 상담의 시기(1940년대)에는 내담자의 문제나 생육사를 분석하고 원인과 처방을 지시하는 종래의 방법을 비판하면서 내담자 안에 존재하는 성장에 대한 힘을 신뢰하였다. 이때 비지시적, 수용적으로 지켜보는 새로운 방법이 제시되었다. 둘째, 내담자중심치료의 성립·발전의 시기(1950년대 후반까지)에는 비지시적인 방법보다 상담자의 인간적인 태도를 중시하였다. 성격이론으로서의 자기이론(自己理論)이 제시되어 인간중심상담의 이론적인 토대가 정비되면서 수많은 실증연구가 이루어졌다. 셋째, 내담자중심치료(요법)의 심화·실존화의 시기(1950년대 후반부터 1960년대 후반)에는 위스콘신 프로젝트에서 정신분열증 환자의 치료가 시도되었고, 상담자의 진실성과 순수성이 중시되었다. 젠들린(Gendlin)은 포커싱(focusing)을 개발하고 체인지즈(Changes)라는 치료적 공동체를 형성하고자 하였다. 또한 내담자중심치료에서 출발한 다양한 사람들이 워크숍이나 학회, 운동 등을 전개해 나가기 시작하였다(PCA 국제 포럼, APPEA 등). 젠들린에 의한 체험과정 개념이 등장하고 비지시적이고 감정반사적인 기법에서의 탈피가 한층 진전되면서 실존적인 입장으로 접근하기 시작하였다. 넷째, 내담자중심치료에서 인간중심상담(1960년대 후반부터 현재)으로 이름이 바뀐 다음 참만남집단이 진행되었고, 여러 가지 사회문제의 해결과 극복을 위한 인간중심 접근(person centered approach)의 제안이 광범위하게 이루어졌다.

관련어 | 공감척도, 인간중심상담

내러티브
[-, narrative]

실제 혹은 허구적인 사건을 설명하는 것 또는 기술이라는 행위에 내재되어 있는 이야기적인 성격을 지칭하는 개념.

문학치료

내러티브는 우리나라 말로는 서사(敍事), 이야기로 번역된다. 'narrative'라는 용어는 라틴어 동사 narrare(자세히 말하다, 이야기하다, recount)에서 나왔으며, 형용사 gnarus(알고 있는, 숙련된, knowing, skilled)와 관련이 있다. 이야기(story)를 내러티브와 동의어로 사용하기도 하지만, 이 용어는 내러티브에서 일련의 사건이라고 하는 것을 언급할 때 사용한다. 시간과 공간에서 발생하는 인과관계로 엮인 실제 혹은 허구적 사건들의 연결을 의미하는 내러티브는 문학이나 연극, 영화와 같은 예술 텍스트에서는 이야기를 조직하고 전개하기 위해 동원되는 다양한 전략, 관습, 코드, 형식을 포괄하는 개념으로 쓰인다. 내러티브는 관객들에게 펼쳐지는 내용에 대한 합리적인 설명을 제공하고, 이를 기초로 어떤 사건이 벌어질 것인지 예측하게 해 준다. 그럼으로써 어떤 사건이나 감정의 발생이 어떻게 가능했는지에 대한 전개과정을 보여 주는 것이다. 내러티브는 더 큰 내러티브 내에서 등장인물이 말하는 것이기도 하다. 심리철학, 사회과학, 의학을 포함한 여러 임상적인 분야에서 내러티브는 인간 심리의 면을 언급할 수 있다. 개인적인 내러티브 과정은 개인 혹은 문화적 정체성에 대한 이해와 관련되어 있고, 창조와 기억의 구성과도 관련이 있다. 또한 자신에 대한 근본적인 본성이 되는 것으로도 생각된다. 일관성 있고 긍정적인 내러티브가 붕괴되면 정신이상 및 심리장애로 발전되기도 한다. 내러티브의 수정은 재활과정에서 중요한 역할을 하는데, 일련의 사건들을 내러티브 형식으로 써 내려가면 그 사건과 관련된 요소들을 탐색할 수 있다. 이 같은 과정을 거치며 내러티브를 활용해서 이야기치료(narrative therapy)를 한다. 대표적인 학자는 화이트(M. White), 엡스턴(D. Epston) 등이다.

관련어 | 구성주의 수퍼비전, 심리역동적 수퍼비전, 인간중심 수퍼비전, 인지행동 수퍼비전, 체계적 수퍼비전

내러티브적 접근의 수퍼비전
[－接近－, narrative supervision]

구성주의적 접근의 하나인 내러티브적 접근을 배경으로 하는 수퍼비전. 상담 수퍼비전

내담자를 자신의 삶의 전문가로 보고, 내담자의 삶을 다양한 각도에서 해석하여 보다 만족스러운 방향으로 발전시켜 나가도록 도움을 주는 것이 내러티브 상담자의 역할이다. 이와 마찬가지로 내러티브 패러다임에서 수퍼비전을 하는 수퍼바이저는 수련생이 내담자의 이야기를 고정된 시각으로 해석하지 않고 해체적인 시각으로 볼 수 있도록 도와주며, 내러티브 상담전문가로서 갖추어야 할 수련생의 태도를 격려하는 역할을 한다. 이처럼 수련생의 전문가적인 태도를 훈련시키기 위해서는 내러티브적 접근의 수퍼바이저도 내러티브 전문상담자의 태도로 수련생을 대하게 된다. 내러티브 접근의 수퍼비전에서 중요시하는 상담전문가로서의 태도는 '이미 아는 것에 대한 태도'와 '호기심의 태도'를 구분하는 것이다. 예를 들어, "그 순간에 당신은 내담자에게 당황한 것처럼 보였다."라고 말하는 것은 '아는 것에 대한 태도'다. 이와는 달리 "나는 당신이 그 순간 내담자에게 무엇을 느꼈는지 궁금합니다."라고 말하는 것은 '호기심의 태도'다. '아는 것에 대한 태도'는 이미 상담자나 수퍼바이저의 생각이나 의견이 상대방에게 우세하게 영향력을 미치는 효과가 있다. 하지만 '호기심의 태도'는 상담자나 수퍼바이저의 생각이나 느낌이 우세하게 영향력을 미치지 않고 상대방의 의견과 동등한 영향력을 갖게 될 것이라는 의미를 나타낸다. 이러한 수퍼비전의 과정을 통해 수련생은 자신을 보다 전문적인 내러티브 상담자로 발전시키며, 내담자의 삶의 이야기를 대하는 태도를 습득해 나간다.

내면가족체계치료
[內面家族體系治療, internal family systems therapy]

가족이라는 체계를 이루고 있는 하위부분들인 가족구성원 간의 균형과 조화를 이루어 갈등을 해결하고자 하는 치료적 접근. 내면가족체계치료

경험적 가족치료 중 하나로 슈워츠(Schwartz)가 개발한 치료모델이다. 이 모델에서는 핵심적 '자기(self)'와 '부분(parts)' 혹은 하위성격으로 구성된 타고난 다차원의 마음을 개념적으로 설명하고 있다. 또한 이러한 내면적 다양성에 체계적 사고를 적용한다. 마음(mind)의 내면적 생태학 내부에는 관계의 네트워크가 있다고 보았다. 내면체계 부분들 간의 관계체계(연합, 양극화, 희생양, 고립 등)가 있으며, 이는 가족의 역동성과 유사하다. 심리 내면 '부분'들은 외부환경으로부터 흡수된 '부담(burdens)' 또는 신념과 감정을 가지고 있다. '부분' 요인들은 일시적인 정서적 상태나 습관적인 사고형태가 아니라 정서, 표현양식, 능력에 대한 태도, 욕구, 세계관을 반영하는 분리되고 독립된 정신체계다. 부분들은 그들이 하는 역할에 따라 관리자(managers), 유배자(exiles), 소방관(firefighters)의 세 범주로 크게 나눈다. 관리자 부분은 보호와 관리의 역할을 담당하는데, 안전이 확보될 때까지 저항하는 의무를 가지고 있다. 유배자 부분은 과거에 상처를 받거나 수치를 당한 경험에서의 상처받은 감정적 기억을 깊이 감추어 두는 역할을 한다. 소방관 부분은 유배자로부터 나오는 감정의 불을 끄기 위해 행동을 취한다. 내면가족체계치료 모델에서는 내담자 자신이 제시한 문제와 연관된 부분들을 구별해 내고 그러한 부분들의 관계를 파악하도록 한다. 또 '부분' 개념 외에도 치료의 토대가 되는 '자기' 개념을 소개하

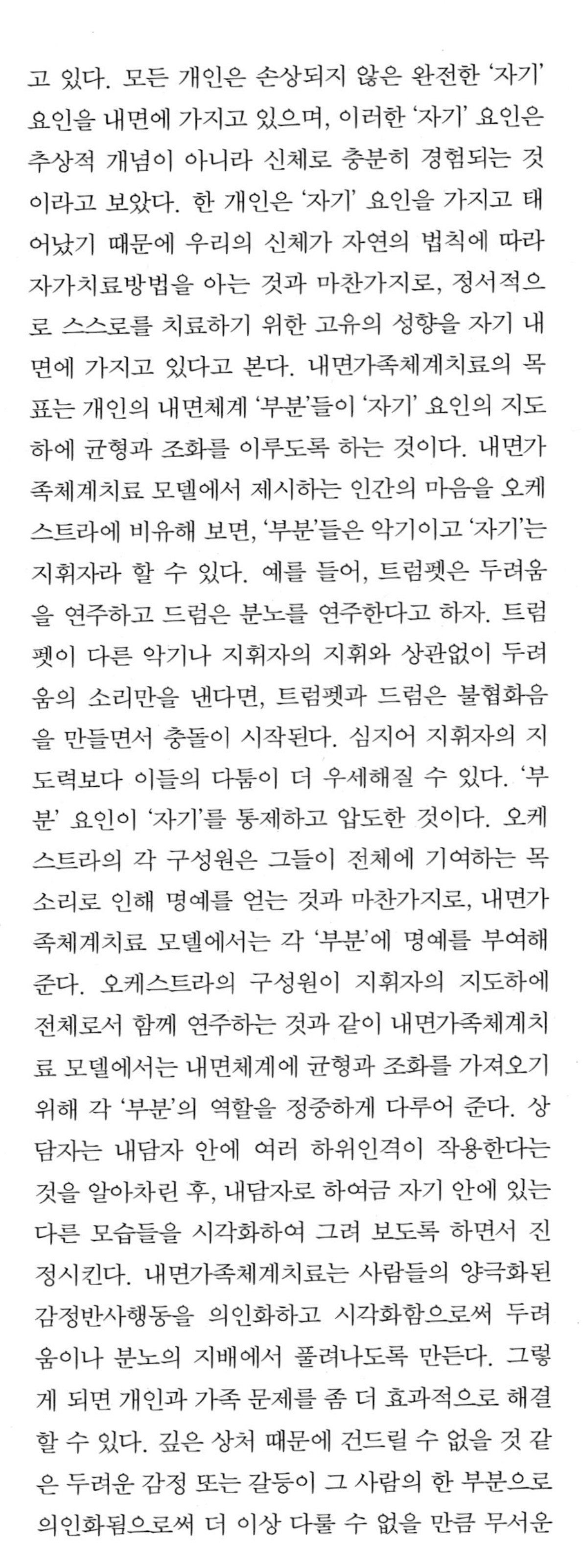

고 있다. 모든 개인은 손상되지 않은 완전한 '자기' 요인을 내면에 가지고 있으며, 이러한 '자기' 요인은 추상적 개념이 아니라 신체로 충분히 경험되는 것이라고 보았다. 한 개인은 '자기' 요인을 가지고 태어났기 때문에 우리의 신체가 자연의 법칙에 따라 자가치료방법을 아는 것과 마찬가지로, 정서적으로 스스로를 치료하기 위한 고유의 성향을 자기 내면에 가지고 있다고 본다. 내면가족체계치료의 목표는 개인의 내면체계 '부분'들이 '자기' 요인의 지도하에 균형과 조화를 이루도록 하는 것이다. 내면가족체계치료 모델에서 제시하는 인간의 마음을 오케스트라에 비유해 보면, '부분'들은 악기이고 '자기'는 지휘자라 할 수 있다. 예를 들어, 트럼펫은 두려움을 연주하고 드럼은 분노를 연주한다고 하자. 트럼펫이 다른 악기나 지휘자의 지휘와 상관없이 두려움의 소리만을 낸다면, 트럼펫과 드럼은 불협화음을 만들면서 충돌이 시작된다. 심지어 지휘자의 지도력보다 이들의 다툼이 더 우세해질 수 있다. '부분' 요인이 '자기'를 통제하고 압도한 것이다. 오케스트라의 각 구성원은 그들이 전체에 기여하는 목소리로 인해 명예를 얻는 것과 마찬가지로, 내면가족체계치료 모델에서는 각 '부분'에 명예를 부여해 준다. 오케스트라의 구성원이 지휘자의 지도하에 전체로서 함께 연주하는 것과 같이 내면가족체계치료 모델에서는 내면체계에 균형과 조화를 가져오기 위해 각 '부분'의 역할을 정중하게 다루어 준다. 상담자는 내담자 안에 여러 하위인격이 작용한다는 것을 알아차린 후, 내담자로 하여금 자기 안에 있는 다른 모습들을 시각화하여 그려 보도록 하면서 진정시킨다. 내면가족체계치료는 사람들의 양극화된 감정반사행동을 의인화하고 시각화함으로써 두려움이나 분노의 지배에서 풀려나도록 만든다. 그렇게 되면 개인과 가족 문제를 좀 더 효과적으로 해결할 수 있다. 깊은 상처 때문에 건드릴 수 없을 것 같은 두려운 감정 또는 갈등이 그 사람의 한 부분으로 의인화됨으로써 더 이상 다룰 수 없을 만큼 무서운 것이 아니라 거리를 두면 다룰 수 있는 하나의 문제가 되고, 지금까지 제대로 기능하지 못한 자기(self)의 존재를 신뢰하면서 자기리더십을 발휘하도록 하는 과정을 통하여 갈등을 다루어 나간다. 내면가족체계치료는 인간의 내적 갈등을 이해하기 위한 새로운 기법을 개발하고 실제 개인치료, 특히 섭식장애자를 위한 개인 임상장면에서 그 효과가 검증된 모델로서, 가족치료, 집단치료 모두에 효과적으로 적용이 가능하다.

내면아이
[內面-, inner child]

한 개인의 정신 속에서 하나의 독립된 인격체처럼 존재하는 아이의 모습. 대상관계이론

어린 시절의 주관적인 경험을 설명하는 용어로서 한 개인의 인생에서 어린 시절부터 지속적인 영향을 주는 존재다. 뇌 속에 저장된 어린 시기의 기억은 개인의 정서에 관련된 기억을 설명해 주는 중요한 경험적 자원이다. 내면아이의 발달은 부모의 양육태도와 관련이 있다. 자녀의 성장과 성격발달은 부모와의 상호작용의 산물이다. 말러(M. Mahler), 페어베언(W. Fairbairn), 위니캇(D. Winnicott) 등 대상관계이론가들은 유아의 성격발달에 영향을 미치는 어머니의 역할을 강조하였다. 미실다인(W. Hugh Missildine)에 의하면, 개인에게는 2개의 자아가 존재한다. 하나는 어린 시절에 경험한 부모의 생각, 감정, 행동, 태도 등을 유사하게 닮은 내면 부모(inner parent)이며, 다른 하나는 그런 부모의 양육방식에 대한 자아의 내적 반응으로 형성된 내면아이다. 내면아이는 내면 부모에 대조되는 개념으로 교류분석에서의 어린이 자아와 유사한 개념이다. 이미 성인이 된 각 개인의 내면에는 과거의 유아기적 모습이 남아 있다. 어린 시절에 경험한 내용은 정신세계 속에 남아 현재의 삶과 행동에 영향을 미친다. 브래드

쇼(J. Bradshaw)는 어린아이의 감정이 억압된 채 자라면 상처받은 그 아이는 성인이 된 후에도 계속해서 그 성인의 내면에 남아 있게 된다고 하였다. 무시당하고 상처받은 과거의 내면아이는 후일 성인기 부적응의 원인이 된다. 한편, 휘트필드(C. Whitfield)는 내면아이라는 용어와 유사한 개념으로 내재아이(child within)라는 용어를 소개하였다. 내재아이는 원래 창조적 에너지의 근원으로서 역동적으로 성취를 진행시켜 가는 진정한 자아를 의미한다. 그러나 어린 시절의 부적절한 양육조건 때문에 상처를 받고 장애를 지닌 자아를 일컫는 개념이 되었다. 예를 들어, 부모의 칭찬과 인정을 받지 못한 개인의 내면에는 칭찬과 인정에 집착하는 내면아이가 형성되어 삶의 중요한 동기로 작용한다. 억압적이고 통제적인 부모로부터 양육된 개인은 공상이 많고 자기주장을 못하는 의존적인 내면아이가 형성되어 있다. 한 개인 안에 있는 내면아이는 부모와 유사한 다른 사람을 만나면 마치 어린 시절에 부모에게 했던 것처럼 유아적으로 반응한다. 즉, 미성숙하고 퇴행적인 행동이 나타난다. 내면아이 치료는 어린 시절의 발달과정을 회상하게 하고, 각 발달단계의 해결 욕구와 미해결 상태를 발견하도록 해준다. 상처받은 내면아이와의 직접적인 접촉을 통해 어린 시절에 해결하지 못한 슬픔을 끝낼 수 있도록 도와준다.

내면영화
[內面映畵, inner movie]

어린 시절부터 비교적 오랫동안 자신과 세계에 대한 이미지들이 연속적으로 마음속의 스크린에 영사된 개인적인 영화들. 영화치료

볼츠(Wolz)가 제안한 개념인데, 그는 우리가 현실을 직접 목격하는 대신 머릿속의 스크린에서 각자의 내면영화를 본다고 하였다. 내면영화는 자기 자신이 누구인지, 우리를 둘러싼 세계가 어떠한지에 관해 스스로에게 하는 이야기를 상영한다. 비록 각자의 내면영화 내용이 근본적으로 도저히 있을 수 없는 현실이 반영되어 있다고 해도, 그 개인의 깊고 다양한 욕망과 무의식을 담고 있는 것이다. 부정적 신념을 수정하기 위한 영화치료적 접근에서는 먼저 이러한 자신의 내면영화를 찾아야 한다고 보았다. 내면영화는 특정한 개인적인 요소를 포함하고, 이러한 것들은 우리가 가치를 두는 것에 영향을 미칠 수 있다. 예를 들면, 쉽게 흥분하는 아동은 평화롭고 조용한 것에 가치를 두는 반면, 침착한 아동은 매우 활기찬 환경을 좋아할 수 있다. 신체적 상태, 어린 시절에 받아들인 습관과 대처기제 또한 내면영화에서 개인이 보는 것에 영향을 미친다. 각자의 내면영화는 정신적 · 신체적 · 정서적 요소에 영향을 받을 뿐 아니라, 자신과 세계에 영향을 주고 결과적으로 행동에도 영향을 미친다. 내면영화의 구성은 초기 인생경험을 바탕으로 한 세계와 자신에 관한 내용으로 되어 있기도 하다. 이러한 내면영화는 때로 매우 부정적이고 외상적이며, 스스로 의식하지 않아도 특정 상황이 되면 개인의 의식을 침범하여 영사된다. 그래서 부정적인 신념을 바꾸기 위해 내면영화를 이용하기도 하는데, 어린 시절에 형성된 자기 충족적 예언을 바꾸는 데 내면영화를 떠올리는 것이 효과적이기 때문이다. 내면영화의 연쇄반응을 변화시키기 위한 기본적인 과정은 부정적인 연쇄반응을 긍정적인 연쇄반응으로 바꾸는 것을 목표로 삼아 진행된다.

내면화
[內面化, internalization]

다른 사람의 생각과 가치, 행동을 수용하여 자신의 것으로 만드는 과정 혹은 개인의 문화에서 나온 여러 규준을 통합하고 그것을 자신의 것으로 만드는 과정. 대상관계이론

다른 사람의 생각과 가치, 행동을 수용하여 자신의 것으로 만드는 과정에서 중요한 요소는 내면화의 대

상이 되는 사람과의 신뢰성이다. 컨버그(Kernberg)는 대상관계이론을 통해 다양한 정신분석이론을 통합하려는 시도를 하였는데, 그의 이론은 생후 초기의 대인관계경험이 내면화되는 과정과 그것이 성격의 여러 수준으로 조직되는 과정을 설명하고 있다. 컨버그 이론의 핵심은 바로 대인관계의 내면화 과정이다. 그는 성격발달을 발달수준이 다른 세 가지 내면화, 즉 내사, 동일시, 자아정체감 과정으로 설명하였다. 이것은 내면화 과정인 동시에 조직된 자기와 타인의 이미지를 나타내는 대상표상의 구조이기도 하다.

내면화된 동성애 공포증
[內面化-同性愛恐怖症, internalized homophobia]

동성애자들에 대한 대중적인 시각과 종교 등의 부정적 인식 때문에 동성애자 스스로 자신을 혐오하는 현상. 성상담

동성애자가 자신의 성적 경향 때문에 자신을 향해서 갖게 되는 부정적 감정이나 느낌 등을 뜻한다. 이는 주로 감출 수 없는 수치심, 부인, 자기상해, 다른 동성애자에 대한 증오, 그 외 여러 무의식적인 행위로 다양하게 표출된다. 이는 무시나 저주와 같은 일반인의 동성애 공포증적인 고정관념이나 몰이해가 동성애자들이 속한 공동체 내에서 반복되면서 이들의 부정적 인식이 동성애자들에게 내면화되어 일어나는 현상이다. 내면화된 동성애 공포증의 대표적인 현상은 공격적인 부인(aggressive denial), 부인(denial), 은닉(closeted), 부분 은닉(in the closet with the door open), 개방적 자세를 지니지만 동성애자에 대한 증오를 가짐(out, and generally fine with other gays, but really dislikes dykes and flamers) 등으로 나눌 수 있다. 자신이 동성애자임을 절대로 인정하지 않고 그래서도 안 된다고 생각하며, 그러한 감정이나 욕구를 억압하면서 동성애에 관해 매우 공격적인 언사를 드러내는 이들은 공격적 부인 집단에 해당한다. 한편 단순히 동성애자가 아니라고 인식하면서 일반적인 삶을 영위하며 결혼도 하고 가족도 형성하는 집단은 부인 집단에 해당한다. 이들은 비밀리에 동성애적 관계를 가지거나 삶에 충족감을 느끼지 못하고 평생 외로움 속에서 살아가기도 한다. 은닉에 해당하는 경우는 동성애 관계를 숨기고 살아간다. 이들은 불안수준이 높고 자긍심이 낮으며, 자살의 위험이 높다. 부분 은닉의 경우는 가까운 사람들이나 이해를 해 줄 수 있는 사람들에게 부분적으로 자신이 동성애자임을 알리지만 안전의 문제를 고려해서 완전히 커밍아웃을 하지는 않는다. 개방적 자세를 지니면서 동성애에 관해 증오를 갖고 있는 집단의 경우는, 실제로 동성애자들이 고등교육을 받고 인격적으로도 훌륭한 경우가 많으며, 여러 사회적 관계에서도 문제가 없지만 다른 동성애자들이 스스로 동성애자임을 드러내 놓고 다니는 것에 부정적인 입장을 취한다. 내면화된 동성애 공포증은 드러나는 모습이 어떠하든 사회적 편견에 의해 왜곡된 자기상이라 할 수 있다.

내부대화
[內部對話, internal dialogue]

자신이 스스로에게 말하는 일종의 자기독백. NLP

내적 대화라고도 부른다. 어려운 과제를 수행해야 하는 상황에서 자포자기하는 사람은 스스로 '나는 할 수 없다.'라는 내부대화를 하게 된다. 그러한 대화는 곧 무력감과 함께 부정적인 생리적 상태를 조성하는 결과를 낳아 실제로 과제수행을 못하도록 만들어 버린다. 내부대화는 자기 혼자서 하는 말로, 때에 따라서는 입 밖으로 나와서 자기 자신이나 가까이 있는 사람에게 들리기도 하지만, 들리지 않는 소리로 말하는 것, 즉 생각으로 이루어지는 경

우가 더 많기 때문에 다른 사람에게 잘 드러나지 않는다.

내사
[內射, introjection]

타인의 관점이나 주장 또는 가치관을 깊이 생각해 보지 않고 자신의 것으로 받아들이는 것. 아동의 자기상과 대상상이 불안정하고 조절되지 않은 감정상태로 섞여 있는 것.

게슈탈트 | 대상관계이론 | 분석심리학

내사는 현재 위협에 대처할 수 있는 강한 다른 인물의 태도를 인간이 취할 때 일어나는 방어기제라고 볼 수 있다. 이 같은 동일시는 대부분 자신이 좋아하거나 존경하는 대상에게 일어난다. 이것은 흡수의 무의식적 환상에 기반을 두고 있다. 내사는 인간의 행동, 태도, 다른 외적 대상, 특히 다른 사람과의 관계에서 발생한다. 일반적인 경향은 아이들이 자신만의 페르소나로 부모의 한 측면을 내사하는 경우다. 내사된 대상은 '내적 원'으로 그려지는데, 여전히 자신만의 삶을 가질 수 있다. 그러므로 내사는 외부세계로부터 내적 세계로의 '투입'이다. 내사는 인간이 자신의 성격 측면을 어떻게 창조하고 분리하는지 설명하기 위해 프로이트(S. Freud)가 처음으로 사용한 개념이다. 인간은 내사를 하거나 내사의 과정을 통해 일반적으로 초자아를 지배하는 도덕적 힘이나 자아를 지키기 위한 양심을 만들어 낸다. 자아와 초자아는 개인의 페르소나를 통해 투사되는 외적 행동으로 만들어진다. 자아는 때때로 원초아와 초자아가 조절하는 의식적 요소이며, 양쪽에 바탕을 두고 선택을 한다. 유사 개념으로는 동일시, 융합, 내재화가 있고, 투사는 내사의 초기 단계로 설명되기도 한다. 컨버그(O. Kernberg)는 대상관계를 지속적으로 내면화함으로써 심리구조가 발달해 간다고 보았다. 이러한 내면화 체계에는 내사, 동일시, 그리고 자아정체성의 세 단계가 있다. 각각은 유아와 일차적인 양육자 간의 내면화된 관계에서 일어나는 변화를 나타내는 것이다. 발달에서 가장 원시적인 형태로 구성되어 있는 첫 번째 내면화 단계는 내사다. 이 체계 안에서 자기상과 대상상은 상당히 불안정하고 조절되지 않은 감정상태로 섞여 있다. 유아는 원시적인 감정들에 대해 누구의 책임이 있는지 합리적인 인식 없이 초기 양육자와의 관계에서 발생하는 이러한 감정을 경험한다. 유아는 감정상태의 근원을 이해할 수 없을 뿐만 아니라 그것들의 중요성을 짐작조차 할 수 없다. 경험은 통째로 삼켜져 긍정적이거나 부정적인 것으로 분류된다. 내사는 분열이 처음으로 분명하게 나타나는 심리 내적 단계다. 처음에 유아는 좋은 경험(예를 들면, 좋은 가슴)만을 받아들이고 나쁜 경험을 모두 거부한다. 이러한 방어적인 축출 행위는 가장 최초의 자기감 경험이라고 할 수 있으며 컨버그가 말하는 정화된 쾌락자아(purified pleasure ego)를 만들어 낸다. 그러나 유아의 지각과 운동기능이 성숙해지면서 어머니는 점점 더 만족스러운 부분 대상 이상으로 경험되고, 긍정적이고 부정적인 경험은 좋은 어머니나 나쁜 어머니 상으로 내사된다. 그 결과, 분리된 두 부분을 유지하기 위한 방어적인 시도로 분열이 나타난다. 이와 같은 일련의 과정은 정상적인 발달 현상이다. 이 발달시점에서, 자아는 관계의 미묘한 차이를 인지적으로 처리할 수 없다. 경험은 주로 감정에 기초하여 조직화된다. 예를 들면, 유아는 보상을 주는 사람이 동시에 벌을 줄 수도 있다는 점을 이해하지 못한다. 좀 더 진전된 내면화 체계의 출현이 있어야만 좋고 나쁜 경험이 점차 통합될 수 있다. 그러한 통합의 시기에 이를 때까지는 유아의 세계와 유아의 내면화 체계가 분열되어 있는 것이 매우 자연스러운 현상이다.

관련어 동일시, 반전, 융합, 자기중심성, 자아정체성, 접촉경계혼란, 탈감각화, 투사, 편향

내성
[耐性, tolerance]

약물이나 알코올과 같은 물질을 사용하는 데 원래 경험한 효과를 얻기 위해 그 사용량을 늘리거나 사용빈도를 증가시키는 현상 혹은 이전과 같은 용량의 물질을 섭취해도 전과 똑같은 효과를 얻지 못하는 상태. 중독상담

물질을 처음 사용했을 때 얻었던 신체적 · 심리적 · 정서적 효과는 지속적이고 반복적으로 사용함으로써 점점 감소한다. 예를 들어, 알코올중독 환자들은 초기 알코올 섭취량보다 점점 더 많은 양을 섭취해야만 '취하는' 상태에 도달할 수 있는 것이다. 이러한 상태를 알코올에 대한 내성이 생겼다고 말한다. 이 때문에 점점 더 많은 양의 물질을 사용하게 되고, 곧 중독의 문제를 더욱 심화시키는 주요 요인이 된다. 내성의 정도는 사용한 물질의 종류에 따라 달라진다.

관련어 | 교차내성, 금단증상, 중독

내용분석
[內容分析, content analysis]

인간의 상징적 기호로 표현된 의사소통의 기록물 내용을 객관적 · 체계적 · 수량적으로 기술하고 분석하는 기법. 연구방법

내용분석은 본래 의사소통 과정에서 발신자와 수신자 사이에 발생하는 문제를 확인하고 분석하기 위해 개발된 방법이다. 즉, 누가, 무엇을, 어떻게, 누구에게 전달했으며 그 효과나 결과는 무엇인지를 객관적이고 체계적으로 기술하던 것에서 시작된 방법이다. 대중매체의 의사소통 내용을 분석하는 기법으로 출발한 것이지만, 그 효용가치가 인식되면서부터 사회과학의 다른 분야에서도 점차 활용하게 되었다. 내용분석은 일종의 문헌연구법이므로, 문헌연구 중에서도 특히 문헌자료의 양적 분석을 하는 데 많이 사용되고 있다. 질문지나 검사 혹은 관찰과 같은 다른 방법을 통해서는 필요한 정보를 얻기 어려운 상황에서 유용하게 쓰인다. 예를 들어, 내용분석은 역사적 고찰을 한다든가, 사망했거나 접근하기 힘든 인물에 대한 연구, 또는 어떤 정책 내용이나 교육 프로그램 내용에 관한 평가연구를 할 때 많이 이용하는 방법으로서, 내용분석을 위한 자료의 출처는 매우 다양하다. 역사적 기록, 전기, 연설문, 편지, 문학작품, 교과서, 신문 사설 등 기존의 여러 가지 기록된 자료가 내용분석의 대상이 될 수 있다. 그러나 특수한 목적을 위해서는 새롭게 자료를 개발해서 그 내용을 분석하는 경우도 있다. 특정한 상황에서의 대화 내용을 녹음한다거나, 어떤 주제에 관하여 글을 쓰도록 해서 얻은 자료를 분석하는 것을 예로 들 수 있다. 상담분야에서는 상담주제를 파악하기 위해 상담자와 내담자의 상담회기를 분석한다거나, 상담 프로그램의 내용을 분석하는 경우가 많다. 내용분석의 대상이 될 자료를 어떻게 표집하고, 선정한 자료를 어떻게 분석하는가에 따라 내용분석의 타당도와 신뢰도가 좌우될 수 있기 때문에 내용분석의 방법을 사용하여 연구하고자 하는 사람은 분석대상의 표본추출과 분석방법에 특별히 유의해야 한다. 내용분석을 하기 위해서는 먼저 이 방법으로 연구하기에 적절한 연구문제를 선정하고 다음과 같은 절차를 밟아 가면서 진행한다(이종승, 2009). 첫째, 분석대상의 모집단을 명확하게 규정한다. 일반적으로 표본을 대상으로 내용분석이 이루어지므로 표집을 잘하기 위해서 필요한 절차다. 즉, 내용분석의 대상이 되는 문헌이나 기록의 종류와 범위를 명확하게 규정한다. 예를 들어, 자살연구에 대한 내용분석을 하는 경우 분석대상에 포함될 논문들은 어떤 것이며 논문 발행시기는 언제부터 언제까지인지를 분명하게 규정해 놓아야 모집단을 대표하는 표본을 추출할 수 있다. 둘째, 모집단을 가장 잘 대표할 수 있는 분석자료의 표본을 추출한다. 내용분석을 위한 자료의 표집도 일반 표본조사에서의 표집 원리와 절차가 그대로 적용된다.

개별 자료를 표집단위로 잡을 수 있지만 대개는 어느 정도의 자료 묶음을 단위로 하여 유층표집, 군집표집을 곁들인 단계적 표집방법을 흔히 이용한다. 셋째, 분석내용을 범주화한다. 내용을 분류하는 틀, 즉 분석내용의 범주화는 연구의 질적 수준이나 성패를 좌우할 만큼 매우 중요한 문제다. 내용을 의미 있게 범주화하되, 내용분석의 목적과 연구문제가 잘 반영되도록 해야 한다. 분석내용의 범주는 망라적, 상호 배타적, 상호 독립적이어야 하며 같은 차원의 범주는 단일 기준에 따라 분류되도록 만들어야 한다. 넷째, 분석단위를 결정한다. 내용분석에 주로 사용되는 분석단위는 단어, 주제, 인물, 항목, 시간적 · 공간적으로 차지한 양(量) 등이다. 다섯째, 분석한 결과를 수량화한다. 내용분석의 방법을 사용하는 주목적은 대개 질적인 내용을 좀 더 객관적이고 체계적으로 분석하는 데 있기 때문에 수량화하는 것이 당연하다. 수량화의 방법으로 빈도를 계산하는 것이 가장 널리 쓰이며, 그 외 범주에 서열을 매기거나 강도를 평정할 수도 있다.

관련어 | 표집

내용 재진술
[內容再陳述, restating content]

아동이 이야기했던 것을 아동이 이해할 수 있는 어휘를 사용한 문맥 안에서 다시 아동에게 말하는 기법. 놀이치료

아동이 했던 말을 치료사가 아동이 이해할 수 있는 어휘의 범위 안에서 다시 아동에게 표현하는 것으로서, 아동의 표현보다 더 명료하고 구체적으로 아동에게 말하는 기법이다. 내용 재진술의 목적은 아동이 말하는 것이 중요하다는 것을 아동이 파악하도록 하여 아동과 관계를 형성하는 데 사용한다. 내용 재진술의 방법은 아동의 이야기 안에 들어 있는 확실한 메시지에 대해 반응하는 것이다. 아동이 이야기한 것을 다시 아동에게 말하는 것이지만, 아동이 사용한 단어와 억양을 단순하게 앵무새처럼 되뇌는 것이 아니라 치료사 자신의 단어와 억양을 사용한다.

내재적 동기
[內在的動機, intrinsic motivation]

외부자극에 조종되지 않고 스스로 행동하려는 욕구. 발달심리

외부에서 주어지는 보상에 따라 자신의 행동을 선택하고 행하는 것이 아니라 행동 그 자체에 대한 즐거움을 찾기 위해 행동한다. 즉, 내재적으로 동기화된 사람들은 일이나 행동에 대한 호기심, 흥미, 자기표현, 도전욕구 등을 충족하기 위하여 행동한다. 따라서 내재적 동기는 학생의 자기주도학습, 스포츠 선수의 잠재력 발휘, 직업에 대한 만족감 등을 위해서 무엇보다 필요한 요인이다.

내재적 정의
[內在的正義, immanent justice]

어린아이에게 잘못된 행동에 대한 벌이 절대적이고 필수불가결하다는 생각. 발달심리

피아제(Piaget)가 제안한 도덕발달이론의 주요 개념 중 하나다. 그는 스위스 아동의 공깃돌 놀이를 관찰하여 아동의 도덕성 발달과정을 4단계로 분류하였다. 이 중 내재적 정의는 도덕성 발달의 두 번째 단계인 타율적 도덕성 단계에 속하는 특징으로서, 규칙을 어기면 반드시 벌이 따라온다고 믿는 것이다. 이 시기는 대략 5~7세에 해당하며 일상생활에 규칙이나 질서가 있다는 것을 알게 된다. 이러한 규칙은 부모님이나 하나님이 만드는 것으로서 반드시 지켜야 하는 절대적인 것으로 믿는다.

관련어 | 피아제의 도덕성 발달이론

내재통합
[內在統合, embodied integration]

에드워드 판즈워스(Edward Farnsworth, 1982)가 기독교 신학과 심리학의 통합 개념을 설명하기 위해 만든 여섯 가지 모델 중 하나로, 인간의 전체 인생을 통해서 점진적으로 신학과 심리학의 통합이 하나님의 진리 안에서 이루어지도록 노력해야 한다는 입장. 목회상담

판즈워스는 여섯 가지 모델 중에서 내재통합을 신학과 심리학의 통합의 접근으로 가장 바람직하다고 보았다. 신학과 심리학을 통합하는 과정은 인생 전체의 큰 틀 안에서 점진적으로 이루어지는 것이므로, 통합에서는 갈등이 최소화되도록 노력하고 통합된 원리를 통해 평생 자신의 경험을 해석하면서 삶을 통제해 나갈 때 진정한 통합이 이루어진다고 보았다.

관련어 | 병립모델, 보완모델, 신용모델, 적응모델, 전환모델

내재화된 담론
[內在化－談論, internalized discourse]

사회적 · 개인적 담론이 내담자에게 내재화되어 개인의 삶의 사건을 해석하고 의미를 부여하는 데 강력한 영향력을 미치는 것. 이야기치료

개인의 삶 속의 수많은 사건을 해석하고 의미를 부여할 때, 사회적인 담론의 영향을 받을 수 있다. 예를 들어, 맞벌이하는 부부의 남편이 아내와 함께 직장에서 가정으로 돌아와 아내는 곧바로 가사에 열중하고, 본인은 편안하게 쉬고 있다고 가정해 보자. 이러한 사건을 해석하고 의미를 부여할 때, 남편은 가부장적인 사회적 담론의 영향을 받아 가사는 원래 여성의 임무이기 때문에 아내가 아무리 직장에 다닌다고 해도 지금은 자신의 의무를 다하는 것이라고 해석할 수 있다. 물론 아내도 직장에서 힘들게 일하고 돌아왔기 때문에 혼자 가사를 감당할 필요는 없다고 해석할 수 있지만, 이 경우에는 사회적 담론이 내재화되어 개인의 경험을 해석하는 데 영향을 미친 것이라고 할 수 있다. 내재화된 사회적 담론은 개인이 경험한 사건을 해석하는 데 영향을 미칠 뿐만 아니라 다음의 행동방향을 결정하는 데에도 영향을 미친다. 동일한 예에서 내재화된 사회적 담론의 영향을 받아 현재 경험을 해석하는 남편은 아내에게 미안한 마음을 가지고 일을 도와준다거나 같이 쉬자고 권유하지 않고 혼자 편하게 쉴 수 있다. 또한 개인의 담론도 삶 속에서 내재화되고 구조화되어 삶의 해석과 의미 부여, 그리고 행동에도 영향을 미칠 수 있다. 예를 들어, 자신은 공부를 매우 잘하는 사람이라고 생각하는 학생이 있다. 이 학생은 학교 시험에서 대부분 좋은 성적을 거두지만, 좋지 않은 성적을 거둘 때도 있을 것이다. 좋지 않은 성적을 거두었을 때 이 학생은 자신에게 취약한 부분이 있을지도 모른다고 해석하지 않고, 자신이 공부를 매우 잘한다는 개인적 담론에 영향을 받아 그날따라 몸 상태가 좋지 않아서 실수를 했다거나 뭔가 착각을 했을 것이라는 해석을 하게 된다. 내재화된 담론이 개인의 삶에 미치는 영향력 때문에 이야기치료에서는 이를 지배적 이야기(dominant story)와 함께 설명하기도 한다.

관련어 | 담론, 지배적 이야기

내적 강화인자
[內的强化因子, intrinsic reinforcer]

행동에 수반하여 외부에서 주어지는 외재적 강화가 중단되어도 그 행동이 유지될 수 있도록 작용하는 개인 내적인 요인. 행동치료

어떤 행동을 증가시키는 데 원인이 되는 것을 강화인이라고 한다. 강화인의 유형에는 여러 가지가 있는데, 강화인이 유기체의 외부에서 제공되는가 혹은 내면적으로 작용하는가에 따라 외재적 강화인(extrinsic reinforcer)과 내재적 강화인(intrinsic reinforcer)으로 구분된다. 여기서 내재적 강화인(內

在的强化因)이 내적 강화인자를 뜻한다. 한편, 외재적 강화로 형성된 행동치료의 지속적 효과를 유지하기 위해 외재적 강화를 점진적으로 생략해 가는 하강절차(procedure leaning)를 적용하기도 한다. 이 절차는 행동을 소거하지 않고 그러한 행동에 대한 즐거움과 같은 내재적 강화로 행동을 유지시키는 것이다. 학습과정에서는 조작된 강화가 효과적일 수 있다. 그러나 어떤 행동이 개인의 행동목록으로 확립된 후에 점차 외재적 강화인을 철회하더라도 내재적 강화인에 의해 획득된 행동은 유지되는 경향이 있다.

내적 경험
[內的經驗, inner experience]

가족치료사인 사티어(Satir)가 설명한 개인의 내적 세계. 경험적 가족치료

사티어는 경험적 가족치료의 이론들을 형성해 나가고, 이를 적용시키는 데 게슈탈트 이론의 영향을 많이 받았다. '지금-여기'의 경험에 대한 인식을 중요시하면서, 개인의 과거와 미래는 현재에 끊임없이 재경험되어야 한다고 설명하는 게슈탈트의 개념을 바탕으로 사티어도 인간의 경험과 그것을 인식하는 과정에 관심을 기울였다. 사티어는 개인의 삶에서 경험하게 되는 수많은 사건을 인식하는 내적인 과정을 내적 경험이라고 설명하고, 그것을 자기, 열망, 기대, 지각, 감정에 대한 감정, 감정으로 나누어서 인간의 겉으로 드러나는 경험인 행동과 대처방식과의 연관성에 대해 설명하였다. 그리고 이러한 내적 경험을 인식하고 탐색하는 것을 통해 내담자가 변화되도록 노력을 기울였다.

관련어 | 개인의 빙산 은유

내적 관계 지도
[內的關係地圖, internal relation map]

가정생활에서 일정하게 형성된 신념과 상호작용의 패턴. 부부상담

결혼생활과 갈등, 친밀함, 성(gender), 부부역할, 재정관리 등에 대한 신념이 포함된 것으로, 가정생활에서 익숙한 패턴을 사용하도록 하는 틀을 의미한다. 이 개념은 보웬(Bowen)과 그 동료들이 제안했는데, 사람들이 친부모든 양부모든 원가족에서의 경험이 현재 가정생활에서 나타나는 일정한 행동과 관계 패턴을 구성하는 데 영향을 미친다는 생각을 기초로 삼았다. 따라서 개인이 경험한 원가족의 정서적 환경이 자신의 결혼생활에서의 내적 관계 지도 형성에 중요한 영향을 미친다고 설명하였다. 일반적으로 대부분의 사람들은 이러한 내적 관계 지도의 영향력에 대해 인식하지 않은 채 자연스럽고 당연한 것으로 받아들이는 경향이 있다. 하지만 자신과 배우자를 정확하게 이해하고, 현재 결혼생활에서의 부적응적인 행동과 관계 패턴을 변화시키기 위해서는 각자의 원가족이 결혼생활의 핵심 문제에 대해 어떠한 영향을 미쳤는지 탐색해 봄으로써 내적 관계 지도를 인식하는 것이 도움이 된다고 설명한다. 이와 같이 어린 시절 경험한 가족관계가 개인의 결혼생활에 영향을 미친다는 생각은 부부치료의 다양한 접근에서 많이 찾아볼 수 있다.

내적 근막
[內的筋膜, inner fascia]

근육과 뼈를 연결시키는 콜라겐 요소로 된 가느다란 반투명 필름같이 생긴 인대, 힘줄 등의 부드러운 조직. 무용동작치료

신체의 해부학적 구조가 신체기능을 지배한다는 정골요법에서는 근육 및 내적 근육이라 부르는 내적 근막의 신축성이 심리와 신체 사이의 메시지를

주고받는 데 핵심적 역할을 한다고 주장한다. 따라서 만약 신체가 육체적 또는 심리적으로 스트레스를 받으면, 신축성 있는 부드러운 조직인 근막은 신축성을 잃고 혹같이 단단해져서 신체 움직임이 제한을 받는다고 하였다. 또한 이러한 과정은 느리게 잠재의식 상태로 진행되어 신체 움직임에 영향을 줄 뿐 아니라, 호흡도 어렵게 만들고 신체의 수직적 정렬도 잃게 한다고 설명하였다. 이러한 내적 근막의 중요성을 인식하는 신체심리치료자들은 근육 스트레칭의 차원을 넘어, 깊은 근육인 내적 근막을 부드럽게 만들어 뼈와 뼈 사이, 관절 사이를 길게 늘이는 데 관심을 가졌다. 신체심리학자들은 뼈대의 정렬을 중시하는 '해부학적 구조가 기능을 결정짓는다.'는 원리보다는 '기능이 구조를 지배한다.'는 원리를 더 신뢰하였다. 페이티스(Feitis, 1978)는 1896년 뉴욕 태생 생화학자인 아이다 롤프(Ida Rolf)의 연구를 기초로 근육과 뼈대가 합쳐지는 부분인 근막(myofascia)의 기능에 대하여 연구하였다. 또한 스타랜리와 코플랜드(Starlanyl & Copeland, 1996)는 의학의 분야에서 만성 근막통증과 관련된 근육통증 증상(fibromyalgia syndrome: FMS)에 대해 연구하였다. 이들은 FMS가 단순히 대뇌신경 속에서 일어난 일 때문만은 아니며 대뇌와 근육이 관련된 상황이라고 정의하였다.

관련어 | 심신의사소통

내적 대화
[內的對話, internal dialogues]

부부간에 이루어지는 대화 중 자신의 신념이나 감정 또는 생각 등을 언어로 표현하여 그 의미나 해석이 상대방에게 전달되지 않고 개인의 내적 수준에만 머무르는 것. 부부상담

부부간에 상호 교환적인 의사소통이 이루어지지 않고 각자의 머릿속에서 일방적으로 형성되는 가치와 신념을 뜻한다. 이는 겉으로 잘 드러나지 않으므로 상대 배우자에게 자신의 생각과 신념을 전달하기 힘들다는 특징을 가지고 있다. 일반적으로 내적 대화는 배우자에 대한 생각이나 겉으로는 이야기하지 않는 주제들로 이루어져 있다. 그리고 이러한 생각은 부부간에 이루어지는 외적 대화에 영향을 미치기 때문에 중요한 의미가 있다. 내적 대화는 부부관계에서 서로의 감정이나 의사를 존중하고 이해하기보다는 각 개인의 신념과 가치관을 더욱 강화시키기 때문에 부부간에 의미 있는 긍정적인 변화가 일어나기 어렵게 만든다.

관련어 | 외적 대화

내적 시연
[內的試演, covert rehearsal]

단기기억에 정보를 저장시키기 위해 제시된 정보를 계속해서 반복적으로 되뇌는 것. 인지행동

기억의 정보이론 및 학습이론에 관련된 개념으로, 정보가 짧은 시간 내에 망각된다고 한다면 장기기억을 어떻게 형성해 낼 수 있는가에 대한 의문에서부터 비롯되었다. 정보를 되뇌는 방법에는 두 가지가 있다. 유지 되뇌기란 정보를 마음속에 계속해서 반복하는 것이다. 정교화 되뇌기란 기억하고자 하는 정보를 이미 알고 있는 정보, 즉 장기기억으로부터의 각종 정보와 연합시키는 것이다. 예를 들면, 자신의 여동생과 같은 이름을 가진 사람을 파티에서 만나기로 되어 있다면 그 이름을 기억하기 위해 자신의 여동생과 연합을 형성한다. 정보가 회상될 가능성은 부호화 과정 중에 그것이 얼마나 많은 주의(attention)를 받고 시연(rehearsal)되었는지에 달려 있다. 어떤 단어가 단기기억에 있는 동안 많이 시연될수록 더 잘 기억된다. 기억하기 위해서는 들어온 정보를 반복하거나 시연함으로써 연합의 한계를 극복할 수 있다. 정보를 반복할 때마다 그 정보는 다시 활성화되고, 따라서 새로운 연합을 형성할 수 있는 시간이 연장된다. 예를 들면, 전화번호를

보는 것과 실제로 번호판을 누르는 사이에 그 번호를 반복한다. 번호를 지속적으로 반복함으로써 쇠퇴, 즉 망각을 지연할 수 있다. 한편, 반두라(A. Bandura)는 관찰학습(observational learning)이 일어나기 위해서는 모방된 자극을 파지(retention) 혹은 기억하는 것이 중요하다고 하였다. 외부에서 들어온 자극이 지속되지 않는 상태에서 행동을 재생하기 위해서는 원래 관찰한 자극정보를 어떠한 형태로든지 보존하고 있어야 한다. 어떤 기회에 우연히 관찰한 행동이 오랜 시간이 지나 적절한 시기에 과거 관찰한 그대로 나타나는 것은 그 행동이 기억 속에 남아 있었기 때문이다. 시연은 이와 같은 파지 과정을 통제하는 중요한 요인이다. 시연은 관찰한 행동을 실제의 사회적 상황에서 표현하기 전에 미리 연습해 보는 것을 뜻한다. 시연 중에서도 모방된 반응계열의 표면적 시연은 관찰학습을 촉진한다. 그러나 표면적 시연이 불가능할 경우에는 내적 시연을 할 수 있다. 내적 시연에서는 어떠한 소리나 동작이 표출되지 않은 채 새롭게 받아들인 정보의 내용을 마음속으로 계속해서 반복함으로써 그 정보를 단기기억 속에 머물도록 한다. 반두라에 따르면, 자극의 상징적 · 언어적 표상은 관찰학습의 장기기억에 효과적이다. 일반적으로 정보가 단기기억에서 많이 시연될수록 그 정보는 장기기억으로 전환되기 쉽다.

관련어 | 관찰학습, 기억

내적 심리구조
[內的心理構造, endopsychic structure]

중심자아, 리비도적 자아, 반리비도적 자아로 구성된 심리구조. 대상관계이론

페어베언(W. Fairbairn)이 개인의 성격구조를 설명하기 위해 제시한 개념이다. 페어베언의 이론에서 출생 초기의 자아는 단지 씨눈에 불과할 뿐 이 초기 자아는 어머니와 유아 간의 관계경험에 의해 성장해 나간다. 페어베언은 두 가지 유형의 어머니 관계가 유아를 좌절시킨다고 하였다. 하나는 유아가 감당하기에 지나치게 자극적인 흥분시키는(exciting) 어머니 관계이며, 다른 하나는 고통스럽게 거부하는(rejecting) 어머니 관계다. 유아가 이러한 내면화된 부모의 두 가지 측면을 다루기 위해서는 흥분시키는 대상과 거부하는 대상을 분리해야 한다. 두 내적 대상이 분리됨에 따라 본래의 자아도 분리되어 두 내적 대상과 동일시된다. 거부하는 대상과 관계를 맺는 자아를 반리비도적 자아(anti-libidinal ego)라고 하며, 흥분시키는 대상과 연합하는 자아를 리비도적 자아(libidinal ego)라고 한다. 그 외 본래 자아의 나머지 부분은 중심자아(central ego)가 된다. 이때, 양가적이지 않은 본래 상태의 대상은 이상적 대상으로 중심자아와 관계한다. 결과적으로, 심리 내면에는 세 개의 다른 부분 대상과 각각 상을 이루는 세 부분 자아로 구성된 심리구조가 확립되게 된다.

관련어 | 리비도적 자아, 반리비도적 자아, 중심자아

내적 인격
[內的人格, internal personality]

외적 인격인 페르소나에 상응하는 무의식의 내적 얼굴로 심혼 또는 자의식이라고도 함. 분석심리학

외적 인격이 자아가 외적 세계에 적응할 수 있도록 돕는다면, 내적 인격은 자아가 무의식을 인식할 수 있도록 돕는다. 내적 인격은 인간의 내적 성격으로, 집단무의식으로 인도하는 매개체 역할을 한다. 외적 인격에 대응하여 대상적인 내적 인격이 무의식에 존재함으로써 보완적 통합이 이루어진다. 내적 인격은 스스로 인식하고 있지만 외부로 표출되지는 않는다. 정신 내면을 지배하고 있는 내적 인격의 남성과 여성은 아니마와 아니무스로, 각기 다른 내적 인격의 특성을 갖추고 있다. 아니마는 남성 내

면에 존재하는 여성상을, 아니무스는 여성 내면에 존재하는 남성상을 나타낸다. 아니마와 아니무스는 의식에서 억압되었기 때문에 형성되는 것이 아니라 인간의 원초적 원형에 의해 존재한다. 따라서 남성의 무의식에서의 내적 인격은 여성적 속성을 지니며, 여성의 무의식에서의 내적 인격은 남성적 속성을 지닌다. 융(C. G. Jung)은 아니마와 아니무스가 남성과 여성에 단순히 내면에 머무르는 것이 아니라, 남성은 여성적 속성을, 여성은 남성적 속성의 의식을 통합해야 한다고 주장하였다.

관련어 | 아니마, 아니무스, 외적 인격

내적 준거틀
[內的準據-, internal frame of reference]

개인의 지각적 장으로서 한 개인에게 세상이 드러나는, 세상에 의미를 부여하는 방식이자 개인이 독특하게 경험하고 느끼는 방식으로서의 틀 혹은 원리. 인간중심상담

내적 참조체제라고도 부르는데, 인간중심상담이론에서 내적 준거틀은 개인에 대한 행동이나 태도, 성격에 대한 외부적인 판단과는 구별되는 것으로서, 이를 통해 왜 사람들이 나름의 방식으로 행동하는지를 이해할 수 있다. 내담자중심적 사고에서는, 인간은 각각 자신만의 사물을 보는 방식, 느끼는 방식, 생각하는 방식이 있다고 보고 그들이 개별적으로 경험하고 지각한 대로 현실에서 행동하고 반응한다는 것을 강조한다. 그리고 한 개인의 총체적인 현상학적 장은 그 핵심 요소로서 자기 자신이 누구인지에 대한 또는 그들 자신의 이미지에 대한 감각을 포함한다. 개인의 지각적 장은 자신의 기대와 욕구, 타인의 행동과 사건 등 여러 가지 요인의 영향을 받는다. 인간중심상담에서는 상담자가 내담자의 내적 준거틀을 이해하고 이에 따라 내담자의 주관적 세계, 현상학적 장을 내담자 자신의 것처럼 느끼는 것이 필요하다.

관련어 | 가치의 조건, 공감적 이해, 현상학적 장

내적 타당도
[內的妥當度, internal validity]

다른 잡음 변인이나 이유 때문이 아니라 오직 실험처치가 원인이 되어 그러한 실험결과가 나타났다고 자신 있게 말할 수 있는 정도. 연구방법

내적 타당도는 실험연구에서 강조되며 독립변인 또는 처치변인의 종속변인에 대한 효과 또는 영향에 따른 잡음변인의 개입 가능성을 적절히 통제하였는가로 판단한다. 실험처치가 정말로 그와 같은 실험의 결과를 가져왔다고 확인되면 실험의 내적 타당도가 인정되는 것이다. 따라서 실험의 내적 타당도를 확보하려면 독립변인 이외의 다른 조건이나 요인이 종속변인에 영향을 미치지 못하게 철저하게 통제하고, 오직 독립변인만이 영향을 줄 수 있도록 실험설계를 구안해야 한다. 이에 캠벨과 스탠리(Campbell & Stanley, 1963)는 내적 타당도를 저해하는 요인으로 여덟 가지를 제시하였다. 첫째, 역사(history) 효과다. 역사란 사전검사와 사후검사 사이에 발생한 여러 가지 특수한 사건으로서, 이 중에서도 특히 종속변인에 유의하게 영향을 미칠 수 있는 사건을 말한다. 연구자의 의도와는 상관없이 독립변인으로 투입한 실험처치 외에 실험기간 중에 발생한 어떤 특수한 사건이 실험의 결과에 영향을 미쳤다고 하면 그만큼 그 실험결과는 타당성을 잃는다. 일반적으로 실험처치 기간이 길든가, 실험처치와 사후검사 간의 시간간격이 크게 벌어질수록 역사요인에 의한 오염이 일어나기 쉽다. 둘째, 성숙(maturation) 효과다. 실험처치 외에 시간의 흐름에 따라 나타나는 피험자의 자연적인 성숙 효과, 즉 내적 변화가 피험자의 반응에 영향을 줄 수 있다. 연령이 증가하거나, 검사 도중 피곤해지거나, 흥미가 변하는 등의 신체적·심리적 변화가 실험 결과에 영향을 미치는 것이다. 실험기간이 길어질수록 성

숙요인에 의한 오염이 발생하기 쉽다. 셋째, 검사(testing) 효과다. 이는 검사경험이 연습과 기억의 효과로 작용하여 사후검사에 주는 영향을 말한다. 피험자가 이전에 사전검사를 받은 경험이 있어서 사후검사 때는 그 검사방식에 익숙해지거나, 검사 내용의 일부를 기억하고 있거나, 평소보다 더 관심을 갖게 되어서 사후검사의 결과에 영향을 미칠 수 있다. 이러한 경향은 정의적 특성보다는 학력이나 지능과 같은 인지적 특성을 측정할 때 더 많이 나타날 수 있다. 또한 단일 집단을 대상으로 하는 실험이나 반복측정의 설계에서 사전검사는 실험처치의 효과에 오염을 일으킬 가능성이 높다. 넷째, 측정도구의 변동(instrument variation)이다. 이것은 서로 다른 도구 사용 때문에 일어나는 오염으로, 특히 사람이 측정도구의 수단으로 이용되거나(관찰자, 채점자, 평정자 등), 사람이 바뀌었을 때 그들의 관찰기준이나 채점기준이 실험 조건별로 체계적으로 달라져서 오염이 일어나기 쉽다. 같은 사람이라도 피로, 권태, 학습 등에 따라 사전검사와 사후검사에서 일관성을 유지하기 어렵고, 서로 다른 사람이라면 개인적인 특성에 따라 채점기준이나 평정기준이 다를 수 있다. 다섯째, 통계적 회귀(statistical regression) 현상이다. 이것은 피험자의 선정을 아주 극단적인 점수를 토대로 결정할 때 일어나기 쉬운 통계적 현상이다. 피험자를 선발할 때 단 한 번 실시한 검사에서 극단적으로 점수가 높거나 반대로 낮은 사람을 선발하여 실험을 하면, 실험처치의 효과가 없더라도 그 특수 집단의 피험자들은 다음 검사에서 모집단의 평균에 좀 더 가까운 점수를 받을 가능성이 크다. 여섯째, 편향된 표본선정(selection bias)이다. 이것은 2개 이상의 피험자 집단을 이용하는 실험연구에서 피험자들 간에 동질성이 결여되어 실험결과에 편파적으로 나타나는 영향을 말한다. 이러한 영향을 막기 위해서는 피험자를 각 실험조건에 무선적으로 배정하는 것이 가장 효과적이다. 일곱째, 피험자의 탈락(mortality)이다. 이것은 실험이 진행되는 과정에서 피험자의 중도 탈락 때문에 실험조건들 간에 피험자의 동질성이 유지되지 않아서 일어나는 오염이다. 즉, 처음에는 실험집단과 통제집단의 피험자들이 동질인 상태로 출발했지만 실험과정에서 어느 한쪽의 피험자들이 체계적으로 중도 탈락하여 실험의 결과에 영향을 미치는 것이다. 실험과제가 어렵거나 실험기간이 길어질수록 체계적 탈락에 의한 오염이 발생할 가능성이 커진다. 여덟째, 확산(diffusion) 혹은 모방(imitation)의 효과다. 이것은 실험집단과 통제집단 간의 상호작용이나 모방 때문에 의도했던 집단 간의 차이가 분명해지지 않게 되는 것을 말한다. 이러한 오염은 집단의 분리가 적절하게 통제되지 않았을 때 나타나는 문제로, 실험집단과 통제집단의 피험자들이 물리적으로 근접해 있거나 심리적으로 경쟁적인 관계에 있을 때 발생하기 쉽다. 독립변인이나 실험처치가 실험의 결과 혹은 효과를 초래하였다고 확실하게 말할 수 있으려면 이러한 내적 타당도를 저해하는 요인들이 작용하지 않도록 실험설계를 해야 한다.

관련어 | 외적 타당도

내포작가
[內包作家, implied author]

텍스트에서 독자가 추론하는 작품의 의도 및 의미의 원천이나 작품 뒤에 숨어 있는 성격의 지위로 상상된 것을 나타내기 위해 고안된 것. 문학치료(독서치료)

내포작가라는 용어는 웨인 부스(Wayne Booth)가 자신의 저서 『소설의 수사학(The Rhetoric of Fiction)』(1961)에서, 텍스트에서 독자가 추론하는 작품의 의도 및 의미의 원천이나 작품 뒤에 숨어 있는 성격의 지위로 상상된 것을 나타내기 위해 고안한 것이다. 즉, 내포작가는 상상의 존재로서 실제 작가와는 완전히 다르고, 동일한 작가가 다른 작품을 썼을 때는 다른 종류의 페르소나를 담고 있거나 작품마다 뒤에 서로 다른 내포작가가 담겨 있는 것이다. 내포작가는 화자와도 다르다. 내포작가는 화자가 독자에게 제시할 수 있는 것을 결정하는 책임을 가진 가정된 인격으로서, 화자와는 동떨어진 곳에 자리한다. 원래 내포작가라는 말은 20세기에 나타난 문학비평 개념이다. 작품 내의 암시는 작가의 실제 삶에서 추론되는 것이 아니라 작가가 다른 그림을 그리는 것이라 할 수 있다. 구조주의의 영향이 밀려오면서 롤랑 바르트(Roland Barthes)는 (실제) 작가의 죽음을 명시하고 텍스트가 독서 안에서 스스로 말한다고까지 하였다. 부스가 말하는 내포작가는 작가의 사적인 편향 없이 작가가 텍스트를 써서 만들어진 가상의 작가, 특정 작품 안에 담긴 실제 작가의 특정 부분, 실제 작가가 만든 허구적 화자, 작품을 만든 혹은 작품에 영향을 미친 전체 집단, 작품 속에서 여러 가지를 선택하는 기준으로 사용된 주제나 테마 등이 된다. 작가는 작품 속에서 화자나 주인공, 등장인물 등을 창조해 낸 사람이지만, 독자가 생각하는 작가와는 다른 사람이다. 독자는 작가의 존재를 작품 속에서 확인하고, 자신의 의식 속에 작가의 상을 그린다. 이렇게 독자의 상상 속에 그려진 것이 내포작가이며, 독자는 이런 내포작가의 이야기를 듣고 있는 것이다. 부스는 『소설의 수사학』에서 실제 작가가 특정 소설을 쓰면서 만들어 낸 자신의 제2의 자아를 내포작가라고 하였다. 즉, 작가는 실제 자신과는 다른 사상이나 정서를 작품에 표현할 수도 있고, 자신이 쓰는 서로 다른 작품마다 서로 다른 사상과 정서를 담을 수도 있다. 결국 내포작가란 작가의 제2의 자아로서 실제 작가와는 늘 거리가 있는, 텍스트 전체의 규범과 의미의 원천이라는 의미를 담고 있다. 내포자아는 텍스트의 모든 성분에서 독자가 추측하고 집성시킨 하나의 구성물이 된다. 독서치료에서, 특히 자서전을 쓸 때 서술에서 겉으로 드러난 어조나 목소리와는 상관없이 발화를 일정한 방향으로 말이 통하게 하는 존재가 그 뒤에 있다고 보는 내포작가의 개념을 도입한다.

내폭치료
[內爆治療, implosion therapy]

내파치료(內波治療)라고도 하며, 내담자가 가장 두려워하는 상을 생생하게 꾸며 직면하는 과정에서 홍수처럼 한꺼번에 직면할 수밖에 없도록 만들어 불안을 제거하는 치료방법. 심상치료

피하고자 하는 대상을 이미지로 떠올리고 그 장면에서 피하지 않도록 하여 불안을 최대한 불러일으켜서 불안을 제거하려는 것이다. 이 치료법의 효과에 대해서는 초기연구를 제외하면 그다지 인정되고 있지는 않다. 유사한 치료법으로는 홍수(범람)치료(flooding)가 있다. 내폭치료에서는 불안을 최대로 하는 데 초점을 맞추지만 홍수치료에서는 불안대상에 내맡기는 데 역점을 둔다.

내향성
[內向性, introversion]

내부의 주관적인 것에 삶의 방향과 가치를 두고 자신의 내적 충실을 기하려고 하는 성격 경향. 분석심리학

사람은 선천적으로 삶을 영위해 나가는 데 서로 다른 두 가지 태도와 입장을 취한다. 내향적 태도와 외향적 태도 중 어떤 태도를 더 많이 의지하고 선택하느냐에 따라 내향성 또는 외향성으로 구분되는 것이다. 내향성은 에너지의 방향이 내부세계로 향하는 심리적 기제로 자기 내부의 정신세계에 흥미를 갖는 상태를 말한다. 내향성인 사람은 객체보다는 주체를 중요시한다. 따라서 내향성을 가장 동기화하는 요소는 주체이고, 객체는 두 번째로 중요하다. 내향적 의식은 외향적 조건에서 잘 나타날 수 있지만, 그들에 의해 동기화되지는 않는다. 내향적 태도를 전반적으로 많이 보이는 사람을 내향형이라고 부른다. 내향형은 밖에서 오는 자극으로부터 주체가 손상되지 않도록 주체를 지키려 하는 경향이 있다. 예를 들어, 내향형 남성은 타인을 기쁘게 하거나 타인의 호의를 얻고 싶어 하는 경향이 없기 때

문에 타인의 영향을 받기보다는 항상 자신의 결정과 판단이 옳다는 것을 증명하고자 한다. 또한 타인과 사물에 대해 큰 가치를 부여하지 않고, 타인과 사물에 대한 중요성을 부인하는 경향도 있다. 내향형의 특징을 살펴보면, 사람과의 상호작용에 많은 에너지를 투여하지 않고, 대규모 집단원과 함께 있을 때 앞에 나서서 말하는 일이 적으며, 뒤에 남겨지는 경향이 있다. 또한 독서, 작문, 음악, 그림, 수선, 비디오 게임, 영화 관람, 컴퓨터 사용, 낚시와 같이 혼자 하는 활동에서 기쁨을 찾는다. 그리고 보수적이면서 집 주위의 친숙한 환경과 몇 안 되는 가까운 친구들과의 친밀한 시간을 선호하고, 에너지를 절약하며, 이곳저곳을 돌아다니는 것보다 한곳에 머무르는 것을 선호한다. 이처럼 내향성은 홀로 있는 시간을 즐기지만, 가까운 친구와의 상호작용에서 기쁨을 느끼기도 한다. 고대 예술가, 작가, 조각가, 엔지니어, 작곡가, 발명가 등에서 내향형을 찾아볼 수 있다. 일반적으로 내향형은 말하기 전에 분석을 많이 한다. 극단적 내향형은 내적 영감에 주로 반응을 보이고, 보상기능 때문에 타인의 영향에 대한 무의식적 강화를 가지고 있다. 내향형의 의미가 수줍음이 너무 많다거나 사회에서 추방된 것과 동일한 의미는 아니다. 내향형은 자신의 선호에 따라 혼자서 하는 사회적 활동을 선택하는 반면, 수줍음이 많은 사람은 두려움 때문에 사회적 상호작용을 피하려는 것이고, 사회적 추방자는 자신의 선택과 상관없이 고독과 직면하는 것이다. 예를 들어, 내향성인 남자가 내면으로 깊이 들어간 것은 세상에 대한 거부가 아니라 평온을 찾기 위해서다.

관련어 외향성

내향적 감각형
[內向的感覺型, introverted sensation type]

융(C. G. Jung)이 분류한 여덟 가지 성격유형의 하나로, 객관적인 외계자극에 의하지 않고 주관적인 감각으로 규정되는 창조적인 예술가 유형의 사람. 분석심리학

융은 사물을 판단하는 기능을 설명하기 위해 감각형과 직관형 개념을 사용하였으며, 감각형을 태도에 따라 외향적 감각형과 내향적 감각형으로 구분하였다. 내향적 감각형의 경우, 감각은 특정 시점에서의 주관적 현실이 결정한다. 객체는 내향적 감각형에게 그리 중요한 존재가 되지 못한다. 어떤 경우에는 대상을 외부세계에 있는 그대로 지각하여 나타낸다. 또 어떤 경우에는 정신상태의 영향을 크게 받는다. 따라서 마치 정신 속의 어느 부분에서 불쑥 튀어나온 것처럼 보이기도 한다. 내향적 감각형은 밖에서 오는 감각을 받아들여 주관적으로 해석하고 흡수한다. 내향적 감각형의 예는, 좋은 예술작품의 감상가나 탐미주의자다. 모든 내향자와 마찬가지로 내향적 감각형도 외적 대상과 거리를 두고 자신의 정신적인 감각에 침잠하고 있다. 이들은 자신의 내적 감각에 비하면 외부세계는 평범하고 재미없다고 생각한다. 예술을 통해 표현하는 경우를 제외하고는 자기 자신을 표현하는 데 어려움을 느끼며, 이들이 만들어 낸 것은 무의미하고 공허한 경우가 많다. 다른 사람들에게는 조용하고 수동적이며 자제심이 있는 듯 보이지만, 사실은 무관심한 것에 불과하다. 사고와 감정에 결함이 있기 때문일 수도 있다. 내향적 감각형에서 소홀히 다루어진 외향적 직관기능은 분방한 추측, 비현실적인 음산한 배경에 대한 억측, 타인의 시선과 평가에 집착하는 강박관념으로 나타날 수도 있다.

관련어 내향적 직관형, 외향적 감각형

내향적 감정형
[內向的感情型, introverted feeling type]

융(C. G. Jung)이 분류한 여덟 가지 성격유형의 하나로, 주관적인 감정에 지배되고 타인으로부터 자신을 위축시키는 경향이 있으며 때로는 표면에 나타나지 않는 정적(靜的)인 내계에 살고 있는 사람. 분석심리학

융은 태도에 따라 외향성과 내향성으로, 그리고 판단기능에 따라 감정형과 사고형으로 구분하였다. 내향적 감정형은 에너지가 내부로 집중되고, 이성보다는 감정에 근거하여 경험에 대해 판단하고 평가하며, 경험을 조직화하고 분류한다. 또한 내향적 감정형은 객체보다 주체에 주의를 기울이며, 원형에서 비롯되는 원시적 이미지로 판단한다. 내향적 감정형의 특징은, 자신의 감정을 다른 사람에게 쉽게 드러내지 않고, 감정을 표출하는 일 또한 적다. 하지만 그런 만큼 깊고 강한 감정을 간직하고 있기 때문에 내면에 있던 감정이 표출될 때는 주위 사람들을 당혹시키거나 놀라게 한다. 때때로 이들은 한 가지 모습만 드러내기 때문에 감정이 없거나 생각이 없다는 등의 평을 듣기도 한다. 그러나 공감능력이 뛰어나서 의도하지 않아도 주위 사람들에게 긍정적인 영향을 미친다. 융은 내향적 감정형을 '고요한 물은 깊이가 있다.'는 말로 표현하였다.

관련어 내향적 사고형, 외향적 감정형

내향적 사고형
[內向的思考型, introverted thinking type]

융(C. G. Jung)이 분류한 여덟 가지 성격유형의 하나로, 지극히 관념적인 경향이 강하고 칸트 유형의 사람. 분석심리학

융은 사고형을 외향적 사고형과 내향적 사고형으로 구분했는데, 내향적 사고형은 주로 외부사건에 대해서 사고하는 것이 아니라 내적인 정신세계에 대해 사고한다. 이들은 객체의 기준에 맞추기보다 주체에 근거해서 분석하고 고찰하는 것을 즐기기 때문에 자신의 생각이 표현되어야만 한다. 또한 객관적 사실보다 이념이나 관념의 영향을 받고, 관념 하나하나에 대한 깊은 통찰로 지식을 심화시킨다. 이들이 외부를 탐구하는 것은 자신의 관념을 밑받침해 줄 사실을 발견하기 위해서 연역적 사고를 하는 것이다. 이들에게는 사실 그 자체보다 사실에 대해서 자신이 어떻게 생각하느냐 하는 것이 더욱 중요하다. 내향적 사고형은 마치 감정이 없거나 고립되어 있는 것처럼 보이는 경우도 있다. 이는 인간에게 가치를 부여하지 않기 때문이다. 또한 자신의 생각을 추구하기 위해 혼자 있는 것을 좋아한다. 소수의 추종자가 있을 수는 있지만, 자신의 생각을 다른 사람에게 인정받는 데 큰 관심은 없다. 자기 존재의 실재를 이해하려고 애쓰는 철학자나 실존 심리학자가 전형적인 예다. 이들은 주위 사람들에게 완고하고, 고집이 세며, 인정머리 없고, 접근하기 어려운 인식을 준다. 하지만 알면 알수록 책만 알고 지낸 어린애 같은 마음을 지니고 인정이 많다는 평을 듣는다. 때때로 내향적 사고형은 무의식의 열등한 외향적 사고, 즉 객관적 사고를 의식하고 그것을 발전시키기 위하여 지나치게 열등기능에 집착하는 나머지 외향적 사고형보다 더 주관성을 완전히 배제한 채 순수하게 '객관적'으로 사물을 보고, 그 관념을 살펴보고자 하기 때문에 논조가 지나치게 딱딱하고 경직되는 경우가 있으며 다른 사람에게도 그러한 객관주의적 완벽주의를 강요하기도 한다. 또한 내향적 사고형의 열등한 감정기능 때문에 분화된 감정에서 필요한 식별력이 없는 경향이 있다.

관련어 내향적 감정형, 외향적 사고형

내향적 직관형
[內向的直觀型, introverted intuition type]

융(C. G. Jung)이 분류한 여덟 가지 성격유형의 하나로, 자기 속에 있는 이미지의 지배를 받는 신비주의자나 예언가 유형의 사람. 분석심리학

융은 사물을 판단하는 기능을 설명하기 위해 감각형과 직관형 개념을 사용하였으며, 직관형을 태도에 따라 외향적 직관형과 내향적 직관형으로 구분하였다. 내향적 직관형의 주된 관심사는 내적 세계다. 자신의 심층적 원형의 움직임과 이와 관련하여 인류의 숙명과 미래의 방향에 대해 생각한다. 또한 사람의 마음 깊은 곳에 있는 원시적 요소들이 어떻게 변해 가고 있으며, 어떤 방향을 제시하고 있는가 하는 것을 파악한다. 즉, 내향적 직관형은 외향적 직관형의 특징인 구체적인 현실에서의 가능성보다 정신세계에서의 가능성을 탐색하며, 이러한 인식을 바탕으로 살아간다. 이들은 정신적 현상의 여러 가능성, 특히 원형에서 생기는 이미지들을 탐색한다. 외향적 직관이 대상에서 대상으로 옮겨 간다면, 내향적 직관은 이미지에서 이미지로 옮겨 간다. 내향적 직관형의 예로는 예술가, 몽상가, 괴짜, 선지자 등이 있다. 이들은 주위 사람들에게 수수께끼 인간처럼 보이기도 하고, 자기 스스로 자신은 다른 사람들이 이해할 수 없는 천재라고 생각하기도 한다. 외적 현실이나 일반적인 통념에 대한 감각이 없기 때문에 다른 사람들과 효과적으로 의사소통을 할 수 없고, 심지어 같은 유형의 사람과도 서로 잘 이해하지 못한다. 자기 자신도 의미를 잘 알지 못하는 원시적인 이미지의 세계에 고립되어 있다. 외향적 직관형과 마찬가지로 새로운 가능성을 추구하는 이들은 하나의 이미지에 오랫동안 흥미를 갖지 못하기 때문에 내향적 사고형처럼 정신과정 이해에는 크게 기여할 수 없다. 하지만 다른 사람이 완성하고 발전시킬 수 있는 토대가 되는 훌륭한 직관을 가지고 있을 수는 있다. 직관형의 그림자는 그의 열등기능인 감각기능의 성격을 띤다. 특히 내향적 직관형에서는 외향적 감각이 가장 미분화된 상태에 있으므로 현실감각이 극도로 결여되기 쉽다.

관련어 | 내향적 감각형, 외향적 직관형

내향형
[內向型, introverted type]

융(C. G. Jung)이 제안한 개념으로 심리적 에너지의 방향이 개인 내부, 즉 내적 세계와 그에 따른 심상으로 향하는 유형. 분석심리학

융은 환경에 반응하는 일반적 태도 유형에 대해 외향형과 내향형으로 구분하였다. 융에 따르면, 인간에게는 외향성과 내향성이 공존하지만 서로 다른 양상으로 보완적 태도를 지닌다. 내향형은 내향성이 상대적 우위로 의식화된 것이다. 내향형 사람들은 개인 내부요소에 관심을 가지고, 내적 욕구의 영향을 받는다. 이들은 순간적인 외부세계의 사건보다 지속적인 내적 개념을 더욱 신뢰하고, 고독과 사생활을 즐기며, 사람 및 사물과의 관계에서 불편함을 느낄 수도 있다. 이들은 소수의 사람들과 친밀한 관계를 선호하고, 조용하면서 신중하다. 마이어스-브리그스 성격유형검사(MBTI)에서는 내적 태도에 대해 상대적으로 높은 선호 경향성을 보일 때 피검자를 내향형 또는 I로 분류한다.

관련어 | 내향성, 외향형

내현 시연
[內顯試演, covert rehearsal]

내담자에게 필요한 새로운 정보나 행동을 가르치거나 어떤 모델이 행동하는 것을 관찰한 후 스스로 반복해서 연습하게 함으로써 그 정보를 학습하거나 행동을 습득하도록 하는 치료기법. 인지행동치료

내현 시연은 정신적 연습(mental practice), 시각화(visualization), 상징적 시연(symbolic rehearsal),

긍정적 이미지 만들기(positive imaging), 내성적 시연(introspective rehearsal)과 같이 외현 시연(overt rehearsal)이 행해지기 힘들 때 새로운 정보와 행동을 내현적으로 연습하여 새로운 정보와 행동을 학습시키는 인지행동기법이다. 시연의 일반적인 구성요소는 다음과 같다. 첫째, 내담자가 실시하는 자신, 타인, 사건 또는 일련의 반응에 대한 재구성을 한다. 둘째, 재구성을 실시하기 위하여 현재 혹은 '지금-여기'를 사용한다. 셋째, 처음에는 덜 어려운 장면을 시행하게 하고 나중에는 보다 어려운 장면이 주어지는 점진적 형성과정을 거친다. 넷째, 상담자나 다른 보조인의 내담자에 대한 피드백이다. 구체적으로는 바람직한 반응의 모의훈련이나 입체시행으로 목표하는 행동변화를 향상시킨다. 예를 들어, 원하는 목표를 이미지로 그리면서 구상하고, 마음속으로 바라는 행동을 반복적으로 시연하고, 미리 문제를 풀어 보고, 긍정적인 자기지시를 훈련하면 자기효율성에 대한 감각이 증대되면서 목표 행동을 성공적으로 수행할 가능성이 높아진다. 인지영역에서 내현 시연은 시험이나 연설문 낭독 등을 준비할 때 기억향상을 위해 사용되어 왔다. 행동영역에서는 스포츠에서 수행능력을 높이거나 음악연주, 사람들 간의 의사소통, 대인관계능력 등을 향상시키는 데 내현 시연이 도움이 된다고 알려져 있다.

내현적 모델링
[內現的-, covert modeling]

정신적 상상을 통하여 문제행동을 소거하거나 바람직한 행동을 강화하는 것. 위기상담

전화를 통해 반복적으로 성적인 노출을 하는 행동을 제거하기 위하여 베어드, 보세트와 스미스(Baird, Bossett, & Smith, 1994)가 제안한 기법이다. 예를 들어, 자신의 성적 욕구를 충족하기 위해 위기전화 상담센터에 전화를 건 내담자가 있다면 상담자는 "당신이 이야기하는 것을 보면 당신이 진짜 자신의 문제를 알고 있는지, 그리고 도움을 원하는지 궁금합니다. 이것을 포기하기는 어려울 거예요. 다만 언제인지 몰라도 다시 우리에게 전화를 걸려고 할 때 치료자에게 전화해야겠다는 생각이 들 거예요. 그런 생각을 할수록 더욱더 치료자에게 도움을 받고 싶다는 생각이 강해질 겁니다. 이제 전화를 끊고 자신의 진짜 문제에 대해 도움을 받을 수 있는 생각을 해 보시기 바랍니다."라고 말한다. 이는 전화를 건 사람의 문제행동을 탓하지 않고 공감적으로 반응하며 그가 도움이 필요하다는 것을 명백하게 알려 주어 현재 행동에 대한 불안 대신 문제행동을 변화시키고자 하는 동기를 갖도록 해 준다.

네 가지 일기 쓰기 기법
[-日記-技法, 4 diary devices]

융(Jung)의 기본적인 인간의 지각양식에 따라 레이너(T. Rainer)가 제시한 네 가지 글쓰기 기법. 문학치료(글쓰기치료)

저널치료사인 레이너는 일기를 쓸 때 융의 기본적인 인간의 지각양식에 따른 네 가지 기법을 제시하였다. 자유로운 직관적 글쓰기(free intuitive writing)는 직관의 언어를, 카타르시스 글쓰기(cathartic writing)는 감정의 해방과 표현을, 묘사 글쓰기(description)는 우리의 감각(시각, 촉각, 후각, 미각, 청각)으로 인식되는 정보를 전달하며, 성찰적 글쓰기(reflective writing)는 지적인 명상으로서의 글쓰기를 말한다.

관련어 | 저널치료

네롤리
[-, Neroli]

항우울, 원기촉진, 신경강화, 방부성, 항경련, 살균, 구풍(驅風), 반흥 형성, 소화 등에 효과가 있는 나무로서, 튀니지, 이탈리아, 프랑스 등이 주요 산지. 향기치료

네롤리는 달걀 모양의 진녹색 사철 푸른 잎을 내고 10미터까지 자라며 두꺼운 꽃잎과 작고 어두운 색깔의 열매를 맺는다. 네롤리 오일은 가장 효과적인 진정 및 항우울 치료제 중 하나로, 불면증과 불안 및 우울상태의 치료에 사용한다. 피셔리치(Fischer-Rizzi)는 네롤리 향의 치료적 효과에 대하여 정신적 긴장과 탈진에 효과가 있고 스트레스에 오래 견디도록 하는 안정과 재생 효과가 있다고 했으며, 모하이(Mojay)는 네롤리를 마음과 정신을 평온하게 하고 안정시키는 최고의 오일 중 하나라고 설명하였다. 즉, 네롤리는 불안, 불면, 심장의 두근거림과 같은 뜨겁고 동요되는 심장상태에 특히 유용하다. 또한 네롤리 오일은 심장 근육의 수축 폭을 줄여 주는 데 효과적이며, 심장 두근거림 또는 다른 유형의 심장 경련 환자에게 유용하고, 고혈압에도 처방이 된다.

노 세트
[-, no-set]

내담자가 반항하거나 저항하는 성질을 활용하여 특정한 암시를 연속적으로 하는 기법. 최면치료

에릭슨 최면의 치료기법을 활용하는 것으로, 반항하거나 저항하는 내담자의 성질을 이용하여 특정 행동을 하지 못할 것이라는 암시를 계속해서 주는 것이다. 이를 통해 결과적으로 상담자가 원하는 방향으로 변화를 유도해 나간다. 간단한 예로 청개구리 우화를 들 수 있는데, 엄마 청개구리는 시키는 것과 반대로 행동하는 아들 청개구리에게 자신을 물가에 묻어 줄 것을 유언으로 남겼다. 결과적으로 아들 청개구리가 뉘우치면서 엄마 청개구리의 의도대로 되지는 않았지만, 이는 물가에 묻지 않도록 유도하기 위해 당부한 것으로 노 세트의 예가 될 수 있다. 실제 사례로는 에릭슨(Erickson)이 행한 반항적인 청중에 대한 최면유도를 들 수 있다. 에릭슨은 강연에 등장한 훼방꾼에게 조용히 있을 것을 당부하였지만 계속 떠들었고, 자리에 앉을 것을 당부하였지만 거부한 채 자리에서 일어섰다. 이 훼방꾼에게 에릭슨이 "당신은 겁이 많아서 감히 다른 사람이 최면에 들어가는 시범을 가만히 앉아 보지 못할 것입니다. 당신은 두려워서 감히 이 앞으로 나오지 못할 것입니다. 그리고 당신은 감히 이 최면의자에 앉아 있지 못할 것입니다. 당신은 두려움에 내 말을 들으려 하지 않을 것이고, 두려움에 감히 눈을 감지도 못할 것입니다. 또한 당신은 감히 두 손을 무릎 위에 얌전히 놓지도 못할 것입니다."라고 암시하자, 그는 얌전히 최면 속으로 들어갔다. 이렇게 내담자의 반항하는 심리를 끝까지 활용함으로써 치료적인 방향으로 이끄는 것이다.

관련어 | 에릭슨 최면, 트랜스

노년기
[老年期, old age]

65세 이후. 발달심리

이 시기의 발달은 전반적인 노화로 특징지을 수 있다. 신체의 외적인 측면에서는 신장의 축소, 등이 휘는 등의 체형변화, 피부지방의 감소, 흰머리, 체모 감소, 건조한 피부, 주름, 나이반점이 나타난다. 내적으로는 뇌 무게 감소, 수면시간의 변화, 시각적 예

민성 감소, 야맹증, 색 변별력 감퇴, 약한 청력 등의 노화가 진행된다. 인지적 측면에서 유동성 지능의 감퇴가 이루어지는데, 이는 자극에 대한 반응속도 둔화가 가장 큰 요인으로 보고되고 있다. 또한 점차 기억력이 흐려지는데 이는 주의역량과 작업기억 역량이 점차 감소하기 때문이다. 장기기억보다는 단기기억에서 더 많이 감소하여 노년이 되면 먼 기억을 더 잘 기억하게 된다. 이러한 변화는 성격 특성, 신체적 건강, 교육 수준, 사회문화적 환경 등에 따라 개인차를 보인다. 인지적 기능이 쇠퇴하는 것과 관련하여 노년기에 주로 나타나는 병리적 현상으로는 노인성 치매, 알츠하이머 증후군, 다경색 치매, 파킨슨병 등이 있다. 노년기의 성격발달을 에릭슨(Erikson)은 자아통합감 대 절망감의 시기라 하였으며, 펙(Peck, 1968)은 자아분화 대 과업역할몰입, 신체초월 대 신체몰입, 자아초월 대 자아몰입의 위기라고 하였다. 이는 지금까지 주도적으로 살아온 삶에서 벗어나 자신의 내적 성찰에 더 관심을 갖고 자신의 삶을 통합하며 노화를 수용하고 죽음의 공포를 극복하는 것이 평화롭고 안정된 삶을 유지하는 데 필요하다는 뜻이다. 한편, 뉴가튼(Neugarten, 1982)은 6년간의 종단연구를 통하여 50~80세의 성격유형을 통합된 성격, 재구성형, 집중형, 단절형, 무장-방어적 성격, 지속형, 억제형, 수동-의존적 성격, 원조 추구형, 내담형, 통합되지 못한 성격 등의 11가지로 구분하였다.

관련어 | 노인상담, 노화, 성공적 노화, 자아 통합감 대 절망감

노년기 정신병
[老年期精神病, senile psychosis]

신체적, 정신적 노화에 의해 기질, 성격 특성, 정신기능이 이상으로 변한 상태. 이상심리

노년기 정신병은 주로 치매를 가리키며, 치매는 대개 알츠하이머 치매와 혈관성 치매로 나타난다. 먼저 알츠하이머병은 건강한 뇌세포가 죽어 신경전달물질인 아세틸콜린이 감소되어 기억력, 언어능력, 판단력이 상실되는 것으로, 초기 증상으로는 기억력의 저하에 따른 심한 건망증을 들 수 있다. 예를 들면, 식사를 한 뒤 금방 잊어버리고는 식사를 또 하려고 하는 것이다. 치매는 서서히 진행되며, 최근에는 훌륭한 뇌 기능 회복의 약품들이 개발되어 어느 정도의 진행은 지체시킬 수 있다. 다음으로 혈관성 치매는 뇌 손상에 의한 치매를 말한다. 혈관성 치매란 뇌혈관 질환에 의한 뇌 손상으로 나타나는 치매를 말하며, 특히 고혈압, 당뇨병, 고지혈증, 심장병, 흡연, 비만을 가진 사람에게서 많이 나타난다. 알츠하이머 치매가 기억력 장애가 주 증상인 반면, 혈관성 치매는 기억력 장애뿐만 아니라 행동이상도 나타나는 경향이 있다. 그리고 미국과 유럽 등에는 알츠하이머 치매환자가 많고, 국내에는 혈관성 치매환자가 많은 것으로 알려져 있다.

관련어 | 노인성 치매, 치매

노년학
[老年學, gerontology]

노화에 대한 연구가 중심이 되는 학문. 중노년상담

노년기의 심신의 특징, 고령자의 사회적 배경이나 사회적 처우를 연구하는 학문으로 노화나 노년기에 관계되는 의학, 생물학, 심리학, 사회학, 교육학 등이 종합적으로 연구를 추진하고 있는 학제적 학문이다. 즉, 자연·인문·사회과학 연구를 통해 나이가 들어가는 것에 대한 과학적 지식을 하나의 지식 기반에 집약하여 신체, 심리, 윤리, 의료, 경제 등 다양한 분야에서 고령자 문제를 연구하는 것이다. 노인학이란 용어는 프랑스에서 탄생한 것으로, 명명자는 생물학자 메치니코프(Metchnikoff) 박사이며, 노인학은 1944~1945년 미국에서 노인학협회가 창설되면서 거론되었다. 의학이 발달하고 공중

위생이 개선되면서 영양자원이 개발됨으로써 인간의 평균수명이 늘어나고 고령층 인구가 늘어나 이들에 대한 연구의 필요성이 제기되었고, 특히 선진국을 중심으로 활발하게 연구가 진행되고 있다. 미국의 노인학자 쇼크(Shock)는 노인학의 연구분야로 고령자의 증가에 따른 사회경제적 문제, 노화에 관한 심리학적 고찰, 노화의 생리학 및 병리학적 제 문제, 생물계 전반에서의 노화 등을 들었다. 1950년에는 국제 노인학회가 결성되어 4년마다 총회를 개최하고 있고 총회는 생물학, 임상의학, 심리학, 사회학 및 사회복지의 네 부분으로 구성되어 있다. 한국의 경우도 사회경제적 발전과 더불어 평균수명의 연장으로 노인문제가 사회문제로 대두되었다. 이에 따라 학문적 연구의 대상으로 노인학이 시작되었고, 우리나라의 노인학과 관련된 학회는 1968년 대한노인병학회를 필두로 한국노년학회(1978), 대한노인신경외과학회(1997), 한국노인복지학회(1998), 노인간호학회(2003) 등이 활동하고 있다.

노래부르기
[–, singing]

음악치료 내용 중 최우선되는 음악활동으로, 자발적 음악표현의 첫 번째 형태. 음악치료

노래부르기는 음악 감상, 악기연주, 음악적 동작과 함께 음악치료에서 일어나는 음악활동 중 한 부분으로, 음악치료에서의 자발적인 음악적 표현 중 가장 우선적으로 사용되는 기법이다. 성악이나 발성에 관한 전문적 지식이 전혀 없는 상태라 하더라도 노래부르기 활동과 그에 수반되는 음악적 발성을 경험하는 것은 에너지 활성화, 개인 혹은 집단에서의 느낌 창조 등에서 유효한 수단이 된다. 음악치료사가 직접 내담자를 위해 노래를 부르거나 내담자와 함께 노래를 부르는 행위를 통해서 내담자가 자신과 타인에 대한 인식을 할 수 있도록 자극할 수 있다. 이는 접촉과 의사소통의 한 수단이 된다. 내담자가 가사의 의미를 이해하지 못하는 상황이어도 노래부르기 활동은 감각적 · 정서적 인식의 단계에서 긍정적인 경험을 가능하게 만든다. 가사 없이 콧노래를 흥얼거리는 것도 음성을 이용한 자아확장을 위한 음악적 도구가 된다. 그뿐만 아니라 노래부르기는 발성을 위한 호흡이 수반되기 때문에 신체적 이완에 도움이 되고, 가사를 통한 언어기능 회복 및 유지와 과거경험과 연관된 노래부르기 활동으로 기억의 회복 및 유지에도 좋다. 또 노래부르기가 자기표현의 수단이 되므로 자아정체성을 구축하는 데도 도움이 된다. 노래는 말하는 속도보다 더 느리게 진행할 수 있고, 리듬을 통한 패턴반복으로 언어인식에 도움이 되어 언어의 운율적 요소 및 패턴조절, 언어생성 등의 훈련이 가능해 의사소통능력을 향상시킨다. 따라서 자폐 및 발달장애 등에서 노래부르기를 많이 이용한다. 이외에도 심적 위로, 정서적 안정감 등을 위해서 노래부르기가 사용되고 있다.

노시보효과
[–效果, nocebo effect]

진짜 약을 먹어도 효과가 없다고 생각하면 약의 효과가 나타나지 않는 현상. 최면치료

일종의 심리학적 기대효과로 환자의 치료효과에 대한 믿음과 신뢰, 기대가 자기암시로 작용하여 실제 치료효과를 가져오는 경우를 말한다. 환자가 자신이 어떤 병에 걸렸다고 믿을 경우 그것이 그대로 신체기능에 작용하여 실제로 병에 걸린 것과 같은 반응을 일으켜 병으로 발전하기도 하고, 자신이 위험에 처하지 않았는데도 불구하고 위기에 처한 상황으로 인식하면서 그것에서 벗어나지 못한다는 믿음을 가져 더욱더 큰 위기에 놓인다. 이 현상은 서인도 제도에 있는 아이티의 원시종교인 부두교의 주술사가 저주를 내린 사람은 저주대로 죽음을 당하는 예에서 볼 수 있다. 이 같은 현상에 대해 1942년 미국의 생리학자 캐넌(Cannon)은 부두 죽음(Voodoo death)이라고 명명하였다. 이후 1961년에 '나는 해를 입을 것이다.'라는 뜻을 지닌 라틴어 '노시보'를 인용하여 '노시보효과'라는 정식 명칭을 사용하였다. 이 현상은 윤리적 이유로 연구가 미비하지만 경험적으로 검증되고 있다. 예를 들면, 34명의 학생들에게 실제로는 전기가 흐르지 않는 전극을 머리에 붙이도록 한 다음, 전기가 머리로 흘러들어가 두통을 일으킬 것이라고 이야기하자 3분의 2 이상의 학생들이 두통을 호소하였다. 이는 개인의 믿음이 인간의 행동과 감정에 큰 영향을 미침을 보여 준다. 프랑스 출신의 약사 에밀 쿠에(Emile Coue)는 약만 조제해 주었을 때보다 약과 함께 암시를 줄 때 치료효과가 높다는 것을 발견하고, 후에 최면클리닉을 개설하여 최면기법을 연구하였다. 노시보효과는 실제로 효과가 없는 약이지만 약을 먹음으로써 나을 것이라는 환자의 믿음 때문에 병이 치료되는 플라시보 효과(placebo effect) 혹은 위약효과의 반대 개념이다.

관련어 | 위약효과

노우(한국직업정보시스템)
[韓國職業情報 –, Korean network for occupations and workers: KNOW]

한국고용정보원이 2001년에 한국직업사전의 문제점을 보완하고 최근 진로정보를 제공하기 위하여 구축한 웹사이트. 진로상담

이 사이트에서는 직업정보, 학과정보, 진로상담에 대한 서비스를 집중적으로 제공하고 있다. 직업정보는 하는 일, 되는 길, 임금 및 전망, 능력, 지식, 환경, 성격, 흥미, 가치관 등에 대한 정보가 제공되며, 학과정보는 학과소개, 관련 학과, 교과목, 개설대학, 진출분야, 취업현황 등에 대한 정보를 제공한다. 진로상담은 직업선택, 진로결정 등에 관한 정보 제공이나 상담으로 이루어진다.

관련어 | 워크넷, 커리어넷

노인기억장애검사
[老人記憶障碍檢査, Elderly Memory Disorder Scale: EMS]

노인의 치매진단을 위하여 인지기능을 평가하는 신경심리검사. 심리검사

노인기 기억장애를 정밀하게 평가하려는 목적으로 우리나라에서 최진영(2007)이 개발한 기억검사다. 저학력 인구가 많은 우리나라 노인의 인지 특성을 고려하여 55~84세 노인의 기억기능과 시공간 기능, 언어기능 및 개념화 능력을 평가한다. 일회적 기억능력평가를 주목적으로 하며, 언어적 · 비언어적 기억검사를 주축으로 그 밖에 작업기억과 시공간 능력, 개념화 능력, 언어적 기능을 평가하는 검사를 포함한다. 언어적 기억검사로 노인 언어학습검사, 이야기 회상검사가, 시공간 구성능력 및 비언어적 기억검사로 단순 REY 도형검사가, 작업기억 및 단기기억을 측정하는 숫자폭 검사와 시공간폭 검사, 시계 그리기 검사와 단축형 보스턴 명명 검사로 구성되어 있다. 노인 언어학습검사는 노인의 학습능력과 학습전략, 단기기억 및 장기기억, 재인능력을 평가하며 동시에 언어적 기억과 개념적인 능력 간 상호작용을 평가한다. 단순 REY 도형검사는 지각, 운동, 기억 기능 및 계획, 조작기술, 문제해결력 등의 인지적 과정을 평가하여 시공간 구성능력 및 시각적 기억을 평가한다. 이야기 회상검사는 24개의 이야기 단위와 이야기 흐름상 중요한 의미를 지닌 6개의 주제 단위로 구성된 검사로, 노인의 언어적 기억 정도를 평가한다. 숫자폭 검사는 즉각적인 언어 회상폭을 측정하는 데 가장 흔히 사용되는 검사로 피험자의 주의력, 단기기억 및 작업기억 능력을 평가한다. 시공간폭 검사는 시공간적 작업기억 용량을 측정하는 검사로 '바로 따라하기'와 '거꾸로 따라하기'의 두 과제로 구성되어 있다. 시계 그리기 검사는 지시문에 대한 언어적 이해 및 기억능력, 추상적 개념화 능력, 시공간 구성능력 등 다양한 인지

능력을 평가한다. 단축형 보스턴 명명검사(K-BNT)는 단어 인출의 용이성과 정확성, 어휘수준에 대한 정보 및 언어적 능력을 평가하는 것으로 실어증 및 치매의 유무와 진행 정도를 측정한다. 각각의 소검사는 독립적으로 활용할 수 있다. EMS는 표준화를 거친 뒤 학지사 심리검사연구소에서 출판되고 있다.

관련어 | 기억, 신경심리검사, 치매

노인돌봄
[老人-, eldery caring]

65세 이상의 사람들 중 경제적 자립이 어렵거나 신체적 노화로 혼자서 생활하는 데 어려움을 겪는 사람을 보살피는 일. 중노년상담

인간은 나이가 들수록 노화가 진행되기 때문에 주변인의 보살핌이 필요해진다. 우선 가장 가까운 곳에 사는 주변인들이 노인을 보살피는 역할을 담당하는데, 이처럼 노인을 보살피는 책임에는 순서가 있다. 일차적으로 보살핌에 대한 책임은 배우자에게 있으며 배우자가 없는 경우에는 성인 여성 자녀가 책임을 지고, 그다음으로 성인 남성 자녀, 다른 가족구성원의 책임으로 이어진다. 노인을 보살피는 돌보미는 가계 수지 맞추기, 약 복용하기, 옷 입히기, 식사 준비하기, 목욕시키기 등의 일상생활에 대한 서비스 제공하기, 일일 요양원이나 교통업체와 같은 공공서비스 확인 또는 연결하기, 재정적 지원, 그리고 자주 방문하기, 동반하기, 대화하기 등의 정서적 측면을 지지하는 역할을 한다. 노인을 보살피는 일은 자기가치감과 자기확신감을 향상시키지만 때로는 자신을 쓸모없는 사람으로 여기거나 분노, 좌절, 불안, 우울과 같은 부정적 정서를 보고하기도 한다. 이러한 부정적 정서를 감소시키기 위해서 돌보미들은 경제적 안정이 필요하며, 주변의 인적 자원, 지지체계, 여가활동 등에 대한 사회적 자원과 지지가 도움이 된다. 그리고 문제해결 전략, 대안 찾기, 스트레스 해소 등 개인 내적인 대처 전략도 돌보미의 정서에 큰 영향을 미친다. 이와 같은 정신적, 심리적 고통뿐만 아니라 면역 체계의 약화와 같은 신체적 건강도 심각한 문제를 지니고 있을 수 있다. 돌보미의 부정적 정서를 감소시키기 위한 접근방법에는 지지집단(support group) 참여, 이완훈련, 문제해결 기술, 일상의 유쾌한 경험 증가시키기, 분노 다루기와 같은 자기관리 기술 훈련 등이 있다. 우울증 등의 심한 고통을 겪으면서 노인들을 학대하거나 유기하는 돌보미들은 개인상담 및 심리치료를 해야 한다. 또한 노인의 문제행동을 효과적으로 다루는 원리와 기법에 대한 교육 및 훈련과 같은 심리사회적 접근방법을 실시하여 노인의 문제행동을 대신하여 새로운 행동반응을 가르치며 문제행동을 유발하는 선행 사건을 관리하도록 도와준다.

노인상담
[老人相談, eldery counseling]

65세 이상의 사람들을 대상으로 신체적 · 정신적 · 경제적 변화에 대한 이해와 성공적 노화를 도와주기 위하여 노인문제에 관한 전문적인 지식을 훈련받은 상담자가 심리적 · 정서적인 지원을 하는 활동. 중노년상담

우리나라 노인인구는 해마다 증가하는 추세에 있다. 특히 1950~1960년대에 이르는 베이비붐 세대가 노년기에 접어드는 시점에는 최고에 이를 것으로 보인다. 이러한 인구의 증가와 더불어 노인의 삶에 대한 인식이 점차 변화되어 노화를 단순히 정신적 · 신체적으로 노쇠해 가는 것이 아니라 발달과 성장의 과정으로 보는 견해가 강하다. 따라서 노인

자신의 신체적 · 정신적 변화에 대한 이해와 노년기의 긍정적인 삶과 성공적인 노화에 대한 전문적인 상담이나 치료에 대한 요구도 점차 증가할 것으로 보인다. 노인상담에서 상담자는 노년기의 신체적 · 정신적 · 심리적 변화에 대하여 충분히 이해하고 있어야 하며 병리적 노화, 보편적 노화, 성공적 노화의 차이를 숙지해야 한다. 노화는 정상적으로 일어나는 발달과정이라는 것을 이해하도록 환경을 조성하고, 반드시 상담이 필요한 것은 아니지만 적절하게 대처하지 못할 경우에는 상담이 필요하다는 것을 알려 주어야 한다. 노년기에는 직업이나 가족에게서 유리되는 경험, 신체적 기능과 감각의 감퇴, 불편한 거동, 의존적인 생활, 배우자 등 가까운 사람의 죽음, 만성질환, 신체적 장애, 재정적 문제 등의 이유로 슬픔, 우울, 상실감 등의 부정적 감정을 느낀다. 이러한 부정적인 감정은 생의 사건 외에도 노년기에 주로 발생하는 치매, 알츠하이머, 혈관 계통 질병 등과 동반하여 나타날 수도 있다. 그리고 인지적 감퇴도 상담자가 면밀하게 관찰하여 서비스의 선택 등에 관한 자율적 선택의 가능성 여부를 확인해야 한다. 부정적 감정들은 종종 불면증, 두통, 식욕부진, 체중감소 등의 신체적 증상으로 표출되기도 하므로 상담자는 이러한 증상들이 심리적 요인에 기인하는 것인지 단순한 신체적 증상인지를 확인해야 한다. 부정적 감정, 특히 우울증은 아주 작은 일에 대한 반응적 슬픔에서 자살을 유발하는 아주 심각한 범위까지 다양하게 나타난다. 알코올이나 약물 등을 남용하거나 지나치게 의존하는 경우에는 위생관리가 제대로 되지 않거나 영양실조와 질병 등이 나타날 수도 있다. 따라서 노인들에게 나타나는 신체적 변화나 심리적 변화를 노년기에 나타나는 일반적인 현상으로 간과해서는 안 된다는 뜻이다. 또한 상담자는 성격장애와 같은 만성적 질환을 확인하고 판명할 수 있어야 한다. 만성적 정신질환을 지니고 있는 노인은 사고가 제한적이며 환경 적응력이 부족하여 스트레스 상황에 적절하게 대처하는 데 어려움을 겪는다. 한편, 패트리샤 맥도널드와 마거릿 하니(McDonald & Haney, 1988)는 개인적인 문제를 해결하기 위해서, 중요한 결정에 대한 도움을 얻기 위해서, 행복감을 느끼지 못하여 방향을 새로 설정하기 위해서, 어려운 상황을 다루는 방법을 배우기 위해서, 위기를 겪는 동안 도움과 위로와 지지를 받기 위해서, 공감적이고 지지적인 누군가와 대화를 하기 위해서, 자신에 대하여 더 잘 알기 위해서 노인들이 상담에 임한다고 하였다. 상담에 임하는 노인 내담자는 상담자보다 고연령인 경우가 많으며, 상담 의도에 대한 저항이 강하고 때로는 상담자보다 경험의 폭이 더 넓다. 그리고 이들은 변화와 도전에 대한 동기가 낮으며 삶에 대한 의미가 부족하고 가족 및 보호자의 지지가 약하다. 노인상담에서 내담자와 상담자의 나이 차이는 치료관계에서 전이와 역전이가 발생하며, 이는 상담과 치료에 중요한 영향을 미친다. 내담자에게서 나타나는 전이의 내용은 다양한데, 치료가 진행될수록 내용의 의미와 드러나는 양식이 달라질 수 있다. 내담자는 상담자를 부모상과 관련지으며 어린 시절의 문제를 해결하려고 하거나 발달과정을 거치면서 경험한 여러 관계에서 형성된 자신과 타인에 대한 개념을 가지고 치료관계에 임한다. 그리고 현 발달단계에서 겪고 있는 관계경험, 즉 배우자와 사별한 내담자는 상담자를 배우자로 여기거나 자신을 보살펴 주는 자녀로 생각할 수도 있다. 역전이는 상담자의 자기인식, 인지수준, 역전이 이해 정도에 따라 다양하게 나타난다. 일반적 반응으로서 상담자는 내담자의 욕구를 충족시켜야 한다는 무의식적 기대에 따라 치료관계에서 역전이가 나타난다. 특히 나이가 많고 사회적 지위가 낮은 노인일 경우에 상담자의 역전이는 더 크게 발생한다. 세대집단에서 나타나는 특정한 반응으로, 노인 내담자를 부모 또는 할아버지로 바라보고 자식이나 손자, 손녀의 역할을 하고자 하는 강한 감정적 반응의 역전이가 나타난다. 또한 내담자 역동과 상담자 역동, 그리고 내담자와 상담자의 역동으로 역전이가 나타날 수 있다. 즉, 내담자와 상담자 모두 배우자와 사별한 것처럼 내담자와 상담자가 공통적인 문제를 지닐 때 역전이가 발생할 수 있다. 상담장면에서 발생하는 전이와 역전이를 충분히 이해하고 통찰하는 것이 성공적 상담을 이끌어 낼 수 있다. 노년기에 경험하는 심리적 고통을 약물로 치료하기에는 부작용 등의 위험성이 따르기 때문에 상담이 보다 효과적이라 할 수 있지만, 심각한 위기에 처한 경우에는 약물치료와 상담을 병행하는 것이 바람직하다. 개인상담과 집단상담과 같은 면담상담은 타인과의 상호작용을 통하여 고립감을 해소할 수 있으며, 주된 집단활동으로는 회상집단(과거기억을 회상하여 현재에서 통합하기), 집단 심리치료(대인관계 탐색 등), 현실 지향 집단(현재의 문제에 주의를 기울이기), 재동기화 집단, 음악 · 미술 · 시 등의 창작활동 집단 등이 있다. 전화상담과 인터넷상담 등의 매체상담은 자신을 밝히지 않고 문제를 해결할 수 있는 도움을 얻는다는 장점이 있다. 상담자는 성공적인 노년의 삶을 영위하도록 돕고 내담자가 이용할 수 있는 지역사회의 자원을 제공하거나 중재자의 역할도 해야 한다. 때로는 내담자의 법적 대변자로서, 문제를 해결하고자 할 때 대안선택에 필요한 정보를 제공하거나 가르치는 교사의 역할도 하게 된다. 노년기는 심리적으로 건강한 것과 상관없이 그들의 삶 자체가 회복력을 지니고 있다는 것을 뜻한다. 따라서 전반적인 삶 속에서 겪은 여러 가지 어려운 사건이나 상황을 극복한 강점들을 확인하고 보상받았던 경험을 기억해 내도록 함으로써 그들을 도울 수 있다. 노인을 상담하기 위해서 상담자는 심리적 영역뿐만 아니라 신체적 건강, 의료적 진단 및 치료계획에 대한 지식, 재정적 · 사회적 · 법률적 정보제공 등의 영역까지 확대하여 그들의 성공적 삶을 마무리하는 데 도움을 주는 봉사적 활동을 해야 한다.

관련어 | 노년기, 노화, 성공적 노화, 은퇴

노인성 치매
[老人性痴呆, senile dementia]

65세 이상 성인에게 나타나는 질환으로서 노화에 따른 뇌의 변화로 단기기억, 추상적 사고, 판단에 장애가 있으며 성격이 변하고 일상생활의 활동에 어려움 등을 보이는 증상. 중노년상담

여러 가지 질환으로 노년기에 발병하는 치매를 총칭하는 말이다. 노년기에 치매를 일으키는 원인에는 알츠하이머병, 뇌혈관 질환, 루이체, 전측두엽 퇴행, 파킨슨병 등의 퇴행성 뇌질환, 정상압 뇌수두증, 두부 외상, 뇌종양, 대사성 질환, 결핍성 질환, 중독성 질환, 감염성 질환 등이 있다. 그중에서 알츠하이머병이 노인성 치매 원인의 50% 이상을 차지하며, 뇌혈관 질환은 20~30% 정도를 차지한다. 일반적으로 노인성 치매 증상은 크게 인지기능 저하, 신경생리적 변화, 신체와 정신적 변화로 기술할 수 있다. 인지기능 저하에는 기억력, 언어능력, 시공간능력 등이 감퇴되고 상황 판단력, 일상생활 수행 능력이 저하된다. 신경생리적 증상은 편측운동 마비, 편측감각 저하, 시야장애, 안면마비, 발음이상, 음식물 삼키기의 곤란, 보행장애, 사지경직 등이다. 신체적 증상은 대소변 실금, 낙상, 욕창, 폐렴, 요도감염, 패혈증 등이며, 정신적 증상은 성격의 변화, 무감동, 우울, 불안, 망상, 환각, 배회, 공격성, 자극과민성, 이상행동, 식이변화, 수면장애 등이다. 노인성 치매의 증상은 치매를 일으키는 원인에 따라 차이가 있다. 알츠하이머병에 의한 치매의 초기증상은 최근의 일에 대한 기억이 감퇴되는 것에서 비롯하여 점차 다른 인지기능도 함께 저하되고 말기에 이르면 사지경직, 보행장애, 실금 등의 신경학적 증상이 나타나면서 일정한 방향으로 진행되는 경향이 있다. 뇌혈관에 의한 치매는 뇌혈관 질환의 위치와 침범 정도에 따라 증상의 형태나 질환의 정도, 출현 시기가 달라지는데 신경학적 증상이 초기에 나타나는 경향이 있다. 루이체 치매는 환시, 인지기능의 악화와 호전 반복, 운동기능의 감퇴, 혼돈, 실신, 렘수면 행동장애 등을 보인다. 전측두엽 퇴행은 40대

나 50대 성인 중기에 주로 발병하지만 노년기에 치매로 발전하기도 한다. 전측두엽 퇴행은 증상에 따라 전측두엽 치매, 진행성 비유창성 실어증, 의미 치매의 세 가지 증후군으로 구분한다. 즉, 주변환경에 대하여 무관심하거나 충동적인 행동, 부적절하거나 기이한 행동 등으로 성격이나 행동의 변화가 주 증상일 경우에는 전측두엽 치매라고 한다. 언어 표현 장애가 두드러진 경우에는 진행성 비유창성 실어증이라 하며, 언어 이해력이 낮은 경우는 의미 치매라 한다. 발병률은 전체 노인의 2~4%이며, 여성에게 더 많이 발병한다. 다수는 서서히 발병하지만 급격한 환경 변화로 급속하게 악화되는 경우가 있다. 진단은 가족의 보고, 신체검사, 신경생리학적 검사, 일상생활의 기능 수준 검사, 혈액 검사, 뇌영상학 검사, 신경심리검사 등으로 이루어진다.

관련어 | 노년기 정신병, 섬망, 알츠하이머병, 치매

노인수면장애
[老人睡眠障碍, elder's disorders of sleeping]

건강하거나 건강하지 않은 노인 모두에게 발병하는 것으로서, 밤에는 숙면을 취하기 어렵고 낮에는 과도하게 자거나 원하지 않은 졸음이 발생하며 잠자는 시간 동안에 몽유병과 같은 이상행동을 보이는 상태. 중노년상담

인간은 나이가 들어갈수록 깊은 수면의 단계는 점차 감소하고 얕은 수면이 증가하여 노인이 되면 밤잠이 줄어들고 점차 깨어 있는 시간이 길어진다. 이때 대부분의 노인이 불면증을 호소하는데, 이는 발달적 변화로 볼 수 있다. 밤잠을 잘 이루지 못하지만 이렇게 부족한 잠은 낮 시간대에 보충되어 수면의 양은 줄어들지 않지만 수면의 질은 점차 낮아져 수면에 대한 주관적 어려움을 많이 호소한다. 노인의 수면장애 중 가장 빈번하게 호소하는 문제는 불면증이다. 이외에 폐색성 수면무호흡증이 있으며 이는 밤에 여러 번 나타나 심각한 수면분열을 일으키며, 중추 수면무호흡증은 숨이 차서 잠을 깨지만 잠드는 것에 대한 공포로 2차적 불면증을 야기한다. 수면무호흡증은 낮 시간에 많이 졸려 하며 인지장애를 동반하여 심폐기관의 문제를 악화시킨다. 계속적으로 다리를 움직이는(restless legs) 증후군과 간헐적 사지 움직임이 심각한 노인들은 심각한 수면분열로 낮에는 졸림 때문에 비몽사몽 상태에 있다. 이러한 증상을 지닌 사람들은 노인기의 수면장애를 발달적 변화로만 인식하여 무심코 지나칠 수 있어서 수면장애의 근본적인 원인을 간과해 버림으로써 수면장애를 더욱 악화시킨다. 그리고 퇴직, 건강 악화, 배우자나 친구의 사망과 같은 생애사건이 원인이 되는 우울함이나 불안감도 수면을 방해한다. 수면방해가 좀 더 지속적으로 불면증으로 이어지면 우울증과 깊이 관련된다. 좀 더 심각한 수면장애는 기분장애와 더 관련이 되며, 수면과 정신적 장애가 동반하는 경우에는 각각의 개별적 치료가 필요하다. 의학적 측면에서 노인의 3분의 2가 만성질병을 앓고 있으며, 이 질병의 대다수가 수면을 방해한다. 즉, 치매, 울혈성 심부전, 호흡기 질환, 관절염, 퇴행성 신경 질병이 수면을 방해하며 처방받은 약물도 수면을 방해하여 불면증을 초래한다. 한편, 은퇴는 노인의 활동수준을 감소시켜 사회적 리듬이 약화되면서 방 안에서 보내는 시간이 늘어나고, 자연히 낮잠이 많아지면서 밤잠이 줄어든다. 신체 활동의 감소는 기능적 장애, 은퇴 이후의 일상생활 적응의 실패, 무료함, 우울 등이 생활리듬에 영향을 주어 수면을 분열시키고 수면에 대한 역기능적 기대감이 정상적인 수면형태를 병리적 문제로 보고할 수도 있다. 이러한 노인기의 수면장애를 진단하고 평가하는 데에는 개인의 수면 역사, 심리적·신체적 검사, 수면 모니터링, 특정 장애에 대한 실험적 과정평가 등이 사용된다. 이 시기의 불면증을 치료하는 한 방법으로 수면에 관한 정보를 제공하는 교육이 도움이 되기도 한다. 수면을 방해하는 카페인과 니코틴 등의 물질이 포함된 음식, 식습관 등에 대한 정보를 제공하는 것이다. 행동치료적 접근의 한

방법인 자극통제는 수면시간과 환경자극의 비적응적으로 조건화된 행동을 수정하여, 수면에 방해가 되는 행동을 줄이고 수면에 도움이 되는 자극을 증가시킴으로써 수면과 깨어나는 시간을 재규정한다. 예를 들면, 졸릴 때만 잠자리(침대)에 들기, 잠이 드는 데 15~20분 정도 걸리면 잠들기 전 다른 공간에 머무르며 잠들기 직전에 침대에 눕기, 수면 시간에 상관없이 아침에 일정한 시간에 일어나기, 침실에서 책을 읽거나 텔레비전을 보는 것과 같이 수면에 방해가 되는 행동하지 않기, 침실은 오직 잠자는 것과 성적 활동을 위한 장소로만 사용하기, 낮잠을 최소화하기 등이 있다. 한편, 잠이 오지 않을 경우에 잠을 자려고 애쓰기보다는 걱정을 하지 않아도 되는 독서와 같은 활동을 하는 것이 수면에 도움이 된다는 결과도 있다. 이러한 방법을 역설적 의도(paradoxical intention)라고 한다. 이외에 수면장애를 치료하기 위한 방법으로 수면제한, 근육이완, 자율훈련법, 명상 등의 이완활동, 합리적 신념을 갖도록 하는 인지치료, 벤조디아제핀과 같은 약물치료, 인지치료와 약물치료의 통합치료 등이 있다.

관련어 | 이완훈련, 인지치료

노인심리학
[老人心理學, psychology of aging]

65세 이상 성인의 심리적 · 생리적 · 신체적 · 인지적 특성을 연구하는 학문으로서 심리학의 하위영역 중 하나. 중노년상담

평균 수명이 상승하고 노인 인구가 증가하면서 노인심리에 대한 연구의 중요성이 강조되고 있다. 노년기는 신체감각과 인지기능은 점차 쇠퇴하여 치매 등의 신경생리적 질환의 발병, 직업이나 직무에서의 은퇴로 인한 사회경제적 지위의 변화, 배우자와의 사별, 죽음에의 접근 등의 문제로 다른 발달단계와는 별개의 심리적, 성격적 특성을 지닌다. 예를 들어, 적막감, 고독, 초조감, 왜곡, 우울, 불안 등의 정서와 완고하고 융통성이 없으며, 자신의 생각은 항상 올바르다고 믿고, 의뢰심이 강하며, 피해자 의식 등의 성격 특성을 나타낸다. 이러한 특성을 보이는 노년기에서는 개인별로 생활방식이나 경험, 활동수준, 삶에 대한 태도 등에 따라 다양한 삶을 살아간다. 이에 노인심리학은 노년기 발달과업의 수행, 신체적 및 정신적 건강, 성공적 노화 등에 관한 주제에 초점을 맞추어 연구하고 있다.

노인우울증
[老人憂鬱症, geriatric depression]

65세 이후에 처음 나타나는 우울증상. 중노년상담

65세 이후의 우울증은 남성보다는 여성이 더 빈번하게 나타나고 인생 초기에 발병한 우울증과 후기 우울증은 원인과 표출양식이 다르다. 이 시기에 우울한 사람들은 부적절한 슬픔, 강한 분노, 낮은 자존감, 의기소침해하는 등의 정서적 변화, 극심한 체중감소, 수면장애, 소화불량, 변비, 가슴 답답함, 두통, 무기력, 식욕부진 등의 신체적 변화, 지나치게 건강을 염려하는 등 신경증적 경향, 자해 또는 가해, 음주, 대인관계 기피와 같은 행동적 문제증상 등이 나타난다. 후기에 우울증을 유발하는 요인에는 만성적 생활 스트레스, 유전적 · 생물학적 · 내분비적 요인, 그리고 신체질환에서 비롯된다. 발달과정상 노년기는 신체적, 정신적, 경제적으로 큰 변화를 겪게 되는데, 일이나 직업의 은퇴, 경제적 어려움, 자녀의 독립, 신체변화, 감각기능의 쇠퇴, 질병, 배우자 사별, 이혼, 사회적 지지 결핍 등의 생활스트레스가 우울증을 유발한다. 그러나 이러한 생활 스트레스가 있다고 하여도 이 같은 사건에 대처하기 위한 준비의 정도, 사회적 지지가 충분하면 우울증은 발생하지 않는다. 이전의 우울증을 겪은 환자는 재발할 확률이 높고, 노인성 우울증은 초기 우울증과 달리 성격장애가 나타날 확률은 적다. 대뇌기능의 쇠

퇴가 우울증을 유발하기도 하는데, 뇌혈관 질환, 피질성 경색, 열공성 경색, 알츠하이머, 뇌혈관 증후군, 파킨슨 질환 등을 지닌 노인들은 우울장애가 발병할 비율이 일반 노인보다 24~50% 높다. 이러한 신체적 노화가 노인성 우울증을 유발하고, 노화는 연령의 증가와 관련이 있으므로 노인성 우울증을 평가하는 것이 복잡하여 진단에 어려움을 가져올 수 있다. 진단에는 어려움이 있지만 노인성 우울증은 쉽게 치료될 수 있고, 치료방법으로 약물치료, 전기충격요법, 심리치료적 접근 등이 효과적이다. 심리치료적 접근에는 인지치료, 행동치료, 정신역동치료, 회고적 심리치료, 대상관계치료 등이 있다.

관련어 | 노인자살, 우울증

노인음악치료
[老人音樂治療, Music Therapy for Elderly]

노인의 질환치료 및 안녕을 위해 실행하는 음악치료. 음악치료

노인음악치료는 음악치료가 감각중추를 자극하기 때문에 친밀성, 예견성, 안정감과 같은 반응을 도출할 수 있다는 점에 집중했을 때, 신체 · 심리 · 인지 · 사회적 기능이 저하되어 있는 노인들에게 음악치료가 효과적이라는 입장에서 출발하였다. 클레어(Clair, 1996)에 따르면, 노인에 대한 음악의 치료적 기능은, 첫째, 음악의 신체 및 정서자극 효과, 둘째, 음악을 매개로 한 사회적 통합능력 개선, 셋째, 의사소통능력 증진, 넷째, 음악을 통한 감정표현능력 신장, 다섯째, 음악으로 인한 연상능력 개선, 여섯째, 음악은 연령 제한 없이 활용할 수 있는 치료적 도구가 된다는 점 등이라고 하였다. 나이가 들어도 음악을 학습하고 체험하는 능력은 지속되기 때문에 70대 이상의 노인에게도 음악은 접근 용이성이 뛰어난 매체다. 따라서 행복증진을 바라는 보통의 노인뿐만 아니라 치매와 같은 중증질환을 앓고 있는 노인에게도 노인음악치료는 실행 가능하다. 음악이 지닌 융통성, 사회성, 구조성, 현실성, 리듬성 등은 노인들이 사고의 융통성을 지니고, 사회적 기술을 습득하고, 의사소통능력을 신장시키고, 자신의 존재감을 느끼고, 감각을 일깨우고, 현실적 참여를 가능케 하기 때문에 노인의 현실 적응력을 높이고 행복감을 증대시키는 데 효과적이다.

노인일상활동평가
[老人日常活動評價, Seoul-Activities of Daily Living: S-ADL, Seoul-Instrumental Activities of Daily Living: S-IADL]

치매환자의 보호자와 면담으로 치매환자의 기본적인 일상활동을 평가하는 검사. 심리검사

노인 치매환자의 일상활동을 평가하고 치매의 초기 여부를 적절하게 판단하기 위해 신경정신과 전문의인 김도관, 김지혜, 구형모(2006)가 2001년 조직된 '치매 평가도구 제작을 위한 특수임무위원회'의 주요 사업 중 하나로 제작한 검사다. 기존의 평가들이 인지기능의 평가에 치중되었다면 이 검사는 일상활동에 초점을 맞추고 있다. 우리나라 문화적 특성을 반영한 도구적 일상활동 평가지는 기초(ADL) 12개 문항과 복합(IADL) 15개 문항 등 총 27개 문항으로 구성되어 있다. 기초문항은 치매환자의 기본적인 일상생활을 평가하는 것으로 식사하기, 걷기, 목욕하기 등 신체를 돌보고 유지하는 데 필요한 활동을 살펴본다. 세부적으로는 세수, 양치질, 머리 감기, 식사하기, 신발 신기 등 자기 관리 및 위생문항 6개, 실내 거동, 계단 오르내리기 등 보행문항 3개, 대소변 조절 문항 3개로 되어 있다. 복합문항은 전화 사용, 돈 관리, 대중교통 이용 등 보다 복합적인 인지기능이 필요한 활동을 진단, 평가한다. 세부요인으로 현재 환자의 독립적인 도구적 일상활동수준을 평가하는 현재실행문항과 현재는 혼자서 할 수 없지만 환자의 능력을 고려했을 때 잠재

적으로 수행 가능하다고 볼 수 있는 정도를 평가하는 잠재능력문항 등 총 15개다. S-ADL과 S-IADL은 표준화를 거친 뒤 학지사 심리검사연구소에서 출판되고 있다.

관련어 | 치매

노인자살
[老人自殺, elder suicide]

65세 이상의 사람이 스스로 자신의 목숨을 끊는 일. 중노년상담

2009년 통계청 자료에 따르면 우리나라 65세 이상 노인의 자살률은 1만 명당 60대 54.6명, 70대 80.2명, 80세 이상은 127명으로 연령이 높아질수록 자살률도 급격하게 증가하는 것으로 나타났다. 이는 OECD 국가 중 가장 높은 자살률이며, 우리나라의 자살률이 낮아지지 않는 이유 중 하나가 노인자살률의 증가 추세 때문이다. 노년기 자살은 퇴직으로 인한 사회적 지위의 상실, 배우자의 사망, 건강악화, 만성질환, 신체적 · 정신적 장애, 사회적 고립, 재정적 어려움, 가족불화에 따른 절망감, 상실감, 무력감, 우울감을 느끼게 되어 발생한다. 노인자살에 직접적으로 영향을 미치는 정서적 요인은 우울이다. 노인의 우울은 변비, 설사, 어지럼증, 심장증상, 통증, 불면증 등의 신체기능에 대한 증상을 주로 호소하며, 지나친 음주나 흡연, 특별한 이유 없이 눈물을 흘리거나 이전에 관심을 가지지 않던 일이나 행동을 하는 등의 신체적 · 행동적 징후로 나타난다. 이러한 징후들을 가족이나 주변 사람들은 흔히 노년기에 나타나는 일반적인 노화현상으로 간과해 버리는 경우가 많다. 특히 홀로 지내는 노인들은 가족이나 주변인의 사회적 지지가 부족하여 자살을 시도할 가능성이 높다. 최근에는 노인의 자살시도가 증가하고 어느 연령대보다 자살성공률이 높아졌다. 자살 사고가 현저하게 높은 수준이면 약물치료를 권유하고 가족이나 사회적 지원체계의 지속적인 관리가 필요하다는 것을 알려야 한다. 그리고 상담과정에서 자살과 관련된 계약서를 작성하고 수면과 섭식생활이 안정될 수 있도록 지속적으로 관찰하면서 관리하며 억압된 감정들을 표출하도록 격려한다. 음주나 흡연에 지나치게 의존하고 있으면 우선적으로 이 문제를 해결하도록 하고, 개인이 지니고 있는 강점과 회복력을 탐색하여 대처방안을 찾아보도록 한다. 노인인구가 점차 증가하고 사회적 · 경제적 어려움으로 노인자살이 더욱더 가속화되고 있는 우리나라는 OECD 국가 중 자살률 1위라는 불명예스러운 자리를 차지하고 있다. 이런 점에서 본다면 노인자살은 개인적 차원에서 다루어질 것이 아니라 국가적 차원의 노력이 절실하게 필요하며, 자살도 예방할 수 있다는 국민적 자각을 이끌어 내도록 해야 한다.

관련어 | 노년기, 노인우울증, 자살

노인정신장애예방
[老人情神障碍豫防, prevention for eldery mental disorder]

65세 이상 성인의 인지적, 정서적 질환이 발병하지 않도록 미리 조처를 취하는 일. 중노년상담

미국 정신건강역학조사사회는 전체 노인인구의 5분의 1이 여러 가지 정신장애의 위협을 받고 있으며, 노인은 종합적인 장애의 발병률이 높다고 하였다. 특히 불안장애와 인지장애의 발병률이 높고, 인지적 손상이 가장 큰 질환이다. 그 외 다른 질병들은

젊은이들보다 낮은 비율로 발병한다. 최근에는 노인질환의 예방전략으로 모집단에서 심리학과 정신의학적 측면에서 발병률을 이해하고 있다. 노인의 정신장애를 예방하기 위해서 임상적 모델이 제시되고 있는데, 범주적 장애 예방과 차원적 장애 예방으로 나눌 수 있다. 범주적 장애 예방의 대표적인 예는 치매, 혈관성 치매, 알츠하이머, 섬망, 신경 매독, 기분장애 등이며, 차원적 장애 예방으로는 은퇴 전 프로그램, 스트레스 관리 훈련, 돌보미의 정서적 지지와 교육을 위한 프로그램, 약물남용 예방교육 등이 있다.

노인죽음
[老人 –, elder death]

65세 이상의 연령인 사람으로서 의학적으로는 맥박과 호흡의 정지 및 뇌기능의 정지를 말하고, 생물학적 관점에서는 생물체가 활동을 멈추고 물질과 에너지에 대한 통제력이 상실된 상태. 중노년상담

죽음은 누구도 피해갈 수 없는 자연적 현상이며 노년기의 중요한 발달과업 중 하나다. 노인이라면 누구나 편안하고 고통 없이 잠자듯 죽는 것처럼 좋은 죽음을 기대하고 소망한다. 그러나 어떤 노인은 죽음에 대하여 부정하거나 두려움과 불안 등으로 죽음을 회피하려는 태도를 취하고, 어떤 노인은 죽음을 자연스러운 현상으로 여기며 죽음을 받아들이는 태도를 취한다. 죽음을 수용하는 노인은 자신의 삶을 긍정적으로 평가하고 자아통합을 이루려는 사람이며 죽음을 당연하게 받아들이는 것이다. 패티슨(Pattison, 1977)은 죽음의 궤도모델을 제시하여 죽음의 과정을 설명하였다. 인간은 자신의 생활을 설계하고 자신의 활동을 조절하기 위하여 자신의 수명을 예견하는데, 죽음의 위기에 직면하면 잠재적 죽음의 궤도와 실제적 죽음의 궤도로 크게 두 부분으로 나누어진다. 실제적 죽음의 궤도는 다시 급성위기단계, 만성적 생과 사의 단계, 최종단계로 구분된다. 잠재적 죽음의 궤도는 충분히 인생을 산 이후의 적응에 대하여 예상할 수 있지만, 실제적 죽음의 궤도에 이르면 죽음에 대한 위기의식을 느껴 급성단계에 이르면 죽음에 대한 불안이 최고조에 다다르고 만성적 생과 사의 단계에 이르면 불안이 점차 감소하여 통합된 죽음을 맞이하게 된다. 죽음의 시점에 이르는 최종단계에서는 불안이 거의 소멸되고 죽음을 맞이한다. 한편, 퀴블러로스(Kübler-Ross, 1969)에 의하면 죽음을 맞이하는 사람들은 부정, 분노, 타협, 우울, 수용의 5단계 정서적 변화를 보인다. 이와 같은 정서적 변화단계는 개인의 특성이나 사회문화적 배경에 따라 다르게 나타날 수 있으며, 연령과 죽음의 방식 등에 따라서도 각기 죽음의 형태가 다르게 나타난다. 죽음을 맞이한 내담자를 상담하는 상담자는 내담자의 욕구를 충분히 고려하여 반응해야 한다. 자신의 질병상태를 알고 싶어 하지 않는 환자에게는 현재 상태를 굳이 알릴 필요가 없으며 통증을 호소할 때는 즉각적인 반응을 보여 심리적인 안정을 도모한다. 그리고 삶에 대한 희망을 갖도록 하며 진실하게 대하고 끝까지 옆에서 지켜 줄 것이라는 말과 태도를 보여 준다. 배우자 사별은 노년기에 가장 큰 상실감과 슬픔을 가져오고, 고독감이나 또 다른 신체적 · 경제적 상실이 더해 져서 자살을 할 가능성도 있다. 배우자를 사별한 노인에게는 사별에 대한 슬픔을 충분히 애도하고 용서하는 시간을 갖도록 하며, 배우자를 좀 더 일찍 사망하게 했다는 죄책감과 살아 있을 때 좀 더 잘해 주지 못한 죄책감에서 벗어나도록 도와준다. 사별 후 신체적 · 정서적 변화를 관찰하여 변화된 환경에 적응할 수 있도록 생활계획을 구상하고, 주변인과의 관계를 지속할 수 있도록 해 준다. 그리고 사별한 배우자와의 즐거웠던 시간과 좋은 추억을 기억하고 회상하도록 한다. 사별한 사람들에게 죽은 사람에게서 분리되도록 죽은 사람에게 하고 싶은 말이나 행동을 자세하게 하여 상실의 감정에 직면함으로써 감정을 정화시켜 살아 있는 다른 대상에게 에너지를 쏟을 수 있도

록 도와주는 정서적 재경험이 있다. 이외에 병리적 사별을 한 배우자에게는 긴장이완, 체계적 둔감법, 최면심상, 뇌파훈련, 홍수법, 심상훈련 등의 행동주의적 기법을 적용한다. 이완훈련, 둔감법, 최면심상은 상실과 관련된 내면의 갈등을 해소하고, 체계적 둔감법과 뇌파훈련은 충분한 애도과정을 거치도록 하며, 홍수법은 죽은 사람과 관련된 것과 접촉함으로써 슬픔을 이끌어 내고 심상훈련도 내담자가 표현하지 않은 생각과 감정을 충분히 표현하는 데 효과적이다. 그리고 일반적인 죽음에서는, 죽음과 관련된 모든 측면, 즉 죽음, 죽음의 과정, 사별 등에 관한 교육과 죽음에 대한 지식, 지역정보, 태도, 기술 등을 학습하는 제도적 프로그램인 죽음준비교육 등의 프로그램에 참여하여 행복한 죽음을 맞이하는 데 도움을 받을 수 있다. 무엇보다 배우자와 사별한 노인에게는 환경을 재구성하고 사회적 지지체계를 증가시키고 적절한 행동을 유지하는 것이 도움이 되며, 긴장이완이나 보다 긍정적인 태도로 자기를 강화시키고 죄책감이나 미래에 대한 두려움 등을 줄이기 위한 스트레스 감소 훈련을 하는 것도 도움이 된다. 배우자와 사별한 노인을 상담하기 위해서 상담자는 심리적 영역뿐만 아니라 경제적, 의료적, 지역 복지와 관련된 영역까지 확대하여 접근하는 봉사정신이 필요하다.

관련어 | 노년기, 죽음

노인학대
[老人虐待, elder abuse]

노인의 가족 또는 타인이 노인에게 신체적 · 언어적 · 정서적 · 성적 · 경제적으로 고통이나 장해를 주는 행위 또는 노인에게 필요한 최소한의 적절한 보호조차 제공하지 않는 방임이나 유기 및 자기방임. 중노년상담

우리나라 「노인복지법」(제1조의2 제4호)에서는 노인에 대하여 신체적 · 정신적 · 정서적 · 성적 폭력 및 경제적 착취 또는 가혹행위를 하거나 유기 또는 방임을 하는 것으로 노인학대를 규정해 두고 있다. 노인학대는 이미 옛날부터 이루어져 왔지만 1970년대 중엽 이후 다시 사회 문제화되었다. 미국에서는 1981년에 「연방 노인학대법」이 만들어졌으며, 현재는 모든 주에서 노인학대 통보제도를 시행하고 있다. 노인학대가 통보되면 사례에 대한 조사가 행해지고 사건에 대한 평가 및 개입이 이루어진다. 그러나 각 주마다 학대에 대한 정의나 개입방법이 상당한 차이를 보인다. 미국 이외에 영국, 캐나다, 일본 등에서도 노인학대에 대한 다양한 대책이 시행되고 있다. 노인학대에 대한 연구를 한 울프와 필레머(Wolf & Pillemer, 1989)는 노인학대를 신체적 학대, 심리적 학대, 물리적 학대, 그리고 소극적-적극적 방임으로 분류하였다. 우리나라 법 조항에 따르면, 노인에 대한 신체적 학대는 물리적인 힘 또는 도구를 이용하여 노인에게 신체적 혹은 정신적 손상, 고통, 장애 등을 유발하는 행위를 말한다. 정서적 학대는 비난, 모욕, 위협 등의 언어 및 비언어적 행위로 노인에게 정서적 고통을 유발하는 것이다. 노인을 무시하거나 대화 단절하기, 의사결정 등 의미 있는 사건에서 배제하기 등도 여기에 해당한다. 성적 학대는 성적 수치심 유발 행위 및 성폭력(성희롱, 성추행, 강간) 등의 노인의 의사에 반하여 강제적으로 하는 모든 성적 행위를 포함한다. 경제적 학대 또는 착취는 노인의 의사에 반하여 노인으로부터 재산 또는 권리를 빼앗아 가는 것이다. 경제적 착취, 노인재산에 관한 법률권리 위반, 경제적 권리와 관련된 의사결정에서의 통제 등을 하는 행위다. 방임은 부양 의무자로서의 책임이나 의무를 의도적, 비의도적으로 거부하거나 불이행 혹은 포기하여 노인의 의식주 및 의료를 적절하게 제공하지 않는 행위, 즉 필요한 생활비, 병원비 및 치료, 의식주를 제공하지 않는 것이다. 또한 노인 스스로가 의식주 제공 및 의료처치 등의 최소한의 자기보호 관련 행위를 의도적으로 포기 또는 비의도적으로 관리하지 않아 심신이 위험한 상황이나 사망에 이르게 하

는 자기방임 행위도 여기에 해당한다. 유기는 보호자 또는 부양 의무자가 노인을 버리는 행위다. 이런 행위에 대한 신고의무와 절차를 '노인 복지법' 제39조의6에 제시해 두고 있다. 우리나라 노인예방학대센터 업무지침에 따르면, 노인학대를 공간에 따라 가정학대, 시설학대, 기타로 구분하고 있으며, 가정학대는 노인과 동일 가구에서 생활하고 있는 노인의 가족구성원인 배우자, 성인 자녀뿐만 아니라 노인과 동일 가구에서 생활하지 않는 부양 의무자 또는 기타 사람들이 행하는 학대를 말한다. 시설학대는 노인에게 비용(무료 포함)을 받고 제공하는 요양원 및 양로원 등의 시설에서 발생하는 학대, 기타는 가정 및 시설 외의 공간에서 발생하는 학대로 구분하였다. 또 다른 분류 범주로는 가정학대, 시설학대, 자기방임 또는 자기학대의 세 가지가 있다. 가정학대는 노인이나 돌보미의 집에서 돌보미가 행하는 학대를 말하며, 시설학대는 요양원이나 그룹 홈 등의 요양시설에서 발생하는 학대를 말한다. 자기방임은 섭식 거부, 비위생적 생활, 투약 소홀과 같이 노인 스스로 자신을 돌보지 않는 행위를 말한다. 그러나 자기방임을 자기학대로 규정짓기에는 논란의 여지가 있다. 왜냐하면 알츠하이머, 치매, 고립감, 우울, 신체적 감퇴 등의 문제와 동반해서 발생하는 경우도 있고, 이와 달리 자신의 욕구를 스스로 방임하는 사람이 있기 때문이다. 그러므로 자기방임에 놓인 노인에 대한 개입의 실시 여부는 논쟁 중이다. 노인학대는 가족구성원과 돌보미의 특성 및 스트레스, 노인의 의존도와 신체적 손상 정도, 재정적 문제 등 다양한 요인에 의하여 촉발됨으로써 매우 복잡한 문제다. 정신적으로 손상을 입었거나 신체적으로 병든 노인을 돌보는 것은 가족이나 돌보미들에게 정신적·신체적 스트레스를 주게 되어 이들의 스트레스가 노인학대로 이어질 가능성이 많다. 충분한 정보나 기술, 재정적 문제, 폭력적 특성, 심리적 부적응, 물질남용 등의 심리적 취약성을 지니고 있는 가족이나 돌보미들은 힘든 상황에 적절하게 대처해 나가는 능력이 부족하여 노인학대를 확대시킬 수 있다. 노인을 돌보는 일은 재정적 자원이 필요한데, 가족이 재정적 어려움을 겪고 있다면 적절한 보호를 제공하지 못할 수도 있다. 때로는 노인에게 경제적으로 의존하고 있는 가족들은 그들에게서 재정적 착취를 일삼는다. 노인을 돌보는 사회적 지지체계가 미비한 것도 가족의 스트레스 수준을 증가시켜 노인학대의 또 다른 원인이 될 수 있다. 사회적 지지체계가 결여되거나 외부와 단절된 노인의 학대는 외부에 알려지지 않기 때문에 더욱더 지속되고 가속화된다. 학대받는 노인은 이런 행위에 대해 모욕감, 두려움으로 다른 사람에게 이야기하지도 못한다. 결국 이런 상황이 학대에 대한 외부개입을 어렵게 한다. 따라서 노인학대 예방을 위해서는 먼저 나이, 정신적 수준, 신체적 상태에 상관없이 인간의 존엄성을 강조하는 것이 중요하다. 대중매체는 노인의 삶에 대한 긍정적 이미지를 제공하여 노인학대에 대한 대중적 자각을 높여야 한다. 노인과 노인의 가족이 사회적 자원과 지지집단을 쉽게 이용할 수 있어야 하고, 노인을 돌보는 가족에게 상담과 치료가 제공되어야 한다. 정신적·의료적 지지체계의 정기적인 활동은 노인학대의 잠재적 가능성을 찾아내는 데 중요한 역할을 한다. 그리고 학대가 의심이 되면 기관에 연락하도록 해야 학대를 예방할 수 있다. 피해자를 위한 상담에서는 우선 학대에 대한 비밀을 약속하면서 신뢰관계를 충분히 형성해야 한다. 노인의 개별성을 이해하고 수용하며, 학대에 대한 내담자의 반응을 확인한다. 만약 학대에 대한 자책감, 모욕감, 수치심을 지니고 있다면 생각해 볼 시간을 충분히 갖도록 해 준다. 무기력감을 극복할 수 있도록 지지해 주고 사회적 지지망을 형성하도록 하며, 필요한 서비스를 스스로 선택할 수 있는 자율성을 갖도록 도와준다. 노인학대를 예방하거나 치유하기 위하여 피해자뿐만 아니라 가해자를 상담하는 것도 중요하다. 가해자에게 학대를 한 이유를 먼저 확인한 다음 그에 적절한 상담전략을 적용해야 학대 행동을 개선시킬 수 있다.

관련어 | 학대

노출증
[露出症, exhibitionism]

성도착증의 일종으로 전혀 생각지도 않은 상황에서 낯선 사람에게 자신의 성기를 노출하는 행위를 통해서 성적 흥분을 일으키거나 그러한 공상을 통해서 성적 충동을 일으키는 증상. 성상담

전혀 알지 못하고 예상 못하는 사람에게 자신의 성기를 노출하려는 충동이 반복적으로 일어나 실제로 그 행위를 하거나 그러한 상상을 통해서 성적 흥분을 느끼는 행위를 뜻한다. 성적 흥분은 노출을 하겠다는 기대에서 시작되어 노출을 예상하는 것만으로도 느끼고, 노출 다음 단계에서 자위행위를 하는 동안에도 지속되다가 자위행위를 통해서 성적 극치감에 이르거나 성적 만족을 느끼게 된다. 노출증은 상대방에게 그 이상의 성행위를 요구하지 않는 것이 일반적이고, 대부분 남성이 여성에게 행하는 경우가 많다. 여성의 경우는 남성보다 훨씬 드물기는 하지만 성기노출보다 전신노출 경향이 더 크다. DSM-5의 진단기준에 따르면 생각지도 않은 낯선 사람에게 성기를 노출시키는 행위를 중심으로, 성적 흥분을 일으키는 공상, 성적 충동, 성적 행동이 반복되고 적어도 6개월 이상 지속되고, 이러한 성적 공상, 성적 충동, 성적 행위 등이 임상적으로 심각한 고통이나 사회적, 직업적, 기타 중요한 기능 영역의 장해를 초래할 때 노출증으로 진단한다. 노출증으로 진단하기 위해서는 세밀한 정신과적 상담 및 검사 과정을 거치고 지적장애 및 치매, 정신분열증과 같은 신경정신질환의 경우와 감별하여 단계를 거쳐야 한다. 발병시기는 대개 사춘기 이전부터 중년기 사이지만, 보통 18세 이전에 발병하는 경우가 많다. 과도한 노출증은 법적인 문제를 초래할 수 있다. 넓은 의미로 보았을 때는 다른 사람의 관심을 끌기 위해 자신의 특성이나 재능을 지나치게 과시하는 경향도 포함되는데, 이는 보는 충동이 자신에게로 전환되어 성취를 드러내고자 하는 의도를 가지기 때문이다. 노출증의 원인은 다른 성도착증과 마찬가지로 정신분석학에 근거하여 다양한 원인을 들어, 어린 시절의 외상경험과의 관련성이나 호르몬 이상 등을 일반적으로 인정하고 있지만 아직 뚜렷하게 밝혀진 바는 없다. 정신분석학적 관점에서 보았을 때 노출증의 원인은 관음증과 마찬가지로 거세불안과 관련시켜 설명한다. 노출증 치료에는 인지행동치료, 집단치료, 약물치료 등이 있다. 증상이 일찍 시작될수록, 행위 실행횟수가 잦을수록, 죄책감이나 수치심이 없을수록, 약물남용과 연관되어 있을수록 예후가 좋지 않고, 정상적인 성관계경험이 있는 경우는 예후가 좋다. 또한 법적 문제를 일으켜 사법적 상황에서 의뢰되는 경우보다 자발적 치료를 원하는 경우에 예후가 더 좋다.

노화
[老化, aging]

인간이 태어나서 일정 기간 성장한 후 나이가 들면서 점차 신체적, 인지적으로 쇠퇴하여 죽음에 이르는 과정. 발달심리

노화는 일차적 노화, 이차적 노화, 삼차적 노화의 세 유형으로 나누어 설명할 수 있다. 일차적 노화는 정상적인 노화를 말하며, 모든 사람들이 나이가 들면서 겪는 불가피한 과정이다. 즉, 성인 중기 이후에 흰머리가 생기고, 시각과 청각 등의 감각이 둔화되며, 등이 휘는 등 신장이 줄어들고, 자극에 대한 반응속도가 감소하는 등 기능이 점차 쇠퇴한다. 그러나 이러한 변화는 건강, 성격, 사회경제적 환경 등에 따라 개인차가 있다. 이차적 노화는 모든 사람에게 일어날 수 있지만 연령에 크게 영향을 받지 않아도 발생할 수 있다. 예를 들면, 기능을 적절히 사용하지 않았거나 물질을 지나치게 남용하거나 질병

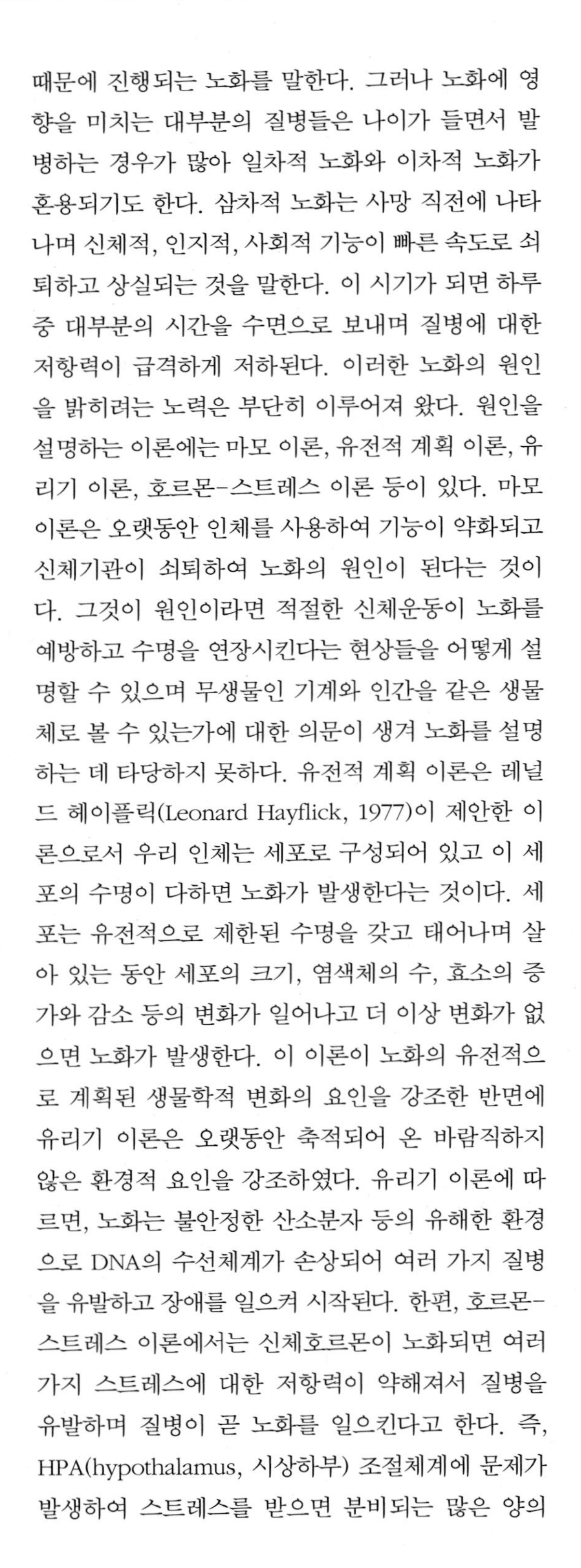
때문에 진행되는 노화를 말한다. 그러나 노화에 영향을 미치는 대부분의 질병들은 나이가 들면서 발병하는 경우가 많아 일차적 노화와 이차적 노화가 혼용되기도 한다. 삼차적 노화는 사망 직전에 나타나며 신체적, 인지적, 사회적 기능이 빠른 속도로 쇠퇴하고 상실되는 것을 말한다. 이 시기가 되면 하루 중 대부분의 시간을 수면으로 보내며 질병에 대한 저항력이 급격하게 저하된다. 이러한 노화의 원인을 밝히려는 노력은 부단히 이루어져 왔다. 원인을 설명하는 이론에는 마모 이론, 유전적 계획 이론, 유리기 이론, 호르몬-스트레스 이론 등이 있다. 마모 이론은 오랫동안 인체를 사용하여 기능이 약화되고 신체기관이 쇠퇴하여 노화의 원인이 된다는 것이다. 그것이 원인이라면 적절한 신체운동이 노화를 예방하고 수명을 연장시킨다는 현상들을 어떻게 설명할 수 있으며 무생물인 기계와 인간을 같은 생물체로 볼 수 있는가에 대한 의문이 생겨 노화를 설명하는 데 타당하지 못하다. 유전적 계획 이론은 레널드 헤이플릭(Leonard Hayflick, 1977)이 제안한 이론으로서 우리 인체는 세포로 구성되어 있고 이 세포의 수명이 다하면 노화가 발생한다는 것이다. 세포는 유전적으로 제한된 수명을 갖고 태어나며 살아 있는 동안 세포의 크기, 염색체의 수, 효소의 증가와 감소 등의 변화가 일어나고 더 이상 변화가 없으면 노화가 발생한다. 이 이론이 노화의 유전적으로 계획된 생물학적 변화의 요인을 강조한 반면에 유리기 이론은 오랫동안 축적되어 온 바람직하지 않은 환경적 요인을 강조하였다. 유리기 이론에 따르면, 노화는 불안정한 산소분자 등의 유해한 환경으로 DNA의 수선체계가 손상되어 여러 가지 질병을 유발하고 장애를 일으켜 시작된다. 한편, 호르몬-스트레스 이론에서는 신체호르몬이 노화되면 여러 가지 스트레스에 대한 저항력이 약해져서 질병을 유발하며 질병이 곧 노화를 일으킨다고 한다. 즉, HPA(hypothalamus, 시상하부) 조절체계에 문제가 발생하여 스트레스를 받으면 분비되는 많은 양의 호르몬을 원상태로 회복하는 데 오랜 시간이 걸리는데, 이때 심장혈관 질환, 암, 당뇨병, 고혈압 등을 포함한 성인병을 유발하여 노화가 촉진될 수 있다. 이상과 같이 제시된 이론들이 인간노화의 원인을 어느 정도 밝히고 있지만 완벽하게 설명하지는 못한 실정이다.

관련어 | 노년기, 성공적 노화

놀람 과제
[- 課題, surprise task]

자신의 일상생활에서 가족구성원이나 다른 사람을 놀라게 하는 과제를 내담자에게 부여하는 것. 해결중심상담

놀람 과제는 부부나 가족을 치료할 때 오핸론과 와이너 데이비스(O'Hanlon & Weiner-Davis, 1989)가 사용한 기법으로, 치료의 한 회기를 마치고 일상생활로 돌아가 서로를 놀라게 하라는 과제를 부여하는 것이다. 이때 서로를 놀라게 하는 방법이나 시기는 비밀로 해야 하며, 놀라게 할 때의 상황이나 상대방의 반응 등을 자세하게 관찰하도록 한다. 또한 놀라게 되는 상대방은 자신이 놀랐던 일이 무엇인지 상대방에게 물어보지 말고 알아내야 하며, 당시 상황이나 상대방의 태도, 기술, 그리고 그에 대한 자신의 생각과 느낌 등 어떤 놀람을 경험했는지 자세히 관찰하고 기억하여 상담회기에서 말해야 한다. 이러한 과제를 수행하는 중에는 관찰하는 사람이 이전에는 잘 인식하지 못했던 상대방과의 상호작용에 민감해진 상태이기 때문에, 때로는 상대방이 시도하지 않은 경우에도 놀람을 경험했다고 보고하는 경우가 있다. 이 같은 놀람 과제는 문제해결의 목표를 설정하고 효과를 확인해 보는 기회가 된다.

관련어 | 구조화된 일지

놀이
[–, play]

신체적 · 정신적 활동 중에서 식사, 수면, 호흡, 배설 등 직접 생존에 관계되는 활동을 제외하고 '일'과 대립하는 개념을 가진 활동. 아동상담

파턴(Parten, 1932)이 제시한 아동의 놀이형태를 보면 사회적 구조의 복잡성에 따라서는 기능적 놀이, 구성적 놀이, 가상놀이, 규칙게임 등으로 나뉘고, 사회적 수준에 따라서는 방관자적 행동, 혼자 놀이, 병행놀이, 연합놀이, 협동놀이 등으로 나뉜다. 2~3세의 유아는 주로 방관자적 행동이나 혼자 놀이가 지배적이며, 같은 형태의 놀이가 4~5세까지 부분적으로 지속된다. 5~6세 유아는 연합놀이나 협동놀이가 지배적이다. 3~4세의 유아는 미끄럼틀 타기를 할 때 또래와 함께 놀지만 활동을 공유하지는 않는 병행놀이 형태를 가장 많이 보인다. 사회적 수준에 따른 놀이형태를 각각 살펴보면, 참여하지 않고 다른 아이들의 놀이를 구경만 하는 방관자적 행동, 다른 아이들에게 다가가려는 시도 없이 혼자서 노는 혼자 놀이, 다른 아이들 옆에서 비슷한 도구를 가지고 놀지만 진정한 상호작용이나 협력이 없는 병행놀이, 다른 아이들과 공동활동을 하며 놀지만 역할분담이나 집단목표에 대한 예속이 없는 연합놀이, 단일 놀이 형태 내에 공동 목표와 독자적인 역할을 지니는 협동놀이 등이다. 이 중 사회성 발달에 중요한 역할을 하는 협동놀이는 2명 이상의 아동이 역할을 분담하여 함께 놀이하는 단계이며, 5세 이후의 아동에게서 관찰할 수 있다. 아동들은 가상의 주제를 연기할 수 있고, 상호적 역할을 취하며, 공유한 목표를 달성하기 위해서 협동을 하게 된다. 이와 같은 협동놀이에는 놀이지도가 없으며, 성인은 아동에게 어떠한 종류든 새로운 행동을 가르치지 않는다. 협동놀이는 높은 수준의 놀이를 하고 있지만 반복적인 일과로 다소 지루해지기 시작한 아동에게 바람직하고, 높은 수준의 놀이경험이 없거나 사회성 기술이 없는 아동에게는 효과가 덜하다. 협동놀이의 예를 들면, 학교놀이, 병원놀이, 축구 등이다. 아동의 놀이는 연령이 증가하면서 협동놀이로 발달해 가며 사회적인 성격을 띠는데, 놀이의 대상은 어머니에서 또래로 바뀐다.

놀이치료
[–治療, play therapy]

라포를 형성하거나 아동 내담자의 문제를 해명하거나 혹은 해결책을 모색하기 위한 수단으로 놀이를 상담에 활용하는 것, 또는 놀이를 매개로 하여 행해지는 심리치료. 놀이치료

유희(遊戲) 치료라고도 부르는 놀이치료는 대개 약 3~11세의 아동이 자기 경험이나 감정을 드러낼 수 있도록 자연스럽고 자기주도적이고 자기치유적인 상황을 제공하여 놀이를 상담에 활용하는 치료 방법이다. 놀이치료의 궁극적인 목적은 아동이 자신에 대해 알고 세계에 대해 배우는 것을 도와주는 것이다. 아동은 성인과 달리 언어적 표현이 서툴러서 자기표현 및 의사소통에 어려움을 느낄 수 있다. 놀이를 통해서 이러한 문제를 해결하고, 나아가 자신과 타인을 수용하고 더 잘 알도록 하는 치료기법이 바로 놀이치료다. 여기에는 세 가지 기능과 목적이 있다. 첫째, 놀이의 자기발달기능이다. 자기감을 발달시키는 것은 유아기의 중요한 과제이며, 이는 또한 놀이활동의 주된 과제다. 아동은 놀이를 통하여 기본적인 자기-정의(self-definition)를 시작한다. 놀이는 아동이 어떤 부정적인 결과를 두려워하지 않고 자기 자신을 자유롭게 표현하도록 도와준다. 자기표현은 항상 자기-탐색(self-exploration)의 요소를 포함한다. 놀이를 하면서 아동은 어떤 놀이가 다른 놀이보다 더 즐겁고 좋다는 것을 경험하게 된다. 이 같은 경험이 반복되면서 아동은 싫고 좋음을 판단하는 능력을 키울 수 있다. 놀이를 통한 표현은 단지 흥미의 표현뿐 아니라 감정의 표현이다. 아동은 놀면서 감정을 표현하게 된다. 아동은 가족 안에서 표현이 허락되지 않았던 감정들을

종종 놀이활동에서 표현한다. 놀이의 비언어적 특성은 의사소통의 다른 매개체 또는 수단으로 아동이 표현할 수 없는 복잡한 감정을 나타내도록 한다. 또한 아동은 놀이를 통하여 계속해서 자극을 받고, 지루하지 않으면서 즐겁게 지내고, 존재의 의미감을 경험한다. 모든 살아 있는 유기체는 활동에서 자극받고 어떻게든지 목적적으로 관련되기를 원한다. 이러한 욕구는 놀이를 통하여 충족될 수 있다. 둘째, 놀이의 성숙기능이다. 놀이는 언어기술, 운동기술, 인지기술, 문제해결기술, 그리고 도덕 판단을 포함한 많은 발달적 영역에서 성숙을 이끈다. 놀이를 통하여 아동은 이러한 영역 모두에서 새로운 기술을 배울 뿐 아니라 의미 있고 위협적이지 않은 방법으로 기술을 연습할 기회를 얻는다. 놀이는 부모나 친구들을 모델링한 기술을 실연(實演)해 보는 기회가 되는 것이다. 이 기회는 아동이 숙달감을 얻는 데 도움이 될 뿐만 아니라, 일반적으로 문제를 해결하고 새로운 상황에 대처할 수 있는 아동의 능력을 촉진해 준다. 아동은 놀이활동에서 역할놀이를 할 때 모델역할을 그대로 반복하는 것이 아니라, 자기 자신의 독특한 관점, 욕구, 능력에 따라 수정하여 표현한다. 성숙은 학습과 연습기술뿐 아니라 놀이의 탐색기능을 통하여 촉진된다. 놀이는 아동이 환경-사물 사이의 관계, 원인-결과 관계, 사건 사이의 연계를 탐색하도록 해 준다. 이것은 아동의 경험을 의미 있게 조직화하는 것을 촉진한다. 셋째, 관계형성기능이다. 놀이를 통하여 아동은 자신에 대해 배운 것과 다른 사람들과의 관계 훈련으로 숙달되고 배운 것을 적용한다. 아동은 놀면서 새로운 문제해결 기술을 익히고, 이 기술들을 다시 놀이상황에서 적용해 본다. 놀이는 이것이 활동의 의도된 요소이든 아니든 간에 다른 사람과 의사소통하는 것을 도와준다. 그러므로 의사소통은 관찰자가 정보의 우연적인 수신자가 되는 단독 놀이 또는 놀이친구가 의사소통의 의도된 표적이 되는 상호작용 놀이를 통해서 일어날 수 있다. 놀이의 비언어적인 특성은 송신자와 수신자 사이의 언어에 대한 요구를 없앨 것이고, 따라서 의사소통을 하는 것이 공유된 언어와는 독립적일 것이다. 다른 사람과의 의사소통은 아동이 다른 사람과 연관되어 있다고 느끼도록 해 주고 아동의 소속감을 일깨워 준다. 다른 사람과의 놀이를 통하여 아동은 관계에서의 규칙과 가족규칙 또는 문화적이고 환경적인 태도와 관련된 규칙에 관해서 배운다. 놀이는 아동이 가족과 친구관계에서, 그리고 문화의 참여자로서 규칙을 연습하는 데 도움이 된다. 규칙에 대한 학습은 사회적 기술을 배우는 것과 관련된다. 놀이에서 모든 놀이자는 규칙을 협상하고 주장하는 것을 배워야 한다. 이것들은 놀이동무들이 함께 수용하고 인정하는 방법으로 행해져야 한다. 그렇지 않으면 아동은 놀이에서 추방된다. 그러나 아동이 자신의 놀이에서 갈등이 일어날 때조차도 학습은 일어난다. 갈등은 해결되어야 하고, 상호작용 놀이를 통한 것보다 갈등해결을 배울 수 있는 더 좋은 활동은 없다. 상호작용 놀이는 모델역할을 하는 다른 사람의 존재가 필수적이라는 사실에서 상호작용 놀이의 이점을 말할 수 있다. 아동은 성인을 관찰하면서 배울 뿐 아니라, 또래친구를 관찰하고 노는 것에서 더 많이 배운다. 이 같은 놀이치료는 이론적으로 허그헬무트(H. Hug-Hellmuth, 1913)가 시작했다고 보고 있으며, 안나 프로이트(Anna Freud)나 엑슬린(V. Axline) 등이 발전시켰다. 놀이치료 입장에서는 정신분석, 해방치료, 관계치료, 아동중심적(비지시적) 치료, 절충적 치료 등이 있으며, 입장에 따라 구체적인 놀이치료의 기술은 다르다. 놀이도구를 주는 방식에서 보면, 여러 가지 놀이도구를 주어 자유롭게 놀게 하는 자유놀이치료, 가족 인형이나 점토 등 특정 도구에 한해 놀게 하는 제한 놀이치료 등이 있다. 이들은 개인치료나 집단치료로서도 수행된다. 부모의 상담도 병행하는 경우가 많다. 놀이치료는 훈련을 받은 놀이치료사가 심리사회적 어려움을 예방 또는 해결하고, 최적의 발달을 용이하게 하며, 적응적인 놀이

행동에 참여하는 능력을 재확립하도록 내담자에게 도움을 주면서, 대인관계 과정을 확립하는 데 사용하는 일군의 이론-주도적 처치 양식이라고 정의할 수 있다. 미국에서는 놀이치료가 반세기 이상 아동의 정신건강치료로 가장 널리 행해졌다. 놀이치료가 전통적으로 3~11세의 아동을 대상으로 하지만 많은 놀이치료기법(축소 모형물로 쟁반 만들기 등)은 10대와 성인의 치료적 개입에도 사용할 수 있다. 놀이치료에 단일한 접근법은 없으며 몇 가지 유명한 이론적 사조와 수많은 놀이치료기법이 있다. 비록 놀이치료가 개인치료에서 가장 자주 사용되지만, 집단놀이치료나 가족놀이치료를 통하여 실시할 수도 있다. 종종 전문적인 치료사가 놀이치료를 수행하지만 부모나 기타 의료 제공자도 놀이치료를 시행하는 교육을 받을 수 있다. 아동에 대한 심리치료의 관련 문서는 1900년대 초반부터 찾아볼 수 있다. 초기의 기록은 프로이트(Freud)가 한스의 공포증 반응을 완화하기 위해 한스의 아버지와 함께 작업한 것에 대해 기술하고 있다. 놀이가 처음으로 아동의 치료에 직접적으로 적용된 것은 1919년에 허그헬무트가 아동의 사정, 처치, 분석에 놀이를 활용한 것이었다. 안나 프로이트는 1928년에 치료적 협력관계를 구축하고 아동을 분석 과정으로 유혹하기 위한 방법으로 놀이를 사용하기 시작했으며, 클라인(M. Klein)은 1932년에 아동의 언어화를 대체하는 것으로 놀이의 활용을 제안하였다. 이러한 초기 형식의 정신분석적 놀이치료는 아동의 놀이를 해석하여 통찰을 획득하는 데 초점을 맞추고 있었다. 다양한 놀이치료 이론과 기법은 1930년대에서 1950년대 사이에 개발되고 개량되었다. 예를 들어, 1930년대 후반의 정신분석적이고 목표 지향적인 구조화된 놀이치료, 1938년의 트라우마 치료를 위한 레비(D. Levy)의 이완치료, 1938년의 충동행동 아동에 대한 솔로몬(J. Solomon)의 능동적 놀이치료, 1955년의 햄비지(G. Hambidge)의 지시적 해제 재연 절차, 1933년의 태프트(J. Taft) · 1942년의 알렌(F. Allen) · 1959년의 무스타카스(C. Moustakas)의 관계치료 등이 있다. 1940년대에 개발된 로저스(C. Rogers)의 내담자중심 접근법은 1947년에 엑슬린이 아동 중심 놀이치료로 수정하였다. 이 비지시적 놀이치료 형식은 전통적인 놀이치료로 불리게 되었다. 1960년대 후반 전버그(Ann. M. Jernbery)는 건강한 부모-자녀 애착을 재창조하고 조성하는 데 초점을 둔 소위 치료놀이 접근법을 개발하였다. 1964년에는 부모를 놀이치료과정에 참여시키는 거니(Guerney)의 부모 놀이치료가 설계되었다. 한프(C. Hanf)는 1970년대 초반에 2단계 모형을 개발하였는데, 이것은 1990년대에 부모-자녀 상호작용 치료(PCIT)로 유명해졌다. 1978년에 제시된 브로디(V. Brody)의 발달적 놀이치료는 신체적 접촉과 반구조화된 세션의 사용을 강조하였다. 오코너(K. O'Connor)는 인지적 발달구조와 생태적 관점을 통합하여 생태적 놀이치료 접근법을 개발하였다. 놀이치료의 전체 역사에서 중요한 공헌을 한 사람들은 정신분석적, 내담자중심, 인간주의적 · 비지시적 · 전통적, 행동적, 인지-행동적, 가족, 발달적, 아들러학파, 게슈탈트, 현실, 시간제한적, 치료놀이, 공평놀이, 생태적, 역동적 접근법 등의 풍부한 접근법을 만들었다. 놀이치료가 광범위하게 사용된다는 것은 효과가 분명하게 마련되었다는 것을 나타낸다. 하지만 놀이치료가 어떻게 잘 작동하는지에 관해서는 연구자들 사이에 아직도 논쟁이 되고 있다. 놀이치료의 비판자들은 놀이치료의 효과를 증명하는 적절한 연구기반이 아직 없다고 주장하며, 이는 주로 소집단 표집, 사례연구, 일화적 보고 때문이라고 본다. 비판자들은 특히 놀이치료의 효과를 평가하는 연구로 제대로 정의되고 실행된 경험적 연구가 너무 적다는 점을 언급하고 있다. 효과 논쟁의 일정 부분은 실증주의자, 경험적 전통과 자연주의자, 질적 패러다임 사이의 인식론적 차이에서 유래한다. 경험기반의 임상연구는 그 분야에서 견고한 연구라는 평판을 굳건하게 받고 있지만, 질적 전통은 아직 일부 연구자의 평가에

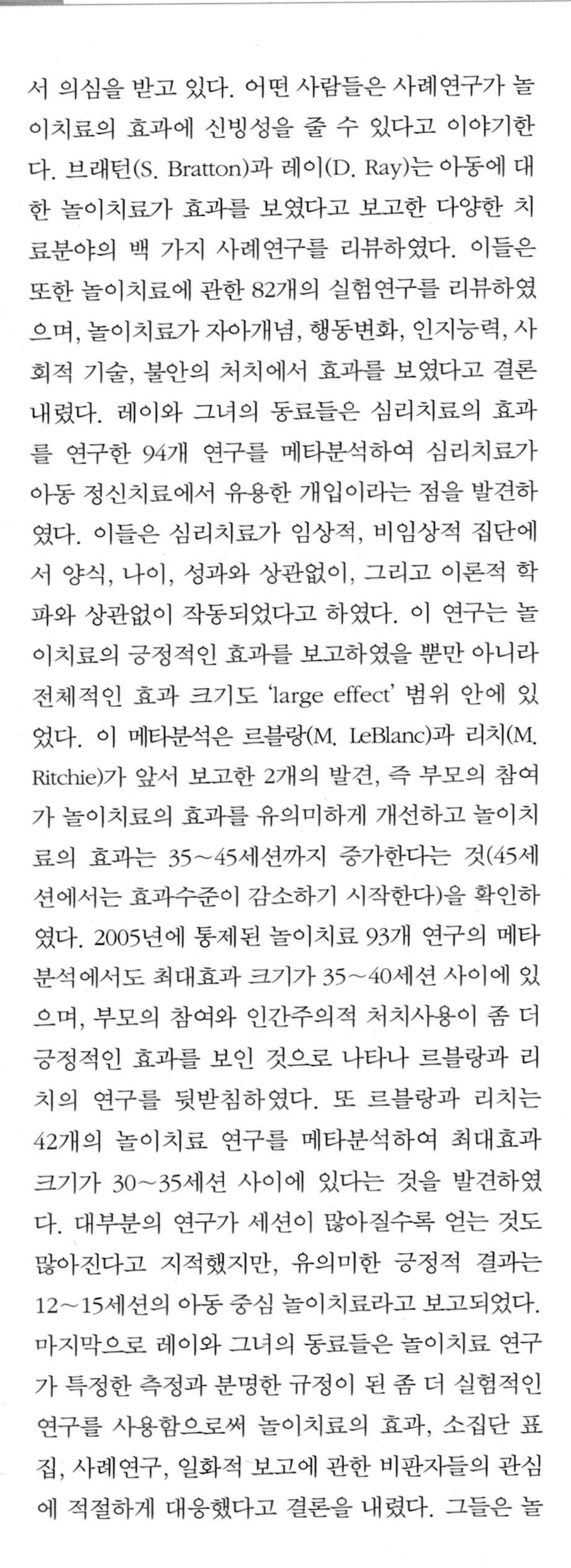
서 의심을 받고 있다. 어떤 사람들은 사례연구가 놀이치료의 효과에 신빙성을 줄 수 있다고 이야기한다. 브래턴(S. Bratton)과 레이(D. Ray)는 아동에 대한 놀이치료가 효과를 보였다고 보고한 다양한 치료분야의 백 가지 사례연구를 리뷰하였다. 이들은 또한 놀이치료에 관한 82개의 실험연구를 리뷰하였으며, 놀이치료가 자아개념, 행동변화, 인지능력, 사회적 기술, 불안의 처치에서 효과를 보였다고 결론 내렸다. 레이와 그녀의 동료들은 심리치료의 효과를 연구한 94개 연구를 메타분석하여 심리치료가 아동 정신치료에서 유용한 개입이라는 점을 발견하였다. 이들은 심리치료가 임상적, 비임상적 집단에서 양식, 나이, 성과와 상관없이, 그리고 이론적 학파와 상관없이 작동되었다고 하였다. 이 연구는 놀이치료의 긍정적인 효과를 보고하였을 뿐만 아니라 전체적인 효과 크기도 'large effect' 범위 안에 있었다. 이 메타분석은 르블랑(M. LeBlanc)과 리치(M. Ritchie)가 앞서 보고한 2개의 발견, 즉 부모의 참여가 놀이치료의 효과를 유의미하게 개선하고 놀이치료의 효과는 35~45세션까지 증가한다는 것(45세션에서는 효과수준이 감소하기 시작한다)을 확인하였다. 2005년에 통제된 놀이치료 93개 연구의 메타분석에서도 최대효과 크기가 35~40세션 사이에 있으며, 부모의 참여와 인간주의적 처치사용이 좀 더 긍정적인 효과를 보인 것으로 나타나 르블랑과 리치의 연구를 뒷받침하였다. 또 르블랑과 리치는 42개의 놀이치료 연구를 메타분석하여 최대효과 크기가 30~35세션 사이에 있다는 것을 발견하였다. 대부분의 연구가 세션이 많아질수록 얻는 것도 많아진다고 지적했지만, 유의미한 긍정적 결과는 12~15세션의 아동 중심 놀이치료라고 보고되었다. 마지막으로 레이와 그녀의 동료들은 놀이치료 연구가 특정한 측정과 분명한 규정이 된 좀 더 실험적인 연구를 사용함으로써 놀이치료의 효과, 소집단 표집, 사례연구, 일화적 보고에 관한 비판자들의 관심에 적절하게 대응했다고 결론을 내렸다. 그들은 놀이치료 연구자들에게 놀이치료의 연구방향을 제시했는데, 첫째, 놀이치료의 즉각적 효과와 장기적 효과에 관해 더 많이 연구하고, 둘째, 놀이치료를 다른 아동 정신치료와 비교하고, 셋째, 최적의 세션 수를 탐색하고, 넷째, 놀이치료에서 다루어진 가장 적절한 이슈를 검토하고, 다섯째, 가장 정확한 결과 측정치를 판단하고, 여섯째, 특정한 놀이치료 프로토콜을 활용하여 재현이 좀 더 쉬워지게 하는 것을 추천하였다. 놀이치료를 제공하기 전에는 그렇게 할 수 있는 자격을 갖추는 것이 중요하다. 윤리적 지침에서는 전문상담가에게 유능한 서비스를 제공하고, 자신의 훈련수준을 넘어서서 광고하거나 활동하지 말 것을 요구한다. 놀이치료사로 등록되지 않고 놀이치료 서비스를 제공하는 자격 있는 전문가가 분명히 존재한다. 동시에, 놀이치료가 자기 활동의 주무대라면 가능한 최고 수준의 훈련을 찾아서 받는 것이 현명하다. 놀이치료학회(APT)는 놀이치료사의 전문성에 대한 기준을 제시하는데, APT는 국제놀이치료학회(IAPT)로도 불리며 『국제 놀이치료 저널(International Journal of Play Therapy)』을 출판하고 있다.

관련어 | 규칙있는 게임 놀이, 놀이, 한국놀이치료학회

놀이치료국제네트워크 (국제놀이치료협회 한국 지부) [Play Therapy KOREA: PTKR]

www.playtherapykorea.org 학회

놀이치료는 개인의 감정적 · 행동적 도전을 돕고, 진실된 자신의 잠재력을 일깨워 자기 삶에서의 행복을 위해 도전을 통한 극복으로 자신의 정신건강 문제를 깨닫게 하고, 앞으로 일어날 일을 슬기롭게 대처하는 연습을 하는 데 매우 중요한 역할을 한다. 모든 사람은 진화를 향한 자기치유 의지가 있으며 그러한 의지와 함께 전인적인 존재로서의 인식과

전문적인 서비스를 통하여 어떠한 내적 어려움도 잘 견뎌 낼 수 있다는 철학을 바탕으로, 놀이치료국제네트워크(PTKR)는 놀이와 표현예술을 주 매개로 하여 치료적 교육 서비스를 필요로 하는 아동·청소년을 위한 비영리 단체다. PTKR은 이러한 치료를 통해서 행동을 완화시키고 정신건강 문제에서 개개인의 감정적 지식을 개선하려는 목적으로 국제놀이치료협회의 한국 지부로 설립되어, 여러 나라의 놀이 예술치료 서비스와 협력하면서 우리나라 아동·청소년의 문화와 발달 특성에 맞춘 근거 중심 서비스를 제공하며 지금까지 이어져 오고 있다. PTKR의 활동은 다양한 이론과 기술을 통합하고, 이론을 토대로 개인 각자에게 필요한 개인적 이익에 관한 전문적 과정을 실행하는 것이다. 그리고 아동, 청소년, 성인 그리고 노인의 감정과 행동에 도전함으로써 개인적 놀이치료사를 통한 예술치료를 창조하고, 전문가와 보조자가 함께 더 나은 구조의 놀이를 제공하며, 치료놀이의 전문가와 부모가 수행하는 놀이치료의 지도 및 조언 등이 있다. 회원은 다양한 수준의 감정적, 행동적 과제, 예술, 춤, 드라마, 음악, 모래놀이, 부모놀이, 이야기 읽기 및 쓰기 등의 주제에 흥미를 가지고 있는 사람들로 구성되어 있다.

놀이치료이론
[-治療理論, theories of play therapy]

놀이기구(play material)를 매개로 한 아동의 심리치료이론.
놀이치료

놀이요법 또는 유희치료(遊戲治療)라고도 부르는 놀이치료는 놀이의 속성을 심리치료의 도구로 삼아, 심리사회적 갈등을 겪고 있는 아이들과 놀이로 상호작용함으로써 그들의 건강한 성장과 발달을 돕는 것이다. 놀이치료의 궁극적인 목표는 정상 발달이 가능하도록 아동의 회복을 촉진하고 타인의 욕구충족을 가능한 한 방해하지 않으면서 자신의 욕구를 충족시키는 능력을 극대화하는 것이다(O'connor & Schaefer, 1994). 어린아이는 자기 자신의 문제에 대해 눈치 채고 그것을 해결하려는 의지를 갖고 상담실에 찾아오는 경우는 없다. 또 성인과 같이 자기 자신의 기분을 말로 표현하는 능력이 그다지 발달되어 있지 않다. 그 때문에 성인이 행하는 심리치료를 적용하기가 곤란하므로 아동의 심리적·행동적 장애의 치료에는 놀이치료가 적당하다. 놀이치료에는 현재 다수의 이론적 입장이 있다. 그 다수는 성인의 심리치료의 치료이론에 입각해서 시행되고 있다. 아동분석(child analysis) 이론을 보면, 프로이트(S. Freud)는 아동의 부모를 통하여 간접적인 분석적 치료를 행하는 아동의 정신분석에 큰 의미를 가져다주었다. 프로이트가 한스라는 어린 소년의 치료과정에서 어린아이의 마음속에 쌓인 좌절이나 갈등을 정신치료적 방법으로 해결할 수 있다는 가능성을 보여 준 것에서 시작되었다. 그러나 한스의 치료는 오늘날의 치료와는 많은 차이가 있었고, 특히 프로이트가 전적으로 개입한 것이 아니라 한스의 아버지를 통하여 치료를 도운 것이므로 부모-자녀 치료(filial therapy)의 기원이 된다. 그 후 허그헬무트(H. Hug-Hellmuth, 1919)가 처음으로 놀이상황을 아동의 정신치료를 위해 도입하였고, 안나 프로이트(A. Freud, 1945, 1965)도 이 방법을 뒷받침하였다. 두 사람은 놀이치료 자체에 주목했다기보다는 정상적인 문제를 치료할 때 치료자와 아동이 친밀감을 느낄 수 있는 계기를 마련하고자 하였다. 놀이치료이론을 독자적인 가치로서 인정한 사람은 클라인(M. Klein, 1932)이다. 클라인은 놀이를 아동의 자연적인 표현매체라고 보고, 언어가 발달되지 않은 아동의 경험이나 정서, 복잡한 사고의 표현 등의 수단으로 중요하다고 강조하였다. 클라인은 정상적인 아동도 생활에서 생기는 정서적인 문제를 놀이를 통하여 그때그때 해결한다면 정신질환의 예방차원에서도 가치가 있다고 인정하였다. 이는 놀이를 정신치료의 중요한 방법으로 보는 계기가 되었다. 이렇게 안나 프로이트와 클라인 등은 놀이를 도입하여 아동에게 직접 접촉하는 아동분석을 수행하였다. 이것은 학자에 따라 기법이나 이론상 차이가 있지만 성인분석에서 행하는 자유연상과 똑같이 아동의 유희 중에 표현한 사랑을 다룬다. 레비(D. Levy, 1938)는 이완치료(release therapy)라는 이름으로 놀이치료를 시작하였다. 이완치료란 아동이 과거에 경험했던 비참한 경험을 그대로 재현함으로써 치료가 된다는 방식이다. 그는 아동이 정서적으로 상처를 입은 과거의 사건을 그대로 재현하기 위해서는 놀이환경도 의도적으로 구조화되어야 한다고 주장하였다. 즉, 과거의 고통스러웠던 상황을 표현할 수 있게 장난감이나 놀이방의 환경을 갖추어야 한다고 말하였다. 이론적 근거는 프로이트의 반복적 충동에 두고 있다. 인간의 충동 중에는 과거의 비참했던 경험을 다시 반복하려는 반복적 충동이 있는데, 비참했던 과거 경험을 놀이를 통하여 반복 재현해 볼 수 있도록 구조화된 놀이상황을 준비해 두고 이때 치료자가 아동의 부정적인 생각이나 느낌을 해소할 수 있도록 도와주는 것이 바로 이완치료다. 현재 놀이치료의 이론화는 엑슬린(V. Axline)이 수행하였다. 그가 시작한 놀이치료방법은 비지시적 놀이치료다. 이 방법은 로저스(C. Rogers)의 비지시적 상담이론을 놀이치료에 적용한 것으로, 놀이치료과정을 아동이 주도해 나가며, 치료자는 오직 놀이치료환경을 준비하고 아동의 행동을 관찰, 반응, 분석함으로써 아동이 자발적으로 스스로 변화하고자 노력하게 된다는 입장에서 인간중심, 아동중심으로 명명되었다. 아동중심 놀이치료(child-centered play therapy)는 로저스의 내담자중심치료(clint-centered play therapy)의 원리를 아동의 놀이치료에 적용한 것이다. 엑슬린 이후 심리학이 발달하면서 그 사조에 따라 놀이치료방법과 다양한 기법이 함께 발달하였다. 기본적 원리는, 모든 아동은 성장에 대한 힘을 갖추고 있다는 가설이다. 기타 치료이론으로는 알렌(F. Allen)이 관계치료를 놀이치료에 적용한 것이 있고, 또 아이젱크(H. Eysenck)의 행동치료를 놀이치료에 적용한 것도 최근 행해지고 있다. 현재 사용되는 놀이치료방법은 놀이치료자가 어떤 심리학적 이론으로 접근하는가에 따라 차이가 있다. 요컨대 놀이치료이론은 이론적인 근거에 따라 정신분석적 놀이치료, 분석적 놀이치료, 아동중심 놀이치료로 구분할 수 있으며, 기법에 따라서는 모래놀이치료, 게임놀이치료, 미술놀이치료로 구분할 수 있다.

관련어 | 내담자중심치료, 모래놀이치료, 정신분석, 행동치료

높은 의자 기법
[-椅子技法, high chair]

사이코드라마의 역할 교대 기법 중 하나로, 주인공이나 보조자아가 단상 위 또는 높은 의자에 올라가서 행위화를 하는 것.

사이코드라마

처음 이 방법은 사이코드라마의 창시자인 모레노(Moreno)가 어린 시절 자신의 집 지하실에서 하나님 노릇을 하며 놀던 일에서 출발했다고 한다. 당시 그는 친구들과 함께 하나님과 천사들이 등장하는 놀이를 구상했는데, 자신이 하나님이 되어 친구들이 탁자 위에 세워 놓은 높은 의자를 왕좌로 정해 앉아 있던 것에서 유래하였다. 모레노는 모든 인간은 아동기에 천재성을 가지고 하나님과 가장 가까운 존재로 태어나며, 이 천재성을 잃어버린 존재가 정신질환에 시달리는 사람이라고 보았다. 천재성을 회복시키는 것이 사이코드라마의 창시자인 모레노의 이상이었고, 사이코드라마는 자기 안의 천재성을 찾아가는 훌륭한 자기성장 방법이라고 하였다. 구체적으로 높은 의자 기법은 권위자와의 관계에 대한 주제에 적용할 수 있다. 높은 의자 기법의 경우, 수직적인 인간관계에서 직위가 높은 입장을 연기할 때는 의자 위에 올라가서 연기를 하다가, 다시 내려와서 상대방의 역할로 바꾸어 연기를 하면 그

느낌을 좀 더 실감할 수 있다. 또한 이 기법에서는 높은 곳에서 실제적으로는 자신보다 높은 위치에 있는 권위적 인물에게 이야기하면서 감정의 해소를 경험할 수 있다. 높은 의자 기법에서 주인공이 높은 의자에 올라가게 되면, 보다 자신 있게 자신을 표현하고 주장할 수 있는 용기가 생긴다. 그러므로 이 기법은 권위적인 인물과 갈등상황에 놓여 있는 사람에게 유용하다.

관련어 | 빈 의자 기법, 역할바꾸기

뇌 과학
[腦科學, brain science]

인간의 궁극적인 비밀인 뇌의 신비를 밝히고 인간의 본질을 탐구하는 학문. 뇌 과학

뇌의 작용원리와 의식현상에 대한 연구를 통해 인간의 정체성을 밝히고, 이를 통해 과학 · 의학 · 교육 · 산업 · 문화 전반에 근본적이고 실제적인 변혁을 가져오는 것을 목표로 한 학문이다. 자율신경계의 신경생물학 및 인지과학적 이해를 바탕으로 미시적 또는 거시적 수준에서 뇌의 구조 및 기능의 근본 원리를 파악하고 이를 응용하는 연구분야 간 통합 및 융합연구 추세가 강화되고 있으며, 융합과학 분야 기반 기술로서 과학분야뿐만 아니라 인문, 사회 등의 각 산업분야에 커다란 파급효과를 미칠 것으로 예상된다. 연구분야로는 시냅스 및 신경전달물질의 역할과 수용체를 연구하는 분자생물학 단위의 연구, 뇌졸중, 간질, 파킨슨병 같은 뇌 질환의 현상과 메커니즘을 연구하는 뇌 질환 연구, 인간의 행동 및 인지가 두뇌의 활동과 어떠한 관계가 있는지 연구하는 행동, 인지연구의 세 분야로 구분할 수 있다.

뇌기능지수
[腦機能指數, brain quotient: BQ]

뇌파의 측정을 통해 뇌 기능을 종합적으로 판단할 수 있는 기준. 뇌 과학

뇌파지수라고도 한다. 뇌파측정과 뉴로피드백 적용을 통해 판단하는 것으로 IQ나 EQ보다 정확하고 폭넓은 정보를 제공한다. 기초율동지수는 뇌의 발달 정도를, 주의지수는 뇌의 각성 정도를, 활성지수는 뇌의 활성상태를, 정서지수는 정서적인 균형 정도를, 스트레스지수는 육체적 · 정신적 스트레스 정도를, 좌-우뇌 균형분석은 좌뇌와 우뇌의 균형상태를 파악하는 데 도움을 준다. 이는 노력으로 발달될 수 있다고 본다.

관련어 | 뇌파, 뉴로피드백

뇌량
[腦梁, corpus callosum]

좌우 대뇌 사이를 연결하는 신경집합. 뇌 과학

뇌에서 가장 큰 부위로, 이상이 생기면 신체적, 지적, 감정적, 사회적 장애가 나타날 수 있다. 이렇듯 단순히 대뇌를 연결하는 것이 아니라 감각과 운동을 통합한다.

관련어 | 대뇌

뇌성마비
[腦性麻痺, cerebral palsy]

뇌 손상의 후유증, 즉 운동지배를 하는 뇌신경 손상에 의한 주 운동기능의 이상. 특수아상담

미국뇌성마비학회는 뇌성마비를 뇌에 있는 신경 조직의 결손, 손상 또는 병변으로 야기되는 운동 및 기능의 이상으로 정의하였다. 뇌성마비는 하나의

질병이 아니라 비슷한 임상적 특징을 가진 증후군을 집합적으로 일컫는 용어다. 즉, 미성숙한 뇌에 출생 시 또는 출생 후의 여러 원인 인자에 의해 비진행성 병변이나 손상이 발생하여 임상적으로 운동과 자세의 장애를 보이는 임상군을 말하며, 일부 임상적 유형은 성장을 하면서 바뀔 수 있다. 미성숙한 뇌의 기준에 대해서는 절대적인 시기를 규정하는 것은 어렵지만 보통 생후 만 5세까지로 규정짓는다. 뇌성마비는 증상의 심각도에 따라 경증(mild), 중등도(moderate), 중증(severe)으로 나누고, 침범된 부위에 따라 하나의 상지 혹은 하지가 마비된 경우 단마비(monoplegia), 한쪽 상하지가 마비된 경우 편마비(hemiplegia), 사지에 모두 증상이 있으나 하지가 뚜렷하게 심한 경우 하지마비(diplegia), 양쪽 하지와 한쪽 상지가 침범된 삼지마비(triplegia), 모든 사지가 비슷한 정도의 증상이 있는 경우 사지마비(quadriplegia)로 분류하기도 한다. 또한 신경운동형에 따라 경직형, 무정위 운동형, 강직형, 진전형, 운동실조형, 이완형, 혼합형으로 나누기도 하며, 운동장애형에 따라 긴장형, 근긴장 이상, 무도병형, 발리스무스(ballismus)로 나눌 수도 있다. 뇌성마비의 원인은 다양하며, 대부분의 경우 하나 이상의 원인 인자를 가진 다인성으로 나타나 원인을 알 수 없는 경우가 20%가량이나 된다. 일반적인 원인으로는 산전 인자(prenatal factors), 아기가 태어날 때 발생하는 주산기 인자(perinatal factors), 산후 인자(postnatal factors)가 있다. 이 중 약 3분 2는 산전 인자와 주산기 인자가 원인인 경우이며, 조산에 의한 미숙아가 뇌성마비 발생 원인의 단일 인자 중에는 가장 큰 비중을 차지한다. 산전 인자는 아기가 태어나기 전에 모체 태내에서 문제가 발생한 경우로, 이 때문에 조산이 초래될 수 있고 미숙아에서 흔히 보이는 허혈성 뇌병증은 뇌실 주변 백질 연화증(periventricular leukomalacia)을 초래하기 쉬워 뇌실 주변의 하지를 지배하는 피질 척수로의 손상으로 하지에 경직성 양측 마비가 올 수 있다. 주산기 인자로는 핵 황달, 저산소증 등이 있다. 산후 인자는 대략 원인의 7%가량을 차지하며 황달, 독성물질에 의한 노출, 두부 외상, 감염(뇌염, 뇌막염), 뇌종양 등이 있다. 뇌성마비는 정의상 뇌의 손상은 비진행적이지만 신체적인 증상은 시간의 흐름에 따라 끊임없이 변한다. 뇌성마비는 신경운동 손상 외에 시각, 청각, 언어, 감각의 이상이 있을 수 있으며, 정신장애나 발작도 나타날 수 있다. 뇌성마비에는 언어장애(82%), 지적장애(19~65%), 시각장애(34~50%), 경련 발작(25~40%), 청각장애(15%), 감각 장애(13.6%), 정서장애, 학습 능력 감퇴, 소화기 계통 혹은 비뇨기 계통 문제가 동반될 수 있다. 이 같은 뇌성마비는 1861년 영국의 리틀(Lettle)이 임상 보고한 뒤 1889년 오슬러(Osler)가 이 용어를 사용하였다. 현대의학 용어에서는 미국의 정형외과 의사인 펠프스(Phelps, 1947)가 미국뇌성마비학회(AACP)에 채택함으로써 공식적으로 사용되고 있다.

뇌수막염
[腦髓膜炎, meningitis]

일반적으로 거미막과 연질막 사이에 존재하는 거미막밑공간(subarachnoid space)에 염증이 발생하는 다양한 질환.

특수아상담

뇌수막(meninx)은 뇌를 둘러싸고 있는 얇은 막을 의미하며, 해부학적으로 가장 깊은 곳에서 뇌를 감싸고 있는 연질막(pia mater), 연질막의 밖에서 뇌척수액 공간을 포함하고 있는 거미막(arachnoid mater), 그리고 가장 두껍고 질기며 바깥쪽에서 뇌와 척수를 보호하고 있는 경질막(dura mater)으로 구성된다. 뇌수막은 척수로 연장되므로 뇌척수막이라고 부르기도 한다. 염증이 발생하는 가장 흔한 원인은 거미막밑공간에 바이러스나 세균이 침투하여 발생하는 수막염이지만, 특정 화학물질에 의한 염증, 암세포의 뇌척수액 공간으로의 파종으로 발생하는 염증 등도 있다. 임상증상으로는 열, 두통, 오한 등이 나타나며, 진찰상 수막 자극 징후 등이 있을 수 있다. 증상은 대개 갑작스럽게 시작되며, 38도 이상의 고열을 보인다. 두통이 가장 흔하고, 일반적인 감기나 독감과 비교할 때 강도가 상당히 센 편이다. 수막구균은 전염성이 높기 때문에 환자를 격리 치료해야 하며, 환자와 접촉한 가족과 의료인에 대한 예방적 치료도 필요하다.

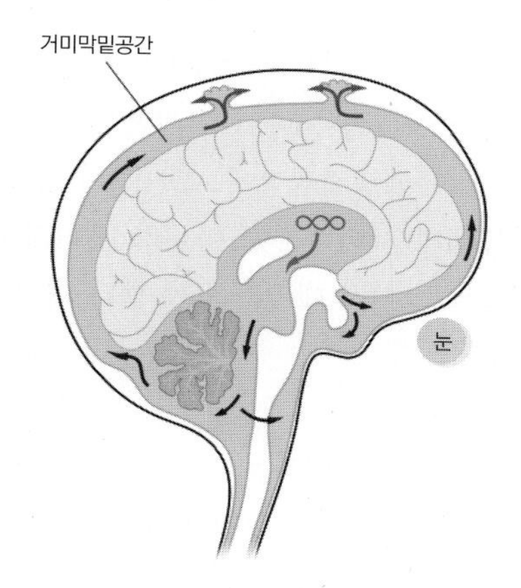

출처: http://health.naver.com/medical/disease/detail.nhn?selectedTab=detail&diseaseSymptomTypeCode=AA&diseaseSymptomCode=AA000292&cpId=ja2#con

뇌수종
[腦水腫, hydrocephalus]

뇌척수액이 흐름의 방해를 받아 뇌에 과다축적되어 일어나는 질병. 특수아상담

대개 뇌척수액은 뇌실에서 계속 생산되며 거미막밑공간(subarachnoid space)이라 불리는 뇌막의 두 층 사이의 공간과 뇌실을 지나며 순환한다. 흐르는 액이 크게 팽창하여 밀폐된 공간에 뇌척수액이 축적되면 뇌와 두개골이 압력을 받고, 두개골에 가해진 압력은 뼈를 약하게 하면서 두개골의 봉합선을 분리시킨다. 그 흐름은 또한 뇌 조직에 압력을 가해 뇌 조직이 염좌되거나 신경이 죽어 손상이 커진다. 어떤 경우에는 뇌수종의 진행이 저절로 억제되기도 하지만, 반대로 진행이 계속되어 두개골에 압력을 증가시키기도 한다. 이렇게 뇌척수액의 축적이 진행되면서 여러 영역에 장애가 발생한다. 지적장애가 주된 후유증이기 때문에 뇌수종은 지적장애의 임상적인 한 형태에 속한다. 다른 후유증으로는 운동장애, 발작 등이 있으며, 심지어 사망에 이르기도 한다.

뇌신경 조정기
[腦神經調整機, neural regulator]

운동신경 장애에 관계하고 있는 뇌의 불규칙한 뇌파를 감지하면 전기자극을 가하여 제어하는 전자장치. 뇌 과학

배터리로 작동되는 제어장치에서 나온 전기신호에 반응하는 것으로, 간질이나 파킨슨병으로 인한 떨림 또는 발작을 제어하는 데 사용한다.

뇌심부자극술
[腦深部刺戟術, deep brain stimulation: DBS]

뇌의 심부에 전기자극을 주는 시술. 뇌 과학

뇌에 이식된 전극에 전기를 가해 뇌 활동을 자극하거나 방해하는 시술이다. 파킨슨병을 앓는 환자에게 적용할 수 있는 치료법 중 한 가지다.

뇌전도
[腦電圖, electroencephalogram: EEG]

두피에 붙인 전극으로 뇌 활동을 탐지하고 기록하는 방법. 뇌 과학

뇌파의 다른 말로, 뇌의 신경세포가 만들어 내는 전류활동을 기록하는 방법이다.

관련어 | 뇌파

뇌파
[腦波, brain wave]

뇌의 신경세포가 만들어 낸 전기적인 신호가 합성되어 나타나는 뇌 표면의 미세한 신호를 측정한 전위. 뇌 과학

뇌전도(electroencephalogram: EEG)라고도 하는데, 뇌파는 주파수 영역에 따라 알파파, 베타파, 델타파, 세타파 등으로 구분된다. 이는 명백하게 구분되지 않고 복잡하게 겹치는 양상이므로 이러한 구분은 임의적이며 어느 정도 우세한지를 보는 '우세파'의 개념이 사용된다. 뇌파는 뇌 활동 상태에 따라 특정 리듬을 만들어 내기 때문에 뇌파를 통해 뇌의 상태를 알 수 있는데, 예를 들면 불면증인 사람은 수면파인 세타파가 나오지 않고 활동파인 저 베타파가 나온다. 또한 학습장애아는 활동파인 저 베타파가 나오지 않고 수면파인 세타파가 나온다. 뇌파는 의식상태의 변화, 정신활동 및 자극, 뇌 질환이나 병리적 요인에 따라 변하며 뇌의 기능적 변화를 나타내므로 대뇌의 기능을 평가하는 주요 수단으로 이용되고 있다. 단위는 Hz로, 보통 1~50Hz의 주파수와 10~200V의 진폭을 가진다. 뇌파는 연령 등 개인별로 다르고, 각성 시와 수면 시에도 차이를 보인다. 일반적으로 정상적인 상태에서는 알파파가 우세파로 나타나며 흥분 시에는 베타파가 우세하다. 또한 휴식이나 이완상태에서는 알파파 외에 델타파나 세타파와 같은 서파(slow wave)가 나타나는 경향이 있다.

알파파 [-波, alph(α) wave] 주파수가 8~13Hz인 뇌파로 가장 빈번하게 나타나며 정상 성인의 안정, 각성, 폐안(廢眼) 시에 대부분을 차지한다. 명상과 내부의 고요함 또는 평화로움과 많은 연관이 있으며, 눈을 뜨면 현저히 감소하거나 소실되고 베타파로 바뀐다.

베타파 [-波, bata(β) wave] 주파수가 14~30Hz인 불규칙적인 뇌파로 알파파에서 감각자극이 가해지면 변하는 뇌파다. 정신활동과 관련이 있으며, 흥분하거나 특정한 과제에 집중할 때 우세하게 나타난다.

델타파 [-波, delta(δ) wave] 주파수가 3~5Hz인 뇌파로 수면파라고도 한다. 두뇌기능이 완전히 이완된 깊은 수면상태에서 우세하게 나타난다. 정상 상태의 유아 또는 뇌종양이나 간질 등의 병적이거나 이상 상태의 뇌에서 지배적으로 나타난다. 과잉행동 및 주의력결핍장애(ADHD)나 학습장애가 있는 아동에게 세타파뿐만 아니라 델타파도 넓게 퍼져 있으므로, 세타 대역과 함께 델타 대역 부분의 억제를 시도할 수 있다.

세타파 [-波, theta(θ) wave] 주파수가 4~7Hz인 뇌파로 강한 흥분상태나 얕은 수면 중에 나타난다. 깊이 내면화되고 조용한 상태의 육체, 감정 및 사고 활동과 관련되어 있으며, 창조적이고 자발성이 있을 뿐만 아니라 혼란, 산만, 공상, 우울, 불안과도 관계가 있다.

관련어 | 뇌기능지수, 뇌전도, 뇌호흡

뇌호흡
[腦呼吸, brain respiration]

뇌에 집중하여 호흡, 신체 움직임, 상상, 명상 등으로 뇌를 활성화시켜 몸과 마음과 정신을 계발하는 기법. 뇌 과학

몸과 뇌의 감각을 깨우는 것에서 시작하여 집중을 통해 뇌를 이완시키고 뇌파를 낮추어 뇌 기능을 활발하게 하는 과정이다. 인간 두뇌의 구조와 기능에 기초한 원리로, 뇌에 혈액과 산소를 충분히 공급하여 편안한 상태로 회복시키는 데 도움을 주고 들숨과 날숨에 집중하여 기를 느끼도록 해 준다. 기본 단계는 5단계로 구체적인 내용과 방법은 다음과 같

다. 1단계는 뇌 감각 깨우기로, 뇌의 각 부위를 바라보는 활동을 통해 뇌의 각 영역을 활성화시킨다. 2단계는 뇌 유연화하기로, 익숙하지 않은 동작과 게임, 언어표현 등을 통해 뇌 회로를 유연하게 하여 뉴런 간의 교류를 극대화함으로써 뇌의 능력을 향상시킨다. 3단계는 뇌 정화하기로, 호흡, 상상, 웃음 등을 통해 부정적 정서와 관련된 기억을 정화한다. 4단계는 뇌 통합하기로, 움직임, 음악, 상상, 대화 등을 활용하여 신피질의 창조력 실현을 위한 강한 에너지원을 갖게 된다. 5단계는 뇌 주인되기로, 자기 뇌의 참된 주인이 되어 생산적이고 창조적이며 평화적으로 뇌를 활용하는 것이다. 이 기법의 특징은 몸과 마음과 정신이 분리된 것이 아닌 유기적 관계를 맺고 있다는 입장을 취한다는 점과 뇌를 만들어 갈 수 있는 것으로 본다는 점이다.

관련어 | 뇌파

눈 감고 걷기
[–, blind walk, trust walk]

기본적으로 2인 1조가 되어 한 사람이 양쪽 눈을 감고 다른 사람이 그 사람의 손을 끌어 실내나 외부를 산책하는 게임으로, 사이코드라마에서 워밍업 단계에 많이 사용한다. 사이코드라마

눈을 감고 있는 쪽에서 불안이나 공포심을 불러일으키지 않도록 연동적 · 지각적인 체험을 하게 함으로써 신체적인 접촉과 상호 신뢰관계를 높이는 대표적인 게임이다. 이는 트러스트(trust, 신뢰) 게임이나 관계촉진을 위한 신체접촉기법의 하나로 알려져 있다. 집중적 집단체험이나 신입생 오리엔테이션, 보이스카우트 훈련, 야외 캠프 등에서 활용된다.

눈의 운동 이론
[–運動理論, eye movement theory]

착시를 설명하는 이론의 하나. 게슈탈트

눈의 운동 이론은 길이의 인상은 한 유형의 한쪽 끝에서 다른 쪽으로 눈을 움직임으로써 획득된다는 가정을 기반으로 한다. 따라서 수평-수직 운동에서 눈의 수직 운동은 수평 운동보다 더 많은 노력이 필요하기 때문에 수직이 수평보다 길어 보이고, 뮐러-라이어 착시에서 바깥으로 향한 선은 안으로 향해 있는 선을 볼 때보다 눈의 움직임을 더 많이 하도록 하기 때문에 더 길어 보인다.

관련어 | 감정이입이론, 장이론

뉴런
[–, neuron]

신경계의 기본 단위 인지행동

인간의 뇌는 약 100~120억 개의 뉴런이라는 전문화된 뇌세포로 구성되어 있다. 뉴런은 세포핵과 생명 유지에 필요한 대사기관의 기능을 하며, 정보를 통합하고 전달하는 기능도 있다. 뉴런은 세 부분으로 구성되어 있는데, 첫째, 신경돌기는 다른 뉴런으로부터 입력을 받는 부분이다. 둘째, 세포체는 수초를 통해 들어온 신호를 종합한다. 셋째, 축색은 다른 뉴런으로 정보를 전달한다. 대부분의 경우 정보의 흐름은 신경돌기에서 축색 방향으로만 진행된다. 일반적으로 뉴런은 형태와 크기가 다양하다. 예를 들어, 방추세포는 피라미드 형태의 세포체를 갖는 반면, 성상세포는 별 모양의 세포체를 갖는다. 2개의 뉴런 사이를 연결하는 역할을 하는 중간 뉴런은 축색이 아예 없거나 있어도 매우 짧다. 척수에서 발가락 끝까지 신호를 전달하는 뉴런은 길이가 최소 1미터 이상이다. 뉴런은 인간의 뇌에 존재하는

유일한 세포는 아니다. 뉴런은 기능적으로 지원하는 더 많은 수의 교세포가 존재한다. 교세포 중 성상세포는 뇌의 혈관벽을 둘러싸 산소와 영양이 혈액으로부터 뉴런으로 공급되도록 중간 다리 역할을 한다. 회돌기 교세포는 부근의 뉴런을 수초로 감싸는 역할을 한다. 다발성 경화증은 축색을 둘러싼 수초층이 변성되어 뉴런이 정보전달을 정상적으로 수행하지 못하여 결국 근육이 삐걱거리면서 근육 간의 조율이 망가지고 시각과 말하기의 손상이 나타나는 질병이다.

관련어 | 교세포, 시냅스

축색돌기 [軸索突起, axon] 뉴런의 긴 부위로 다른 세포에 출력신호를 전달한다.

뉴로피드백
[-, neurofeedback]

다양한 생체신호 중 뇌파를 사용한 바이오피드백 기법 중 하나. 뇌 과학

내담자에게 자신의 현재 뇌파상태를 알려 주고 목표하는 뇌파상태를 정한 뒤 이에 도달하도록 조절하는 방법을 익히도록 한다. 즉, 내담자가 자신의 뇌파를 관찰하면서 행동양식을 조절하는 것으로 인간의식은 행동적, 인지적, 생리적으로 통제하는 자기조절 기능을 갖고 있다는 원리에 근거를 두고 있다. 예를 들면, ADHD 아동의 두피에 전극을 부착하여 전기적인 정보를 측정하여 화면으로 보여 주고, 아동은 자신의 정신상태를 변화시켜 뇌파의 변화를 시도하면 화면상으로 자극을 주거나 소리가 나게 하는 방식으로 긍정적 강화를 받게 되어 자기조절을 배운다. 이러한 훈련을 반복하면 뇌 가소성(neuroplasticity)에 의해 장기적인 치료효과를 유지할 수 있다. 1958년에 조 카미야(Joe Kamiya)가 알파파 통제 실험에 성공한 것을 시작으로 1965년에 베리 스터먼(Barry Sterman)이 면역 기능 향상의 결과를 확인하면서 1971년에 간질 환자에게 뉴로피드백을 적용하여 치료에 성공하였다. 1990년대 이후에는 정상인의 정신능력 향상을 위한 실험으로도 이어져 의미 있는 결과를 보여 주었다. 뉴로피드백을 활용한 자기조절훈련은 면역력을 강화하고 신체·정신적 조절능력을 향상시켜 긍정적이고 진취적인 인지 및 사고 활동에도 영향을 미친다.

관련어 | 뇌 기능 치수, 뇌파, 바이오피드백

능력검사
[能力檢査, ability test]

특정 분야에서의 개인의 현재 능력을 평가하는 검사. 심리검사

수학과 같은 특정 분야에서의 현재 능력을 측정하는 데 사용하는 검사다. 일정한 시간 내에 주어진 모든 문항을 완성하도록 하는 검사이며, 문항은 주로 쉬운 문항부터 가장 어려운 문항의 순서로 제시된다. 능력검사는 인지적 검사의 한 종류이며, 추후 특정 과제를 수행할 수 있는 능력을 추정하는 자료로 활용한다. 인지적 검사에는 지능검사(일반 능력검사), 성취도 검사, 적성검사가 있다.

관련어 | 성취도 검사, 적성검사, 지능검사

능력과 성취 간의 불일치
[能力-成就間-不一致, ability-achievement discrepancy]

지적인 잠재능력에서 기대되는 학업성취 수준과 실제 성취 수준 간의 차이로서, 학습장애 선별과 진단의 가장 대표적인 기준. 특수아상담

학업성취 수준은 주로 또래집단을 대상으로 표준화된 학업성취검사에서의 점수로 나타내며, 잠재적 지적 능력은 표준화된 상업용 지능검사 점수로 나

타낸다. 우리나라의 경우는, '장애인 등에 대한 특수교육법'에서 학습장애 아동의 진단 및 평가를 위해 지능검사, 기초학습기능검사, 학습준비도검사, 시지각발달검사, 지각운동발달검사, 시각 · 운동 통합 발달검사 등을 사용하도록 규정해 놓았다. 하지만 구체적인 방법과 판별기준은 제시하지 않고 있다. 구체적으로 잠재능력과 학업성취 수준의 표시방법에 따라 세 가지 방식으로 나누어 볼 수 있다. 첫째, 또래로부터의 지체 정도를 학년 수준으로 표현하는 방식이다. 저학년일수록 누적된 학습량이 적기 때문에 학년 수준에 따라 기준을 달리 적용한다. 둘째, 표준점수에 근거해서 잠재능력과 현 성취 수준과의 불일치를 비교하는 방식이다. 즉, 잠재능력 점수와 성취 수준 점수를 모두 평면 비교할 수 있도록 표준점수로 고친 다음 그 점수 간의 차이를 비교한다. 보통 표준점수 간 차이가 1 내지 2 표준오차 이상이면 학습장애로 간주한다. 이 방식은 다양한 점수 간 비교가 가능하다는 장점이 있지만 평균으로의 회귀현상 자체를 통제하지는 못한다는 단점이 있다. 셋째, 회귀분석에 근거한 잠재능력과 현 성취 수준과의 불일치를 비교하는 방식이다. 특정 지능지수 점수에 대해 회귀방정식을 사용하여 기대되는 성취 수준을 계산한 다음, 실제 성취 수준과의 차이를 비교한다. 다른 방법과의 차이점은 기대수준을 결정할 때 학생의 현 지능지수를 근거로 통계상 좀 더 정확한 기대수준 범위를 결정하여, 현재의 성취 수준이 그 범위에 포함되는지를 알려 준다는 점에서 정확성과 통계적 적절성이라는 특징을 갖는다. 이를 통해 특히 정상분포 곡선상 양 끝에 위치하는 사람들의 성취 수준이 중앙으로 회귀하는 현상을 통제할 수 있다. 표준화 지능검사에서 측정된 지능지수로서 해당 아동의 잠재적 지적 능력을 추정하고 적절한 학업성취 수준을 추론하여 설정하는 불일치 접근방식은 불일치 모델에 의한 학습장애 진단 결과의 일관성 부족, 지능검사 점수에 따른 평균적인 학업성취 수준을 설정하기 위한 지능검사 점수와 학업성취 수준 간 완벽에 가까운 상관관계 상정의 어려움, 피험자 언어능력의 영향을 받는 점 등에서 이론적으로나 실제적으로 문제가 있다. 이에 대하여 효과적인 수업에 얼마나 반응하는가를 따져 학습장애 여부를 판단하는 접근인 중재-반응 접근법이 제시되고 있다.

관련어 | 중재-반응 접근법

능력특질
[能力特質, ability trait]

개인이 목표를 수행하는 데 요구되는 반응 경향성. 성격심리

커텔(R. Cattell)의 분류에 따른 성격특질로, 능력특질은 목표를 수행하거나 복잡한 상황을 처리하고 대처하는 개인의 기술이나 효율성과 관련된 특성을 말한다. 개인에게 가장 대표적인 능력특질은 지적 능력 수준이고, 주의력과 집중력, 선천적인 잠재력과 교육을 통해 습득한 능력 등이 포함된다.

늪 심상
[-心像, the swamp]

KB 심상척도 중 하나로, 내담자의 깊은 마음이나 정신세계 내에 축적된 정서 및 사고 내용분석을 위한 심상이며 동굴 심상 및 숲 심상과 더불어 내담자의 무의식과 같은 내면세계를 규명하고 다루는 심상척도. 심상치료

늪 심상은 늪 구덩이 심상이라고도 하며, 내담자의 불안, 무의식 세계의 내용물, 공포의 원인 등을 파악할 수 있는 KB 심상척도 중 열한 번째 심상이다. 늪 심상은 처음 심상치료를 시작하는 내담자에게는 잘 사용하지 않고, 치료자의 전문성이 크게 요구되는 심상척도인 만큼 내담자와 치료자의 라포형성이 매우 중요하다. 치료자는 늪 속에서 어떤 존재나 물체가 나오도록 내담자를 유도하며, 늪 주변이

나 늪 안에 들어 있는 내용물까지 자료로 활용할 수 있다. 늪에서 주로 나오는 개구리, 뱀 등은 강한 불안을 야기하는 자연물로 분석되고, 사람이 나오기도 한다. 또 늪이 습지, 웅덩이, 시궁창, 맨홀 내부, 진흙탕과 같은 모습으로 나타날 수도 있다. 이러한 경우도 각각의 내용물이 분석대상이 된다. 늪 심상을 분석할 때는 늪을 실제로 본 적이 있는 경우와 그렇지 않은 경우를 구분해야 하고, 그 의미도 각각 달리 해석해야 한다는 것에 유의한다. 실제로 늪을 본 적이 있는 사람은 그렇지 못한 사람보다 무의식 노출이 덜한 경우가 많다. 늪을 실제로 보지 못한 채 심상에서 늪을 묘사하는 내담자의 체험에서 무의식 노출이 훨씬 강하다.

관련어 | KB 심상치료, 심상척도

니코틴
[－, nicotine]

알칼로이드(alkaloids) 성분의 일종으로 담배 속에 주로 포함되어 있는 물질. 중독상담

일반적으로 담배의 맛은 니코틴과 이와 관련된 화합물질의 함량과 조성비율에 따라 달라진다. 니코틴은 1828년에 화학자들이 순수한 상태로 분리했는데, 이 물질은 무색으로서 상온에서 기름모양의 휘발성 액체상태이고 독성이 대단히 강하다. 니코틴은 주로 담배를 피우는 과정에서 인체 호흡계의 점막을 통해 흡수되며, 피부점막을 통해서도 흡수가 되는데 말초신경계에 악영향을 미치기 때문에 중독성이 매우 높다. 이것은 인체 내에서 대뇌와 호흡 중추를 흥분시키는 작용을 하며, 다량 복용 시에는 오히려 중추신경계를 억제하고 타액의 분비를 촉진한다. 니코틴의 인체 치사량은 20～160mg이고, 중독량은 1～4.5mg이다.

관련어 | 담배, 중독

니코틴 금단
[－禁斷, nicotine withdrawal]

지속적인 니코틴 사용자가 사용을 급격하게 중단하거나 줄인 경우에 나타나는 금단증상. 중독상담

니코틴으로 인한 금단 증후군으로는 우울, 불면, 과잉 자극성, 심박수 감소, 체중 증가 등이 있다.

관련어 | 금단증상

다감각접근법
[多感覺接近法, multisensory approach]

시각, 청각, 운동 감각, 촉각 등의 여러 가지 신체감각을 활용하여 학습을 강화하고 향상시키기 위한 방법. 학습상담

렉싱턴(Lexington) 농학교에서 난독증(dyslexia) 아동의 읽기능력을 향상시키기 위하여 개발한 프로그램이다. 이는 시·지각 정보처리 과정의 이상이 읽기장애의 원인이라는 가정하에서 시각(visual), 청각(auditory), 운동감각(kinesthetic), 촉각(tactile) 등의 훈련을 통하여 읽기능력을 개선시키고자 하는 방법이다. 시각을 통한 학습은 글자, 도표, 그림 등을 보는 것이며, 청각적 학습은 강의를 듣거나 녹음테이프 청취, 집단 토의, 음악을 듣는 것이다. 운동감각을 통한 학습은 신체적 체험을 통해 배우는 것이고, 촉각적 학습은 손으로 만지거나 조작하는 활동을 통해서 습득하는 것이다.

관련어 Fernald 접근법, Gillingham 접근법, Hegge-Kirk-Kirk 접근법, 읽기장애

다라니
[陀羅尼, dharani]

끝없이 넓고 많은 이치와 진리를 얻고 상실하지 않는 지혜를 터득하는 것을 목적으로 외우고 기억하여 암송하는 불교의 주문 중 하나. 동양상담

일종의 자기 몸을 보호할 수 있는 명호(冥護)로서 각종의 선함을 능히 보존할 수 있고 여러 가지 악법을 능히 막아 주기도 한다. 보살은 다른 사람을 교화하기 위해 반드시 다라니를 얻어야 한다. 이것을 얻으면 한량없는 불법을 잊어버리는 일이 없어 두려움이 없다. 또한 자유자재로 정교한 설법을 할 수 있다. 일반 신도도 이것을 외어 바라는 바를 성취하거나 고난에서 벗어나기도 한다. 법회에서는 주로 천수다라니 등을 사용한다.

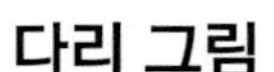

종합하여 평가한다.

다리 그림
[–, bridge drawing]

다리 위를 걸어가는 사람을 그리게 하여 변화에 대처하는 능력이나 태도를 확인하는 기법. 미술치료

헤이즈와 라이언스(Hayes & Lyons, 1981)가 개발한 것으로, 이편과 저편을 이어 주는 다리를 건너가는 모습을 그리도록 하여 생활의 장애물이나 변화를 어떻게 지각하고, 어떠한 태도를 지니고 어떻게 극복해 나가는지 등에 대한 단서를 확인할 수 있다. 꿈분석에서 다리는 장애물을 건널 수 있도록 하는 수단이 되고, 더 나은 장소로 이동하기 위한 매개물이라는 의미가 있다. 융(Jung)에 따르면 강을 건너는 것은 근본적인 태도의 변화를 상징하는 것이다. 또한 삶에서 죽음으로, 세속적인 것에서 영적인 것으로의 전이(transference)를 나타내기도 하며 심리적, 영적 성장에 따르는 고통이나 위험을 나타내기도 한다. 따라서 다리 그림은 개인 내적 갈등, 개인과 환경, 개인과 개인을 연결하는 매개체라는 상징적 의미를 지니고 있으므로 이러한 관계들이 상호 교류할 수 있도록 도와주는 역할을 한다. 헤이즈와 라이언스는 다리 그림이 변화의 과정에 놓여 있는 사람들에게 갈등이나 장애물에 대처하는 능력과 자기지각에 대한 이해를 촉진해 줄 것이라고 확신하였다. 이 검사를 실시하기 위해서는 먼저, 흰 종이와 필기도구 또는 채색도구를 제시하고, 내담자에게 한쪽에서 다른 쪽으로 다리를 건너는 모습을 그리도록 한다. 그런 다음 사람이 지나가는 방향을 표시하도록 하고, 그림에 대해서 설명을 해 보도록 한다. 그림을 평가할 때는 다리의 이편과 저편이 어떻게 묘사되고, 인물이 어느 방향으로 가고 있는지 보아야 한다. 인물이 다리 위에 있다는 것은 어떤 중간과정에 있는 것인데, 여기서도 그려진 인물의 위치가 다리 위 어디쯤인지를 확인해야 한다. 그리고 다리의 구조물이 어떤 재료로 만들어졌는지, 어떤 종류의 다리인지, 다리 아래 무엇이 있는지 등을 종합하여 평가한다.

다면적 인성검사
[多面的人性檢査, Minnesota Multiphasic Personality Inventory: MMPI]

미네소타대학에서 개발한 세계적으로 가장 널리 쓰이고 가장 많이 연구되어 있는 객관적 성격 진단검사. 심리검사

미네소타대학의 임상심리학자인 해서웨이(Hathaway)와 정신과 의사인 매킨리(McKinley)가 정신과 환자의 행동을 구조화된 검사로 측정하기 위해 개발한 진단용 성격검사다. 총 550개 문항의 25개 영역으로 구성되어 있으며, 이 문항은 다시 4개의 타당성 척도와 10개의 임상 척도로 이루어져 있다. MMPI에서의 타당성 척도는 피험자의 수검태도를 반영하며, 임상 척도는 크레펠린(Kraepelin)의 정신과적 장애의 진단분류에 근거를 두고 있다. MMPI의 척도와 문항구성은 철저하게 경험론적 접근으로 만들어졌다. 그럼에도 불구하고 척도 하나하나의 진단 변별력은 그리 높지 않은 것으로 나타났다. 반면, 이른바 신경증적 3척도, 정신병적 4척도라는 말이 생긴 것으로 알 수 있듯이 여러 척도의 동반 상승은 진단에 도움을 준다. 이는 정신과적 진단 집단 자체가 하나의 복합 증상군이기 때문에 여러 임상 척도의 동반 상승은 복합 증상군의 성격을 반영한 결과인 듯하다. 모든 검사에는 한계가 있는데, MMPI 역시 이러한 한계가 있으며 대표적인 것이 검사문항에 대한 반응이 피험자의 주관적인 판단에 의존한다는 점이다. 이는 검사반응의 진실성과 연결되어 검사결과의 타당성을 어렵게 만든다. 물론 MMPI에는 여러 타당성 척도가 있어 이를 예방하고자 하지만 피험자가 임의로 어떤 인물을 가장하고자 한다면 임상 척도의 성공적인 가장도 가능하다. 한국판 MMPI는 1967년에 정범모, 이정균, 진위교가 처음 표준화하였다. 이후 한글 번역 과정과 표준

화 과정에서의 문제, 사회문화적 내용이 변화되면서 문항 자체가 낡고 규준집단의 현대화 필요성이 제기되었다. 이에 따라 1989년에 김영환, 김재환, 김중술, 노명래, 신동균, 염태호, 오상우가 재표준화하였고, MMPI-2와 MMPI-A는 김중술, 한경희, 임지영, 이정흠, 민병배(2005)가 표준화하였다. MMPI의 척도구성을 대략 살펴보면, 4개의 타당성 척도와 10개의 임상 척도로 되어 있다. 4개의 타당성 척도는 ?척도, L척도, F척도, K척도인데, ?척도는 피험자가 전혀 반응하지 않았거나 '예'와 '아니요'에 모두 답한 문항의 합이다. 이 척도는 심각한 정신병리로 인한 반응의 어려움, 독해력의 문제, 방어적이고 경계적인 반응 등을 나타낸다. L척도는 피험자가 자신을 좋게 보이려는 의도적이고 부정직하며 심리적으로 세련되지 못한 반응태세를 밝히기 위해 계획된 15개 문항으로 구성되어 있다. F척도는 검사문항에 대해 정상인이 응답하는 방식에서 벗어나는 경향성을 발견하고자 하는 64개 문항으로 구성되어 있으며, 정신병리의 지표로 간접적으로 피험자의 적응수준을 알려 준다. K척도는 교정 척도라고 하며, 주관적 판단이 있을 수밖에 없는 심리검사에서 피할 수 없는 반응위조 또는 반응왜곡의 정도를 밝히고자 하는 것이다. 한편, 임상 척도를 살펴보면, 첫째, 심기증 척도(Hs)는 피험자가 호소하는 신체적 증상과 이 증상을 이용하여 다른 사람을 조종하려는 의도를 측정하고자 한다. 둘째, 우울증 척도(D)는 피험자의 수검 당시 느끼는 비관 및 슬픔의 정도를 나타내는 기분이 많이 반영되어 있다. 셋째, 히스테리 척도(Hy)는 현실적인 문제나 갈등 자체를 부인하는 정도와 형태를 측정한다. 넷째, 반사회적 성격 척도(Pd)는 가정이나 사회에서 권위에 대한 불만, 자신과 사회와의 괴리 및 비도덕적인 성향 등을 측정한다. 다섯째, 남성성-여성성 척도(Mf)는 일부 문항이 성적인 내용을 포함하고 있지만 대부분의 문항은 성적인 것과 관계없이 직업, 여가에 대한 관심, 걱정과 두려움, 과민성, 가족관계 등의 다양한 주제를 다루고 있다. 여섯째, 편집증 척도(Pa)는 여러 형태의 망상을 측정하고 문항의 안면 타당도가 매우 높은 척도다. 일곱째, 강박증 척도(Pt)는 주로 오래 지속된 만성적 불안을 측정하는데, 강박장애는 자신의 행동과 사고가 부적응적이라는 것을 알지만 그러한 행동이나 사고를 반복할 수밖에 없는 상태를 말한다. 여덟째, 정신분열증 척도(Sc)는 주로 정신분열병과 관련된 사고, 감정, 행동의 장애를 측정한다. 특히 이 척도의 문항들은 외부현실에 대한 잘못된 지각이나 판단장애, 망상 및 환각과 관련이 있다. 아홉째, 경조증 척도(Ma)는 정신적 에너지와 관련이 있는 척도로, 여기서 높은 점수를 보이는 사람은 정력적이고 무엇인가를 계속 추구하지 않으면 못 견딘다. 마지막으로 사회적 내향성 척도(Si)는 사회적 장면에서의 불편함, 고립, 일반적 부적응 및 자기비하를 주 내용으로 한다. 이상의 척도를 가진 MMPI를 해석하고자 할 때는 가장 기본적으로 각 척도의 수준에 맞는 접근을 시도하고 또 다른 해석적 접근은 형태적 해석을 시도한다. MMPI는 연령에 따라 13~18세 청소년에게는 MMPI-A를, 19세 이상 성인은 MMPI-2를 사용하고 있다.

관련어 | 성격검사, 정신장애

다면적 집-나무-사람
[多面的-, multi house-tree-person: M-HTP]

호소기, 나카이, 오오모리와 다카하시(細木, 中井, 大森, 高橋, 1971)가 집-나무-사람(HTP)과 나카이의 테두리기법을 결합하여 개발한 투사적 그림검사. 미술치료

집-나무-사람에 테두리기법을 추가한 것으로, 집과 나무와 사람을 각각 그리는 것이 아니라 한 장의 용지에 그리는 것이다. 그러나 다음과 같은 방법으로 3장의 그림을 그리게 할 수도 있다. 즉, 테두리를 그리고 3등분하여 그리는 방법, 테두리만 그리는 방법, 테두리 없이 그리는 방법이다. 테두리는 그림공간을 구조화하기 때문에 테두리가 있는 그림은 내면적·구심적·고백적이고, 테두리가 없는 그림은 외면적·원심적·방어적이라는 기본 가설을 전제로 각각의 그림공간이 갖는 특성을 검토한 결과 다음과 같은 해석가설이 도출되었다. 첫째, 테두리가 있고 3등분된 용지에 그려진 HTP는 강제적으로 격리되고 보호되는 상황, 즉 병원시설 등에 수용되었을 때의 적응 상황을 나타낸다. 둘째, 테두리만 있는 용지에 그려진 HTP는 강제적으로 통합되고 다른 한편으로는 테두리에 의해 보호된 상황, 즉 가정에서의 적응상황을 나타낸다. 셋째, 테두리가 없는 용지에 그려진 HTP는 자유로운 개방적 상태, 즉 사회에서의 적응상황을 나타낸다. 이와 같은 해석가설에 입각하여 M-HTP는 정신분열증 환자와 약물중독자의 입원시기, 예후판정의 지표로 유효하다고 알려져 있다.

다문화 수퍼비전
[多文化-, cross cultural supervision]

다문화권의 내담자를 상담한 사례에 대한 수퍼비전 혹은 수퍼바이저와 수퍼바이지의 문화가 다른 경우 생기는 다문화적 문제를 염두에 두는 수퍼비전. 수퍼비전

콘스탄틴과 래다니(Constantin & Ladany, 2000)는 다문화적 수퍼바이저로서 수퍼바이지가 자신의 사회에 연관된 다문화적 문제나 자신의 편견을 인지하고 있을 것을 제안하였다. 또한 이론적·경험적·임상적 연구를 통해 다문화에 대한 일반적인 자료를 파악하고, 다문화상담이론에 대한 자신감을 가져야 한다고 하였다. 즉, 각 문화에서의 가치관, 성격유형, 노출 정도 등에 대한 내담자 고유의 변수에 대하여 이해하고 다양한 문화 배경을 가진 수퍼바이지와의 동맹관계능력이 있어야 하며, 수퍼바이저가 다문화적인 문제와 논쟁점에 대하여 잘 알고 있어야 한다는 것이다. 다양한 문화를 존중하고 선입견을 가지지 않은 채 상담할 수 있도록 포용력 있는 자세를 가져야 하며, 내담자의 문화에 대하여 학습하고 경험해 보는 노력을 기울여야 한다. 세계화가 급속히 진전된 사회에서 다문화에 대한 존경심을 가지고 다양성을 인정하는 자세는 수퍼비전에서 더욱 요구되고 있다.

관련어 | 다문화상담, 수퍼비전

다문화상담
[多文化相談, multicultural counseling]

문화, 종교, 이념, 가치관 윤리 등의 다양한 차이가 존재하는 상담자와 내담자가 서로 조력적인 관계를 형성하여 보다 효과적인 상담이 이루어지도록 하는 심리치료 접근방법. 다문화상담

다문화상담의 정의에 대한 폴 페데르센(Paul Pedersen)의 의견에 따르면, 둘 이상의 서로 다른 문화적 배경 혹은 서로 다른 세계관을 가진 사람들이 조력자의 관계에 함께 있는 것이라고 하였다. 이러한 다문화상담의 정의는 다문화의 개념을 어느 범위까지 규정하느냐에 따라 달라질 수 있다. 다문화를 '다양한 문화'라고 하면, 다문화상담이란 서로 다른 문화적 배경을 가진 두 사람 이상이 조력의 관계에 있는 것을 말한다. 여기서 다문화의 개념을 좀 더 확대하면 민족에 대한 것뿐만 아니라 신체의 장

애 유무, 다양한 연령, 다양한 성적 취향까지 포함할 수 있다. 다문화상담에 대한 관심은 1960년대 미국과 유럽 등지에서 전개된 인권운동과 함께 상대적으로 차별을 받고 있는 소수인종에 대한 조명과 함께 시작되었다. 이때 상담학자들은 내담자들과의 횡문화적(cross-cultural) 차이에 주목하게 되었는데, 그것이 다문화상담이 발전하는 계기가 되었다. 다문화상담이론에서는 기존의 상담이론들이 여러 문화권의 다양성을 고려하지 않은 보편적이고 일반적인 적용에 초점을 맞추고, 소수 인종이나 민족을 비판적으로 묘사하는 등의 한계가 있다는 지적을 하고 있다. 따라서 다문화상담이론에서는 내담자 개인의 삶이 그 사람이 속한 공동체적 문화배경과의 상호작용에서 형성된 것임을 인정하면서, 상담자와 내담자도 어느 한쪽이 우월한 권력을 갖는 것이 아니라 다양성 속에서의 조화를 이룬 조력관계로 상담이 이루어져야 한다고 강조하였다. 다문화상담이론은 사람들이 다양한 사회적 요소와 상호작용을 통해 그들의 세계를 구성한다는 사회적 구성주의에 기초한다. 따라서 바람직한 상담이론은 개인의 문제와 관련된 사회문화적 요인을 다루는 것이 필요하다고 설명한다. 즉, 다문화적 상담에서는 내담자의 인종과 민족, 성, 종교, 주된 문화에서의 역사적 경험, 사회경제적 지위, 정치적 관점, 생활양식 그리고 지리적 조건을 다양한 시각에서 탐색한다. 하지만 이러한 탐색이 객관적인 입장에서 이루어지려면 상담자와 내담자의 문화가 서로 다를 때 나타날 수 있는 편향에 대한 어려움을 효율적으로 해결해야 한다. 상담자와 내담자의 문화 차이가 크거나 상담자가 내담자와의 문화 차이를 고려하지 못하고 상담을 할 때 실제 상담의 효율성은 떨어지고, 도움이 되기보다는 도리어 피해나 어려움을 가져올 수도 있다. 이에 따라 다문화상담이론에서는 상담자의 조력자로서의 역할을 강조하고 있다.

다문화적 상담 역량
[多文化的相談力量, multicultural counseling competence]

다문화적 이슈를 다루는 상담 심리치료사의 능숙한 능력. 다문화상담

다문화적 상담 역량을 갖춘 상담사가 되기 위해서는 성, 인종, 민족, 성적 경향성, 장애, 사회경제적 지위, 연령, 종교, 가족구조 등 광범위한 문화적 정체성이 내담자와 상담자, 그리고 수퍼바이저에게 미치는 영향에 대해 인식하고, 이에 대한 부정적인 영향력을 감소시키는 노력을 할 수 있어야 한다. 상담자의 역량을 측정하는 데에는 쉬, 아레돈도와 맥데이비스(Sue, Arredondo, & McDavis)가 1992년에 『The Journal of Counseling and Development』에 발표한 '다문화상담 역량 및 표준'을 사용하기도 한다. 이는 소수자인 내담자와 함께 상담을 진행할 때 필요한 역량과 표준을 측정하기 위한 일련의 평가 도구다.

다문화적 진로상담모형
[多文化的進路相談模型, multi-cultural career counseling model]

인종, 성, 장애, 연령 등과 관련하여 소수이거나 약자이기에 경험하는 여러 가지 현상을 고려하여 개인의 진로발달을 증진시키기 위한 진로상담의 틀. 진로상담

빙엄과 워드(Bingham & Ward, 1966)는 특정한 집단에서 특별한 요구를 지닌 내담자의 문제해결을 도와주기 위하여 내담자를 둘러싸고 있는 맥락적 요인과 진로발달에 관한 고정관념, 상담자의 인종에 대한 정체성이 고려되어야 한다고 강조하였다. 다문화 내담자를 돕기 위한 상담자는 다양한 세계관과 인종적 정체성을 완벽하게 이해하여 내담자의 세계관, 역사, 사회정치적 문제, 고정관념, 선택을 제한하는 인종 및 민족적 요인에 대하여 충분히 논

의할 수 있어야 한다. 그리고 상담자는 상담과정과 의사결정에서 가족의 역할을 강조하며 상담이 종결된 후에도 지속적으로 그들을 평가하고 조력해야 하며 필요에 따라 상담과정을 재순환해야 한다. 이 상담모형에서 상담자와 내담자는 협력적 관계를 형성하여 서로 협력하고 합의한 뒤 의사결정과 상담과정을 진행한다. 상담에 임하기 전 상담자는 다문화 진로상담 질문지(multicultural career counseling checklist: MCCC)를 사용하여 자기평가를 한 후에 상담자와 내담자의 인종과 민족적 배경, 상담과정을 확인하여 상담을 준비하는 것이다. 전반적인 상담과정에서 상담자는 진로상담 질문지(career counseling checklist: CCC)를 실시하여 직업세계에 대한 지식과 성 문제, 의사결정에서 가족의 역할, 직업선택에 대한 내담자의 관심도 등을 확인하고, 의사결정 나무(decision tree)는 상담 의사결정 시기와 경로를 확인하는 데 도움이 된다. 이렇게 상담에 대한 준비를 마친 상담자는 빙엄과 워드가 제시한 7단계의 상담과정을 실시하여 내담자에게 효율적으로 개입할 수 있다. 첫째, 문화에 맞는 친밀감과 신뢰감을 형성하는 단계이며, 이 상담모형에서 무엇보다 중요하다. 내담자가 문화정보 제공자의 역할을 충분히 수용할 수 있도록 격려하고 수용한다면 신뢰와 협동심을 이끌어 낼 수 있다. 둘째, 내담자의 진로 의사결정을 방해하는 장애물을 내담자가 확인하도록 도와준다. 셋째, 진로선택에 가장 많은 제약을 가하는 문화적 변인들을 확인하고 평가한다. 일반적으로 많이 나타나는 제약요인에는 가족이나 친척 또는 씨족이나 부족처럼 집단의 가치나 요구조건이 영향을 미친다. 또한 가족이나 부족 간의 의사결정 방식이 진로문제해결에 영향을 미친다. 넷째, 상담목표를 설정한다. 목표설정은 내담자와 상담자가 협력해서 이루어지며 협력적 관계는 내담자가 진로상담과정에 적극적으로 참여하는 데 도움이 된다. 그리고 자기실현을 위한 목표보다는 실용적인 목표를 설정해야 하는데, 왜냐하면 소수민족의 내담자는 대부분 자신의 욕구를 지지할 수 있는 직무에 즉각적으로 배치되기를 바라기 때문이다. 다섯째, 개인적 요구에 따라 개입해야 하지만 문화에 따라 가족이나 집단의 승인과 개입이 요구되는 경우가 있다. 그러므로 인종과 민족적 문화에 적합한 개입전략을 사용하는 것이 더 효율적일 수 있다. 여섯째, 내담자가 목표를 수행하도록 의사결정의 전 과정에 대하여 지속적인 멘토링을 실시한다. 일곱째, 선택한 것을 실행하고 실행에 필요한 직업, 동료, 지역기관의 도움 등에 대한 정보를 탐색하여 직업적응을 조력한다.

관련어 | 다문화상담

다문화주의
[多文化主義, multiculturalism]

문화, 종교, 가치관 등의 차이점을 다양성으로 인식하고 격려하면서 보호해야 한다는 관점. 다문화상담

다문화주의적인 생각에서 다양성은 가치 있는 자산으로 간주되어 강조된다. 모든 문화를 섞어 공통된 하나의 문화를 만들어 내자는 용광로 이론과는 다르게 다문화주의의 목표는 문화적 차이점을 섞지 않고 다양한 차이점이 함께 어우러지는 가운데 자연스럽게 유리한 것을 취하고 유지하는 과정을 중요시한다. 다문화주의 연구자들은 다양한 생각과 배경을 가진 사람들 간의 접촉과 열린 대화를 촉진하는 것이 정의와 자유 민주주의와 같은 상위 목표 달성에 도움이 된다는 점을 발견하였다. 상담장면에서 다문화주의는 단순히 상담자와 내담자 간의 문화적 차이점에 대한 인식 또는 앎에서 그치는 것이 아니라, 그러한 다양성을 통하여 더욱 가치 있는 것을 발견하는 것이다. 이를 위해서는 서로의 차이점에 대해 정직하고 열린 대화를 하여 그것을 인식하는 과정이 선행되어야 한다. 정직한 인식이 이루어질 때 비로소 다양함 속에서 더욱 가치 있는 발전

이 진행된다. 따라서 상담자는, 첫째, 주어진 사회적 상황에서 나타날 수 있는 선입관뿐 아니라 자신이 가지고 있는 특권을 인식하는 것이 필수다. 둘째, 내담자를 평가하는 입장에 설 수 있는 상담자는 내담자의 말을 주의 깊게 경청하고 자신의 편견적인 태도를 줄이면서 성실하게 상담에 임해야 한다. 셋째, 내담자의 문화적 맥락에 대해 이해하고 긍정적인 변화를 향상시키는 데 전문가가 되어야 하며, 자신의 선입관과 추측에 주의해야 한다. 이를 위해서는 다른 문화적 집단의 규범, 신념, 가치를 탐구하고 좀 더 깊게 연구하는 자세가 필요하다.

다발성 경화증
[多發性硬化症, multiple sclerosis]

중추신경계의 탈수초성 질환(demyelinating disease, 신경세포의 축삭을 둘러싸고 있는 절연물질인 수초가 탈락되는 질병) 중 가장 흔한 유형이며, 주로 젊은 연령층에서 발생하는 만성 염증성 질환. 특수아상담

수초가 벗겨져 탈락되면 신경신호의 전도에 이상이 생기고, 해당 신경세포가 죽어 버리는 현상이다. 임상적으로 재발과 완화를 반복하는 질환인 다발성 경화증은, 초기에는 재발한 뒤 장애 없이 증상이 호전되지만 시간이 지나고 재발이 반복되면 완전히 호전되지 않고 장애가 남는다. 발병 초기에 치료를 시작하면 자연적으로 치유될 때보다 좋은 결과를 얻을 수 있다. 다발성 경화증은 모든 연령층에서 발생할 수 있지만, 주로 20~40세에 가장 많이 보이고, 10세 이전이나 60세 이후에는 발병이 드물다. 남성보다 여성에게 2배 정도 많이 나타나는 편이다. 인종에 따라서 발생률에 뚜렷한 차이를 보이는데, 유럽계 백인에게서 가장 빈번하게 발생하며 동양인과 흑인에게서는 발생률이 상대적으로 낮다. 발생률은 위도 45~60도에서 가장 높고, 적도나 극지에 가까워질수록 낮아진다.

다수준 집단 관찰 시스템
[多水準集團觀察 -, System for the Multiple Level Observation of Groups: SYMLOG]

그룹과정의 연구를 위해 개발된 방법으로서, 사회적 상호작용 과정을 분석과 통합을 사용하여 집단이해를 돕는 관찰방법. 군상담

다수준 집단 관찰 시스템은 1979년 사회학자 베일즈(R. Bales)와 코헨(S. Cohen)이 소집단 연구를 위해 제시한 방법으로, 집단 내에서 개인이 경험하는 사회적 상호작용 과정을 분석하고 통합하여 집단이해를 도와주기 위한 관찰 시스템이다. 이 방법은 단일 집단이나 여러 집단을 대상으로 매일 또는 장기적 상호작용을 관찰하는 데 활용할 수 있다. 여기서는 세 가지 차원으로 상호작용을 시각화하는데, 첫째, U-D 차원은 집단에서 구성원 간에 영향을 주는 것 대 영향을 받는 것이다. 둘째, P-N 차원은 집단 구성의 친절함 대 불친절함이다. 셋째, F-B 차원은 집단구성원의 목표 지향적 대 통제적 대 감정적 대 감정표출이다. U(upward)는 집단구성원의 지배적이고 권력을 이용하려는 성향과 행동을 뜻하며, D(downward)는 복종적이고 권위를 지양하는 성향과 행동을 뜻한다. 또 P(positive)는 친절하고 따스함을 지닌 성향과 행동, N(negative)은 부정적 감정으로 차갑고 거리감을 느끼게 하는 성향과 행동, F(forward)는 목적 지향적이며 집단의 규범과 가치를 유지하려는 성향과 행동, B(backward)는 자기중심적으로 집단과 거리감을 갖는 성향과 행동을 지닌 구성원을 뜻한다. 이렇게 여섯 가지 특성을 조합하여 3차원 모형으로 제시한다. 우리나라 육군사관학교리더십센터에서는 지도자, 팀, 조직의 성과 향상을 측정하고 세분화하여 보다 구체적인 피드백을 제공해 주는 리더십 진단도구로 활용되고 있다. 육군사관학교리더십센터에서 밝힌 이 진단도구를 활용한 강점은 다음과 같다. 첫째, 업무능력과 인간관계능력을 기준으로 평가하고 진단하는 전통적인 리

더십 진단도구와 달리 SYMLOG는 성격적 차원을 추가하여 우울증 등의 심리적 부적응을 찾아낼 수 있으므로 보다 더 세밀하고 구체적인 정보를 제공해 준다. 둘째, 자기진단과 타인진단의 결과를 3차원 공간모형에서 함께 제시해 주어 보다 객관적으로 자기인식을 하도록 촉진함으로써 자기개선에 도움이 된다. 예를 들어, 한 생도는 타인에 대해 매우 우호적이고 부여된 임무를 충실히 수행한다고 자기 자신을 진단했지만 타인 진단 결과는 비우호적이고 지나치게 독선적인 지휘력을 가져 업무수행 성과가 부족한 것으로 나타났다. 이러한 자기진단 및 타인진단으로 자신을 보다 객관적으로 이해하여 부족한 부분에 좀 더 노력하는 자세를 보였다. 셋째, 개인적 차원의 분석뿐만 아니라 집단 차원의 상호작용을 동시에 분석할 수 있기 때문에 병영 내에 문제가 되고 있는 '왕따' 현상을 개인 및 집단 차원에서 조망할 수 있으며, 조직의 응집력을 바탕으로 한 팀워크 수준도 진단할 수 있다. 따라서 과학적이고 체계적인 관찰방법인 SYMLOG를 활용하여 육군사관학교리더십센터는 육군 생도가 올바른 자기인식과 효과적인 상호작용 능력을 갖춘 '강한 리더'로 성장하는 데 커다란 도움이 되도록 하고 있다.

다시 말하기
[-, retelling]

구조화된 내담자의 이야기를 여러 가지 기법을 사용하여 의미와 영향력을 변화시켜 이야기를 재구조화하는 과정에서 자신의 이야기를 재해석하고 새로운 의미를 부여하여 다시 말하는 것. 이야기치료

이야기치료과정에서 내담자는 자신의 구조화된 이야기에 대해 말하고, 이러한 이야기의 구조를 해체하고 재구조화(reconstruction)하여 다시 말하고, 또 다른 해체작업을 통해 또 다른 재구조화를 이루어 내어 다시 말하는 과정을 반복하면서 자신에게 좀 더 만족감을 주고 희망을 품게 만드는 이야기를 찾아 대안적 이야기를 구조화할 수 있다. 또한 문제적 이야기 혹은 대안적 이야기(alternative story)를 반복적으로 다시 말하면서 보다 풍성한 서술이 가능해지고, 이를 통해 이전에는 인식하지 못했던 의미나 영향력에 대해 재인식하는 효과를 거둘 수도 있다.

관련어 공명, 대안적 이야기, 독특한 결과, 이야기, 지배적 이야기

다요인인성검사
[多要因人性檢査, Sixteen Personality Factor Questionnaire: 16PF]

커텔(Cattell)의 성격 특성 이론에 근거한 일반 성격심리검사. 심리검사

커텔의 근원 특성을 중심으로 요인분석법을 통하여 성격 특성을 추출하여 제작된 16PF를 토대로 염태호와 김정규(1990)가 우리나라 실정에 맞게 표준화한 검사다. 중고등학생을 대상으로 하며, 거의 모든 성격 범주를 포괄하고 있기 때문에 일반인의 성격이해에 적합하다. 총 160개 문항으로 반응 일관성을 측정하는 타당도 척도, 무작위 반응요인과 14개의 성격 척도인 온정성, 자아강도, 지배성, 정열성, 도덕성, 대담성, 예민성, 공상성, 실리성, 자책성, 진보성, 자기결정성, 자기통제성, 불안성 척도와 특수척도로 구성되어 있다. 성격 척도의 세부 측정내용은 다음과 같다. 온정성은 피험자의 대인관계 선호정도를, 자아강도는 자아의 안정된 정도를, 지배성은 대인관계 양상을, 정열성은 행동의 활발한 정도를, 도덕성은 초자아의 내면화 상태를, 대담성은 대인관계에서 대담한 정도를, 예민성은 타고난 성향을, 공상성은 사고 경향성을, 실리성은 대인관계에서 행동 경향성을, 자책성은 죄책감의 정도를, 진보성은 현실인식 태도를, 자기결정성은 의사결정 방식을, 자기통제성은 자기 행동 통제력을, 불안성은 정서불안 정도를 측정한다. 각 문항은 5점 리커트 척도로 '아주 그렇다'에서 '전혀 아니다'까지 응답할

수 있다. 점수가 높을수록(70점 이상) 성격 성향이 매우 강하고, 점수가 낮을수록(30점 미만) 성격 성향이 매우 약하다는 의미로 해석한다. 척도별 신뢰도 크론바흐 알파는 거의 모두 .50 이상(실리성 척도 제외)으로 나타났다.

[다요인인성검사 검사지]

관련어 성격 특성 이론, 커텔

다운증후군
[-症候群, Down syndrome]

염색체의 이상으로 21번 염색체가 2개가 아닌 3개가 되어 발생하는 증후군. 특수아상담

대개 600~800명 중 한 명의 비율(전체 지적장애의 5~6%)로 나타나며, 지적장애 중 가장 흔한 증후군이라 할 수 있다. 1866년에 영국인 의사 다운(Down)이 처음 보고하였고, 1959년에 레조이네(Lejeune)가 21번 염색체가 3개인 삼염색체형(trisomy 21)을 밝혔다. 그러나 21번 염색체가 많아지는 모자이크형(mosaicism), 21번 염색체 일부가 다른 염색체 쌍과 자리를 바꾸는 전좌형(translocation)의 변형도 있다. 21번 삼염색체는 산모의 연령이 높을수록 더 많이 발생하는데, 45세 이상이면 발생률이 대략 30명당 한 명으로 증가한다. 다운증후군 아동은 여러 가지 공통적인 외모를 나타내는데, 치켜 올라간 눈꼬리, 작은 코와 납작한 콧대, 주름이 패인 혀와 작은 입, 작고 이상한 모양으로 잘못 자리 잡은 치아, 엄지가 짧고 손바닥을 가로지르는 하나의 손금이 있는 네모진 작은 손 등의 독특한 신체적 특징이 있다. 근육 긴장도가 낮아서 손발이 약하게 느껴지며 선천성 심장병이 합병되는 경우가 많아 이전에는 평균수명이 짧았다. 이들의 지능수준은 경미한 지체에서 매우 심한 지체까지 다양한 분포를 보인다.

관련어 지적장애

다이설피람
[-, disulfiram]

알코올중독을 치료하기 위해 약물요법을 시행할 때 사용하는 약물. 중독상담

다이설피람은 인체 내에서 알코올과 반응하면 얼굴에 심한 홍조를 일으킨다. 이렇게 술을 마시는 행동에 대한 결과를 가시적으로 드러나게 하는 효과를 통해서 음주행동을 조절하도록 만드는 것이다. 이 같은 치료요법은 알코올중독자의 가족과 함께 환자의 음주행동을 조절하고, 이를 감시하는 방법의 하나로 제공될 때 가장 효과적이다.

관련어 공동의존, 알코올중독

다이애나 콤플렉스
[-, Diana complex]

정신분석이론에서 여성 무의식의 저변에 깔린 남성적 특성이나 행위를 일컫는 말로, 고대 로마 사냥의 여신 다이애나의 이름에서 비롯됨. 성상담

다이애나 콤플렉스는 남장을 하고 말에 올라 사냥을 하던 여신 다이애나에게서 비롯되었는데, 여성 무의식 안에 남성이 되고 싶다는 소망이라는 남근선망에서 일어난 정신분석이론 중 하나다. 이것이 겉으로 표출될 때 여성은 남성적인 행위나 기질을 보이며, 남성다워지고 싶다는 소망이 결국에는

남성에게 지고 싶지 않다는 감정을 표출하게 된다. 이런 소망이 효과적으로 해결되지 못할 때 무의식 내에 응어리가 생기고, 이 응어리가 다이애나 콤플렉스를 유발한다. 현대에 와서는 여성과 남성의 성 역할에 대한 고정성이 많이 해체되어, 이런 증상이 에너지화되면서 여성이 스스로 내면의 남성성을 활용하여 많은 성과를 이루기도 한다. 반면에 과식이나 거식 등의 섭식장애를 일으키는 왜곡된 형태도 나타난다.

다중 패러다임
[多重 – , multiplicity paradigm]

인간의 마음이 하나가 아니라 다수의 하위인격들로 자연스럽게 나뉘어 있다는 관점. 내면가족체계치료

다중 패러다임이란 각 개인이 여러 가지 인격인 마음을 가지고 있다는 것을 의미한다. 이는 우리가 인간의 마음을 하나의 단일체로 보는 시각에서 벗어나 상호작용하는 정신체계로 볼 수 있도록 해 준다. 다중 패러다임에서는 내면 실재들이 사고와 감정들 혹은 단순한 마음 상태들의 집합체 이상이라는 신념을 가지고 있다. 정서와 욕구의 모든 범주와 다른 연령, 기질, 재능, 심지어 성(gender) 등을 지닌 별개의 인격체로 보는 것이다. 이러한 내면 인격은 그들이 내주하고 있는 개인과 독립적으로 생각하고 말하고 느낄 수 있다는 점에서 많은 자율성을 가지고 있다. 사람들이 자신을 보다 잘 이해하게 될 때, 이와 같은 내면 실재들로 자신을 설명한다.

관련어 | 부분들

다중관계
[多重關係, multiple relationship]

집단 참여 목적과는 다른 형태로 형성되는 관계. 상담윤리

다중관계는 집단상담자와 집단구성원의 집단상담을 위한 관계 외의 목적으로 이루어진다. 즉, 집단상담자와 집단구성원이라는 관계 외에 설정된 관계로, 집단구성원들이 집단에 전적으로 참여하는 데 방해가 되거나 집단상담자의 객관성 유지와 전문적 판단에 손상을 줄 수 있는 관계를 말한다. 종전에는 이중관계라는 용어를 사용했지만 이는 이차적인 관계의 복잡성을 충분히 설명하지 못한다는 한계로 더 이상 윤리강령에서 사용되지 않고, 다중관계는 비전문적인 관계라는 용어와 병행하여 사용된다. 다중관계의 대표적인 예로는 부모, 자녀와 같은 가족이나 친척과 같은 혈연관계, 친구나 동창생 같은 사회적 관계, 고용자와 피고용자, 사업자와 구매자 같은 사업적 관계 등을 들 수 있다. 그러므로 집단상담자는 다중관계에 포함된 이들을 자신의 집단에 참여시키지 않아야 하며, 집단을 진행하는 동안에는 집단상담을 위한 관계 외에 다른 관계를 맺지 않아야 한다. 즉, 집단상담자는 집단이 진행되는 기간에 참가자들에게 전문가로서의 역할과 힘을 이용하여 다중관계를 형성해서는 안 된다.

다중관점적진술
[多重觀點的陳述, multiple description]

같은 사건을 보는 여러 가지 차원의 관점과 그 여러 차원에서 어떤 현상을 이해하고 설명하는 것. NLP

다중관점에는 세 가지 입장이 있는데, 첫째는 일차적 입장(first position)이다. 이것은 자신의 현실을 말하며 어떤 상황에서 자기 자신이 직접적으로 '연합'하여 경험하면서 보고 듣고 느끼는 것을 뜻한다. 둘째는 이차적 입장(second position)인 상대방의 현실로 상대방의 입장에서 생각하고 보고 느끼는 것을 뜻한다. 상대방을 이해할 수 있는 좋은 수단이다. 셋째는 삼차적 입장(third position)으로, 제삼자의 입장, 초연한 관찰자의 관점에서 바라보고 생각하는 것이다. 마치 강 건너 불구경하듯이 '분리'

하여 보고 듣고 생각하는 것을 뜻한다. 다중관점적 진술은 특히 부정적 정서나 기억을 다룰 때 효과적인 기법이다. 부정적 정서의 상태에서 삼차적 입장을 취하면 자연스럽게 관조하는 차원에서 분리상태가 이루어져 정서적으로 초연하고 무감각해지는 효과를 볼 수 있다. 동일한 상황에서 어느 관점 또는 입장을 취하느냐에 따라 경험의 차원과 질이 달라진다. 이러한 일차적 입장, 이차적 입장, 삼차적 입장을 모두 갖는 것을 다중관점 혹은 삼중묘사(triple description)라고 한다.

일차적 입장 [一次的立場, first position] 다중관점 중 가장 기본이 되는 것으로서, 자기 자신의 관점으로만 세상을 지각하는 것 혹은 자신의 내면적 실재와 접촉하고 있는 상태다. 사람이 하는 모든 직접적인 경험은 바로 일차적 입장에서 이루어진다. 일차적 입장은 자신의 시각에서만 자신과 세상을 보는 것, 즉 자신이 지각하는 자신의 현실을 의미한다. 다른 사람의 말을 듣고 화가 머리끝까지 나서 내게 어떻게 저런 말을 할 수 있는지를 생각할 때 이것이 바로 일차적 입장이다. 화가 나는 것은 상대방의 말을 듣고 난 뒤 그 경험에 감정을 연합하면서 자신의 화가 난 상태에 점점 더 몰입하게 되는 연합경험이라고 보는 것이 NLP의 설명이다. 연합이 이루어지지 않으면 어떤 말을 들었다고 해서 화가 나지는 않는다. 즉, 일차적 입장은 자신이 직접적으로 연합을 하여 경험할 때 적용되는 입장이다.

다중모형
[多重模型, multi model]

다양한 연극자원에 근거한 역할 모형. 사이코드라마

라하드(Lahad, 1992)가 개발한 연극치료의 역할 모형인 다중모형은 다양한 연극자원에 근거하는 매우 절충적인 것으로서, 흔히 BASIC Ph로 통칭된다. 여기서 BASIC Ph는 신념(belief), 정서(affection), 사회(social), 상상(imagination), 인지(cognition), 신체(physical) 요소의 머리글자를 딴 것이다.

다중성격장애
[多重性格障礙, multiple personality disorder]

이상심리

⇨ '해리성정체감장애' 참조.

다중심리치료
[多重心理治療, multiple psychotherapy]

다수의 상담자가 한 명의 내담자를 치료하는 것. 개인심리학

드레이커스, 모삭, 슐만(Dreikurs, Mosak, & Shulman, 1952/1982)이 도입한 심리치료방법으로, 여러 명의 상담자가 한 명의 내담자를 치료하면서 얻게 되는 장점은 다음과 같다. 상담자들이 지속적으로 자문해 줄 수 있고, 내담자가 한 명의 상담자에게 정서적 애착을 느끼는 것을 방지하며, 치료의 교착상태를 예방하거나 해결해 줄 수 있다. 또한 역전이 반응이 최소화되고, 내담자가 학습한 역할모델의 수가 많아지며, 한 명의 상담자 의견보다는 다수 상담자의 동일한 의견이 내담자에게 더 강력하게 영향을 미칠 수 있다. 상담자들 간의 의견 차이가 있을 때는 내담자가 사람들 간에 서로 다른 의견을 존중하면서 불일치하는 장면을 관찰할 수 있다. 내담자가 한 상담자와 의견이 다를 때, 다중심리치료에서는 내담자가 치료의 희생자가 될 염려 없이 다른 상담사에게 옮겨 가면 된다.

다중약물사용
[多重藥物使用, polydrug use]

2개 이상의 약물을 동시에 사용하는 것. 중독상담

약물남용자들은 자신이 복용하는 약물의 효과를 더욱 극대화하기 위해서 두 가지 이상의 약물을 혼합하여 사용하기도 하고, 알코올과 같은 특정 음료에 섞어 마시기도 하는데, 이를 다중약물사용이라고 한다. 특히 향정신성 약물이 알코올과 함께 섭취될 때에는 약효가 극대화되어 적은 양으로도 약물중독이 일어나고, 이에 따른 급성 독성의 위험이 있다.

관련어 | 중독, 향정신성 약물

다중영향치료
[多重影響治療, multiple impact therapy]

이혼, 죽음 등 가족의 위기상황을 극복하기 위해 2~3일 동안 집중적인 치료를 하는 것. 가족치료 일반

가족에 대한 단기적이고 집중적인 치료법으로 2~3일간 정신과 의사, 임상심리사, 정신보건 복지사, 직업상담원으로 이루어진 치료팀이 가족 합동 면접, 부모 면접, 형제 면접, 각 개인과의 면접 등을 사례에 맞추어서 진행한다. 이 접근방법은 위기에 놓인 가족에게 널리 사용되고 있다. 청년기의 내담자를 가진 가족은 가족관계의 성장력과 소외력의 갈등 속에서 병리를 발생시키기 쉽다. 특히 의사소통의 장애가 보이면 가족의 성장이 방해받을 확률이 높다. 치료적 접근방법에서는 의사소통장애의 발견과 변화, 만성적이고 병리적인 항상성의 개선, 자기개념이나 타인 개념을 포함하여 인지구조의 왜곡을 바로 고치는 것, 순수하게 있는 그대로의 자기표현을 촉진하도록 한다. 가족 내 상호작용의 균열을 가족 자체가 발견하고 성장 촉진적인 연대를 배울 수 있도록 도움을 주는 것이다. 첫 회 면접에서는 가족이 이 치료면접에서 무엇을 기대하는지 명확하게 파악한다. 치료자는 이 치료법의 목표를 설명한 다음 순회기법(going-around)으로 가족의 한 사람 한 사람이 사물을 보는 방식이나 느낀 방식을 대화하도록 촉진한다. 또 장면구성에는 가족 생활사를 화제로 하는 경우도 있다. 치료팀과 가족과의 사이에서 상호작용 관계가 성립하고 치료팀이 가족 중에 융합할 수 있을 때는 초기부터 중기로 이행한다. 중기에서 중요한 과제는 가족방어 혹은 가족저항이라고 하는 현상이다. 가족은 하나의 체계이며 변화에 대한 압력을 느끼면 그에 저항하거나 현상을 유지하려고 시도하거나 기능부전임에도 불구하고 가족의 현상을 방어하고자 하는 경향이 있다. 구체적으로는 가족의 한 사람 또는 다수가 농담을 하거나 반대로 침묵해 버린다. 이 같은 가족저항에 부딪히면 치료자 측에 역전이가 생기기 쉬운데, 치료팀인 경우에는 다른 치료자가 역전이를 의식하기 때문에 개인면접 때보다 대처하기가 더 쉬울 수 있다. 치료자의 태도는 가족병리의 탐구보다도 건전성 회복의 가능성을 믿고, 희망을 가지고 대처하지 않으면 안 된다. 가족치료과정은 가족 생활사의 단계를 거치며 가족이 가지고 있는 성장촉진에 방해가 되는 것을 제거하면서 성장에의 길을 걷는 과정이다. 또 치료자는 내담자를 포함해서 가족 한 사람 한 사람이 자신을 회복하도록 도움을 준다. 종결기에 치료자는 과거의 모델이 내담자의 기대나 행동에 어떻게 영향을 미치고 있는지 깊이 이해하도록 도와준다. 가족치료의 종결은 내담자의 증상적 행동이 없어지고, 가족 전체가 발전 가능성을 명확하게 보이기 시작하며, 성장력이 안정된 방향으로 진행했을 때다. 일본이나 미국에서는 가정법원 집단이 다면적 충격치료를 수정하여 중증 비행소년 사례에 적용하면서 성과를 거두었다.

다중자아
[多重自我, multiple self]

한 주인공에 대하여 여러 명의 이중자아가 등장하는 것.

사이코드라마

이중자아 기법이 변형된 것으로서, 다중자아의 역할은 다음과 같다. 첫째, 다중자아는 주인공의 다양한 국면의 역할을 공평하게 분담한다. 그 예로 성격의 여러 측면, 신체적 요소의 부분 및 복합 감정의 나누기, 다양한 관계나 상황에 따른 전문 이중자아 등을 들 수 있다. 이 경우에는 이중자아들 간의 상호작용과 개별 이중자아와 주인공 간의 상호작용이 활발하게 진행된다. 둘째, 다중자아는 주인공의 표현이 매우 피상적이거나 저항이 심하여 제1의 이중자아만으로는 해결할 수 없을 때 그 이중자아에 대한 이중자, 다시 말해 제3, 제4의 이중자아를 동원하는 것이다. 이는 주인공의 내면 심층으로 깊이 들어가는 것으로서, 반드시 주인공의 동의가 필요하며 이때 이중자아 간의 상호작용은 생략된다.

관련어 | 이중자아 기법

다중지능
[多重知能, multiple intelligence]

지능은 단일한 능력요인 또는 다수의 능력요인으로 구성된다는 가드너(H. Gardner)의 다중지능이론에서 말하는 언어지능, 논리-수학지능, 시각-공간지능, 음악지능, 신체운동지능, 대인관계지능, 자기성찰지능 및 자연탐구지능을 가리킴.

발달심리 아동청소년상담

다중지능의 이론적 단서는 1970년대까지 지능이론과 실제, 측정에서 중심축을 이끌어 왔던 지능검사, IQ, 요인 이론에 대한 강렬한 비판과 함께 지능을 단일한 속성으로 개념화한 스피어만(Spearman)의 일반 요인(g-factor)에 대한 저항에서 출발하고 있다. 즉, 다중지능이론은 지능이 단일하다는 사고(일차원적 접근, one-dimensional approach)에서 벗어나 인간의 정신, 마음을 다원적이라는 시각(다원적 접근, multi-dimensional approach 혹은 pluralistic view)에서 접근하고 있다. 지능이 단일한 요인이라고 주장하는 스피어만의 일반 요인의 개념이나 지능검사 속의 문항을 푸는 능력을 통해 지능을 측정하려는 단순 접근법을 함께 거부한다. 인간의 지능은 다양한 얼굴(facets)을 갖고 있으며, 각 개인도 상이한 인지능력 및 인지유형을 지니고 있다는 신념에서 출발한다. 다중지능이론이 중요시하는 지능의 다원적 개념은 지능이 문화 의존적이고 상황 의존적이라는 성질을 강조하게 된다. 다중지능이론에서는 한 문화 · 사회에서 그들의 삶에 필요한 기능이 무엇이며, 어떻게 키워 나가는가 하는 자연적 정보를 중요시한다. 예를 들어, 사냥사회에서는 신체적 민첩성, 효과적으로 이동하는 능력, 자신을 둘러싼 자연환경에 대한 이해가 수계산 기능보다 더 중요하다. 중세 유럽의 도제제도에서는 신체적, 공간적, 대인관계적 능력에 보다 강조를 둔다. 반면에 오늘날의 서구사회에서는 언어적, 논리-수학적 기능에 더 강조를 두고 있다. 남태평양 뱃사공에게는 별자리를 보고 방향을 가늠하고 무질서하게 몰려오는 파도를 헤쳐 가는 능력이 더 중요하며, 이것이 그들에게 중요시되는 지능적 활동이다. 마찬가지로 과학자, 시인, 작곡자, 조각가, 외과의사, 엔지니어, 무용수, 운동경기 코치에게는 각기 다른 인지능력이 요구된다. 이것은 곧 지능이 한 가지가 아니라 여러 가지 종류임을 그리고 다양한 형태의 지능은 문화와 시대에 따라 그 중요성과 가치의 정도가 다르다는 것을 시사한다. 그리하여 가드너는 지능을 한 문화권에서 가치 있고 의미 있다고 여겨지는 특정 영역의 문제를 해결하는 능력 또는 특정 문화상황 속에서 가치 있게 여기는 어떤 결과(산물)를 만들어 내는 능력으로 정의하였다. 이러한 정의에 바탕을 둔 다중지능I이론은 다음 세 가지 원리를 내세운다. 첫째, 지능은 단일한 능력요인 또는 다수의 능력요인으로 구성된 하나의 지능으로 구성된 것이 아니라 서로 별개로 구분되는 다수의 지능으로 구성된다. 가드너가 제안한 다수의 지능이란 언어지능, 논리-수학지능, 시각-공간지능, 음악지능, 신체운동지능, 대인관계지능, 자기성찰지능 및 자연탐구지능의 8가지 종류이다. 그는 이러한 다수의 지능을 전제함으로써 각각의 지능을 구성하는 능력들이 서로 별개인 것을 강조하고, 또 각각의 지능은 그 자체가 하나의 독립된 체제(system)로서 기능하는 것이지, 소위 '지능'이라 불리는 상위체제의 일부로서 기능하는 것이 아님을 강조한다. 둘째, 이 지능들은 서로 자율적(독립적)이다. 다시 말해서 이론상 어떤 지능의 조건에서 평가된 능력들은 다른 지능의 조건에서 사정된 능력들을 예측할 수 없다. 즉, 인간은 다양한 종류의 내용에 대한 그의 능력은 있지만, 한 내용에 대한 그의 능력은 다른 내용에 대한 그의 능력과는 상관이 없다. 셋째, 지능은 서로 상호작용적이다. 각각의 지능이 서로 별개로 기능한다고 해서 그들이 다함께 작용할 수 없다는 것을 의미하지는 않는다. 가령, 가드너는 언어지능과 논리수학지능을 모두 필요로 하는 수학문장제 문제를 풀 때 두 지능의 기능이 서로 독립적이라 해도 다 함께 작용해야 문제를 풀 수 있다고 생각한다. 이와 같이 그는 지능의 다수의 지능으로 구성되어 있으며, 각각의 지능은 독립적인 기능이 존재하지만 지능의 요구되는 상황에서는 서로 상호작용하면서 작용한다는 사실을 밝혔는데, 이는 다중지능이론의 기본원리가 되었다. 가드너는 인지와 상징 사용능력의 발달과 손상에 대한 자신의 연구결과를 바탕으로 피아제(J. Piaget) 학파의 지능 견해에 어떤 결점이 있다고 생각했다. 가령, 피아제는 상징 사용의 모든 양상을 단일한 '기호적 기능(semiotic function)'으로 개념화하였지만, 가드너는 언어적, 수리적, 도형적, 동작적 및 기타 다른 종류의 상징체계에는 각각 별개의 심리적 과정이 관여하고 있음을 경험적 연구가 밝혀 주고 있다고 지적하면서 인간정신은 그것 자체가 모듈(module)이라고 주장한다. 그래서 하나의 상징을 능숙하게 다루는 사람이 다른 상징을 필연적으로 능숙하게 다루지 않으며, 또한 뇌손상 조건에서 하나의 상징사용 능력의 손상은 다른 상징사용 능력을 저하시키지 않는다고 간주한다. 가드너는 각기 다른 형태의 상징사용 능력은 대뇌피질의 각기 다른 부위에 의해 종속된다고 가정하고 있는데, 이는 단일 지능, 단일한 기호적 기능의 논리를 부정하는 것이다. 또한 가드너는 전통적인 지능이론과 학교형태의 상징사용 능력은 학업이나 검사상황에서 중요한 것이긴 하지만, 다른 형태의 상징사용 능력 역시 인간의 인지활동을 위해 중요하며 특히 학교 밖에서는 더욱 그러하다고 간주한다. 만약 그런 두 형태의 상징사용 능력만을 강조하는 지능검사를 사용한다면, 다른 형태의 상징사용 능력이 우수한 사람의 지능은 자연히 낮게 측정되므로 그런 검사는 지능-공평한(intelligence-fair) 검사가 될 수 없다고 주장한다. 가드너는 만약 다른 종류의 측정방법을 고안한다면 인간지능은 전혀 다른 프로파일(profile)을 보일 것이라고 주장한다. 요컨대, 인간의 지능은 하나의 요인이 아니라 여러 가지 요인들로 구성되고 각 지능요인들의 결합형태에 따라 개인의 독특성이 결정되며(지능의 다원성), 각 문화권마다 성인들의 일상생활에서 가치가 인정되는 지적 능력들이 다르기 때문에 지능이란 특정 문화권에서 중요한 문제를 해결하는 능력 혹은 문화적 산물을 창출해 내는 능력이며(지능의 문화적 상대성), 각 지능은 비교적 서로 독립적이기 때문에 한 영역의 지능이 높다고 해서 다른 영역의 지능이 높은 것으로 예언할 수 없으며(지능의 독립성), 전통적인 지능검사는 주로 언어적, 논리-수학적 영역에 국한되어 있고, 선다형이나 단답형과 같은 유형의 표준화된 필답고사는 다중지능 영역의 많은 부분을 설명해 줄 수 없기 때문에 수행평가나 상황에 기초한 보다 공정한 지능 평가도구가 만들어져야 한다는 것이(지능평가의 공정성) 다중지능이론의 기본 관점이라 할 수 있다. 인간에게는

IQ검사로 가늠하는 한 가지 지능만 있는 것이 아니라 개인이 따라 정도의 차이가 있을지언정 누구나 8가지 지능을 모두 갖고 태어나고, 사람에 따라 강점지능과 약점지능이 있는데 교육과 훈련을 통해 강점지능을 키워 주고 약점지능을 보강해 주어야 하며, 강점지능을 이용해 약점지능을 보완하고 계발해 주는 방법을 사용하는 것이 효과적이고 교육적이라는 것이 다중지능이론의 핵심이다. 개인의 다중지능 프로파일을 알면 학습지도나 진로지도에 도움이 될 수 있다.

언어지능 [言語知能, verbal/linguistic intelligence] 문학가나 언론인에게서 나타나는 재능으로 언어를 구사하고 말의 뉘앙스, 순서, 리듬, 의미에 대한 이해와 표현능력을 말한다. 이 영역에 높은 지능을 가지고 있는 사람들은 말하기를 좋아하며 이야기를 잘 만들고 글쓰기를 좋아한다. 이름과 장소, 날짜 등을 이유 없이 잘 외우는 사람들은 이 영역에 높은 능력을 가지고 있을 가능성이 높다. 학습의 과정에서 나타나는 대표적인 인지적 특성과 유형은 말하기, 토론하기, 글짓기다.

논리수학지능 [論理數學知能, logical/mathematical intelligence] 논리수학지능은 아인슈타인과 같은 수학, 과학, 논리 분야의 천재들에게서 발견되는 능력으로 논리, 추리, 문제해결, 분석, 수학적 계산과 관련된 재능이다. 연역적 및 귀납적 사고를 잘 하는 능력, 복잡한 수학적 계산과 사물 간의 논리성을 과학적으로 구성하는 추리능력, 추상적인 패턴과 관계들에 대한 인식능력 등이 포함된다. 이 지능이 뛰어난 사람은 실험을 좋아하고, 문제해결력과 사유기술이 돋보이며, 사건과 사물의 해석을 위하여 논리와 추론이라는 과정을 곧잘 따른다.

시각공간지능 [視覺空間知能, visual/spatial intelligence] 건축가, 기술자, 조각가, 미술가에게서 발견되는 재능으로 현상이나 사물을 시각적-공간적 표현방식으로 변형하거나 발전시킬 수 있는 능력을 말한다. 이 지능이 뛰어난 사람들은 색깔, 모양, 공간, 형태 등의 관계를 민감하게 파악하며 3차원적인 공간세계를 정확하게 이해하고 변형할 수 있다. 또한 그림 그리기, 만들기, 디자인하기, 배열하고 재편성하기를 좋아하며 자신에게 주어지는 정보나 아이디어를 그림이나, 이미지, 공간적 배열을 통하여 표현하는 데 관심을 둔다.

신체운동지능 [身體運動知能, bodily/kinesthetic intelligence] 운동선수, 무용가, 마술사에게서 나타나는 재능으로 외부의 자극과 정보, 문제를 자신의 육체를 통하여 인식하고 이해하는 능력과 자신의 신체적 동작을 완벽하게 통제하고 물체를 솜씨 있게 다루는 능력과 관련된다. 남들이 쉽게 하지 못하는 몸놀림이나 표현 등을 어렵지 않게 따라하거나, 만지기를 좋아하고 돌아다니기를 좋아하며, 몸의 제스처를 자연스럽게 사용하는 사람은 이 영역이 뛰어나다고 할 수 있다. 신체운동지능이 높은 사람은 여기저기 잘 돌아다니고, 이것저것 만져 보면서 이야기를 하고, 몸으로 자신의 감정을 표현하는 것을 좋아하고, 스포츠나 무용 혹은 손을 이용한 신체적 활동을 잘하며, 공이나 악기 같은 도구를 기술적으로 다루는 일에도 능숙하다.

음악지능 [音樂知能, musical/rhythmic intelligence] 작곡가, 연주가, 성악가, 지휘자 등 음악가에게서 발견되는 음악적 재능으로서, 자신의 감정을 음악적으로 잘 표현하며 소리가 갖는 다양한 특질인 높낮이, 리듬, 멜로디, 음색에 매우 민감하게 반응하고 표현할 수 있는 능력을 말한다. 여러 개의 음의 독특한 차이를 매우 정확하게 인식하거나, 남이 의식하지 못하는 주변의 소리자극에 매우 예민하게 반응하는 사람은 이 지능의 영역에 높은 능력을 가지고 있다고 볼 수 있다. 음악지능이 높다고 해서 무조건 악기를 잘 다루는 것은 아니며, 음악지능을 효과적으로 발휘할 수 있는 분야가 연주분야에 한정된 것은 아니다. 피아노의 정확한 음을 조율해 내는 것이나, 방송에서 나오는 효과음을 만들어 내는 것도 음악지능이 뛰어나야 할 수 있는 일이다.

대인관계지능 [對人關係知能, interpersonal intelligence] 카운슬러, 판매원, 석가나 간디, 소크라테스와 같은 종교인, 사상가 등에게서 발견되는 능력으로 사회성 지능(social intelligence)과 유사한 것이다. 다른 사람의 마음, 감정, 느낌을 잘 이해함으로써 다른 사람과 효과적으로 그리고 조화롭게 일할 수 있는 능력을 말한다. 타인의 마음의 현재 상태가 어떠한지 추론할 수 있고, 인간이 가지고 있는 상이한 감정의 다양한 특성을 잘 알고서 그에 맞게 올바른 대처양식을 개발할 수 있고, 여러 사람이 각각 공유하고 있는 차이점을 이해할 수 있으며 그에 근거하여 유창하고 세련된 의사소통 방식을 가지고 있다. 이 영역이 뛰어난 사람은 조직과 집단 내에 협동을 항상 유지하며, 특정 목표를 달성하기 위하여 집단을 형성하고, 리더십을 구사하며, 심지어 갈등이 유발되었을 때도 조정과 협상의 기술을 통하여 사태를 잘 마무리한다.

자기성찰지능 [自己省察知能, intrapersonal intelligence] 자신의 감정을 잘 알고 다스리는 사람, 신체적 컨디션과 행동을 잘 조절하는 사람, 종교인에게서 발견되는 능력으로 자신의 느낌, 장단점, 특기, 희망, 관심 등 자기 자신의 본 모습에 대하여 보다 객관적으로 그리고 심층적으로 잘 파악하고 이해할 수 있는 재능을 말한다. 자기성찰지능이 높은 사람은 자신의 성격, 감정상태와 변화, 행동의 목적과 의도에 대하여 명료한 평가를 내릴 수 있고, 자아에 대한 애착이 강하고 확신감도 강하기 때문에 독립적으로 문제를 해결하고 일하고자 하는 경향을 가지고 있으며, 자신을 위해 진지한 삶의 목표를 세우고 자아존중감이나 자기향상욕구도 강하다. 또한 자신의 몸과 정신상태를 누구보다 잘 알기 때문에 스스로를 적절하게 제어할 수 있다.

자연탐구지능 [自然探究知能, naturist intelligence] 자연탐구지능은 사물을 구별하고 분류하는 능력과 환경의 특징을 사용하는 능력을 말한다. 즉, 동식물이나 주변에 있는 사물을 자세히 관찰하여 차이점이나 공통점을 찾고 분석하는 능력이 자연탐구지능이다. 이 지능이 뛰어난 사람은 식물이나 동물을 좋아하고, 이를 잘 보존하기 위해 노력하며, 채집이나 자연관찰 등을 즐긴다. 또한 기후에 관심이 많거나, 날씨를 잘 예측하기도 하며, 자연과학에 대한 홍미와 더불어 환경보존에 대한 관심도 높아서 사회 주변에서 일어나는 각종 환경문제에 관심을 보이기도 한다. 누가 가르쳐 주지 않아도 화분이나 열대어를 잘 키우는 사람이나 애완동물이 유독 잘 따라는 사람도 자연탐구지능이 높은 것이다.

관련어 | 다중지능이론

다중지능검사 [多重知能檢査, Multiple Intelligence Scales: MIS]

유아기의 환경적인 욕구와 필요를 측정하는 지능검사.

심리검사

지능을 측정하기 위해 2006년 이종구, 현성용, 최인수가 개발한 검사로, 만 4~6세가 대상이다. 검사 시간은 약 20분이며, 검사주기는 1년에 2회(6개월 주기적 관리)다. 이 검사는 인간의 지능이 언어, 음악, 논리수학, 공간, 신체운동, 대인관계, 자기이해, 자연탐구 지능과 같이 독립된 8개 영역의 지능으로 구성되어 있으며, 다양한 지능의 조합으로 수많은 재능이 발현된다는 하워드 가드너(Howard Gardner)의 다중지능이론에 근거하여 만들어졌다. 유아기는 두뇌의 발달이 활발한 시기이므로 외적 환경을 유아의 욕구와 필요에 적합하게 조성해 준다면 유아의 인지기능뿐만 아니라 정서적 측면의 발달에 긍정적인 영향을 줄 수 있다. 따라서 다중지능검사를 통해 유아의 강점과 약점을 조기에 파악하여 유아의 강점은 강화하고 약점을 보완할 수 있는 보다 효율적인 방안을 마련하는 데 검사의 목적이 있다. 검사의 하위영역은 타당도, 음악지능, 신체운동지능, 논리수학지능, 공간지능, 언어지능, 대인관계지능, 개인이해지능, 자연탐구지능으로 이루어져 있다.

관련어 | 다중지능이론

다중지능이론
[多重知能理論, multiple intelligence theory]

미국의 하버드대학교 교수인 하워드 가드너(Howard Gardner)가 1983년에 소개한 개념으로, 인간의 지적 능력은 서로 독립적이고 상이한 여러 유형의 능력으로 구성되어 있으며, 상대적 중요성이 동일한 여러 하위능력이 서로 유기적으로 작용한다는 다차원적 지능 이론. 인지치료

가드너는 두뇌 손상을 입은 환자들의 상이한 인지적 능력을 연구하여, 인간은 서로 연관성이 적은 일곱 가지 영역의 다중지능을 가지고 있다는 결과를 소개하였고, 후에 두 가지 지능영역을 추가하여 모두 아홉 가지 하위영역으로 이론을 확대하였다. 그 특성 영역의 다중지능은 언어지능(linguistic intelligence), 논리수학지능(logical-mathematical intelligence), 공간지능(spatial intelligence), 음악지능(musical intelligence), 신체운동지능(bodily-kinesthetic intelligence), 대인관계지능(interpersonal intelligence), 개인내적지능(intrapersonal intelligence)의 일곱 가지에 자연지능(naturalist intelligence)을 추가한 다음, 다시 아홉 번째 지능으로 실존 지능(existential intelligence)을 소개하였다. 다중지능이론의 핵심은 다음과 같다(Armstrong, 1994). 첫째, 모든 개인은 이들 지능을 모두 가지고 있다. 이 이론은 어떤 사람에게 맞는 한 가지 지능을 결정하기 위해서 제시된 것이 아니라 여러 지능이 합해져서 독특한 방식을 가진 한 사람을 형성한다는 것이다. 둘째, 모든 사람은 각각의 지능을 적절한 수준까지 개발할 수 있다. 가드너는 사실상 모든 사람들이, 만약 적절한 여건(용기, 좋은 내용, 좋은 교육)만 주어진다면, 비교적 높은 수준의 성취를 할 수 있다고 보았다. 셋째, 이들 지능은 여러 가지 다양한 방식으로 함께 작용한다. 이들 여러 지능은 서로 협조하여 작용하는 것이다. 넷째, 각 지능영역 내에서도 그 지능을 향상시킬 수 있는 많은 방법이 있다. 다중지능이론은 개개인이 가진 독특한 지능을 발휘할 수 있도록 다양하고 풍부한 방법을 추구할 뿐만 아니라 각 지능 사이의 관계를 통한 지능 향상 방법을 추구한다.

다축평가
[多軸評價, multiaxial assessment]

내담자의 증상을 다양한 차원에서 평가하는 진단용 검사. 심리검사

DSM에서 사용되는 5개의 축을 따라 내담자의 증상을 다양한 차원에서 평가하는 것을 의미한다. 다축평가는 임상적인 정보를 조직화하고 의견을 교환하며, 임상적 상황의 복잡성을 파악하고 동일한 진단이 내려지는 개개인 간의 차이를 기술하는 데 편리한 형식을 제공한다. 이를 통해 치료자는 치료를 계획하고 결과를 예측할 수 있도록 다른 영역에서의 정보에 주의를 기울이게 함으로써 포괄적이고 체계적인 평가를 하는 데 도움을 준다. 하지만 DSM-5에서는 DSM-Ⅲ와 DSM-Ⅲ-R을 거쳐 DSM-Ⅳ에서 사용했던 다축 진단체계가 임상적 유용성과 타당성이 부족하다는 이유로 폐기되었다. 아울러 범주적 진단체계의 한계를 보완하기 위해서 차원적 평가를 도입한 혼합 모델을 적용하여 모든 환자의 주된 증상과 다양한 공병증상을 심각도 차원에서

평가하도록 수정하였다.

다측면 공정성 모델
[多側面公正性 -, multilateral fairness model]

가족들의 상호작용이 다양한 맥락의 측면에서 공정하게 이루어져야 건강한 가족이 된다고 보는 개념. 맥락적 가족치료

맥락은 존재들의 질서를 의미하며 이 질서는 세대를 지나면서 형성된 것으로, 변경이 불가능한 일정한 형태의 상호작용이 일어나고 있다. 개인이 이와 같은 질서를 선택하거나 바꿀 수 없으므로 맥락은 연역적이며 연역의 결론에 따라 가족이나 사회 구성원들은 일정한 방식으로 상호작용을 하게 된다. 부부관계는 서로 주고받는 관계라는 맥락을 가지고 있다. 주고받는 관계는 부부간에 존재하는 실존적 질서로서, 이 관계는 다양한 측면에서 이루어져야 한다. 예를 들면, 어떤 부부는 경제적 측면에서는 주고받는 것이 원활한데 정서적 교류 측면에서는 주고받는 관계가 제대로 이루어지지 않을 수 있다. 남편이 부인에게 정서적으로 너무 의존되어 있다면 부인은 항상 남편을 지지하고 충족시켜 주어야 하는 입장이 된다. 그러나 세월이 지나면 부인도 고갈되어 더 이상 남편을 지지하고 충족시켜 줄 수가 없을 수 있다. 즉, 정서적 측면에서 주고받는 관계가 형성되지 않은 탓에 부부간 상호작용 체제는 남편이 부인에게 지속적으로 공급만 받는 관계가 형성된 것이다. 한편, 부모와 자녀 간의 실존 질서는 일방적 돌봄의 관계다. 부모는 자녀가 자아를 형성해 나가는 동안 끊임없이 일방적 돌봄의 관계를 형성하고 있다. 그러나 부모 중 한 명 혹은 두 명 모두 자녀로부터 정서적으로 공급을 받으려 할 때가 있다. 이렇게 되면 자녀는 부모의 정서적 충족을 위해 자신에게 필요한 정서를 공급받지 못한다. 예를 들면, 부모가 화가 나면 아이들이 여러 가지 방법으로 부모의 화를 풀기 위한 노력을 한다. 그러나 정작 자신이 화가 날 때는 부모로부터 어떤 위로나 지지를 받지 못한 채 살아간다. 이러한 상황이 지속되면 아이는 정서적으로 고갈되고, 심하면 심리장애를 경험할 수도 있다. 맥락적 가족치료는 다양한 측면에서 실존의 질서를 지키면서 살아가는 데 도움을 주는 활동을 한다. 따라서 여러 측면에서 윤리를 가진 상호작용 체제가 되도록 해야 한다.

다행증
[多幸症, euphoria]

현재의 객관적인 상황과는 상관없이 심리적, 감정적으로 비정상적일 만큼 과도하게 느끼는 행복한 감정. 중독상담

다행증인 사람은 주변이 아무리 불행하고 비참하게 보여도 본인은 아무렇지 않은 것처럼 느긋하게 현실에 만족하는 자세를 보인다. 이러한 증상은 때때로 정신질환 환자나 노인성 치매, 전두엽 종양, 다발성 경화증, 알코올중독이나 약물중독 환자에게서 나타난다.

관련어 | 알코올중독, 중독

닥터 쇼핑
[-, doctor shopping]

자신의 병리적인 증상에 대한 의사의 진단을 신뢰할 수 없어 여러 병원을 찾아다니며 진단을 받는 행위. 개인상담

초기에 자신의 증상이나 문제를 해결하기 위해 진단을 받은 다음 의사를 믿을 수 없다는 인식이 강화되어 어떠한 의학적 소견에도 신뢰감을 갖지 못하고 여러 병원을 찾아다닌다. 상담분야에서 닥터 쇼핑은 내담자가 계속적으로 마음이 변해 상담자를 바꾸는 것을 말한다. 예를 들면, 자녀가 대인관계능력이 뛰어나지 못한 것에 대해 불안을 느끼는 부모

가 있다. 상담자가 상담과정에서 부모에게 부모의 불안이 자녀의 대인관계능력 저하에 영향을 끼친다고 언급할 때마다 그 부모는 다른 심리상담센터를 찾는다. 이때 그 부모는 "자녀와 부모는 지극히 정상적입니다. 아무 걱정도 하실 필요가 없습니다."라고 말해 주는 상담자를 만날 때까지 여러 심리상담센터나 클리닉을 돌아다닌다. 불안하면서도 현실을 직면하기가 두려워 거부하기 때문에 자신에게 오는 부정적 정보를 스스로 피해 버리는 것이다. 이는 자신이 처한 상황을 객관적으로 인식하고, 책임에 대한 두려움을 느끼기 때문이다. 닥터 쇼핑을 하는 내담자는 이중 삼중의 비용이 들기 때문에 시간적, 경제적 손실을 겪고, 더욱 불안해질 수도 있다. 따라서 상담자는 항상 내담자의 입장에 서서 이러한 불안을 감소시켜 주면서 서서히 현실을 보게 하는 배려와 소통이 필요하다.

단기치료

[短期治療, brief therapy]

비교적 짧은 기간 내에 이루어지는 심리치료. 개인상담

샤프(Sharf)에 따르면 상담회기가 30~40회기로 이루어지는 상담을 단기치료라고 한다. 내담자가 상담과정을 신뢰하고 자기성찰이 가능하며 변화할 준비가 충분이 되어 있다면 단기치료를 통하여 자신의 호소문제를 해결할 수 있다. 워닉(Warnick)은 다음과 같은 특성 중 하나 혹은 그 이상을 지닌 내담자는 단기치료로 자신의 상담목표를 달성할 수 있다고 하였다. 첫째, 호소문제를 지니고 있지만 비교적 정서적으로 안정된 사람들이다. 둘째, 뚜렷한 문제를 가지고 있다. 셋째, 자신의 문제를 해결할 수 없고, 그 문제를 지니고 살아가야 한다는 확신이 필요할 수도 있다. 넷째, 어떤 과정에 고착되어 있고, 좀 더 정상적인 생활로 회복되기를 원한다. 장기적 상담을 추구하는 정신분석가 중 알렉산더(Alexander)와 프렌치(French)는 상담기간을 줄이기 위하여 단기치료이론을 적용하려고 노력하였다. 이에 정신역동적 단기상담이 탄생하게 되었고 대표적인 단기상담 분석가는 발린트(Balint), 다반루(Davanloo), 말란(Malan), 루보스키(Luborsky), 스트럽(Strupp) 등이 있다. 특히 루보스키와 스트럽은 치료 매뉴얼을 개발하였다. 그리고 인지행동치료도 단기치료를 추구하고 있으며 상담과정에서 내담자에게 과제를 제시하여 빠른 시간 안의 변화를 강조하였다. 내담자가 자살, 죽음, 지진, 강간, 폭행과 같은 위기문제를 지니고 있는 경우에는 단기치료가 도움이 된다. 상담과정을 단기 또는 장기로 선택하는 것은 내담자 특성과 호소문제 등에 따라 절충된다. 단기 상담의 목표는 내담자가 가져온 상담목표를 존중하여 선택해야 한다. 즉, 단기상담의 목표는 자신의 문제를 이전보다 더 생산적으로 극복하고 미래의 어려움에 대처하도록 도와주는 것이다. 단기상담에서는 목표를 구체화하고 명확하게 하는 것이 중요하며, 상담자의 보다 더 적극적인 역할이 요구된다. 상담자의 적극적 역할이란 해석과 지시를 제공하는 것이 아니라 수행해야 하는 상담목표를 달성하는 데 필요한 행동들을 주의 깊게 계획해야 한다는 것이다. 그리고 장기상담보다 단기상담에서 내담자에 대하여 좀 더 민감해야 하며 상담의 진행과정을 꾸준히 평가하고 어떤 변화가 필요한지 늘 생각해야 한다. 결국 단기치료는 구체적인 문제를 명확히 하여 제한된 목표를 유지하고 명확하게 정의된 결과를 위한 작업에 초점을 두어 실시해야 한다. 퀵(Quick)은 해결중심단기치료를 '문제가 무엇인가?' '만약 그것이 유용하다면 그것을 좀 더 해라.' '만약 그렇지 않다면 하는 것을 그만두고 다른 것을 실행하라.'의 세 가지 원리로 설명하였다.

관련어 | 과제중심체제, 교정적 정서경험, 해결중심단기치료

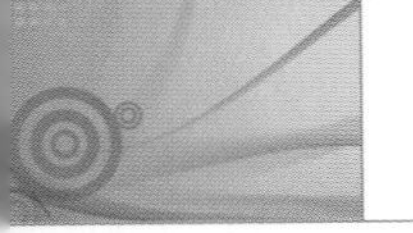

단기코칭
[短期-, brief coaching]

내담자가 원하거나 추구하는 것을 이루기 위해 상담자가 함께 목표를 설정하고 도와주고 지지하는 대화를 단기간에 진행하는 것. 해결중심상담

단기코칭은 주로 내담자가 자신의 목표에 집중할 수 있도록 도와줄 수 있는 특별한 기법을 사용하여 진행하며, 이러한 과정들은 내담자가 자신이 원하는 바를 이루어 나가는 데 다른 사람의 도움 없이도 잘해 나갈 수 있다는 자신감을 가질 때까지 지속된다. 단기코칭은 밀워키(Milwaukee)의 임상실천가인 스티브 드세이저와 김인수(Steve de Shazer & Insoo Kim Berg), 그리고 몇몇 사람들의 모임인 밀워키팀이 인공두뇌학(cybernetics)과 의사소통이론의 영향을 받아 발전시킨 것이다. 이들은 내담자들이 살아가는 데 지장을 주는 문제 자체보다는 그 문제를 해결하는 데 도움이 되는 것이 무엇인지에 더 큰 관심을 기울였다. 또한 내담자들에게 어떠한 것이 부족한지, 어떠한 것이 잘못되었는지를 분석하기보다는 문제를 해결할 수 있는 해결책을 찾는 방법을 개발하는 데 주력하였다. 따라서 내담자의 문제해결이라는 목적을 이루기 위해서 특정 이론이나 모델에 관심을 기울이지 않고, 단순히 무엇이 효과가 있는지, 혹은 무엇이 효과가 없는지 관찰하여 문제해결이라는 결과를 이끌어 내는 귀납적 과정이 단기코칭이 추구하는 주된 과정이라고 할 수 있다. 단기코칭의 중요한 특징 중 하나는 내담자가 이미 가지고 있는 기술이나 생각 또는 능력을 이용하는 것이다. 즉, 내담자의 부족한 부분을 코칭을 통해 채워 나가는 것이 아니라, 이미 가지고 있는 자원을 활용하여 문제를 해결해 나가는 데 집중한다. 이 같은 코칭이 이루어지기 위해서는 내담자의 문제가 무엇인지 원인을 파악하는 것보다는 그 문제를 어떻게 해결해 나갈 것인지 해결중심적인 접근을 적용해야 한다. 내담자가 문제를 해결할 수 있는 다양한 목표를 설정하고, 이를 성취하기 위한 계획을 세우며, 그 결과를 확인하여 격려하고, 강화하는 과정을 거친다. 이러한 문제해결의 과정을 단기코칭에서는 해결구축패러다임이라고 부르는데, 베르크와 서보(Berg & Szabo, 2011)가 제시한 주요 원리는 다음과 같다. 첫째, 내담자의 삶에 문제가 되지 않는 것이라면 고치려고 하지 마라. 단기코칭에서 문제해결을 위해 중요하게 생각하는 것은 어떤 방법이 효과가 있느냐 하는 것이지, 이미 내담자의 삶에서 긍정적인 효과가 있는 것을 발전시키거나 수정하려는 것이 아니다. 둘째, 시도하는 여러 가지 방법 중에서 어떤 것이 효과가 있다면 그것을 더 많이 하라. 문제를 해결하는 데 한 번이라도 효과를 나타낸 것은 반복하여 사용함으로써 긍정적인 효과를 이끌어 내는 방법을 계속해서 강화하는 것이다. 셋째, 문제해결을 위해 시도하는 다양한 방법 중에서 효과가 없는 것은 중지하고 다른 것을 시도하라. 효과가 없는 방법을 계속해서 반복하지 말고 새로운 방법을 찾는 데 집중해야 한다. 넷째, 변화는 끊임없이 일어난다. 인간의 삶은 불안정하고, 예측이 불가능하며, 계속해서 변화하는 특성을 가지고 있다. 따라서 상담자는 내담자의 삶 속에서 긍정적이든 부정적이든 반드시 변화가 일어난다는 것을 믿고, 이러한 여러 가지 변화 중에서 긍정적인 변화를 찾아내어 강화하는 데 집중해야 한다. 다섯째, 미래는 이미 결정되어 있는 것이 아니라 협상을 통해 이루어지고 창조된다. 내담자는 자신의 미래를 어떻게 만들어 갈 것인지에 대해 스스로 선택과 결정을 할 수 있고, 실제로 그렇게 하면서 자신의 삶을 살아가는 것이다. 따라서 상담자는 내담자의 긍정적이고 창조적인 선택과 결정을 최대한 이끌어 내도록 노력해야 한다. 여섯째, 내담자의 문제해결을 위한 작은 해결책이 큰 변화로 이어질 수 있다. 내담자가 성취한 최초의 작은 변화를 강화할 때 점점 큰 변화를 이루어 낼 수 있다. 단기코칭의 목표는 이러한 작은 변화를 통해 큰 변화를 이끌어 내는 것이다. 일곱째, 문제와 해결책 사이에 항상 직접적인 관계

가 있는 것은 아니다. 때로는 불합리하고 엉뚱해 보이는 방법으로 문제가 해결되는 경우도 있다. 여덟째, 어떤 문제도 내담자의 삶에서 항상 일어나지는 않는다. 내담자의 삶 속에는 그 문제가 늘 일어나는 것이 아니라, 일어나지 않는 예외상황이 언제나 존재한다. 아홉째, 내담자가 해야 할 것에 대해 이야기해 주기보다는 질문을 통해 해결방법을 생각해 낼 수 있도록 유도하라. 단기코칭에서 질문은 내담자와의 기본적인 의사소통이면서 동시에 문제해결을 위한 개입방법이 된다. 열째, 문제해결에 긍정적인 효과가 있는 것을 좀 더 칭찬하라. 내담자가 이미 잘하고 있는 부분을 칭찬해 주고, 새롭게 원하는 변화는 부드럽게 격려해 주는 기술이 필요하다.

단독극
[單獨劇, autodrama]

사이코드라마의 유형 중 하나로, 연출자 없이 주인공이 극을 직접 연출하는 드라마. 사이코드라마

영어 그대로 오토드라마라고도 불리는 이 극은, 주인공이 연출자가 되어 자신이 원하는 대로 극을 연출하고 행동하며, 직접 보조자아를 선택하여 실연을 지시할 수 있기 때문에 주인공의 내면에서 나오는 행동을 탐색할 수 있다. 따라서 오토드라마는 주인공의 심층적인 행위화의 준비작업으로 매우 유용하며, 또한 사이코드라마를 처음 접하는 사람들이 가질 수 있는 연출자의 지시나 통제에 대한 두려움을 감소시키는 데 유용하다.

관련어 일인극, 주인공

단순 피드백
[單純 -, simple feedback]

환경에서 들어온 정보에 의해 가족체계 내의 행동들이 단순히 활발해지거나 줄어드는 과정 전체. 전략적 가족치료

체계 안으로 들어온 정보가 체계 내 활동을 증가시키거나 감소시키는 과정을 단순 피드백이라고 한다. 이는 외부에서 들어온 정보 때문에 변화의 규칙이 더 확장되거나 활동적으로 되는 긍정 피드백과 유입된 정보 때문에 체계의 활동이 더 줄어드는 부정 피드백으로 분류한다. 긍정 피드백은 외부의 자극을 증가시키는 피드백이다. 예를 들어, 아이가 학교에서 좋은 성적을 받아서 집에 왔을 때 아이의 부모는 아이를 칭찬하거나 머리를 쓰다듬어 주는 행동을 한다. 이 경우 부모의 칭찬을 통해서 아이의 성적이 더욱 향상된다면 체계는 긍정 피드백을 통해서 아이의 성적이 더 좋아지도록 하는 결과를 초래한다. 한편, 부정 피드백은 항상성을 특징짓고 관계의 안정을 유지하기 위해 외부의 자극을 감소시키는 피드백을 의미한다. 예를 들어, 아이가 저녁에 밖에서 놀다가 집에 늦게 들어왔을 때 부모는 아이를 야단쳐서 다음부터는 늦게 들어오지 않도록 충고한다. 만일 야단맞은 아이가 다음 날 일찍 집에 들어온다면 부모는 아이의 늦게 들어오는 행동을 성공적으로 감소시킨 것이 된다. 이 경우 부모가 아이를 야단친 행위는 부정 피드백의 역할을 한 것이다. 긍정 피드백과 부정 피드백은 둘 다 체계 안의 근본적인 규칙은 변화시키지 않는 공통점을 지니고 있다. 이 둘은 정보가 체계에 들어와 작용할 때 체계가 그동안의 안정을 깨고 일탈을 향해 움직이려는 경향을 늘리는가 혹은 줄이는가에 따른 구분으로, 이 중 어떤 것이 더 바람직하다고 볼 수는 없다. 피드백을 통해서 가족들은 상호 간에 정보를 주고받으며, 이로 인해 서로의 행동을 통제하거나 확장하게 된다. 이때 어떤 종류의 피드백을 해야 하는지는 가족들이 가지고 있는 규칙에 따라 결정된다.

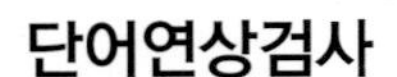

단어연상검사
[單語聯想檢査,
word association test, association test]

자극단어를 사용하여 개인의 무의식을 탐색하는 투사검사.
심리검사

개인의 무의식을 파악하기 위해 융(Jung)이 1903년부터 여러 해 동안 연구를 수행한 검사다. 피험자가 자극단어에 즉각적으로 마음에 떠오르는 단어로 반응하는 투사기법인데, 다시 말해 검사자가 단어를 불러 주면 피험자는 그것을 듣고 처음 떠오르는 단어로 반응을 보이는 것이다. 융은 무의식의 과정을 해명하기 위하여 이 기법을 사용하였고, 무의식에 대한 그의 이론적 연구는 부분적으로는 이와 같은 초기의 실험연구에서 유래한다. 융 및 켄트(Kent)와 로자노프(Rosanoff)의 검사에서는 100단어의 자극어를 제시하고 그것에서 무엇이 연상되는가를 요구하며 반응시간, 반응양식, 반응내용 등을 분석하여 피험자의 평균으로부터의 일탈이나 자극어와 관련된 갈등의 소재를 명확히 한다. 상담의 경우는 정신역동적 입장에서 사용되며, 예비면접에서 진단목적으로 사용된다.

단일대상연구설계
[單一對象研究設計,
single-subject research design: SSRD]

실험처치의 영향을 알아보기 위하여 한 개인 혹은 소수의 개인으로 구성된 단일 집단을 연구대상으로 하는 실험방안.
연구방법

통제집단 혹은 비교집단 없이 실험집단만 두는 단일대상연구설계는 개별 대상자의 행동변화를 증명하기 위해서 계획된 연구방법으로 단일피험자설계라고도 한다. 원칙적으로 개인을 대상으로 하는 연구지만, 소수의 개인으로 구성된 단일집단을 대상으로 실험하는 경우도 있다. SSRD는 특히 행동치료를 연구할 때 많이 이용된다. 하나의 사례에 초점을 두고 연구한다는 면에서는 사례연구와 같지만, 연구의 목적과 방법은 크게 다르다. 사례연구는 한 개인에 대한 종합적이고 심층적인 이해에 목적을 두고, 있는 그대로의 현실적 맥락을 중시하면서 질적 자료에 많이 의존하는 반면에, SSRD는 실험처치의 효과를 확인하는 데 목적을 두고 가능한 한 가외변인의 영향을 통제하기 위하여 노력하며 주로 양적 자료를 활용한다. 단 한 명의 피험자를 대상으로 실험연구를 할 때는 반드시 실험처치 전후에 종속변인을 주기적으로 반복측정하는 시계열 설계형식을 사용해야 한다. 왜냐하면 통제집단이 없으므로 실험처치의 효과를 알아보기 위해서는 처치 전과 후의 종속변인 측정값을 비교하는 수밖에 없기 때문이다. 그런데 처치 전후에 종속변인을 단 한 번씩만 측정하게 되면 내적 타당도를 위협하는 여러 요인을 통제하기가 어렵기 때문에 이러한 문제점을 극복하기 위하여 실험처치 투입의 전과 후에 각각 종속변인을 여러 번 측정한다. SSRD에서 실험의 내적 타당도를 높이기 위한 설계상 주요 특징은 다음 다섯 가지로 요약할 수 있다(이종승, 2009). 첫째, 신뢰할 수 있는 관찰이다. SSRD는 많은 행동관찰을 필요로 하는데, 만약 관찰이 신뢰할 만하지 못하면 처치효과를 제대로 알아보기 어렵다. 신뢰할 수 있는 관찰을 위해서는 관찰시간이나 관찰장소와 같은 관찰 조건을 표준화하고, 관찰자를 잘 훈련해야 하며, 관찰하고자 하는 표적행동을 명확하게 조작적으로 정의해 놓아야 한다. 둘째, 반복측정이다. SSRD의 가장 두드러진 특징 중 하나는 연구과정 전반에 걸쳐서 표적행동을 동일한 방식으로 반복해서 여러 번 측정한다는 점이다. 반복 측정을 함으로써 짧은 시간 간격 내에서 예상되는 행동의 변산을 통제할 수 있으며, 표적행동에 대한 분명하고 믿을 수 있는 기술을 할 수 있다. 셋째, 조건의 구체적 기술이다. 관찰하고자 하는 표적행동을 조작적으로 명확하게 정의하고, 행동이 관찰된 모든 조건을 정확하고 자세하게 기술해야 한다. 행동관찰의 조건이 분명하고 구체적으로 기술되지 않으면 다른 대상에게 적용하기가 어려워지며 결국 실험의 내적 타당도와 외적 타당도가 떨어진다. 넷째, 기초선과 처치기간의 길이와 안정성이다. SSRD에서 기초선과 각 단계별 시간 길이와 행동관찰 수는 거의 같아야 한다. 그렇지 않으면 결과의 해석이 어려워지고 내적 타당도가 낮아진다. 또한 표적행동은 안정된 형태가 나타날 때까지 충분히 관찰해야 한다. 표적행동에 상당한 정도의 변산이 있을 때 처치기간에 관찰된 행동의 변화가 자연적인 변산 때문인지 또는 처치효과 때문인지 분별하기 어렵기 때문이다. SSRD의 첫 번째 단계에서 안정된 양상이 나타날 때까지 표적행동을 관찰하게 되는데, 이 시기를 기초선(baseline) 단계라고 한다. 처치단계에서도 표적행동이 안정성을 보일 때까지 계속 처치를 투입하면서 행동을 관찰할 필요가 있다. 다섯째, 단일변인이다. 처치 기간에는 오직 하나의 변인만 변화시키도록 하는 것이 중요하다. 만약 2개 이상의 변인을 동시에 변화시키면 어떤 것이 결과의 원인인지 알 수 없기 때문이다. 이러한 특징을 가지고 있는 SSRD의 유형은 A-B식 설계와 다중기초선설계(multiple-baseline design)로 대별할 수 있다. A-B식 설계방식 중에서 가장 단순한 형태가 A-B 설계(A-B design)인데, 이는 피험자를 선발하여 기초선(A) 기간에 표적행동을 관찰한 다음 처치(B) 기간에 실험처치(중재)를 하면서 표적행동을 관찰하는 방식이다. A-B 설계는 내적 타당도가 낮기 때문에 다른 적당한 대안이 없거나 보다 엄격한 설계를 하기 위한 예비연구에서만 사용하는 것이 좋다. A-B-A 설계(A-B-A design)는 A-B 설계와 기본적으로 같지만 2차 기초선 조건이 추가된다는 점이 다르다. 2차 기초선은 실험처치 제공 이전의 조건으로 반전(reversal)되는, 즉 되돌아가는 단계다. A-B-A 설계는 내적 타당도가 비교적 높은 편이어서 표적행동이 처치조건에서 예상대로 변화하면 그 변화를 처치효과 때문이라고 결론내릴 수 있다. 하지만 처치조건이 철회되는 2차 기초선에서 실험을 마치기 때문에 처치 효과가 사라진 상태로 끝난다는 문제점이 있다. 이러한 문제점을 해결하기 위하여 두 번째 처치단계를 추가한 것이 A-B-A-B 설계(A-B-A-B design)다. 이는 처치효과를 두 번씩이나 보여줌으로써 연구의 결론을 한층 더 강화해 준다. 만약 처치효과가 두 처치 단계에서 동일하게 나타나면 실험결과가 다른 어떤 가외 변인의 영향 때문이라는 경쟁가설의 설 자리는 크게 줄어든다. 다중기초선설계는 여러 개의 기초선을 측정하여 순차적으로 실험처치를 하고, 그 외의 조건을 동일하게 함으로써 표적행동의 변화가 오직 실험처치만으로 나타난 것임을 입증하는 설계다. 다중기초선설계는 기본적으로 A-B식 설계의 논리를 적용하고 있지만 한 피험자의 한 가지 표적행동에 관한 자료를 수집하는 것이 아니라 둘 이상의 행동, 2명 이상의 피험자, 또는 둘 이상의 조건이나 상황에 관한 자료를 수집한다. 이 같은 방식으로 기초선 자료를 수집한 다음, 각각의 표적행동에 일정한 시간 간격으로 실험처치를 제공하는데, 이때 만약 실험처치를 받은 표적행동은 변화를 일으키고 처치를 받지 않은 표적행동은 기초선에 그대로 머물러 있다면 실험처치의 효과가 있었다고 추론할 수 있다. 다중기초선설계는 표적행동이 다수의 내담자에게서 나타날 때(예, 같은 교실에 있는 여러 학생들), 한 명의 내담자에게서 하나 이상의 문제행동이 보일 때(예, 교실에서 크게 떠든다거나 숙제를 하지 않거나 물리적 폭력을 가할 때), 아니면 한 명의 내담자가 나타내는 어떤 행동이 직장과 집 등 여러 상황에서 표출될 때 전문상담자에게 도움이 될 수 있다(Miltenberger, 2008). SSRD의 또 다른 유형으로 기준변동설계(changing criterion design)가 있는데, 이는 독립변인을 이용하여 종속변인의 점진적이고 단계적인 변화를 이루고자 할 때 사용한다. 예를 들어, 담배를 끊고자 하는 사람의 경우에 일시에 완전히 끊는 것보다 점진적으로 하루 동안 피우는 양을 줄여 가는 것이 보다

ㄷ

현실적인 목표가 될 것이다. 이러한 실험설계의 경우에는 미리 정해진 기준까지 표적행동의 변화가 일어날 때 실험처치의 효과가 입증되며, 단계적으로 기준이 변할 때마다 행동이 그 기준에 맞게 변화되는 것을 보여 줌으로써 실험처치 효과의 반복을 나타낸다. 그리고 교대처치설계(alternating treatment design)가 있는데, 이는 한 대상자에게 여러 실험처치를 교대로 제공하여 그 처치들 간의 효과를 비교하는 연구방법이다. 예를 들어, 하나의 처치 중에 내담자의 자기대화와 또 다른 치료로 저널쓰기를 이용하는 것처럼 둘 또는 그 이상의 처치효과를 평가하기 위해서 사용할 수 있다. 내담자가 하루는 실패에 대한 두려움을 제거하는 데 자기대화를 사용할 수도 있고, 또 다른 날에는 저널쓰기를 사용할 수도 있다. 두 가지 다른 처치에 대한 비교는, 어느 것이 실패의 두려움을 경감시키는 데 더욱 효과적인 방법인지 결정하기 위해서 내담자의 자기보고에 따른다. SSRD에서의 자료분석은 대부분 기술통계에 의존하고 연구결과에 대한 시각적인 이해와 판단을 보기 위하여 주로 도표로 제시하는 방식을 취한다. 전문상담자는 이러한 다양한 유형의 SSRD를 통해서 내담자와의 상담결과를 평가하고, 문서화하고, 의사소통할 수 있다. 이러한 연구방법론으로 전문상담자는 개인 내담자나 소규모 집단의 내담자들과의 특정한 상담개입의 효율성을 검토하는 것이 가능하다. SSRD 방법은 상담자에게 치료적 과정의 특성을 주의 깊게 탐색하는 방법을 제공해 주기도 한다(Heppner, Wampold, & Kivlighan, 2008). 또한 그 방법은 전문상담자에게 특정 사례에 대한 처치결과와 연구를 수행하는 수단이 되기도 한다. 더욱이 SSRD는 자료수집에 비용이 많이 들지 않고, 복잡한 통계를 적용하지 않아도 되며, 개별화된 중재에의 접근 가능성 때문에 많은 전문가(예, 학교상담교사, 특수교육 교사, 학교심리학자, 치료적 레크리에이션 치료사)가 점차 인정하면서 이용하고 있다.

관련어 | 기초선, 내적 타당도, 외적 타당도

단체 시
[團體詩, group poem]

참여자들이 함께 창작하는 시. 문학치료(시치료)

모든 참여자가 소속감과 함께 서로 접촉하고 있고 잘 알고 있다는 느낌을 가질 수 있도록 하는 공유된 순간을 진작시켜, 그 순간은 현재 참여하고 있는 사람 중 누구라도 빠져서는 안 된다는 느낌이 들게 만드는 것이 단체 시의 근간이다. 새로운 집단과 처음 작업을 할 때 주로 사용된다. 이 방법으로 기를 수 있는 응집력, 상호 존중, 소속감 등은 더 심도 있는 창조적 작업을 가능하게 해 준다. 단체 시는 집단 내 모든 사람이 참여하고 있고 서로에게 중요하다는 것을 표시해 주는 것이다. 따라서 그에 대한 영감, 개념, 구성 등은 집단이 함께 나누는 것으로 나타난다. 즉각적일수록 더 좋다. 단체 시를 쓰면서 집단 초기 창작과정을 거치면 서로에 관한 정보를 탐색하고 응집력을 높여 준다. 단체 시를 쓸 때는 원으로 둘러앉아 한 사람(주로 집단 리더)이 먼저 시작하고, 그다음 이어서 다음 행을 붙여 나가는 방식으로 시를 엮어 간다. 알파벳 시로 만들기 쉬운 이 단체 시는 집단 초기 어색한 분위기를 완화해 주고 의사소통을 원활하게 하며 저항을 약화시킨다.

단추 누르기 기법
[-技法, the push button techniques]

내담자에게 유쾌한 경험과 불쾌한 경험을 번갈아 생각하도록 하면서 자신이 감정의 창조자임을 자각시키는 상담기법. 개인심리학

아들러(Adler)의 창조적 존재에 관한 관점을 적용한 것으로, 내담자가 선택한 사건이나 기억에 따라 자신의 감정을 스스로 만들 수 있다는 사실을 깨닫게 하고, 내담자가 감정의 희생자가 아니라 감정의 창조자임을 알게 하는 데 중점을 둔다. 단추를

누르는 방법은 다음과 같이 진행된다. 상담자는 내담자에게 두 가지 단추, 즉 불행단추와 행복단추를 누를 수 있다고 말해 준다. 먼저 행복단추를 누르면서 자신이 경험했던 즐거운 일을 기억해 그와 관련된 감정을 자각하도록 하고, 그다음 불쾌한 이미지나 그런 감정들에 관한 일을 기억하면서 불행단추를 누르도록 한다. 또다시 행복한 사건을 상상하고 행복감을 다시 경험하라고 한다. 상담자는 내담자에게 행복단추와 불행단추를 집에 가지고 가도록 하면서, 앞으로 겪게 될 사건에 어떤 단추를 쓸 것인지는 자신이 통제할 수 있다고 말해 준다. 이 같은 경험을 통해 내담자는 자신이 생각하는 데 따라서 자신의 느낌을 통제할 수 있다는 것과 자기 스스로 자신의 감정을 바꿀 수 있는 힘이 있다는 사실을 알게 된다. 이 기법은 자신이 정서의 희생자라고 느끼는 내담자에게 효과적인데, 모서(Mosser)는 아들러의 단추 누르기 기법을 우울증 내담자에게 많이 적용하였다. 모서가 활용한 단추 누르기 기법은 다음과 같다. 상담자는 내담자의 특정 우울에 관해 먼저 간단히 언급을 하고 난 뒤, 3단계에 걸쳐 괄호 안의 지시문을 제시한다. (이것은 세 부분으로 된 실험입니다. 눈을 감아 주십시오. 세 부분 전부 마칠 때까지 눈을 감고 계십시오. 먼저, 당신의 기억을 더듬어 매우 즐거운 기억을 떠올리시기 바랍니다. 성공, 아름다운 일몰, 사랑받았던 기억……. 마치 그것을 텔레비전 화면으로 보고 있는 것처럼 당신의 눈앞에 투영시키십시오. 처음부터 끝까지 그것을 바라보면서 그 사건이 생겼을 때 느꼈던 감정을 느껴 보십시오. 시작하십시오! 얼마나 그것이 멋졌던가를 기억하십시오! 모두 끝나면 손가락을 들어 신호해 주십시오. 그러면 다음 부분으로 진행해 나갈 것입니다.) 내담자가 텔레비전 극장이 끝났다는 신호를 보내면, 두 번째 부분으로 넘어간다. (이제 기억을 다시 더듬어 보시기 바랍니다. 그리고 끔찍한 사건을 떠올리시기 바랍니다. 당신은 실패했고, 상처를 입거나 아팠습니다. 삶은 당신을 압박했고, 누군가 가 죽었고, 또는 굴욕감을 느꼈습니다. 마치 텔레비전을 보듯 처음부터 끝까지 바라보면서 그 사건이 일어났을 때 당신이 느꼈던 감정을 느껴 보십시오. 시작하십시오! 그 일이 얼마나 끔찍했었는지 기억하십시오! 그것이 끝나면 손가락을 들어 신호해 주십시오. 그러면 다음 부분으로 진행해 나갈 것입니다.) 손가락 신호를 하면, 상담자는 마지막 지시문을 제시한다. (이제 당신의 기억 속으로 들어가 다른 즐거웠던 기억을 떠올리시기 바랍니다. 만약 그러한 기억을 떠올릴 수 없다면, 처음에 떠올렸던 즐거운 기억으로 돌아가십시오. 텔레비전 화면을 보듯 처음부터 끝까지 바라보면서 그 사건이 일어났을 때의 감정을 느끼십시오. 시작하십시오! 얼마나 그것이 멋졌던가를 기억하십시오! 끝나면 눈을 뜨십시오.) 실험이 끝나면, 상담자는 내담자가 경험한 것에 대해 함께 이야기한다. 이 경험으로 내담자는 자신이 희생자이거나 무기력하거나 절망적이거나 혹은 통제가 결여된 것이 아니라는 것을 깨닫는다. 이 같은 경험은 내담자에게 희망을 주고 우울을 제거하는 데 오랜 시간이 걸린다는 비관적인 생각에서 벗어나게 한다. 만약 내담자가 행복한 감정을 느낀 후에 다시 불행한 생각이 떠오른다고 하면, 오랜 습관을 바꾸는 데는 연습과 시간이 필요함을 알려 주고, 저절로 잘 될 때까지 더욱 열심히 연습해야 한다는 것을 말해 준다.

단회상담

[單回相談, single session counseling]

상담회기가 1회인 상담. 개인상담

단회상담은 상담자와 내담자가 단 한 번의 면 대 면 만남을 하고, 1년 이내에 어떠한 사전과 사후의 회기를 가지지 않는 상담을 말한다. 즉, 단 한 번의 만남으로 도달 가능한 상담목표를 정하여 문제해결 중심의 절충적 접근을 하며, 1회로 종결되는 개인상담이다. 이는 캘리포니아의 Palo Alto의 단기상담센터에서 단기상담모델의 4단계 모듈을 단일 회기에 연속적으로 실시하여 단회상담의 가능성을 확인해 본 연구에서 출발하였다(Littrell, Malia, Nichols, Olson, Nesselhuf, & Crandell, 1992). 단회상담은 고등학생을 대상으로 한 학교상담장면에서 행동 지향적인 상담전략을 적용하는 경우에 특히 도움이 되었다. 일반적으로 단회상담에 적합한 유형은 환경적인 요인에 따라 급성으로 발생하는 문제로 고통을 받는 내담자, 이전에 양호한 적응능력을 가진 경험이 있는 경우, 대인관계에서 다른 사람들과 양호한 관계 형성의 능력이 있는 경우, 상담에 대한 동기가 높은 내담자, 주요 호소문제를 구체적으로 표현할 수 있는 내담자 등이다(이장호, 1991). 반대로 단회상담에 부적합한 유형은 자살시도 경험이 있는 경우, 심각한 수준의 정신장애, 뇌손상을 입은 내담자, 인격장애, 신경성 식욕 부전증 및 폭식증, 주의력결핍장애, 아동발달장애, 광장공포증, 건강염려증, 신체형 통증장애를 가진 내담자를 들 수 있다. 내담자는 단회상담을 통하여 이론상으로도 예측할 수 없을 만큼 눈에 띄는 변화를 경험하기도 하며, 단회상담을 통해 많은 진전을 보이고 만족스러워했다는 결과를 얻은 바 있다(Talmon, 1990). 단회상담의 원리는 핵심 문제를 신속하게 파악할 것, 내담자의 강점을 부각시키고 내담자와 함께 인정할 것, 단회상담이 가능한 사례인지 신속히 판단할 것, 시간관리와 사례운영에서 상담자의 높은 전문성이 필요하면서도 내담자가 주도하여 적극적으로 움직이도록 하는 내담자중심적인 상담의 필요 등이다. 단회상담의 과정은 다음과 같다. 첫째, '내담자의 문제 규명' 단계에서는 내담자가 현재 가지고 있는 문제를 내담자의 표현으로 말하게 하고 이를 분명하게 확인한다. 둘째, '문제해결을 위한 기존 시도 탐색'에서는 내담자가 문제를 해결하기 위해 이미 시도해 본 모든 방법과 노력을 탐색하고 실패요인을 확인하여 새로운 상담목표와 해결책을 찾아내고 선택하는 데 참고한다. 셋째, '구체적이고 제한된 상담목표 설정'에서는 단회로 해결할 수 있는 정도의 구체적이고 작은 목표를 설정한다. 넷째, '목표달성과 행동변화를 위한 과제제시'에서는 단회상담이 종결된 다음에 내담자가 생활 속에서 목표달성을 위해 새로이 해 볼 것을 과제로 제시한다(Fisch, Weakland, & Segal, 1982). 한편, 단회상담의 한계는 다음과 같다. 첫째, 단회상담을 제대로 적용하기 위해서 상담자는 효과적이고 다양한 상담기법을 잘 알고 있어야 하며, 이러한 기법들을 내담자의 성격과 문제, 그리고 상황에 따라 적절하게 구사할 수 있어야 한다. 둘째, 제한된 상담시간 때문에 상담에 다소 지시적인 방법이 사용될 수도 있으므로 비지시적인 상담을 강조하는 인본주의적 입장의 상담자에게는 큰 문제가 될 수 있다.

관련어 | 단기치료

담론

[談論, discourse]

대부분의 사람들이 지지하고 있는 의미나 생각, 가치체계, 해석, 세계관 혹은 많은 사람들이 사용하는 언어의 집합체 등을 일컫는 말. 이야기치료

레이첼 헤어 머스틴(Rachel Hare-Mustin, 1994)은 담론이란 진술, 실천, 보편적 가치를 공유하는 제도적 구조체제라고 정의하였다. 즉, 사람들이 보편적으로 생각하고 상식적이라고 생각하는 가치관 혹은 세계관 등을 포함하는 개념이 담론이며, 사람들은 이 담론에 입각해서 경험과 현상을 생각하고, 해석하고, 판단하고 행동의 방향성을 설정한다. 이야기치료에서 담론이란 내담자의 삶의 이야기를 지지하고 있는 사회문화적인 혹은 개인적인 해석이나 의미, 근거, 영향력 등을 가리킨다. 이러한 담론들은 내담자가 다른 사건들을 해석할 때 이전과 비슷한 방식으로 해석하도록 유도하는 영향력이 있다.

예를 들어, 학교에서 다른 친구들의 물건을 자주 훔치는 아이에 대해서 '부모님의 관심을 끌려고 하는 행동'이라는 진단을 내린다면, 이것이 바로 물건을 훔치는 그 아이의 행동의 근거를 지지하는 부모나 선생님의 담론이 되는 것이다. 이러한 담론은 그 아이가 다른 이유로 물건을 훔치는 경우가 생겨도 계속해서 '부모님의 관심을 끌기 위해서'라는 해석을 내리도록 유도한다. 담론은 개인적인 차원에서도 형성될 수 있다. 내담자가 '나는 몸이 약해서 힘든 운동은 하지 못한다.'는 담론을 가지고 있다면, 운동을 할 수 있는 모든 기회들 앞에서 이러한 담론의 영향으로 머뭇거리게 된다. 담론을 찾아서 이를 인식하도록 하는 작업은 이야기치료에서 구조화된 지배적 이야기(dominant story)를 드러내고, 그 지배적 이야기가 어떻게 형성되었는지를 이해하여 삶 속에 미치는 영향력을 인식하는 데 중요한 수단이 된다. 또한 담론의 인식은 지배적 이야기의 재구조화(reconstruction)를 가능하게 만드는 계기가 된다.

관련어 | 내재화된 담론, 재구조화, 지배적 이야기

담배
[-, tobacco]

남아메리카가 원산지이며, 다 자란 높이가 1.5~2미터가 되는 가짓과 식물. 중독상담

담배의 원어인 'tobacco'는 옛날 아메리카 대륙의 원주민이 담배를 파이프에 물고 피운 것을 보고 '타바코(tobacco)'라는 이름을 붙였다는 설이 있다. 담배는 16세기 초에 약초로 유럽에 전해지기 시작한 이래, 곧 그 사용이 사회 관습으로 널리 보급되어 오늘날까지 지속되고 있다. 19세기 미국인이 사용한 것은 대부분 씹는 담배였으며, 극소수의 사람들만 피우는 담배를 사용하였다. 20세기에 이르러서는 피우는 담배가 씹는 담배를 대신하였고, 1950년대에는 제2차 세계 대전에서 귀환한 재향군인들에 의해 궐련을 피우는 것이 국민적 습관이 되었다. 그러다가 1960년대와 1970년대에 건강에 대한 흡연의 위험성이 문서화되어 발표되자 사람들은 다시 씹는 담배나 무연담배를 이용하기 시작하였다. 담배는 원래 기호식품으로 인식되었지만, 1988년 미국의 공중위생국 장관이 니코틴 의존이 헤로인이나 코카인과 같은 약물중독과 유사하다고 말한 이후 새로운 중독 문제로 제기되어 왔다. 담배 속에는 적어도 2,550개 이상의 화학물질이 들어 있는데, 불을 붙이면 4천개 이상으로 증가한다. 담배의 연기는 작은 액체방울과 가스로 이루어져 있고, 액체방울 속에는 타르가 들어 있다. 타르는 끈적끈적한 암갈색의 물질로 육안으로도 관찰이 가능해서 담배연기를 깨끗한 흰 천에 뿜으면 색깔이 누렇게 변하는 것을 볼 수 있다. 연기 속의 가스에는 산소, 질소, 포름알데히드, 시안화수소, 황화수소, 암모니아, 아크롤레인, 일산화탄소 등의 화학물질이 포함되어 있다. 이 물질 중에서 니코틴이 중독을 야기하는 물질이다. 니코틴은 인체 내에서 심박동수 증가, 혈압 상승, 타액분비 증가, 뇌자극 등의 반응을 가져온다. 흡연의 습관은 대부분 청소년 시기에 시작된다는 것이 많은 위험성을 내포하는데, 폐암 등의 질병에 걸릴 확률이 25세 이후에 흡연을 시작한 사람보다 위험성이 3배나 높고, 청소년 흡연이 다른 약물 사용이나 비행행동으로 발전하는 시작점이 될 수 있다.

관련어 | 니코틴

담아두기훈련
[-訓練, container exercise]

화와 분노를 다루기 위해 일정하게 구조화된 표현을 사용하도록 하는 방법. 이마고치료

담아두기훈련은 부부가 자신의 화와 분노를 표현할 때 일정한 약속과 구조화를 통해서만 표현할 수 있도록 하는 것이다. 이러한 표현방법을 습득하기

는 힘들지만 이를 통해 배우자는 안전감을 느낄 수 있고 진정한 치유의 길로 나아갈 수 있다. 이마고 부부치료에서는 분노나 화를 그 자체로 보는 것이 아니라 어린 시절의 상처에 대한 증상으로 보고 있다. 만약 한 배우자가 화가 났다면 상담자는 상대 배우자에게 화를 받아들일 준비를 시킨다. 하지만 상대 배우자가 느낄 수 있는 위협감에 대비해 상담자는 상대 배우자에게 해당 배우자와의 사이에 작은 구멍이 있는 유리 칸막이가 있으니 배우자의 말을 들을 수는 있어도 안전하다는 것을 강조한다. 그러고 나서 화를 내는 배우자가 충분히 자신의 분노를 표현할 수 있도록 상담자가 도움을 준다. 이는 배우자가 속에 갇힌 에너지를 폭발할 때까지 상담자가 함께함으로써 고통을 깨트리는 경험을 하도록 만들기 위해서다. 대개의 경우 분노폭발의 단계를 거치고 난 사람은 종종 눈물을 흘리며 슬픔으로 나아간다. 이는 분노 아래에 있는 상처가 건드려졌음을 의미한다. 이에 대해 상담자는 배우자에게 자신의 상처에 대해 이야기하도록 하고 부부간에 이마고 대화법을 통해 상대 배우자는 반영과 인정하기를 하도록 한다. 이 과정을 통해 화가 난 배우자의 모습이 어린 시절의 상처 입은 아이로 바뀌어 상대 배우자는 배우자를 이해하게 되고, 나아가 안아주기나 행동수정요청으로 연결될 수 있다.

관련어 | 안아주기, 행동수정요청

담아주는 자/담기는 자
[–, container/contained]

유아와 어머니, 남자와 여자, 또는 개인과 사회 등 어떤 관계이든 간에 둘 혹은 그 이상의 사람들이 맺는 관계의 기초.

대상관계이론

비온(W. Bion)이 투사적 동일시 과정 중의 하나인 담아내기를 설명하기 위해 사용한 개념이다. 비온은 클라인학파의 분열과 투사적 동일시 개념을 집단심리와 정신증적 사고에 적용했는데, 집단구성원의 상황을 일종의 초기 정신기능의 단계로 퇴행한 것이라고 파악하였다. 그는 이 단계에서 정신증적 불안과 그 불안에 대한 원초적인 방어라고 할 수 있는 투사적 동일시와 분열이 활성화된다고 하였다. 클라인(M. Klein)은 분열 편집적 양태에서 나타나는 유아의 심리적 과정을 설명하기 위해 분열과 투사적 동일시라는 개념을 사용하였다. 유아는 자신의 내면에서 그를 파괴하고자 위협하는 내면의 '나쁜 대상'을 제거하려고 한다. 이때 나쁜 대상은 자신의 내면에 있기 때문에 그것이 속한 자신의 나쁜 부분을 분리하여 다른 사람, 즉 주된 양육자인 어머니에게로 투사한다. 이제 어머니는 자신의 나쁜 부분을 가져갔기 때문에 어머니라는 독립된 대상으로 느껴지지 않고 나쁜 나로 여겨진다. 이렇게 원하지 않는 자신의 일부분을 분리하여, 투사하고, 조정하고, 소유하고자 하는 과정을 투사적 동일시라고 한다. 비온은 클라인의 투사적 동일시 개념을 정교화하고 확장하였다. 개인은 알파요소와 베타요소를 가지고 있는데, 베타요소는 아직 처리되지 않은 원시상태의 감각, 감정, 인식으로 무의미한 것이다. 유아에게는 이러한 베타요소를 처리할 수 있는 심리적 장치가 없기 때문에 불쾌감이 유발되고, 그 결과 베타요소를 다른 대상에게 투사한다. 이때 그 대상이 환상능력이 있을 경우 그는 자신에게로 투사되어 오는 것을 담아내고, 동일시하고, 변형시켜 보다 견딜 수 있는 형태로 만든 다음 유아에게 되돌려 준다. 유아, 즉 담기는 자는 자신이 통제할 수 없는 감정을 부모에게 투사하여 이것을 어머니, 즉 담아주는 자가 담아내도록 한다. 예를 들어, 아동은 죽음의 공포를 담아낼 능력이 부족하다. 그는 공포와 공포를 느끼는 자신을 어머니에게 투사한다. 환상능력과 이해력을 갖춘 어머니는 아동이 처리하려고 애쓰는 두려움의 감정을 충분히 경험할 수 있으며 동시에 균형을 잃지 않고 상황을 객관적으로 바라볼 수 있다. 어머니에게 자신의 공포를 투사하고 어머니가 그 공포를 경험하게 함으로써 아동은 자신이 느끼는 두려움을 어머니와 공유하며, 어머니로부터 이해받았다고 느낀다. 이러한 관점에서 투사적 동일시는 한 사람의 심리 내적 환상이 아니라 두 사람의 심리 사이에서 일어나는 관계적 상호작용이라고 볼 수 있다. 이와 같이 투사적 동일시는 유아가 어머니와의 관계에서 사용하는 소통의 방식이며, 자신의 나쁜 감정을 처리하는 방어의 한 형태다. 비록 원시적이기는 하지만 대상관계로서의 투사적 동일시는 유아의 심리적 성장을 촉진하는 중요한 기능을 담당한다. 만약 어머니가 담아 주는 자로서 적절한 역할을 하지 못할 경우, 유아는 자신이 느끼는 파괴적 소망이 자기 자신뿐만 아니라 어머니에게도 위협적인 것이라고 확신하게 된다. 그 결과 유아는 나쁜 감정은 반드시 제거되어야만 한다는 확신을 강화하게 되고, 투사되어 온 유아의 감정을 처리하는 어머니의 병리적인 방식을 유아가 스스로 내면화한다. 반면에 어머니 자신을 불쾌하게 만드는 유아에 대해 때로 화가 날 수 있다는 점을 수용하고 그러한 화를 행동화하지 않고 처리할 수 있다는 자신감을 갖고 반응할 경우, 투사물은 상호작용을 통해 유아에게 재내면화되어 건강한 심리적 발달에 기여한다. 한편, 상담장면에서는 상담자가 내담자의 투사적 동일시를 어떻게 처리하는가에 따라 치료효과에 영향을 미친다. 상담자가 내담자로부터 투사된 것에 대해 너무 경직되거나 너무 유약하게 반응하지 않을 때, 투사적 동일시 과정은 내담자의 내면적 갈등과 고통스러운 감정을 이해하는 데 도움이 된다. 마치 어머니가 유아의 감정을 유연하게 담아내듯이 상담자도 내담자가 투사한 내용을 적절하게 담아낼 수 있다.

관련어 베타요소, 알파요소, 투사적 동일시

당김음, 싱커페이션
[-, syncopation]

음악에서 선율 진행과정 중 센박과 여린박의 순서가 바뀌어 센박의 위치가 여린박이 되고 여린박의 위치가 센박이 되는 현상. 음악치료

당김음이란 멜로디가 흘러가는 중에 한 마디 내의 센박과 여린박의 순서가 바뀌면서 원래 여린박이 되어야 하는 부분이 센박이 되는 현상을 말한다. 예를 들어, 4분의 4박자에서 원래는 첫 박과 세 번째 박이 센박이고, 두 번째 박과 네 번째 박이 여린박인데, 마지막 네 번째 박이 다음 마디의 첫 박과 동일한 높이가 되면서 이음줄로 이어져 있을 때 그 박은 센박이 될 수 없고, 그다음 나오는 음이 센박이 되는 것과 같은 현상이다. 혹은 센박에 쉼표가 붙거나 여린박에 악센트가 붙는 경우도 당김음 현상이 일어난다. 당김음 현상은 전형적인 센박 여린박의 순서를 이탈시켜 멜로디의 흐름에 기대치 못한 방법을 제시하여 리듬의 다양성을 이끌어 내는 효과가 있다. 당김음은 유럽 등지에서 약 15세기경부터 음악에 사용되면서 중세의 작곡에서 중요한 요소로 부각되기도 하였다. 바흐, 헨델, 모차르트, 베토벤, 슈베르트 등도 당김음을 사용하였다. 이 효과를 많이 사용하는 음악장르는 재즈, 삼바 등의 라틴 음악과 펑크, 랩, 전자댄스 음악 등이다. 현대에는 대부분의 음악장르에서 당김음이 리듬의 주요 요소가 되어 있다.

당위
[當爲, must]

합리정서행동치료

⇨ '당위적 사고' 참조.

당위적 사고
[當爲的思考, should thinking]

합리정서행동치료의 창시자인 엘리스(Ellis)가 소개한 개념으로 지속적인 당위적 조건이 없음에도 불구하고 그것을 기대하는 사고 또는 요구. 합리정서행동치료

당위적 사고에는 대표적으로 세 가지 범주가 있다. '자신에 대한 당위' '타인에 대한 당위' '세상에 대한 당위'가 그것이다. 자신에 대한 당위적 사고에는 '항상 내가 모든 일을 주관해야 해.' '나는 실수를 하면 안 돼.' '나는 완벽하게 일을 처리해야 해.' 등이 있다. 타인에 대한 당위적 사고는 당위적 사고의 방향이 다른 사람을 향하는 것이다. 내담자들은 '나쁜 일을 한 사람은 반드시 처벌을 받아야 해.'라고 생각하거나 또는 '어떻게 사람들은 그런 식으로 행동하지?', 그리고 '왜 사람들은 그런 식으로 행동하지?'와 같은 의문을 갖는 경우가 많다. 이 당위에 대해서는 세 가지 측면에서 논박을 한다. 첫째, 다른 사람도 자유의지가 있다는 점이다. 둘째, 우리는 다른 사람의 의지에 대한 완벽한 통제력을 가지고 있지 않다는 점이다. 셋째, 다른 사람의 행동을 통제하기 위한 시도에 흔히 부정적인 결과가 밀착되어 있다는 점이다. 타인의 행동에 대한 이유를 이해하는 것은 내담자가 그 행동에 관해 관용적이 되도록 도움을 주는 데 중요한 단계다. 그러나 타인의 행동을 이해하는 것은 변화를 유도하지는 않는다. 왜 다른 사람들이 그런 식으로 행동하는지에 관계없이 그들이 여전히 자기 방식대로 행동하기 때문이다. 이 세상에는 절대적으로 옳게 보이는 것도, 그렇다고 절대적으로 그릇되게 보이는 것도 없다. 단순히 상황에 따라 결정된 선택이다. 예를 들면, '타인은 나를 공정하게 대우해야 하며, 가족은 나를 사랑해야만 한다.' 등이 있다. 상황에 대한 당위적 사고에는 '어쨌든 반드시 좋은 결과가 나와야 해.' '모든 것은 공정해야 해.' '원칙은 꼭 지켜져야 해.' 등이 있다. 이러한 '~해야 한다.'는 식의 당위적 사고를 발달시킨 사람은 지속적인 당위적 조건이 없음에도 불구하고 그것을 기대하면서 그렇지 않을 경우 화를 내거나 부적절한 행동을 한다. 예를 들면, 상담자는 흔히 "어떻게 그런 일이 있을 수 있죠? 그런 상황은 절대로 일어나서는 안 됩니다. 그것은 공정하지 않고 저를 화나게 합니다."라는 이야기를 내담자로부터 듣는다. 이때 상담자는 "세상은 자신이 원하는 대로 돌아가지 않는다. 그리고 세상은 상당히 복잡하고 알 수 없는 이유로 돌아가기도 하며, 또한 한 개인을 위해 세상이 달라질 필요도 없다."라는 기본적인 논박을 할 수 있다. 이 세 가지 당위적 사고에서 나오는 여러 가지 변형된 사고로는, 자기비하(self-downing), 파국화(catastrophizing), 비난(damnation), 낮은 인내심(can't-stand-it), 과일반화(overgeneralization) 등이 있다. 내담자는 이러한 당위적 사고에서 벗어나 자신이 가지고 있는 유일한 통제력은 오직 자기 자신에 대해서만 발휘할 수 있다는 사실을 깨달아야 한다.

당황스러운 상황 기법
[唐惶-狀況技法, embarrassing situation technique]

주인공이 경험했던 당황스러운 상황을 이야기하도록 하는 것. 사이코드라마

연출자는 주인공의 이야기에서 사소한 것도 놓치지 않고 탐색해야 한다. 사소한 것에 주인공의 기본적인 생활양식이 표현되기 때문이다. 주인공은 드라마를 통하여 자신이 어떤 역할을 수행할 때 당황하는지 깨닫게 된다. 주인공은 당황스러운 사건을 이야기하고, 집단에서 선택된 사람, 혹은 여러 집단원이 동일한 상황을 연기한다. 이를 보면서 주인공은 자신이 그 상황을 어떻게 받아들일 때 당황하지 않을 수 있는지 깨닫게 된다. 즉, 자신에게는 당황스러운 사건이 다른 사람에게는 어떻게 받아들여지고 다루어지는지 지켜본 다음 느낀 점을 나누면서 주인공은 자신의 문제해결방식을 돌아보게 되는 것이다.

대가교환
[代價交換, bartering]

상담을 한 뒤 내담자가 상담료를 돈이 아니라 물건이나 다른 서비스와 교환하는 일. 상담윤리

내담자가 상담료를 현금으로 지불하지 않고 다른 서비스와 교환하는 것으로 계약하고자 하는 경우가 있다. 이러한 계약은 자칫 상담자와 내담자 간의 갈등을 유발할 수 있기 때문에 양쪽 모두에게 문제가 될 소지가 크다. 예를 들어, 상담료 대신 내담자가 상담자의 집에서 요리를 하거나 청소를 한다면 이중관계를 형성할 수 있으므로 윤리적 문제를 낳는다. 또는 상담료 대신 다른 서비스를 제공했지만 그 가치에 대하여 상담자와 내담자의 견해에 차이가 있다면 갈등이 일어나 상담관계나 치료적 동맹에 흠이 생길 수 있다. 하지만 사회문화적 배경에 따라 이 같은 교환계약은 다르게 적용될 수 있다. 어떤 사회에서는 교환이 허용되면서 일반적일 수 있기 때문이다. 대가교환은 여러 가지 문제를 야기할 수 있으므로 허용하지 않으려는 경향이 있지만 재정적 어려움을 겪고 있는 내담자에게는 상담료를 할인해 주거나 대가교환을 통해서 심리적 서비스를 받도록 해야 한다고 강조하고 있다. 이는 경제적 가치보다는 내담자의 복지 또는 내담자의 최상적 유익을 우선하는 것이 좀 더 높은 기준이 되어야 한다고 보는 입장이다. 이렇게 부득이 대가교환을 하는 경우에는 다음과 같은 사항을 유념해야 한다. 첫째, 대가교환으로 인한 상담진행 과정과 상담자의 수행능력 등에 미치는 부정적인 영향에 대하여 내담자와 함께 충분히 평가하고 이해하며 숙지한다. 둘째, 내담자와 함께 물품이나 서비스에 대한 가치를 결정한다. 셋째, 대가교환을 유지하는 기간, 종료시점, 재협상 시점, 합의내용 등을 문서화한다. 즉, 상담자와 내담자가 투자하는 시간 및 계약과 관련된 모든 항목을 상세하게 기록한다. 이 과정은 상담자가 자신을 방어할 수 있는 수단이 될 수 있다. 넷째, 대가교환 과정에서 문제나 오해가 발생하면 상담자와 내담자가 아닌 제삼자가 중재하여 그 문제를 다루어야 한다. 다섯째, 대가교환을 하기 전에 경험이 많은 동료나 수퍼바이저 또는 정신건강전문가 단체에 자문을 구한다. 그런 다음 자문을 받은 내용은 반드시 문서화한다. 미국의 여러 학회에서는 대가교환에 대한 윤리 규정을 제시해 두고 있다. 미국상담학회(ACA, 2005)는 "상담자가 대가교환을 할 수 있는 상황으로는 그 관계에 착취나 피해가 없고 상담자가 불공정한 이득을 보지 않는 경우, 내담자가 이를 요청한 경우, 그 같은 계약이 지역사회의 전문가들 사이에 허용된 활동인 경우다. 상담자는 대가교환에 대한 문화적 함의를 고려하고 내담자와 관련된 관심사를 의논하며 계약사항을 명확하게 계약서에 기록해야 한다(A.10.d.)."라고 규정하였다. 미국심리학회(APA, 2002)는 "대가교환은 심리적 서비스에 대한 대가로 내담자나 환자에게 물품이나 서비스나 화폐 이외의 보상을 받는 것이다. 심리학자는 ① 임상적으로 금기시되지 않을 경우, ② 대가교환 계약에 착취가 포함되지 않을 경우에만 대가교환을 할 수 있다(6.05)."라고 규정하였다. 미국부부 및 가족치료학회(AAMFT, 2001)는 "통상적으로 부부 및 가족치료사는 제공한 서비스에 대한 대가로 내담자에게 물품이나 서비스를 받는 것을 삼가야 한다. 전문서비스에 대한 대가교환이 이루어질 수도 있는 상황은, ⓐ 수련생이나 내담자가 이를 요청할 경우, ⓑ 그 관계에 착취가 포함되지 않는 경우, ⓒ 직업적 관계가 왜곡되지 않는 경우, ⓓ 계약서가 명확하게 작성된 경우다(7.5.)."라고 규정하였다. 한편, 미국사회복지사협회(NASW, 1999)는 대가교환에 대한 전문인의 책무와 그에 따른 문제점을 명시하고 있다. 즉, "사회복지사는 전문서비스에 대한 보수로 내담자에게 물품이나 서비스를 받는 일을 피해야 한다. 대가교환 합의, 특히 서비스가 포함되는 대가교환 때문에 내담자와 사회복지사의 관계에서 이해관계 충돌과 착취, 부적절한 경계문제가 일

어날 가능성이 있다. 사회복지사는 매우 제한된 상황에서만 대가교환을 검토한 뒤 허용할 수 있는데, 이런 상황으로는 대가교환 합의가 지역사회의 전문가들 사이에서 허용된 활동이라는 점이 입증될 수 있는 경우, 서비스 공급에 불가결하다고 생각할 수 있는 경우, 강요 없이 협상으로 이루어지되 내담자의 제안과 설명 후 받는 동의로 이루어진 경우다. 전문서비스에 대한 보수로 내담자에게 물품이나 서비스를 받은 사회복지사는 이 계약이 내담자나 직업적 관계에 유해하지 않을 것이라는 점을 입증해야 할 책임을 전적으로 져야 한다(1.13.b).”라고 규정되어 있다.

선물교환 [膳物交換, gift exchange] 상담 및 심리치료관계에서 물건을 주는 행위를 말한다. 우리나라에서는 상담 및 치료관계에서 주고받는 선물에 대한 윤리 규정을 분명하게 제시해 두고 있지 않지만 한국상담심리학회(KRCPA, 2009)와 한국상담학회(KCA, 2011) 윤리강령에서는 “상담심리사는 내담자와의 관계에서 상담료 이외의 어떠한 금전적, 물질적 거래 관계도 맺어서는 안 된다(4.가.4.).”라는 윤리강령을 제시하고 있다. 한편, 미국의 경우 미국상담학회(ACA, 2005)는 “상담자는 내담자에게 선물을 받을 때 생기는 문제에 관해 이해하되, 일부 문화권에서는 작은 선물이 존경과 감사의 표시라는 점도 인식해야 한다. 내담자에게 선물을 받을 것인가의 여부를 결정할 때 상담자는 치료관계, 선물의 금전적 가치, 선물을 주는 내담자의 동기 그리고 선물을 원하거나 사절하는 자신의 동기를 고려해야 한다(A.10.e.).”라고 명시하였다. 미국부부 및 가족치료학회(AAMFT, 2001)는 “부부 및 가족치료사는 ⓐ 고가의 선물이나 ⓑ 치료관계의 본질이나 효력을 손상시키는 선물을 내담자에게 주거나 받아서는 안 된다(3.10.).”라고 윤리기준을 제시하고, 근본적으로 선물교환을 제한하고 있다. 어떤 문화권에서는 선물교환이 존경과 감사를 표현하는 것이며 관계를 확인하는 것으로 관습화되어 있다. 이런 경우 선물을 거절하면 내담자는 무시를 당했다거나 모욕감을 느껴 치료관계에 방해가 될 수도 있고, 이런 문화에 익숙하지 않은 상담자는 선물을 받음으로써 내담자와의 경계가 왜곡되고 치료관계의 본질이 뒤바뀌며, 이해관계에 충돌이 발생할 수도 있다. 이 때문에 선물을 주고받는 경우에는 내담자가 선물을 제공하는 동기, 상담자가 선물을 받거나 사양하는 동기를 탐색하는 것이 필요하다. 그리고 상담의 초기 단계에서 선물을 받는 것은 치료관계의 애매한 경계를 형성하는 전조일 수 있기 때문에 문제가 될 가능성이 있으며, 매우 비싼 선물을 받는 것은 부적절하고 비윤리적인 태도다. 따라서 선물을 주고받는 경우에는 내담자와 충분히 논의를 한 다음 결정하고, 선물을 거절하는 경우에는 이에 관해 충분히 설명하고 내담자가 작성한 동의서의 지침을 한 번 더 상기시키도록 한다.

대가족
[大家族, large family]

출가한 딸을 제외하고, 아들 형제들이 결혼 후에도 계속 부모와 동거하는 가족형태의 총칭. 가족치료 일반

원칙적으로 6인 이상의 다인가족을 말하지만, 일반적으로 미혼의 딸들과 아들들이 결혼한 뒤 그 가족 모두 함께 또 한 가족을 이루며 살아가는 부계 확대가족을 일컫는다. 이러한 형태의 가족은 효에 입각한 부모-자녀관계와 조상숭배 정신이 공통적인 특징이다. 주로 인도, 중국, 중앙아시아 등 구대륙에 많이 분포되어 있는 가족 형태다.

관련어 | 가족위기개입

대뇌
[大腦, cerebrum]

사람의 뇌 중 가장 큰 부위로 고등한 정신활동을 담당. 뇌 과학

'사고하는 뇌'로, 복잡한 사람들의 마음에 개입하는 것으로 알려져 있다. 사람의 뇌 중 제일 위에 위치하고 뇌의 질량 중 3분의 2 정도를 차지하며, 2개의 반구와 전두엽, 측두엽 등 4개의 엽으로 구성되어 있다. 이 2개의 반구는 약 3억 개의 신경세포 섬유로 구성된 뇌량으로 연결되어 있고 전체는 대뇌피질로 둘러싸여 있는데, 이는 140억 개 정도의 신경세포로 이루어져 외부로부터의 자극에 반응을 하도록 한다.

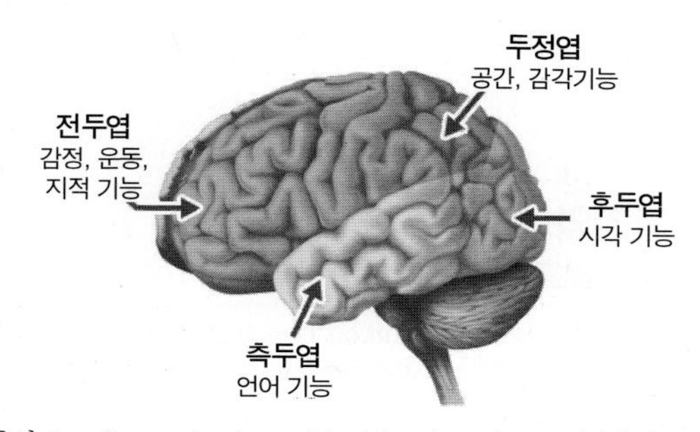

출처: http://www.aistudy.com/physiology/brain/temporal_lobe.htm

두정엽 [頭頂葉, parietal lobe] 대뇌 후두엽과 피질 표면의 가장 깊은 홈 가운데 하나인 중심구(central sulcus) 사이에 위치한다. 중심구 바로 뒷부분인 중심후회(postcentral gyrus), 즉 일차 체감각피질(primary somatosensory cortex)은 촉감과 근신전 수용기 및 관절 수용기에서 들어온 정보를 일차적으로 처리하는 영역이다. 중심후회에는 중심구와 평행으로 자리잡고 있는, 세포들로 이루어진 네 개의 띠가 있다. 두 개의 띠는 약한 촉각정보를 수용하고, 한 개의 띠는 심부의 압력정보를 받아들이며, 나머지 한 개의 띠는 이들 두 가지가 결합된 정보를 받아들인다. 두정엽은 일차 체감각 기능, 감각통합과 공간인식 등에 관여한다. 촉각과 몸의 위치에 대한 정보는 그 자체로도 중요하지만 시각 및 청각 정보를 해석하는 데도 중요하다. 두정엽은 눈, 머리 그리고 몸의 위치에 대한 모든 정보를 탐지하며, 그 정보를 운동을 조절하는 뇌 영역으로 보낸다.

전두엽 [前頭葉, frontal lobe] 대뇌의 앞부분에 위치한 대뇌엽이다. 가장 최근에 진화된 뇌 영역으로 기억력, 사고력 등을 주관하는 것으로 알려진 기관이다. 다른 대뇌엽에서 들어온 정보를 조정하고 행동을 조절하여 의사결정, 문제해결, 사고, 계획, 언어기능을 비롯해 소위 실행적인 고차원적 기능을 담당한다. 전두엽이 손상되면 언어나 의식상태는 지장을 받지 않지만 적응하고 계획을 세우는 일은 힘들어진다.

측두엽 [側頭葉, temporal lobe] 대뇌 반구의 양쪽 측면에 위치한 대뇌엽이다. 기억저장, 정서, 청각, 언어를 관장하는 기관으로, 청각정보를 처리하는 역할을 한다고 알려져 있다. 측두엽이 손상되면 환각이 나타나거나 기억장애가 나타날 수 있다.

후두엽[後頭葉, occipital lobe] 대뇌피질의 후측 끝에 위치한다. 시각입력을 받은 시상핵의 축색들이 종지하는 곳이다. 후두엽의 가장 후측부를 일차 시각피질(primary visual cortex) 혹은 피질의 횡단 절편에 줄무늬가 있기 때문에 선조피질(striate cortex)이라고 한다. 선조피질의 어떤 부분이 파괴되면 이와 관련된 시야에 피질성 맹(cortical blindness)이 나타난다. 예를 들어, 우반구의 선조피질에 광범위한 손상을 입으면 좌측 시야를 볼 수 없게 된다. 피질성 맹을 지닌 사람은 눈, 동공반사 그리고 일부 안구운동은 정상이지만 형태지각과 시각적 상상을 할 수 없게 된다. 눈에 심각한 손상이 있으면 맹인이 되지만, 이들도 후두엽이 온전하면 시각적 장면을 상상할 수 있고 시각적 꿈도 꿀 수 있다.

관련어 | 뇌량

ㄷ

대뇌피질
[大腦皮質, cerebral cortex]

회백질로 이루어진 대뇌의 표면부분. 이상심리

대뇌피질은 언어, 기억, 사고와 같은 고등기능을 담당하며, 대략 10억 개의 신경세포로 구성되어 있다. 대뇌피질은 감각영역, 운동영역, 연합영역으로 구분된다. 그리고 전두엽(frontal lobe), 두정엽(parietal lobe), 후두엽(occipital lobe), 측두엽(temporal lobe)의 4개의 엽이 있다. 낡은 뇌를 의미하는 고피질과 새로운 뇌를 의미하는 신피질로 구분하기도 한다. 고피질은 주로 정동, 욕구 형성과 같은 본능적 행동을 관장하고, 신피질은 감정, 정조 형성과 같은 의지적 행동을 관장한다. 인간은 다른 동물에 비해 연합영역이 넓고 신피질이 발달해 있다.

대두증
[大頭症, macrocephaly]

다양한 원인으로 과도하게 머리가 커지는 증상. 특수아상담

두개골 확장이 있는 경우에도 뇌는 실제로 대단히 작을 때도 있고, 또 거대뇌증과 같이 뇌가 크고 무거운 때도 있다. 가장 흔한 원인은 수두증이며, 이외에도 경막하 삼출액이나 경막하 혈종이 양측에 있는 경우, 뇌신경교종 및 상의세포종 등의 뇌종양에서도 머리가 커질 수 있고, 연골 무형성증, 구루병, 불완전 골생성증 등의 골격계 기형에서도 두개골이 커질 수 있다. 과도한 뇌의 성장으로 뇌 자체가 정상보다 커지는 경우를 거대뇌증(megalencephaly)이라 하며 진행성, 퇴행성 뇌질환에서 나타날 수 있다.

관련어 | 소두증

대리강화
[代理强化, vicarious reinforcement]

자신의 경험 대신 다른 사람의 경험을 통해 이루어지는 학습. 인지행동치료

누군가 어떤 행동을 하면 사람들은 그 행동을 단순히 모방하기보다는 그 행위의 결과를 보고 자신의 행동을 결정하기도 한다. 또한 특정 행동에 대한 결과에 만족하는 모습을 보이면 우리는 그 행동을 따라하게 될 확률이 높고(대리강화), 반대로 결과에 불만족한 모습을 보이면 우리는 그 행동을 피하게 된다(대리처벌). 이처럼 자신이 직접 경험하지 않더라도 사람들은 주변의 다른 사람의 경험을 통해 행동에 영향을 받는다. 대리처벌은 대리강화보다 행동에 미치는 영향이 적다고 알려져 있다.

대리역할기법
[代理役割技法, substitute role technique]

주인공이 자신의 역할이 아니라 다른 사람의 역할을 대신하면서 자신의 갈등이나 문제에 접근하는 것. 사이코드라마

이 기법은 자의식이 유난히 강해 무대에서 자신을 나타내는 것을 주저하는 주인공에게 주로 사용된다. 여기서는 자신의 문제를 다른 사람의 문제처럼 접근하여 해결을 모색하는 과정에서 자신의 문제를 보다 객관적으로 볼 수 있고, 문제가 자신이 생각하고 있는 것처럼 그렇게 심각하지 않다는 것을 깨닫게 해 준다.

대리자아
[代理自我, surrogate self: SS]

내담자가 다른 역할을 연기함으로써 문제해결에 도움이 되는 정보를 찾고자 하는 최면기법. 최면치료

게슈탈트적인 역할연기 기법으로, 상담자와 내담

자가 협동적으로 발전시킬 수 있는 전략의 하나다. 다른 사람의 역할을 맡는 것으로 자아의 한 부분에서 다른 자아의 부분으로 일종의 도피를 할 수 있고, 이를 통해 안전하면서 새로운 발견을 스스로 할 수 있게 된다. 내담자가 상담자를 신뢰할 만하고 배려심이 있으며 이해심 있는 사람이라고 지각하기 시작할 때 효과적이며, 무대 위에서 배역을 맡아 연기하는 형식을 통해 내담자가 '가장 친한 친구' 역할을 연기함으로써 스스로에 대한 새로운 발견을 할 수 있다. 예를 들어, "앤이 어느 누구보다도 너를 잘 아는 아주 친한 친구라고 가정하자. 그녀는 너와 가장 가깝고 가장 믿을 만한 친구인데, 너는 그녀를 불러서 너에 대해 아는 것은 무엇이든 말해도 좋다고 당부했다고 하자. 이제 너는 저 의자로 가서 네가 앤이 되었다고 가정하고 나와 함께 대화를 하자."라고 내담자에게 제안하고, 상담자는 "앤, 신시아의 가장 큰 문제가 무엇인가요?" 등의 질문을 한다. 이때 쉽고 안전한 것부터 단계적으로 질문을 하는 것이 더 좋은 효과를 볼 수 있다. 이 기법은 특히 내담자가 혼란을 경험하거나 저항을 할 때 또는 상담진행이 막힐 때 시도해 볼 만하다. 실제의 나와 연기하는 다른 역할 간의 최면적 분리가 일어나서 갑작스럽거나 주제넘을 수도 있지만 중요한 질문에 대해 솔직하고 편안하게 대답을 하게 된다. 내담자가 역할 연기를 잘할 수 있도록 상담자는 존중, 인내, 그리고 지지의 마음을 내담자에게 충분히 전해야 한다. 이 기법은 인간중심과 활용의 접근을 취하는 최면상담의 원리에 적합하며, 절충적인 성격을 띠는 전략의 하나이고 단기치료로 연결되는 중간 다리로서도 의미가 있다.

관련어 | 단기치료, 최면

대리학습
[代理學習, vicarious learning]

인지치료

⇨ '사회학습이론' 참조.

대립모델
[對立-, against model]

카터와 나래모어(Carter & Narramore, 1979)가 신학과 심리학의 관계에 대해서 설명한 네 가지 유형 중 하나로, 신학과 심리학을 통합하는 것은 불가능하다고 보는 입장. 목회상담

신학과 심리학이 어떤 관계에 있는지에 대해서는 신학에 심리학이 적용되기 시작한 때부터 많은 논란이 있어 왔다. 이 같은 다양한 논란에 대해서 설명하기 위해 많은 학자들이 각자의 모델을 만들어 기술하였는데, 카터와 나래모어는 신학과 심리학의 관계를 대립모델, 종속모델, 병행모델, 그리고 통합모델의 네 가지로 설명하였다. 그중 대립모델은 기독교 신앙과 심리학은 본질적으로 호환될 수 없으며, 서로 대화할 가능성이 전혀 없다고 보는 갈등모델이다. 따라서 대립모델의 입장을 취하는 학자들은 신학과 심리학 사이의 통합이 불가능하다고 보는데, 여기서도 두 집단으로 나누어져 다른 견해를 취하고 있다. 우선 합리주의(rationalism)와 경험주의(empiricism)만이 진리를 찾을 수 있는 유일한 수단이므로 종교는 과학적인 심리학의 입장과 상충하기 때문에 절대 통합될 수 없다고 보는 입장에 서 있는 학자로는 앨리스(A. Alice), 그린슨(R. Greenson), 체센(E. Chesen) 등이 있다. 또 하나는 애덤스(J. Adams)를 대표로 하여, 하나님이 계시하신 성경만이 유일한 진리이며 오직 성경의 원리를 통해 정신치료가 이루어져야 하므로 세상의 학문인 심리학의 적용이 불필요하다고 보는 입장으로 빌하이머(P. Billheimer), 솔로몬(C. Solomon) 등의 학자가 여기에 속한다.

관련어 | 병행모델, 종속모델, 통합모델

대립원리
[對立原理, principle of opposites]

에너지 내에 반대되는 힘이 양극성으로 존재하여 갈등을 야기하고 이러한 갈등을 통해 정신에너지가 생성되는 것으로, 융학파에서 제시한 정신역동성 기본 원리의 하나. 분석심리학

정신에너지는 성격 내에 있는 힘들 간의 갈등의 결과다. 갈등이 없으면 에너지가 존재하지 않고, 인생도 존재하지 않는다. 이러한 양극성의 갈등은 모든 행동의 일차적 원인이 되고, 모든 에너지를 창조한다. 양극 간의 갈등이 커질수록 에너지는 더 많이 생성된다. 그것은 행동과 행위로 명백하게 외부로 나타날 수 있고, 우리의 무의식뿐 아니라 사고에 영향을 미치듯 내부로 움직일 수도 있다. 모든 것은 내부의 양극성을 지니고 있다. 융(C. G. Jung)에 따르면, 반대 극은 정신적 힘(리비도)을 창조한다. 이것은 배터리의 두 전극이나 원자의 파편과 같다. 양극은 에너지를 주고, 강한 양극은 더욱 강한 에너지를 주며, 약한 양극은 더 약한 에너지를 준다. 이는 우리가 살고 있는 세계의 이원론적 상태 때문에 나타난다고 한다. 예를 들어, 만약 누군가가 좋은 생각을 한다면 내부에는 반대의 나쁜 생각이 존재한다. 어둠이 없으면 밝음이 없고, 밤이 없으면 낮이 없는 것과 같다.

관련어 | 균형원리, 등가원리

대면
[對面, face to face]

사이버 공간과는 반대로 실제 세계에서 발생하는 개인 간 상호작용. 사이버상담

f2f라고도 부르며, 사이버 공간에서 이용자들이 얼굴과 얼굴을 맞대지 않고 아이디 혹은 아바타로 상호작용을 하는 사이버상담 방식과 대비되는 개념이다. 실제 세계에서 내담자와 상담자가 서로의 얼굴을 대하고 진행하는 상담을 말할 때 대면상담(face to face counseling)이라고 한다.

대비적 재구성
[對比的再構成, contrast reconstruction]

심리치료과정에서 내담자가 자신에 대해 호의적-적의적 과정을 계속 되풀이하는 형태의 재구성. 개인적 구성개념이론

켈리(G. Kelly)의 구성적 대안주의 심리치료에서는 심리치료를 재구성의 과정으로 보고 있다. 이 관점에서는 내담자를 자신의 구성개념 위치에서 앞뒤로 미끄러지게 함으로써 표면적인 이동이 일어나도록 할 수 있다. 예를 들어, 사람들을 '호의적'과 '적의적'으로 구분하는 내담자는 자신을 '호의성'에서 '적의성' 혹은 그 반대로 변화되도록 할 수 있다. 이러한 형태의 치료적 이동은 구성개념적 맥락 속 요소 중의 하나(이 경우에서는 자기 자신)를 그 구성개념 차원의 한편에서 다른 편으로 이동시키는 것뿐이다. 이러한 유형의 표면적 이동도 추구할 가치가 있을 때가 있다. 그러나 그것은 단순히 시이소 행동으로 끝나기가 쉽다. 내담자는 만사가 잘 되어 가면 '호의적'이었다가 그다음 '적의적'으로 변하고, 다시 되돌아오는 등 그 과정이 무한히 되풀이된다. 이같은 형태의 재구성이 대비적 재구성이다.

관련어 | 구성개념, 구성적 대안주의, 통제된 정교

대상
[對象, object]

주체와 대조적인 것으로, 개인의 욕구를 충족하거나 저해한다고 느끼는 현실이나 공상의 인간 또는 사물. 대상관계이론

대상관계에서 대상이라는 용어를 사용하는 방식은 전통적인 정신분석에서 사용하는 방식과 다르다. 대상은 내적 대상(internal object)과 외적 대상(external object)으로 구분된다. 외적 대상은 사회 환경 내에 있으면서 직접관찰 가능한 실재하는 사

람, 사물, 장소를 일컫는다. 반면, 내적 대상은 외부 대상과 관련되어 심리적으로 경험되는 대상관계 표상(mental representation)을 일컫는다. 대상관계 분석에서는 심리적 표상으로 이루어진 내적 세계에 관심을 갖는다. 어떤 객관적인 사건이 있었는가보다는 개인이 외적 대상을 어떻게 경험하고 이해하는가에 초점을 둔다. 따라서 대상에 대해 기술할 때에는 그것이 실재하는 외적 대상을 지칭하는 것인지 혹은 외적 대상의 심리적 표상인 내적 대상을 지칭하는 것인지를 구분한다. 프로이트(S. Freud) 이론에서 대상은 리비도 추동의 목표다. 대상은 심적 에너지가 대상에 부착됨으로써 창조된다. 따라서 대상은 반드시 인간이어야 한다든지 심지어 살아 있는 것이어야 할 필요는 없다. 대상은 천 조각이나 예술작품이 될 수도 있다. 단지 에너지를 방출할 가능성만 있으면 대상이 될 수 있다. 반면, 대상관계 이론에서 대상은 인간 존재를 의미한다. 컨버그(O. Kernberg)는 대상이라는 용어가 전통적으로 타자들과의 관계를 반영할 때 사용되기 때문에 인간 대상이어야 한다고 주장하였다. 이러한 관계는 내부 또는 외부 관계일 수도 있고 환상이나 실제 존재하는 관계일 수도 있는데, 그 관계는 기본적으로 다른 인간 존재와의 상호작용이 중심이 된다. 한편, 위니캇(D, Winnicott)은 대상을 내적 대상을 뜻하는 '주관적으로 품게 된 대상(subjectively conceived object)'과 외적 대상을 뜻하는 '객관적으로 지각된 대상(objectively perceived object)'으로 구분하였다. 위니캇은 유아가 발달하면서 주관적 대상과 맺은 관계로부터 벗어나 점차 객관적 대상과 관계를 맺는 능력을 키워 간다고 보았다. 대상관계에 관심을 가지고 있는 다양한 이론은 각기 대상관계의 특정한 측면에 초점을 맞추고 있다. 어떤 이론은 분열과 투사적 동일시 같은 기제의 작용을 강조하고 있으며, 또 어떤 이론은 자기애와 경계선 상태 같은 임상 실제에 주의를 기울이기도 한다. 또한 대상관계가 발달에 영향을 미치는 방식에 초점을 맞춘 이론도 있다.

관련어 | 대상관계이론, 정신분석

ㄷ

대상 영속성
[對象 永續性, object permanence]

시야에서 대상이 사라지더라도 다른 장소에 계속 존재한다는 사실에 대한 인식. 발달심리

대상 개념 혹은 대상 영속성 개념이란 우리 자신을 포함하는 모든 대상들이 독립적인 실체로서 존재하며, 대상이 한 장소에서 다른 장소로 이동했을 때 비록 시야에서 그 대상이 사라지더라도 다른 장소에 지속적으로 존재한다는 것을 인식한다는 의미이다. 이러한 이해 능력은 선천적으로 갖고 태어나는 것으로 간주되기 쉽지만, 피아제(J. Piaget)는 이 능력이 출생부터 약 2세 경까지에 해당되는 감각 운동기 동안에 단계적으로 발달한다고 주장한다. 즉, 대상 개념은 감각 운동기의 하위 단계에 해당되는 여러 단계를 거쳐 발달된다. 첫째, 약 0~4개월에 해당되는 1단계와 2단계 동안의 영아는 대상이 시야에 있는 동안에는 흥미를 갖고 대상을 바라보지만, 대상을 숨겨 시야로부터 사라지게 하면 곧 흥미를 잃고 그 대상을 찾을 생각을 하지 않는다. 따라서 이 시기의 영아는 대상 영속성 개념이 아직 획득되지 않은 것으로 보인다. 약 4~8개월에 해당되는 3단계가 되면 영아는 사라진 대상을 찾는 행동을 나타냄으로써 대상 영속성 개념이 형성되기 시작한다. 그러나 이 단계 영아의 대상 개념은 한계가 있다. 예를 들어, 젖병의 젖꼭지 부분만 보이도록 하고 나머지 부분을 천으로 덮어두면 젖병을 찾아내지만, 젖병을 완전히 천으로 덮어버리면 시아에서 사라진 그 젖병을 더 이상 찾으려고 하지 않는다. 그러나 천 대신 안이 보이는 투명한 보자기로 덮어두면 젖병을 찾는다. 이러한 특징은 3단계 영아의 대상 개념이 대상과의 시각적이거나 지각적인 접촉

에 의존하고 있음을 시사한다. 약 8~12개월에 해당되는 4단계에서는 대상 개념이 획기적으로 발달한다. 영아는 완전히 가려지거나 사라진 대상을 사라진 자리에서 찾아낼 수 있게 된다. 그러나 4단계의 영아는 'AB오류'라고 불리는 특이한 대상 개념의 한계를 드러낸다. 즉, 장소 A에서만 대상을 찾아낼 수 있을 뿐, 장소 B로 옮긴 대상을 찾을 수 없는 대상 개념의 한계가 있다. 피아제는 이 시기의 영아가 자신의 행위와 대상을 완전히 분화시키지 못한 채 대상이 있는 장소와 그것을 찾는 감각 운동적 행동을 결합하는 습관만을 형성하고 있기 때문에 이러한 오류가 나타난다고 설명한다. 약 12~18개월에 해당되는 5단계 영아의 대상 개념은 대상과 대상에 대한 행동이 완전히 구분되어 'AB오류'에서 벗어나게 된다. 이제 영아는 대상을 어디에 숨기든 가장 최근에 사라진 장소에서 대상을 찾는 능력을 나타낸다. 그러나 5단계 영아의 대상 개념도 여전히 한계가 있다. 즉, 이 단계의 영아는 자신이 볼 수 있는 공간이동에서는 대상 영속성이 가능하지만, 볼 수 없는 공간에서는 대상의 숨겨진 위치를 정확하게 추적하지 못한다. 한편 대상 영속성은 애착 형성 능력과도 관련이 있다. 영아들은 대상 영속성 개념을 획득해야 애착 대상이 시야에서 사라지더라도 그 애착 대상과의 안정된 관계를 유지할 수 있다. 따라서 7~9개월 된 영아들이 대상 영속성 개념을 획득하기 시작하는 이 시기에 첫 애착이 형성되는 것은 자연스러운 현상이다. 대상 영속성 개념 획득이 빠른 영아들은 어머니로부터 분리되었을 때 격리 불안을 나타낸 반면, 대상 영속성 개념 획득이 느린 영아들은 격리불안을 거의 나타내지 않는다.

관련어 | 감각운동기

대상 항상성
[對象恒常性, object constancy]

대상에 대한 일정한 이미지를 유지하는 것. 대상관계이론

어머니가 눈앞에 있든 없든, 또는 자신의 욕구를 충족해 주든 그렇지 못하든 상관없이 어머니에 대한 일정한 고정된 이미지를 간직하는 유아의 능력을 의미한다. 말러(M. Mahler)는 분리개별화 단계를 네 가지 하위단계로 설명했는데, 그중 네 번째 단계에 해당되는 리비도적 대상 항상성 단계에서 유아는 어머니로부터 떨어져 나갔다가 어머니에게 되돌아오는 화해기 과정을 반복한다. 이 과정을 통해 유아는 점점 자기 자신에 대한 개별성과 대상에 대한 항상성을 발달시켜 나간다. 의지할 때에는 좋은 엄마로 인식하고 떨어져 나갈 때에는 나쁜 엄마로 인식하던 것이 이제 자신을 충족해 주든 그렇지 못하든 어머니를 한결같이 대할 수 있게 된다. 이러한 대상 항상성과 단일체로서의 개별성 발달은 화해기 중반부터 시작되지만 이후 삶 전체를 통해 지속되는 과정이다. 대상 항상성이 발달하면서 보다 안정된 모습을 보이고, 자신의 행위에 보다 더 잘 집중할 수 있으며, 꽤 오랜 시간 어머니와 떨어져 있어도 불안한 모습을 나타내지 않는다. 이와 달리, 대상에 대한 고정된 이미지를 유지할 수 없는 것을 대상 상실(object loss)이라고 한다.

관련어 | 분리개별화, 자기항상성

대상관계이론
[對象關係理論, object relation theory]

인간의 심리구조를 생물학적 긴장해소 차원이 아니라 인간 상호작용 차원에서 조명한 이론. 대상관계이론

인간은 본능적 욕구로 유발된 긴장을 감소시키기 위해 동기화되는 것이 아니라 대인관계를 형성하고 유지하려는 욕구에 따라 동기화된다고 본다. 프로

이트(S. Freud)의 정신분석적 욕동모델이 대상관계 이론의 관계모델로 확장되었다고 볼 수 있다. 이때 대상(object)이라는 용어는 전통적으로 타자와의 관계를 반영할 때 사용되는 개념이므로 인간 대상을 지칭하는 것으로 이해할 수 있다. 개인이 어떻게 관계 속에서 자기 자신과 다른 사람에 대한 표상을 형성하며, 이러한 내면화된 표상이 자신과 주변 사람들에 대한 지각과 경험, 관계양식과 문제에 어떤 영향을 미치는지를 이해하는 데 유용한 이론적 틀이 된다. 대상관계이론의 주요 학자들은 심리적 구조, 특히 자아의 발달은 초기 대상관계의 복잡한 산물이며, 단순히 욕동이 좌절된 결과가 아니라는 공통적인 견해를 가지고 있다. 성격발달을 자율적으로 동기화된 대상관계의 내재화 과정으로 파악함으로써 타자와의 관계가 내재화되는 것을 토대로 개인의 성격발달과 병리적 현상을 설명하고자 한다. 상담의 일차적인 목표는 초기 관계경험에서 유래한 대상관계를 수정하는 것이다. 그러나 대상관계이론이라는 명칭하에 있는 다양한 접근의 이론체계와 연구는 통합된 관점을 제시하지 못하고 있다. 대상관계이론이라는 전체적인 틀 안에 속하는 각 학자의 이론은 그들의 가정, 원칙, 그리고 주요 개념이 서로 다르기 때문에 단일한 이론체계로 설명되기 곤란하다. 심지어 가장 대표적인 대상관계이론들조차 이론체계를 설명하는 전문용어가 매우 다양한 맥락에서 사용되고 있으며, 여러 가지 다른 의미를 내포하고 있다. 또한 각 이론은 대상관계의 특정 요소에 초점을 맞추어 이론을 구축해 놓고 있는데, 어떤 이론은 분열과 투사적 동일시 같은 심리적 기제를 강조하는 반면 어떤 이론은 대상관계가 개인의 발달에 영향을 미치는 방식을 강조하고 있다. 이러한 측면에서 영국정신분석학회는 제2차 세계 대전을 전후로 3개의 그룹, 즉 프로이트(A. Freud)를 중심으로 전통적 정신분석의 맥락을 계승하는 그룹, 클라인(M. Klein)을 중심으로 하는 그룹, 그리고 페어베언(W. Fairbairn)과 위니콧(D. Winnicott)을 중심으로 하는 영국 중간학파(British middle school)로 분리되었다. 전통 정신분석학파와 클라인학파는 모두 욕동 지향적(drive oriented)으로 내적 실재(internal reality)의 중요성을 강조하였고, 중간학파는 대상 지향적(object oriented)이면서 외적 실재(external reality)를 중요하게 생각하였다.

관련어 | 정신분석

대상표상
[對象表象, object representation]

자기와 관련하여 갖게 되는 타인에 대한 심리 내적 이미지로서, 타인을 자기 자신에게 이미지로 떠올리는 것. 대상관계이론

개인은 저마다 실제 사회적 환경 속에서의 관찰 가능한 외적 세계에 대한 주관적인 정신적 표상을 갖는데, 대상관계란 대인관계가 이렇게 내면화된 것이라고 볼 수 있기 때문에 실재하는 대인관계와는 다르다. 생애 초기에 유아는 어머니로 대표되는 초기 양육자와 상호작용하면서 그 대상과의 경험뿐만 아니라 그 경험에 수반되는 정서상태까지 내면화하여 대상표상을 형성한다.

관련어 | 자기표상

대안적 세상 경험
[代案的世上經驗, alternative world experience]

변화와 치유를 수용하고 담아 주는 그릇 역할(container)을 하는 제의식이라는 시공간적 구조 속에서, 변화 촉진자와 함께 상상기능을 통해 습관적으로 살아온 세상살이와 구별되는 다른 세계의 세상살이를 경험하게 한다는 표현예술치료의 개념. 무용동작치료

사회구성원들의 변화와 치유를 위한 제의식의 특징은 구성원들이 살고 있는 문화적 전통에 따라 다를 수도 있지만 보편적으로 같은 것들이 있다. 예를

들면, 여러 부족문화에서 청소년기에서 성인기로 이행하는 통과 제의식을 가지고 있듯이 서구문화에서도 졸업, 결혼, 그리고 장례식 같은 의식이 있다. 예술치료에서는 이런 제의식에 관한 사회학적 연구를 치료와 상담, 수퍼비전, 코칭, 종교 제의식의 전문적 훈련과정에 적용하거나, 세상살이에 고통받는 내담자의 변화과정에 적용하면 변화와 치유의 경험이 일어난다고 보았다. 표현예술치료 연구자인 닐(Knill, 1999)은 방 주네프(van Gennep, 1960)의 '통과의례' 연구와 터너(Tunner, 1969)의 '임계성(liminality)' 연구에 기초하여 제의식과 임계성의 관련성을 연구하였다. 임계성은 제의식 과정에 있는 인간의 특성을 지칭하는 것으로, 대상관계이론에서 말하는 중간 단계로서의 '치료적 과정'과 상통하는 개념이다. 즉, 제의식에 해당하는 치료과정에서, 상상적 현실로 경험되는 대안적 세상경험은 임계성 경험이라고 할 수 있으며, 이것은 치료적으로 중요한 가치를 지닌다. 행위치료의 과정에서 내담자는 삶에서 일상적으로 무기력한 상황, 참을 수 없는 고통과 삶의 무의미를 경험하거나, 동시에 놀이경험의 결핍을 겪고 있으므로, 이러한 일상적 생활환경에서 떠나 대안적 세상경험을 하기 위해서는 일정 기간 제의식을 위한 신성한 장소에 들어가야 한다고 설명하였다. 대부분의 전문적 행위치료자의 조력방법은 이 같은 제의식 참가자들에게 일상생활과 다른 대안적 세상경험을 제공하기 위해 더 광범위한 놀이 상황을 생각하여 개인의 상상력을 회복시키는 일이다. 상상적 공간 속에서 일어나는 사건들은 일상적 삶이나 그 이야기들과는 다르다. 대안적 세상에서 경험하는 세상을 상상적 현실경험이라 하고, 그 속에서의 대화내용은 상상에 대한 상징적 내용에 관한 것으로 이루어진다. 대안적 세상경험인 회복의 제의식적 놀이를 위해 예술치료자들은 꿈과 비전에 초점두기, 백일몽, 자유연상 등을 적용하여 예술치료적으로 작업하기, 심상안내, 소원 중심 대화하기, 신체의 상상적인 힘을 이용한 신체언어 사용하여 춤동작으로 작업하기, 인지적 관점의 변화를 위한 상상방법 사용하기, 그림을 이용한 둔감화 기법, 브레인스토밍, 은유 사용하기 등을 활용한다.

관련어 | 임계성

대안적 이야기
[代案的 – , alternative story]

인간의 삶에서 문제적 이야기의 부정적인 영향력에서 벗어나 새로운 가능성을 제시해 줄 수 있는 이야기들 혹은 새로운 의미 있는 해석들. 이야기치료

내담자가 상담과정에서 호소하는 문제적인 이야기는 그 사람의 삶에서 부정적인 영향력을 강하게 미치고 있는 것들이다. 하지만 이러한 부정적인 영향력을 가진 지배적 이야기가 내담자 삶의 대부분을 차지하는 것이라고 말할 수는 없다. 지배적 이야기란 인간 삶의 대부분을 차지하고 있는 이야기라기보다는 개인의 삶에서 가장 강력한 영향력을 미치고 있는 이야기이기 때문이다. 따라서 인간의 삶에는 지배적 이야기의 강력한 영향력에 속해 있지 않은 이야기들도 얼마든지 존재할 수 있다. 이렇게 지배적 이야기의 영향력 아래에 속해 있지 않으면서 내담자의 삶에 새로운 의미를 부여하여 재해석하고, 보다 만족스러운 미래를 기대해 볼 수 있도록 하는 이야기 혹은 지배적 이야기의 새로운 해석들을 대안적 이야기라고 한다. 예를 들어, 학교에서 다른 친구들과 어울리지 못하고 늘 혼자 지내는 내담자의 지배적 이야기는 "나는 친구를 잘 만들지 못하는 재미없는 아이이다. 그래서 친구가 없고 혼자 학교에서 지내는 것이 너무 외롭다."가 될 수 있다. 그런데 이 내담자의 지금까지의 삶에서 언젠가 한 번쯤은 좋은 친구를 사귀어서 학교생활이 좋았을 때가 있었다거나, 학교에서 혼자 지내는 시간이 많아서 힘들었기 때문에 같은 상황에 있는 친구들의 심정을 잘 공감하고 도와줄 수 있다든지 하는 이야기들은

현재 지배적 이야기의 영향력을 감소시키고 새로운 의미를 부여할 수 있는 새로운 이야기나 해석, 즉 대안적 이야기가 될 수 있다. 대안적 이야기는 지배적 이야기의 부정적인 영향력을 감소시켜서 내담자의 삶을 보다 만족스러운 삶으로 바꿀 수 있도록 해준다.

관련어 강화, 개인대행, 독특한 결과, 이야기치료, 지배적 이야기

대안행동차별강화

[代案行動差別强化, differential reinforcement of alternative behavior: DRA]

바람직한 행동에 대한 강화와 바람직하지 않은 행동의 소거가 결합된 강화의 한 형태. 행동치료

DRA에는 저반응비율 차별강화(DRL), 타행동 차별강화(DRO), 상반행동차별강화(DRI)가 있다. DRL은 발생빈도가 낮은 행동에 대한 차별강화의 한 형태로, 행동이 일정 수준 이하의 빈도나 간격으로 발생할 때 강화하는 것이다. DRO는 어떤 행동이 일정 시간 일어나지 않았을 때 강화하는 것으로, 특정 행동을 완전히 제거하고자 할 때 사용한다. 표적행동이 얼마 동안 일어나지 않았을 때 강화한다는 것은 결국 표적행동과 상반된 다른 행동이 일어날 때 강화한다는 뜻이다. DRI는 바람직하지 않은 행동과 양립할 수 없는 상반행동을 강화한다. DRO가 상반행동을 구체화하지 않고 가정만 하는 반면, DRI는 상반되는 행동을 구체적으로 명시한다.

관련어 상반행동차별강화, 저반응비율 차별강화, 타행동 차별강화

대인감정

[對人感情, interpersonal emotion]

대인관계에서 여러 가지 심리적 요인이 작용한 결과로 느껴지는 정서적 산물. 아동청소년상담

대인감정이란 다른 사람들과의 관계 속에서 느끼게 되는 여러 가지 감정을 뜻한다. 대인감정에는 사랑, 기쁨, 행복, 신뢰와 같이 대인관계에 긍정적인 영향을 미치는 것도 있지만 고민, 증오, 불안, 공포와 같이 대인관계에 부정적인 영향을 미치는 감정도 포함된다. 대인감정은 인간관계의 만족도를 결정하는 중요한 심리적 요인으로 작용하는데, 인간의 감정은 크게 정서적 체험, 신체·생리적 반응, 그리고 행동 경향성의 세 가지 요소를 포함한다.

관련어 대인기술, 대인동기, 대인신념, 대인행동

대인공포

[對人恐怖, homilophobia]

다른 사람을 만나거나 그들 앞에서 무엇인가를 하고자 할 때 심한 두려움을 경험하는 것. 정신병리

대인공포는 다른 사람 앞에 나가면 과도하게 불안이나 긴장이 높아지고, 상대방에게 얕보이는 것은 아닐까, 불쾌감을 주는 것은 아닐까 하고 계속 고민하는 신경증적인 대인의식방식을 뜻한다. 대인공포의 유형에는 적면공포, 시선공포, 정시공포(正視恐怖), 표정공포, 발한공포, 체취공포, 추형공포, 흘음공포(吃音恐怖) 등이 있다. 신경증 중 강박관념의 한 유형인 적면공포를 대인공포의 대표로 들 수 있다. 이는 정신분열병의 전구증상이나 회복기에도 자주 나타난다. 때로는 적면공포로부터 시선공포로의 증상 변천이 보이며, 점차 중증화되는 사례도 있다. 특히 사춘기 망상증이나 대인공포성 망상증 등은 망상적 색채가 강해 중증 대인공포에 속한다. 일반 상담장면에서 대인공포를 호소하는 내담자가 관

ㄷ

계망상성을 띤 중증인 경우에는 정신과 의사와의 제휴가 필요하며 그들의 병태에 대한 지식이나 이해가 없으면 적절한 대응이 어렵다. 대인공포의 치료는 병의 형태, 혹은 치료자의 입장에 따라서 여러 가지 선택이 가능하다. 약제를 병용한 외래에서의 간이 정신치료, 정신분석적 정신치료 등이 있지만 치료가 곤란한 증례도 적지 않다.

대인관계과정회상
[對人關係過程回想, interpersonal process recall: IPR]

오디오나 비디오테이프를 사용하여 상담 수퍼비전을 진행하는 방법의 하나. 상담 수퍼비전

미국의 케이건(Kagan, 1980)이 개발한 방법으로, 그는 사람들 간의 상호작용에는 많은 심리적인 장애물이 작용하여 정직한 의사소통을 방해한다고 하였다. 또한 이 같은 작용들이 심리치료와 상담에도 영향을 준다고 설명하였다. 그는 자신의 생각을 상담수련생을 훈련시키는 과정에도 적용하여 수련생이 상담치료 중에 생각하고, 직관하고, 느끼는 많은 것들을 그들의 관점에서 이해하고 도움을 주는 데 노력하였다. 이러한 노력의 일환으로 케이건은 상담수련생과 함께 그들의 상담회기를 담은 오디오나 비디오테이프를 보다가 논의를 하고자 하는 부분이 생겼을 때 멈추는 역할을 수련생 스스로 할 수 있도록 하였다. 또한 논의를 위해 멈춘 시점에서는 상담수련생이 당시의 회기를 회상할 수 있도록 도와주며, 그 시점에서 경험하고 생각했던 것들을 탐구하도록 하였다. 특히 효과적인 탐구를 촉진하기 위해서 말로 표현되지 않은 부분들을 확인하고, 인지적 탐색을 권하며, 이미지를 떠올리게 하거나 또는 기대감을 찾아 나서도록 도움을 주는 역할을 하도록 하였다. 이러한 과정을 통한 회상은 상담자의 역전이의 느낌과 과정에 대한 생각들, 개입의 선택에 대한 이론적 근거를 전면으로 부각시키며, 상담자가 자신의 과정에 대한 인식과 상담과정에서 선택 순간에 대한 인식의 확대를 용이하게 해 준다. 이러한 대인관계과정회상을 사용할 때 질문에 대한 지침은 다음과 같다. 첫째, 효과적인 탐색을 추진하는 것으로, "그것으로 인해 당신은 어떠한 감정이 들었는가?" "그것으로 인해 그/그녀에 대해 당신은 어떠한 감정을 갖는가?" "당신은 어떠한 감정이었는지 기억하는가?" "친숙한 감정인가?" 등이다. 둘째, 말하지 않은 안건을 확인시키는 것으로, "이 시점에서 그/그녀에게 하고 싶은 말은 무엇인가?" "무슨 일이 일어나고 있는가?" "어떤 행동을 하고 싶었는가?" "그것은 당신에게 어떤 의미였는가?" 등이다. 셋째, 인지적 탐색을 권장하는 것으로, "그때 무슨 생각을 하고 있었는가?" "무슨 일이 일어나고 있었는가?" "어떠한 이미지를 투사하고 있었는가?" "그것이 당신이 비추고자 했던 모습인가?" 등이다. 대인관계과정회상은 때때로 대인관계적 역동을 세밀하게 살피기 때문에 본래의 상담에서 이루어졌던 사실들이 왜곡될 정도로 과장될 가능성이 있다는 단점을 가지고 있기도 하다.

관련어 | 비디오 녹화, 음성녹음, 축어록

대인관계적 애착
[對人關係的愛着, interpersonal attachment]

중요한 타인에 대한 감정과 연결된 정서적 경험. 대상관계이론

설리번(Sullivan)은 프로이트(S. Freud)의 추동의 동기 개념을 대상관계 자체로 대체하였다. 모든 심리적 현상은 대인관계적이며 중요한 타인들과의 관계를 내재화함으로써 삶이 시작된다. 설리번은 인간은 대인관계적 애착과 대인관계 내에서 자기 가치의 유지라는 핵심적인 동기를 가진다고 주장하였

다. 성격은 대인 간 교류와 상호작용이 반복해서 일어나는 비교적 지속적인 패턴으로 규정되며, 각 개인의 자기 체계는 자신의 주변에 있는 중요한 타인들의 평가가 반영되어 있다는 점에서 기본적으로 대인관계적이다. 사람은 발달과정을 통해 자신에게 중요한 사람들로부터 가치 있게 받아들여지고 애착관계가 유지되는 자기의 부분을 수용한다. 그러나 자기 가치나 애착에 위협을 주고 불안감을 유발하는 자기나 환경은 선택적인 무관심 기제를 통하여 부인된다. 어린 시절 중요한 타인에 대한 감정과 연결된 정서적 경험, 즉 감정조율과정은 자신이 다른 사람들에 의해 어떻게 평가받고 있는지를 깨닫게 해 주는 주요한 기제 중 하나다. 이때 중요한 타인의 감정과 잘못 연결된 것은 자신의 경험이 수용될 수 없고 함께 나눌 수 없다는 감정을 유발하게 만들며, 그것은 자기뿐만 아니라 이후 계속되는 대인 상호작용에 제약을 가하면서 내면에 은폐된다. 성격장애는 이러한 혼란된 대인 간 관계의 결과이며, 혼란된 대인 간 의사소통이나 상호작용으로 드러난다. 대인관계적 거부를 예견하는 사람은 자신의 감정이나 갈망의 표현이 곧 다른 사람들로부터 거부당하는 원인이라고 믿기 때문에 다른 사람들과 친밀한 대인관계를 형성하지 못한다. 자신의 내면을 드러내지 않음으로써 서로의 관계를 파괴시키며, 그 결과 자신이 지니고 있던 최초의 신념과 예견된 거부가 확실하다고 믿는 악순환을 겪는다.

대인관계지능
[對人關係知能, interpersonal intelligence]

다른 사람들과 관계를 맺고 다른 사람들의 생각과 감정을 이해하는 능력. 인지치료

개인 간 지능이라고도 하며, 사회적 지능(social intelligence)이나 정서적 지능(emotional intelligence)과 유사한 개념으로 다루어지기도 한다. 타인을 이해하는 능력인 대인관계지능은 자신이 누구인지 알고 자신의 강점과 약점을 파악하여 자신의 마음을 이해하는 능력인 자기이해지능, 즉 개인 내 지능(intrapersonal intelligence)과 대비되는 개념으로 사용된다. 다른 사람의 표정, 목소리, 몸짓 등에 나타나는 감정이나 동기 등을 인식하고 구분할 수 있는 능력이다. 또한 대인관계에서 나타나는 여러 가지 특징과 의도를 판단하고 이러한 것들에 효율적으로 대처하는 능력을 뜻한다. 가드너(H. Gardner)는 지능이 높은 아동은 모든 영역에서 우수하다는 종래의 획일주의적인 지능관을 비판했는데, 인간의 지적 능력이 서로 독립적이며 상이한 여러 유형의 능력으로 구성된다고 주장하면서 다중지능개념을 소개하였다. 그는 지능을 구체적으로 언어, 논리수학, 공간, 신체운동, 음악, 대인관계, 자기이해, 자연탐구의 8개 유형으로 구분하였다. 언어지능은 사고하고 복잡한 의미를 표현하는 언어를 사용하는 능력이며, 논리수학지능은 계산과 정량화를 가능하도록 하고 명제와 가설을 생각하며 복잡한 수학적 기능을 수행하는 능력이다. 공간지능은 내외적 이미지의 지각, 재창조, 변형 또는 수정이 가능하도록 하며, 자신이나 사물을 공간적으로 조정하고 그래픽 정보로 생산하거나 해석이 가능하도록 하는 능력이다. 신체운동지능은 대상을 잘 다루고 신체적 기술을 잘 조절하는 능력이며, 음악지능은 음의 리듬, 음높이, 음색에 대한 민감성을 보이는 사람들이 가지고 있는 것이다. 대인관계지능은 타인을 이해하고 타인과 효과적으로 상호작용하는 능력이다. 자기이해지능은 자신에 대한 정확한 지각과 자신의 인생을 계획하고 조절하는 지식을 사용할 수 있는 능력이다. 자연탐구지능은 자연의 패턴을 관찰하고 대상을 정의, 분류하며 자연과 인공적인 체계를 이해하는 능력이다. 대인관계지능이 높은 사람은 친구가 많고 다른 사람을 잘 도와주며 상황에 맞게 행동하기 때문에 인간관계가 원만한 편이다. 이 같은 사

람들은 의사소통을 할 때 말로 대화를 나누는 언어적 요소, 표정이나 몸짓과 같은 비언어적 요소를 모두 잘 활용한다. 또한 남다른 의사소통 기술을 바탕으로 집단활동에도 잘 참여하며, 집단 내에서 중요한 역할을 맡기도 한다. 집단 내에 문제가 발생할 경우 중재와 조정역할을 잘 수행할 뿐만 아니라 집단지도자 역할도 훌륭하게 해낼 수 있다. 유능한 정치가, 지도자, 성직자가 대체로 대인관계지능이 높은 편이다.

관련어 | 신체운동지능, 자기이해지능

대인기술
[對人技術, interpersonal skill]

자신의 대인 목표를 달성하기 위해 언어적 또는 비언어적 행동으로 구사할 수 있는 대인능력. 아동청소년상담

사회적 기술(social skill)이라고도 부르는 대인기술은 인간관계를 맺는 기술을 뜻하는 것으로, 언어적 또는 비언어적으로 인간관계를 성공적으로 이끌어 갈 수 있는 사교적 능력이다. 필립스(Phillips, 1978)는 대인기술을 다음과 같이 설명하였다. 첫째, 자신의 권리, 요구, 만족, 의무처럼 자신의 원하는 바를 타인과의 관계에서 효과적으로 수행하는 행동적 능력이다. 둘째, 자신의 바람을 수행하되 타인의 권리, 요구, 만족, 의무를 손상시키지 않고 행하는 기술이기 때문에 타인에 대한 배려 없는 자기중심적 욕구충족행동능력은 대인기술이 아니다. 셋째, 자신의 의도를 잘 표현하고 전달하며 상대방의 의도를 잘 파악하고 이해하는 능력으로서 효과적인 의사소통능력을 의미한다. 넷째, 나와 타인의 욕구가 생산적으로 공유되어 모두 만족할 수 있는 결과를 가져오게 만드는 행동적 기술이다. 한편, 마이체이슨(Micheison)에 따르면 대인기술은 학습을 통해 획득되고, 언어적 행동과 비언어적 행동으로 구분된다. 그리고 대인기술의 적정성과 효과는 행위자, 상대방, 상황의 특성에 따라 결정되며, 타인으로부터의 사회적 보상을 극대화하는 특성을 가지고 있다. 얼굴표정, 몸의 움직임, 음성 등의 비언어적인 대인기술과 의사소통기술, 경청, 질문, 공감 등의 언어적인 대인기술로 구분할 수 있는 이러한 대인기술은, 대인동기나 대인신념을 실제적인 인간관계에서 행동화하여 나타내는 것이며, 만족스러운 인간관계를 맺는 데 중요한 요소가 된다.

관련어 | 대인동기, 대인신념

대인동기
[對人動機, interpersonal motivation]

인간관계를 지향하도록 하고 사회적 행동을 유발하는 동기적 요인. 아동청소년상담

인간에게 사회적 행동과 인간관계 형성을 유발하는 동기적 요인을 뜻한다. 사람들은 모두 인간관계를 맺고 사회적 행동을 함으로써 충족시키고자 하는 다양한 대인동기를 가지고 있으며, 그 종류와 강도는 각각 다르다. 이 같은 대인동기는 대인행동을 결정하는 중요한 심리적 요인이 된다. 인간의 주요한 대인동기로는 생존을 위해 영양분을 공급받고 외부의 위험으로부터 보호받고자 하는 생물학적 동기, 다른 사람에게 의지하고 보호받으려고 하는 의존동기, 주변 사람들과 어울리고 친밀해지기를 원하는 친애동기, 다른 사람에게 자신의 영향력을 행사하고자 하는 지배동기, 이성에 대한 호기심과 구애 행동을 하도록 하는 성적 동기, 다른 사람을 신체적 · 언어적 · 정신적으로 공격하고자 하는 공격동기, 자기 자신을 가치 있는 존재로 여기고자 하는 자아정체감의 동기 등이 있다.

관련어 | 대인신념

대인사고
[對人思考, interpersonal thoughts]

대인관계 사건의 의미를 추론하는 과정과 그 추론된 사고. 아동청소년상담

다른 사람들과의 상호작용 속에서 일어나는 사건들의 의미를 추론하는 과정과 추론된 사고를 통칭한다. 대인관계 속에서 인간은 수많은 사람들과의 상호작용을 통해 상대방의 성격, 능력, 의도, 감정 등을 파악하고, 이를 근거로 상대방의 행동을 예상하여 자신의 행동도 결정하게 된다. 이렇게 대인관계에서 발생하는 사건들의 의미를 추론하고 다음 행동을 결정하는 것은 매우 복잡한 과정을 거친다. 이 복잡한 과정을 좀 더 명확하게 하기 위해서 하위과정으로 크게 분류해 보면, 의미추론 과정, 의미평가 과정, 대처결정 과정의 세 단계로 나눌 수 있다.

관련어 | 대인기술, 대인동기, 대인신념

대인신념
[對人信念, interpersonal beliefs]

대인관계와 대인행동에 영향을 미치는 개인의 신념. 아동청소년상담

대인관계와 대인행동에 영향을 주는 개인이 옳다고 믿고 있는 지적인 이해나 믿음을 의미한다. 이러한 대인신념은 일시적이고 즉흥적인 사고가 아니라 지속적으로 가지고 있는 안정적인 사고 내용이다. 또한 대인신념을 바탕으로 새로운 경험의 의미를 해석하고 평가하는 근거가 되며, 동시에 미래의 대인관계에 영향을 미치는 지적인 바탕이 된다. 대인신념은 세 가지 영역으로 구분할 수 있다. 첫째, 인간관계에 대한 신념으로 영역과 주제가 매우 다양한 특징을 보이는데, 삶에서 인간관계가 중요하다고 믿는 정도, 중요시하는 인간관계의 영역, 이상적인 인간관계에 대한 신념, 친밀한 인간관계를 맺는 방법에 대한 신념 등이 속한다. 둘째, 타인 및 인간일반에 대한 신념으로 사람마다 인간 일반에 대한 신념은 다르다. 인간본성은 선한가, 악한가? 인간은 이기적인가, 이타적인가? 사람들은 믿고 신뢰할 만한 존재인가, 아닌가? 등의 신념은 타인과의 관계 형태를 결정짓는 요인이 된다. 셋째, 자기 자신에 대한 신념으로 특별히 자기개념(self-concept)이라고 한다. 이것은 자신의 육체와 그 소유물인 물질적 자기(material self), 성격이나 능력 또는 적성과 같은 심리적 자기(psychic self), 타인과의 관계 속에서 나타나는 위치와 신분인 사회적 자기(social self)의 세 가지로 이루어져 있다. 자기 자신에 대한 신념은 이 같은 자신에 대한 각 측면을 어떻게 인식하고 있는가 하는 것이다. 대인신념은 대인동기와 밀접하게 관계되어 있고, 대인관계에 심각한 영향을 미치는 주요한 심리적 요인이다.

관련어 | 대인동기

대인지각
[對人知覺, interpersonal perception]

상대방의 외모, 언행, 다양한 정보로부터 상대방의 심리상태나 사회적 상태에 대해 판단하는 능력. 아동청소년상담

상대방으로부터 수집하는 다양한 정보를 바탕으로 그 사람의 성격, 감정, 의도와 같은 내면적 속성에 대해 판단하는 능력인 대인지각은 그 내용이 객관적으로 정확한 것인지 판단할 분명한 기준이 없기 때문에 상당히 주관적이라는 특징이 있다. 하지만 사람들은 대인지각의 평가에 따라 상대방의 행동을 예측하고, 그에 따른 자신의 행동을 결정하게 된다. 대인지각의 또 다른 특징은 대인지각의 대상인 사람이 능동적으로 반응하는 존재라는 점이다. 사람은 자신을 잘 보이도록 하기 위해 지각이나 판단의 근거가 되는 단서를 조작해서 지각자의 판단을 오도할 수 있다. 따라서 사람을 정확하게 지각하

고 판단하는 일은 매우 어렵다. 대인지각의 오류로는 고정관념, 암묵적 성격, 후광효과, 자성예언, 귀인 오류, 탈개인화 등이 있다.

관련어 | 대인행동, 인상형성

대인행동
[對人行動, interpersonal behavior]

현상에 대한 심리적 반응 중 인간관계에서 상대방에게 표현되어 직접적인 영향을 주는 언어적, 비언어적 행동. 아동청소년상담

다른 사람과의 상호작용 속에서 겉으로 드러내는 언어적 혹은 비언어적인 표현을 뜻한다. 이러한 대인행동은 대인신념, 대인동기, 대인감정 등의 영향을 받아 결정된다. 대인행동은 개인의 감정과 의도를 상대방에게 전달하는 방식이기 때문에 인간관계에 많은 영향을 미친다. 대인행동은 상대방의 반응을 유발하기 위한 자발적 대인행동과 상대방의 행동에 대한 반응을 나타내는 반응적 대인행동으로 크게 나눌 수 있다. 예를 들어, 휴일에 친구를 불러내기 위해 전화를 거는 행동이나 며칠간 만나지 못한 애인에게 문자를 보내는 행동 등은 자발적 대인행동이고, 상대방의 행동에 대해서 느끼는 감정을 표현하는 경우는 반응적 대인행동이다.

관련어 | 대인감정, 대인동기, 대인신념

대중매체
[大衆媒體, mass media]

정해지지 않은 다수를 대상으로 정보를 대량으로 전달하는 기계, 기술, 조직적 수단. 기타

신문, 잡지, 텔레비전, 라디오, 인터넷 등 집단 커뮤니케이션을 통해서 대다수의 청중에게 전달하고자 하는 목적으로 만들어진 모든 미디어기술을 일컫는다. 이는 특정 대상을 두는 편지, 전화와 같은 상호통신수단과는 구별된다. 19세기 후반에 대중 신문의 역할에서 출발한 대중매체의 힘은 20세기 초반 라디오가 등장하고 뒤이어 텔레비전이 생산되면서 급격하게 증대하였다. 이후 전자기술의 혁신과 위성의 발달로 위성방송, 인터넷 등이 가능해졌다. 이를 종류에 따라 분류하여 나열해 보면, 첫째, 도서 · 신문 등의 형태를 지닌 인쇄물, 둘째, 레코드 테이프 · CD · DVD 등의 기록물, 셋째, 영화, 넷째, 라디오, 다섯째, 텔레비전, 여섯째, 인터넷, 일곱째, 이동전화(mobile phones) 등이다. 이러한 대중매체의 특징을 톰슨(J. Thompson)은 다섯 가지로 보았다. 첫째, 생산 및 분배에서 기술적이고 제도적인 방법을 모두 쓴다. 둘째, 상징적 형태의 상업화와 관련되어 있다. 셋째, 제작과 정보수령 간의 관계가 분리되어 있다. 넷째, 시공간적으로 다른 생산품에 비해서 원거리까지 영향을 미칠 수 있다. 다섯째, 생산 및 배포과정에서 정보분배가 일원에서 다중으로 행해진다. 현대에서 가장 큰 영향력을 미친다고 할 수 있는 인터넷은 발원지는 하나지만 전 세계를 대상으로 할 수 있다. 대중매체는 어마어마한 시장성을 가지고 있다. 발전 초기에는 시각 중심의 인쇄매체, 청각 중심의 라디오 매체처럼 하나의 감각기관을 수단으로 하던 것이 20세기 기술혁신으로 텔레비전, 영화, 인터넷 등 시청각 매체들이 대세를 이루게 되었다. 현대 인터넷, 이동전화 등은 생활 필수 요건이 되었다. 대중매체의 이 같은 급격한 변화와 발전은 근대산업 발달에 따른 인구집중, 교육확산, 경제성장, 여가의 중요성 확대, 대중사회 형성, 정보통신기술의 발달, 퍼스널컴퓨터의 대중화 등이 원인이라 할 수 있다. 대중매체의 엄청난 파급효과와 그 영향력의 신속성 때문에 대중문화나 가치관은 다양성을 잃고 천편일률적으로 흘러간다는 우려의 목소리도 커지고 있다. 또한 인터넷의 발달로 정보 전달력이 거의 무한으로 커지고 있지만, 그로 인해 새로운 문제가 함께 일어나고 있다. 여러 매체산

업이 소수의 손에 집중화되는 수준도 위험 수위에 다다른 상황이다.

대중사회
[大衆社會, mass society]

대중이 정치 · 경제 · 사회 · 문화의 모든 분야에 진출하여 그 동향을 좌우하는 사회상황 또는 사회형태. 인지행동

카를 만하임(Karl Mannheim)이 사용한 용어로, 원자화된 개인이 대중이 되어 사회의 전면에 출현한 상황을 뜻한다. 사회학 · 사회심리학 등의 '대중사회론'에서 20세기를 사회상황이라는 측면에서 특징지을 때 적용하는 개념으로, 독점 자본주의에 따른 현대사회를 지칭한다. 사회현상을 모두 대량(mass)이라는 관점에서 해명하였다. 사회 이동성의 확대, 사회의 분화와 확대의 진행, 전통적인 가치체계의 붕괴, 연대감의 희박 등이 주요 특징이다. 자본주의의 발달과 자본의 독점 · 집중에 따른 생산 규모의 증대 때문에 대규모 기계적 수단의 발달, 대량생산과 대량소비, 각종 기능집단의 무수한 파생과 그 규모의 거대화 및 기구의 관료제화, 매스 커뮤니케이션의 발달 등과 같은 현상이 급속히 진전된다. 이러한 현상이 지속되면 인간의 의식과 행동양식이 규격화 · 획일화되어 사람들은 조직 속의 톱니바퀴 같은 존재가 되거나, 또는 분해되어 원자화한 대중 속의 한 사람이 된다. 대중사회는 19세기의 산업혁명 후 고도산업사회의 발전과 교통통신수단의 발달로 시작되었다. 공장 노동자를 도시에 집중시킴과 동시에 촌락 공동체의 분해를 초래하였다. 전통적인 공동체 속에서는 각 개인의 사회적 지위, 학력이나 경력이 비슷했지만, 자본주의 사회로 전환되면서 개인은 도시의 고용 노동력으로 흡수된다. 거기에서 다시 생산활동을 위해 조직화되지만 개개인을 직접적으로 연계하는 요인이 없어지므로 익명의 불특정 다수의 대중이 생기게 된다. 또한 매스미디어의 발달로 이들은 막대한 정보를 동시에 입수할 수 있다. 그 결과 동일한 사고나 욕구 및 행동을 취하기는 하지만 상호 연대감이 희박한 사람들로 구성된 대중사회가 성립된다. 대중사회는 공동체 대신에 대중조직에 의해 통합된다. 이 조직은 공식적이고 대규모이며 구성원 간의 관계는 간접적이고 형식적이다. 따라서 구성원은 조직에 대해 수동적이고 귀속의식이 낮다. 또한 개인의 독자성보다 평등성을 더 중시하고 다수 의견이 항상 우선한다. 그리고 개성의 분열이라든지 아노미(anomie), 소외 등 인간적 위기상황이 나타난다. 개개인은 서로 고립되고 무력감에 빠져 소외상태에 놓인다. 사람들은 개성적인 창조력을 상실하며, 고독하고 부동적인 경향과 수동적 · 타인 지향적 경향을 더해 간다. 리스먼(Riesman)은 이러한 사람들을 '고독한 군중'이라고 하였다. '대중사회론'은 심리학적 관점과 결합되는데, 대중사회에 존재하는 개인의 심리적 조건은 고립감, 고독, 개인적 · 집단적 동질성에 대한 갈망, 비인격적 인간관계, 개인적 감정의 내밀화 등의 특징을 지닌다.

대질
[對質, confrontation]

내담자가 기존에 가지고 있던 인식에 맞서 질문함으로써 더 풍부하고 좋은 정보와 함께할 수 있도록 도움을 주는 것. 생애기술치료

사람들은 누구나 각자 자신만의 구조화된 인식체계를 가지고 있다. 대질을 통하여 이러한 구조화된 인식의 틀이 깨지면, 더 깊고 폭넓은 이해를 할 수 있게 된다. 대질의 출발점은 상담자보다는 내담자의 내재되고 구조화된 인식이다. 대질을 하는 과정을 살펴보면 다음과 같다. 첫째, 내담자의 메시지를 어떻게 듣고 이해하고 있는지를 보여 주는 반영적인 반응을 하는 것으로 시작한다. 둘째, 내담자에게서 전해져 오는 다양한 메시지 사이의 불일치에 대하여 질문함으로써 그가 뜻하는 바를 정하도록 한

다. 셋째, 대질을 하면서 내담자를 폄하하지 않도록 주의한다. 내담자의 불일치나 자아 왜곡에 대한 대질은 자칫하면 내담자를 돕기보다는 공격하는 것으로 보일 수 있기 때문에 '너 전달법'의 사용을 지양하고 조력자의 역할에 충실해야 한다. 넷째, 상담자 본인이 원하는 만큼의 목표를 달성할 정도로만 대질해야 한다. 다섯째, 위협 혹은 불안감을 조성할 만한 목소리나 행동을 피해야 한다. 여섯째, 대질의 기본 목적은 내담자가 자신을 더 잘 표현할 수 있도록 돕는 것이지만, 이러한 목적을 강요해서는 안 된다. 이 같은 이점들을 받아들일지는 내담자 스스로 결정하는 것이지 상담자가 의무감을 가지고 강요할 문제는 아니다. 일곱째, 과도한 대질은 피해야 한다. 그 누구도 지속적으로 도전받는 것을 좋아하지 않는다. 따라서 상담자와 내담자 사이의 관계유지를 위해서 너무 자주 대질하는 것은 피해야 한다. 대질은 내담자가 어떠한 형태의 관계를 형성하고 있으며, 또한 그러한 인간관계가 내담자 본인에게 얼마나 중요한 영향을 미치는지를 알 수 있도록 하는 역할을 한다는 점에서 그 중요성을 찾을 수 있다. 개인의 관계기술을 향상시킬 수 있는 대질은 불일치에 대한 대질과 자아 왜곡에 대한 대질의 두 종류가 있다.

불일치에 대한 대질 [不一致-對質, confronting inconsistencies] 내담자의 말 속에 나타나는 불일치에 대한 상담자의 대질로서 불일치에 대하여 질문함으로써 내담자에게 맞서는 것을 불일치에 대한 대질이라고 한다. 내담자의 말을 듣다 보면 그 속에 많은 불일치가 있는 경우가 종종 발견된다. 이러한 불일치는 구술되는 언어, 목소리, 몸짓 사이에 불일치가 나타나는 경우가 있고, 말과 행동 사이에 불일치가 관찰될 때도 있다. 또한 과거와 현재에 표현한 것이 불일치할 때가 있으며, 내담자가 자신에 대해 생각하는 것과 상담자가 내담자에 대해 생각하는 것 혹은 제3자가 내담자에 대해 생각하고 있는 것 사이에도 불일치가 발생할 수 있다.

자아 왜곡에 대한 대질 [自我歪曲-對質, confronting distortions of reality] 내담자가 자신에 대해 부정적으로 표현하는 것에 대한 상담자의 대질을 말한다. 내담자가 자신에 대해 표현을 할 때, 가끔 "나는 친구가 하나도 없어요." "그 사람은 나를 더 이상 사랑하지 않아요."와 같이 부족한 증거와 흑백논리로 성급한 정의를 내리는 경우가 있다. 이러한 내담자의 표현은 상담과정에 부정적인 영향을 미친다. 이 상황에서 상담자는 내담자의 자아 왜곡에 대하여 반영적 반응을 하거나 대질을 하는 방법을 선택할 수 있다.

대처기제
[對處機制, coping mechanism]

인지행동치료

⇨ '대처방략' 참조.

대처방략
[對處方略, coping strategies]

개인이나 인간관계에서 발생하는 위협, 도전, 위험과 같은 문제가 나타났을 때 이를 참아 내거나 극복하거나 최소화하려는 심리적 · 사회적 수준에서의 의식적 노력 또는 대처 반응 양식으로, 대처기제 또는 대처기술이라고도 함. 인지행동치료

대처는 자신의 자원에 부담을 주거나 자원을 억누르는 것으로 평가되는 상황의 요구를 처리하려는 끊임없이 변화하는 인지적 · 행동적 노력이다. 사람은 살아가는 동안 다양한 스트레스에 노출되는 상황을 경험하는데, 이때 스트레스의 내용이나 강도보다 스트레스 자체에 대해서 어떻게 대처하는지가 매우 중요하다. 대처를 얼마나 잘하는가는 대처자원과 그 자원의 효율적인 사용에 달려 있으며, 대처

자원에는 건강과 에너지, 긍정적 신념, 문제해결기술, 사회적 기술, 인적 자원, 물적 자원, 환경적 자원 등이 있다. 인지행동치료에서는 대처기술의 직접적인 교육과 훈련을 강조한다. 사람이 부적응을 겪는 이유는 상황에 비효율적인 방식으로 반응하기 때문이므로 상황에 적절한 대처행동을 가르치고 훈련시키는 것은 부적응을 해소하는 데 매우 중요한 핵심이 된다. 웨이튼과 로이드(Weiten & Lloyd, 2008)는 대처방략을 세 가지로 구분하여 평가중심, 문제중심, 정서중심의 대처방략으로 설명하였다. 평가중심 대처방략은 사고방식을 바꾸거나 문제로부터 거리를 유지하는 것이다. 문제중심 대처방략은 문제의 원인을 파악해서 그 문제에 대한 정보를 발견하고 이를 다루기 위한 새로운 기술을 배우는 것이다. 즉, 문제중심 대처방략은 스트레스의 근원을 바꾸거나 제거하는 데 목적을 둔다. 정서중심 대처방략은 빠져 있는 감정에서 벗어나 기분전환을 하거나 부정적 감정을 관리하고 체계적인 이완절차를 사용하는 것이다. 즉, 정서중심 대처방략은 스트레스를 인식하는 데 수반되는 감정을 관리한다. 사람들은 보통 이 세 가지 방략을 혼합해서 사용하며, 각각의 방법은 모두 유용하다. 라자루스와 포크만(Lazarus & Folkman, 1984)은 성격 또는 기질적인 특성에 따라 스트레스 대처방식에 차이가 있고 스트레스의 효과도 다르게 나타난다는 것에 근거하여 스트레스 대처방식을 문제중심적 대처행동과 정서중심적 대처행동으로 구분하였다. 문제중심적 대처는 문제가 되는 행동이나 환경적 조건을 변화시키고자 문제에 대해 대안적 해결책을 찾아 행동하는 것을 의미한다. 따라서 가족, 친구, 동료에게 적절한 도움을 구하거나 행동적 자기통제를 함으로써 문제를 극복해 나가고자 하는 스트레스 대처방식이다. 정서중심적 대처는 문제를 야기한 정서를 다루는 방식과 관련된 것으로서 스트레스 사건에 대처하는 방식에 따라 그 파급효과도 달라질 수 있다는 것이다. 즉, 사건의 의미를 직접적으로 변화시키지 않고 이에 대한 해석만 변화시키는 것을 의미한다. 또 하나의 분류방식으로는 직접적 대처와 방어적 대처가 있는데, 직접적 대처는 걱정스럽고 긴장되는 상황을 변화시키기 위해서 직접적인 행동을 취하는 것이다. 또 방어적 대처는 불편하고 긴장상태에서도 실제로 위협받지 않았다고 스스로를 확신시키는 것이다. 이때 직접적인 대처에는 현실직면, 현실과의 타협, 철수 등이 있다. 현실직면은 긍정적인 자아감을 가지고 정보를 수집하거나 사회적 지지를 추구하는 것과 같이 스트레스 사건과 관련된 문제를 피하지 않고 맞부딪혀 해결해 나가려는 것이며, 현실과의 타협은 자신이 원래 원했던 것보다 더 적은 것에 만족하기로 마음을 바꾸거나 또는 문제를 부인하거나 관심을 다른 곳으로 전환시킴으로써 스트레스 사건으로부터 심리적인 거리를 두고자 하는 것이다. 그리고 철수는 가장 쉬운 방법으로 그 상황에서 후퇴하는 것이다. 방어적 대처는 자아방어기제라 불리는 심리적인 기제를 사용하는 것인데, 이 자아방어기제에는 억압, 거부, 반동형성, 투사, 합리화, 승화 등이 있다.

대처방략 프로그램
[對處方略－, coping strategies program]

다른 바람직한 행동을 촉진하거나 문제상황을 효과적으로 대처할 인지적 행동이 없는 경우에 새로운 인지적 행동을 가르치기 위해 시행하는 것. 인지행동치료

대표적인 대처방략 프로그램의 하나인 자기교습훈련(self-instruction training)에서 상담자는 문제상황에서 수행을 향상시키거나 혹은 그 상황에서의 행동에 영향을 주는 특정한 자기진술을 내담자에게 가르치고, 내담자는 교수, 모델링, 시연, 피드백, 문제상황을 재연한 역할극을 통해 대처방략을 학습한다. 바람직한 행동은 역할극에서 자기교습과 연합되어 문제상황에서 자기교습을 암송하는 것은 내담자가 바람직한 행동을 더 잘할 수 있게 만들어 주고,

그 결과 자기교습은 바람직한 행동에 대한 식별자극이 된다. 내담자가 문제상황을 가상한 역할극 맥락에서 자기교습을 학습하면 실제 문제상황에서도 자기교습을 좀 더 잘할 수 있다. 인지적 경향을 수정하는 방법을 배우면 스트레스 상황을 다루는 데 효과적인 방략을 획득할 수 있다는 것이다. 자기교습훈련의 절차는 다음과 같다. 첫째, 문제상황을 확인하고 상황에 가장 적절한 바람직한 행동을 정의한다. 둘째, 문제상황에서 가장 도움이 되는 자기교습을 확인한다. 셋째, 자기교습을 가르치기 위해 행동기술훈련을 사용한다. 문제상황을 가상한 역할극에서 자기교습을 연습함으로써 행동기술훈련을 마친 후의 문제상황에까지 자기교습을 일반화한다.

관련어 | 자기교습훈련

대처이론
[對處理論, coping theory]

사람들이 스트레스에 어떠한 대처 반응을 보이는지에 관해 라자루스(Lazarus)와 포크만(Folkman)이 전개한 이론.

정서 중심 치료

대처란 개인이 사용할 수 있는 자원을 초과하거나 부담이 큰 요구를 다루는 노력으로, 달리 표현하면 스트레스로 지각된 것에 대한 반응이다. 스트레스와 그 대처과정에서 중요한 세 가지 요소는 평가, 정서, 대처다. 특정한 스트레스를 어떻게 평가하는지에 따라 유발되는 정서와 이어지는 대처행동이 달라지기 때문이다. 또한 이때 유발된 정서와 대처행동은 다시 이후의 정서와 재평가에 영향을 미친다. 그래서 상황이 해결되거나 그 상황을 더 이상 스트레스로 평가하지 않게 될 때까지 '평가-정서-대처-정서-재평가'가 계속 순환된다. 라자루스와 포크만은 평가를 일차적 평가와 이차적 평가로 구분하였다. 일차적 평가는 개인의 목표, 가치, 신념에 따라 사건을 개인적으로 평가하는 것이다. 여기에는 사용 가능한 대처자원이 무엇인지, 그러한 대처자원이 특정 상황에 얼마나 효과적인지 등의 문제가 포함된다. 라자루스와 포크만은 일차적 평가의 결과를 '무관한, 좋은/긍정적, 해로운/손실이 되는, 위협적인, 도전적인' 사건으로 나누었다. 무관하다고 평가된 사건은 개인의 가치나 신념, 목표와는 관련이 없으므로 특정 정서와 관련되지 않는다. 좋은/긍정적인 것으로 평가된 사건은 행복이나 만족감 같은 정서를 일으키고, 이러한 정서에서는 별다른 대처반응이 나타나지 않는다. 해로운/손실이 되는 사건은 보통 슬픔, 분노와 같은 부정적인 정서를 불러일으킨다. 위협적인 것으로 평가된 사건은 불안과 연관되는 경향이 있다. 도전적인 것으로 평가된 사건에서 그 상황이 득이 될 수 있다고 보이면 보통 긍정적인 정서 및 부정적인 정서 모두와 관련되는 경향이 있다. 도전으로 평가된 상황은 흥분이나 열정과 같은 감정을 촉진하지만, 불확실한 결과에 대한 불안이나 공포도 일으킬 수 있는 것이다. 라자루스와 포크만에 따르면, 해로운/손실이 있는, 위협적인, 도전적인 사건은 스트레스라고 평가되고, 이들 사건과 관련된 정서와 대처 반응이 나타난다고 보았다. 일반적으로 사람들은 스트레스를 주는 사건이 발생했을 때, 문제중심 대처와 정서중심 대처를 사용하게 된다. 문제중심 대처는 문제를 직접적으로 다루는 것을, 정서중심 대처는 해당 문제와 관련된 부정적인 정서를 완화하려는 것을 의미한다. 하지만 이들 두 대처방식이 항상 뚜렷하게 구분되는 것은 아니며, 문제중심 대처가 정서중심 대처의 기능을 할 수도 있고, 그 반대일 경우도 있다. 예를 들면, 개인이 문제 자체를 다루는 도중 자신이 느낀 부정적 정서가 해결될 수도 있다.

대처질문
[對處質問, coping question]

내담자가 자신의 문제가 해결되지 않았고 자신은 긍정적인 변화를 만들어 낼 수 있는 능력을 가지고 있지 않다며 좌절하고 있을 때, 상담자가 사용하는 해결중심접근법의 질문기법 중 하나. 정서중심치료 해결중심상담

대처질문은 문제해결의 예외를 발견하지 못하고, 문제해결의 어떠한 희망도 찾지 못해 절망하고 있는 내담자에게 사용하는 질문이다. 해결중심접근의 치료에서는 내담자의 문제를 해결하기 위해서 여러 가지 목표를 세우고 이를 잘 성취했는지 확인하는 과정을 거친다. 이 과정에서 내담자는 자신의 문제가 점점 긍정적인 방향으로 바뀌고 있다는 것을 인식할 수 있어야 하는데, 일부 내담자는 오히려 문제가 더 나빠졌고, 따라서 자신은 문제를 해결할 가능성이 없는 무능한 사람이라고 느끼는 경우가 있다. 이때 대처질문을 사용하면 내담자에게 아직 문제를 더 심각한 상황으로 가져가지 않을 힘과, 그 정도의 선에서 버틸 수 있는 힘이 남아 있다는 것을 인식하도록 해 주고, 자신에게 남아 있는 자원과 강점을 발견하는 효과를 거둔다. 즉, 상담자가 대처질문을 통해서 비록 내담자가 최악의 상황에 있다 해도 다른 곳으로 가지 않고 치료회기에 참석하였고, 치료회기에서 자신의 이야기를 할 수 있었으며, 이 과정을 통해 아주 작은 변화라도 만들었다는 것을 내담자에게 확인시켜 주는 것이다. 이때 사용할 수 있는 대처질문으로는, "당신은 지금까지 있었던 여러 가지 힘든 일을 어떻게 견딜 수 있었나요?" "당신은 현재 생활 속에서 일어나고 있는 어려운 일을 어떻게 견디고 있나요?" "당신이 지금까지 힘든 일을 견뎌내는 데 가장 도움이 된 것은 무엇인가요?" "당신의 가장 친한 친구에게 물어보면 당신의 어떤 점이 지금처럼 그렇게 잘 대처하는 데 도움이 되었다고 이야기할까요?" 등이다.

대체안
[代替案, alternatives]

현재의 부적응 행동 대신 보다 적응적인 행동을 제안하여 실행하게 하는 상담기법. 개인심리학

내담자의 부적응 행동의 문제점을 지적하거나 통찰시키려고 노력하기보다는 내담자가 실행할 수 있는 적응적인 행동을 하도록 하여 인지행동적 변화를 도모한다. 예를 들면, 남편이 늦게 귀가하는 것에 불만이 많아 항상 "왜 빨리 귀가하지 않나요? 나에게 애정이 없어서 그런가요?"라고 화내는 아내에게, 이러한 반응 대신 "당신이 빨리 집에 들어오면 내가 얼마나 기쁘겠어요?"라고 말해 본 다음 결과를 끝까지 지켜보도록 제안하는 것이다.

대칭성
[對稱性, symmetry]

인간관계에서의 상호작용이 등질성에 의해 특징지어지는 상호작용의 유형. 가족치료 일반

두 사람이 서로 상호주의에 입각해서 주고받는 관계를 대칭이라고 한다. 대칭의 관계는 인간관계에 존재하는 하나의 윤리적 맥락이다. 예를 들어, 한 사람이 다른 사람을 배려하고 보살펴 주었다면 다른 사람도 상대방에게 그렇게 해야 한다는 것이다. 그러나 모든 영역에서 두 사람이 항상 상호주의 원칙을 지키는 관계를 만들지는 못한다. 왜냐하면 어떤 영역에서는 한 사람이 다른 사람보다 자산과 신용을 많이 가지고 있고, 다른 영역에서는 그 반대의 경우가 생기기 때문이다. 따라서 두 사람은 상보적 관계를 형성하여 자신이 더 많은 것을 가지고 있는 영역에서는 더 많이 주고, 더 적은 것을 가지고 있는 영역에서는 더 많이 받는다. 즉, 주고받는 관계에서 가지고 있는 것을 동등하게 하는 평등성의 원리와 없거나 부족한 것을 충족시키는 공평성의

원리가 동시에 적용되는 것이다. 부부관계는 평등성의 원리와 공평성의 원리가 동시에 적용되는 관계다. 부부는 남자와 여자이기 이전에 인간이며, 이 같은 측면에서 가진 것을 동등하게 나누는 평등성의 원리가 적용된다. 한편 남자로서, 혹은 여자로서 가지고 있는 특성이 있고 이 특성으로 상대방의 부족한 부분을 채워 주며, 이 같은 측면에서 공평성의 원리가 적용된다. 예를 들면, 일반적으로 남자는 일 중심적이고 여자는 관계 중심적이라고 생각되고 있다. 남자는 일 중심적이기 때문에 결과 지향적이고, 여자는 관계 중심적이기 때문에 과정 지향적이다. 이때 서로 주고받는 관계가 되도록 하려면 결과 지향 남성과 과정 지향 여성이 상보적인 입장에 서야 한다. 공정성의 원리는 서로 다른 점을 고려하여 같은 방식으로 대한다는 주고받는 관계다. 즉, 남자는 해결 지향적이기 때문에 해결을 요하는 일을 부탁하고, 여자는 과정 지향적이기 때문에 과정을 지속화하는 점이 중요한 일을 하는 것이다. 이렇게 함으로써 부부관계는 서로 주고받음의 상보성 원리 측면에서 공평해질 수 있다.

대칭적 반응
[對稱的反應, symmetric response]

사이코드라마에서 주인공과 보조자아 사이에 발생하는 상호작용. 사이코드라마

보조자아의 행동이 주인공에게 영향을 미쳐, 주인공이 보조자아와 비슷한 반응을 불러일으키도록 하는 것이다. 예를 들어, 보조자아가 주인공에게 흥분해서 소리를 치거나 혹은 속삭이듯 말하면, 주인공은 보조자아와 마찬가지로 흥분해서 소리를 치거나 속삭이듯 말하는 반응을 보이는 것이다. 이러한 대칭적 반응은 주인공이 감정적으로 억눌려 있지만 수줍어서 자신의 공격성을 표출하지 못하는 경우에 사용한다. 이때 연출자는 보조자아에게 대칭적 반응을 이끌어 내도록 하여 주인공이 솔직하게 자신의 감정을 표현할 수 있도록 도와준다.

관련어 | 보조자아

대학상담
[大學相談, college counseling]

상담영역을 장소 및 대상별로 분류했을 때 대학장면에서 대학생을 대상으로 실시하는 상담. 학교상담

대학장면에서의 상담은 원칙적으로 대학생이 대상이 된다. 대학생들의 적응문제, 정신건강문제, 대인관계문제, 학업 및 진로문제 등을 다루며, 대학 내 학생생활상담센터는 상담전문가를 양성하는 교육기관의 기능도 담당하고 있다. 상담의 일반적인 원리를 적용하지만, 대학생의 독특한 발달적 특징에 대한 이해를 토대로 상담서비스 활동이 이루어진다. 대학생은 발달심리적으로 청년기에 속하고, 많은 자극 정보가 제공되는 대학 내 환경에서 생활하기 때문에 다양한 문제를 가지고 있다. 개인상담을 위주로 개별 대학생에게 필요한 정보를 제공하거나 문제해결에 초점을 두어 왔다. 그러나 최근 대학상담 분야에서도 정신의학적 모형이나 심리 분석적 모형부터 집단상담을 포함한 교육적 모형까지 그 접근방법이 변화되고 있다. 또한 상담실을 내방한 내담자만을 대상으로 상담서비스가 제공되었으나 점차 상담실 밖의 학과, 동아리, 기숙사, 가정환경 등에 관련된 문제에도 직접적으로 개입하고 있다. 상담목적이 치료에서 예방과 성장에 초점을 두는 것으로 변화하고 있으며, 상담내용도 교육적인 측면이 강조된다. 소수의 부적응 내담자뿐만 아니라 대학 내 모든 학생구성원을 대상으로 상담 프로그램을 제공한다.

대한군상담학회
[大韓軍相談學會, orean Association of Military Counseling]

www.kamc.or.kr 학회

모든 인간의 권리는 존중하며 군 구성원들의 정신건강과 병영문화 개선에 기여하여 군 발전과 국가 발전, 세계평화에 기여하고자 하는 한국상담학회 산하의 분과학회다. 대한군상담학회는 군상담에 관한 연구와 교육을 통하여 군의 지휘역량을 강화하고 병영문화를 개선할 뿐만 아니라 장병들의 정신건강 증진 및 군의 민주적 발전에 기여할 목적으로 2005년 한국상담심리학회 내 군상담 활성화팀으로 구성되었으나, 2007년 1월 군관계자들을 중심으로 기존 상담 관련 학회로부터 독립된 통합학회 창립 필요성 논의를 통해, 같은 해 6월 대한 군상담학회가 독립적으로 창설되었다. 그후 2009년 군상담 자격연수, 국방부 사단법인 등록 후 지금까지 이어져 오고 있다. 주요 활동으로는 군상담 연구(군상담의 이론적 발전을 위한 연구, 군 지휘역량 강화를 위한 상담교육 프로그램 개발, 병영문화 개선을 위한 정책제안과 프로그램 개발, 학술세미나 개최)를 비롯한 군상담전문가 양성(장병 정신건강 증진과 사고 예방을 위한 군 간부 상담교육, 장병가족을 위한 상담교육, 상담역량 증진을 위한 상담사례연구회 개최, 전문 군상담 인력 양성을 위한 군상담사 자격증 제도 시행, 소식지 및 학술연구지 발간) 등이 있다. 회원은 정회원, 준회원, 평생회원, 기관회원으로 구분하며, 학회에서 취득 가능한 자격증은 '군상담 수련 감독자'와 '군상담심리사(1~2급)'가 있다.

대한기독교상담학회
[大韓基督敎相談學會, The Korean Association of Christian Counseling]

http://kcca.onmam.com 학회

대한기독교상담학회는 일반 상담의 지식과 기술을 익히는 동시에 영적 문제에 대하여 예수님의 가르침을 제시해야 한다고 보고 있다. 인간의 좌뇌와 우뇌가 그 기능을 하는 데 조화롭게 발휘하기 위해 둘 사이에 뇌량이 있듯이 하나님의 뜻 아래에서 뇌량과 같은 상담자의 역할이 필요함을 강조한다. 이에 대한기독교상담학회는 기독교 세계관에 입각하여 기독교상담학의 정체성 확립, 기독교상담의 전문성, 기독교상담 문화의 확산을 통하여 한국 기독교, 교회 및 사회 발전에 기여함을 목적으로 2007년 설립된 후 지금까지 이어져 오고 있다. 주요 활동으로는 기독교상담에 관한 이론과 실제 연구, 기독교상담에 관한 출판 및 자료수집과 홍보활동, 기독교상담을 위한 교육, 연수 및 학술세미나, 자격증 규정과 심사 및 지도감독, 회원 상호 간 학술교류 · 협력지원, 학술연구, 기타 학술문화 발전을 위하여 타 기관의 의견을 수렴하고 실현하는 일, 학술진흥을 위한 정책의 수립 진행에 관하여 정부와 학술연구 지원기관에 자문하고 건의하는 사업 등이 있다. 회원은 정회원, 준회원, 학생회원, 기관회원으로 구분하며, 학회에서 취득 가능한 자격증은 '수련 감독 기독교상담전문가'와 '기독교상담전문가(1~2급)'가 있다.

대한음악치료학회
[大韓音樂治療學會, Korean Association Music Therapy]

www.kamt.com 학회

음악치료는 치료적 목적, 즉 정신과 신체 건강을 복원 및 유지시키며 향상시키기 위해 음악을 사용하는 것이다. 이것은 치료적인 환경 속에서 치료 대상자의 행동을 바람직한 방향으로 변화시키기 위해서 음악치료사가 단계적으로 사용한다. 대한음악치료학회는 발달장애인, 여러 유형의 장애인, 신경증 환자, 약물중독자, 정신질환자, 노인질환자, 문제 청소년 및 일반인의 정신건강에 관한 이해와 음악치료의 임상 및 학문적 발달에 기여하고 회원 간의 정보교환 및 친목도모를 목적으로 1996년에 설립되었다. 그리고 1997년에 뉴욕 지부를 창립한 후 지금까지 이어져 오고 있다. 주요 활동으로는 2000년부터 학회지 『대한음악치료학회 학술지』 발간, 학회 프로그램 개발, 학회 임상 사례연구 활동, 워크숍 개최, 학술세미나 등이 있다. 회원은 평생회원, 정회원, 준회원, 기관회원으로 구분하며, 학회에서 취득 가능한 자격증은 '임상 분석 지도사' '즉흥 전문가' '타악 연주 지도사' '게슈탈트 음악치료사' '분석 음악치료사' '오르프 음악치료사' '음악치료사(1~2급)'가 있다.

대한임상미술치료학회
[大韓臨床美術治療學會, Korean Academy of Clinical Art Therapy]

www.kacat.co.kr 학회

미술치료는 생리적 · 심리적 · 발달장애의 원인으로 언어를 통한 의사소통이 어려운 사람들을 위해 시작되었다. 미술치료는 서양의학에서의 임상적 응용의 범위를 급속도로 넓혀 가고 있음은 물론, 동양의학에서도 다양한 각도에서 접목하고자 하며 보완대체의학 영역에서도 활발한 연구가 진행되고 있다. 임상 미술치료는 미술이라는 도구를 이용하여 환자의 심신을 안정시키고 긍정적인 에너지를 능동적으로 담아내는 치료로서, 이에 걸맞은 질적으로 우수한 치료사를 양성하기 위해 설립된 것이 대한임상미술치료학회다. 이 학회는 서양미술과 동양미술의 특징을 융합하여 이를 서양의학과 대체의학을 한데 아우르는 통합의학에 접목시켜 임상에 응용하고, 더 나아가 한 차원 높은 새로운 요법을 창출하고 이의 객관적이고 과학적인 연구개발을 목적으로 2005년에 설립되었다. 일본임상미술협회 연수단 파견 및 키무라클리닉 방문, 2007년 만다라 특강 및 워크숍, 세계 치매의 날 서울시 기념행사 '미술치료' 참가, 2009년 한 · 중 · 일 학술대회(BESETO) 개최 후 지금까지 이어져 오고 있다. 주요 활동으로는 미술치료피크닉을 통한 사회공헌 활동, 미술치료 행사, 해외선교 및 봉사활동, 특수아동을 위한 미술대회와 미술치료 전시 개최, 매년 학술대회마다 각국 학회장을 비롯하여 국내 각 분야 전문가를 초청하여 특강 및 워크숍 진행, 미국 · 일본 · 독일 · 프랑스 · 중국 · 캐나다 · 스페인 등과의 학술적 교류, 인턴십과 연수 등이 있다. 회원은 정회원과 준회원으로 구분하며, 학회에서 취득 가능한 자격증은 '임상 미술치료 전문가'와 '임상 미술치료사'가 있다.

대항각본
[對抗脚本, counterscript]

대항금지명령에 따르거나 근거하여 내린 일단의 결정들.

교류분석

에릭 번(Eric Berne)이 창안한 교류분석에서 사용하는 용어로, 부모나 중요 인물의 어버이 자아상태에서 아동의 어버이 자아상태에게 내린 대항금지명령(counterinjunction)에 따르거나 혹은 근거하여 만든 각본을 뜻한다. 겉으로 보기에는 금지명령에 대항하는 것과 같은 행동을 취하지만, 실제로는 각본의 진행에 가담하는 작용을 말한다. 대항각본의 명령은 부모의 양육적인 어버이(NP)에게서 발신되는 매우 교훈적이고 상식적인 메시지들이다. 예를 들어, '완벽하게 하라(be perfect).' '기쁘게 하라(please others).' '열심히 하라(try hard).' '강해져라

(be strong).' '서둘러라(hurry up).'와 같은 명령을 충동적으로 따르는 것이다. 이러한 대항각본은 금지명령에 근거하여 만든 생활각본을 무효화시키는 역할을 한다.

대항금지명령
[對抗禁止命令, counterinjunction]

부모나 중요 인물의 어버이 자아상태에서 아동의 어버이 자아상태에 제시되는 명령 혹은 메시지. 교류분석

에릭 번(Eric Berne)이 창안한 교류분석에서 사용되는 용어로, '어버이' 자아상태에서 '어버이' 자아상태로의 메시지들을 대항금지명령 또는 길항금지명령이라고 한다. 대항금지명령이란 표현은 이 메시지들이 금지명령에 반대하여 오는 것으로 생각하기 때문이다. 대항금지명령은 무엇을 하고 무엇을 하지 않는가에 대한 명령과 사람들과 세상에 관한 규정의 합으로 이루어진다. 우리 모두는 이 같은 명령을 부모와 같은 사람들에게 수없이 듣고 자란다. 대항각본(counterscript)은 어린이가 대항금지명령에 맞추어 내린 일단의 결정을 말한다. 우리는 보통 대항각본을 긍정적으로 사용하여 사회에 잘 적응하는 데 도움을 얻는다. 하지만 대항금지명령을 충동적으로 따를 경우에는 자발성을 상실하거나 적응과잉을 발생시킬 수 있고, 자신의 선택으로 대항금지명령을 충실하게 수행하는 경우에는 성취욕구가 강한 사람으로 보일 수 있다. 대부분의 사람은 부정적으로 사용하는 몇 가지씩의 대항각본 메시지를 가지고 있다. 예를 들어, '열심히 노력해라(try hard).'라는 대항금지명령은 '하지 마라(don't do?).' 혹은 '성공하지 마라(don't make it).'와 같은 금지명령을 거스르는 것이다. 부모로부터 "열심히 노력해라."라는 메시지를 듣고 학교에서 열심히 공부하게 되고, 직장에서 열심히 일을 함으로써 승진을 한다. 그러나 너무 열심히 해야 한다는 사실 때문에 스트레스를 받기도 하고 일에 빠져 여가, 휴식, 우정 등을 모두 희생시킬 수도 있다. 비극적 각본을 가진 사람이라면 위궤양, 고혈압, 심장마비에 걸릴 때까지 '열심히 노력해라.'라는 메시지를 따를 것이다. 캘러(Kahler, 1978)는 대항금지명령으로 '완벽하게 하라(be perfect).' '기쁘게 하라(please others).' '열심히 하라(try hard).' '강해져라(be strong).' '서둘러라(hurry up).'를 제시하였고, 굴딩(Goulding) 부부(1979)는 여기에 '주의하라(be careful).'를 추가적으로 제시하였다. 이러한 명령을 '드라이버 메시지(driver messages)' 또는 그냥 '드라이버(driver)'라고 부른다. 드라이버라 부르는 이유는 우리가 이러한 명령을 충동적으로 따르려 하기 때문이다. 어린이는 이러한 드라이버에 따라 살아야 OK 상태에 머물 수 있다고 믿는다. 정도의 차이는 있지만 사람마다 대항각본 속에 앞에 제시한 대항각본 메시지를 모두 가지고 있다. 내적으로 이러한 드라이버 메시지를 재연할 때 전형적으로 이 드라이버에 수반되는 일련의 행동을 드러낸다. 이 같은 '드라이버 행동'은 사람마다 일관성이 있으며, 누군가의 드라이버 행동을 관찰해 보면 그 사람의 각본에 대한 주요한 특징을 예측할 수 있다.

관련어 | 드라이버

대항문화
[對抗文化, counter culture]

기존의 주류 문화에 저항하는 문화. 교정상담

반문화(反文化) 혹은 대립문화(對立文化)라고도 한다. 한 사회의 하위문화 가운데 지배문화 혹은 주류문화에 순응하지 않고 이에 반대하거나 충돌을 일으키고 독자성을 내세우는 문화를 일컫는다. 예를 들어, 1960년대를 전후로 서구에서 기성사회의 주류문화에 대해 대안적 삶의 방식과 의미체계를

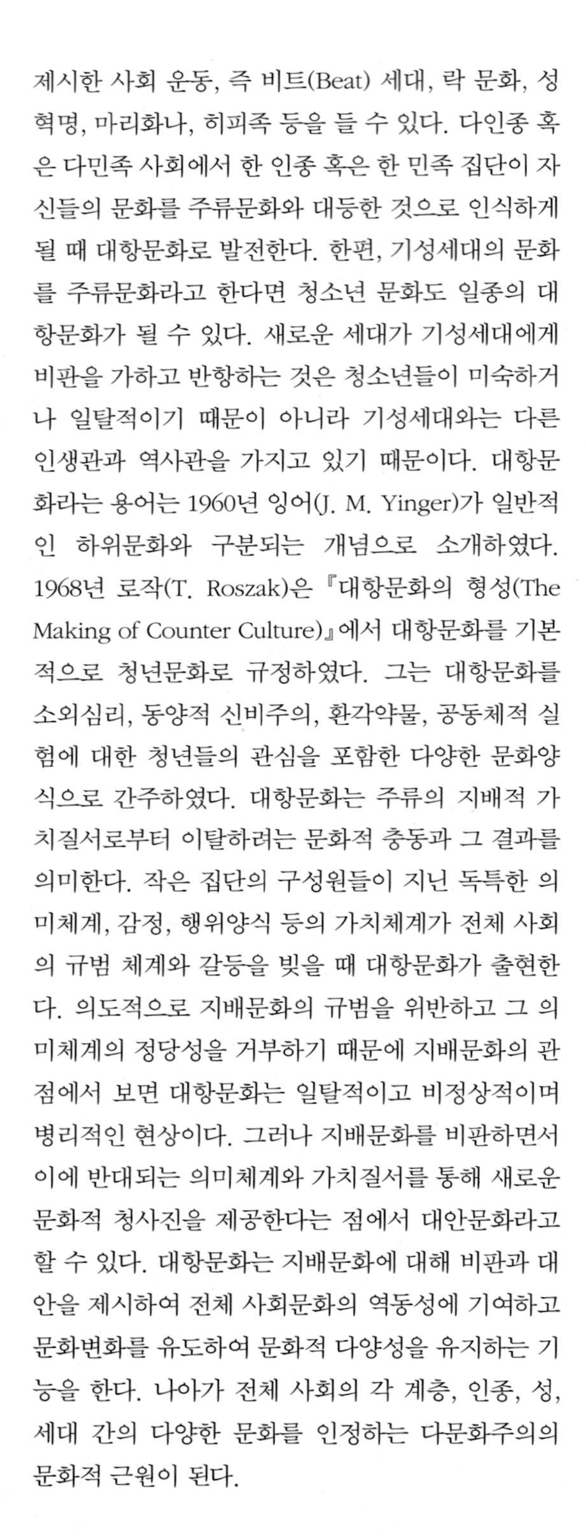
제시한 사회 운동, 즉 비트(Beat) 세대, 락 문화, 성혁명, 마리화나, 히피족 등을 들 수 있다. 다인종 혹은 다민족 사회에서 한 인종 혹은 한 민족 집단이 자신들의 문화를 주류문화와 대등한 것으로 인식하게 될 때 대항문화로 발전한다. 한편, 기성세대의 문화를 주류문화라고 한다면 청소년 문화도 일종의 대항문화가 될 수 있다. 새로운 세대가 기성세대에게 비판을 가하고 반항하는 것은 청소년들이 미숙하거나 일탈적이기 때문이 아니라 기성세대와는 다른 인생관과 역사관을 가지고 있기 때문이다. 대항문화라는 용어는 1960년 잉어(J. M. Yinger)가 일반적인 하위문화와 구분되는 개념으로 소개하였다. 1968년 로작(T. Roszak)은 『대항문화의 형성(The Making of Counter Culture)』에서 대항문화를 기본적으로 청년문화로 규정하였다. 그는 대항문화를 소외심리, 동양적 신비주의, 환각약물, 공동체적 실험에 대한 청년들의 관심을 포함한 다양한 문화양식으로 간주하였다. 대항문화는 주류의 지배적 가치질서로부터 이탈하려는 문화적 충동과 그 결과를 의미한다. 작은 집단의 구성원들이 지닌 독특한 의미체계, 감정, 행위양식 등의 가치체계가 전체 사회의 규범 체계와 갈등을 빚을 때 대항문화가 출현한다. 의도적으로 지배문화의 규범을 위반하고 그 의미체계의 정당성을 거부하기 때문에 지배문화의 관점에서 보면 대항문화는 일탈적이고 비정상적이며 병리적인 현상이다. 그러나 지배문화를 비판하면서 이에 반대되는 의미체계와 가치질서를 통해 새로운 문화적 청사진을 제공한다는 점에서 대안문화라고 할 수 있다. 대항문화는 지배문화에 대해 비판과 대안을 제시하여 전체 사회문화의 역동성에 기여하고 문화변화를 유도하여 문화적 다양성을 유지하는 기능을 한다. 나아가 전체 사회의 각 계층, 인종, 성, 세대 간의 다양한 문화를 인정하는 다문화주의의 문화적 근원이 된다.

대화 상대방 부정
[對話相對方否定, denial of receiver]

대화의 주체자인 말하는 사람이 말을 듣는 상대방을 부정하는 경우. 전략적 가족치료

대화를 받는 사람(청자)을 구체적으로 부정함으로써 대화의 요소를 부정하는 것이다. 예를 들면, 치료자와 정신분열증 환자가 서로 대화를 하고 있다가 정신분열증 환자가 치료자를 향해 “당신 국가정보원 사람이지!”라고 말을 했다면 환자는 치료자를 대화의 상대로 인정하지 않는 대화를 하는 것이다. 다른 예로, 아내가 남편을 향해 “당신은 왜 그렇게 정이 없어?”라고 말을 했는데 이에 대해 남편이 “내가 정 없이 행동한 게 뭐가 있는지 구체적으로 얘기해 봐.”라고 반응했고, 다시 아내는 “당신이 그랬다기보다 대개의 남자들이 그렇지.”라고 말을 했다면 이는 부인이 자신과 말하고 있는 남편을 대화 속에서 부정함으로써 남편으로 하여금 부인이 자신을 지칭한 것인지 일반적인 남자를 지칭한 것인지 혼동되게 만든 것이다. 두 예에서 보는 바와 같이 대화 속에서 대화를 받는 구체적인 사람을 부정하게 되면 이들의 대화는 역기능적이 된다.

대화게임
[對話 – , games of dialogue]

두 사람 간의 대화를 분석해서 각자 사용하고 있는 게임을 분석하는 방법. 교류분석

대화게임은 주로 교류도표를 사용해서 분석한다. 이 방법은 게임하는 사람들 사이에 벌어지는 이면교류를 밝혀내는 데 특히 유용하다. 굴딩과 쿠퍼(Goulding & Kupfer)는 대화게임 도표를 제시하면서 게임에 다섯 가지 특징이 있다고 하였다. 첫째, 사회적 수준에서 게임을 시작한다. 둘째, 사회적 수준과 동시에 일어나는 심리적 수준의 메시지, 즉 속

임수(con)가 등장한다. 셋째, 결과는 항상 심리수준에서 결정된다. 넷째, 게임에 참여한 두 사람은 라켓 감정, 즉 '나쁜 감정 결말'을 경험하는 것으로 끝맺는다. 다섯째, 게임에 참여하는 사람은 이면교류의 전 과정을 어른 자아상태의 의식 없이 진행한다. 사람들은 자신이 선호하는 게임을 할 때, 상대방의 반응이 자신이 시작한 게임에 대한 반응이라고 해석하기 위해 상대방의 반응을 왜곡한다. 따라서 상대방의 반응이 게임과 무관하더라도 라켓 감정을 느낄 수 있다.

관련어 | 게임

대화분석
[對話分析, communication analysis]

구조분석으로 명확하게 나타난 자아상태, 즉 P, A, C의 이해를 기반으로 일상생활 속에서 주고받은 말, 태도, 행동 등을 분석하는 것. 교류분석

번(Berne)이 창시한 교류분석의 주제 중 하나로서 대화분석, 교류패턴분석 또는 의사거래분석(意思去來分析)이라고도 한다. 대화분석은 세 가지 자아상태인 P, A, C를 응용해서 일상적인 서로 간의 의사소통(말, 태도, 행동)을 분석하는 것으로, 분석의 목적은 대인관계에서 자신이 타인에게 어떤 대화방법을 취하고 있는가, 타인은 자신에게 어떤 관계로 작용하고 있는가를 학습함으로써 자신의 자아상태 모습에 대해 깊이 있게 자각하고, 상황에 따른 적절한 자아상태를 스스로 의식적으로 통제할 수 있도록 하는 것이다. 모든 대화는 다음과 같은 유형으로 분류할 수 있다. 첫째, 상보교류(complementary transaction)다. 상보교류는 2개의 자아상태가 상호 관여하고 있는 교류로서 발신자가 기대하는 대로 수신자가 응답해 가는 평행적 교류다. 이러한 교류는 갈등이 없고 대화가 지속될 가능성이 크다. 둘째, 교차교류(crossed transaction)다. 교차교류는 교류를 하는 쌍방의 자아상태 간의 벡터가 서로 맞지 않고 동문서답을 하는 식의 의사소통으로, 3개 또는 4개의 자아상태가 관여하고 발신자가 기대하는 대로 응답해 오지 않으면서 예상 밖의 응답이 될 때 일어나는 교류다. 사람과 사람 사이의 교류는 항상 즐겁고 기분이 좋은 것만 있는 것이 아니다. 실제 사회에서 예상하지 못한 상대방의 반응에 곤혹감을 느끼기도 하고 실망하기도 하며 화가 나기도 하는 일이 많다. 그럴 때 두 사람 사이의 교류는 부자연스러워진다. 교차교류는 자극과 반응이 기대한 자아상태에서 되돌아오지 않아 자극과 반응의 선이 교차하고 이 시점에서 두 사람 간의 대화는 중단된다. 말을 건 사람은 상대방으로부터 기대하고 있던 반응이 얻어지지 않아 혼란스럽기도 하고 실망하기도 하며, 왠지 속은 것 같은 기분이 되기도 해서 두 사람 사이에는 어색한 분위기가 형성되는 결과로 끝난다. 이처럼 교차교류는 혼란의 원인도 초래한다. 이 같은 교류는 오래 지속될 가능성이 적으며 대화의 단절이 일어나곤 한다. 예를 들어, "지금 몇 시입니까?"에 대해 "뭐가 그리 급해요?"라고 응답하거나, "내 구두는 어디에 있지?"에 대해 "알아서 잘 찾아봐."라고 반응하는 것이다. 셋째, 이면교류(ulterior transaction)다. 이면교류는 저의교류라고도 하며 표면상의 교류 외에 이면적 거래가 있는 대화로서 겉으로 말한 이외의 뜻이 숨겨져 전달되는 교류다. 즉, 밖으로 드러나는 사회적 수준에서는 상보교류가 오가지만 심리적 수준에서는 교차교류가 일어나고 있는 상태다. 다시 말해, 이면교류는 상대방의 하나 이상의 자아상태를 향해서 상보적(현재적) 교류와 잠재적 교류의 양쪽이 동시에 작용하는 복잡한 교류로서, 대화 속에 숨어 있는 상반된 의사를 동시에 교류하는 것을 말한다. 표면적(사회적)으로 당연해 보이는 메시지를 보내고 있는 것 같지만 그 주된 욕구나 의도 또는 진의 같은 것이 이면에 숨어 있는 것이 특징이다.

대화쓰기
[對話-, writing dialogue]

치료 중에 일어나는 대화를 기록하는 글쓰기치료기법. 문학치료(글쓰기치료)

대화쓰기라는 기법은 대화를 하지 않고 사는 사람은 없다는 전제에서 도입된 글쓰기치료기법이다. 대화기법은 인지행동치료에서의 부정적 사고에 도전하기나 게슈탈트 치료에서의 2개의 의자 같은 훈련에서 적용하고 있다. 이때 대화 상대는 사람, 장소, 물건, 몸의 일부, 사건, 감정, 자기 자신 등으로서 어떤 것이든, 누구든 상대가 될 수 있다. 상대가 반드시 사람일 필요는 없다는 의미로서, 때로는 신이나 국가, 또는 추상적인 대상, 불안, 믿음, 슬픔, 죄책감, 성공이 될 수도 있다. 프로고프(Progoff)는 예술형식으로 대화 사용을 개발하였다. 그는 대화의 여섯 가지 주요 범주를 정의했는데, 사람과의 대화, 사건과의 대화, 신체와의 대화, 사회와의 대화, 내적 현인(賢人)과의 대화가 그것이다. 애덤스(Adams)는 여기에 세 가지 범주, 즉 정서와의 대화, 하위인격과의 대화, 저항과의 대화를 추가하였다. 톰슨(Thomson)은 과거의 자기(younger self)와의 대화와 미래의 자기(older self)와의 대화로 구분하기도 하였다. 작가이자 심리치료사였던 모스코비츠(Moskowitz)는 자원으로서의 자기라고 하는 기법을 개발해서 자신의 부분들을 통합하려고 하는 대화를 사용하기도 하였다. 글쓰기치료과정에서 대화를 기록하는 것은 상황을 예측하고 대비하며, 또한 곤란하고 반복적인 대화에 대해서 다시 생각해 볼 수 있는 기회를 준다. 대화쓰기는 단순하게 실제로 일어나고 있는 대화나 2개의 의자 기법에서 표현하는 말들을 기록하는 것이다. 대화쓰기를 통해서 내담자의 막연한 부정적 사고에 도전하여 객관적인 시각을 가질 수 있도록 도움을 줄 수 있다.

대화적 관계
[對話的關係, dialogic relationship]

상담관계의 특정 유형을 지시하는 말. 게슈탈트

철학자인 부버(Buber)의 '나-너 관계'에 기초하여 발전된 개념으로, 다른 사람을 편견 없이 느끼고, 지각하고, 경험하는 태도와 다른 사람의 경험에 대하여 기꺼이 경청하는 태도를 말한다. 하이스너(Hycner)는 게슈탈트 치료의 목표가 상담자와 내담자가 상호 교류하면서 순수한 대화적 관계, 소위 실존적인 관계를 갖는 것이라고 하였다. 게슈탈트 치료의 진정한 본질은 상담자가 내담자에게 특정 기법을 적용하는 것이 아니라, 자기 자신을 내담자와의 관계 상황에 투여함으로써 내담자와의 새로운 관계체험을 창출하는 것이다. 사람은 대화를 통해서 타인과의 거리를 좁힐 수 있을 뿐만 아니라 상대편의 깊은 내면과도 접촉할 수 있다. 대화적 관계는 오로지 말의 사용에만 기초하는 것이 아니라, 비언어적인 의사소통을 하면서도 깊은 접촉이 이루어진다. 이러한 대화적 관계를 제공하는 상담자는 내담자와 함께 완전하게 존재하고, 이해하고, 인정하며, 진지해야 할 필요가 있다. 대화적 관계는 열린 의사소통, 포함, 현전, 확인의 네 가지 요소로 구성된다.

열린 의사소통 [-意思疏通, opened communication] 대화적 관계의 네 가지 요소 중 하나로, 내담자가 상담자에게 자신의 경험을 자유롭게 이야기할 수 있다고 느끼는 상태를 말한다. 대화적 관계에서 형성되는 열린 의사소통의 핵심은 내담자가 자신의 어떠한 경험도 상담자에게 자유롭게 이야기할 수 있다고 느끼는 것이다. 또한 정직한 만남 안에서 상담자의 반응을 공개적으로, 그리고 기꺼이 의사소통하려고 하는 것이 중요하다. 상담자가 이러한 기법을 사용하기 위해서는 언제, 무엇을, 얼마나 많이 개방해야 하는지 그 정도를 아는 것이 중요하다. 그리고 내담자의 관계를 동등하게 만들어 불필요한 권력의 불균형이 일어나지 않도록 만드는 것도 필요하다. 한 사람이 다른 사람을 도와주는 역할을 할 때 생기는 자연적인 권력의 불균형은 내담자를 진실이 아닌 방향으로 몰아가거나 설득시킬 수 있기 때문이다.

포함 [包含, inclusion] 대화적 관계의 네 가지 요소 중 하나로, 자신의 지각을 유지하면서 다른 사람의 관점으로 들어가 느끼는 것을 말한다. 포함은 상담자의 이해영역에 내담자의 경험을 내포하는 시도로, 공감의 확장과 확대라고 할 수 있다. 공감은 상담자가 단정을 짓거나 비판 없이 내담자의 주관적인 세계를 살피면서 그가 세상을 보는 것처럼 보려고 하는 것이다. 또한 상담자 자신의 감정, 반응, 경험의 자각을 가진 채 내담자의 세계를 신체적으로 느끼고 그 사고로 완전하게 끌어안기 위해 노력하는 것이다. 상담자는 이처럼 자신의 경험을 확인함으로써 내담자의 세계를 확인할 수 있다. 상담자가 내담자의 이야기나 경험에 완전히 빠져들지 못한다면 자기 자신을 상실해 버린다. 포함을 수행하고 있는 사람은 그 순간 최대한 상대방의 눈을 통해 세상을 본다. 하지만 동시에 별개의 개인으로서의 자신에 대한 감각을 유지한다. 이것은 자신과 타인에 대한 양극적인 알아차림의 최고 형태다. 내담자에게 공감하는 방법에는 여러 가지가 있다. 내담자가 즉각적으로 하는 행동이나 분명하게 나타낸 것, 또는 경험한 것에 공감할 수 있다. 그리고 내담자가 경험했을 것이라고 예상되는 직관('진보된 공감'이라고도 불린다)을 통해 공감할 수도 있다. 진보된 공감은 상담자가 이전에 가지고 있던 인식에 따라 만들어질 수 있으며, 내담자가 자각하지 못하는 면을 감지해 줄 수 있다. 이러한 포함은 내담자에게 직접적으로 표현하지 않고도 전달될 수 있다. 이것은 내담자와 공유하는 태도, 자세, 억양, 그리고 모든 비언어적인 접촉을 통해 의사소통될 수 있다. 가장 넓은 범위에서 포함을 실행하는 것은 세 영역(인지적 · 신체적 · 정서적)을 모두 받아들이는 것이다. 인지적 포함은 내담자의 사고와 동기를 동조하는 것을, 신체적 포함은 내담자의 신체과정과 신체반응에 집중하는 것을, 정서적 포함은 내담자의 정서나 영향에 공감하면서 자기 안에서 일어나는 반응을 지각하는 것이다.

현전 [現前, presence] 대화적 관계의 네 가지 요소 중 하나로, 상담자가 내담자와 완전히 함께하는 것을 말한다. 현전은 상담자가 자신을 온전히 지금-여기에 두면서 정직하고 진솔한 태도로 내담자를 만나는 것이다. 현전하기 위해 상담자는 모든 감각을 사용하여 자각하며 자신을 완전히 드러내야 한다. 게슈탈트 상담자는 자신이 관찰한 것과 선호하는 것, 느낌, 개인적 경험, 생각 등을 내담자에게 표현한다. 이는 내담자가 즉각적인 경험을 신뢰하고 그것을 사용하여 알아차림을 고양시키는 데 도움을 준다. 따라서 게슈탈트 치료에서 상담자가 이미 세워진 목표에 내담자가 순응하도록 현전을 사용해 조작하는 것이 아니라 환자가 자율적으로 스스로를 조절하도록 격려한다. 현전은 존재가 드러날 수 있는 공간을 만들어 줄 때 가장 가까이 접근할 수 있다.

확인 [確認, confirmation] 대화적 관계의 네 가지 요소 중 하나로, 별개의 개인으로서의 상대방의 존재를 확인하고 완전히 받아들인 상태를 말한다. 확인은 내담자가 상담자에게 말하는 모든 것을 용서하거나 동의하는 것을 의미하는 것이 아니라, 잘못된 행동을 하거나 곤경에 처했을 때도 변함없이 신뢰하며 사랑하고 가치를 부여하는 무조건적인 수용을 의미한다. 즉, 다른 사람에 의해 '현전하도록 만들어지는' 것이다. 내담자가 상담자와 함께한다는 것은 누군가가 그들의 생각이나 감정, 욕구를 진정으로 경청해 주고 관심을 가지며 이해해 주는 경험을 한다는 것인데, 이러한 경험을 했다는 것만으로도 엄청난 치유력이 생긴다. 또한 다른 사람이 '완전히 받아들인 상태'라고 말할 수도 있다. 누군가 상대방의 실존을 상상할 때, 즉 그가 자신을 상대방의 입장에 놓고 상대방이 경험하는 것을 상상하면서 그 경험을 오롯이 느낄 수 있을 때, 상대방은 '확인'을 받는 것이다. 이러한 과정에서 확인되는 것은 독립적인 영혼을 지니고 존재하는 별개의 인간으로서의 상대방의 존재다. 가장 기본적인 수준에서 말하자면, 이는 별개의 개인으로서의 상대방의 존재를 확인하는 것이다. 확인은 상담자가 인간의 한계와 불완전함을 인정하고 이를 수용하기 위해 노력하는 것을 말하며, 더 나아가 그 이상의 것을 의미한다. 사람들을 있는 그대로 받아들인다는 것은 성장에 대한 희망을 포기하는 것이 아니다. 우리가 진정으로 될 수 있는 그 무엇으로 성장할 수 있는 가능성이 바로 확인의 핵심이다.

대화최면
[對話催眠, conversational hypnosis]

내담자와의 대화만으로 최면적 효과를 얻는 방법. 최면치료

에릭슨(Erickson)이 개발한 방법으로, 이 최면법으로 에릭슨은 의사면허를 지키고 미국에서 최면의 합법화에도 기여하였다. 프로이트(Freud)의 정신분석학이 창시되면서 최면에 대한 편견과 터부로 미국의학회(American Medical Association: AMA)가 최면 사용을 금지했던 시절, 학회장 일행과 동반 비행에서 대화만으로 라포를 형성하고 이완시켜 최면 합법화에 동의하도록 한 이야기는 이 최면법의 위력을 잘 보여 주는 사례다. 에릭슨은 최면대화를 통해서 단지 상대방과 대화하는 것만으로 최면효과를 발휘하여 상대방을 통제할 수 있었던 것이다. 이러한 대화최면의 방법으로 에릭슨은 특별한 최면기술을 사용하지 않고도 최면적 효과를 얻을 수 있는 합법적인 처치를 개발하고, 숙달하는 데 힘을 기울였다.

관련어 | 에릭슨 최면, 최면

대화형 요구
[對話形要求, conversational postulate]

최면적 언어에 해당하는 것으로, 일상 대화에서 요구형이나 명령형 외의 형식으로 이루어지는 요구나 명령. NLP

겉보기에는 단순한 의문문인 것 같지만 내용상으로는 명령어로 해석할 수 있는 문장이나 질문을 뜻한다. 예를 들어, "문이 아직도 열려 있니?"라는 말은 "문 닫아라."라는 명령어에 해당하고, "상 차릴 준비가 되었니?"라는 말은 "상 차릴 준비를 해라."라는 명령어에 해당한다. 다시 말해, 일반 대화 속에서 이루어지는 비형식적 요구나 명령이라고 할 수 있다.

던져진 샐러드 모델
[-, tossed salad model]

신학과 심리학을 특별한 기준이나 원리와는 상관없이 적절하게 통합하여 사용하자는 입장. 목회상담

래리 크랩(Larry Crabb, 1977)은 신학과 심리학의 통합에 대해서 여러 가지 입장으로 유형을 분류한 모델을 제시했는데, 그중 던져진 샐러드 모델은 더욱 새로운 맛을 위해 샐러드 볼 안에 여러 가지 재료를 던져 넣는 것처럼 성경의 요소와 심리학의 요소를 적절히 섞어서 사용하는 입장을 취한다. 이러한 입장은 많은 기독교상담자들이나 심리학적인 치료를 하는 상담자들 사이에서 주로 관찰되는데, 상

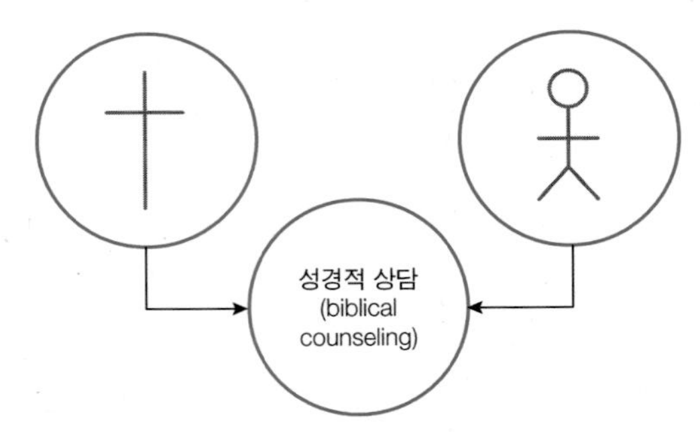

출처: 김용태(2006). 기독교상담학—배경, 내용 그리고 모델들. 서울: 학지사. p. 128.

담을 진행할 때 신학적인 개념과 심리학적인 개념을 적당하게 섞어서 사용한다. 이렇게 심리학을 도입하는 것이 어떤 면에서는 장점이 되지만, 신학과 심리학이 철학적으로 서로 충돌하는 경우에 적절하게 대응하지 못하는 한계도 있다고 크랩은 지적하였다.

관련어 | 분리되었지만 동등한 모델, 오직 하나의 모델, 이집트인에게서 빼앗기 모델

데메롤
[–, demerol]

근육이완제로 개발된 합성 진통제. 중독상담

메페리딘의 상품명으로, 1939년에 근육이완제로 개발되었다. 이 약물은 모르핀의 작용과 유사하지만 화학적으로는 차이가 있어서 처음 개발된 당시에는 진통제로서의 역할을 기대하고 있었다. 하지만 인체에서 작용하는 약리적인 영향이 모르핀과 매우 비슷하다는 사실이 밝혀졌다. 게다가 데메롤의 진통효과는 모르핀보다 지속시간이 짧아서 네 시간마다 다시 투여해야 지속적인 진통효과를 얻을 수 있다. 이러한 지속적인 투여에 따른 내성은 없는 듯하지만, 반복적인 사용에 대한 금단증상은 모르핀과 같거나 더 심한 것으로 알려져 있다. 그러나 인체 내에서의 작용시간이 짧기 때문에 금단증상 또한 오래 지속되지 않으며, 체내에서 빠르게 제거된다.

관련어 | 메페리딘

데스부탈
[–, desbutal]

각성제인 암페타민류와 진정제인 바르비탈류를 혼합하여 제조한 각성제. 중독상담

데스부탈을 장기간 남용하면 암페타민류와 바르비탈류 모두에 내성이 생길 수 있다. 1970년대 미국에서는 한때 살 빼는 약으로 판매되기도 했지만 이후 부작용이 밝혀져 금지약물이 되었다.

관련어 | 메스암페타민, 환각제

데옥시리보 핵산
[–核酸, deoxyribonucleic acid: DNA]

생물의 유전정보를 보관하는 물질. 뇌 과학

이중 나선구조로 되어 있는 핵산으로, 개인의 고유한 몸과 뇌를 구성하는 데 필요한 명령이 포함되어 있다. 1869년 스위스의 생리학자 프리드리히 미셰르(Friedrich Miescher)가 처음 발견하였다.

데이트 강간
[–强姦, date rape]

서로 잘 알고 있는 사이에 상대방이 원하지 않는 상황에서 동의를 구하지 않은 채 강요된 성관계. 성상담

대부분 성폭력은 모르는 타인이 저지른다는 생각을 많이 하지만 실제 성범죄는 친구, 친척, 이웃, 연인과 같이 가까운 사이에서 발생하는 경우가 많다. 좁게는 데이트 상대가 원하지 않은 상태에서 강요된 성관계를, 넓게는 아는 사람에 의한 성폭력을 모두 포함하여 데이트 강간이라고 한다. 물리적 위압이나 강제가 수반되는 일반적인 강간과는 달리 물리적 위협이 없는 상태에서 상대방의 집요한 설득을 거부하지 못해서 이루어지는 데이트 강간은 가해자나 피해자 모두 범죄로 인식하지 못하는 경우가 많다. 이처럼 연인 관계라 하더라도 상대방이 원하지 않는 상황에서 물리적, 언어적 위협을 가하거나 정서적 협박, 알코올이나 약물로 저항불능상태를 만드는 행위를 한 뒤 강요된 성행위를 요구하거나 실행하는 경우는 강간이 성립된다. 반드시 직접

적인 성교만 해당하는 것이 아니라 애무나 키스 같은 성적 접촉도 포함된다. 원하지 않는다는 의사를 표현했음에도 불구하고 강제로 성행위를 하려고 하는 경우는 모두 적용된다. 따라서 성관계는 연인 사이라 하더라도 서로에 대한 존중을 기본 바탕으로 해야 한다. 그렇지 않고 강제나 위압이 전제되어 있다면 어떤 경우라도 범죄가 된다. 데이트 강간은 주로 여성이 피해자이며, 거의 모든 연령대의 여성에게 일어나지만, 주로 15~24세를 가장 위험한 시기로 본다. 남성이 다른 남성 동성애자에게 피해를 입는 경우도 있다.

덱스트로메토르판
[-, dextromethorphan]

모르핀과 같은 아편계의 합성물인 비마약성 진해제. 중독상담

우리나라에서는 한때 청소년들이 환각제로 널리 남용하였다. 덱스트로메토르판은 뇌의 중추에 직접 작용하여 진해효과(기침을 그치게 하는 효과)를 내는데, 이를 적정용량 이상 사용하면 환각효과가 나타난다. 이것은 매우 강한 내성을 가지고 있어서 동일한 환각의 효과를 지속적으로 얻으려면 점점 더 많은 양의 덱스트로메토르판을 복용해야 한다. 과용하면 안면홍조, 갈증, 구취, 위장장애, 빈맥, 고혈압, 환각, 망상, 섬망 등의 증상이 나타난다. 또한 즉사하는 경우도 발생할 수 있다. 국내에서 시판되는 대표적인 덱스트로메토르판 제제로는 러미라와 루비킹이 있는데, 청소년의 남용 문제 때문에 2003년 10월부터 마약과 같은 수준의 제재를 가하고 있다.

관련어 러미라, 중독, 향정신성 약물

덴버 발달선별검사
[-發達選別檢査, Denver Development Screening Test: DDST]

영유아의 발달지체 가능성을 평가하는 검사. 심리검사

0~6세 영유아의 발달지체 여부를 판별하는 덴버 발달선별검사(1967)는 프랑켄부르크(Frankenburg, 1970)가 Denver II로 개정하여 사용되고 있다. 우리나라에서는 표준화를 거쳐(신희선, 한경자, 오가실, 오진주, 하미나, 2002a, 2003b) 사용되고 있다. 검사를 실시하기 쉽고 소요시간이 30분 이내라는 점에서 초기 판별도구로 자주 사용된다. 4개의 발달영역, 총 110개 문항으로 구성되어 있으며, 내용은 다음과 같다. 개인사회발달 영역 22문항, 미세운동 및 적응발달 영역 27문항, 언어발달 영역 34문항, 운동발달 영역 27문항이다. 채점은 관찰자의 판단에 따라 합격(p) 또는 불합격(f)으로 평정한 다음 합산하여 정상(normal), 의문(questionable), 이상(abnormal), 검사 불능(untestable)으로 해석한다. 뚜렷한 증세는 없지만 발달지체로 의심되는 영유아의 상태를 객관적으로 확인할 수 있으며, 비정상 발달유아를 실제보다 더 높은 비율로 선별하는 경향이 있어 장애 아동을 조기발견할 수 있는 기회가 된다. 또한 주산기 이상과 같은 고위험 요인이 있는 아동을 관찰하는 데 사용할 수도 있다.

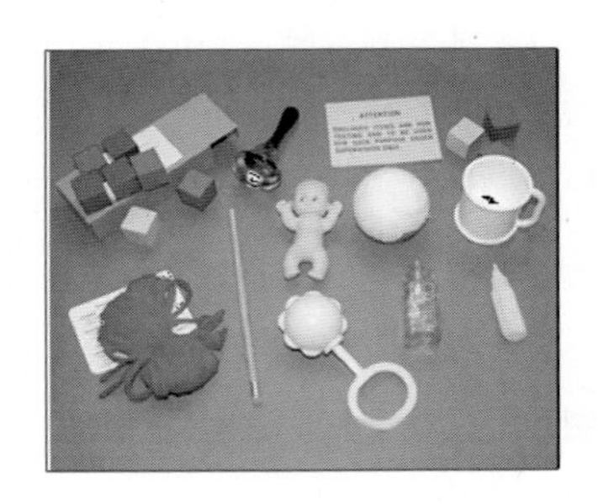

델파이 방법
[-方法, Delphi method]

적절한 해답이 알려져 있지 않거나 일정한 합의점에 도달하지 못한 문제에 대하여 다수의 전문가를 대상으로 설문조사나 우편조사로 수차에 걸쳐 피드백하면서 그들의 의견을 수렴하고 집단적 합의를 도출해 내는 조사방법. 연구방법

1950년대 미국 랜드연구소에서 국방부의 요청에 따라 대규모 원자탄 공격이 가해졌을 때 예상되는 문제와 영향을 평가할 목적으로 처음 사용되었다. 이 방법은 직접 얼굴을 마주 보고 토론하는 전통적인 협의회 과정에서 나타날 수 있는 갈등이나 회의장 분위기에 영향을 받아 주관적 판단이 흐려질 수 있다는 비판에 따른 대안으로 개발되었다. 델파이(Delphi)라는 이름은 고대 그리스 신화에서 아폴로 신이 미래를 통찰하고 신탁(信託)을 했다는 신전의 이름을 따서 명명한 것이다. 델파이 방법은 일반적으로 면밀하게 계획된 익명(anonymity)의 반복적 질문지 조사를 실시함으로써 조사 참가자들이 직접 한데 모여서 논쟁을 하지 않고서도 집단 성원의 합의(consensus)를 유도해 낼 수 있는, 일종의 집단 협의 방식에 대한 대안적 조사방법이다. 한 사람의 두뇌가 미래에 대한 주관적인 예측을 하는 것보다는 여러 사람의 생각을 합친 예측이 보다 정확하다는 평범한 원칙에 논리적 근거를 두고 있다(Helmer, 1967). 일반적으로 동일 대상자에게 질문지를 3~4회 계속 보내어 실시하는데, 각 질문지는 전문가인 개별 응답자로부터 도출된 정보와 함께 배포, 실시된다. 각각의 연속적인 질문은 전회의 질문결과에 대한 보고와 함께 실시되므로 질문의 횟수가 거듭될수록 예측이 서로 접근한다. 델파이 방법은 전문가 집단의 선정 → 제1차 질문지 조사실시 → 제2차 질문지 조사실시 → 제3차 질문지 조사실시 → 제4차 이후의 질문지 조사실시의 기본 단계를 거친다. 이는 연구주제에 전문적 식견과 소양을 구비한 전문가 집단을 대상으로 한다는 점, 익명으로 나타난 각 전문가의 직관적 판단을 반복적으로 피드백해 준다는 점, 협의방식에서 흔히 나타나는 불필요한 잡음을 없애면서 적절한 연구진행상의 통제로 통합적인 합의점(aggregated consensus)을 구한다는 실시 절차상 특징을 보인다. 델파이 방법은 본래 미래 예측을 위하여 고안한 것이지만, 근래에는 목표설정을 위한 전략조사, 선호도조사, 의견조사 등에도 많이 활용하고 있다(Linstone & Turoff, 2002). 즉, 가까운 미래의 여러 가지 변화추세를 전망해 보는 예측조사를 비롯하여 특정 분야의 장기발전계획이나 프로그램 개발을 위한 전략조사, 다수의 목표나 대안 중에서 상대적 중요성을 알아보는 선호조사, 어떤 문제에 대한 전문가의 의견조사 등에 유용하다.

도구적 공격성
[道具的攻擊性, instrumental aggression]

자신의 욕구를 충족시키거나 가치 있다고 여기는 것을 획득하는 수단으로 공격행동이 일어나는 것. 행동치료

공격성은 행위자가 의도적이든 아니든 인간이나 생물체에 신체적, 심리적으로 피해를 주거나 사물에 손상을 가하는 행동을 말한다. 공격적 행동은 도구적 공격성, 호전적 공격성, 우연적 공격성, 표현적 공격성으로 구분된다. 이 중 도구적 공격성은 목표를 성취하기 위한 수단으로 자신에게 이익이 되는 무엇인가를 얻기 위해 타인에게 해를 가하는 것이다. 도구적 공격성은 보상이론으로 설명할 수 있는데, 공격적 행동은 그러한 행동이 결과적으로 공격자에게 보상을 가져다주기 때문에 발달한다는 것이다. 아동의 공격성에 대한 태도를 분석해 보면 다음과 같다. 첫째, 공격적인 아동은 대체로 공격적 행동의 결과에 대해서 보다 긍정적인 기대를 가지고 있다. 둘째, 공격적인 아동은 공격적 행동의 결과에 보다 높은 가치를 두고 있다. 패터슨(Patterson)과 동료들(1967)은 유치원에서 아동들의 공격적 행동을 장시간 관찰한 결과, 공격적 행동은 자주 나타나

며 그중 약 4분의 3이 긍정적인 결과를 얻는다는 것을 발견하였다. 공격적 행동에 희생된 아동은 흔히 양보하거나 피하거나 또는 원하는 장난감을 빼앗기고 우는 반응을 보였으며, 이러한 반응은 같은 희생자에 대한 공격적 행동을 되풀이하는 계기가 되었다. 그러나 드물게 피해를 받는 아동이 더 공격적인 반응을 보여 자신의 공격적 행동이 성공하지 못하고 부정적 결과가 따라왔는데, 이 경우 공격적 행동의 반복률이 감소되었다.

관련어 | 공격성

도구적 정서
[道具的情緒, instrumental emotion]

다른 사람의 반응을 조종하려는 의도가 포함된 정서. 정서중심부부치료

인간관계에서 사람은 다른 사람의 반응을 자신이 원하는 대로 이끌어 내기 위해 특정 정서를 표현할 수 있다. 예를 들면, 공격적으로 분노를 표현함으로써 상대방이 어떤 반대의 의사를 표시할 수 없도록 만드는 경우다. 실생활에서 살펴보면, 아버지가 화가 난 상태인 것을 눈치 챈 아들은 스스로 자신의 방을 청소한다. 이 경우 아버지의 화라는 정서는 아들의 청소반응을 이끌어 낸 도구적 정서가 된다.

관련어 | 이차적 정서, 일차적 정서

도구주의
[道具主義, instrumentalism]

퍼스(Charles Peirce), 제임스 (William James) 등이 주장한 실용주의를 수용하되, 이 실용주의와는 차별성을 두기 위해 듀이(John Dewey)가 사용하면서 본격화된 개념. 철학상담

듀이는 퍼스와 제임스의 실용주의의 기본 정신은 수용하되 이를 새롭게 발전시켰다. 즉, 그는 기존의 실용주의와 달리 경험적이고 관찰적인 차원을 넘어 행동적인 차원을 중시하고, 개인적 차원을 넘어 사회적 차원을 중시하였다. 그의 도구주의는 실험주의(experimentalism)로도 불리는데, 이에 따르면 우리가 지니고 있는 관념이나 사상은 모두 우리의 일상생활 속에서 일어나는 문제를 해결하고 우리가 추구하는 목적을 위한 도구에 해당한다. 인간은 자신이 마주하고 있는 세계에 대해서 경험하고, 이 경험 속에서 부딪히는 문제들을 해결하기 위해 사유작용을 하며, 이 속에 자리하고 있는 '창조적 지성(creative intelligence)'은 우리에게 닥치는 수많은 생활 속 문제들을 해결해 주는 능력이 된다. 이 '창조적 지성'을 통해 마련되는 모든 관념이나 사상은 인간이 좀 더 유복하게 살아가는 데 필요한 수단 내지 도구일 뿐이다. 그러므로 관념이나 사상은 자연적 환경이나 사회적 환경을 개선하여 우리가 추구하는 목적에 이바지하기 위한 도구다. 이처럼 도구주의는 실용주의와 마찬가지로 우리들의 행복을 위한 도구로 진리를 바라본다. 도구주의는 감각경험을 통해 검증을 하는 경험주의와 연결되어 있으며, 나아가 이론적 고찰보다는 실제적인 실험과 그 결과를 중시하는 실용주의, 넓게는 공리주의와 맞닿아 있다. 도구주의는 진리가 검증과정을 넘어서 있는 형이상학적 세계관에 기초하거나 검증과정 이전에 주어져 있는 것으로 보는 것을 반대하며, 이것 역시 검증과정을 통해 만들어지고 개발되는 것으로 파악한다. 즉, 관념체계의 정합성을 강조하는 정합설(coherence theory)이나 관념과 실재 사이의 대응관계만을 중시하는 대응설(correspondence theory)을 거부하고, 관념이 실재와 관계하여 우리가 의도하는 대로 실재를 변경하는 데 기여하는 것을 중시한다. 그러나 오늘날의 도구주의는 진리와 정의를 인간의 욕망 추구와 관련된 도구로 전락시키는 문제점을 안고 있다는 비판을 받기도 한다.

도덕발달
[道德發達, morality development]

⇨ '도덕성' 참조.

도덕성
[道德性, morality]

어떤 사물이나 상황 등에 대하여 옳고 그름을 판단하고 바르게 행동하는 능력. 발달심리

일반적으로 도덕성이란 인간으로서 마땅히 지켜야 할 도리 또는 그것에 준하는 행동으로서 관습, 풍습, 선악의 표준을 말한다. 행동주의 이론가들은 도덕성을 도덕적 행동이 습관화된 것으로 보고 있다. 반면 인지론자들은 도덕성을 도덕적 가치에 대한 판단력으로 보며 '좋은' '나쁜' '옳은' '잘못된' '당연히' '반드시' 같은 단어를 사용하여 가치와 상황에 대해 판단한다.

관련어 | 콜버그의 도덕성 발달이론, 투리엘의 영역 구분 모형, 피아제의 도덕성 발달이론

도덕발달 [道德發達, moral development] 옳고 그름을 구분하고 행동하는 기준이 되는 규칙, 원리, 가치에 대한 사고, 행동, 정서의 연령 증가에 따른 변화를 말한다. 인간의 도덕성 발달이론에 관한 대표적인 연구자는 피아제(Piaget, 1932), 콜버그(Kohlberg, 1958)가 있고, 또한 투리엘(Turiel, 1987) 등의 영역구분모형이 있다. 콜버그는 도덕성 발달 과정을 세 가지 수준과 6단계로 설명하였다. 수준 1은 전 인습적 수준으로서 1단계 처벌 및 복종 지향과 2단계 도구적 상대주의 지향, 수준 2는 인습적 수준으로서 3단계 대인 간 조화 또는 착한 소년-소녀 지향과 4단계 법과 질서 지향단계가 포함되어 있다. 수준 3은 후 인습적 수준으로서 5단계 사회적 계약 및 합법적 지향과 6단계 보편적인 윤리적 원리 지향 단계가 속한다. 인지발달이론가인 피아제는 도덕성 발달단계를 타율적 도덕성 단계, 자율적 도덕성 단계로 구분하여 제시하였다. 한편, 투리엘은 도덕적 영역, 사회인습적 영역, 개인적 영역으로 구분하여 도덕성을 설명하였으며 연령에 따른 발달은 제시하지 않았다. 피아제는 타율적 도덕성 단계와 자율적 도덕성 단계로 구분하고, 도덕성은 인지의 발달과 더불어 이루어진다고 설명했지만 도덕적 추론능력을 간과했다는 문제점이 있다. 콜버그의 이론은 후 인습적 수준이 실제 도덕성 발달을 설명하지 못한다는 점, 도덕적 퇴행, 문화적 편향, 성 차별 등의 문제점을 지니고 있다. 이 이론의 문화적 편향에 대한 문제점을 보완한 투리엘 등에 따르면, 도덕성은 도덕적, 사회인습적, 개인적 영역의 도덕적 규범들로 이루어져 있다. 이 모형은 각 문화권에서 전통적으로 이어져 온 도덕적 관습이나 규범의 도덕적 의미와 중요성을 인정하였으며, 세대 간 갈등의 원인을 설명함으로써 그 가치를 인정받고 있다. 인지발달 이론가는 도덕적 사고에 초점을 맞추고 도덕성 발달을 설명했지만 지나치게 사고를 강조하여 도덕적 정서나 행동을 간과하였다. 한편, 정신분석학의 프로이트(Freud)는 도덕성 발달에서 정서적 측면을 강조했는데, 그에 따르면 초자아의 형성과정이 도덕성이 발달하는 과정이며 3~6세경 남근기에 초자아가 형성된다. 초자아는 스스로 도달하고자 지향하는 자아이상과 옳고 그름을 판단하는 양심으로 구성되어 있으며, 자아이상은 남근기의 동일시 과정을 통해서 획득되고 양심은 옳고 그른 행동에 대한 상벌 등을 통한 부모의 통제로 내면화되어 형성된다. 정신분석학적 입장에서 도덕성 발달은 행위에 대한 자부심, 죄책감, 수치감 등을 느낌으로써 도덕성이 발달하는 것으로 보아 정서적 특성을 강조했는데, 6세 이후의 도덕적 발달이나 도덕적 추론능력의 발달에 대해 언급하지 않았다. 사회학습이론은 도덕성의 행동적 측면을 강조하면서 도덕성은

훈련, 모방, 강화에 학습되어 발달하는 것으로 보고 아동이 도덕성을 형성하기 위해서는 부모나 다른 성인의 중재와 같은 외적인 통제를 강조하여 주체적인 발달을 인정하지 않는다는 문제점을 지니고 있다. 부모의 애정, 관심, 수용적이고 개방적인 양육태도, 가족 간의 유대감과 일체감 등은 긍정적인 도덕성 발달을 촉진하며 잠재적인 교육과정, 인성교육, 가치명료화 활동, 인지적 도덕성 교육, 봉사활동, 또래관계 등이 이루어지는 학교장면도 도덕성 발달에 중요한 역할을 하며 대중매체도 도덕적 가치나 행동에 큰 영향을 미친다.

도덕적 방어
[道德的防禦, moral defense]

학대하는 대상과 무의식적으로 동일시한 결과 느껴지는 수치심에 대한 방어. 대상관계이론

페어베언(W. Fairbairn)은 구강기 공격성이 나타나기 이전에 전양가적(pre-ambivalent) 시기가 존재한다고 보았다. 이 시기에 유아는 아직 공격성이 없는 상태이기 때문에 자기 자신이 사랑스러운 존재라고 여긴다. 그런데 부모가 정서적으로 결핍되면 유아는 심각한 갈등에 빠진다. 유아는 부모에게 전적으로 의존하고 있기 때문에 부모 없이 살아간다는 것은 매우 고통스러운 경험이다. 그 결과 부모의 좋은 부분을 유지하려는 환상 속에서 부모의 나쁜 측면을 분리하여 자신의 심리내면으로 내재화한다. 즉, 부모의 '나쁨'은 유아의 내면에 자리 잡는다. 내면에 자리 잡은 부모의 나쁜 측면을 동일시함으로써 이제 나쁜 것은 부모가 아니라 그 자신이라고 느낀다. 이렇게 내재화가 일어난 후에는 내재화된 나쁜 대상을 처리하기 위해 억압이라는 일차적인 방어를 사용한다. 억압이 성공하면 내적 심리구조가 형성되어 간다. 반면, 억압이 실패할 경우에는 그에 따라 두 가지 방어양상이 나타난다. 첫째는 공포증적(phobic), 강박증적(obsessional), 히스테리적(hysterical), 그리고 편집증적(paranoid) 방어로서 모두 병리적 방어에 속한다. 둘째는 도덕적 방어가 나타나는데, 페어베언은 이를 초자아의 방어(defense of the superego) 혹은 죄책감의 방어(defense of quilt)라고 불렀다. 도덕적 방어에 있어서 '나쁨'은 절대적 나쁨(unconditional badness)과 조건적 나쁨(conditional badness)으로 구분된다. 절대적 나쁨은 리비도 관점에서 나쁜 것을 의미하고 조건적 나쁨은 도덕적 관점에서 나쁜 것을 의미한다. 자신을 박해하는 부분, 즉 부모의 나쁜 측면만이 일차적으로 내재화되므로 먼저 절대적으로 나쁜 대상이 내재화된다. 그리고 유아의 대상관계는 일차적 동일시에 근거하므로 유아 자신이 곧 절대적으로 나쁜 존재가 된다. 그런데 이러한 절대적 나쁜 상태를 감소시키거나 제거하기 위해서는 또 다른 방어가 요구되는데, 이때 유아는 부모의 좋은 측면을 내재화하여 초자아의 역할을 맡긴다. 이제 유아는 내면에 자리 잡은 초자아의 판단에 따른다. 만약 유아가 나쁜 대상에 저항하면 초자아의 관점에서 보면 도덕적으로 좋은 것이다. 그러나 유아는 아직 내재화된 부모에게 저항하지 못하고 효과적으로 억압하지 못하는 상태에 놓여 있다. 결과적으로 유아는 그 자신이 절대적으로 나쁜 존재가 아니라 나쁜 대상과 관계하기 때문에 도덕적으로 나쁜 존재가 된다.

도덕적 불안
[道德的不安, moral anxiety]

개인이 도덕이나 양심의 기준대로 행동하지 못할 때 생기는 불안. 정신분석학

정신분석에서 설명하는 세 가지 불안유형 중의 하나이다. 초자아에 대한 자아의 의존으로 인해 유발되는 불안이며, 자아가 초자아로부터 처벌의 위

협을 받을 때 나타나는 정서적 반응이다. 양심이 잘 발달된 개인은 도덕적 규칙에 위배되는 행위를 할 때 수치심이나 죄책감을 느낀다. 원초아가 부도덕한 생각이나 행동을 적극적으로 표현하려고 할 때 잘못에 대한 책임, 즉 죄의식을 느끼게 된다. 죄의식은 견디기 어려운 감정으로 심각한 경우에는 정신병리로 발전한다. 죄의식이 비정상적으로 심할 경우에는 속죄받기 위해 고의적으로 처벌받을 만한 행동을 하기도 한다. 이렇듯이 과도한 도덕적 불안은 신경쇠약(neurasthenia)을 초래한다.

관련어 객관적 불안, 불안, 신경증적 불안, 현실적 불안

도덕적 상대주의
[道德的相對主義, moral relativism]

시공간을 초월해 지켜야 할 도덕법칙은 없다고 보는 견해. 인지치료

도덕적 상대주의에서는 보편적이며 불변하는 가치는 존재하지 않고, 한 사회 안에서도 개인의 행동을 규제할 어떤 근거도 없기 때문에 도덕문제에 관한 한 누구에게나 획일적으로 적용되는 규범은 없다는 점을 근본 입장으로 삼는다. 이러한 도덕적 상대주의는 인류학 및 과학기술의 발달에 따른 문화적 상대주의의 확산과 시대의 변화에 따라 중심적인 가치가 끊임없이 변화하는 역사적 사실에 근거한 가치의 상대주의 등으로 그 타당성이 인정되고 있다. 그리고 대부분의 도덕적 신념이나 도덕률의 기원이 상대적이라는 사실도 이 같은 주장에 힘을 더한다. 문화적 상대주의의 비판에 근거한 극복 노력은 매킨타이어(MacIntyre)의 도덕윤리론으로 발전하였고, 가치의 상대주의의 비판에 근거한 극복 노력은 콜버그(Kohlberg)의 도덕발달론으로 발전하였다. 도덕적 추론은 도덕적 이해, 도덕적 판단, 도덕적 의사결정과 함께 도덕적 사고의 하위개념으로 이해되기도 한다. 도덕적 문제를 해결하기 위한 도덕적 사고를 위해서는 먼저 도덕적 문제 속에 담긴 도덕개념이나 문제상황을 이해하고 이를 바탕으로 도덕적 추론을 하여 도덕적 판단에 이르며, 그 결과 여러 가지 대안 중 적절한 것을 골라내는 도덕적 의사결정이 필요하다는 것이다.

ㄷ

도덕적 실재론
[道德的實在論, moral realism]

피아제(Piaget)의 인지발달단계 중 전조작기의 아동에게서 발견되는 도덕적 사고의 특징으로서, 도덕적 규칙은 본래 정해져 있는 것으로서 변경될 수 없고 따라서 절대적으로 지켜야 한다는 생각. 인지치료

도덕적 실재론은 타율적 도덕성 단계에 해당되는 것인데, 도덕의 절대성을 상정하는 사고단계로서 규칙은 절대로 옳고 변경될 수 없는 절대적인 것이라고 생각하는 것을 말한다. 이러한 사회의 도덕규칙을 어기면 벌을 받는다고 생각하며, 따라서 규칙을 지켰는가의 여부, 즉 행위의 결과에 따라 옳고 그름을 판단한다. 이 같은 도덕발달은 인지발달의 제한을 받는데, 놀이규칙에 관한 연구에서 전조작기에 해당하는 5~7세 아동에게 피아제는 그들이 즐겨 하는 공기놀이의 규칙에 대해 그것이 변경될 수 있는지 물어보았다. 그들은 규칙이란 지키지 않으면 벌을 받기 때문에 절대적으로 지켜야 하며, 규칙은 본래부터 정해져 있는 것이므로 변경할 수 없다고 대답하였다. 또한 도덕적 판단에 관한 연구에서는 아동이 어떤 잘못에 대하여 그러한 행동을 하게 된 동기나 의도를 근거로 판단하는지 아니면 잘못의 결과를 근거로 판단하는지를 알아보았는데, 전조작기 아동은 행위의 의도가 어떠하든지 잘못의 결과가 크면 클수록 더 나쁘다고 판단하였다. 즉, 행위의 의도보다는 결과에 근거하여 판단을 내려 과실이 크면 더 많은 벌을 받아야 한다고 생각하였다. 이와 같이 전조작기의 아동은 도덕적 규범이나 규칙이 외부의 절대적인 힘에 의해서 주어진 것이

므로 그것은 반드시 지켜야 하고, 임의적인 변경이 불가능하다는 도덕적 실재론을 보인다. 이러한 특징을 보이는 시기의 도덕성을 타율적 도덕성이라 한다.

도덕적 심신장애
[道德的心身障礙, moral insanity]

반사회적 성격과 관련되는 개념으로서 기분, 감정, 애정, 성적 행동, 습관, 사회적 행동 등의 여러 측면에서 보이는 장애. 이상심리

영국의 정신과 의사 프리처드(Prichard)가 1835년에 제창한 것으로 망상이나 망각, 지각장애는 아니고 극단적인 감정흥분이나 충동적 행동을 일부 보이는 것을 특징으로 하며 흉악한 반사회적 행동을 반복하는 질병으로 제시된 개념이다. 서구의 정신의학자들은 이 장애에서 정신병질의 개념을 발전시켜 많은 유형론을 만들었다. 매코드(McCord) 부부는 지속적인 애정관계를 유지하지 못하면서 매우 충동적이고 공격적이며 죄책감을 거의 갖지 않는 원시적인 욕정을 반사회적 행동의 하나로 제시하였다. 우리나라에서는 일찍부터 독일의 슈나이더(Schneider)가 제시한 정신병질 성격유형을 널리 사용해 왔다. 슈나이더가 제시한 열 가지 유형 중에서 무정성(타성 결여), 기분 이변성, 의지 결여 등은 반사회적 행동과 관련이 많다. 특히 반사회적 성격으로는 무정성과 다른 이상 경향과의 결부가 중시된다. 비행소년과 일반 소년을 비교연구한 글룩(Glueck) 부부는 비행소년에게 모험성, 행동의 외향성, 피암시성, 완고성, 정서 불안정성과 같은 성격 특성이 현저하게 나타난다고 주장하였다. 워렌(Warren)은 이 장애를 사회화되지 않은 공격형, 사회화되지 않는 수동형, 미성숙 동조형, 비행문화 동조형, 속임수형, 신경증적 행동화형, 신경증적 불안형, 상황성 정동 반응형, 비행문화 동일형 등의 아홉 가지 유형으로 제시하였다.

관련어 | 정신병질적 성격

도덕적 추론
[道德的推論, moral reasoning]

도덕적 쟁점, 문제 및 질문에 관한 생각. 인지치료

도덕적 추론은 심리학과 도덕철학에서 다루어지는 주제로서, 이에 관한 연구는 사람들이 도덕적 이슈와 질문에 대해 어떻게 생각하는지를 탐구하는 방식으로 이루어진다. 인지발달이론 관점에서는 도덕성 발달을 인지발달의 한 측면으로 보고 도덕적 쟁점들에 관해 아동 및 청소년이 어떻게 생각하는지에 관심을 두고 도덕적 추론발달을 중점으로 연구해 왔다. 도덕적 추론의 발달은 다음과 같은 근거를 가지고 연구된다. 첫째, 도덕적 사건과 만나게 될 때 개인의 인지구조는 그 사람이 부여하는 의미를 형성한다. 개인의 인지구조는 특정한 도덕적 사건에 대한 해석에서 사람들마다 다양한 견해를 가질 수 있다. 둘째, 인지구조는 연령이 증가함에 따라 변화한다. 셋째, 도덕적 추론의 발달은 개인의 인지구조에서의 변화의 계열성 및 그러한 계열구조의 작동에 의해 서서히 만들어지는 기억과 신념에서의 변화의 계열성으로 이루어진다. 도덕성의 핵심을 도덕적 추론이라고 정의한 인지발달이론 관점을 가진 학자들의 이론과 연구 가운데 유아의 도덕발달을 처음으로 개념화한 피아제(Piaget)의 이론과 도덕단계를 아동기부터 성인기까지 확장한 콜버그(Kohlberg)의 이론, 유아기의 도덕적 개념발달을 세분화한 데이먼(Damon)의 이론이 대표적이라고 할 수 있다.

도덕적 치료
[道德的治療, moral therapy]

정신병 환자를 대상으로 미술이나 일종의 직업치료를 활용한 1800년대 말기의 접근방법의 하나. 이상심리

18세기 후반에 의학이 급속도로 발달하여 정신장애에 대한 과학적인 관심이 생겨나면서 기존의 치

료법인 감금 대신 이들에 대해 친절하고 따뜻하게 대하며 인간적으로 존중해 주는 치료를 하고자 한 것이 도덕적 치료다. 이는 프랑스 혁명이 끝나 갈 무렵 프랑스의 의사 필리프 피넬(Philippe Pinel)의 용기 있는 실험에서 시작되었다. 즉, 기존의 정신질환자들을 학대하고 감금하는 대신 정신질환자의 사슬을 풀어 주고 친근하고 아늑한 환경을 만들어 주면서 치료자가 아버지의 이미지로 치료했을 때 몇몇 환자는 거의 기적적인 효과를 보였다. 도덕적 치료는 19세기 초반에 유럽과 미국에서 광범위하게 채택되었으며, 특히 미국에 큰 영향을 끼쳤다. 그러나 이러한 장점에도 불구하고 다음의 문제 때문에 활성화되지 못하였다. 첫째, 재정의 부족이다. 즉, 효과적인 치료를 위해서는 적절한 규모의 병원과 인력이 필요한데, 이를 지원하는 재정이 부족하였다. 둘째, 치료 근거가 철학과 가치의 인식에 초점을 두어 비구체적이고 체계화되지 못한 치료방법으로 인하여 치료의 실시와 효과의 확인이 불확실하였다. 셋째, 지나친 온정주의적 접근으로 도덕성이 결여되고 낮은 자아를 가진 사람들과 범죄자 및 중독자가 보호소로 몰려오면서 문제가 심각해졌다. 끝으로 사회진화론의 영향으로 사회의 밑바닥에 있는 자들은 치료와 보호를 받을 가치가 없다는 논란이 제기되면서 도덕적 치료는 불가능해졌고, 정신장애인은 다시 방치되기 시작하였다.

도박중독
[賭博中毒, gambling addiction]

반복적, 습관적 도박을 함으로써 자기 스스로 그 행위를 조절할 수 없는 상태. 병적 도박(pathological gambling)이라고도 함. 중독상담

도박중독은 충동조절장애로 분류되며, 행동중독의 한 양상이다. 도박중독을 진단하는 데 필수적인 증상은 개인적, 가족적, 또는 직업적 기능의 수행을 저해하는 지속적이고 반복적인 도박행위다. 도박중독은 생리적 의존이 강한 약물중독과는 달리 심리적 의존이 강하게 나타나며, 외적으로 드러나는 증상이 분명하지 않다는 특징이 있다. 또한 도박중독으로 개인은 신체적·재정적 손실이 생기며, 가족관계가 망가지고, 사회생활이 불가능해진다. 도박중독자들의 반복적이고 강박적인 도박행위의 원인에 대한 설명은 여러 가지가 있는데, 그중 하나가 돈을 목적으로 도박을 한다기보다는 도박을 할 때 생기는 각성되고 흥분된 감정상태를 유지하려는 '행위'로써 도박을 지속한다는 것이다. 이러한 이유로 도박을 할 때 더욱 많은 액수의 돈을 걸거나, 보다 큰 위험을 감수하면서 더 큰 자극을 추구하게 되는 것이다. 두 번째 원인은 개인적인 문제에서 탈출하기 위해, 혹은 불쾌한 기분을 덜기 위해 도박을 한다는 것이다. 이러한 의도에서의 도박은 손실된 자금을 만회하려는 절박한 심정과 함께 그 행위를 중단하기 더욱 어렵게 만드는 요인이 된다. 세 번째 원인은 도박중독자들의 왜곡된 신념이다. 돈이 모든 문제의 원인이고 해결책이라고 생각한다거나, 자신을 과신하고 미신을 맹신한다든지, 충동에 대한 조절력이 매우 약하기 때문이다. 도박중독자에게도 다른 약물중독자와 같이 금단증상이 나타나는데, 도박행위를 줄이거나 중단하면 안절부절못하고 과민해지는 증상이 나타난다.

관련어 | 행동중독

도박중독자조모임
[賭博中毒自助-, gamblers anonymous: GA]

익명의 도박중독자들이 모여서 도박으로부터 생긴 문제를 극복하기 위해 경험과 힘, 희망을 나누는 자조모임. 중독상담

도박으로 인한 문제를 가진 사람들이 이 자조모임에서 서로의 공동 문제를 해결하고 다른 사람을 도와줄 수 있다. 1957년 1월에 도박이라는 공통된

문제를 가지고 있던 두 남자의 우연한 만남으로 시작된 모임이다. 우리나라의 도박중독자조모임은 도박중독자였던 한 외국인 신부가 1984년 6월 13일 경기도 부천시 심곡동에서 최초로 시작했고, 그 후 전국적으로 확산되어 많은 도박중독자들이 새로운 삶을 사는 것을 도와주고 있다.

관련어 | 도박중독, 자조모임

도식
[圖式, schema]

인지행동치료에서 자동적 사고의 기초가 되는 정보처리의 기본적인 틀 또는 규칙. 인지행동치료

도식은 원래 모스(Moss)가 명명한 '인지삼제(cognitive triad)'인 자신, 세계, 미래를 보는 개인의 독특하고 습관적인 방식을 말한다. 도식은 핵심 신념을 수반하는 '정신 내의 인지구조'로 정의할 수 있다. 벡(Beck, 1997)은 도식을 정보처리와 행동을 지배하는 구체적 규칙으로 보았고, 도식작업을 치료과정의 핵심으로 삼았다. 도식은 아동기 초기에 형성을 시작하는 사고의 원리들로 부모의 가르침과 모델링, 공식적 혹은 비공식적 교육활동, 또래경험, 외상, 성공 등을 포함한 다양한 삶의 경험의 영향을 받는다. 볼비(Bowlby, 1985)와 다른 연구자들은 매일 직면하는 많은 양의 정보를 다루고 시기적절한 결정을 내리기 위해 도식이 발달한다고 주장하였다. 클라크(Clark)와 동료들은 세 가지 범주의 도식을 제안했는데, 첫째는 단순 도식이다. 정신병리에 거의 혹은 전혀 영향을 미치지 않는 환경의 물리적 성질, 일상적 활동에 대한 규칙, 혹은 자연의 법칙들이다. 둘째는 중간 신념과 가정 정의다. '만약 ~하면 ~할 것이다(if-then)'와 같은 조건적인 규칙들로 자아존중감과 감정조절에 영향을 미친다. 셋째는 자신에 대한 핵심 신념 정의다. 자아존중감과 관련이 있는 상황적인 정보를 해석하기 위한 포괄적이고 절대적인 규칙들이다. 상담자는 보통 임상현장에서 내담자에게 스키마의 여러 수준(예, 중간 신념과 가정 vs 핵심 신념)에 대해 설명하지는 않는다. 그러나 대부분의 내담자는 스키마 또는 핵심 신념(이 용어들은 상호 교환적으로 사용됨)이 자아존중감과 행동에 강력한 영향을 미친다는 사실을 이해할 경우 더 많은 도움을 얻는다. 또한 상담자는 내담자에게 모든 사람들이 적응적인(건강한) 스키마와 부적응적인 스키마를 함께 가지고 있다는 사실을 가르치는데, 적응적 스키마와 부적응적 스키마의 예는 다음과 같다.

적응적 스키마	부적응적 스키마
나는 어떤 일이 일어나든 대처할 수 있다.	내가 어떤 것을 하기로 했다면 반드시 성공해야 한다.
나는 어떤 일을 열심히 하면 잘할 수 있다.	나는 어리석다.
나는 위기에서 살아남을 것이다.	나는 위선자다.
다른 사람들은 나를 믿을 수 있다.	나는 다른 사람들과 함께 있을 때 결코 편하지 않다.
나는 사랑스럽다.	그 사람이 없으면 나는 아무것도 아니다.
사람들은 나를 존중한다.	내가 인정받기 위해서는 완벽해야만 한다.
나는 미리 준비하면 대개 더 잘할 수 있다.	나는 무엇을 하든 실패할 것이다.
나를 위협할 수 있는 것은 별로 없다.	세상은 나에게 너무 위협적이다.

출처: Wright et al.(2009).

예를 들어, 누군가 '항상 미리 계획하기'라는 기본 규칙을 가지고 있다면 그는 사전준비 없이 새로운 상황에 뛰어드는 것 대신 새로운 상황에 대처하기 위한 기초작업을 시작할 것이다. 단순 스키마 정의의 경우로는 '방어적인 운전자가 되어라.' '좋은 교육은 그 값어치를 한다.' '천둥을 동반한 폭우가 내리면 피할 곳을 찾아라.' 등이다. 중간 신념과 가정 정의의 경우로는 '내가 인정을 받으려면 완벽해야

한다.' '항상 다른 사람들을 기쁘게 하지 못하면, 그들은 나를 거부할 것이다.' '내가 열심히 일하면 성공할 수 있다.' 등이다. 자신에 대한 핵심 신념 정의의 경우로는 '나는 사랑스럽지 않다.' '나는 실패자다.' '나는 좋은 친구다.' '나는 다른 사람을 신뢰할 수 있다.' 등이다.

도식양식
[圖式樣式, schema mode]

개인이 경험하는 순간의 정서상태 및 적응적 혹은 부적응적인 대처반응 중에서 특정 시점에서 가장 활성화된 심리도식작용.

도식치료

도식양식은 우리가 과민하게 받아들이는, 즉 정서적으로 취약한 생활사건에 의해 촉발된다. 특정한 초기 부적응 도식이나 대처반응이 불쾌한 정서, 회피반응, 자기패배적 행동을 유발하여 개인의 기능에 영향을 미치거나 통제하려고 할 때 역기능적 도식양식이 활성화되었다고 본다. 개인은 어떤 역기능적 양식에서 다른 양식으로 전환할 수 있는데, 양식이 전환되면 이전에는 휴지상태였던 다른 심리도식이나 대처반응이 활성화된다. 대처반응들의 조합을 통해 개인에게 독특한 도식양식이 나타나는 것이다. 서로 다른 상황이 일어난 갈등상황이 되었을 때 보다 건강한 양식이 취약한 양식을 조절할 수 있다는 점에서 이 양식작업이 도식적 접근보다 더 발전된 요소를 가진다고 본다. 도식양식은 아동양식(child mode), 역기능적 대처양식(dysfunctional coping mode), 역기능적 부모양식(dysfunctional parent mode), 그리고 건강한 성인양식(healthy adult mode)의 4개의 범주로 나뉘고, 각 범주마다 핵심적인 도식을 포함하고 있다. 첫째, 아동양식은 선천적이고 보편적인 것으로서 취약한 아동양식, 성난 아동양식, 충동적이고 훈육되지 않은 아동양식, 행복한 아동양식으로 이루어진다. 대부분의 핵심 심리도식을 경험하는 양식인 취약한 아동양식에는 유기된, 학대받은, 정서적으로 결핍된, 거부당한 아동양식이 포함된다. 성난 아동양식은 충족되지 않은 정서적 욕구 때문에 분노하고 결과를 고려하지 않은 채 화를 표출하는 특징이 있다. 충동적인/훈육되지 않은 아동양식의 특징은 자신 및 타인에게 초래될 수 있는 결과를 고려하지 않고 매 순간 자신이 하고 싶은 대로 감정을 표출하면서 욕구에 따라 행동하는 것이다. 행복한 아동양식은 현재 핵심적 정서욕구가 충족되고 있는 경우다. 둘째, 역기능적 대처양식은 심리도식에 굴복함으로써 다시금 타인에게 순종하고 수동적으로 무기력한 아이가 되는 순응하는 굴복자 양식, 정서적으로 거리를 두고 물질남용, 자기 자극, 타인 회피 등 여러 다른 형태의 도피를 통해 심리도식이 유발되는 고통을 회피하는 분리된 보호자 양식, 심리도식을 부정하기 위해 타인을 혹사하거나 극단적인 행동을 통한 심리도식과 맞서 싸우는 과잉보상자 양식으로 이루어진다. 이 세 가지 양식은 굴복, 회피, 과잉보상이라는 세 가지 대처방식과 대응되며, 궁극적으로 심리도식을 영속화한다. 셋째, 역기능적 부모양식은 나쁜 행동에 대해 처벌하는 처벌적인 부모양식과 지나치게 높은 기준을 제시하고 도달하도록 계속 압력을 가하는 요구적인 부모양식으로 이루어진다. 이런 양식에 처해 있을 때 개인은 마치 내면화된 부모처럼 행동한다. 넷째, 건강한 성인양식은 다른 양식들을 중재하고 돌보며 대화를 통해 가르치는 특징이 있다. 도식치료에서는 상담을 통해 건강한 성인양식을 강하게 만드는 것이 목표다. 심리도식치료의 중요한 목표 중 하나는 건강한 성인양식을 강화하는 방법을 내담자에게 가르치는 것이다. 그렇게 함으로써 건강한 성인 양식이 내담자의 역기능적 양식을 다룰 수 있게 되고, 그것과 협상하여 역기능적 양식을 돌보거나 중화시킬 수 있다.

관련어 | 개인도식이론

도파민
[–, dopamine]

뇌 신경세포의 흥분을 전달하는 신경전달물질이자 호르몬의 하나. 뇌 과학 특수아상담

뇌의 신경세포에서 만들어지는 물질로, 쾌감이나 즐거움 등과 관련된 신호를 전달하는 것으로 알려져 있다. 전두엽, 변연계, 뇌하수체 등에 존재하며, 분비되면 맥박수와 혈압이 상승하여 쾌감을 느끼게 되는데 이런 이유로 중독성이 있다. 몰입에도 관여하여 분비되지 않는 경우에 정신이 산만하고 집중에 어려움을 겪는다. 비정상적으로 낮게 분비되면 파킨슨병에 걸려 움직임과 감정표현의 장애를 낳기도 한다. 반대로 과다분비되면 환각을 보이는 등의 정신분열증으로 나타나기도 한다.

관련어 | 신경전달물질

도피조건형성
[逃避條件形成, escape conditioning]

특정 행동을 하면 이미 존재하고 있던 어떠한 혐오자극을 제거해 줌으로써 특정한 반응이 일어날 가능성을 높이는 것. 행동치료

행동수정에서 회피조건형성(avoidance conditioning)을 습득하기 위한 사전단계에 예비훈련의 목적으로 사용되는 방법이다. 도피조건화라고도 부르는데, 혐오자극을 피하기 위해 특정 바람직한 행동을 지속하도록 하는 예비절차이므로 회피조건형성의 앞에 위치한다. 회피조건형성은 발생빈도가 낮은 반응의 발생 가능성을 증가시키는 것으로서 하나의 반응을 함으로써 혐오자극, 즉 벌을 예방할 수 있다. 도피조건형성은 혐오자극을 내포하고 있다는 점에서 벌과 같은 측면이 있지만 벌은 어떤 행동이 일어나자마자 혐오자극이 가해지는 데 반해, 도피조건형성에서는 어떤 행동이 일어나자마자 혐오자극이 감해진다는 면에서 다르다. 다시 말해, 벌은 장차 일어날 특정한 바람직하지 못한 행동이 일어날 확률을 낮추고 도피조건형성에서는 장차 바람직한 특정 행동이 일어날 확률을 높이는 것이다. 도피조건형성을 통해 행동수정 대상자가 특정 바람직한 행동을 하면 혐오자극을 피할 수 있다는 것을 학습하게 되어 그 행동의 발생빈도를 높이는 것을 회피조건형성 혹은 회피학습이라고 한다. 도피 및 회피조건형성을 효율적으로 적용하기 위해서는 몇 가지 원리에 유의해야 한다. 첫째, 행동을 유지시키기 위해 도피과정을 사용할 것인지 회피과정을 사용할 것인지 정해야 할 경우 회피 과정을 택하는 것이 더 바람직하다. 도피조건형성에서는 벌이 표적행동 앞에 주어진다. 그러나 회피조건형성에서는 표적행동이 일어나지 않을 때만 벌이 주어지고, 벌을 받을 반응을 하지 않는 쪽으로 표적행동의 상반행동인 문제가 되는 행동이 서서히 감소할 수 있기 때문에 더 윤리적이다. 둘째, 회피조건형성이 적용되기 이전에 도피조건형성으로 표적행동이 형성되어야 한다. 셋째, 회피조건형성 기간 중 혐오자극은 벌이 나타나는 신호여야 한다. 즉, 표적행동이 일어나지 않으면 혐오자극이 발생할 것이라는 경고를 해 줌으로써 조건형성을 촉진한다. 넷째, 도피 및 회피 조건형성은 혐오자극이 제시되어 공격, 불안, 공포와 같은 외현 · 내현적 문제행동이 부작용으로 발생할 수 있으므로 벌과 마찬가지로 조심스럽게 사용해야 한다. 다섯째, 도피 및 회피 조건형성과 더불어 표적행동에 대한 정적 강화를 병행해야 한다.

도핑
[–, doping]

운동선수들이 경기력 향상을 목적으로 심장흥분제나 근육강화제 등의 약물을 복용하거나 주사하는 행위. 중독상담

도핑에 사용되는 약물을 도프(dope)라고 하는데, 이것은 남아프리카 반투족이 종교의식에서 사용하

는 술을 'dap'이라고 부르는 데서 유래하였다. 도핑은 순간적으로 선수들의 능력을 향상시키는 효과가 있지만, 이로 인해 신체가 극도로 피곤해지고 반복적으로 사용하면 습관성이 될 위험도 있다. 오늘날 각종 스포츠 관련 경기에서는 특정 규제약물 사용 여부를 확인하기 위한 검사가 시행되는데, 이를 도핑 테스트(doping test)라고 한다.

관련어 | 중독

도형
[圖形, delineations]

부모가 자신의 자녀들에 대해서 간직하고 있는 상을 행동이나 언어로 표현하는 것. 정신분석가족치료

자녀에 대해 부모가 가지고 있는 객관적이거나 왜곡된 이미지가 그 행동이나 언어에서 드러나는 것을 도형이라고 한다. 병원적(病原的) 도형은 자녀들에 대한 현실적인 인식보다는 부모의 방어적 욕구에 바탕을 둔다. 따라서 부모가 자녀에 대한 강렬한 도형을 가지고 있다는 것은 자신의 방어적 도형을 유지하기 위해서다. 예를 들어, 한 부모가 자신의 자녀에 대해 실제로 그렇지 않음에도 불구하고 정말 대책 없고, 한심하며, 우유부단하다고 말하고 생각하는 것은, 그 자녀의 특정 행동이 부모의 투사된 정서와 들어맞기 때문에 그러한 도형을 부모가 갖는 것이라고 하였다.

독백
[獨白, soliloquy]

등장인물 혼자서 숨겨진 생각과 감정을 말하는 기법. 사이코드라마

독백은 연출자가 주인공 내면의 생각이나 느낌을 드러낼 필요가 있다고 보거나 중요한 장면에 들어가기 전에 실시한다. 특히 특정 행동 후에 일어나는 감정을 표현하는 데 효과적이다. 주인공이 극에서 맡은 역할을 하면서 보인 행동 가운데 생각과는 달랐던 행동이나 느낌을 직접 말로 표현할 수 있다. 이 기법은 특히 대인관계에서 실제적 사건과 그것을 바라보는 주인공의 견해에 차이가 있을 때 객관적 사실과 주관적 관점의 차이를 현저하게 보여 준다. 여기서 중요한 점은 연출자에게 자신의 심정을 설명해서는 안 되고 혼잣말을 하도록 해야 한다는 것이다. 독백기법은 극에 대한 저항감, 두려움, 불안 등을 표현할 수 있도록 하여 극에 부정적인 역할을 할 수 있는 감정을 해소시킬 수 있다. 또한 극을 마무리할 때 현재 심정을 떠오르는 대로 말해 보도록 하면 주인공은 극에 대한 경험을 정리할 시간도 갖게 된다. 게다가 독백은 대화체 형식에서는 표현되지 않았던 혼자만의 생각을 말로 표현함으로써 스스로 마음의 소리를 듣는 효과도 있다. 이 기법을 변형하여 이중자아와 함께 걸어 다니면서 독백을 할 수 있고, 주인공이 애완동물에게 말을 할 수도 있으며, 빈 의자와 만나거나 미래의 자아 또는 성격의 다른 일면과 만날 수도 있다.

관련어 | 사이코드라마, 이중자아, 주인공

독서치료
[讀書治療, bibliotherapy]

문제, 진단, 그에 관한 처치 등을 이해하는 데 유익한 도서를 매개체로 하는 치료에 대한 총칭으로 심리적 성장 및 심리 치유를 목적으로 하는 모든 독서 관련 행위. 문학치료(독서치료)

독서치료는 문헌정보학 분야에서는 상당히 오래된 개념으로, 책(biblion)과 치료(therapia)라는 그리스어에서 유래하였다. 치료(therapy)는 영어의 'cure'에 해당하는 말이지만 독서치료에서는 내용적으로 통찰력을 '계발하다(enlighten)' 혹은 '육성하다(promote)'라는 의미를 가지고 있다. 즉, 독서치료는 자기이해를 기반으로 하는 인식과 통합의 요소를 담고 있는

것이다. 고대의 가장 오래된 도서관인 테베의 도서관에는 '영혼을 치유하는 곳'이라는 현판이 있었고, 알렉산드리아의 도서관에서는 책을 '영혼을 치유하는 약'이라고 부르기도 하였다. 고대 그리스인은 문학의 힘에 대한 대단한 믿음이 있었다. 이러한 역사적인 사례들은 고대로부터 책이 가지고 있는 치료적인 효과를 입증하는 기록이다. 현대에 와서는 1930년대 미국에서부터 독서가 치유경험이 될 수 있다는 전제에서, 복잡한 정신문제 해결을 위한 방법으로 활용되기 시작하였다. 특히 제2차 세계 대전 당시, 군인들이 독서를 통해서 치유와 심리적 도움을 많이 받았던 것이 계기가 되면서 독서치료의 근간이 형성되었고, 이때부터 정신의학기관에서 독서치료집단이 융성하였다. 1940년대부터는 독서치료 기술의 심리적 가치에 초점을 둔 논문이 등장하였다. 1950년대에는 슈로데스(Shrodes)가 독서치료라는 주제로 학문적 입장을 밝히면서, 그의 철학적 관점들이 독서치료에 지대한 영향을 미치게 되었다. 최근에는 파르덱과 파르덱(Pardeck & Pardeck)이 독서치료에서 심리치료사가 필수요소는 아니라고 주장을 하는 등 자가 독서치료의 시대까지 열렸다. 독서치료는 참여자의 자발적 독서가 중요한 요소이기 때문에, 기본적으로 인간을 자율적 의지를 가진 존재로 인식하는 데서 출발한다. 인간의 반영적 사고가 작품 내 주요 등장인물과 자신을 동일시할 수 있는 능력을 발휘할 수 있다는 것이 독서치료의 기반으로, 사유적 · 발전적 입장을 지닌 낙관적 태도의 인간관을 가진다고 할 수 있다. 특히 인간은 자기주도적으로 문제를 해결할 수 있는 존재라는 입장에서 자가 독서치료가 가능하며, 상호관계를 통한 인간관으로 참여자가 텍스트와 상호작용을 일으킬 수 있다는 입장에서는 상호작용 독서치료도 가능하다. 독서치료는 치료가 필요한 특정 문제에 대한 내담자의 자기이해의 폭과 넓이를 증대시키는 것이 목적이다. 책이라는 매개체를 통해서 참여자는 자신의 문제를 인식하고 치료에 적극적으로 참여하여 치료에 대한 책임감을 더 강하게 느낄 수도 있다. 책 속의 등장인물을 통해서 내담자는 새로운 역할로 흡수되고, 자신의 고정되고 편협한 시각에서 벗어나 새로운 관점과 시선으로 다양한 삶과 생활양식을 관찰, 탐색하여 인식하는 기회를 얻는다. 독서치료는 책 읽기를 통해서 내담자의 정신적 · 정서적 · 사회적 갈등을 파악하고 보다 현실적인 사고력을 계발시켜 건설적으로 문제를 해결할 수 있는 방법을 모색케 하는 예방적 목표를 가진다. 자신을 좀 더 잘 이해하고, 자신이 처한 상황이나 문제를 올바르게 인식할 수 있는 사고능력을 신장시켜 사회 적응력을 키우고 안정적인 인간관계 증진 및 사회성 촉진을 유발하는 것이다. 또한 정서적 문제 및 정신적 질환이 있는 사람들에게 적합한 독서자료를 제공하여 마음의 상처를 치유하고 감정과 행동을 변화시켜 건강한 삶을 살아가도록 하는 치료적 목표도 있다. 이를 더욱 세분하여 통찰력 신장, 정서적 카타르시스 경험, 타인과의 상호작용 및 긍정적 관계 증진, 일상의 문제해결, 특정 문제에 대한 유용한 정보 획득, 책 읽는 즐거움 등을 목적으로 보는 사람들도 있다. 독서치료의 3대 요소는 상담자 혹은 독서치료사, 내담자 혹은 독자, 텍스트 혹은 문학작품이다. 독서치료는 임상맥락에 따라 여러 가지 방향성이 있는데, 이 세 가지 요소 중 어느 것에 중점을 두느냐에 따라 강조점이 서로 다른 과정으로 나누어진다. 이를 대별하면 독서치료사가 적극적으로 내담자의 진단 및 치료에 개입하여 역동적 상호작용을 일으켜 치료적 효과를 내는 상호작용적 독서치료, 독서치료사의 개입 없이 내담자 스스로 책을 선정하고 책을 읽으면서 치료에 이르는 자가 독서치료로 나눌 수 있다. 자가 독서치료는 내담자 스스로 치료사가 되어 주도적으로 책을 선정하여 자신의 문제를 파악하고 치료함으로써 상처회복 및 문제해결의 주체가 되는 자아통합에 이를 수 있다. 치료사의 참여 유무에 상관없이 독서치료는 내담자의 문제 및 상황을 파악하고, 그에 맞는 텍스트를 선정한 다음, 독서과정을 거쳐 동일시의 원칙 등을 통해서 자신의 문제를 포함한 자기 생애를 돌아보는 시간을 갖는 단계를 거친다. 텍스트에 담긴 이야기는 내담자가 감추거나 내면 깊이 묻어 둔 과거를 환기시켜 그 기억을 새로운 시각으로 조망하고, 독서 이전의 사고방식이나 생활양식에 변화를 일으킬 수 있도록 하는 매개체가 되어 문제해결에 이르도록 한다. 독서치료는 결국 내담자와 텍스트의 밀접한 상호작용, 다시 말해서 적당한 거리감과 유대감의 지속적 사용으로 감정적 통찰에 이르도록 함으로써 건강한 자아를 회복시키는 것이다. 독서치료는 다양한 과정으로 진행되지만 일반적으로 다음의 4단계로 이루어진다. 첫째, 내담자와 라포를 형성하고 문제를 명료화한 다음 문제 범위 및 성격을 진단하는 준비단계, 둘째, 다각적으로 내담자 수준과 문제에 맞고 가능한 해결책이 제시된 자료를 선택하는 자료선택단계, 셋째, 독서치료의 세 가지 원리(동일시, 카타르시스, 통찰)를 기반으로 이해를 돕는 단계, 넷째, 앞선 세 단계를 거치면서 깨달은 바를 실제 행동에 옮길 수 있도록 도와주는 추후평가단계다. 독서치료에 쓰이는 기법은 치료사에 따라 다양하지만, 크게 나누면 동일시, 카타르시스, 통찰 등이 대표적이다. 동일시는 자신이 아닌 다른 대상, 즉 텍스트 내 등장인물에게 자신을 투사하여 일치시키는 자아자각과정이다. 동일시에서는 투사(projection)와 흡입(ingestion)의 방법을 쓴다. 투사는 자기감정, 사고, 성격, 태도 등을 대상에게 투영시키는 것을 말하고, 흡입은 대상의 감정, 사고, 성격, 태도 등을 자기 내면으로 받아들이는 것을 말한다. 텍스트 내 등장인물의 성격, 감정, 행동, 태도 등에 자신을 투사하거나, 그것을 자기 것으로 흡입하여 동일시의 원리가 일어난다. 카타르시스는 아리스토텔레스가 『시학』에서 제시한 비극의 효과로서, 감정의 소산 혹은 정동해발(情動解發) 등으로 해석된다. 억압되어 있던 심리적 갈등이나 욕구 등이 언어 또는 행동으로 표출되어 충동적 정서, 억압된 감정 등이 발산되는 것이다. 텍스트 내 등장인물을 통해서 내담자가 간접경험 혹은 대리만족을 일으키는 과정이 카타르시스의 원리다. 이때 등장인물이 매개체가 되므로 자신의 문제나 감정을 직접 드러내지 않아도 된다는 안전감이 저항을 줄이거나 없애 준다. 통찰은 자기 혹은 자신의 문제 등에 대해서 바람직하고 객관적인 인식을 체득하는 것이다. 이는 카타르시스를 경험한 이후에 나타난다. 독서치료과정에서 등장인물은 계속해서 내담자가 자신의 문제나 자기에 대한 인식을 깨달을 수 있는 기회를 제공하고, 자신을 반영하고 카타르시스를 경험하게 하여 자신과 자신의 문제에 대해 적당한 거리를 두고 정확하게 들여다볼 수 있도록 한다. 이때 자신이 가지고 있던 관점이나 시각에서 벗어나 다른 관점이나 시각을 가질 수 있게 되고, 그렇게 바뀐 시선이 자신의 문제를 객관화시킨다.

관련어 | 동일시의 원리, 카타르시스의 원리, 통찰의 원리, 투사

독신자
[獨身者, singles]

결혼을 하거나 다른 사람과 동거를 하지 않고 혼자서 생활하는 사람. 가족치료 일반

독신자에 대한 법률적 정의를 보면, 혼자서 생활하는 사람이라는 거주 형태에 의한 정의와 배우자와 동거하고 있지 않는 사람이라는 개념이 모두 포함되어 있다. 독신자는 1970년대부터 서구사회를 중심으로 증가하고 있으며, 결혼관과 성 규범의 변화, 여성의 경제적 자립 욕구 등이 원인이라고 보고 있다. 독신자는 자립, 자유, 커리어(career)의 추구라는 점에서는 긍정적 혹은 적극적 평가를 받는 반면, 고독감과 불안감이라는 정신적인 문제가 따르며, 특히 여성의 경우 경제적 문제가 따른다는 부정적 측면이 있다.

독심술
[讀心術, mind reading]

언어적인 의사소통 없이 상대방의 마음을 읽을 수 있다고 생각하는 인지적 사고 오류 중 하나. 부부상담

일반적으로 사람들은 대인관계에서 독심술이 제대로 이루어지지 않는다는 것을 알면서도 생각보다 자주 독심술의 오류를 일으킨다. 특히 부부관계에서 이루어지는 독심술 때문에 서로에 대해 정확하게 이해하지 못하고 오히려 많은 오해가 발생하는 원인 중의 하나로 작용한다. 따라서 부부상담에서는 서로의 오해로 인한 갈등을 해결하기 위해서 각자 자신이 원하는 바를 상대방에게 구체적으로 표현하도록 돕고 있다. 그러나 많은 부부는 결혼생활이 오래될수록 당연히 상대 배우자가 자신의 마음을 읽을 수 있을 것이라고 기대하는 경향이 있다. 그러한 이유로 상대방이 자신의 마음을 읽지 못하거나 불완전하게 읽으면 모든 것을 배우자의 탓으로 돌린다. 이러한 사고의 또 다른 형태는 상대 배우자가 자신에게 잘해 줄 때 이를 상대 배우자가 자신을 조종하려 한다는 증거로 해석하는 경우다. 예를 들어, 아내가 자신에게 잘해 주면 그 남편은 이를 아내가 자신에게서 무언가를 얻어 내기 위한 꿍꿍이속을 가지고 있다고 해석하는 것이다. 이러한 독심술은 상대 배우자의 본래 의도와는 상관없이 이루어지기 때문에 부부간의 갈등을 더욱 심화시키는 경향이 있다.

독점하기
[獨占 –, monopolizing]

집단에서 대화를 독점하는 행위. 집단상담

집단구성원 개인에게 할당되는 일정한 시간을 특정 구성원이 일방적으로 독차지하여 사용하는 행동을 뜻하며, 이 같은 행동을 주로 하는 집단구성원을 독점자라고 부른다. 독점자인 집단구성원은 지나치게 말이 많고 적극적이어서 집단상담의 활동을 독점해 버리고 자기중심성을 강하게 나타낸다. 즉, 독점하기는 이기심의 표현이다. 대화를 독점하는 집단구성원은 끊임없이 다른 집단구성원과 자신을 동일시하는 경향이 있다. 대화를 독차지하는 집단구성원의 행동상 특징은, 첫째, 습관적으로 거의 쉴 새 없이 말한다. 둘째, 말하지 않거나 집단이 조용해지면 불안해한다. 셋째, 다른 집단구성원과의 대화에서 집요할 정도로 상세하게 묘사한다. 넷째, 다른 집단구성원의 말에 "나도 그래요." 하며 지속적으로 잘 끼어든다. 다섯째, 질문 공세 혹은 잦은 피드백으로 집단의 상호작용을 둔화·마비시킨다. 여섯째, 거의 매 회기에 주의를 끌 만한 문제를 제시하여 다른 참가자의 자기개방을 차단한다. 일곱째, 집단에서 다루고 있는 문제와 조금이라도 관련 있다고 생각하는 신문기사나 라디오, 텔레비전 등에서 들은 내용을 자세하게 설명한다. 또한 집단에서 대화를 독점했을 때의 문제점을 살펴보면, 첫째, 다른 집단구성원에게 집단시간을 고르게 배분하기가 어렵다. 둘째, 자칫 집단에서 말을 많이 하는 것이 바람직한 행동이라는 인식을 심어 줄 수 있다. 셋째, 장시간 이야기를 들어 주어야 하는 다른 참가자들이 지루하고 피곤해할 수 있다. 넷째, 강박적인 발언은 다른 집단구성원과의 대인관계에 부정적인 영향을 주어 의미 있는 관계 형성을 저해한다. 따라서 독점하기 행동을 바로잡기 위해서는 독점하는 집단구성원의 대화를 막는 일에만 집중하다 보면 폭발적인 공격 반응을 유발할 수 있기 때문에 상담자는 그의 행동이 집단에 어떤 영향을 주는지 상냥하고 솔직하게 피드백을 해 주어야 한다.

독점자 [獨占者, monopolizer] 집단에서 대화를 습관적으로 끊임없이 독차지하는 구성원을 말한다. 이와 유사하게 집단의 대화를 독점하려는 경향을 보이면서 동시에 집단구성원들의 발언순서와 발언할 사람을 지시적으로 조정하려는 행동을 하는 사람을 통제자라고 한다.

독특한 결과
[獨特 - 結果, unique outcome]

인간의 삶에서 강력하게 영향을 미치고 있는 지배적 이야기와 부합하지 않는 예외적인 삶의 사건 혹은 의미. 이야기치료

인간의 삶에는 수많은 사건이 있고, 개인이 자신의 삶에 대해 이야기할 때는 이 수많은 사건을 빠짐없이 모두 이야기하는 것이 아니라, 자신만의 방법으로 일부 경험을 선택하여 의미를 부여하고 해석하여 이야기한다. 이렇게 구조화된 삶의 지배적 이야기(dominant story)의 해석의 범주에서 벗어나는 경험된 사건을 독특한 결과라고 한다. 또한 하나의 경험된 사건에는 여러 가지 다양한 의미 부여와 해석이 가능한데, 그중에서 구조화된 지배적 이야기의 영향을 덜 받는 의미 또한 독특한 결과라고 한다. 이러한 독특한 결과에는 지배적 이야기의 해석을 적용할 수 없는 그 어떤 것들도 모두 포함될 수 있다. 예를 들어, 내담자에게 일어났던 특정한 사건, 계획, 행동, 느낌, 꿈, 생각, 신념, 능력 혹은 언젠가 보았던 영화나 책에서 느낀 감동 모두 독특한 결과가 될 수 있다. 또한 내담자의 과거나 현재 혹은 미래에 관한 자신의 생각, 소망을 통해서도 독특한 결과가 발견될 수 있다. 이야기치료사는 상담과정을 통해서 내담자가 개인의 삶에서 이러한 독특한 결과들을 이야기로 구조화하여 대안적 이야기(alternative story)를 새롭게 구성할 수 있는 가능성을 열어 주는 데 관심을 가진다. 이 같은 독특한 결과의 특성 때문에 때로는 '반짝이는 사건(sparkling event)'이라고 부르기도 한다. 독특한 결과들은 지배적 이야기에 가려 있지만 그 영향력의 뒤편에서 반짝이며 대안적 이야기의 가능성을 밝혀 주고 있기 때문이다.

관련어 대안적 이야기 , 이야기, 이야기치료, 지배적 이야기

독특한 특질
[獨特 - 特質, unique trait]

개인마다 고유하게 지니고 있는 것으로서, 인간이 서로 다르다는 것을 나타내는 반응 경향성. 성격심리

커텔(R. Cattell)은 특질을 분류기준에 따라 크게 세 가지 방식으로 분류하는데, 그중 첫 번째 분류방식은 모든 사람에게 있는가, 소수에게 있는가를 기준으로 공통특질과 독특한 특질로 구분하였다. 독특한 특질은 개인 또는 소수의 사람이 가지고 있는 반응 경향성을 말하는데, 다른 사람과 구별되는 특질이며 성격연구에서 개인차 연구의 근간이 된다. 이 특질 때문에 사람들은 관심과 태도가 각각 다르게 나타난다.

관련어 개인특질, 공통특질, 특질

독화
[讀話, speech reading]

화자의 입술 움직임을 보고 무슨 말을 하는지 아는 것. 특수아상담

구화교육에서 강조되는 독화능력 발달을 위해서는 입술의 빠른 움직임을 파악할 수 있는 예민한 시·지각능력이 필요하다. 또한 어떤 말소리는 입술의 움직임으로는 보이지 않고, 또 많은 말소리가 입술모양이 같아서 분별에 어려움이 있다. 이와 같이 순수하게 입술모양만으로 말소리를 판별하기 어려운 경우에는 전후 문맥을 바탕으로 단어를 유추하게 된다. 따라서 잘못 알아들었을 때는 한두 단어만을 반복하기보다는 전체 문장을 반복해 주는 것이 좀 더 도움이 된다. 독화훈련은 크게 종합적 방법과 분석적 방법으로 나뉘는데, 아동에게는 분석적 방법이, 성인에게는 종합적 방법이 효과적인 것으로 보인다. 분석적 방법은 말 동작 형태의 감각적인 수용이나, 적어도 시각적으로 구별되는 말소리

를 인지하도록 한다. 시각적으로 동일한 자음과 다른 자음을 비교하고 무의미한 음소의 수준에서 의미 있는 단어의 수준으로 단계를 높여 가며 실시한다. 조음의 위치와 방법을 이해시켜 정확한 독화의 정보를 습득하게 하고 시각적 정보를 잘 활용하기 위하여 청자가 화자의 입을 지속적으로 응시하도록 하는 응시훈련과 변화된 주제나 소음상황에서 듣고자 하는 말이나 언어에 집중할 수 있도록 하는 집중훈련도 분석적 접근법에 포함된다. 종합적 방법은 문맥적 정보를 이용하여 시각적으로 구별되지 않는 의미적 개념과 인지적 추적에 대한 의미 있는 추측을 하도록 한다. 종합적 접근법에는 몸짓과 얼굴표정 읽기, 언어나 상황의 반복으로 예측하기, 청각적 특성인 단어의 길이, 강세, 억양 등으로 이해하기 등이 포함된다. 또한 성인의 경우 예측되는 전문적·사회적인 모임의 의사소통상황에 대비하여 문맥적이고 상식적인 정보를 습득하는 내용도 포함될 수 있다. 포괄적인 의미에서 독화란, 화자의 얼굴과 몸의 움직임을 주시하고 특정 말이나 언어의 제시상황에서 주어진 정보를 사용하여 화자의 생각을 이해하는 능력이라고 할 수 있다(Kaplan, 1997).

돌보기 행동
[-行動, behavior of care]

매 회기 상담이 시작될 때 치료사가 부부에게 지난 상담 후 상대 배우자에게 무엇이 가장 고마웠는지 나누도록 요청하는 것. 이마고치료

돌보기 행동을 하기 위해서 부부 중 한 사람이 상대 배우자에 대해 고마웠던 점에 대해 말을 하면 상대는 이를 듣고 이마고 부부대화법을 따라 반영하기와 인정하기를 한다. 이러한 돌보기 행동을 부부가 하도록 하는 데는 두 가지 목적이 있다. 첫째는 부부에게서 진심으로 나아지기를 기대하는 마음을 이끌어 내는 것이다. 대부분의 부부는 그들이 의식을 하든지 하지 않든지 현 상태가 개선되기를 바라는 마음에서 상담을 받는다. 심지어 이혼을 결심한 부부조차 현재의 고통이 사라지기를 원한다. 따라서 치료사가 부부 자신들의 관계에서 느끼는 고통에 집중하기보다는 감사와 기쁨의 부분에 집중하도록 만들어 주면 부부 내담자는 자신들의 관계를 고통 속으로 더 몰아넣기보다는 개선을 하는 데 더 많은 시간과 에너지를 쏟을 수 있다. 둘째는 배우자에게 고마웠던 이야기를 함으로써 상대방을 좀 더 긍정적으로 바라보도록 하는 것이다. 매 회기 상담이 배우자에게 고마웠던 점을 이야기하는 것으로 시작된다는 사실을 인지하면 부부는 대답을 하기 위해 적어도 상담하기 전에 대기실에서 혹은 상담을 받으러 오는 중에 이에 대해 생각해 볼 것이다. 이러한 부분이 좀 시간이 지나면 주중에도 상대방의 고마움에 대해 생각하게 될 것이다. 이와 같은 방식으로 상담을 시작하면서 그 주간 내 긍정적인 에너지의 흐름을 경험하게 된다. 돌보기 행동을 통한 고마움의 표현은 부부 사이에 더욱 깊은 연결감과 유대감을 갖게 하는 데 도움이 된다.

돌봄의 관계
[-關係, the caring bond]

상대방의 안녕과 성장을 위해 애정과 관심을 보이며 형성되는 인간관계의 유형. 생애기술치료

생애기술치료에서 제시하는 좋은 인간관계를 맺기 위하여 필요한 관계의 유형 중 하나다. 여기서의 돌봄이란 상대방에 대한 애정, 관심, 그리고 상대방의 안녕과 성장을 위한 관심이 모두 포함되는 개념이다. 돌봄은 질적 수준이 중요한데, 관계가 발전함에 따라 서로 간 질적 수준이 비슷한 돌봄을 주고받아야 만족스러운 인간관계를 형성할 수 있다. 질적 수준이 비슷한 돌봄을 주고받기 위해서는, 상대방이 자신을 얼마나 잘 돌보고 관심을 기울이고 있는지에 관심을 기울여야 하고, 더불어 자신도 상대방에게 얼마나 관심을 기울이고 돌보고 있는지에 대해서도 생각해야 한다. 또한 돌봄은 말, 몸짓, 행동 등 모든 부분을 통해서 드러나야 한다.

관련어 기쁨의 관계, 동료로서의 관계, 신뢰의 관계, 의사결정의 관계, 친밀한 관계

돌턴계획
[-計劃, Dalton plan]

미국의 초등학교 교사인 헬렌 파크허스트(Helen Parkhurst)가 1908년에 창안한 것으로, 자율적이고 개별적인 학습과 사회적 책임감을 중시하며 개인의 창조능력을 기르고 협동과 자치의 훈련을 아울러 시도한 교육방법. 교육 상담

'돌턴 실험실 플랜'이 정식 명칭인 이 계획안에서는 국어 · 역사 · 지리 · 수학 · 이과 · 외국어 등을 제1종 교과, 미술 · 음악 · 체조 · 가사 등을 제2종 교과라 하여 모든 교과를 두 가지 종으로 분류하고, 1종에 속하는 교과는 오전에, 2종에 속하는 교과는 오후에 학습하도록 되어 있다. 이 중 1종 교과의 교육법이 돌턴계획에 따른 것으로, 학생들은 월초에 부과되는 1개월분의 과제를 독자적인 학습계획에 따라 다음 달 과제가 할당되기 전까지 학습해야 한다. 교과 담당 교사와 학급 담임 교사는 조언자로서 필요에 따라 학습상의 지도 · 조언을 할 뿐 학습은 학생이 자율적으로 한다. 2종 교과의 학습은 그룹으로 진행되어 그룹에 의한 교육활동도 소홀히 다룰 수 없는 구조로 되어 있다. 이 지도법은 능력별 학습 또는 개별 학습의 초기적인 형태로 인정된다. 이 계획안에 근거하여 파크허스트는 1919년 미국 매사추세츠 주 돌턴 시에 작은 학교 하나를 개교하면서 아동대학학교(Children's University School)라고 명명하였다. 돌턴계획안은 이후 초등학교 4학년 이상과 중등학교에도 적용되었으며, 영국 등에도 보급되었다. 1922년에는 뉴욕의 센트럴파크 인근으로 주소지를 옮겼고, 이후 아동기부터 고등학교까지의 통합과정을 마친 돌턴학교 졸업생은 세계 각지로 파견되었다.

동거가족
[同居家族, cohabitation]

결혼하지 않은 남성과 여성이 함께 사는 가족의 형태. 가족치료 일반

현대에 들어와서 증가하는 추세의 가족형태다. 동거가족은 결혼을 전제로 동거를 미리 시작한 '미혼 동거가족'과 결혼을 목적으로 하지 않는 '비혼 동거가족'이 있다. 미혼 동거가족은 결혼의 시기만 유예한 것이기 때문에 남녀가 실제의 부부관계와 유사한 관계를 형성하지만, 비혼 동거가족의 남녀는 평등을 강조하고 서로 협의를 통하여 규칙을 정하는 등 일반적인 부부관계와는 다른 특징을 보인다.

동굴 심상
[洞窟心像, the cave]

KB 심상척도 중 하나로, 숲 심상과 더불어 억압된 무의식적 내용물을 노출하여 억압된 무의식적 충동과 억압 문제를 파악하기 위한 시각심상척도. 심상치료

동굴심상척도는 내담자의 무의식에 억압된 것들을 드러낼 수 있도록 하는 유도시각심상척도면서, 내담자가 느끼는 문제에 대한 심각성 및 그에 수반되는 부정적 정서를 경감시키는 효과가 있는 심상이다. 동굴 심상을 체험하면서 내담자는 공포, 불안 등을 겪어 보고, 그것들이 어디에서 비롯되었는지 파악할 수 있다. 동굴 심상 체험에서는 동굴과 함께 동굴 앞을 가로막고 있는 마녀나 거인 등의 상징물을 만날 수도 있는데, 이는 내담자의 정신 내적인 문제와 그에 수반된 부정적 정서가 형태를 띠고 표현된 것이라 할 수 있다. 아동의 경우, 동굴 심상을 체험하면서 마찬가지로 두려움, 위협감, 불안 등을 만

나게 되는데, 상담자의 인도에 따라서 이를 극복할 수 있는 길을 모색한다. 11세 이하 아동이 동굴심상체험에서 느끼는 부정적 정서는 위협감이다. 이는 미성숙한 아동 자신이 지니고 있는 공격적인 본능과 그것이 발현될 것 같은 무의식적 불안이나 공포 등으로 볼 수 있다. 동굴심상척도는 집단심상 작업에서도 많이 활용되며, 내담자가 스트레스 상황에 놓였을 때 발휘할 수 있는 견디는 힘, 내성 등이 어느 정도인지 탐색할 수 있는 기회가 되기도 한다.

관련어 | KB 심상치료, 심상척도, 유도시각심상

동굴화
[洞窟畵, cave painting]

동굴 안에서 바깥 세계를 바라보고 그 풍경을 그리도록 하여 내적 욕구를 파악하는 기법. 미술치료

번스(Burns)의 윈도우 쇼핑법에서 착안하여 개발한 미술치료기법으로, 내담자의 심리적 욕구를 확인할 수 있다. 동굴이라는 공간 이미지를 자극하여 타원 테두리의 안쪽과 바깥쪽이라는 양측에 초점을 두고 그림을 그려 나간다. 이 그림의 목표는 내담자와의 비언어적 의사소통을 촉진하여 내담자의 심리상태와 욕구를 파악하는 것이다. 준비물은 A4 용지나 8절 도화지와 크레파스, 색 사인펜, 색연필 등의 채색도구다. 실시방법은 다음과 같다. 먼저, 치료자가 용지에 타원을 그린 다음 그 종이를 내담자에게 제시하여 그 타원을 가리키며 내담자에게 "이것을 동굴 입구라고 가정하고, 당신이 동굴 안에 살고 있다면 바깥세계는 어떤 상태일까요? 그것을 그려 주세요."라고 말하면서 동굴 안에서 본 바깥세계의 풍경을 그리도록 한다. 그림을 완성한 뒤에는 채색 여부를 묻고, 원할 경우에는 채색을 하고 원하지 않을 경우에는 동굴의 벽만 칠하도록 한다. 마지막으로 "계절과 시간, 실제로 이 동굴에 살고

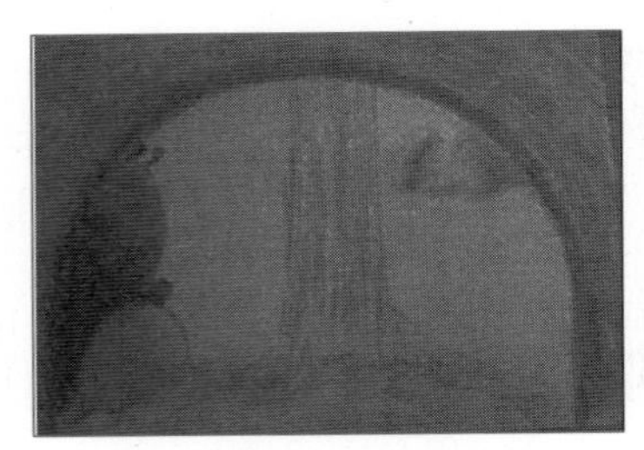

출처: http://cafe.daum.net/whee21

있는 사람이 누구인가?" 등으로 동굴화를 구체적으로 이해하는 데 필요한 질문을 하여 내담자가 자신의 욕구를 충분히 표현할 수 있도록 지지하고 격려한다.

관련어 | 계란화

동권제
[同權制, equalitarianism]

가장권이 부부 공동에게 속하거나 영역별로 그 권한을 나누기도 하는 가족의 형태. 가족치료 일반

대표권, 가독권, 가사관리권의 가장권이 부부 중 누구에게 속하는가에 따라 가족의 형태를 분류할 때 그 가장권이 양계에 공동으로 속하는 형태를 말하며, 양권제라고도 한다. 동권제의 가족에서는 가장권을 부부가 공동으로 동등하게 소유하기도 하고, 영역별로 남편과 아내가 권력과 통제에 대한 권한을 나누어 가지기도 한다. 또한 가명(家名)의 상속권은 주로 부계에 따라 계승되지만, 가산(家産)의 상속권은 자녀들이 균등하게 나누어 가진다. 이러한 형태의 가족은 현대사회에 들어와서 남녀평등이 강화되면서 두드러지게 나타나고 있다.

관련어 | 가부장제, 모권제

동그라미 중심 가족화
[-中心家族畵, family centered circle drawing: FCCD]

번스(Burns)가 로르샤흐(Rorschach)와 리처드(Richards)의 영향을 받아 개발한 것으로, 부모-자녀관계를 파악하는 데 사용하는 기법. 미술치료

대칭적인 잉크반점이 비대칭적인 잉크반점보다 더 많은 반응과 더 무의식적인 소재를 제공한다는 로르샤흐의 견해(1942)와 정서적으로 초점을 모으면 자각과 통찰을 촉진하여 심리적 치료를 이끌어낸다는 리처드의 주장(1953)을 받아들여 개발한 기법이다. 동그라미 중심 가족화는 원의 중심에 그려지며, 각 인물은 그 인물 주위에 그려진 상징에 둘러싸여 있다. 이 상징은 시각적 자유연상을 기본으로 하고 있으며, 이를 통하여 추상화된 사고와 정서를 발견할 수 있다. 다시 말해, 동그라미 중심 가족화는 부모와 자신의 관계를 보고, 그 관계로 자기 자신을 바라보게 하는 방법이다. 동그라미는 어느 방향에서나 같은 모양이면서 균형과 통일을 보인다. 이것은 인간의 이상, 원만한 성격을 상징하며, 원의 중심에 모든 것이 모아지기 때문에 인생의 중심이 부모로부터 형성되고 성장함으로써 자신이 중심이 되는 인간의 성장과정과도 부합된다. 또한 빈 공간일 때보다 원이 있음으로 해서 막막한 느낌에서 벗어나 다소 편안한 마음으로 그림활동을 시도하게 해 준다. 동그라미 중심 가족화는 반응이 자유이기 때문에 부모-자녀관계의 여러 측면을 동시에 잴 수 있어서 특정 개인의 전체면서 하나인 부모-자녀관계의 역동이나 구조를 파악하는 데 도움이 된다. 여기서 부모와 자신은 현실에서의 부모가 아니라 심리적 부모와 자신이다. 따라서 하나의 표현으로 나타난 부모와 자신을 통하여 좀 더 깊은 심리적 해석이 가능하다. 동그라미 중심 가족화에는 아버지상, 어머니상, 자기상을 따로 그려 각각을 분석하는 방법(family centered circle drawung: FCCD)과 부모상과 자기상을 한꺼번에 하나의 원 안에 그려 분석하는 방법(parent self circle drawing: PSCD)이 있다. 개인의 문제는 대개 인간관계의 문제이므로, 한 원에 전체 가족을 그리는 것이 부모와 자녀의 관계를 더 명확하게 진단할 수 있다. 또한 시간을 절약할 수 있다는 장점도 있다. 준비물은 직경 20센티미터 정도의 동그라미가 그려진 A4 용지, 4B 연필, 지우개이고, 실시시간은 제한은 없지만 대개 30~40분 정도 소요된다. 실시방법은 다음과 같다. 먼저, 원을 그린 종이를 제시하고 다음과 같이 지시한다. "원의 중심에 부모님과 자신을 그려 주세요. 막대기나 만화 같은 형상이 아니라 전신상을 그려 주세요. 그다음 원의 주위나 인물상의 주위에 부모님과 자신에게서 연상되는 상징물을 그려 주세요." 그림을 다 그린 뒤에는 그림의 모호한 부분을 분명하게 하기 위하여 "당신이 그린 그림에 대해 설명을 좀 해 주시겠어요?" 혹은 "이 그림은 무엇입니까?"라고 질문한다. 그런 다음 그때의 반응을 기록해 둔다. 해석의 기준은 인물상의 상대적 크기, 신체 각 부분의 생략과 과장, 얼굴표정, 인물 주위의 상징물, 인물 간 거리, 인물 간 위치 등이다.

출처: http://cafe.daum.net/sugal

관련어 | 동적 가족화

동기
[動機, motive]

유기체의 행동을 가능하게 하는 생리적 에너지 혹은 행동을 조절하는 힘. 인지치료

심리학에서 동기는 일반적으로 두 가지 차원에서 정의한다. 유기체의 행동을 가능하게 하는 생리적 에너지는 각성상태를, 행동을 조절하는 힘은 행동의 조절자로서의 기능을 한다. 동기는 동인(動因)이라는 말과 거의 같은 뜻으로 사용되지만, 동인이 기계론적인 데 대하여 동기는 목적론적인 의미가 강하다. 따라서 유기적인 요구에서 일어나는 동인은 생리적 동인이라고 할 수 있고, 이와 달리 기계론적으로 생각하기보다는 목적 및 목표와의 관련에서 발생하는 2차적 요구에 바탕을 둔 동인은 2차적 또는 학습성 동기라고 할 수 있다. 또한 2차적 동기는 개인 간의 관계, 집단 간의 관계 또는 사회적 규범이나 가치 · 제도 등과의 관계, 즉 개인의 사회생활에서 형성되는 경우가 많으므로 사회발생적 동기라고도 한다. 이에 대해 생리적 동인은 생물발생적 동기라고 하는 경우가 있기 때문에 서로 구별하기도 한다. 유기체 안에서 생기는 어떤 결핍 또는 과잉이 원인이 되는 것이 요구인데, 이러한 요구에 따라 발생한 동인 또는 동기는 행동을 일으키도록 만들고, 그 행동이 유인(誘因) 또는 요구를 만족시키면 그 요구에 따른 동인 또는 동기는 그 작용을 정지하고 행동도 끝난다. 이와 같은 요구(동인)의 기능적 관련을 총칭하여 동기부여라고 정의할 수 있다. 동기부여의 과정은 이와 같이 내외의 요인이 상호작용하는 데서 성립되는데, 어느 쪽에 중점이 놓일지는 그때의 조건에 좌우된다. 앤더슨(Anderson)은 처음에는 생리적 동인에 의해 동기부여가 된 행동이 조건부여에 따라 차차 외적 조건에 의해 규정되는 사실을 지적하면서, 이것을 '동인의 외재화'라고 불렀다. 외재화가 완벽해지면 섭취행동은 신체적인 기아요구가 없어도 환경조건이 주어지는 것만으로 충분히 일어난다. 생리적인 동인은 다음과 같다. 첫째, 유해 또는 불쾌 자극의 출현에 대하여 이것을 피하고 배제하고자 하는 요구에 따르는 것이다. 온, 냉, 그 밖에 고통에 관한 동인이 포함된다. 둘째, 어떤 원인으로 유기체 내의 생리적 평형이 파괴되었을 때 발생하는 유기적 요구에 따르는 것이다. 갈증, 기아, 성(性), 휴식, 배설 등에 관한 동인이 포함된다. 인간의 행동에서는 동기가 직접 1차적 요구에 의존해서 나타난 경우는 드물다. 회식에서의 식사동작은 식욕과 사회적 요구의 복합으로 규정된 것이며, 돈, 지위, 권력, 명예 등에 대한 인간의 요구는 1차적 요구에 바탕을 두면서도 그것에서 파생하여 경험적으로 획득된 것이다. 따라서 우리가 갖는 2차적 동기는 민족이나 사회 또는 종교에 따라 달라지며, 역사적으로도 변화하고 있다. 일반적으로 학습에 의해 변용된 동기는 그것이 강화되지 않으면 대개 소멸되지만, 올포트(Allport)는 그러한 동기가 그때 관련된 생리적 조건에 의해 강화되지 않아도 자율적으로 계속 작용한다는 점을 지적하면서 이를 '동기적 자율성'이라고 하였다. 동기부여 과정의 경우, 예를 들어 굶주린 동물의 구식활동은 주로 신체 내의 영양물질 결핍이라는 내적 요인에서 이루어지지만, 새로운 환경을 탐색하는 것과 같은 행동은 오히려 외적 요인에서 유발되는 경우가 많다.

동료 수퍼비전
[同僚 -, peer supervision]

비슷한 훈련을 받은 임상수련생들끼리 사례와 윤리적 문제에 대해 논의하고, 지지와 피드백을 해 주기 위해 정기적으로 만나는 모임으로서 또래 수퍼비전이라고도 함. 상담 수퍼비전

동료 수퍼비전은 여러 가지 다른 형태의 수퍼비전에 대한 보조적 방법으로서 중요한 역할을 한다. 동료 수퍼비전을 시행할 때는 그 과정 안에서 위계구조가 존재하지 않고, 2명이나 그 이상의 구성원들 간의 권력이 평등하게 분배되어 있다는 장점이 있

다. 따라서 동료 수퍼비전은 공식적이지 않고, 수퍼비전에 따른 평가적 요소가 포함되어 있지 않다. 그러나 모임이 지속적이고 집단구성원들이 자문관의 역할을 수행하면 서로에 대한 책임감이 더 커지게 된다. 동료 수퍼비전은 일대일로 이루어질 수도 있고, 수련 테이프 시청, 학술지 연구 토론, 자격증 규정에 관한 최신정보 교환 등의 교육적 방법을 활용할 수도 있다. 또한 전문 상담치료사 자격증을 취득한 이후에도 서로를 격려하고 자문을 위한 모임을 계속하여, 서로의 발전과 지속적인 숙련을 위해 자극하는 관계를 형성할 수도 있다.

관련어 개인 수퍼비전, 집단 수퍼비전, 팀 수퍼비전

동료로서의 관계
[同僚 - 關係, the companionship bond]

인간관계를 형성하고 있는 상대방과 어느 한쪽으로 힘의 균형이 기울지 않고 동등한 상호작용이 이루어지는 관계. 생애기술치료

보다 좋은 인간관계를 형성하는 데 필요한 동료로서의 관계는 어느 한쪽만 만족을 느끼는 것이 아니라, 상대방과 함께하는 것을 즐기는 상태를 의미한다. 상대방과 함께 즐길 수 있는 활동으로는 함께 식사하기, 함께 텔레비전 보기 등의 일상적인 일부터 함께 영화 보기, 함께 운동 즐기기 등의 특별한 일까지 가능하다. 이렇게 동료와 같은 관계로 활동을 함께하는 것을 통하여 상대방이 좋아하거나 싫어하는 것이 무엇인지 확인할 수 있고, 서로 외로움을 느끼지 않도록 해 주며, 앞으로 관계가 흔들릴 수 있는 어려움이 닥쳤을 때 이겨 낼 수 있는 힘을 기르는 데 도움이 된다.

관련어 기쁨의 관계, 돌봄의 관계, 신뢰의 관계, 의사결정의 관계, 친밀한 관계

동물가족화
[動物家族畵, animal family drawing]

동물그림을 활용하여 가족관계에서 느끼는 정서상태를 평가하는 방법. 미술치료

1967년에 브렘그레저(Brem-Graser)가 개발한 검사로서, 가족 간 관계경험, 기능수준, 역동성, 문제 등을 파악하여 가족갈등을 해소하는 데 필요한 진단 및 평가도구로 활용되고 있다. 이렇게 사람을 직접 그리지 않고 동물로 간접적으로 가족을 그리도록 하여 가족들이 느낄 수 있는 심리검사에 대한 저항이나 부담감을 최소화하며, 각 동물이 상징하는 의미를 해석함으로써 가족관계에 대한 정보를 더 많이 얻을 수 있다는 이점이 있다. 아동에게 실시할 경우에는 다음과 같은 지시문을 활용하는 것이 좋다. "사람이 동물로 변하거나 동물이 사람으로 변한 동화를 알고 있지? 자, 이제 너의 가족이 동물가족이 되었다고 생각하고 가족 모두를 동물로 그려 봐. 너도 포함해서 그려야 한다. 그림을 다 그린 다음 그린 순서를 적고, 누구를 그려 놓은 것인지 써 보렴. 여기서는 그림을 잘 그리는 것이 중요한 것이 아니라 네가 가족을 어떤 동물로 나타내려고 하는 것이 중요하단다."라는 지시를 시작으로 검사를 실시한다. 만약 내담자가 동물을 그리기 부담스러워하거나 어려워하면 여러 가지 동물 사진이나 동물 그림을 주고 그것을 잘라서 붙이게 한다. 그림을 다 그린 다음에는 동물들에게 맞는 배경을 그리도록 할 수도 있다. 그림을 완성하면 그림에 대한 탐색활동을 실시한다. 이를 통하여 성인보다 아동의 비유적 표현을 좀 더 쉽게 판단할 수 있고, 아동이 비유의 의미에 관해서 말하는 모든 것을 중요하게 다룬다. 이와 관련된 검사로 가족물고기화가 있다.

관련어 동적 가족화

출처: http://cafe.daum.net/artintherapy

가족물고기화 [家族-畵, fish family drawing] 가족을 물고기로 형상화하여 가족관계를 표현한 것으로 가족문제를 진단하고 평가하는 방법이다. 이 그림은 유아부터 성인까지 폭넓게 적용할 수 있다. 실시방법은 먼저, 어항이 그려진 용지를 제시하여 가족을 물고기로 표현한 다음 의인화된 물고기에 대한 이야기를 꾸며 나가면서 내담자의 가족 간 상호작용이나 문제를 파악한다.

동물매개치료 [動物媒介治療, animal-assisted therapy]

상담환경에서 치료과정의 매개로 검증을 거친 자격 있는 동물을 활용하는 치료방법으로 동물보조치료라고도 함. 기타

동물을 매개로 하여 내담자의 인지, 신체, 사회, 정서적 기능의 향상 및 회복을 목적으로 하는 일종의 대체요법이다. 심리학, 상담학, 정신재활의학, 사회복지학 등의 이론과 실제를 통합적으로 접목한 종합적, 전문적 분야로서, 치료사는 내담자의 긍정적 변화라는 책임과 목적에 따라 계획적으로 동물을 활용해야 한다. 동물이 심리치료에 활용된 예는 9세기 벨기에에서 지역 장애인에게 제공한 재활복지서비스에서 자연치료 프로그램의 일부로 동물을 활용한 것이 시작이다. 그 후 1972년 영국 요크셔 정신장애인 수용소에서 토끼, 닭 등을 사육하며 자기통제력을 향상시키는 프로그램을 환자에게 적용한 사례도 있다. 그러다가 1960년대부터 반려동물을 활용한 장애인 프로그램이 본격화되고, 미국 소아정신과 전문의였던 레빈슨(Levinson)이 동물매개치료라는 용어를 사용하기 시작하였다. 레빈슨은 진료 대기실에서 기다리던 아동이 개와 놀면서 의학적 치료 없이 저절로 회복되는 것을 목격하였다. 이후 정식훈련을 받은 자신의 애견을 치료의 매개체로 활용했고, 이것이 체계적 훈련을 받은 동물이 임상에서 직접 적용된 최초의 사례가 되었다. 1970년대를 거치면서 동물매개치료는 성장과 보급 시기를 지나, 1982년 미국수의사협회(American Veterinary Medical Association)가 동물과 인간의 상호작용이 인간뿐만 아니라 반려동물의 건강에도 영향을 미친다는 사실을 공표함으로써 더욱 일반화되었고, 2000년대에 들어서는 언론에서도 주목하기에 이르렀다. 오늘날 세계 각국에서는 동물과 사람과의 관련성에 관한 연구가 활발하게 진행되고 있으며, 동물이 사람에게 미치는 여러 효과가 연구결과로 발표 및 입증되고 있다. 특히 동물이 아동에게 미치는 사회적 · 심리적 효과, 동물을 매개로 한 가족 상호작용의 증대 등과 관련된 과학적 연구의 발표로 동물매개치료는 전성기를 맞고 있다. 이제 동물매개치료는 아동을 비롯한 일반인뿐만 아니라 시각 및 청각장애인과 같은 신체장애, 정서 및 신체질환을 지닌 사람들에게도 활용될 수 있다. 성공적인 동물매개치료를 위해서는 학제 간 협력, 계획성, 수퍼비전, 동물 선정, 동물 및 사람의 건강과 환경적 요소의 적합성 등이 필수 요소다. 동물매개치료에 가장 많이 활용하는 동물은 개와 말이며, 그 외에도 고양이, 토끼, 새, 햄스터, 모래쥐 등을 흔히 활용한다. 특정 목표에 따라서는 물고기, 돌고래, 농장의 동물, 라마, 낙타, 코끼리 등을 활용하는 경우도 있다. 동물매개치료는 단순한 동물과의 접촉에서 동물 사육 및 훈련과 같은 복잡한 과정까지 포함된다. 특히 개와 말이 치료에 효율적으로 활용되는 것은 개와 말은 인간과 함께 살아온 역사가 깊어 사교적 신호에 익숙하여 반응을 잘하고 인간과의 상호작용이 매우 용

이하다는 점 때문이다. 동물매개치료에서는 내담자와 동물과의 관계가 매우 중요하기 때문에 치료사는 치료목표와 내담자의 특성에 따른 치료 동물 선정에 유의해야 한다. 특히 동물의 특성상 돌발사고가 일어날 수 있기 때문에 동물의 사전훈련, 사육 유의사항 등을 철저하게 교육해야 한다. 살아 있는 생명체와 직접 상호작용하면서 여러 가지 효과를 볼 수 있는 동물매개치료지만, 동물에 대한 거부감이나 공포심을 가진 사람, 동물 관련 알레르기가 있는 사람에게는 적용할 수 없다는 단점이 있기도 하다.

관련어 | 동물매개활동

동물매개활동
[動物媒介活動, animal-assisted activity]

1982년 공식적으로 인정된 인간과 동물의 관계를 활용하는 다양한 치료적 활동의 총칭으로, 인간의 신체 · 사회 · 정서 · 인지적 기능 향상을 위해 동물을 매개로 한 활동. 기타

영어의 머리글자를 따서 AAA라고도 하는 동물매개활동은 삶의 질을 높여 주기 위해서 동물을 매개로 동기, 교육, 오락 등의 기회를 제공하는 제반 활동을 말한다. 이 같은 활동은 전문가뿐만 아니라 여러 자원봉사자가 다양한 환경에서 진행할 수 있다. 1982년 미국수의사협회(American Veterinary Medical Association)는 인간과 동물의 관계가 개인 및 공동체 건강에 중요한 가치가 있음을 공식적으로 인정했을 뿐만 아니라, 이미 수천 년 전부터 인간 삶의 질을 높이기 위해서 동물이 매개되어 왔음을 공표하였다. 이런 입장에서 동물매개활동을 비롯한 동물보조치료(animal assisted therapy), 반려동물 프로그램 등이 인간의 보건을 위해서 마련되기 시작하였다. 동물매개활동의 목적은 인간과 동물이 서로 활동을 통해서 인간의 정서안정 및 신체발달 촉진을 꾀하여 삶의 질을 향상시키는 것이다. 즉, 동물매개활동은 전문치료분야로 간주하는 동물보조치료와는 달리 단순히 반려동물과의 즐거운 시간 공유처럼 일상의 동물 관련 활동이다. 따라서 동물매개활동은 오락, 교육, 예방적 기능에 좀 더 무게를 두고, 수동적 매개활동과 상호작용적 매개활동으로 구분한다. 수동적 매개활동은 동물의 모습, 묘기, 소리 등을 일방적으로 사람들이 관찰하고 감상하면서 즐거움을 느끼고, 심리적 안정 및 카타르시스 효과를 경험하는 활동을 말한다. 이는 동물을 직접 만지거나 같은 공간에서 생활하는 데 제한이 있는 알레르기 환자 및 동물 기피 경향이 있는 사람들에게도 시행할 수 있다는 장점이 있다. 또한 질병 및 기생충 감염과 같은 동물에게서 파생될 수 있는 의료적 문제가 적고 관리가 쉽다는 점도 장점이 된다. 이에 비해 상호작용적 매개활동은 사람이 직접 동물과 상호작용하여 동기유발, 신체활동 증가, 사회적 기술 향상 등의 효과를 내기 위해 시행한다. 이는 일반인뿐만 아니라 심신의 장애를 지닌 사람들의 스트레스 해소, 비합리적 사고 및 감정, 부정적 행동양식 등에 긍정적 변화를 야기하여 심신의 안정 및 치료효과까지 기대할 수 있다. 이와 같은 동물매개활동은 동물을 매개로 한다는 점에서는 동물보조치료와 같은 입장에 있지만, 목적과 과정은 구분되어야 한다. 동물보조치료는 특정 목적을 두고, 특정 기준에 적합한 동물을 선정하여, 목표달성을 위해서 인간과 동물의 상호작용적 전략을 계획하고 구체적 치료과정을 짜서, 그 과정별로 세부적 지침을 마련하며, 과정별 실행에 따른 기록 및 평가가 수반된다는 점에서 동물매개활동보다 훨씬 범위가 좁고 전문적이다. 동물매개활동은 사전에 특정 치료목표를 조건으로 하지 않고 참여자들에게 세부적인 지침을 주지도 않는다. 이는 치료 동물과 함께 하는 일상적이고 자연스러운 사회적 활동이다.

관련어 | 동물매개치료

동사섭
[同事攝, dongsaseop]

고통을 받고 있는 중생을 제도하고 불도로 이끌기 위하여 행하는 불교의 기본적인 네 가지 활동 중 하나. 

대승불교의 대표적인 수행법 중 하나인 사섭법(四攝法)을 실천하는 데에는 보시섭(布施攝), 애어섭(愛語攝), 이행섭(利行攝), 동사섭(同事攝)의 네 가지 방법이 사용된다. 보시섭이란 중생이 좋아하는 재물과 같은 물질 혹은 불법을 제공하여 긍정적 정서를 이끌어 내어 불도에 이르도록 돕는 것이다. 애어섭은 부드럽고 따뜻하며 온정적인 말로 감화시켜 불도에 이르도록 돕는 것이다. 이행섭은 중생에게 동작, 언어, 믿음 등에 대한 이익을 주어 다른 사람을 돕는 행동으로 이끌고 불도에 이르도록 돕는 것이다. 한편, 동사섭은 중생이 처한 환경에서 함께 일하고 생활하여 그들과 생사고락을 같이함으로써 그들을 자연스럽게 불도에 이르도록 돕는 것을 말한다. 이를 상담장면에 적용하면, 상담자는 내담자의 입장에 서서 생각하고 느끼며 이해하는 것을 말한다. 이는 인간중심상담이론의 상담자 태도의 하나인 공감과 같은 의미라 할 수 있다. 이 방법은 사섭법 중에서 실천이 가장 힘든 것으로 보고 있다. 이를 처음으로 상담장면에 적용한 사람은 1980년 말경 한국 조계종의 전통 선을 계승한 용타 스님인데, 그는 섭대승론적 · 활불교적 이론을 바탕으로 접근하고 있으나 특정 종교나 가치를 배제하였다. 이 상담의 접근방식은 개인상담보다는 집단상담에 주로 적용되고 있는데, 초창기에 동사섭은 로저스(Rogers)의 인간중심 이론을 근거로 한 참만남집단(encounter group)으로 이루어졌으나 점차 이론적 강의가 함께 이루어지는 구조적 집단으로 발전되었고, 이후 마음 다루기 단계와 초월명상의 장이 더하여져 오늘날의 프로그램이 구성되어 프로그램명을 동사섭 수련회로 지칭하였다. 그리고 불교 이론과 인본주의 이론에 더하여 정신분석, 지금-여기의 느낌을 강조하는 게슈탈트적 상담과 합리정서행동상담, 교류분석 등을 통합하여 진행하고 있다. 집단지도자는 아바타나 인도의 오로빌 공동체와 미국의 영성 프로그램과 같은 세계 각국의 다양한 워크숍에 참여하는 등 열린 마음으로 모든 이론이나 상담기법을 통합하고자 하며 끊임없이 연구하는 과정에 있다. 이 수련회의 목적은 각 개인의 마음을 인식하고 이를 통하여 효과적인 대인관계를 형성하고 질 높은 상호작용을 이끌어 내어 궁극적으로 행복한 인생을 살아가도록 도움을 주는 데 있다. 이를 수행하기 위한 목표는 '삶의 5대 원리'로 제시하고 있는데, 첫째는 정체의 원리로서 각 개인은 우주에 하나뿐인 존재이므로 가장 소중하고 신비로우며 무한한 가능성을 지니고 있고 자비로움과 자유로움을 지니고 있다는 것을 말한다. 둘째는 대원의 원리로서 간절히 원하는 큰 소망을 세우는 것을 말한다. 셋째는 수심의 원리로서 각 개인은 몸과 마음을 끊임없이 정진하고 닦아 가는 것이다. 넷째는 화합의 원리로서 나와 내 이웃, 나와 내 나라, 나와 온 인류, 더 나아가 전체 우주가 이해와 사랑으로 화합하는 관계가 되는 것이다. 다섯째는 작선의 원리로서 바람직한 행동 즉, 끊임없이 보시하며 베풀어 나아가는 것을 말한다. 수련의 전 과정은 마음 알기, 마음 다루기, 마음 나누기의 세 과정으로 구분할 수 있다. '마음 알기'는 자신의 마음이나 느낌이 지금-여기에서 어떠한 상태에 놓여 있는지 자각하는 것이다. '마음 다루기'는 각 개인이 깨닫게 된 자신의 유쾌하거나 불쾌한 정서를 각자 원하는 방식으로 관리하는 것이다. 이 단계의 궁극적인 목표는 고요한 평정의 상태인 불교적 깨달음에 도달하는 것이다. '마음 나누기'는 개인이 행복하기 위해서는 주변인과 함께 살아가는 것임을 깨닫고 이를 위해 주변인과 효과적인 상호작용을 하는 것이다. 훈련기법은 대부분 대인간 의사소통을 촉진하기 위한 기법으로서 내 마음 나타내기, 헤아림, 반응표현, 관심반응이 있다. 집단 내의 의사소통에서는 개방성, 정직성, 자기책임, 자기각성, 타인에 대한 배려가 중요하다. 그리고 집단학습을 촉진하기 위한 기법으로 저지르기, 제치기, 욕하기, 개싸움, 물건 팔기, 노래하기, 춤추기, 빈 방석 기법, 명상 등이 있다. 여기서 명상은 주로 심리적 습관성인 필터, 렌즈, 삼독심을 정화시키기 위한 방편의 하나로 사용되며 긍정명상과 초월명상으로 이루어진다. 긍정명상은 사람 명상이나 자기 명상 등을 통하여 개인의 부정적 감정을 이해하고 수용함으로써 자존감을 키우고 성장하도록 돕는 것이다. 초월명상은 '~구나' '~겠지' '감사'의 과정을 통하여 있는 그대로 바라보는 힘을 기르는 수련을 일컫는다. 이 프로그램의 적용 대상은 만 18세 이상으로서 정신질환이 없는 사람이라면 누구나 가능하고 훈련의 형태는 15~18명의 소집단으로 진행되거나 70명 정도의 교육의 장으로 제한하고 있다.

동성애
[同性愛, homosexuality]

같은 성(性)을 가진 대상에게 감정적 · 성적 매력을 느끼고 성적 행위 대상으로 같은 성을 가진 사람을 선택하는 성향. 성상담

성적 지향성을 나타내는 용어로서 주로 성적인 매력을 느끼는 대상이 같은 성인 경우를 말하지만, 넓게는 감정적 · 사회적 매력을 느끼는 것도 포함될 수 있다. 여성 동성애자는 레즈비언(lesbian), 남성 동성애자는 게이(gay)라고 하는데, 이들은 자신의 생물학적 성과 정신적 성이 일치하지 않음을 인식하는 트랜스젠더(transgender)와는 다르다. 성적 지향성은 주로 이성애, 양성애, 동성애로 대별할 수 있다. 의학적으로 볼 때 성적 지향성은 선택의 문제가 아니라 생리학적인 요인과 환경적 요인이 복합되어 나타나는 어쩔 수 없는 필연적 결과로 이해된다. 특정 종교적 관점에서 동성애를 부정적으로 보는 경향이 있지만, 연구결과에 의하면 동성애 자체가 부정적인 심리학적 문제를 야기하지는 않는다. 단지 일반 사회적 입장에서 볼 때 이성애가 보편적인 환경이기 때문에 동성애에 대한 편견이나 선입견이 지배적이다. 동성애의 원인에 관한 연구는 계속되어 오면서 호르몬 부조화, 자궁 내 영향, 성정체성에 영향을 미치는 유전자 등 생물학적 요인, 정신분석학적 심리 발달단계 과정에서 일어난 갈등상황의 고착, 환경적 요인 등이 원인으로 밝혀지고 있기는 하지만 정설로 확립된 것은 없다. 동성애는 동성에게서만 성적 매력을 느끼는 진성 동성애, 이성과도 성행위가 가능한 양성애, 형무소나 병영과 같은 특수 상황에서 환경적 문제로 일어나는 기회적 동성애로 구분할 수 있다. 일단의 인권운동권에서는 이러한 원인 규명 자체를 동성애를 비정상적 증상으로 보는 관점이라는 비판적 입장을 내세우기도 한다. 동성애는 DSM-II까지는 질환으로 기재되었다가 DSM-III에서 제외되었다. 이는 19세기 말부터 확산된 인권운동의 영향이었으며, 현대는 동성애가 다양한 정체성 형태 중 하나로 인정받고 있다. 미국의 매사추세츠 주에서의 동성결혼 합법화, 10여 개 주의 동성애자 차별 금지법 등 동성애에 관한 시각 변화는 여러 층에서 일어나고 있는데, 여전히 동성애에 관한 일반적인 시각은 부정적인 경우가 더 많다. 우리나라의 경우는 「국가인권위원회법」에서 동성애자에 대한 차별을 금지하고 있다.

동성애 커플
[同性愛 -, homosexual couple]

지속적으로 성적 활동을 하는 같은 성을 가진 사람들의 쌍. 성상담

동성애 커플은 대체로 동성과의 성적 활동에만 참여하고 이성에 대해서는 매력을 느끼지 않는 특성을 보인다. 그러나 일부 동성애 커플은 이성애적 환상을 가지고 있고 이성에게 성적인 흥분을 느낄 수도 있다. 자신이 동성애자라는 믿음은 그 사람의 실제 행동에 달려 있는 것은 아니다. 성 경험이 전

혀 없는 사람이 자신을 동성애자라고 생각할 수도 있다. 남성의 동성애를 게이(gay), 여성의 동성애를 레즈비언(lesbian)이라고 칭하는 경우가 많다. 이 용어는 동성애자가 자신의 생활양식을 기술하는 데 사용되어 왔다. 그 이유는 동성애보다 덜 부정적인 의미를 가지고 있다는 느낌 때문이다. 동성애는 종래의 문화, 규범과 빈번하게 갈등이 일어나며 현실 생활에서 다양한 문제가 발생하고 있다. 예를 들면, 동성애 커플이 자녀양육을 희망하여 주위의 비난이나 공격에 부딪힐 수 있고, 동성애자라는 이유로 원가족과의 관계가 악화되는 일이 전형적인 예다. 또 커플 내의 문제로서 동성이기 때문에 성역할기대에 갈등이 있거나 불만의 원인이 되는 경우가 있다. 이러한 동성애 커플 특유화라고도 할 수 있는 종래에 없던 새로운 유형의 문제도 출현하고 있다. 한 연구에서는 이성애와 동성애 남자의 뇌 사이에 해부학적인 차이가 있을 것이라고 제안하였다. 이는 AIDS로 죽은 동성애 남자들 사이에서 발견된 것인데, 그들의 시상하부(성 행동에 영향을 미치는 뇌의 영역)의 해부학적 형태가 이성애의 남성에게서 보이는 전형적인 형태보다는 여성에게서 흔히 발견되는 형태를 가졌다고 하였다. 이러한 발견은 직접적으로 뇌의 구조가 이성애의 원인이 된다는 증거가 되지는 않지만, 성적 선호와 관련될지도 모르는 뇌의 영역을 탐색해 볼 필요는 있다.

동시면접
[同時面接, collaborative interview]

가족구성원에게 각각 담당 치료면접자가 붙어서 개별 면접을 실시하는 방식. 가족치료 일반

정서적 문제를 가지고 행동상 문제를 보이는 아동(자녀)이 스스로 문제를 깨닫기 위하여 도움을 받으려고 상담기관에 내담하는 일은 드물다. 대개 부모(어머니, 아버지, 혹은 조부모) 혹은 담임교사에게 이끌려서 오게 된다. 이러한 비자발적인 아동 내담자를 치료할 때에는 동반한 성인에게도 면접을 행하는 동시면접이 이루어진다. 이 같은 면접방법이 상담효과를 더욱 증진시킨다는 가정하에 시작되는데, 이는 단지 해당 아동의 상태에 따라서 정보를 제공받거나 의견을 교환한다는 소극적인 것부터 가족구성원(특히 어머니나 아버지) 자신의 성장을 촉진하고자 하는 적극적인 의미까지 포함된다. 자녀(아동)의 정서적 문제가 어머니 자신이 짊어지고 있는 무의식적 문제에 강하게 영향을 받고 있는 경우, 혹은 가족관계의 병리를 반영하고 있다고 생각되는 경우에는 자녀(아동)의 심리치료에 의한 성장의 원조뿐만 아니라 동시에 가족구성원(특히 어머니) 자신의 문제를 해결하고 가족구성원 전체가 조화적이고 통합적인 생활을 해 나가는 것을 목표로 한 심리적 원조, 즉 어머니에 대한 상담이 반드시 필요하다. 오늘날에는 기본적인 사고방식으로서 이같이 동시면접이 적극적인 의미에서 행해지는 경우가 많다. 대개 어머니가 자녀(아동)와 동반하여 오는데, 이때 어머니에 대한 상담도 중요한 것이다. 동시면접의 중점을 두고 사람에 따라 다음 두 가지로 대별할 수 있다. 첫째, 자녀(아동)의 심리치료를 주로 생각하고 그 목적달성을 위해 보조수단으로서 부모의 면접을 생각하는 입장이다. 이것은 아동이 기질적인 장애가 있을 때 그 때문에 양육상 문제나 2차적인 부모-자녀관계의 장애 또는 혼란을 불러일으키고 있는 경우, 일시적인 환경의 변화(예를 들면, 전학, 전입학, 차자 출생, 가족구성원의 질병이나 사망)로 자녀(아동)가 일시적으로 행동상 문제를 일으키고 있는 경우, 자녀(아동)가 초등학교 고학년 이상이면서 가족(특히 어머니)으로부터 심리적인 독립이 상당 정도 달성되고 있다고 생각되는 경우 등은 자녀문제해결을 위해 자녀 자신에 작용을 거는 편이 유효하다고 생각되면서 동시면접은 보조적인 성질을 갖는다. 어머니 자신도 비교적 정신적으로 건강한 성격을 유지하고 있는 경우도 이 입장에서

동시면접을 수행한다. 둘째, 어머니의 상담에 주력을 두고 아동의 심리치료에 따르려고 하는 입장이다. 이 같은 예는 어머니 본인이 부모와의 사이에 자신의 주장을 고집하거나 갈등을 가진 채 자녀를 낳은 경우, 혹은 사춘기나 청년기에 발달과업을 해결하지 못한 채 결혼하여 부모가 된 경우, 또는 어머니 자신은 비교적 건강할지라도 다른 가족구성원(남편, 시어머니 등)과의 사이에서 자기주장을 고집하거나 갈등이 있고 불안이나 긴장이 높은 경우, 각 가족구성원의 역할에 혼란이 있거나 정신역동에 왜곡이 있는 경우 등 아동문제의 참된 해결을 위해서는 어머니 자신에게 치료적인 원조를 행하여야 하며, 어머니 자신의 정보적 기반을 확립하고 성장을 촉진하지 않으면 안 된다. 또 해당 아동의 연령이 낮거나 아동의 기질적인 장애 때문에 아동에 대한 작용을 충분히 행할 수 없는 때도 마찬가지다. 이 같은 가족 내의 정신역동이 아동의 심리에 영향을 미치며 문제행동으로 나타나는 것을 이해하고 가족의 회복을 도모하는 역할이 양친, 특히 어머니에게 기대되는 경향이 있다.

동음이의성
[同音異義性, homonymy]

언어학에서 정의한 동음이의어의 성질을 가진 상태.

문학치료

동일한 철자와 동일한 발음을 가진 일군의 낱말들이 서로 다른 의미로 쓰이는 경우를 뜻한다. 대개 그 낱말들은 서로 어원이 다르다. 동음이의성과 관련된 개념으로는 철자는 같고 뜻이 다른 동형이의어(homograph), 소리는 같고 뜻이 다른 동음이자(homophone), 철자는 같고 음과 뜻이 모두 다른 동철이음이의어(heteronym), 하나의 낱말에 여러 개의 뜻을 가지고 있는 다의어(polyseme), 철자는 같으면서 소문자로 썼을 때와 대문자로 썼을 때 뜻이 달라지는 캐피토님(capitonym) 등이 있다. 레이코프와 존슨(Lakoff & Johnson)의 『삶으로서의 은유』에서는 "그는 벽에 버팀목을 댔다(He buttressed the wall)."라는 문장과 "그는 더 많은 사실로 자신의 논증을 버텨 냈다(He buttressed his argument with more facts)."라는 문장에서 버팀목과 버티다의 뜻으로 쓰인 'buttress'라는 낱말을 탐색하여 언어학자와 논리학자들이 정의하는 동음이의성을 설명하였다. 추상화(abstraction)와는 정반대의 방식을 취하는 것이 동음이의성이라고 말하면서 2개의 상이한 독립적 개념, 즉 '버팀목 1'과 '버팀목 2'가 있는데 이에는 강동음이의성과 약동음이의성이 있다고 하였다. 강동음이의성의 견해에 따르면 '버팀목 1'은 물리적 대상(건물의 부분)을 지시하고, '버팀목 2'는 추상적 개념(어떤 논증의 일부)을 지시하기 때문에 두 가지는 전혀 별개의 것이며, 아무런 관련성이 없다. 이와 달리 약동음이의성의 견해에 따르면 별개의 독립적인 두 개념 '버팀목 1'과 '버팀목 2'가 있다고 주장하지만, 그것들의 의미가 어떤 면에서 유사할 수 있다는 점과 두 개념이 그 유사성에 따라 관련된다는 점을 인정한다. 하지만 약동음이의성의 견해는 그 개념 중 한 개념이 다른 개념의 관점에서 이해된다는 것은 부정한다. 약동음이의성 견해가 주장하는 것은 두 개념에 공통적인 어떤 것, 즉 추상적인 유사성이 있다는 것뿐이다. 레이코프와 존슨은 이 설명을 통해서 은유의 본질이 동음이의성으로는 설명될 수 없음을 보이려고 하였다. 이들은 강동음이의성의 견해는 은유가 지니고 있는 내적 체계성을 설명할 수 없고, 약동음이의성의 견해는 체계적 관련성은 인정하지만 인간 내적 개념 체계가 경험 속에 토대를 두고 있는 방식이나 그런 토대 안에서 어떤 이해가 비롯되었는지에 대한 관심이 없기 때문에 은유에 대한 설명으로는 부적절함을 밝히고 있다. 따라서 단순한 동음이의성이라는 성격만으로는 방향성을 지녀 한 개념을 다른 개념의 관점에서 이해할 수 있다고 제안한 레이코프와 존슨의 은유개념을 설명할 수 없다. 그들의 관점에서는 은유적 토대 형성은 경험 속에서 만들어진 체계적 대응이므로, 동일한 재현체가 지닌 상이한 의미들이라는 동음이의성의 개념으로는 은유개념의 정의가 불가능하다.

동일시
[同一視, identification]

어느 대상의 생각과 감정과 행동 등을 무의식적으로 받아들여 그 대상과 비슷한 경향을 나타내는 것.

대상관계이론 정신분석학

자아와 초자아형성에 가장 중요한 기능을 하는 것으로서, 자신보다 더 훌륭하다고 판단되는 인물 혹은 집단과 강한 정서적 유대와 일체감을 형성하여 부분적으로나 전반적으로 그들의 행동을 모방하는 것을 뜻한다. 이러한 과정은 자기가치감을 고양시키고 자기실패감으로부터 자신을 보호하는 기능을 한다. 청소년이 유명 연예인의 복장이나 행동을 모방하는 것이나 자녀가 동성 부모의 행동을 모방하여 성역할 행동을 습득하는 것도 일종의 동일시라고 할 수 있다. 방어적 동일시(defensive identification)는 질투감정을 처리할 때 흔히 사용하는 방법으로, 불안이나 다른 부정적 정서를 감소시키기 위해 타인의 특성을 모방하는 것이다. 예를 들어, 적대적 질투를 느낀 동생이 자신을 방어하기 위해 형과 동일시하려고 한다. 형의 개인적 특징을 소유함으로써 부적절감을 더 이상 느끼지 않고 질투에서 벗어날 수 있다. 한편, 투사적 동일시(projective identification)는 클라인(M. Klein)이 소개한 개념으로 위협적인 자기 모습을 거부하고 다른 사람에게 투사하는 것을 의미한다. 투사적 동일시는 대상관계를 처리하는 과정에서 나타난다. 동일시는 대상의 성질을 내재화한다는 점에 있어서 내사와 유사하다. 그러나 내사가 다른 사람의 특성을 받아들이기는 하더라도 자신의 것으로 소화시키지 못한 채 내면에 그대로 갖고 있는 상태라고 한다면, 동일시는 다른 사람의 특성을 받아들여 그것을 완전한 자신의 것으로 만든 상태다. 한편, 컨버그(O. Kernberg)는 성장을 뜻하는 내면화 체계를 설명하면서 동일시 개념을 제시했다. 내면화 체계에는 내사, 동일시, 그리고 자아정체감의 세 가지 유형이 있는데, 각각은 어머니와 아동 간의 경험의 서로 다른 유형을 반영한다. 세 유형은 아동과 일차적 양육자 간의 내면화된 관계에서 일어나는 변화를 나타낸다. 두 번째 내면화 체계인 동일시를 통해 아동은 이전의 불안정한 정서반응체계를 개념적으로 뛰어넘을 수 있게 된다. 아동이 인지적으로 성숙해지면서 분화되지 않은 반응들은 자기-대상 상호작용의 양자 단일체적이고 상호적인 성격을 이해하는 것으로 대치된다. 아동은 특정한 역할 안에서 움직이는 자기 자신을 볼 수도 있고, 그 역할을 보충할 수 있는 또 다른 사람으로서 타인을 볼 수 있는 능력을 갖는다. 이러한 심리적 발달단계에서 아동은 내면화 체계와 연합되어 있는 감정반응들을 더 잘 조절할 수 있게 되는데, 자기와 대상에 대한 양극 이미지는 이전 단계만큼 정서적 색채에 영향을 받지 않는다. 동일시를 통해 아동은 인지발달을 도모할 수 있으며, 복잡 다양한 대인관계를 통해 자기개념을 발달시킨다. 그러나 동일시가 발달하더라도 다양한 양극 표상들은 충분히 통합되어 있지 않기 때문에 아동은 여전히 통합된 자아를 갖지 못한다.

관련어 | 내사, 방어기제

동일시 원칙
[同一視原則, iso-principle]

리디(Leedy)가 사용한 용어로, 문학치료에서 사용되는 문학작품은 독자(내담자)의 동일시를 이끌어 낼 수 있어야 한다는 원칙. 문학치료(독서치료)

문학치료에 사용되는 문학작품은 참여자(내담자)가 작품의 내용이나 느낌, 생각 속에서 자신의 모습을 발견하여 자신과 유사한 경험을 공유할 수 있고, 자신이 혼자가 아니라는 것을 발견할 수 있어야 한다는 것이다. 리디에 따르면, 시는 상징적으로 누군가와, 또 무엇인가와 함께 참여자가 자신의 절망을 공유할 수 있어야 한다는 것이다. 따라서 문학치료에 사용되는 문학은 보편적인 주제를 가지고 있어야 하는데, 여기서 보편적인 주제라는 것이 진부함을 뜻하지는 않는다. 다시 말해, 동일시할 수 있으면서도 긍정적인 느낌을 이끌어 내야 한다. 문학은 타인을 이해하는 것이며, 누군가 "나는 고통받고 있어."라고 말하면 "나도 그래."라고 대답해 주는 것이다. 고통의 시간에 다른 사람도 나와 마찬가지였다는 것을 인식하는 점은 놀라운 위로와 힘을 준다.

관련어 | 독서치료

동일시 원리

[同一視原理, identification theory]

독서치료 원리의 하나. 문학치료(독서치료)

동일화의 원리라고도 한다. 동일화는, 첫째, 타인과의 관계에서 내담자가 치료사를 부모 중 한 사람으로 보는 것처럼 타인의 반응경향을 받아들이는 경우, 둘째, 타인을 자기 대신이라고 보는 것으로서, 예를 들어 자신과 문학작품 내 등장인물과 동일하게 느끼거나 어머니의 자식에 의한 대리만족과 같은 경우, 셋째, 타인이나 집단과 밀접한 관계를 맺는 것으로서 타인의 목적이나 가치관을 자신의 것으로 취하여 마치 그것이 자기 것처럼 여겨지는 경우, 넷째, 중요한 점이 유사하다고 인지하는 것으로서 분류학에서 말하는 동일 종(種), 유(類)라는 것으로 '고정'이라고 하는 경우 등을 말한다. 이 중에서 독서치료는 두 번째 경우에 해당한다. 책 속에 등장하는 인물의 성격, 감정, 행동, 태도 등을 이상화하여 거기에 감정을 이입하고 자기 내면으로 취한 뒤, 그와 같은 감정 등을 증대하는 것이다. 동일시의 원리로 내담자 혹은 독자는 자기 문제를 객관화하고, 자기 혼자만의 문제라는 고립된 사고에서 벗어날 수 있다.

관련어 | 카타르시스의 원리, 통찰의 원리

동작 양극성과 왕복

[動作兩極性 - 往復, movement polarity and shuttling]

게슈탈트 무용동작치료의 대표적 기법의 하나로서, 동작의 양극성과 게슈탈트 형성 및 해소를 뜻하는 것. 무용동작치료

내담자 가운데는 동작을 절대 반복하지 않는 사람, 또는 동작을 변화시키지 못하는 사람도 있다. 두 종류의 사람 모두에게 단순한 제스처나 동작을 반복시키고 난 다음, 그 반대 동작 요소를 가진 제2의 동작을 반복시키고 그 사이에 중간 동작을 즉흥으로 하도록 하면 손쉽게 동작을 안내하면서 동시에 즉흥으로 유도할 수 있다. 이때 사용하는 원리가 양극성이고, 중간 동작으로서의 왕복을 통해 동작의 점진적인 변화를 유도하는 것이다.

관련어 | 게슈탈트 무용동작치료, 양극성

동작을 통한 자각

[動作 - 自覺, awareness through movement]

펠덴크라이스(Feldenkrais)의 움직임을 통해 알아차리는 기법을 일반적으로 부르는 용어로, 가능한 한 매우 이완된 방법으로 천천히 기분 좋게 팔다리, 목, 머리, 몸통을 움직이는 연습을 함으로써 근육긴장과 신체정렬에서 일어나는 매우 미세한 변화를 알아차리고 느끼는 것. 무용동작치료

펠덴크라이스(1976)의 이론적 가정은 라이히(Wilhelm Reich)의 근육무장 이론의 가정과 같아서 과거에 습득된 개인의 정서와 신념이 특정한 신체부위에 특

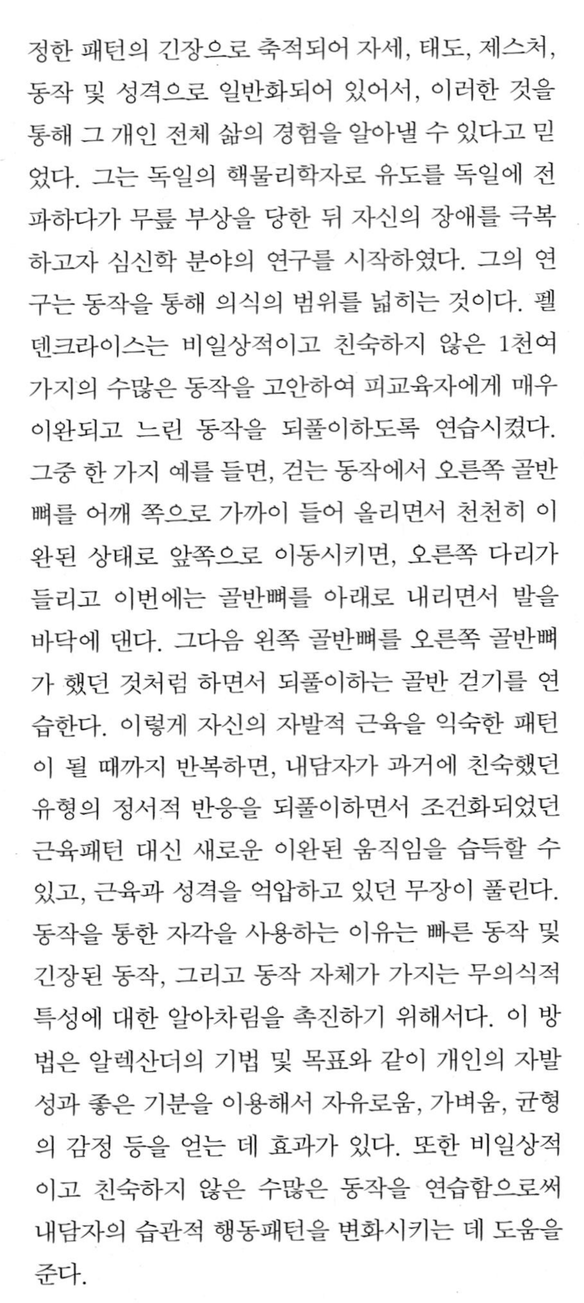
정한 패턴의 긴장으로 축적되어 자세, 태도, 제스처, 동작 및 성격으로 일반화되어 있어서, 이러한 것을 통해 그 개인 전체 삶의 경험을 알아낼 수 있다고 믿었다. 그는 독일의 핵물리학자로 유도를 독일에 전파하다가 무릎 부상을 당한 뒤 자신의 장애를 극복하고자 심신학 분야의 연구를 시작하였다. 그의 연구는 동작을 통해 의식의 범위를 넓히는 것이다. 펠덴크라이스는 비일상적이고 친숙하지 않은 1천여 가지의 수많은 동작을 고안하여 피교육자에게 매우 이완되고 느린 동작을 되풀이하도록 연습시켰다. 그중 한 가지 예를 들면, 걷는 동작에서 오른쪽 골반뼈를 어깨 쪽으로 가까이 들어 올리면서 천천히 이완된 상태로 앞쪽으로 이동시키면, 오른쪽 다리가 들리고 이번에는 골반뼈를 아래로 내리면서 발을 바닥에 댄다. 그다음 왼쪽 골반뼈를 오른쪽 골반뼈가 했던 것처럼 하면서 되풀이하는 골반 걷기를 연습한다. 이렇게 자신의 자발적 근육을 익숙한 패턴이 될 때까지 반복하면, 내담자가 과거에 친숙했던 유형의 정서적 반응을 되풀이하면서 조건화되었던 근육패턴 대신 새로운 이완된 움직임을 습득할 수 있고, 근육과 성격을 억압하고 있던 무장이 풀린다. 동작을 통한 자각을 사용하는 이유는 빠른 동작 및 긴장된 동작, 그리고 동작 자체가 가지는 무의식적 특성에 대한 알아차림을 촉진하기 위해서다. 이 방법은 알렉산더의 기법 및 목표와 같이 개인의 자발성과 좋은 기분을 이용해서 자유로움, 가벼움, 균형의 감정 등을 얻는 데 효과가 있다. 또한 비일상적이고 친숙하지 않은 수많은 동작을 연습함으로써 내담자의 습관적 행동패턴을 변화시키는 데 도움을 준다.

관련어 | 근육무장

동작치유의식
[動作治癒儀式, movement ritual: MR]

척추를 이완시키고 뼈의 관절을 늘이기 위한 요가 및 펠덴크라이스(Feldenkrais)의 수많은 동작 중 척추 중심의 동작을 선별하여, 창조적이고 자발적인 즉흥 동작으로 유도하고, 그림 그리기, 글쓰기, 대화 등 다른 예술과 연결하여 표현치료 맥락으로 활용하는 것. 무용동작치료

무용동작치료계의 전설적인 존재인 핼프린(A. Halprin, 1979)은 기존에 실천되고 있는 신체심리치료 동작들, 예를 들어 요가 동작, 펠덴크라이스 및 필라테스 등의 수많은 동작목록 중에서 척추 중심의 동작들을 연구하고 개발하였는데, 이것을 동작치유의식이라고 한다. 핼프린의 동작치유의식의 원리에서는 근육의 스트레칭보다는 뼈, 관절 및 근막을 길게 늘이기, 힘과 이완 사이의 에너지 균형 얻기가 더 중시된다. 동작치유의식의 목표 네 가지는 다음과 같다. 첫째, 자신의 동작각성과 운동감각적 자각(알아차림)을 돕는다. 둘째, 동작요소들, 즉 공간, 시간, 힘을 사용하여 동작의 질적 특성과 관련 있는 감정 및 인지적 경험에 대한 자각(알아차림)을 돕는다. 셋째, 중력, 관성, 운동량을 이용한 동작을 통해 운동에너지와 동작 통제감을 얻는다. 넷째, 수축/이완의 리듬과 정지/활동 사이의 균형에서 오는 자연스러운 동작 느낌을 얻는다. 동작치유의식은 동작의 형태가 쉽고 짧으며, 공식적이거나 엄격하고 힘든 형태로 행하지 않는다. 이는 다음 네 부분의 시리즈로 구성되어 있다. 첫째, MR I은 누워서 하는 열다섯 가지 동작이다. 둘째, MR II는 일어서서 하는 동작, 즉 몸 들어올리기, 떨어트리기, 흔들기, 균형잡기 등이다. 셋째, MR III은 체중 이동 동작, 즉 공간 걷기, 달리기, 기어가기, 뛰기 등이다. 넷째, MR IV는 MR I, II, III을 섞은 자발적 창조와 발견의 즉흥 동작들이다. 동작치유의식은 핼프린 동작 중심 표현예술치료인 핼프린 생애예술과정에서 신체부분 은유기법과 함께 프로그램의 주요 부분을 차지한다.

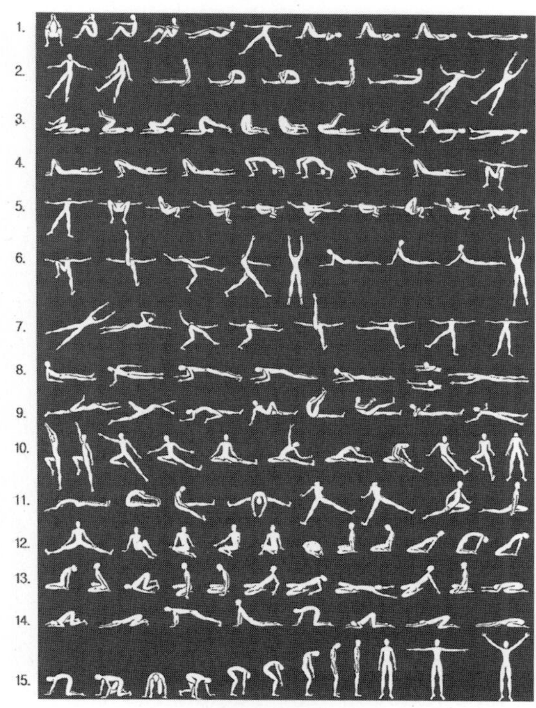

햄프린의 MR I 시리즈

단축형 MR I 시리즈

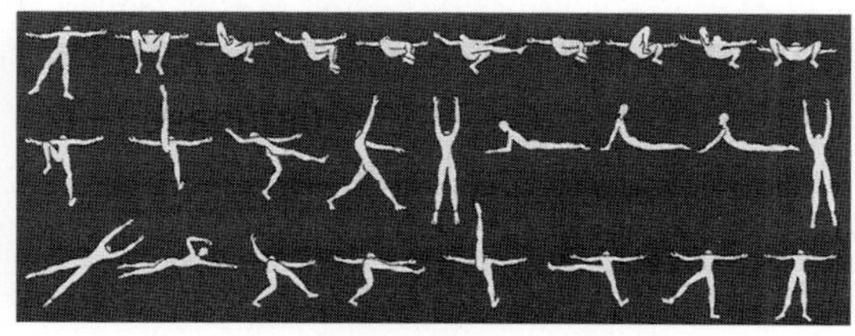

MR I – 5, 6, 7번

MR I – 10번

MR I – 12번

MR I – 14번

출처: 임용자(2004). 표현예술치료의 이론과 실제. 서울: 문음사. p. 189

관련어 | 핼프린의 생애예술과정

ㄷ

동적 가족화
[動的家族畵, kinetic family drawing: KFD]

가족그림을 통하여 아동의 가족과 가족구성원 사이의 관계 및 역동성에 대한 아동의 지각을 이해하고, 아동의 자아개념이나 대인관계 갈등 등의 정서적 특성을 파악하려는 목적으로 번스와 카우프만(Burns & Kaufman, 1972)이 만든 투사적 그림 검사. 미술치료

헐스(Hulse, 1951)의 가족화 검사(family drawing test)에 움직임을 추가하여 만든 투사적 검사로, 연령이나 사회적 지위의 순서대로 그림을 그리는 가족화의 단점을 보완하여 가족구성원에 대한 감정이나 태도를 드러낸다. 동적 가족화에서는 내담자의 눈에 비친 가족의 일상적 태도나 감정을 그림으로 나타냄으로써, 여기에는 객관적 · 물리적 환경으로서의 가족인지가 아니라 자신이 주체적 · 선택적으로 지각하는 주관적 · 심리적 환경으로서의 가족인지가 적용되어 있다. 또한 아동이 효과적인 모방기술을 배우고 가족상황으로부터 어떤 부정적인 부산물을 줄이는 데 도움을 주고자 할 때 가족화를 사용할 수 있다. 이 기법은 집단으로 실시할 수도 있지만 임상적 상황에서는 개별적으로 실시하는 것이 바람직하다. 준비물은 A4 용지, HB나 4B 연필, 지우개이고, 실시시간은 제한은 없지만 대개 30~40분

정도 소요된다. 실시방법은 준비물을 내담자의 책상 위에 두고 다음과 같이 지시한다. “당신을 포함한 당신의 가족 모두 무엇인가 하고 있는 그림을 그려 보세요. 만화나 움직이지 않고 서 있는 사람을 그리는 것이 아니라 가족들이 무엇인가 하고 있는, 어떤 행위든지 하고 있는 그림을 그려야 합니다(Burns & Kaufman, 1972).” 이때 부모가 보호를 나누어서 하는 아동, 혼합 가족의 아동, 조부모와 함께 사는 아동 등은 그림에 자신이 포함되어야 하는지 재차 묻는 경우가 종종 있는데, 이 경우 상담자는 아동 자신이 가족의 일부분이라고 생각한다면 그리라고 말한다. 그림을 완성한 뒤에는, 인물상을 그린 순서는? 인물상은 누구인가? 인물의 연령은? 하고 있는 행위는? 생략한 사람은? 가족 외에 그린 사람이 있는가? 등을 확인하고 용지의 여백에 적어 둔다. 검사의 해석 기준은 다섯 가지 영역, 즉 인물상의 행위, 양식, 상징, 역동성, 인물상의 특징이다. 이 영역들의 해석관점은 모든 경우에 동등하게 적용되지는 않는다. 개개의 그림은 각각 다른 의미와 깊이와 내용을 갖추고 있으며, 내담자의 마음의 눈으로 본 자신을 둘러싼 세계, 그중에서 가족에 대한 해석을 내리는 수단이다. 하나의 동적 가족화에 따라 내담자의 심리역동적 기제를 해석한다는 것은 매우 신중을 기해야 한다. 상담자는 아동의 그림을 보면서 직관적으로 해석의 실마리를 찾고, 이에 따라 아동의 인성이나 개인적인 문제에 대해 하나의 가정을 세워야 한다. 이때 상담자는 아동에 대한 정보를 가능한 한 모두 섭렵하여 검토해야 한다. 하나의 가정이 세워지면 아동과 더불어 이야기하는 가운데 아동이 자신의 어려움에 대하여 통찰력을 갖도록 해 주며, 상담자가 세운 가정을 더욱 구체적으로 점검해 간다. 그리고 상담자는 아동그림을 해석하는데 확고한 이론적 근거를 가져야 한다. 똑같이 그려진 검사반응이라고 해도 아동 개인의 생활사, 가족 상황, 관련 변인 등을 참조하여 보편성과 개인차를 감안한 특수성을 선정하여 신중하게 접근해야 한다.

출처: 신민섭 외(2012). 그림을 통한 아동의 진단과 이해. 서울: 학지사.

동적 집 – 나무 – 사람
[動的 –, kinetic house-tree-person: K-HTP]

번스(Burns, 1987)가 집 – 나무 – 사람 그림검사를 발전시켜 한 장의 용지에 집, 나무, 사람을 모두 그리게 하고, 움직임을 추가한 그림검사. 미술치료

집-나무-사람(HTP) 검사와 인물화(DAP) 검사가 지닌 가족역동에 대한 설명의 제한이라는 한계를 극복하기 위하여 HTP에 동적 요소가 더해진 검사다. 집, 나무, 사람이라는 세 가지 과제를 한 장의 종이에 그리도록 하고, 여기에 동적 요소를 추가함으로써 가족역동을 비롯하여 내담자의 인격을 역동적이고 확실하게 파악할 수 있다고 보았다. 준비물은 A4 용지, 연필, 지우개이고, 실시방법은 다음과 같다. 먼저, A4 용지를 가로로 제시한 다음 “이 용지에 한 채의 집과 한 그루의 나무와 한 사람이 무엇인가를 하고 있는 것을 그려 주세요. 만화의 졸라맨처럼 막대기 같은 사람을 그리지 말고 인물 전체를 그려 주세요.”라고 지시한다. 그러고는 내담자에게, 느낌이 어떤가? 누구의 집인가? 이 집에 들어갈 수 있는가? 당신이 살고 싶은 집인가? 사람은 어떤가? 이 사람은 싫어하는 사람인가 아니면 좋아하는 사

람인가? 나무는 살아 있는가 아니면 죽었는가? 나무가 마음에 드는가? 등을 질문한다. 상담에서는 먼저 그림의 전체성, 조화, 구성 등을 고려하여 내담자의 적응성과 사회성을 파악하고, 그 후 내담자와의 대화과정에서 치료로 연결할 수 있다.

출처: 정현희(2007). 실제 적용 중심의 미술치료. 서울: 학지사.

동적 학교화
[動的學校畵, kinetic school drawing: KSD]

크노프와 프루트(Knoff & Prout, 1985)가 개발한 투사기법으로, 아동이 학교에서 자신과 관계되는 인물, 즉 자신과 친구 및 교사가 무엇인가 하고 있는 그림을 그리도록 하여 친구 및 교사와의 관계에 대한 아동의 지각을 측정하는 투사적 그림검사. 미술치료

학교나 학업성취에 대한 인식, 자기인식과 친구상 및 교사상, 그리고 친구 및 교사와의 관계 등을 파악하는 데 유용하다. 준비물은 A4 용지와 4B 연필이고, 제한된 시간은 없지만 대개 30분 정도 소요된다. 실시방법은 그림 그리는 내용에 대한 지시어 제시, 그리기, 질문, 대화의 순서로 진행된다. 먼저, 지시어는 다음과 같다. "학교 그림을 그려 주세요. 당신을 포함하여 선생님과 한 명 이상의 친구가 무엇인가를 하고 있는 그림을 그려 주세요. 만화의 졸라맨처럼 막대기 같은 사람이 아니라 가능한 한 인물 전체를 그려 주세요. 모두가 무엇인가를 하고 있는 것을 그려야 합니다." 그리는 도중의 질문에 대해서는, "자유입니다. 그리고 싶은 대로 그리세요."라고 대답하며, 그림과 관련된 어떠한 단서도 주지 않는다. 내담자가 그림을 그리는 동안 인물을 그린 순서, 그리는 것에 대한 태도 및 행동 등을 관찰한다. 그림을 완성하면 그림 속 인물이 누구이고 무엇을 하고 있는지 질문하여 기록한다. 이때의 질문은 그림에 대한 아동의 인식을 분명하게 하기 위해서 실시하는 것이다. 마지막으로 그림을 보면서 학교생활이나 친구와의 관계, 또는 교사와의 관계 등에 관하여 대화를 나눈다.

출처: 정현희(2007). 실제 적용 중심의 미술치료. 서울: 학지사.

동적 학교화의 해석체계는 동적 가족화(KFD)와 마찬가지로 인물상의 행위, 양식, 상징, 역동성, 인물상의 특징이라는 다섯 가지 영역으로 이루어진다.

관련어 그림 후 질문, 동적 가족화, 동적 집 - 나무 - 사람, 투사검사

동전던지기
[銅錢 -, flipping coins]

문제에 대해 해결하고 통제하는 능력이 본인에게 없다고 생각하는 내담자에게 삶의 주도권을 인지하도록 해 주는 기법. 해결중심상담

베르크와 서보(Berg & Szabo, 2011)는, 내담자가 자신의 원치 않는 행동에 대해 통제력이 없다고 느끼는 상태에서는 상담자가 아무리 자신의 삶에 주도권을 가지라고 설득하는 노력을 해도 전혀 도움이 되지 않는다고 주장하였다. 이러한 경우에 '동전던지기'라는 게임을 내담자에게 제안하여 동전을 던

져 나오는 앞뒷면에 따라 행동을 결정하도록 하는 것으로, 내담자가 문제상황에 놓일 때마다 동전을 던져서 그에 따라 자신의 행동방향을 결정하도록 하여 문제를 해결할 수 있다고 설명하였다. 치료과정 중에 동전던지기 게임을 내담자에게 제안하는 것은 우스운 장난처럼 보일 수도 있지만, 내담자가 외부로부터의 압력이나 통제에 거부감을 느끼거나 자신이 정한 규칙이라 해도 어떤 규칙에 따르는 것에 반발하고 싶은 충동을 조절하는 효과가 있다. 이는 인간의 대부분은 누군가가 이래라저래라 하는 말을 듣고 싶어 하지 않으며, 자신을 꾸짖는 것이 설령 자기 자신이라 할지라도 정해진 규칙에 반발하고 싶은 심리가 강하게 작용하기 때문이다. 이때 '동전을 던지는 것'과 같이 우스운 행동을 통해서 게임을 하듯 자신의 행동을 결정하는 일은 엄격한 규율을 따르지 않아도 되고, 천천히 여유 있게 해도 된다는 위안을 얻을 수 있다. 베르크와 서보가 인터넷 서핑을 하는 습관을 통제하지 못하는 내담자에게 동전던지기 기법을 적용하여 효과를 거둔 예를 살펴보면 다음과 같다. 젊은 직장 여성인 미셸이라는 내담자는 직장에서 인터넷 서핑을 그만두지 못하는 습관 때문에 상담자를 찾아왔다. 그녀는 자신의 보다 효율적인 업무를 위해서는 인터넷 서핑으로 시간을 낭비하는 습관을 고쳐야 함에도 불구하고 자신의 행동을 통제하기가 힘들고, 그러한 자신의 모습을 감시하는 다른 사람들의 시선에도 스트레스를 많이 느끼고 있었다. 이때 상담자는 그녀에게 '동전던지기'를 제안하였다. 그녀가 직장에서 인터넷 서핑을 하고 싶은 충동을 느낄 때마다 동전을 던져서 앞면이 나오면 인터넷 서핑을 10분간 하고, 뒷면이 나오면 인터넷 서핑을 하지 않는 것이다. 그리고 동전던지기는 한 시간 간격으로 한다는 규칙을 정하였다. 이후 두 번의 만남을 통해 미셸은 인터넷 서핑 습관을 통제하는 것이 가능해졌다고 보고하였다.

관련어 | 예측과제

동정
[同情, sympathy]

고통스러운 상태에 놓인 다른 대상에 대해 가지는 연민과 자비 등의 감정. 개인상담

'함께 느끼고, 함께 아파한다'는 의미의 그리스어 '슌파티아'에서 유래한 용어다. 곤란한 처지에 있거나 고통을 받고 있는 다른 사람에게 관심을 가지고 그들과 유사한 감정을 똑같이 갖는 것이다. 타인이나 인간적 속성을 가진 존재에 대해 그들이 가진 정신이나 감정을 함께 느끼면서 경험하는 행위를 의미한다. 타인의 사고와 감정을 인정하고 상대방에게 적극적인 감정을 지니게 된다.

관련어 | 공감

동조
[同調, attunement]

케스틴버그(Kestenberg)의 동작기법으로서, 상담자가 내담자와의 치료관계에서 공감, 신뢰를 나타내기 위한 비언어적 표현이며 거울되기(mirroring)와 같은 반영기법의 변화된 형태. 무용동작치료

동조는 내담자의 신체동작을 단순히 모방하는 것이 아니라, 내담자의 근육긴장의 변화를 리듬으로 반영하고 공유하는 행동을 말하며, 감정이입에 기초를 둔다. 동조를 위해 상담자는 내담자의 물리적인 필요나 감정에 반응한다. 시각적 치료는 행위자를 건드리지 않고 보는 것만으로도 이루어지지만, 접촉의 동조는 접촉이라는 복합적인 것을 수반한다. 접촉을 통한 동조에서 상담자는 자신의 손을 행위자에게 올려놓고 그 손에서 느껴지는 긴장의 변화와 균형을 맞추며, 행위자와 똑같은 리듬과 긴장의 정도로 움직인다. 이러한 감정이입적 동조에 내재하는 다양한 변수와 감각적 조합을 종합적 동조(intermodal attunement)라고 한다(Stern, 1985). 다시 말해, 상담자가 시각, 촉각, 혹은 청각, 언어적

인 동조를 통한 반응으로 화가 난 내담자를 진정시킴으로써 상호 이해의 단계에 이르는 것이다. 이를테면 우는 아이는 부드러움이라는 성질의 양극적 대립보다는 리듬과 강도가 자신의 수준에 맞을 때 잘 반응한다.

관련어 조절, 케스틴버그 동작 프로파일

동질집단
[同質集團, homogeneous group]

사회적 성숙도, 성, 지적 능력, 교육수준, 성격 차이, 문제영역, 그리고 사회경제적 수준 등이 비슷한 집단. 집단상담

집단상담장면에서 동질집단은 출석률이 좋고, 쉽게 공감이 이루어지며, 상호 즉각적인 지지가 가능하고, 갈등이 적으면서 응집성이 빨리 발달하며, 집단 소속감의 발달이 쉽게 이루어진다고 볼 수 있다. 그러나 집단구성원이 서로 피상적인 관계에 머물러 있기 쉽고 영속적인 행동변화의 가능성도 낮다. 동질집단은 흔히 어린이, 청년, 노인 집단처럼 연령이 비슷한 사람들로 구성된다. 특정 주제로 모이는 경우도 동질집단으로 볼 수 있다. 체중문제로 고민하는 사람들, 또는 약물이나 알코올에 지나치게 의존적인 사람들을 위해 자의식을 기르는 데 목적을 두는 집단 등 특정한 필요에 따라 만들어진 집단은 동질집단이 이질집단보다 더 기능적이다. 예를 들어, 청소년 집단에서는 주로 인간관계, 성적 발달과 정체감, 자율을 향한 몸부림과 같은 사춘기 청소년이 직면한 독특한 발달적 문제에 초점을 두고 있다. 청소년만을 위해 만들어지고 구성된 집단에서는 참가자들이 또래의 다른 사람들과의 상호작용을 통해서 자기 자신을 지키고 또 감정을 표현하는 데 자신감을 얻으며, 자신의 관심사를 공유하고 지지와 이해를 받을 수 있다. 즉, 청소년들은 명시된 한계와 분명한 집단규칙을 지닌 동질집단에서 최상의 기능을 한다. 10~14세 청소년은 부인하고 외형화하며 생각을 확고히 굳히는 경향이 있으며, 더욱 자기의식적이면서 자기 자신의 자각에는 큰 관심을 보이지 않는다. 그들은 집단구성원들이 모두 남자이거나 여자일 때 더 잘 기능한다. 또한 15~18세 청소년들은 대개 더 큰 분노도 참을 수 있게 되며, 남녀가 함께 있는 집단에서 서로 어떻게 상호작용하는지를 배우는 것이 중요하다. 이질집단에서는 다양한 대인 간의 상호작용이 가능하므로 서로 의미 있는 자극을 주고받을 수 있고, 차이점을 발견하여 이해하며, 현실검증의 기회도 더 풍부하다. 그러나 동질집단이냐 이질집단이냐의 문제보다는 오히려 강한 동기와 참여의식을 가지고 자발적으로 참여하는 집단구성원으로 구성되느냐, 그렇지 못하느냐가 집단의 성공 여부에 크게 작용하는 것으로 보인다.

관련어 이질집단

동화
[童話, fairy tales]

옛날이야기, 요정(妖精) 이야기라고도 하며, 아이들을 위해 동심을 기반으로 지은 이야기로서 일종의 아동문학. 문학치료(독서치료)

요정이야기는 한국 등 동양에서 구전문학이라 칭하는 전래동화에 대한 서양식 명칭이다. 예로부터 민간에서 전승되는 요정, 도깨비, 거인, 괴물과 같은 인물이 등장하는 짧은 이야기로, 전설 등 다른 민속서사와는 구별된다. 우연성이 강하고 마법이나 요술이 쓰이며 늘 행복하게 끝을 맺는다. 논리적 구조가 약한 것이 특징인 요정이야기는 주로 구전되지만 문자로 전승되기도 한다. 그 기원은 정확히 알 수 없지만 사람이 언어를 사용했던 때까지 거슬러 올라갈 수 있다. 요정이야기는 우리나라의 옛이야기와 마찬가지로 독자가 아동에 한정되지 않고 그 이야기를 공유할 수 있는 모든 연령이 독자층이 된다. 예를 들면, 페르시아, 인도, 이집트, 바그다드 등

의 전설이나 구비 이야기를 엮어 놓은 『아라비안나이트』, 그림형제가 엮은 이야기들, 안데르센 동화 등이 있다. 한국에서는 『심청전』 『별주부전』 『장화홍련전』 『두껍전』 『콩쥐팥쥐』 등이 속할 수 있다.

두운법
[頭韻法, alliteration]

일련의 단어나 구의 첫 음절에서 특정 음소를 적당한 간격을 두고 반복하는 것. 문학치료(글쓰기치료)

오랫동안 시에서 발달되어 온 압운법의 하나인 두운법은 협의로는 시구의 음절 내 자음의 반복을 말하는데, 단순한 소리의 반복과는 다르다. 고대 게르만이나 앵글로색슨족의 시에서 자주 발견된다. 대개는 작시법에서 연속된 단어나 가깝게 놓인 단어의 첫 자음이 동일하게 반복되는데, 경우에 따라서는 첫 모음 소리를 반복하기도 한다. 두운법은 유운(類韻, assonance)과 자운(字韻, consonance)이 결합되어 시적 기교로 사용된다. 가장 일반적인 것은 1개나 2개의 자음을 두드러지게 강조하는 것이다. 현대문학에서는 크게 강조되지 않는 부수적 수사 정도로 약화되었지만, 고대 게르만, 켈트, 웨일스 등의 시에서는 시 형식에서 중요한 원칙이기도 하였다. 글쓰기치료에서는 쓰기를 힘들어하는 사람들에게 단계별로 글쓰기에 접근하도록 도와주는 과정으로 제시되는데, 페니베이커(Pennebaker)가 글쓰기치료에 활용한 것이다.

관련어 유운, 자운

둔감화
[鈍感化, desensitization]

자극에 반복적으로 노출함으로써 그 자극에 덜 민감해지도록 하는 것. 행동치료

특정 자극에 대한 반응 경향성이 점점 감소되는 현상을 뜻하는데, 특정 자극 상황에 대한 비정상적인 불안이나 공포를 나타내는 사람에게 두려워하는 자극에 반복적으로 노출시켜 자극에 대한 반응이 둔화되도록 하는 것이다. 이처럼 둔감화는 이전에 심하게 불안이나 공포를 경험한 상황에서 편안하게 느낄 수 있도록 만드는 심리치료방법으로, 불안이나 공포상황에 단계적으로 노출시켜 정서적 반응을 약화시키는 방법을 사용한다. 둔감화를 상담 심리치료과정에서 적용하면, 내담자가 일정 기간 자신의 어려움을 논의하고 자신의 문제를 상담자와 공유해 나감에 따라 처음 느꼈던 문제의 심각성이나 어려움이 점차 줄어든다. 내담자가 심리치료 회기 중에 자신의 문제를 상담자에게 호소하고, 이에 대한 해결방안을 모색하는 과정에서 자신의 문제를 좀 더 객관적으로 바라보면서 자신의 문제에 대해 반복적으로 상담자와 논의함으로써 문제로 인한 고통이 점차 줄어드는 효과가 생기기 때문이다. 이러한 현상은 대부분의 심리치료에서 일어나며, 상담심리치료에 긍정적인 영향력을 촉진하는 역할을 한다. 둔감화는 강한 정서를 한번에 발산하는 정화(catharsis)에 비해서 일정 기간에 걸쳐 진행되고, 덜 극적이라는 특징을 가지고 있다. 또한 둔감화는 체계적 둔감화(systematic desensitization)와 같은 의미로 사용되기도 한다. 체계적 둔감화는 울페(Wolpe)가 개발한 불안감소법으로 고전적 조건형성의 원리에 기초하는데, 내담자의 심각한 공포나 불안수준을 둔감화하기 위해 역조건형성(counter conditioning)을 사용한다. 이 방법은 내담자가 상황에 대처하거나 바람직한 반응을 수행할 수 있는 충분한 기술이 있는 경우, 또는 원하는 반응을 수행하지만 그렇게 행동하기를 회피하거나 불안과 그에 따른 각성으로 인한 수행이 훨씬 저조한 경우에 특히 유용하다.

관련어 정화경험, 체계적 둔감

듀발의 가족발달단계
[- 家族發達段階, family developmental stage(Duvall)]

가족발달단계에 따른 가족형태의 변화를 단계적으로 분류해 놓은 듀발의 모형. 가족치료 일반

듀발(Duvall)은 결혼으로 시작해서 부부가 사망하여 가족이 소멸하는 과정에 대해 자녀의 연령을 기준으로 각 시기마다 수행해야 하는 과업을 단계별로 구분함으로써 발달론적인 관점을 가족에 적용하였다. 듀발은 2세대 핵가족 중심을 8단계로 구분하였고, 각 단계별 가족원의 지위와 가족발단단계에 따른 과업을 제시하였다. 그의 가족발달단계는 다음과 같다. 제1단계는 신혼부부기로서, 두 사람이 만나서 결혼을 통해 독립된 가족을 형성하는 시기다. 이때는 독립된 각 개인이 하나의 연합체로서의 역할과 기능의 다양한 변화에 적응하고, 독립된 가족을 구성해 나가는 것이 발달과업이다. 제2단계는 자녀 출산 및 영아기 가족기로서, 부부가 첫 자녀를 출산하고 그 자녀가 생후 30개월 정도의 영아기 상태에 있는 시기의 가족을 말한다. 이때는 부부의 역할이 남편과 아내에서 아빠와 엄마로 바뀌게 되고, 모든 관심이 자녀를 양육하는 일에 집중된다. 제3단계는 유아기 가족으로서, 첫 자녀가 학교에 입학하기 전까지의 시기를 말한다. 제4단계는 아동기 가족으로서, 첫 자녀가 학교에 입학하고 사춘기를 맞이하기 전까지의 시기를 말한다. 제5단계는 청년기 가족으로서, 첫 자녀가 사춘기를 맞이하고 성인이 되기 전까지의 시기다. 제6단계는 독립기 가족으로서, 첫 자녀가 취직이나 결혼 등의 이유로 독립을 하고 마지막 자녀가 독립하는 시기까지를 말한다. 제7단계는 중년기 가족으로서, 자녀들이 모두 독립하여 부부만 남아 있는 시기부터 부부가 직업의 현장에서 은퇴하기까지의 시기를 말한다. 제8단계는 노년기 가족으로서, 부부가 은퇴한 다음 사망하기 전까지의 시기를 말한다. 듀발은 개인과 마찬가지로 가족도 일정한 가족생활주기 단계에서 발생하는 발달과업을 갖는다고 하였다. 그는 가족의 발달과업을 '가족생활의 특정 단계에서 발생하는 성장에 대한 책임으로, 이것이 성공적으로 달성되면 만족을 가져오고 이후의 과업을 성공적으로 이끌지만 실패하면 가족이 불행해지고 사회적으로 인정을 받지 못하며 이후의 발달과업에 어려움을 가져오는 것'으로 정의하였다.

관련어 | 가족발달, 가족생활주기

드라마 삼각형
[- 三角形, drama triangle]

카프만(Karpman, 1968)이 제시한 게임을 분석할 수 있는 도구. 교류분석

심리적 게임을 시작한 사람은 어떤 게임을 하든지 '박해자(persecutor)' '구원자(rescuer)' '희생자(victim)'라는 세 가지 각본 역할 중 하나를 맡게 된다. 박해자는 상대방을 not-Ok로 보면서 누르고 얕잡아 보는 사람이다. 구원자 역시 상대방을 not-Ok로 보지만 박해자와는 달리 상대방을 도우려고 한다. 희생자는 자신을 not-Ok로 생각하고 자기 자신을 무시한다. 희생자는 자신을 억누를 박해자를 찾기도 하고, 자신을 도와 '나 스스로는 할 수 없다.'는 자신의 신념을 확인시켜 줄 구원자를 찾기도 한다. 드라마 삼각형에서 어떤 역할을 하든지 디스카운트가 일어난다. 박해자와 구원자는 상대방을 디스카운트하고 희생자는 자신을 디스카운트한다. 드라마 삼각형에서 어떤 역할을 맡든지 그것은 지금-여기보다 과거에 대해 반응하는 진정한 역할이 아니다. 삼각형 역할의 비진정성을 나타내기 위해서는 박해자(P), 구원자(R), 희생자(V)를 가리킬 때 대문자를 사용한다. 소문자를 사용할 때에는 실제 상황에서의 박해자, 구원자 또는 희생자를 가리킨다. 보통 게임을 하는 사람은 드라마 삼각형에서 하나의 자세를 취하다가 다른 자세로 전환한다.

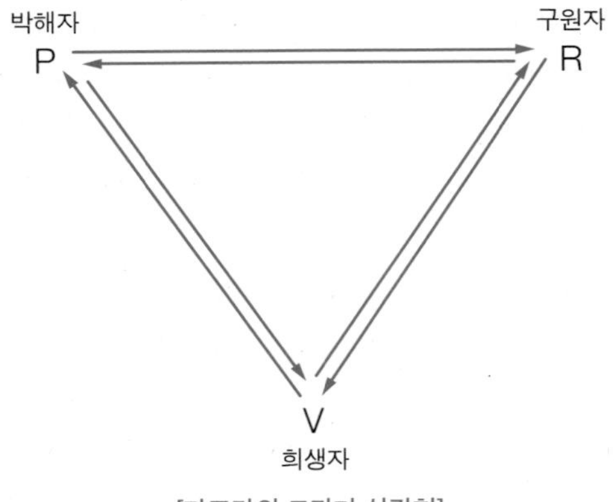

[카프만의 드라마 삼각형]

드라마 치료
[-治療, drama therapy]

드라마나 연극기법을 주 도구 혹은 보조도구로 활용하여 체계적으로 사용하는 심리치료방법. 사이코드라마

드라마치료에서는 참가자들이 정해진 극본 없이 자신이 맡은 역할을 즉흥적으로 연출하게 된다. 드라마에서의 역할체험을 통해 자신의 육체적, 정신적 문제를 표출하고 치유하는 것이다. 여기서는 현실세계가 아닌 무대라는 안전한 장소에서 자신의 의식, 무의식에 있던 심리적 갈등을 내담자가 직·간접적으로 체험할 수 있다. 드라마치료의 효과는 다음과 같다. 첫째, 자신의 부정적인 경험이나 감정 표출을 통해 심리적 안녕감을 증진시킨다. 둘째, 드라마를 통해 자신과 타인과의 관계를 알아차리고, 사회성을 발달시킨다. 셋째, 신체움직임, 감정표출 등의 정서적 표현능력을 향상시킨다. 이 같은 드라마치료는 전문적인 드라마치료 훈련을 받은 사람만 실시할 수 있다.

관련어 | 사이코드라마

드라이버
[-, driver]

순간적으로 드러나는 다섯 가지 행동. 교류분석

캘러(Kahler)는 사람들의 말, 어조, 몸짓, 자세, 얼굴표정 등을 자세히 살펴본 결과 특정 각본 행동이나 감정에 빠져들기 전에 일관성 있게 드러나는 일단의 행동이 있다는 사실을 발견하였다. 이러한 순간순간 드러나는 다섯 가지 행동을 '드라이버'라 하며, 드라이버는 '미니각본'이라는 광범위한 유형의 한 부분이다. 몇 초에서 몇 분 내에 일어나는 일련의 각본 행동, 감정 및 신념을 미니각본이라 하며, 미니각본은 하나의 드라이버로 시작되고, 짧은 시간 내에 전체 인생각본의 과정을 재연한다. 우리는 자신의 드라이버 유형을 관찰함으로써 자신이 어떤 각본과정을 따르고 있는지 예측할 수 있다. 다섯 가지 드라이버를 탐지하는 방법을 배우면, 짧은 순간에도 상대방에 대해 많은 것을 알 수 있다. 드라이버를 탐지할 때는 절대로 해설을 해서는 안 되며, 실제 보고 듣는 행동에만 초점을 맞추어야 한다. 예를 들어, 어떤 사람을 보고 '엄격해 보인다.'는 생각이 들었다고 하자. 그러나 이것은 그 사람의 얼굴, 몸, 목소리에서 드러나는 것을 엄격하다고 해석한 것이다. 근육이 긴장되어 있는가? 목소리가 낮은가, 높은가, 거친가? 눈썹이 올라가 있는가, 내려가 있는가? 어느 방향으로 쳐다보는가? 손은 어떻게 하고 있는가? 등 드라이버를 관찰하기 위해서는 이러한 단서를 잘 살펴보아야 한다. 다섯 가지 드라이버에는 '완벽하게 하라(be perfect).' '기쁘게 하라(please others).' '열심히 하라(try hard).' '강해져라(be strong).' '서둘러라(hurry up).'가 있다(Stewart & Joines, 2010).

관련어 | 대항금지명령

드러난 이야기
[－, heard story]

인간의 삶에서 일어나는 여러 가지 사건 중에서 의미를 부여하고 이야기라는 매개체를 통해 드러나 삶에 영향력을 미치는 이야기, 혹은 의미 있는 해석. 이야기치료

인간의 삶에는 수없이 많은 경험이 연속적으로 일어난다. 하지만 이 모든 이야기를 일일이 기억하거나, 의미를 부여하여 이야기라는 매개체를 통해 해석되는 것은 아니다. 개인이 가지고 있는 가치관, 생각, 정체성, 사회문화적 배경 등 이미 구조화되어 있는 틀 안에서 몇 가지 사건만을 선택적으로 기억하고, 이것에 의미를 부여하여 해석하는 것이다. 이렇게 현재 인간의 정체성에 영향을 미치고, 그 삶을 규정하는 이야기들을 드러난 이야기라고 한다. 드러난 이야기는 인간이 삶에서 자신의 정체성을 규정하는 근거가 되며, 드러난 이야기 외에도 다양한 삶의 이야기와 의미가 있다는 가능성을 제시해 준다.

관련어 | 감추어진 이야기

드림팀 질문
[－質問, dream team questions]

집단구성원 간의 상호작용을 촉진하고 관계를 증진시키기 위한 목적으로 해결중심적 접근을 사용하는 팀 재구성에서 적용하는 질문기법의 하나. 해결중심상담

팀 재구성에서 사용하는 드림팀 질문은 기적질문과 비슷한 형태로, 집단이 원하는 목표가 무엇인지 정확하게 파악할 수 있도록 도와준다. 드림팀 질문은 "당신 팀이 드림팀과 같다면 당신의 팀은 앞으로 어떻게 달라질까요?" 하고 묻는 것으로 시작하는데, 이후에는 그러한 목표를 달성하기 위해서 실천 가능한 방법에 관해 이야기를 나눈다. 또한 제시된 여러 가지 목표 중에서 하나를 선택하도록 하여, 그 목표를 달성했을 때의 장점이 무엇인지 나열하게 할 수도 있다. 드림팀 질문을 이용한 대화를 통해서 치료자와 내담자는 앞으로의 목표를 구체적으로 설정할 수 있고, 세부적인 실천계획을 세워 나간다.

관련어 | 기적질문, 팀 재구성

등가원리
[等價原理, principle of equivalence]

어떤 조건을 생성하는 데 사용된 에너지는 상실되지 않고 성격의 다른 부분으로 전환되어 성격 내에서 에너지가 끊임없이 재분배된다는 것으로, 융학파에서 제시한 정신역동성 기본 원리의 하나. 분석심리학

어떤 특별한 영역에서 정신가치가 약해져서 사라지면, 그 에너지는 정신 내에 다른 영역으로 전환된다. 즉, 한곳에서의 에너지 증가와 반대극에서의 에너지 감소는 동시에 일어난다. 이처럼 하나의 기능적 수준에서 에너지가 증가하면 다른 한 기능에서는 에너지가 감소한다. 예를 들어, 낚시에 관심이 많던 한 남자가 낚시에 대한 관심이 줄어들면 낚시에 쏟았던 정신에너지는 다른 새로운 취미활동으로 전환된다. 에너지가 자기탐색처럼 안으로 향하면 외현적 활동에서의 에너지는 감소한다. 사람이 깨어 있는 동안 의식활동을 위해 사용하는 정신에너지는 잠자는 동안에는 꿈으로 전환된다. 등가라는 말은 에너지가 변환된 새로운 영역이 동등한 정신가치를 가져야 한다는 것을 함축하고 있다. 즉, 정신에너지가 정신의 어떤 요소 또는 구조에서 다른 요소 또는 구조로 전이되어도 그 에너지의 가치는 항상 동일하다는 것이다.

관련어 | 균형 원리, 대립원리

등교거부
[登校拒否, school refusal]

신체적 · 경제적 이유, 가정사정 등 명확한 이유 없이, 심리적 이유만으로 등교를 거부하는 증상. 아동청소년상담

심리적 이유 때문에 등교를 거부하는 상태를 뜻

한다. 학교공포증으로도 불리지만, 학교에 공포심을 갖고 있지 않다는 점에서 반대하는 사람도 있다. 등교거부에는 여러 가지가 있는데, 최근 문제가 되는 것은 본인이 등교할 의사가 있음에도 불구하고 학교에 갈 수 없는 상태다. 이것은 얼핏 보면 등교할 의사가 없는 것처럼 보이지만 사실은 그렇지 않다. 이는 정신분열증 등의 신경증 장애나 나태하여 학교에 가지 않는 경우와는 다르다. 이와 같이 스스로 등교할 의사가 있지만 등교할 수 없는 것은 대인관계 등의 심리적 요인에 의한 것이며, 초등학교 고학년 무렵부터 나타난다. 증상의 특징은 개인차가 있는데, 일반적으로는 아침 등교시간을 전후하여 급격한 심신의 변화를 나타내거나 등교상황에 민감하게 반응한다. 여러 가지 신체증상을 호소하면서 등교를 회피하고, 학습활동에 의욕을 보이지 않는다. 결석이 장기화되면 생활태도나 행동이 변하여 한정된 대인관계 때문에 자기중심적이고 반항적인 태도를 나타내거나, 긴장으로 사람과의 만남을 회피하거나 자폐증으로 발전하는 경우도 있다. 이러한 행동이 나타나는 배경에는 자신과 타인에 대한 신뢰감의 결여, 자신의 능력과 부모의 기대 간의 불균형에 따른 불안이나 긴장, 학교생활에 대한 권태감, 미래에 대한 희망의 결여 등 여러 가지가 내재되어 있는 것으로 추정된다. 이에 대한 해결책으로는 가족, 교사, 친구, 상담자가 초조해 하지 않고 여유있게 유대를 맺는 것이다. 강제적으로 등교시키거나 폭력을 쓰는 방법은 피해야 하며, 교류를 통하여 공감대를 형성하면서 신뢰할 수 있는 인간관계를 맺고, 가정과 학교가 협력하여 아동의 점차적인 변화를 유도해야 한다.

관련어 학교공포증

등돌리기
[–, turn your back]

본 극으로 들어가기 위한 준비작업 단계에서 사용하는 기법.
사이코드라마

주인공이 집단을 대면하기 어려운 특별한 사건을 내놓으려 할 때의 당황스러움을 고려한 기법인데, 이러한 경우 주인공에게 집단으로부터 등을 돌리게 함으로써 주인공은 자신의 집이나 그 사건이 일어난 곳에 혼자 있는 것처럼 느낄 수 있다. 이 같은 방법으로 주인공은 충분히 몰입상태가 되어 관객을 대할 수 있게 된다.

등뒤기법
[–技法, behind the back]

주인공이 등 뒤에서 다른 사람들의 이야기를 듣게 하는 기법.
사이코드라마

연출자와 주인공이 직접 대면하지 않고 피드백을 받는 것에 동의했을 때 사용하는 기법이다. 주인공이 등을 돌린다는 것은 주인공이 그 자리에 없다는 것을 상징하며, 관객은 주인공이 없다고 상상하도록 지시를 받는다. 주인공은 무대 위에서 등을 돌리고, 관객은 주인공이 없는 것처럼 주인공에 대하여 자유롭게 말한다. 이때 주인공은 자신에 대해 이야기하는 것을 엿듣는다. 이 기법은 주인공에게 자신에 대한 다른 사람의 반응이 어떠한가를 인식시키고자 하는 것이며, 관객에게 표현의 기회를 준다는 특징이 있다. 등돌리기 기법의 사용은 주인공의 상황전개가 거의 끝날 무렵 다른 사람의 객관적인 반응을 들을 필요가 있을 때 유용하다. 특히 주인공이 정서적 지원을 원하거나 지지의 상실을 두려워할 때, 혹은 직접 대면하여 말하는 것을 어색해 하는 경우에 효과적이다. 또한 이 기법은 가족극이나 대인관계를 위한 상호작용 과정집단에서 자기개방을 위해 활용할 수도 있다. 이 기법의 변형으로는, 주인공이 장면이나 상황을 보여 준 다음 관객들이 그 장면이나 상황에 대해서 이야기하거나, 관객들이 주인공에게서 등을 돌리고 앉거나 서서 어떤 자극이 주어지더라도 아무런 반응을 보이지 않게 하는 기법 등이 있다.

디스카운트
[-, discount]

지금-여기에서의 현실에 대한 특정 정보를 무시하고 자극이나 문제, 그리고 선택의 존재, 중요성, 변화 가능성, 개인적 능력 등을 과장 또는 평가절하 하는 것. 교류분석

문제에 직면했을 때 어떤 사람은 자신의 사고·감정·행동 능력을 총동원해서 문제를 해결하지만, 어떤 사람은 자신의 어린 시절 결정한 각본을 따른다. 각본에 따른다는 것은 성인으로서 할 수 있는 문제해결을 위한 행동을 취하기보다는 각본이 제공하는 '마술적 해결책'에 의존해서 상황에 대한 특정 측면을 보지 못하고 재정의하여 지나치게 과장하는 것이다. 각본에 따를 때에는 능동적이지 못하고 수동적인 상태에 놓이게 되며, 어린이 자아상태에서 세상을 조작하여 문제를 해결하려고 한다. 즉, 자신이 경험하는 자극, 문제, 선택의 존재를 디스카운트하는 것이다. 어떤 디스카운트든 과장이 일어난다. 디스카운트는 마음속에서 혼자 하기 때문에 관찰할 수가 없는데, 이를 하고 있다는 것을 알려 주는 네 가지 수동적 행동이 있다. 첫째, 아무 조처도 취하지 않는 것, 둘째, 과잉적응, 셋째, 짜증, 넷째, 무력화 또는 폭력이다. 디스카운트는 자아상태 간의 오염을 반영하기도 한다. 디스카운트할 때는 어버이 자아상태나 어린이 자아상태의 각본 신념에 따라 현실을 잘못 지각하면서도 어른 자아상태에서 사고한 것으로 오인한다. 특정 자아상태의 배제도 디스카운트의 원인이 될 수 있다. 세 가지 자아상태 중 하나 또는 둘을 배제하면 현실의 특정 측면을 보지 못하게 된다. 예를 들어, 어린이 자아상태를 배제하면 현재 해결해야 하는 문제와 관련이 있는 아동기부터의 소망, 감정, 직관을 무시해 버린다. 어버이 자아상태를 배제하면 과거 부모와 같은 권위적 인물에게서 배운 세상에 대한 정의나 규칙을 알지 못한다. 어른 자아상태를 배제하면 지금-여기에서의 상황에 대해 평가하고 느끼고 행동하는 능력을 디스카운트하게 된다. 이 중 어른 자아상태의 배제가 가장 심한 디스카운트를 유발한다. 물론 자아상태들 간의 경계에 문제가 없어도 디스카운트는 일어날 수 있다. 드라이버 행동은 항상 디스카운트를 수반한다. 많은 언어적 단서를 통해서도 디스카운트를 찾아낼 수 있다. 예컨대, 자기비하적 발언, '할 수 없지.'라는 말과 '노력하겠다.'는 말 등은 디스카운트일 때가 많다. 대화 중 미간을 찡그리거나 실소하는 것 역시 디스카운트의 단서가 될 수 있다(Stewart & Joines, 2010).

디스카운트 매트릭스
[-, discount matrix]

디스카운트의 특징과 강도를 확인하기 위해 고안된 체계적인 도구. 교류분석

멜러와 지그문트(Mellor & Sigmund, 1975)가 디스카운트를 확인하기 위해 영역(area), 유형(type), 수준(level)의 3개의 기준에 따라 분류하여 개발한 도구다. 디스카운트 유형에는 자극(stimulus), 문제(problem), 선택(option)의 세 가지가 있다. 자극을 디스카운트한다는 것은 어떤 일이 일어나고 있다는 사실을 지각하지 못하는 것이다. 선택을 디스카운트할 때는 현재 일어나고 있는 일과 이 일이 문제를 야기할 것이라는 사실을 알지만, 문제에 대해 어떤 조처를 취할 수 있다는 가능성을 보지 못한다. 디스카운트의 네 가지 수준은 존재(existence), 중요성(significance), 변화 가능성(change possibility), 개인적 능력(personal ability)이다. 디스카운트 매트

릭스는 디스카운트의 유형과 수준을 조합해서 가로로 세 가지 유형, 세로로 네 가지 수준의 총 12칸으로 구성된다. 어떤 칸의 디스카운트이든 그 아래와 오른쪽 칸에서의 디스카운트를 수반하게 된다. 디스카운트 매트릭스는 어떤 정보를 무시하고 있는지 정확하게 짚어 주는 체계적 방법을 제공해서 문제를 해결하는 데 필요한 구체적 행동을 안내해 준다. 디스카운트 매트릭스는 원래 심리치료용으로 개발되었지만, 조직이나 교육분야에서의 문제해결에도 얼마든지 적용할 수 있는 도구다. 치료법은 매트릭스의 맨 위 왼쪽에서부터 대각선을 따라 내려오면서 발생한 문제들과의 연관성을 살피는 것이다(Stewart & Joines, 2010).

디자이너 약물
[- 藥物, designer drugs]

향정신성 약물류의 화학구조를 변형시켜 제조한 합성약물류에 대한 총칭. 중독상담

디자이너 약물은 주로 암페타민을 기본으로 조제되며 환각제에 속한다. 불법으로 약물을 제조하는 업자들이 법의 규제를 피하기 위해 금지약물과 유사한 약물을 새로운 합성법으로 만들거나, 약물들의 조합이나 이름을 다르게 붙여 법망을 피할 목적으로 만든다. 따라서 디자이너 약물은 표준화된 것이 아니기 때문에 이 약물을 사용하면 매우 위험한 상황에 빠질 수도 있다. 일반적으로 흰색의 분말형태를 띠고 있지만, 그 속에 포함된 불순물의 종류에 따라 색깔이 달라지기도 한다. 주로 코로 흡입하거나 액체에 섞어 마시고, 정제나 캡슐 형태로 복용하기도 한다. 이러한 약물은 효과가 장시간 지속되며, 정신적으로 많은 손상을 입는다. 대표적인 디자이너 약물로는 DOM, DMYT, MMDA, MDE 등이 있다.

관련어 중독

디자인 진로적성검사
[- 進路適性檢査, Career Aptitude Test for Designer: CATD]

디자인 분야에서 자신의 적성을 알아보는 진로검사. 심리검사

디자인 분야에서 자신의 적성에 맞는 전공선택 및 진로결정에 유용한 정보를 제공하기 위해 2006년에 길임주와 양성용이 개발한 검사로, 대상은 대학생 및 대학진학을 앞두고 전공을 선택하고자 하는 고교생이다. 이 검사로 학생들이 자신의 적성에 맞는 세분화된 전공 및 진로분야를 선택하는 데 도움을 주고자 하였다. 대학에서 디자인 분야의 세부 전공을 선택하려는 1학년 신입생에게 자기탐색을 할 수 있는 정보를 제공해 줄 수 있을 뿐만 아니라, 대학진학을 앞두고 전공을 선택하려는 고교생의 경우 자신의 디자인 진로적성 정보를 이용하여 관심 분야와 적성을 평가해 보는 기회를 제공해 준다. 검사는 디자인 기초소양 척도와 디자인 전공소양 척도의 두 가지 하위척도로 나누어져 있다. 디자인 기초소양 척도(조형력, 상상력, 손재주, 창의력, 컴퓨터 활용능력, 기획력, 감수성)는 디자인 활동을 위해 기본적으로 요구되는 자질 및 기능을 일컫는데 선천적, 후천적인 측면을 측정하는 내용을 모두 포함하고 있다. 디자인 전공소양 척도(산업디자인, 환경디자인, 패션디자인, 멀티미디어디자인, 시각디자인)는 다양한 디자인 전공분야 중 다른 분야에 비해 특정 분야의 전공을 위하여 더 갖추어진 자질이나 능력을 측정하고 있다. 디자인 기초소양 영역 31문항, 디자인 전공소양 영역 24문항, 총 55문항으로 구성되어 있어 검사를 실시하는 시간은 짧다. 하위척도를 상세하게 살펴보면 다음과 같다. 기초소양 하위척도에서 조형력은 이 · 삼차원의 입체적인 형태를 보고 이미지를 떠올리거나 이러한 입체적인 형태를 새로운 이미지로 변형할 수 있는 능력이다. 상상력은 항상 새롭고 흥미로운 경험에 개방되어

있으며 이런 것이 좋아서 늘 머릿속으로 생각하는 능력이다. 손재주는 손을 마음대로 정교하게 조절하는 능력이다. 창의력은 질적으로 우수하고 참신한 아이디어를 산출하는 독창성과 짜임새 있고 구체적이며 상세화된 사고능력인 정교성을 말한다. 컴퓨터 활용능력은 디자인 전공 수행에 필요한 컴퓨터 소프트웨어를 잘 사용하고 일러스트레이션, 포토샵을 능숙하게 작업하며, 컴퓨터 소프트웨어를 활용하여 이차원 또는 삼차원의 형태를 잘 구성하는 능력이다. 기획력은 주어진 과제를 효율적으로 수행하기 위해 사용 가능한 자원을 분류하고 조직화하는 능력이다. 감수성은 주변환경으로부터 미적 감각을 잘 느끼며 이를 세밀하게 표현하는 능력이다. 또 전공소양 하위척도에서 산업디자인은 분석적, 직관적 사고를 바탕으로 한 미적 표현 능력 및 디지털 매체를 이용한 이차원, 삼차원상의 실무기획능력이다. 환경디자인은 어떤 물체의 재질 및 소재를 쉽게 분별하는 능력이다. 패션디자인은 패션 동향에 매우 민감하며 유행을 앞서 주도하는 능력이다. 멀티미디어디자인은 디자인 콘셉트에 따른 내용을 영상으로 구체화하는 능력이다. 시각디자인은 문장을 그림이나 단어로 함축하여 표현하고 영상으로 표현된 정보나 이야기를 듣고 새로운 아이디어를 창출해 내는 능력이다.

딩크족

[-族, double income no kids: DINK]

부부만의 생활을 즐기기 위해 선택적으로 자녀를 가지지 않고 생활하는 맞벌이부부의 가족형태. 가족치료 일반

자발적 무자녀 가족이 증가하는 추세에서, 그중 부부가 모두 경제생활을 하는 맞벌이의 경우를 특별히 딩크(DINK)족이라고 부른다. 이러한 형태의 가족은 자녀를 출산하여 양육하는 데서 얻는 기쁨보다 부부만의 생활을 더욱 중시하고, 경제적으로도 여유로운 생활을 누리고 싶다는 기대가 반영된 것이다.

관련어 | 자발적 무자녀 가족

또래거절기술

[-拒絶技術, peer-refusal skills]

청소년들이 또래와의 관계에서 약물사용의 위협에 처할 때 이를 거부할 수 있도록 하는 기술. 중독상담

1980년대에 학교 중심 프로그램을 위해 개발된 것으로, 또래와의 관계와 위협적인 사회분위기 속에서 어떻게 대항해야 할지에 대한 실제적이고 구체적인 방법을 가르치는 것이다. 예를 들어, '위협적이라고 느껴지면 그 자리를 떠나라.' '그것에 관한 이야기를 더 이상 하고 싶지 않다고 말해라.' '화를 내거나 신경질을 내는 듯하게 들리지 않으면서도 확신에 찬 어조로 반복해서 말해라.'와 같은 방법이 포함되어 있다.

또래상담

[-相談, peer counseling]

같은 또래의 학생들이 다른 학생들에게 상담적 도움을 주는 활동. 학교상담

전문상담자로부터 어느 정도의 상담훈련을 거친 일반 학생이 또래의 다른 청소년들과의 관계에 개입하여 여러 가지 고민에 대한 해결책을 스스로 찾거나 함께 해결하는 데 도움을 주는 상담활동을 일컫는다. 또래상담은 어느 발달 시기에도 가능하지만 발달과정의 특성상 청소년기는 자신의 고민에 대하여 부모나 교사가 아니라 또래친구에게 더 많이 이야기하고 도움을 구하려는 경향이 강하므로 청소년의 또래상담훈련이 더욱더 효율적으로 진행된다. 또래상담은 또래상담자의 자아실현, 또래상담자의 의사소통기술 향상, 또래상담자의 교우관계

및 인간관계의 향상, 긍정적인 자아개념, 긍정적인 인간관계 및 의사소통능력 형성, 학교 관련 태도의 긍정적인 변화, 긍정적 자존감 형성 등에 효과가 있다. 즉, 상담을 받은 또래의 긍정적 변화뿐만 아니라 또래상담자의 자존감과 대인관계에도 긍정적인 변화를 가져온다.

또래압력
[-壓力, peer pressure]

같은 연령의 친구들이 암묵적으로 정해진 규칙이나 지침에 따라 생각하고 행동하도록 요구하는, 개인 간 상호작용 방식뿐만 아니라 가치관, 태도, 행위 등에 영향을 미치는 보이지 않는 힘. 학교상담

아동 청소년기의 또래집단은 그들만이 갖는 하위문화가 있으며, 그러한 관계 속에서 성인문화를 배우고 서로 다른 사회계층의 생활양식과 문화를 이해하여 사회계층 이동을 준비하는 데 도움이 된다. 또한 또래들로부터 새로운 행동을 배워 사회구성원으로서의 새로운 역할을 재구성하는 데 기여한다. 이러한 또래압력의 영향력은 아동 청소년기에 특히 강하며, 대부분 집단동조의 형태로 나타난다. 그 예로 유사한 옷, 말투, 행동양식, 머리모양, 음악, 여가활동을 가지며 친구관계, 이성교제의 표준, 진로 등에도 영향을 미친다. 이러한 영향력은 사회관계의 응집력이 강할수록 또래압력도 강해진다.

뜨거운 의자
[-椅子, hot seat]

집단작업의 한 형태로 집단구성원의 자기자각을 높여 주기 위해 사용하는 기법. 게슈탈트

집단치료 그룹에서 뜨거운 의자 기법을 사용할 때는 집단구성원 중 한 사람이 자신의 특정한 문제를 다루고 싶다는 의사를 표명하면 치료자와 마주 보이는 빈 의자에 앉힌다. 이것이 뜨거운 자리다. 지원한 집단원은 자신의 구체적인 문제를 이야기하게 되는데, 치료자는 '지금-여기'에 입각해서 현재의 느낌을 중심으로 이야기를 나눈다. 대개 10~30분 동안, 혹은 치료자와 집단원 사이에 어떤 결론에 도달했다고 느낄 때까지 그 문제에 관하여 직접적이고 때로는 공격적인 상호작용을 한다. 이때 집단치료의 초점은 그 내담자와 치료자 사이의 장시간에 걸친 상호작용에 맞추어진다. 이러한 일대일 작업이 진행되는 동안 다른 집단구성원들은 침묵을 지키면서 그 집단원과 치료자 사이의 상호작용을 방해하지 않아야 한다. 그리고 작업이 끝난 다음 집단구성원들은 그들이 어떤 영향을 받았는지, 무엇을 관찰했는지, 그들 자신의 경험이 해당 집단원이 작업한 경험과 어떻게 비슷한지에 대해 피드백을 나눈다.

관련어 | 실험, 집단작업

라반 표기법
[-表記法, Labannotation]

라반이 만든 인간동작에 대한 관찰과 분석을 위한 동작 표기법. 무용동작치료

라반 표기법은 신체의 동작분석과 공간이론을 확립하려는 것으로, 기호에 의한 동작의 표기, 즉 음악의 악보처럼 동작을 표기하는 것이다. 이것은 해부학적 관점에 바탕을 두고 동작을 움직이는 주체, 방향, 높낮이, 시간이라는 네 가지 요소로 분석하는 것이다. 무용뿐만 아니라 체육이나 팬터마임을 포함한 모든 신체동작을 분석하고 기록할 수 있다. 사진이나 비디오 기록이 3차원의 동작정보를 인화지나 화면 등의 2차원의 평면에서 재연하는 것과 달리, 라반 표기법은 상징기호체계를 이용하여 동작의 3차원적 공간 및 시간에 대한 정보를 세밀하게 묘사할 수 있다는 장점이 있다. 현재 라반 표기법은

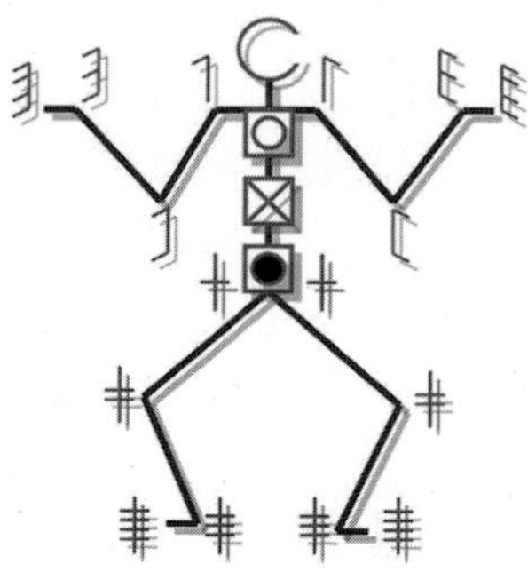

출처: http://upload.wikimedia.org/wikipedia/commons/2/23/Labanotation1.JPG

동작의 기본 구조분석에 충실하다는 점과 동작의 기록 및 재연이 가능하다는 점에서 동작 표기법으로서의 과학성과 합리성을 널리 인정받고 있다.

관련어 | 라반동작분석

라반동작분석
[- 動作分析, Laban movement analysis: LMA]

에포트와 형태분석을 통해 인간의 성격을 분석하는 방법. 무용동작치료

라반동작분석은 라반의 용어인 에포트(effort)와 램(Lamb)의 용어인 형태(shape)가 결합된 것이다. 에포트는 동작역동에 나타나는 운동에너지의 사용 방법인 네 가지 동작요소를 뜻하는데, 이는 각각 양극적 특성을 가지고 있다. 즉, 직접적이고 간접적인 공간(space), 강하고 가벼운 무게(weight), 빠르고 갑작스러운 시간과 느리고 지속되는 시간(time), 통제된 흐름과 자유로운 흐름(flow)이다. 네 요소는 각각 분리되어 한 내담자의 동작에 나타나는 것이 아니라 상호 의존적으로 나타난다. 따라서 보다 큰 동작의 맥락에서 한 순간에 여덟 가지 특성의 동작 요소 가운데 어떤 요소가 지배적으로 나타나는지 관찰해야 한다. 형태는 내담자가 공간 속에서 움직일 때, 동작의 형태나 질을 묘사하는 체제로서 환경과의 관계에서 자기분화(self differentiation)되는 특성을 뜻한다. 램의 형태는 수평차원, 수직차원, 전후차원의 세 차원으로 구분되며, 각 차원에서의 양극적 특징으로 오른쪽과 왼쪽, 위와 아래, 앞과 뒤의 여섯 가지로 묘사된다. 세 차원은 다시 동작의 길이, 넓이, 높이와 관련하여 열기와 닫기, 오르기와 내리기, 나아가기와 물러나기로 묘사된다. 이러한 라반동작분석은 에포트 표현이 신체적 발달뿐만 아니라 정서적 발달을 촉진한다는 철학에 근거하여 에포트와 형태를 통한 근육체계의 발달과 성격 발달의 관련성을 연구하는 계기를 마련해 주었다. 한편, 바티니에프(Bartenieff)는 라반동작분석을 미국으로 가져가 무용치료와 물리치료에 적용하여 발전시켰다. 그는 신체동작을 계속적으로 변화하는 하나의 과정으로 간주하였으며, 동작 전체의 맥락에서 잠재적 동작표현에 관심을 가졌다. 라반동작분석에 대한 바티니에프의 수행은 에포트와 형태를 여러 가지로 결합하여 내담자의 동작잠재성이나 동작충동들이 에포트의 표현으로 나타날 수 있도록 도와준다는 특징이 있다.

관련어 | 라반 표기법, 에포트

라벤더
[- , Lavender]

항우울, 원기촉진, 신경강화, 회복촉진, 진정, 세포생육촉진에 효과가 있는 허브. 향기치료

라벤더는 향을 내는 관목으로 1미터까지 자라고 추위에 잘 견딘다. 창처럼 생긴 좁은 잎과 가느다란 줄기의 끝에 회청색의 꽃이 핀다. 라벤더의 좋은 향은 전체에서 발견되지만 에센셜 오일은 꽃에서 채취한다. 라벤더는 신경계를 조화시키는 효과가 있다. 홈스(Holmes)는 라벤더가 조화능력으로 스트레스를 다룬다고 하였다. 교감신경의 지나친 작용은 신체적 스트레스 때문에 생기고 부교감신경의 지나친 작용은 감정적 스트레스 때문에 일어난다. 두 가지 스트레스반응 유형은 모두 경련이나 경직, 통증, 신경긴장, 초조감, 그리고 정신산란과 같은 증상을 일으킨다. 홈스는 라벤더 오일이 교감 또는 부교감신경계를 억제하여 특정 유형의 비생산적인 스트레스는 완화해 주고, 생활의 정상적인 부분인 생산적인 스트레스는 방해하지 않는다고 하였다. 라벤더는 개인의 필요에 따라 진정 또는 자극 작용을 수행할 수 있다. 정신과 감정의 흥분, 불안상태에서는 진정제로 작용하여 정신을 가라앉히고 감정을 편안하게 쉬도록 하며 슬픔을 경감시키는 반면, 감정적으로 고갈되고 우울해하는 사람에게는 정신을 고무시키고 되살아나게 하는 효과가 있다. 라벤더는 불면증, 특히 정신적 스트레스와 불안에 기인한 불면증에 큰 효과가 나타난다. 또한 라벤더 오일은 화상의 통증을 덜어 주고 감염을 예방하며, 빠른 치

유를 돕는 방부성, 진통성, 세포재생 증진성이 있으며 근육의 통증완화에도 매우 유용하고 감기와 인플루엔자, 기관지염, 인후염, 그리고 카타르 증상들의 치료에도 적용할 수 있다.

라이브 수퍼비전
[－, live supervision]

수퍼바이저가 상담을 수행하고 있는 수련생과의 효과적인 의사소통을 통해 상담회기에 직접적인 영향을 미치는 방식과 수련생의 상담과정을 직접관찰하는 방식이 결합된 형태의 수퍼비전 방식. 상담 수퍼비전

라이브 수퍼비전은 1960년대에 제이 헤일리와 살바도르 미누친(Jay Haley & Salvaldore Minuchin)이 시작한 것이다. 그들은 빈곤층의 가족을 치료하는 데 실질적이고, 긴급상황에 급하게 투입된 경험이 없으면서 훈련을 받지 못한 상담자들을 지도함과 동시에 보다 효과적인 가족치료의 목적을 달성하기 위해서 라이브 수퍼비전의 형태를 고안하였다. 이러한 독특한 수퍼비전 방식으로 일주일에 40시간씩 2년 동안 함께 집중적인 훈련을 하였다. 라이브 수퍼비전은 수퍼바이저가 상담수련생과의 활발한 상호작용과 상담회기의 관찰이라는 두 가지 과제를 동시에 달성해야 하기 때문에, 효과적인 결과를 보기 위해서는 다양한 방법이 동원된다. 보통 라이브 수퍼비전 중에 수퍼바이저는 다양한 방법과 매체를 이용하여 수련생에게 메시지를 전달하며, 상호작용을 하고, 회기 전과 회기가 끝난 뒤에 함께 토론하는 시간을 갖는다. 특히 회기 중간에 수퍼바이저와 수련생의 상호작용을 위한 다양한 방법이 흥미로운데, 그중 하나로 수퍼바이저와 수련생이 모두 무선 이어폰을 귀에 꽂고 수퍼바이저가 상담 도중에 지시사항을 전달하는 방법이 있다. 이것은 특히 초보 상담수련생에게 간략한 제안을 자주 해야 할 때 많이 사용하는 방법이다. 라이브 수퍼비전의 또 다른 상호작용 방법은 전화를 사용하는 것이다. 이것은 수퍼바이저가 지시사항을 전달할 때 상담 도중에 수련생이 이끌어 가고 있는 상담현장에 전화를 해서 의사 전달을 하는 방법이다. 이는 이어폰을 사용할 때의 지시사항을 듣는 것과 동시에 내담자에게 신경을 써야 하는 부담감을 없앨 수 있다는 장점이 있다. 라이브 수퍼비전의 상호작용 방법으로는 이 외에도 수련생이 필요할 때마다 다른 방에서 관찰하고 있는 수퍼바이저에게 가서 자문을 구한다든지, 수퍼바이저가 직접 수련생의 상담과정에 참여하여 관찰과 상호작용의 두 가지 기능을 모두 수행하는 것도 있다. 이렇게 라이브 수퍼비전에서 상담 도중 수퍼바이저와 수련생 간의 상호 의사소통이 중요한 역할을 차지하지만, 상담이 시작되기 전과 후에 이루어지는 토론시간 또한 매우 중요하다. 라이브 수퍼비전을 보다 효율적으로 실행하기 위해서 몬탈보(Montalvo, 1973)는 여섯 가지 실행지침을 제안하였다. 첫째, 수퍼바이저와 상담수련생은 수퍼바이저가 상담수련생을 밖으로 불러낼 수 있거나 상담수련생이 원할 때 나와서 피드백을 요구할 수 있다는 데 동의해야 한다. 둘째, 수퍼바이저와 상담수련생은 일을 시작하기 전에 서로 정해진 역할과 기능의 한계에 대해 명확하게 합의해야 한다. 셋째, 수퍼바이저는 상담수련생의 탐색과 상담실행의 자유를 너무 많이 제약하지 않도록 노력해야 한다. 넷째, 방향성을 확립하는 내용의 대화는 상담 도중이 아닌 회기가 시작하기 전과 후에 해야 한다. 다섯째, 수퍼바이저는 상담수련생의 유형과 작업방식에 적절한 절차를 사용하려는 노력을 해야 한다. 여섯째, 상담 초보자는 라이브 수퍼비전을 받는 초기에는 원격으로 조작당한다는 느낌을 받을 수도 있다는 것을 이해해야 한다.

관련어 수퍼비전 개입

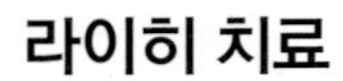

라이히 치료
[- 治療, Reichian therapy]

정신분석학자 빌헬름 라이히(Wilhelm Reich)가 제창한 심리 치료를 기반으로 하여 몸과 마음을 하나의 통일체로 보고 심신의 상호작용을 중시하는 입장에서 치료하는 라이히학파의 총칭으로서, 라이히언 치료라고도 함. 기타

오르곤 테라피, 오르고노미 치료, 오르고노미 등으로도 불리는 라이히학파 치료는 정신분석학자인 라이히의 작업에 기초하여 생성된 사상 및 치료 기술로 작업하는 분파를 총칭하는 전체주의적 치료 용어다. 여기에는 바이오에너지 분석(bioenergetic analysis), 신체심리치료(body psychotherapy), 신라이히학파 마시지요법(neo-Reichian massage), 생장치료(vegetotherapy) 등이 속한다. 바이오에너지 분석은 정신분석을 신체 및 관련 치료작업과 함께 조합해서 실행하는 라이히의 분석작업이고, 신체심리치료는 신체와 정신을 하나의 전체로 보고 둘 간의 상호관계를 중시하여 설명하는 입장이다. 또 신라이히학파 마시지요법은 라이히가 신체무장(body armoring)이라 부른 고착되어 반복되는 상태(holding patterns)를 밝혀내어 해체시키고자 하는 행위를 말하며, 생장치료는 정서의 신체적 현현과 관련된 심리치료를 말한다. 서로 방법은 다르지만 라이히학파 치료는 마음의 에너지가 막히면 신체근육 뭉침 현상이 나타나고, 이를 이완시켜 풀어 주는 것이 심리적 장애치료에 효과적이라는 동일한 전제를 갖는다. 라이히는 19세기 말 오스트리아 출신의 미국 정신분석학자로, 신체나 성격을 중요시하여 억눌린 성 에너지 및 정서적 에너지를 효과적으로 분출시켜 성기능장애를 치료했던 인물이다. 초기 프로이트(S. Freud)의 심리성적발달단계를 기반으로 하여, 프로이트의 리비도개념에서 오르곤 에너지라는 개념을 발전시켰다. 그는 감정적 충격이 발생할 때 신체의 특정 부위가 수축하여 반응하는 것을 보고, 이를 '무장'이라 명명한 후, 갑작스러운 자신의 감정 분출을 막는 기능이라고 설명하였다. 프로이트의 고착개념에서 발전된 무장이라는 개념은 감정의 폭발을 막아 주는 순기능도 하지만 이면에서는 감정 표현을 막는 역기능도 한다. 라이히는 신경증과 같은 심적 장애는 오르곤 에너지의 불완전한 해방에 기인한 것이라 보고, 이 에너지의 해방과 분출에 치료의 초점을 두었다. 라이히는 이 같은 발견을 기반으로 심리적인 면이 아니라 신체 감각 및 감정적 표현에 중점을 둔 치료를 개발하였다. 주로 호흡, 소리, 동작, 마사지, 대화 등을 사용하여 에너지 수준과 흐름을 적정한 정도로 조절하는 훈련을 하였다. 이 과정에서 내담자는 자기인식 및 자존감 향상, 민감성 신장, 성적 능력 회복, 자기표현 증대 등의 효과를 거둔다. 라이히는 에너지 해방에서 성 기능과 만족감을 매우 중시하여, 성적 개방성과 성 기능 회복에 초점을 두었고, 이를 분출하는 것을 막고 있는 것들을 제거하여 건강한 분출 및 표현이 가능해지도록 하는 데 노력을 기울였다. 라이히 치료는 몇 가지 성격평가로 시작하여, 치료사가 내담자의 상호작용, 억압된 내용, 세계관 등을 탐색한다. 이때 치료사는 진솔성, 신뢰성, 친근함 등을 지니고 있어야 하며, 내담자가 모든 순간에 능동적으로 참여할 수 있도록 지지하고 격려해야 한다. 또한 전통적 정신분석기법을 사용하여 폐쇄된 내담자 문제의 근본 원인을 탐색하기도 한다. 특히 꿈분석을 많이 활용한다. 라이히 치료는 많은 분야에 적용되는데, 특히 성기능장애 및 억압된 성적 능력 회복과 같은 성 기능 치료에 많이 활용하고 있다. 신라이히 학파는 성적인 문제를 벗어나 생애 초기 비성적 물리적 중독과 다양한 신경증에서도 효과를 낼 수 있다는 주장을 하고 있다.

관련어 | 빌헬름 라이히, 신체심리치료, 오르곤 치료

라인상담
[-相談, line counseling]

직무 관리자나 감독자가 부하직원을 대상으로 행하는 상담활동. 기업 및 산업상담

기업이나 산업현장에서 라인 관리자의 지휘나 명령 외에 인간에 대한 관심을 지닌 인간관계 관리에 초점을 두어 근로자의 행동을 변화시키고자 하는 노력이다. 즉, 제일선 관리자 또는 감독자가 행하는 상담을 라인상담이라고 한다. 종래 우리나라의 산업상담(industrial counseling)은 참모(staff)가 하는 인사상담과 지휘부(line)가 하는 라인상담으로 이루어져 왔는데, 이는 준상담(para-counseling)에 해당된다. 최근 심리상담을 중심으로 한 본질적인 산업상담이 태동하기 시작하면서 산업상담은 3개의 정립시대(鼎立時代)를 맞이해 가고 있다. 라인상담에서 대화는 직속 상사와 부하직원 사이에 행해진다. 상사인 상담자는 부하직원이 무엇이든 자유롭게 이야기하고 싶어지도록 분위기를 만들고, 그러한 상황 속에서 적극적으로 경청하면서 관계를 심화시켜 나가며, 지금 부하직원이 무엇을 생각하고 어떤 기분에 있는가, 고민은 무엇인가 등을 추측하여 해결 방향을 부하직원 스스로 자기 생각 속에서 타개해 가도록 적절한 도움을 준다. 이때 적극적 경청법이 상담의 성공 여부를 좌우하는 핵심이 된다. 그러나 실제 장면에서는 경청만의 수동적인 상담으로는 문제가 해결되지 않는 경우도 많다. 따라서 가지고 온 문제의 내용과 관련하여 관리자가 지금까지 축적한 지식이나 경험을 충분히 살려서 적극적으로 개입할 필요가 있다. 요컨대 현장에서는 처치의 단계부터 구체적인 지도까지 요구된다.

라인 [-, line] 기업의 조직이나 권한 또는 산업의 제조부문이나 영업부문을 말한다. 원래 군대조직에서 사용하던 용어지만 근래에는 기업이나 산업현장에서도 사용하고 있다. 즉, 기업에서 구매, 제조, 운반, 판매 등 기본적 업무를 수행하면서 직무 결정이나 명령에 관한 권한을 가진 직책이나 부문을 말한다. 라인은 통상적으로 경영의 중심 기능을 말하며, 제조업인 경우에는 주로 제조부문이나 영업부문을 가리킨다. 라인은 경영조직의 주된(main) 계열이며, 그 계열에 속하는 관리자에게는 지휘나 명령의 집행권한이 주어진다.

라임
[-, Lime]

신경 강화, 방부, 항바이러스, 수렴, 살균, 소독, 해열, 지혈, 살충 등에 효과가 있는 열매로서, 인도 북부와 미얀마 접경지역이 원산지이며 멕시코, 페루, 서인도, 플로리다, 브라질에서 재배. 향기치료

라임은 높이가 4~6미터까지 자라며, 작은 가지를 펼치는 개장성의 상록수로 늘어진 가지가 불규칙하게 나고 가지에는 짧고 뻣뻣한 가시가 있다. 라임 오일은 원기를 회복시키고 고무시키는 효과가 있으며, 특히 피로와 냉담, 불안, 우울과 같은 지친 정신을 회복시키는 데 효과적이다. 라임 오일은 대부분의 감귤류 오일과 마찬가지로 소화계 강장 효과가 있어서 소화계 문제 치료에 사용하며, 림프자극 효과 때문에 체액 정체 및 셀룰라이트 치료에도 사용한다. 또한 라임 오일의 수렴효과로 피지의 과다 생성을 막고 항균성은 여드름 치료에 사용한다.

라자 요가

[–, raja yoga]

정신을 통일하여 차크라를 개발시키는 심신훈련법. 명상치료

라자(raja)는 왕, 통치자, 지배자라는 뜻으로, 인간의 감각기관, 행위기관, 마음, 지성 등을 지배하는 왕, 통치자를 의미한다. 이에 라자 요가란 자아의 완전한 지배를 뜻하며 왕의 요가, 지고의 요가, 보다 더 높은 요가라고 일컬어지기도 한다. 또한 라자 요가는 1세기경 파탄잘리(Patanjali)가 집대성한 『요가 수트라(Yoga sutra)』의 사상을 바탕으로 한 인도의 대표적인 명상이며, 불교의 선으로 크게 발달하여 파탄잘리 요가라고도 한다. 라자 요가의 목적은 마음을 분산시키는 동요(動搖, brithi)를 제어하여 그로 인한 고통과 쾌락의 결과인 번뇌(煩惱, klesha)를 제거함으로써 해탈(解脫, moksha), 독존(獨尊, kaivalya)을 성취하는 것이다. 이를 위하여 『요가 수트라』에 체계적으로 제시된 팔실수법(八實修法, ashtanga)을 실행한다.

관련어 | 요가, 팔실수법

라켓

[–, racket]

일단의 각본 행동으로 자기도 모르게 환경을 조작하는 수단으로 사용하며, 본인이 의식하지 못하게 라켓 감정을 느끼게 하는 과정. 교류분석

개인이 라켓 감정을 느끼도록 장면설정을 하고 그 감정을 느끼는 과정이다. 이러한 장면설정은 개인의 의식적 자각 밖에 있다. 라켓은 부정적이고 정직하지 않은 감정에서의 자기관대로 환경을 조장하고 개인의 라켓 감정경험을 수반하는 수단으로서 의식 밖에서 사용되는 일련의 각본 행동이다. 지금까지 교류분석과 관련된 서적에서 라켓과 라켓 감정이라는 용어의 의미에 대해 많은 논란이 있어 왔다. 어떤 학자는 두 용어를 동일하게 사용하기도 하지만, 라켓과 라켓 감정은 구별하여 사용되는 것이 일반적이다.

라켓 감정

[–感情, racket feeling]

어른이 되어 스트레스 상황에서 각본을 실행할 때 현재 느끼는 실제적인 감정을 어린 시절 허락되었던 감정으로 덮어 버리게 되는데, 이러한 아동기에 학습되고 주위 사람이 부추긴 친숙한 정서를 일컫는 것. 교류분석

어린 시절, 가족관계 속에서 어떤 감정은 장려되는 반면 어떤 것은 금지되는 것을 경험한다. 사람들이 느끼는 라켓 감정은 각자 자신이 자라난 환경에서 '자연스럽게' 형성된 감정이며, 이후로는 스트로크를 얻기 위해 허용되는 감정만을 느끼는 결정이 일어나고, 이 같은 결정은 의식적인 자각 없이 이루어진다. 성인이 되어 생활 속에서 각본을 연출할 때, 어린 시절 허용되었던 감정으로 진실한 감정을 계속 숨기게 된다. 이러한 대치된 감정을 라켓 감정이라 한다. 상대방에게 자주 화를 내는 것은 스트레스 상황에서 자주 느끼는 라켓 감정의 한 예다. 사람마다 라켓 감정이 다르기 때문에 각각의 사람들은 동일한 상황에서 다른 감정을 느낄 수 있다. 스트레스 상황에서는 라켓과 관계없이도 라켓 감정을 경험할 수 있다. 예를 들면, 예견하지 못한 외부적인 상황이 발생해서 곤경에 처한 경우, 어떤 사람은 화를 내기도 하고 어떤 사람은 마음을 졸이기도 한다. 라켓 감정을 느낄 때는 항상 각본을 따르고 있는 것이다. 라켓 감정은 어린 시절 가족의 부추김으로 학습된 것으로서, 즉 어린아이가 가정에서 욕구를 충족하는 수단으로 라켓 감정을 사용하도록 조건형성된 것이다. 어떤 사건을 접했을 때 아이는 다양한 감정을 느끼지만, 그중 부모의 인정을 받기 위

해서 어떤 감정을 드러내야 하는지 학습이 되고, 그 감정이 바로 자신이 가장 원하는 결과, 다시 말해 가장 적절한 스트로크를 얻어 낼 수 있는 수단이 되는 것이다.

라켓 시스템
[–, racket system]

각본이 유지되는 과정을 설명하기 위해 어스킨과 절크먼(Erskine & Zalcman, 1979)이 제시한 모델. 교류분석

라켓 시스템의 왼쪽 칸은 자기 자신과 타인들, 그리고 삶의 질에 대한 개인의 각본 신념을 보여 준다. 각각의 각본 신념은 자신이 어린 시절 만든 각본 결정을 반영한다. 어스킨과 절크먼(1979)은 각본 결정을 채워지지 않은 욕구와 미결감정을 해소하려는 유아의 시도가 반영된 것으로 보았다. 모든 아이에게는 자신이 표현한 감정에 대해 양육자로부터 원하는 응답을 받지 못하는 순간이 생긴다. 이러한 일이 일정 기간 지속되면 아이는 채워지지 않는 욕구에서 오는 불쾌감을 누그러트리기 위해 인지적 조정을 사용한다. 이는 자신의 욕구가 충족되지 못한다는 사실을 해명하는 방법을 찾는 것이다. 그래서 아이는 일시적으로나마 편안함을 느끼기 위해 이 '설명'을 사용한다. 성인이 된 후에도 자신을 보살피기 위해 동일한 방법을 자주 사용한다. 그러나 어린 아이는 유아기의 전형인 마술적 사고를 사용하면서 비언어적으로 자신의 '설명'에 다다른다. 예를 들어, 아이가 어머니와의 신체적 접촉을 반복해서 요구하지만 주어지지 않는 상황을 가정해 보자. 아이는 버림받을 가능성에 대한 공포를 경험한다(Zalcman, 1987). 아이는 소리를 지르면서 이 같은 감정표현을 고조시키지만 어머니는 여전히 응답이 없다. 경우에 따라서는 아이가 에너지가 고갈되어 소리 지르기를 그칠 수도 있다. 아이는 자신의 본래 욕구를 채우지 못하고 감정경험도 미결된 상태로 남는다. 이 상황에서의 불편함을 최소한 어느 정도라도 완화하기 위해 아이는 말 없이 '나는 사랑스럽지 않아.'라는 결론을 내림으로써 '이를 잘 해결'해 나간다. 이러한 강화가 일정 기간 지속되면 이는 아이의 자신에 대한 근본적인 신념의 하나가 된다. 이후 발달단계에서 아이는 '내가 사랑스럽지 않은 이유는 나에게 뭔가 심각한 문제가 있기 때문이다.'라는 신념을 추가함으로써 자신의 '설명'을 정교화한다. 이 '설명'은 또한 아이에게 자신의 본래 감정을 표출하는 것이 쓸모없다는 것을 넌지시 암시한다. 아이가 얼마나 격앙되는지 상관없이 아이는 자신의 욕구에 부합하는 것을 계속 얻지 못한다. 그러면 아이는 본래의 감정을 억누르는 반응을 하게 된다. 이렇게 되면 아이는 이러한 감정을 느낄 수도 없게 만드는 결정을 내린다. 이 억압된 감정은 라켓 시스템의 왼쪽 칸에 나타나 있다. 이제 성인기에서 각본 결정 때와 유사한 경우의 스트레스 상황과 마주한 사람을 떠올려 보자. 이는 중요한 여자로부터 지각한 신체적 거부다. 비록 의식적으로 연결되는 것은 아니지만 이 사람은 유아기 때 어머니로부터 경험한 외상적인 거부의 추억과 다시 맞닥뜨리게 된다. 당시 자신이 느꼈던 공포를 재경험하면서 이 기억에 반응할 것이다. 연결되어 있는 기억과 같은 이 감정은 자신의 의식적 자각 밖에서 일어나는 것이다. 이러한 급성 불쾌감을 재경험하기 시작할 때 사람들은 유아기 때 행했던 것과 같은 방법으로 다루고자 시도한다. 자신이 어떻게 느끼는지를 자신에게 '설명'하기 위해 새로운 시도를 하면서 자신의 각본 신념을 내부적으로 재진술한다. 이 예에서 성인이 된 사람은 의식하지 못한 채 자신에게 이렇게 말할 수도 있다. '그래, 내가 생각했던 바로 그대로야. 내게 중요한 여자들은 모두 나를 거부하지. 이는 확실히 내가 사랑스럽지 않다는 것이고, 나에게 심각한 문제가 있다는 거야.' 자신의 각본 신념을 되풀이하면서 그는 본래의 감정이 미결로 남는다는 사실을 '정당화'한

다. 어린 시절에 했던 것처럼 '두렵기는 하지만 나는 아직 욕구충족을 원해. 왜냐하면 나는 어차피 사랑스럽지 않으니까. 내가 두려워 보이는 것은 아무 의미도 없어. 실은 내가 얼마나 두려워하는지 느끼고 싶지도 않아.'라는 결론을 내린다. 각본 신념과 억제된 감정들의 상호작용은 라켓 시스템에 점선 화살표로 표시된 피드백 고리로 표현되어 있다. 이와 같은 전 과정은 심리 내적으로 개인의 의식 밖에서 일어난다. 이것은 지금-여기의 현실에 대해 자신의 각본 신념을 유용하게 갱신하지 못하는 하나의 폐쇄 시스템이다. 자신의 각본 신념을 재생할 때마다 앞의 예에서 언급한 사람은 자신의 충족하지 못한 욕구를 '해결해 주는' 유아기적 대상을 성취한다. 그러나 이렇게 함으로써 그는 지금-여기에 더 적절한 상황에 대한 다른 가능한 설명을 지워 버리는 것이다. 예를 들면, 그 여자는 실제로 그를 거부한 것이 아닐지도 모른다. 설령 그녀가 그랬다 하더라도 그가 본질적으로 사랑스럽지 않다는 것을 암시하는 것은 아니다. 이 모든 것의 가장 기본이 되는 것은 그가 중요한 여자에게 거부당하는 일이 일어난다 해도 성인으로서 살아갈 수 있는 지금-여기의 현실을 지운다는 것이다(Stewart, 2007).

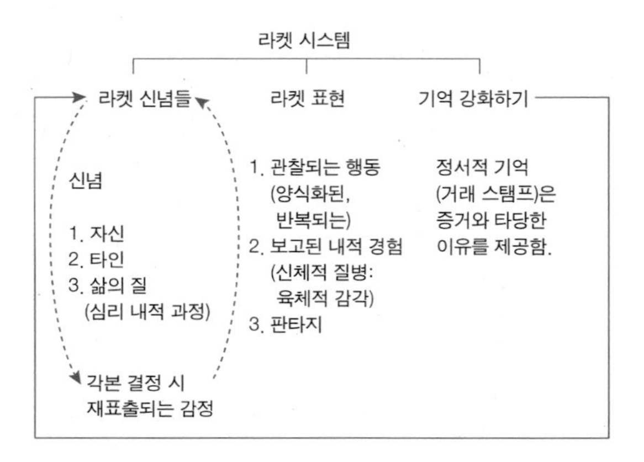

라포 형성
[-形成, Rapport building]

의사소통에서 상대방과 형성되는 친밀감 또는 신뢰관계.
NLP

NLP에서 라포는 일반적인 인간관계를 포함하여 상담과 치료, 비즈니스 관계의 기본적인 조건이 되며, 변화와 성취를 위한 전제 조건이 되기도 한다. NLP 성공의 4대 원리 중 하나이기도 하다. 라포는 타인과의 관계에서만 생각하기 쉽지만 NLP에서 자신과의 라포도 중요하게 여긴다. 자신과의 라포에는 자기 자신의 신체와의 라포, 마음과의 라포, 영적 라포 또는 초개인적 연합이 포함된다. NLP에서는 전체 의사소통에서 언어적 의사소통은 7%에 불과하고 몸의 자세, 신체 움직임, 눈 깜박임, 얼굴표정 등 신체언어에 의한 의사소통이 55%, 음성이 38%에 해당한다는 점에 근거하여 모든 통로를 사용한 라포 형성이 중요하다고 본다. 또한 사람들이 서로 비슷하거나 공통점이 많을수록 공감대가 쉽게 형성되고, 따라서 서로 좋아할 확률이 높아진다는 점을 중시한다. 이에 따라 NLP에서 라포를 형성하는 방법은 거울반응하기(mirroring), 역추적(backtracking), 맞추기(pacing) 등이 있다. 거울반응은 거울처럼 내담자의 행동을 그대로 따라하는 기법으로 내담자가 왼손을 들어 머리를 만지면 상담자도 왼손을 들어 머리를 만지는 방식이다. 이는 내담자가 알아차리지 못하게 행동을 따라 하는 것이 더 효과적이다. 역추적은 내담자와 이야기하는 중간에 내담자가 말한 특정 핵심 단어를 한 번 더 반복해서 말하는 것, 혹은 이미 이루어진 상황이나 일의 전개과정을 끝에서부터 처음 시작에 이르기까지 역으로 되돌아보거나 전체 과정을 요약하는 것이다. 이렇게 하면 내담자는 자신의 말이 경청되고 있다는 느낌을 받아 상담자와의 신뢰감을 형성하게 된다. 맞추기는 상담자가 자신의 동작, 호흡, 음조, 자주 사용하는 표현 등을 내담자에게 맞추는 것이다. NLP 상담자는 맞추기를 통하여 내담자와 라포를 형성한 다음 그를 상담자의 의도나 목적에 맞추어 특정한 방향으로 인도하는 이끌기(leading)를 시도한다.

거울반응하기 [－反應－, mirroring] 내담자나 상대방의 움직임에 대하여 거울처럼 반응해 보이는 것이다. 라포 형성을 위한 기법에 속하는 것으로서 맞추기(pacing)의 한 종류이기도 하며 일치시키기와 유사하다. 구체적으로 거울반응을 한다는 것은 상담자가 내담자의 행동이나 비언어적인 반응에 따라 그와 같은 행동을 하거나 같은 반응을 보이는 것이다. 마치 거울이 자신의 모습을 똑같이 비추어 주듯이 상담자가 내담자의 거울이 되어 똑같이 따라 하는 것을 의미한다. 이러한 반응은 무의식적인 차원에서 내담자에게 동질감을 유발함으로써 라포 형성을 쉬워지게 한다. 한편, 일치시키기는 라포를 형성하거나 또는 라포 상태를 증진시키기 위해 내담자나 상대방의 행동, 기술, 신념 또는 가치관의 일부를 받아들여 반영하거나 그대로 따라 함으로써 그에게 맞추는 것이다.

맞추기 [－, pacing] 상대방과 한동안 그가 가진 세상의 틀 속에서 만나면서 그와 내적인 상태, 즉 말(words), 음성(tonality), 생리적 반응(physiology)의 차원과 외적인 행동을 맞추어 줌으로써 라포를 형성하기 위한 기본적인 기술이자, 나아가 상대방에게 영향을 미치고 이끌기(leading)를 하기 위한 선행기술이다. 즉, 내담자와 같은 차원에서 말, 음성적 요소, 생리적 반응을 사용하여 맞추어 나가는 것을 말한다. 예를 들어, 내담자가 주로 사용하는 단어나 표현을 사용하고 내담자의 말하는 어조나 속도와 비슷하게 반응하고, 호흡속도에 맞추어 같이 호흡을 하면서 특징적인 몸짓이나 행동방식에 맞추어 함께 반응해 나갈 수 있다. 이와 같은 상담자가 시도하는 맞추기는 무의식적으로 내담자에게 동질감을 느끼게 해 주고, 그 결과 내담자와의 라포가 쉽게 형성될 수 있다. 맞추기를 할 때는 내담자가 쉽게 눈치를 채지 않도록 하는 것이 중요하며, 여기에는 일치시키기(matching)와 거울반응하기(mirroring) 기법이 활용된다.

신체적 맞추기 [身體的－, somatic pacing] 자기 자신의 신체적 경험에 초점을 두고 맞추어 나가는 것을 말한다. 예를 들어, 신체적으로 통증이 있으면 그 통증이 어떤 것이며 강도가 어느 정도인지를 생각하고 그에 따라 스스로 반응하는 것이 신체적 맞추기가 된다.

랜
[－, local area network: LAN]

동일한 건물이나 인접한 건물에 있는 컴퓨터들이 서로 정보를 교환하고 공유할 수 있도록 연결해 주는 체계. 사이버상담

근거리에서 상호 데이터를 교환할 수 있는 통신망이다. 연결범위는 수미터에서 수킬로미터까지로, 같은 방이나 건물, 캠퍼스 내에서 연결이 가능하다. 랜의 장점은 인쇄기나 기억장치 등 컴퓨터 주변장치를 공유할 수 있다는 점이다. 한 방에 컴퓨터가 여러 대가 있는 경우 이 컴퓨터들을 네트워크로 연결하면 인쇄기는 한 대로 충분하다. 즉, 랜은 하나의 전송매체를 연결된 장치들이 공유하기 때문에 공유되는 전송매체를 각 장치가 어떻게 나누어 쓰느냐가 관건이다. 랜에서 주로 사용하는 전송매체는 전화선, 동축 케이블, 광섬유 등이다.

램
[－, random access memory: RAM]

정보를 기록하고 판독하는 직접회로기억장치. 사이버상담

램은 주소만 지정해 주면 지정된 주소에 위치한

ㄹ

정보를 바로 읽고, 지정한 주소에 정보를 바로 쓸 수 있는 장치다. 즉, 임의의 위치에 존재하는 데이터에 빨리 접근하여 읽고 쓸 수 있다. 그러나 전원이 나가면 기억되어 있는 정보가 사라지는 단점이 있고, 이 때문에 휘발성 메모리라고 한다.

러미라
[-, romilar]

중추신경 억제작용이 있어서 감기, 만성 기관지염, 폐렴 등의 치료제로 쓰이는 약물의 종류. 중독상담

덱스트로메트로판 제제로 약리작용은 코데인과 비슷하며 화학구조도 모르핀계와 비슷하다. 하지만 러미라는 진해작용 때문에 감기약으로 시판되고 있다. 원래 이 약물은 적정용량을 사용하면 의존성이 없는 비마약성 약물이지만, 일반 용량의 수십 배에 달하는 50~100정 정도를 일시에 과다복용할 경우 환각작용을 유발하여 마약 대용으로 사용되기도 한다. 러미라를 과다 복용한 사람들은 횡설수설하는 것이 특징이고, 도취감 혹은 환각작용을 경험하게 되며 정신장애, 호흡억제, 혼수상태에 이르러 사망에 이를 수도 있다. 우리나라에서는 1980년대 이후 합법적이면서 환각작용을 일으킬 수 있는 약물로 널리 남용되기도 하였다. 이 약물이 알코올과 함께 섭취되면 상승효과가 나타나서 강한 도취감을 느끼게 되는데, 청소년들 사이에서는 이를 '정글주스(jungle juice)'라고 한다. 하지만 이렇게 알코올과 함께 섭취하는 것은 매우 위험하여 심하면 혼수상태에 빠지거나 호흡마비로 생명을 잃을 수도 있다. 우리나라에서는 러미라의 남용으로 인한 피해가 확산되자 텍스트로메트로판을 향정신성 의약품으로 지정하여 규제하고 있다.

관련어 | 금단증상, 내성, 마약, 모르핀, 중독, 코데인, 환각제

레몬
[-, Lemon]

방부, 항미생물, 항류머티즘, 저혈압성, 지혈, 수렴, 살충, 구충, 살균, 구풍(驅風), 반흔 형성, 정화 등에 효과가 있는 열매로 아시아에서 유래되었고, 오늘날 레몬 나무는 지중해 전역에서 자라지만 플로리다와 캘리포니아가 레몬 오일의 주요 산지. 향기치료

6~9미터까지 자라는 사철 푸른 나무로, 옅은 녹색의 달걀형 잎과 강한 향을 풍기는 흰색, 분홍색의 꽃이 피고, 초록색에서 노란색으로 변하는 타원형의 열매가 맺힌다. 레몬 오일은 분위기를 고조시키는 효과로 유명하다. 즉, 정신을 고무시키고 정신적 피로를 극복하게 하는 작용을 한다. 레몬 오일은 효과적으로 정신을 명료하게 만들고, 정신을 지나치게 자극하지 않으면서 결정력을 높여 준다고 알려져 있다. 또한 레몬 오일은 감정적으로 지나치게 긴장된 사람을 이완시키는 효과가 우수하다. 그리고 순환계 강화 효과도 뛰어나며, 혈액의 점성률을 낮추고, 동맥 내 혈소판 침적물의 분쇄를 도우며, 콜레스테롤을 감소시킨다. 또한 레몬 오일의 항미생물 특성은 감기, 인플루엔자, 기관지염, 그리고 천식 치료에 매우 효과적이다.

레빅 인지 정서적 미술치료 사정
[-認知情緖的美術治療査定, Levick emotional and cognitive art therapy assessment: LECATA]

1986년 레빅(Levick)이 개발한 것으로서, 3세 이상 아동의 인지적 · 정서적 발달수준을 미술활동으로 평가하려는 그림검사. 미술치료

아동의 정서적 · 인지적 기능에 초점을 맞추어 아

동의 발달수준에 관한 전체적 견해를 제시해 준다. 적용범위는 3세 이상 아동으로서, 그들의 인지적·정서적 발달을 나타내는 정상적인 미술적 능력을 측정하기 위한 것이지만 역기능적 가족체계를 확인하는 도구로도 사용된다. 준비물은 A4 용지 5매, 연필, 16색 크레파스, 지우개이고, 실시시간은 1시간 정도 소요된다. 실시방법은 다음과 같다. 그림에 대한 다섯 가지 과제, 즉 자유 그림과 이야기, 자신에 대한 그림, 낙서그림, 3~5세 아동에게는 있고 싶은 장소 그리기와 6~11세 아동에게는 자신에게 중요한 장소 그리기, 가족 그리기를 제시하고, 각 과제화가 완성되면 그림의 제목을 각각 적도록 한다. 이렇게 실시한 다섯 가지 그림에 대한 해석은, 자유 그림과 이야기에서는 아동의 심리적 상태에 관한 전체적 견해, 자신에 대한 그림에서는 아동의 자기인식, 낙서그림에서는 퇴행에 저항하고 추상적 사고를 상징화하고 사용하는 능력, 있고 싶은 장소 그리기에서는 아동의 환경과의 관계나 내면화된 가치체계, 가족 그리기에서는 가족체계 안에서의 가족구성원에 대한 태도나 역할에 관하여 아동이 인식하고 있는 정보를 제공해 준다.

레빈슨의 인생주기모형 [-人生週期模型, Levinson's season of a man's life]

여러 직업에 종사하는 성인 남성 및 여성을 조사하고 분석하여 제시한 인간의 발달단계 이론. 발달심리

레빈슨은 1968년에 성인 남성을 대상으로 연구를 시작하여 1978년에 남성의 인생 사계절에 대한 연구를 발표하였다. 그리고 1979년부터 1987년까지 앞선 연구와 같은 방법으로 여성을 대상으로 조사, 분석하여 인간의 발달단계를 제시하였다. 이 연구의 목적은 인간의 전 생애적 발달과정에서 나타나는 삶의 변화, 안정, 성장의 순환과정을 밝힘으로써 '모든 인간은 전 생애에 필연적인 패턴으로 발달을 계속한다.'는 명제를 증명하는 것이었다. 연구대상은 근로자, 기업가, 학자, 예술가로서 35~45세 남성 40명이었고, 여성은 1935년에서 1947년 사이에 태어나 뉴욕 시의 일반 기업이나 재정기관에 근무하는 사무원, 주립대학·사립대학·전문대학의 학력을 지닌 주부였다. 이들에게 성격검사와 심층면접을 실시하고 유명인의 자서전, 문학작품 속 주인공의 생애를 분석하였다. 그 결과, 인간의 발달단계는 성인 이전 시기, 성인기, 중년기, 노년기로 구분되며 각 시기 간에는 5년의 시기 전환기가 있었다. 시기 전환기는 이전 시기의 삶을 평가, 통합하여 다음 시기를 설계하는 기간이다. 그리고 각 시기에는 개인의 기본 삶의 양식인 인생구조가 있는데, 인생구조는 진입기, 전환기, 절정기로 구분하였다. 즉, 1~22세는 아동기와 청년기를 일컫는 성인 이전 시기, 17~45세는 성인기이며 이는 다시 17~22세는 성인기 전환기, 22~28세는 성인기 진입기, 28~33세는 30세 전환기, 33~40세는 성인기의 절정기다. 40~65세는 중년기이며 40~45세는 중년기 전환기, 45~50세는 중년기 진입기, 50~55세는 50세 전환기, 55~60세는 중년기의 절정기다. 60세 이후는 노년기로서 60~65세는 노년기 전환기다. 성인기 전환기는 부모로부터 경제적, 정서적으로 독립하기 위하여 새로운 가능성과 대안을 탐색하고 결정하는 시기다. 성인기 진입기는 직업선택과 결혼 등을 선택하여 성인기의 안정된 생활을 추구하기 위한 성인기의 기초적인 인생 구조를 형성하는 시기다. 30세 전환기는 일과 인간관계에 대한 자기성찰의 시기이며 성인기 절정기는 일에 대한 의욕과 열정이 정점에 달하고 보다 지위가 향상되어 사회에서 자신의 활동범위를 확대하고 구축하며 안정적인 가정을 꾸리려고 노력한다. 이러한 남성의 인생주기모형에 이어 1996년 가정주부, 대학교수, 여성 기업인을 대상으로 여성의 인생주기를 연구한 결과 여성과 남성의 인생의 전체 주기는 동일하다고 결론지었다.

그러나 남성은 꿈이 직업선택에 영향을 주지만 대부분의 여성은 자신의 꿈과 가정을 병행하는 직업을 선택하는 것이 다르며, 30세 전환기에 들어서면 비로소 직업선택에서 자신의 꿈을 실현하고자 하였다. 그리고 성인기 절정기에 남성은 안정을 이루지만 여성은 평생 안정을 이루기 힘들다는 것에서 성의 구분이 이루어진다고 하였다. 한편, 중년기 전환기에 남성은 내면의 상반되는 성향들, 즉 신체적 중년과 사고적 청년, 여성적인 면과 남성적인 면을 통합하는 노력이 필요하다. 중년기 진입기에는 직업이나 가정환경에 대한 재구성이 필요하며 성공한 사람들은 이 시기를 인생에서 가장 충만하고 창조적인 기회라고 보았다. 50세 전환기는 중년기에서 설계한 인생구조를 수정할 수 있는 시기이며, 중년기 절정에 이르면 중년기에 인생구조의 토대를 만든 사람은 안정기에 접어들면서 풍요로운 인생을 보내는 완성의 시기가 될 수 있다.

관련어 | 그랜트 연구, 성인기

레이븐 지능검사
[- 知能檢査, raven intelligence test]

시공간적 지각력과 추론능력을 평가하는 것으로 초등학생의 지적 능력을 측정할 수 있는 지능검사. 심리검사

지능을 측정하기 위해 1936년에 영국에서 레이븐(J. Raven)이 개발한 검사로, 우리나라에서는 임호찬이 2003년부터 2004년에 걸쳐 표준화하였다. 대상은 색채 누진 행렬 지능검사(coloured progressive matrices, CPM)의 경우 만 3~6세, 표준 누진 행렬 지능검사(standard progressive matrices, SPM)의 경우 초등학교 1~6학년이고, 검사시간은 30분이다. 전 세계적으로 널리 사용되고 있는 이 검사는 시공간적 지각력과 추론능력을 평가하여 초등학생의 지적 능력을 측정할 수 있다. CPM은 A, Ab, B의 세 가지 세트로 구성되어 있으며, 세트당 12문항으로 총 36문항이다. 이 검사는 언어 이해력과는 무관한 범문화적인 검사로서 검사를 수행하는 데는 시각기능과 인지능력만을 필요로 하기 때문에 신체장애인, 언어발달 지체 아동, 지적장애 아동, 뇌성마비 아동, 청각장애인에게도 적용할 수 있다. SPM은 유추능력이 발달된 후에 이용할 수 있다. SPM은 A, B, C, D, E세트로 구성되어 있으며, 세트당 12문항으로 총 60문항이다. 이 검사는 유추 능력이 이미 발달한 대상의 사고력을 평가하기 위한 것이다. 따라서 연령이 어린 아동과 지적 기능에 장애가 있는 아동은 CPM을 이용해서 평가하며, 또한 CPM을 이용해서 사고의 수준 또는 대뇌손상에 따른 사고손상의 유형을 파악할 수 있다. 만일 CPM 세트, 즉 A, Ab, B를 쉽게 해결하면, 계속해서 SPM 세트 C, D, E를 검사하고 그런 다음 Ab를 제외한 수행성적을 기준으로 백분위 지능을 평가할 수 있다. CPM은 사고발달의 과정을 평가하기 위해서 가능한 한 지적 발달(mentaldevelopment)부터 지적 성숙도(intellectualmaturity)까지 평가하도록 되어 있다. 기초적인 정신발달부터 일정한 추론방식으로 사고하는 능력, 즉 유추사고과정을 평가하는 것이다. 이 검사는 책자나 보드 형태로 제시할 수 있어서 문제를 분명하게 이해할 수 있으며, 언어적 설명이 거의 필요 없다. 각 문제를 해결하기 위해서는 선택한 그림을 빈 공간에 삽입해 보면 된다. CPM의 과제해결에 필요한 다섯 가지 사고능력은 다음과 같다. 첫째, 그림 부분의 동일성 여부를 구분할 수 있어야 하고, 나중에 유사성 정도를 구분할 수 있어야 한다는 동일성(similarity)이다. 둘째, 앉은 위치를 중심으로 그림의 방향을 이해할 수 있어야 하고, 아울러 그림이 제시된 지각장(perceptualfield)을 기준으로 그림의 방향을 구분할 수 있어야 한다는 방향성(orientation)이다. 셋째, 그림의 변화를 지각하고 유추된 변화를 비교할 수 있어야 하며, 이것을 바탕으로 다음 과정의 논리적인 추론능력이 필요하다는 추리력(reasoning)이다. 넷째, 지각된 전체 자극을 세부요소로 나눌

수 있어야 하고, 이미 그려진 그림과 추가될 수 있는 다음 그림 간에 구분도 할 수 있어야 한다는 변별력(differentiation)이다. 다섯째, 2개 이상의 분리된 그림을 전체로 구성하여 하나의 통합체로 조직할 수 있어야 한다는 조직력(organization)이다.

레이저 지팡이
[-, laser cane]

시각장애인을 위한 기기로 표준형 지팡이의 범위를 확장한 것. 특수아상담

표준형 지팡이와 다르게 머리 위에 걸린 것도 탐지할 수 있다는 장점이 있다. 레이저 포인터에 사용되는 것과 비슷한 레이저가 디지털카메라 및 컴퓨터 장치와 함께 장착되어 있으며, 사용자가 지팡이를 앞뒤로 움직일 때 그 공간에 대한 정보를 분석한다. 공간에 대한 정보는 음성신호 등으로 사용자에게 전달된다. 구체적인 작동원리는 다음과 같다. 레이저 지팡이가 작동할 때 레이저 광선이 세 줄기로 지팡이에서 나오는데, 한 광선은 위쪽으로 유도되어 지팡이 끝부분에서 약 76센티미터 앞에 있는 머리 높이의 방해물을 탐지한다. 만약 물체가 광선 궤도에 있다면 빛이 수신기에 도로 반사되고 고음이 방출된다. 두 번째 광선은 일직선으로 사용자 앞 1.5~3.5미터에 있는 장애물을 탐지하고, 물체가 감지되면 지팡이 손잡이에 있는 핀이 진동한다. 세 번째 광선은 아래 방향으로 발사되며 지팡이 끝부분에서 약 1미터 앞에 있는 1.5미터 깊이의 내리막(예, 계단, 보도턱)까지 탐지한다. 내리막을 감지하면 저주파의 음이 방출된다. 레이저 지팡이는 시각장애인용 표준형 지팡이와 같은 방식으로, 사용자가 걸어가면서 자신의 앞쪽으로 반경을 그리며 훑듯이 사용하는 것이다. 배터리가 모두 소모되거나 전자 장치가 고장이 나도 표준형 지팡이처럼 사용할 수 있다는 안전성에 대한 장점이 있다. 또한 선천적인 시각장애 아동에게 물체의 크기에 대한 정보를 주고 공간 안에서 자신의 위치와 어떤 물체의 상대적 위치를 파악하도록 해 준다. 지팡이를 올바르게 잡는 방법과 제대로 반경을 그리며 그 안에서 움직이는 방법을 훈련할 때 레이저 지팡이를 사용할 수도 있고, 이 경우에는 훈련이 끝난 다음 레이저 지팡이와 표준형 지팡이 중 사용자가 선택할 수 있다. 다만 레이저 지팡이는 표준형 지팡이에 비해 비용 부담이 매우 크기 때문에 사용자의 일, 생활방식, 안전 등 상황을 고려하여 선택해야 한다. 레이저 지팡이의 맹점은 레이저 광선이 유리를 통과하고, 광택이 나는 표면은 반사가 많이 되어서 지팡이에 혼란을 준다는 점이다.

레즈비언
[-, lesbian]

여성이 같은 여성에게 동성애적 경향을 갖는 사람들을 일컬음. 성상담

레즈비언은 같은 여성에게 성적인 애정이나 감정 및 정서적 매력을 느끼는 여성을 가리키는 말인데, 이들은 그러한 자신의 성향을 그대로 받아들인다. 레즈비언이라는 용어는 여성 동성애자로 알려진 고대 그리스 여류 시인 사포(Sappho)가 살았던 그리스 에게 해에 있는 레스보스 섬에서 유래하였다. 레스보스 섬은 사포뿐만 아니라 많은 여성들의 동성애가 성행했던 곳으로, 레스보스 섬에 살고 있는 사포와 같은 사람, 레스보스 섬의 여성들이라는 의미로 레즈비언이라는 말을 사용하게 되었다. 사포의 이름에서 비롯된 사피즘(sapphism)도 여성 동성애를 나타내는 말로 사용되기도 한다. 또한 여성의 동성애로 행하는 성행위를 트리바디즘(tribadism)이라고 한다. 레즈비언은 옷차림, 성격, 상대 여성의 스타일 등에 따라서 다이크(dyke), 부치(butch), 펨(femme) 등으로 구분한다. 1955년 미국 샌프란시

스코에서 첫 레즈비언 단체로 '빌리티스의 딸(The Daughters of Bilitis)'이 조직되었고, 한국에서는 1994년 한국 여성 동성애자 인권운동모임인 '끼리끼리', 2005년 레즈비언권리연구소, 부산여성성적소수자인권센터, 이화레즈비언인권운동모임, 한국레즈비언상담소 등이 설립되었고, 이들이 연합하여 한국레즈비언권리운동연대로 모이기도 하였다.

레크리에이션 치료

[-治療, recreation therapy]

레크리에이션이나 오락에 관련된 활동을 제공하여 치료적 효과를 내는 방법으로, 오락 치료라고도 함. 기타

여가와 레크리에이션의 전문지식을 이용하여 최적의 건강과 삶의 질을 향상시키는 활동이다. 레크리에이션이라는 용어는 라틴어 'recreatio', 즉 '신선하게 하다' 또는 '재충전하다'에서 유래된 것으로, 르네상스기 인문주의자들이 여가를 위해 마련한 활동이라는 의미로 자리 잡았다. 이를 치료에 처음 도입한 것은 데이비스(Davis)인데, 레크리에이션에 치료라는 용어를 붙여 사용하면서 시작되었고 자유로우면서 자발적인 표현활동을 하면서 놀이정신을 통해 신체, 정서, 감정적 즐거움과 이완을 얻는 일체의 활동으로 정의하였다. 이후 프라이와 피터스(Frye & Peters)는 레크리에이션 경험을 통해 최대한의 바람직한 효과를 얻고자 행하는 노력의 과정으로 레크리에이션 치료를 정의했고, 이소-아호라(Iso-Ahola)는 삶의 질을 신장시키기 위해 행하는 개입(intervention)으로 정의하였다. 최근에 와서는 카터와 밴 앤덜(Cater & Van Andel), 롭(Robb) 등이 개인의 성장 및 발달을 위해 신체, 감정, 사회적 행위 변화를 목적으로 하는 전문화된 레크리에이션의 응용 분야로 보기도 하였다. 이 같은 레크리에이션 치료는 신체, 사회, 정서, 정신, 문화적 치료가 필요한 사람들을 대상으로 하여, 레크리에이션 활동을 통한 심리치료 및 재활의학 분야에서 응용되고 있다. 치료적 효과를 목적으로 하는 레크리에이션 활동으로 신체질환이나 정신적·정서적 불편감 해소 및 안녕감 증대에 도움을 주고자 하며, 우울, 스트레스, 불안 등의 감소에 효과가 있다. 또한 건전한 여가선용을 위한 프로그램으로서 집단으로 실행된다. 치료적 효과 외에도 흥미 개방, 정서적 안정, 긍정적 관계 유지, 즐거운 생활 영위와 같은 부수적인 효과도 나타날 수 있다. 기존에는 기본적인 운동기능 회복 및 재활에 많이 활용되었지만, 지금은 사고 능력, 자신감 구축, 사회적 능력 향상 등 정신 및 정서 활동에도 큰 도움을 주는 분야로 자리 잡고 있다. 회화나 조각, 동물, 운동, 놀이, 무용 및 동작, 극, 음악, 야외활동과 함께 행해지기도 한다. 직접 몸을 움직이고 활동적인 과정이 많기 때문에 적극적 성격 함양에 도움이 되고, 자연스럽게 자기감정도 표현할 수 있게 되며, 단체로 행해지기 때문에 경쟁심과 사회성을 길러 주고, 자기주장의 기회도 마련되며, 나아가 자신감 회복에도 효과가 있다. 레크리에이션 치료는 아동부터 노인까지 연령에 따른 활동을 맞춤식으로 고안할 수 있다. 레크리에이션 치료사들은 사람들과 신체, 정신, 정서, 인지, 사회적 교류를 종합적으로 해야 하기 때문에 늘 자신의 건강과 균형 있는 생활을 유지할 수 있도록 우선적으로 노력해야 한다. 특히 대인관계에서 의사소통기술이 뛰어나야 하며, 긍정적이고 융통성 있는 태도를 갖추고 순간적인 판단력과 직관력, 집단운용능력 등이 탁월해야 한다. 아직까지 우리나라에는 일반화되어 있지 않지만, 레크리에이션 치료 관련 학과를 졸업하고, 공인 레크리에이션 치료사(CTRS)에게 수퍼비전을 받고 수련과정을 수료한 뒤 국제레크리에이션치료사위원회(NCTRC) 주관 자격증 시험을 통과하면 공인자격이 주어진다.

레트증후군
[-症候群, Rett syndrome]

생후 첫 5개월 동안은 정상적인 정신운동성 발달이 이루어지다가 이후 급속하게 머리 성장이 감소하는 등의 진행성 신경학적 장애. 특수아상담

비엔나의 소아신경과 의사인 레트(A. Rett)가 1966년에 보고하였으며, 현재까지 이 장애는 여성에게서만 나타났다. DSM-IV와 ICD-10은 레트증후군을 적어도 생후 5개월까지는 정상적으로 발달하다가 그 후 과거에 배운 기술을 상실하는 시기가 있는 것으로 정의한다. 1999년 유전자 연구의 결과 레트 장애의 원인이 X염색체 안에 있는 MECP2(Methyl CpG bindung Protein 2) 유전자의 이상으로 밝혀지면서 임상 진단과 염색체 진단이 가능하게 되었다. 퇴행은 일반적으로 다섯 가지 영역에서 일어난다. 첫째, 레트증후군을 가진 여아는 출생 시에는 정상적인 머리둘레지만 5~48개월 사이에 머리의 성장이 감소하기 시작한다. 둘째, 5~30개월 사이에 목적이 있는 손 움직임을 상실하고, 후에 손 비틀기와 손 씻기와 같은 상동적인 움직임을 보인다. 셋째, 자폐증에서 나타나는 사회적 문제점과 유사한 사회적 관계의 상실이 나타난다. 넷째, 레트증후군은 제대로 협응되지 않는 걸음걸이가 특징이다. 다섯째, 레트증후군은 심하게 손상된 언어발달을 보이고 대부분 심하거나 매우 심한 정도의 지적장애를 수반한다. 반 애커(Van Acker, 1991)는 얼굴 찡그리기, 이 갈기, 호흡문제(과잉호흡, 숨 막히기, 공기 삼키기 등) 등의 관련된 증상이 있다고 보고하였다. 레트증후군 자체의 근본적인 치료법은 없으며, 주로 증상완화를 목적으로 한다. 기능적 운동의 유지와 개선, 기형 방지, 환자의 주위 환경과의 관계유지, 섭식 및 영양 보조를 도모한다. 물리적 치료에는 보행연습, 수중에서의 운동 등이 있으며, 손을 고정하여 수 기능을 개선시키고 손의 상동증을 차단하여 주의를 집중시키는 효과를 기대한다. 음악치료로는 집중력을 향상시키고, 의사소통 수단을 이용하여 사회적 관계개선을 도모하며, 악기를 자발적으로 만지고, 치고, 잡게 하는 손 사용을 향상시킬 수 있다. 또한 음악을 들려주는 것은 갑작스러운 히스테리 증상을 보이는 아동에게 효과가 있다. 언어의 상실이 동반되어 수용성 언어, 표현성 언어 모두에서 장애가 나타나므로, 언어치료를 통하여 아동이 자신의 의사를 표현할 수 있도록 하는 것이 좋다. 경련을 치료하기 위해 카바마제핀(carbamazepine) 등의 약물을 투약하며, 숙면을 돕기 위해 진정, 수면제를 처방하기도 한다. 레트증후군 아동은 삼키는 어려움, 음식의 부적절한 섭취, 에너지 소비의 불균형으로 영양결핍과 함께 성장지연, 저신장이 나타난다. 이 밖에도 고칼로리, 고지방 식이 요법 등 적절한 영양공급이 필요하다. 운동성 감소에 따른 변비는 일반적이며, 심한 불편을 줄 수 있다. 충분한 수분섭취, 고섬유질 음식과 운동이 필요하고, 장을 부드럽게 해 주는 미네랄 오일, 산화마그네슘의 우유가 도움이 되기도 한다. 설사약, 좌약, 관장약은 오랜 기간 사용하는 것을 피하는 것이 바람직하다. 손과 입을 사용하는 습관과 경련에 기인한 이차적인 외상으로 전치부 동요와 비정상적인 치아 동요가 나타날 수 있기 때문에 구강조직의 보호를 위해 교합안정기의 사용이 추천되기도 한다. 레트증후군은 어려서 짧은 기간만 자폐증상을 보이며 MECP2 유전인자의 돌연변이가 근본 원인으로 알려져 있고, 진단학적으로는 신경장애로 구분하여야 한다는 주장으로 인해 DSM-5의 자폐 범주성 장애 영역에서 삭제되었다.

관련어 전반적 발달장애

레퍼토리 격자 기법

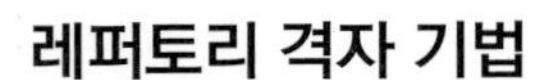

[-格子技法, repertory grid technique]

성격의 개별기술(個別記述)적인 측정을 확립하기 위해서 요인 분석을 사용하는 면접기법. 문학치료(글쓰기치료)

1955년 즈음에 조지 켈리(George Kelly)가 자신의 개인 구성개념(personal constructs) 이론에 근거하여 고안해 낸 레퍼토리 격자 기법은 성격의 개별기술(個別記述)적인 측정을 확립하기 위해서 요인분석을 사용하는 면접기법이다. 레퍼토리 격자 기법(RGT 혹은 RepGrid)은 주어진 주제에 대해서 생각하는 것과 같은 개인의 구성개념을 도출하기 위한 방법이다. 구성개념은 내담자에게 개인적인 것으로 여겨진다. 켈리는 개인 구성개념이론을 바탕으로 개인적 구성개념 심리학(Personal Construct Psychology, PCP)을 창시했는데, 그에 따르면 과학은 경험요소들에 질서를 세우고자 하는 것이다. 과학으로서의 심리학은 사람들이 새로운 상황에 직면했을 때 할 수 있는 것에 대해 심리학자들이 쉽게 예측을 할 수 있도록 인간의 경험요소에 질서를 세우려 한 것이라고 켈리는 생각하였다. 따라서 각 개인의 심리학적 과제는 자신의 경험을 질서 있게 만드는 것이라고 주장하였다. 우리 모두는 과학자처럼 구성개념이 제시하는 그 같은 행위를 수행하여 구성된 지식의 정확성을 시험해 본다. 그 행위의 결과가 알고 있던 것과 예측했던 것이 같은 선상에 있다면 개인적 경험에서 질서를 제대로 찾은 것이다. 그렇지 않다면 해석이나 예측 등 무언가를 변화시켜야만 한다. 인간의 구성개념을 발견하고 수정하는 이 같은 방법은 우리가 살고 있는 우주에 대한 진리를 발견하기 위해서 모든 현대과학이 사용하는 단순한 과학적 방법이다. 켈리가 고안한 개인적 구성개념 심리학에서 사용하는 레퍼토리 격자 기법은 자신의 경험을 파악하는 방법을 밝히기 위한 것으로, 성격에 대한 개입을 위해서 정보를 제공할 수는 있지만 기존의 방식으로 이해하는 성격검사와는 다르다. 내담자의 정신을 상담자가 해석하는 것이 아니라 상담자는 내담자가 자신의 구성개념을 찾도록 도와주는 역할을 해야 한다. 내담자의 행동은 주로 세계를 선택적으로 관찰하는 방법이라 할 수 있다. 그에 근거하여 내담자는 행동하고 예측 가능성을 증대시켜 나가는 방식으로 구성개념체계를 확장시킨다. 레퍼토리 격자는 개인 자원 질문지(personal sources questionnaire)와 함께 인지분석치료발달의 주요 부분이다. 인지분석치료에서 레퍼토리 격자는 선별된 내담자 개인이나 관계를 사용해서 연구된다. 라일(Ryle)과 커(Kerr)는 경계선 환자의 분열된 상태를 연구하는 '상태 격자'를 사용하였다. 이들은 경계선 환자의 분열된 자기 상태를 밝히고 설명하면서 인지분석치료에서 결정적인 단계를 보여 주고, 여덟 가지 항목의 성격구조 검사 질문지(personality structure questionnaire: PSQ) 사용을 지지하였다. 이때 내담자가 자신의 구성개념을 찾을 수 있도록 개발한 것이 레퍼토리 격자 기법이다. 내담자는 한 번에 세 가지 요소를 생각한다. "~에 관해서(관심에 따라 무엇이든 상관없다) 두 사람이 무엇이 비슷하고 세 번째 사람과는 무엇이 다릅니까?"라는 질문을 받으면, 내담자는 자신의 구성개념 중 한쪽 극점 중에서 하나를 가리키는 답을 하게 될 것이다. 질문을 계속해 나가면 구성개념의 다른 끝과 양 극점 간의 세 인물의 위치가 나타날 것이다. 다른 세 가지 요소를 묶어서 이 과정을 반복하면 내담자가 모두 알지 못했던 구성개념들이 결국 드러난다. 레퍼토리 격자는 주제(topic), 일단의 요소(set of elements), 일단의 구성개념(set of constructs), 일단의 구성개념에 대한 요소의 등급(set of ratings of elements on constructs)의 네 가지로 구성되어 있다. 이렇게 발견된 구성개념들로 줄을 만들어 행렬을 형성한 것이다. 줄로 된 것은 요소를 나타내고, 칸은 각 구성개념 내 개별요소의 위치 수를 나타낸다. 이렇게 기록으로 그래프를 그리면 사용이 편리하다. 인간 행동의 특수성은 중요한 문제다. 개인이 말로 처음 제시한 것을 밝히는 신중한 면접과 그 사람이 그 의미를 정확하게 표현하기 위해서 구성개념에 대한 위치 요소를 사용하고자 하는 평가에 대해 신중하게 고려해야 한다. 결과는 단일 격자가 내용과 구조로 분석된다. 일단의 격자들은 다양한 내용분석 기법을 사용해서 처리된다. 관련 기법들의 범주는 아주 정확하고 조작적으로 정의된 피면접자의 구성개념 표현이나 피면접자의 개인적 가치관의 세부적인 표현을 제공하는 데 사용될 수 있고, 이 모든 기법이 협력적인 방식으로 사용된다. 이는 개인이 생각하는 의미에 대해서 상호 의견을 나누는 훈련이라고 할 수 있다. 기존의 평가 척도질문지와는 달리, 레퍼토리 격자는 주제가 평가되는 구성개념을 제공하는 주체가 검사자가 아니라 피면접자다. 이 질문지로 서로 다른 상태의 특성이 구축될 수 있다는 것을 통해서 체계적인 탐구를 하는 데 기반이 된다. 레퍼토리 격자는 주로 알고 있는 것을 도출하고 분석하는 장, 자조적인 장, 상담목적을 가진 장 등에서 많이 사용된다.

렌가
[連歌, renga]

짧은 시들이 이어져 있는 일본 시 형식. 문학치료(시치료)

렌가는 일본의 협력 시 장르다. 구나 연이 2개 이상으로 되어 있는 렌가의 첫째 연은 홋쿠(發句)라고 하며, 현대 하이쿠의 기반이 되었다. 렌가는 가장 오래된 일본 시 형식인 단가에서 발전한 연결된 시의 형식이다. 800년 넘게 전해지면서 형식이나 목적 및 관념에 변화가 있었다. 행간에서 일어나는 것을 관찰하는 것이 중요하며, 각 연은 다음으로 넘어가는 발판이 된다. 원래 하이쿠를 이어 만든 것으로, 두 사람이 함께 썼다. 렌가를 제대로 쓰면 삶의 통합적인 부분을 볼 수 있다. 집단치료에서는 참여자들이 각자 하나의 하이쿠처럼 글을 쓰고, 그 종이를 그대로 옆으로 넘기면서 함께 글을 써 간다. 모두 쓰고 나면 첫째 행에 연결해서 행을 하나 더 쓴다. 다시 그 종이가 돌아오면 세 번째로 쓰게 되는 방식이다. 이는 하나의 논제를 쓰고, 그에 대한 대조, 합성을 쓰거나 연결된 3행처럼 쓰는 것이다. 그런 다음 이 세 가지를 돌려서 읽는다. 에도시대에 들어서면서 렌가는 대중적인 문학으로 자리를 잡았지만, 메이지시대 이후 급격하게 쇠퇴하였다. 대표적인 작가는 소기(宗祇), 마쓰오 바쇼(松尾芭蕉) 등이 있다.

렘수면
[-睡眠, rapid eye movement sleep: REM]

급속한 안구운동이 나타나는 수면상태. 이상심리

1953년 아제린스키와 클라이트만(Aserinsky & Kleitman)이 발견한 것이다. 렘수면 중에는 골격근육이 거의 완전하게 이완되어 있음에도 불구하고 뇌파는 깨어 있을 때와 유사하게 뇌의 활동이 활발하며, 안구는 천천히 움직이거나 두리번거리며, 안면근육과 팔다리근육을 가볍게 움직이기도 한다. 또 맥박은 빨라지고 혈압은 높아지며 호흡은 불규칙해진다. 말하자면 뇌파는 잠이 깨어 있는 상태지만 실제로는 자고 있는 것을 말한다. 이와 달리 REM을 수반하지 않는 수면은 비렘수면(non-REM sleep)으로 불리며, 이것은 뇌의 기능이 저하되었거나 억제된 휴식, 정지된 상태이며, 수면이 진행됨에 따라 뇌파가 느긋해진 파동인 서파가 된다는 것에서 서파수면이라고도 한다. 수면주기를 보면, 수면은 렘수면과 비렘수면으로 나누어지고, 수면 중에 이 두 가지가 서로 반복된다. 비렘수면은 뇌파의 종류에 따라 4단계로 구분되는데, 제1, 2단계는 얕은 비렘수면으로서 얕은 수면 또는 방추파수면이고, 제3, 4단계는 숙면기로서 깊은 수면 또는 서파수면에 해당한다. 수면에 들어가면 비렘수면이 나타나고 얕은 수면에서 깊은 수면으로 들어가 이윽고 렘수면으로 들어간 뒤, 다시 얕은 수면이 된다. 이러한 수면주기의 시간은 90~100분 정도이며, 주기는 3~6회 정도 반복된다. 초기 주기에서는 깊은 잠인 서파수면의 비율이 높고, 그에 비하여 렘수면은 짧다. 그러나 시간이 경과하면서 서파수면은 짧아지고, 그에 반비례하듯이 렘수면은 길어진다. 사람이 자면서 꿈을 꾸는 것은 대부분 REM 수면 중에 이루어지며, 렘수면의 길이는 1회 평균 14분 정도다. 렘수면은 전체 수면에서 신생아의 경우는 75%를 차지하고, 어린아이는 50% 정도, 성인은 20~25% 정도를 차지한다.

로렌스 크랩의 7단계 모델
[-七段階-, seven-stage model of Lawrence Crabb]

성경적 상담에서 내담자의 문제해결이 이루어지는 과정을 설명한 상담모델. 목회상담

성경적 상담을 주장한 로렌스 크랩이 제시한 7단계의 상담모델이다. 첫 번째 단계는 문제감정을 확인(identify problem feeling)하는 것이다. 대부분의 내담자는 상담을 시작하면서 자신의 감정이나 외적인 환경 혹은 문제행동에 대해 말한다. 이때 상담자는 내담자의 문제감정(problem emotion)이 무엇인지 정확하게 파악해야 한다. 즉, 내담자에게 문제가 되는 감정이 불안, 원망, 죄책감, 절망 혹은 막연한 공허감 중 어떤 것인지 알아야 한다. 두 번째 단계는 목표를 향한 문제행동을 확인하는(identify goal-oriented problem behavior) 것이다. 이것은 문제 감정을 일으켰을 때 내담자가 어떤 행동을 하고 있었는지에 대해 물어봄으로써 현재 내담자의 삶에서 문제가 되는 목표행동의 근원을 찾으려는 것이다. 세 번째 단계는 문제사고를 확인하는(identify problem thinking) 것이다. 크랩은 특별히 기존의 상담학자들과 권면적 상담을 주장한 제이 애덤스(Jay Adams)는 인간의 행동에 초점을 맞추고 이를 변화시키는 데 과도한 관심을 집중시킨다고 지적하면서, 내담자의 문제적 행동을 일으키는 인간 내면의 태도와 신념으로 관심을 옮겨야 한다고 주장하였다. 따라서 이 단계에서는 문제적 행동을 하도록 만든 내담자의 문제적 사고 과정을 파악한다. 네 번째 단계는 성경적 사고를 분명하게(clarify biblical thinking) 하는 것이다. 이것은 내담자의 문제적 사고를 성경적인 올바른 사고로 변화시키는 과정이다. 성경의 원리에 내담자의 문제적 사고를 비추어 보게 함으로써 내담자 스스로 옛 사고의 오류를 인정하도록 도와준다. 다섯 번째 단계는 안전한 결단(secure commitment)이다. 이 단계에서는 전 단계에서 새롭게 학습한 성경적 사고를 안전한 행동의 형태로 실천에 옮긴다. 이는 내담자가 새롭고 올바른 사고에 부합하는 행동을 할 수 있도록 스스로 결단하는 것을 지원하는 과정이다. 이때 내담자는 자신의 잘못된 행동을 고백하고, 이러한 것이 잘못된 사고의 결과로 형성된 것임을 시인하게 된다. 또한 올바른 사고를 위한 행동의 실천적인 결단도 내담자 스스로 내린다. 여섯 번째 단계는 이전 단계 과정을 더욱 확고히 하는(follow-up) 것이다. 이 단계에서 상담자는 내담자가 변화된 생각대로 새로운 행동을 잘 실천할 수 있도록 여러 가지 계획을 세우는 데 지원을 한다. 이때 세우는 계획들은 성경적인 원리에 따른 행동의 계획이어야 한다. 일곱 번째 단계는 영적으로 조절된 감정을 확인하는(identify spirit-controlled feelings) 것이다. 이 단계에서 상담자의 역할은 변화된 내담자의 삶 속에서 고요함, 함께함, 그리고 평화로움과 같은 성령의 사역(spirit's work)의 증거를 찾을 수 있도록 도와주고, 그를 통해서 삶의 즐거움을 누릴 수 있도록 지원해 주는 것이다.

관련어 | 로렌스 크랩, 성경적 상담

로르샤흐 잉크반점검사
[-斑點檢査, Rorschach Inkblot Test]

로르샤흐(Rorschach)가 개발한 투사적 성격검사.
심리검사

로르샤흐 검사(1921)는 피험자의 현재 상태를 있는 그대로 반영하는 검사이며, 피험자의 개인정보와 프로토콜에서 획득한 자료를 근거로 피험자의 심리적 측면을 연역적 또는 귀납적으로 예측한다. 이 검사는 질문지형 검사와 달리 잉크반점을 자극자료로 사용함으로써 피험자는 비교적 비구조화된 자극자료에 대하여 다양한 방식으로 자유롭게 반응할 수 있다. 로르샤흐 검사는 10개의 표준화된 잉크반점 카드로 구성되어 있다. 검사절차는 도판을 한 장씩 보여 주고 그것이 무엇으로 보이는지 자유롭게 대답하도록 한 다음 각각의 반응에 대하여 잉크반점의 어디에 주목(반응영역-전체, 큰 부분, 작은 부분 등)하여 어떤 특징(결정인-형태, 색채, 운동 등)에 어떤 의미를 부여(내용-사람, 동물, 추상적 의미 등)하는가를 실마리로 한다. 나아가 반응시간이나 표정 및 동작을 고려하여 마음의 상태를 이해한다. 이 같은 로르샤흐법은 가족 내 개인 및 가족 집단으로서의 역동성을 양적, 질적으로 측정하여 가족병리진단을 하는 데 사용되기도 한다(가족 로르샤흐법). 로르샤흐 검사의 반응은 공통적으로 애매성을 띠고 있으며, 피험자는 무엇처럼 보이는지 반응하는 동안에 자기도 모르게 어떤 심리적 과정을 거치는 것이다. 요컨대 피험자는 잉크반점의 지각적 특성에 따라 다양한 방식으로 반응할 수 있고, 이러한 반응과정에서 개인의 욕구와 경험 및 습관적인 반응경향이 반영되는 것으로 가정되어 있다. 로르샤흐 검사는 피험자가 검사반응을 왜곡하기 어렵고, 성격의 동기적 · 갈등적 측면을 잘 밝힐 수 있으며, 반응과정에서 피험자의 욕구, 태도, 경험 등에 따라 선택적으로 지각되고 조직화되기 때문에, 개인의 전체적인 성격 특성을 이해하는 데 매우 유용하다. 이러한 장점을 가지고 있어서 로르샤흐 검사는 현재 정신의학을 비롯하여 임상심리학, 문화인류학 등 여러 분야에서 이용되고 있다.

관련어 | 투사검사

로웬펠드의 묘화발달단계
[-描畵發達段階, Lowenfeld's development stage of drawing]

로웬펠드(Lowenfeld)가 제시한 연령에 따른 그림형태의 변화과정. 미술치료

로웬펠드(1947)가 제시한 묘화발달단계는 아동화의 발달을 설명하는 많은 이론 중에서 가장 영향력이 커 지금도 널리 적용되고 있다. 그림의 발달단계는 유아기부터 청소년기까지 제시하고 있으며, 총 여섯 단계로 구분되어 있다. 첫째는 난화기(scribbling stage)로 2~4세에 해당되며, 이 단계는 다시 무질서한 난화기, 조절하는 난화기, 명명하는 난화기로 나누어진다. 무질서한 난화기는 소근육의 미발달로 의미가 없고 불규칙한 선을 그리는 시기다. 조절하는 난화기는 소근육의 발달로 어떠한 상징적 의미를 갖는 그림을 그리기 시작하고, 명명하는 난화기에 접어들면 자신이 그린 그림에 대해 이름을 붙이기 시작한다. 둘째는 전도식기(pre-schematic stage)로 4~7세에 해당되며, 이전 단계에서

는 다소 무의식적 과정으로 그림을 그렸다면 이 단계에서는 의식적으로 표현하고 기하학적 선과 모양으로 일정한 틀을 만들어 가려는 상징적 도식의 기초단계라 할 수 있다. 그림은 자기중심적으로 이루어지며, 자신의 눈에 보이는 것을 그대로 그리기보다는 자신이 알고 있는 것을 중심으로 상징적인 표현을 하기 시작한다. 예를 들면, 자신이 경험하지 않은 전쟁과 같은 그림을 그린다. 셋째는 도식기(schematic stage)로 7~9세에 해당하며, 자신과 대상의 관계를 도식적으로 표현할 수 있고 사물의 특징을 객관적으로 그릴 수 있다. 이 단계의 가장 큰 특징은 기저선(base line)이 나타나는 것인데, 대상을 환경의 한 부분으로 표현하기 시작한다. 중요한 부분을 과장하고 중요하지 않은 부분은 생략하는 등 주관적이면서 의식적인 표현이 발달한다. 그리고 외부보다 내부를 더 강조하는 엑스레이식 표현이 특징적인데, 예를 들면 사람의 몸 내부에 있는 심장, 위 등을 그린다. 이때의 아동은 대상과 색채의 관계를 형성하여 같은 대상에 대하여 같은 색을 반복해서 사용하는 경향이 있다. 넷째는 또래집단기(gang age)로 9~11세에 해당하며, 또래집단의 영향력이 강하고 도식에서 벗어나기 시작한다. 또 사물을 객관적으로 관찰함으로써 표현이 좀 더 사실적이고 세부적이며 구체적이다. 앞 단계의 도식적 표현과 사실적 표현이 함께 나타나는 경향이 많고 활동적이면서 장식이 많은 그림을 그리지만 대담성과 자신감은 점차 감퇴하는 경향이 있다. 다섯째는 의사실기(pseudo-realism stage)로 11~13세에 해당하며, 공간지각의 발달로 활동적인 그림이 많고 삼차원적 표현과 원근법을 적용한 풍경화를 그린다. 자신이 본 것을 그대로 그리는 시각형과 느낌과 감정을 그리는 비시각형 그림이 나타난다. 여섯째는 결정기(decision period)로 13~16세에 해당하며, 이 단계에서는 주변환경에 관심을 두어 이를 창조적으로 표현할 수 있다. 촉각형, 시각형, 중간형의 뚜렷한 표현유형이 나타나는데, 촉각형은 내적 정서, 색채나 공간 등을 주관적으로 표현하고, 시각형은 외형, 비례, 명암, 배경, 원근 등을 중시하여 표현한다. 그리고 무의식적 표현에서 의식적이고 비판적인 관점에서 그림을 그린다.

로웬펠드의 입체표현발달단계
[-立體表現發達段階, Lowenfeld's development stage of solid expression]

로웬펠드(Lowenfeld)가 제시한 연령에 따른 공간적 표현의 변화과정. 미술치료

로웬펠드(Lowenfeld)는 아동의 공간적 구성의 발달을 4~12세 이상까지의 연령을 분석하여 총 다섯 단계로 제시하였다. 첫째는 탐색적 유희기로 4세 이하에 해당되며, 이 시기에는 입체적인 재료를 가지고 즐기면서 평면적으로 구체적 형상을 탐색한다. 둘째는 평면적 상징기로 4~8세가 해당하며, 입체적인 재료를 평면적으로 표현하면서 상징적으로 둥글고 납작한 형태에 눈, 코, 입을 붙이는 두족류의 인물을 구성한다. 셋째는 입체적 탐색기로 8~10세에 해당하며, 입체적인 재료로 대상을 입체적으로 나타내면서 상징적 표현에서 탈피하려고 노력한다. 넷째는 입체적 사실기로 10~12세에 해당하며, 입체적인 재료로 대상을 입체적이고 사실적으로 표현하려고 노력한다. 다섯째는 공간적 사실기로 12세 이상에 해당되며, 표현하려는 주제를 선택하고 공간적 관계를 고려하여 입체적이고 사실적으로 표현한다.

로의 진로이론
[-進路理論, Roe's career theory]

어린 시절의 경험과 가족과의 초기관계가 직업선택에 중요한 영향을 미친다는 것을 강조하여 부모-자녀의 관계 유형에 따른 진로선택을 설명하는 진로상담의 틀. 진로상담

매슬로(Maslow)의 욕구위계와 직업선택의 관계

에 대하여 연구한 로(1956)는 어린 시절의 욕구좌절이나 만족, 부모-자녀의 관계, 환경적 경험, 유전적 요인들이 욕구구조의 형성과 발달에 영향을 미치며 이렇게 형성된 욕구구조는 직업선택에 영향을 미친다고 결론지었다. 이에 따라 그녀의 직업선택이론을 욕구이론적 접근(needs-theory approach)이라 한다. 이 이론에 의하면 안전과 안정에 대한 욕구가 좌절된 사람은 다른 사람과의 접촉이 적은 일이나 직업을 선택할 가능성이 많다. 그녀는 부모와 자녀의 상호작용을 강조하면서 부모의 수용적 태도 또는 거부적 태도에 따라 자녀는 사람과의 접촉을 원하거나 회피한다고 보았다. 따뜻하고 수용적인 부모 밑에서 자란 사람은 자신의 욕구를 대인관계에서 만족하는 욕구충족 방식을 배우게 되어 사람 지향적인 성격이 된다. 반면에 자녀를 회피하거나 무관심한 부모 밑에서 자란 사람은 자신의 욕구를 사람이 아닌 다른 수단을 통해서 충족하게 되어 사물 지향적인 성격이 된다고 주장하였다. 이에 따라 그녀는 직업을 사람 지향(person-oriented)과 사물 지향(nonperson-oriented)으로 크게 나눈 다음 총 여덟 가지 직업군으로 다시 분류하였다. 사람 지향적인 직업은 서비스직, 비즈니스직, 관리직, 일반 문화직, 예능직 등이 있으며, 사물 지향적인 직업은 기술직, 옥외 활동직, 과학직 등이 있다. 이 직업군들은 기능수준, 성취수준, 책임성에 따라 6단계, 즉 고급전문관리, 중급전문관리, 준전문관리, 숙련직, 준숙련직, 비숙련직으로 구분된다. 이 이론에 기초한 직업은 직업군(여덟 가지)과 수준(6단계)에 따라 총 48개로 분류된다. 여기에 기능 수준, 성취 수준, 책임성은 부모와의 관계, 개인의 능력, 그가 처한 사회경제적 배경, 욕구의 강도, 만족도, 지능, 기질 등에 따라 달라진다. 로의 직업분류체계를 기초로 직업선호도 검사, 직업흥미검사, 직업명 사전 등의 검사들이 구성되었다. 이처럼 이 이론은 부모와 자녀의 상호작용 관계를 밝힐 수 있는 측정도구를 개발하고 인성과 직업 분류를 통합하는 데 공헌했지만, 이론을 뒷받침할 만한 경험적 연구가 부족하고 진로상담을 위한 구체적인 절차를 제시하지 못했다는 단점이 있다.

로의 직업분류체계 [-職業分類體系, Roe's occupation classification system] 로는 직업의 심리적 특성을 기준 삼아 영역과 수준의 이차원으로 직업을 분류하였다. 영역은 일의 활동에 초점을 두고 여덟 가지로 구분하였고, 수준은 직업에서 요구하는 책임감, 능력, 기술의 정도로 6단계로 구분하였다. 영역은 서비스직, 비즈니스직, 관리직, 기술직, 옥외 활동직, 과학직, 일반 문화직, 예능직 등 여덟 가지이며, 이는 원형의 구조를 이루어 영역 간 거리는 심리적 유사성을 뜻한다. 즉, 거리가 가까울수록 영역 간에는 심리적 특성이 유사하여 이직을 할 때는 가까운 거리에 있는 영역으로 옮기려는 경향이 있다는 것을 뜻한다. 수준은 고급전문관리, 중급전문관리, 준전문관리, 숙련직, 준숙련직, 비숙련직 등의 여섯 가지이며 이는 위계적 체계를 이루고 있다. 수준이 높을수록 영역 간 심리적 특성의 유사성이 멀어지고 수준이 낮을수록 영역 간 심리적 특성의 유사성이 가깝다. 이 말은 낮은 수준의 직업은 영역 간 이동이 쉽지만 높은 수준에서는 영역 간 이동이 어렵다는 것을 말해 준다.

부모-자녀관계양식 [父母子女關係樣式, parent-child relationship style] 개인의 진로선택에 영향을 미치는 부모의 자녀양육태도에 관한 여러 가지 형태를 말한다. 로는 진로이론에서 12세 이전의 아동기에 보여 준 부모의 자녀양육방식이 미래의 진로선택에 미치는 영향을 강조하였다. 로에 따르면 부모의 양육방식은 크게 정서적 집중형(emotional concentration), 회피형(avoidance), 수용형(acceptance)이 있다. 자녀에 대하여 정서적으로 집중하는 부모는 과잉보호와 과잉요구 양육태도를 보인다. 과잉보호를 하는 부모는 지나치게 자녀를 보호하고

ㄹ

자신에게 의존하도록 하여 성장 후에 그 자녀는 다른 사람에게 의존하거나 동조하는 행동을 보인다. 과잉요구를 하는 부모는 자녀가 자신들의 요구에 적합한 행동이나 성취를 바라는 등의 완벽성을 요구하는 것이다. 회피형은 자녀를 무시하거나 거부하는 태도를 보이며 자녀를 양육하는 부모로서의 책임을 다하지 않고 자녀에 대한 관심이 적으며 자녀의 요구나 욕구를 충족해 주려고 하지 않는다. 수용형 부모는 일상적이거나 애정적인 태도를 보이는데, 일상적인 태도의 부모는 자식을 수용하지만 밀착되어 있지 않고 자녀의 요구에 민감하다. 애정적인 태도의 부모는 자녀의 요구를 충족시키려고 노력하며 좀 더 사려 깊게 자녀를 양육한다. 로는 부모-자녀관계 질문지(Parent-child Relations Questionnaire)를 개발하여 요인분석한 결과 애정-거부(loving-rejecting, LR)와 일상-요구(casual-demanding: CD)가 양극 요인이며 과도한 집중(overt attention: OA)은 단극 요인으로 나타났다. 이 중에서 애정-거부와 과도한 집중의 부모태도를 자녀의 진로선택에 영향을 미치는 것으로 추정하였다. 즉, 수용적인 부모-자녀관계를 형성한 사람은 서비스직, 비즈니스직, 문화직과 같은 인간중심적인 직무를 선택하게 된다. 그러나 부모에게 요구충족이나 관심을 받지 못한 사람은 기술직, 옥외 활동직, 과학직과 같은 사물 중심적인 일을 선택하게 된다.

로젠츠베이그 그림좌절검사 [-挫折檢査, Rosenzweig Picture-Frustration Study]

욕구에 대한 좌절을 평가하는 검사. 심리검사

욕구에 대한 좌절을 평가하기 위해 1945년에 로젠츠베이그(Rosenzweig)가 개발한 검사로, 우리나라에서는 1972년에 김태련이 표준화하였다. 대상은 아동부터 성인까지로 모두에게 사용할 수 있다. 정식 이름은 '욕구 불만에 대한 제 반응을 측정하는 회화 연상검사'지만 간단하게 '그림좌절검사(Picture-Frustration Study)' 또는 'P. F. Study'로 불리고 있다. 욕구불만에 대한 반응을 측정해서 그들의 인격구조를 이해하는 것은 교육적으로나 혹은 임상적 진단에 대단히 의의가 있다는 데 이 검사의 중요성을 말할 수 있다. 이 검사는 풍자적인 그림으로 구성되어 있어서 검사를 받는다는 긴장감을 피험자에게 주지 않고도 실시할 수 있으며, 실시시간이 짧고 정리방법도 다른 투사법과 비교해 보면 간단하므로 학교를 대상으로 검사를 실시할 때는 무척 적절한 임상검사다. 이 효용성을 인정받아 세계 여러 나라에서 각기 자기 나라에 맞게 표준화하여 사용하고 있다. 이 검사는 로젠츠베이그의 좌절이론에 기초를 두고 있어, 전형적인 좌절장면을 설정하고 그 장면에 대한 피험자의 반응형을 측정하여 그것으로 피험자의 인격구조를 이해하고자 하였다. 준투사검사법으로 피험자는 구조화된 언어적 · 회화적 자극에 대해 반응하도록 되어 있다. 검사는 아동, 청소년, 성인용이 있으며, 욕구좌절 상황을 나타내는 24개의 재미있는 그림으로 구성되어 있다. 각 그림마다 두 사람이 등장하고 왼쪽 사람이 오른쪽 사람에게 좌절감을 자극하는 상황을 설명하거나 그런 상황을 유발하는 말을 하고 있다. 이러한 자극에 대해 피험자는 자신에게 제일 먼저 떠오르는 생각을 오른쪽 위의 빈 공간에 써넣어야 한다. 이처럼 이 검사는 욕구좌절에 대한 피험자의 반응을 평가하는 데 목적이 있다. 욕구좌절이란 유기체가 욕구를 만족시키는 과정에서 어떤 장애나 방해물에 직면했을 때 나타나는 것으로 정의한다. 일반적으로 사람은 욕구가 좌절되었을 때 공격적 반응이 나타난다고 보고 있으며, 욕구좌절 검사는 욕구가 좌절되었을 때 나타나는 다양한 공격성을 세 가지 방향과 세 가지 유형으로 개념화한다는 데 의미가 있다.

로즈(장미)
[－, Rose]

신경계 진정, 완화제, 내장기관 기능강화, 항우울, 소염제, 방부, 항경련, 항바이러스, 살균, 정화, 통경(痛經), 지혈, 간 기능 강화 등에 효과가 있는 꽃으로서, 프랑스, 불가리아, 모로코, 터키, 이탈리아와 중국이 장미 오일 주요 생산국. 향기치료

향기치료에 사용되는 주요 장미종은 '다마스쿠스 로즈(rose damascena)'로 추위에 잘 견디고 가을이면 잎이 떨어지는 덩굴관목이다. 2미터까지 위와 옆으로 퍼져 자라며 회색을 띤 녹색 잎과 꽃송이일 때는 분홍색이었다가 피어서는 거의 흰색으로 퇴색되는 두 겹의 향기 나는 꽃이 핀다. 로즈 오일은 심장기능에 활력을 주는 것으로 알려져 있다. 또한 효과 있는 항우울제로 언급되며 신경안정제, 심계 항진, 흥분성, 그리고 불면 치료에도 유용하다. 장미는 마음을 평안하게 하며 분노, 두려움, 불안 등의 감정을 진정시킨다. 또한 슬픔을 가라앉히고 심리적 고통을 해소하며 활력을 불어넣는 데 사용한다. 그리고 로즈 오일은 부인과 치료에 매우 유용하며, 뛰어난 연화성, 유연성, 수화성으로 기능 촉진성과 살균성을 동반하여 모든 피부관리, 특히 노화피부, 건성피부, 민감성 피부 관리에 효과적이다.

로즈메리
[－, Rosemary]

머리를 맑게 하는 기능, 원기촉진, 신경강화, 항우울, 진통, 소화, 이뇨, 간 기능 자극 및 보조, 고혈압성 기능강화에 효과가 있는 허브로서, 지중해 지역이 원산지이며 스페인, 프랑스, 코르시카 섬, 이탈리아, 사르디니아 섬, 튀니지에 풍부하게 자생. 향기치료

로즈메리는 사철 푸른 관목으로 80～180센티미터까지 자라고, 침처럼 생긴 질긴 은녹색 잎과 작은 통 모양의 옅은 자주빛 꽃이 핀다. 로즈메리 오일은 중추신경계 자극에 효과적이며 뇌자극제로도 유명하다. 이 특성 때문에 집중력 부족과 신경쇠약에 사용된다. 따뜻하고 톡 쏘는 자극적인 로즈메리 오일은 정신적, 신체적인 침체감을 깨워 주는 데 도움이 되고, 심장에 활력을 불어넣고 심박수를 빠르게 하여 동맥 속의 혈액흐름을 촉진하기 때문에 심장의 피로, 심장의 두근거림, 저혈압, 수족냉증에도 도움이 된다.

로즈우드
[－, Rosewood]

항우울, 방부성, 살균, 정신을 맑게 자극, 피부세포 생육촉진, 탈취, 자극 등에 효과가 있는 나무로서, 아마존 유역에서 자생. 향기치료

로즈우드는 중간 크기의 열대성 상록수다. 로즈우드 오일은 고무시키고 생기를 돋우는 특성이 있어서 전반적으로 균형을 유지시키는 효과가 있다. 따라서 압박감과 의기소침에 따른 두통, 불안 완화에 도움을 준다. 로즈우드의 살균작용과 세포 생육 촉진 작용은 여드름, 피부염, 민감성 피부, 노화피부, 손상된 피부에 유익하며 방부성이 있어서 탈취제로 이용하기에 매우 좋다.

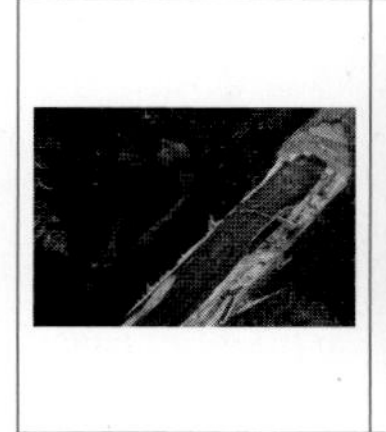

롤핑
[-, rolfing]

일명 구조적 통합(structural integration)이라고 부르는 아이다 롤프(Ida Rolf)의 신체조작기법으로, 왜곡되고 불균형인 척추 및 관절을 바로잡기 위해 해당되는 뼈대와 관련된 근막에 압박을 가함으로써 신체를 정렬하고 통합해서 기능촉진을 돕는 기법. 무용동작치료

롤핑은 '구조는 기능을 결정짓는다(structure determines function).'는 정골요법의 치료원리에 기초하고 있지만, 신체 구조만의 변화로는 근본적인 치료가 불충분하다고 여겨 '기능은 구조를 유지한다(function maintains structure).'라는 원리로 발전시켰다. 롤핑 치료자는 뼈와 근육을 연결하는 근막조직(myofascia)을 팔뚝과 팔꿈치를 이용하여 직접적으로 압박을 가하는 방법을 사용하여, 들러붙고 딱딱해진 근육조직을 떼어 분리해서 좀 더 자유롭게 기능하도록 해 준다. 롤핑 치료자가 반드시 심리치료자는 아니지만 롤핑과정에서 내담자의 잊혔던 트라우마가 떠오르고 강력한 이미지와 정서가 방출되는 경험을 한다. 이러한 현상 때문에 어떤 심리치료자들은 롤핑을 심리치료과정과 연결해서 사용하기도 한다. 롤핑의 여러 연구결과를 보면, 남성 내담자에게 놀라운 효과를 보이고 있다. 또한 롤핑 후에 외부 감각자극들을 더 수용적으로 조직하는 능력을 학습하고, 이러한 지각과 근육 기능의 명료성과 일치성 때문에 중추신경체계-근육체계 활동 사이의 상호작용이 증가한다는 보고도 있다. 하지만 롤핑 기법에 대한 비판도 있다. 페이티스(Feitis, 1978)는 1970년대 당시 아이다 롤프가 실천한 일종의 신체치료인 롤핑에 대한 이론과 실제에 대해 연구하였다.

관련어 | 내적 근막

루빈의 가족미술평가
[-家族美術評價, Rubin's family art evaluation]

문제를 가진 아동이나 청소년이 있는 가족을 대상으로 실시하며, 개인 난화, 가족 초상화, 가족 벽화의 세 장의 그림을 그리는 미술치료기법. 미술치료

가족미술치료기법으로, 루빈(Rubin)이 제시한 방법이다. 세 장의 그림을 그리는데, 먼저 개인 난화(individual scribble)는 그림 그리기를 어려워하는 사람들을 고려하여 마음을 진정시키고 편안함을 느낄 수 있도록 실시하는 것이다. 또한 개인 난화의 실시는 아무 의미가 없어 보이는 듯한 선에 어떤 이미지를 투사하게 함으로써 무의식적인 것을 드러낼 수 있도록 도와주려는 것이다. 다음으로, 가족 초상화(family portrait)는 자유롭게 제작하도록 한다. 가족 초상화는 구체적이거나 추상적으로 그릴 수 있고, 또 평면작업이나 입체작업이 가능하다. 가족 초상화를 그리는 것이 구성원들에게는 마음의 부담이 될 수 있는 만큼, 미술작업의 방식이나 재료를 자유롭게 선택하도록 하여 부담을 덜어 주고 작업을 지지해 준다. 마지막으로, 가족 벽화(family mural)는 90센티미터×180센티미터 정도의 종이를 벽에 붙여 놓고 공동작업을 하도록 하여 가족의 공동작업을 관찰하려는 것이다.

루빈의 창의적 미술발달단계
[-創意的美術發達段階, Rubin's creative art development stage]

루빈(Rubin)이 제시한 것으로, 아동이 새롭고 독창적인 미술작품을 만들어 가는 과정. 미술치료

루빈은 창의적인 미술작품을 만들어 가는 과정을 총 여덟 단계로 제시하였다. 첫째는 조작단계(manipulation stage)로 대략 2세경까지에 해당되며, 주변환경에 대한 관심이 높아지고 재료들을 오

감을 이용하여 탐색하는 시기다. 이 단계에서 아동은 일상생활에서 흔히 접할 수 있는 흙이나 모래 등에서 놀고 냄새 맡으며 맛보려고 하는 반응을 보인다. 아동은 이러한 재료들을 다루는 가운데 사회적 행동을 알게 되며, 이 같은 활동을 하면서 근육을 강화시킬 뿐만 아니라 연필이나 크레파스를 사용하여 난화나 낙서를 할 수 있는 단계에 이른다. 이 단계의 아동을 대상으로 하는 미술치료에서는 자연물에 가까운 재료를 사용하는 것이 좋다. 둘째는 형태화단계(forming stage)로 2~3세경에 해당하며, 세로선, 원형의 선 긋기, 회전 형태 등을 그릴 수 있는 시기다. 이 단계에 이르면 근육운동능력이 발달하여 세밀한 형태를 만들 수 있는데, 아동 스스로 자신의 동작이나 행동을 통제하고 조절할 수 있다. 즉, 이 단계의 아동에게서 나타나는 형태는 우연한 동작으로 생긴 것이 아니라 아동이 스스로 조절하고 주의를 기울여 표현한 것이다. 셋째는 내재화단계(containing stage)로 3~4세경에 해당하며, 경계선을 만들고 테두리의 안을 채우는 것에 관심을 두는 시기다. 이 단계에서 아동은 자신의 능력과 예술적 행위를 경계선 안에 머무르게 할 수 있다는 사실을 기뻐하며, 다른 영역이 존재한다는 사실을 파악한다. 이러한 인식의 성장으로 아동은 자신의 공간과 타인의 공간에 대한 심리적이고 창조적인 인식이 가능해진다. 넷째는 명명단계(naming stage)로 5~6세경에 해당하며, 아동이 주위 사물에 대하여 질문을 많이 하는 시기다. 이 단계에서 아동은 자신이 만든 사물에 이름을 붙이거나 의미를 부여하려는 생각을 한다. 그러나 이때 붙이는 사물과 그 이름이 반드시 관련성이 있는 것은 아니고, 전혀 관련이 없을 수도 있다. 또한 아동 스스로도 사물과 그 이름이 고정적이지 않고 가변적일 수 있다. 따라서 이 단계에서 이름 붙이기는 성인과의 관계를 통하여 이루어진다. 다섯째는 표상화단계(representing stage)로 6~7세경에 해당하며, 아동은 말하는 것을 대신하여 그림으로 표현하는 시기다. 이 단계에서 아동은 상상 속의 많은 이야기들을 성인의 눈에는 이상하게 보이는 형태로 그리거나 만든다. 이렇게 자신이 그리거나 만드는 것에 진실이나 의미를 담으려는 것은 아니고, 무엇인가를 그리거나 만드는 행위 자체를 중요시한다. 그리고 이 단계에서 아동은 사람을 집중적으로 그리는 경향이 있으며, 따라서 사람의 형태표현이 발달한다. 여섯째는 공고화단계(consolidating stage)로 8~9세경에 해당하며, 자신의 그림으로 이야기하는 방법에 익숙해져서 그것을 더 좋아하고 활용하는 시기다. 이 단계에서는 자기중심적인 방법과 사회적인 그림과의 관계를 간파하고 비교한다. 따라서 아동은 가족구성원의 이름을 붙이면서 그리다가, 수평선을 사용하여 사람, 타인, 집, 식물, 그리고 차량을 그리며, 또 그림 속에 가족이 아닌 다른 사람들을 그리기도 한다. 이 단계에서 아동은 환경과 문화적 영향을 받으면서 자신만의 창조적인 역량을 넓혀 나간다. 일곱째는 작업시작단계(naturalizing stage)로 10~11세경에 해당하며, 아동이 점차 비구상적인 표현을 찾아 세련된 표현을 하고, 동시에 보다 정확한 신체비율과 공간활용방법을 사용하며, 가능한 한 실제의 세계와 같은 색을 사용하는 시기다. 이 단계에서 아동은 선, 비율, 색 혹은 2차원과 3차원 등 다양한 관심에 따라 작품의 질을 향상시키고, 동시에 자신이 작업한 것과 현실을 비교하여 불안이나 스트레스를 경험하기 시작한다. 즉, 아동은 성인의 작업과 자신의 작업을 비교하여 자기 작업의 한계를 느끼고, 자신의 작업을 비판하게 되는 것이다. 이와 같이 이 단계에서 아동이 인지적, 정서적 혹은 사회적 능력에 대한 회의를 경험하기 때문에 여기서의 창작경험이 아동의 사회화와 관련된다. 여덟째는 개성화단계(personalizing stage)로 초등학교 이후부터 청소년기까지에 해당하며, 독특하고 고유한 자기만의 표현방식으로 작품을 완성하는 시기다. 이 단계에서 아동이 적절한 도움으로 성공적인 작업을 하면, 아동은 신체적 능력을 활용하여 더욱 다양하게 매체를 사용하거나 작업방법을 개성화함으로써 자신만의 특징을 개발할 수 있다. 따라서 이 단계의 아동에게는 구상적 작업보다 추상적 작업을 하도록 매체를 통하여 창조적인 활동을 유도하며, 또한 자신들의 활동이 생산적이고 기술적인 것을 포함하고 있다는 것을 느끼게 해야 한다. 특히 사춘기에는 자신의 개성이 드러나는 예술작업에 관심이 많은 만큼 의식적으로 자신의 관심을 반영하여 스스로를 탐색하게 된다.

관련어 로웬펠드의 묘화발달단계, 리드의 묘화발달단계, 린스트럼의 묘화발달단계, 묘화의 발달, 켈로그의 묘화발달단계

루시퍼 효과
[- 效果, Lucifer effect]

선량한 사람이 악한 행동을 저지르게 하는 특정 상황 혹은 시스템이 주는 영향력. 인지치료

개인이 악한 행동을 한다기보다 주변환경이 악한 행동을 유발하는 경우를 뜻한다. 'Lucifer'는 '빛을 가져오는 자'라는 뜻으로, 하나님이 가장 총애하던 천사였으나 하나님의 권위에 도전하다가 자신을 따르던 천사들과 함께 지옥으로 떨어지게 되었다는 전설에서 유래하였다. 1971년 8월 14일 스탠퍼드대학교 심리학과 짐바르도(Zimbardo) 교수는 '무엇이 사람을 악하게 만드는가?'에 관한 실험을 위해 '스탠퍼드 교도소(Stanford Prison)'라는 모의 교도소를 만들었다. 그는 '인간의 본성은 선인가 악인가?'를 밝히고자 '교도소의 생활이 인간의 심리에 미치는 영향에 관한 연구'라는 제목으로 실험에 필요한 참가자를 모집하였다. 지원자 중 정신과적 면접과 성격검사를 통해 범죄 · 마약 관련 병력이 없는 18명을 선발한 다음 하루 15달러를 지급하기로 하였다. 교수는 참가자들을 교도관과 죄수로 나누어 2주 동안 생활하도록 하면서 그들의 심리변화를 관찰하였다. 이 실험에서 두 집단의 역할은 실험개시 전 간단한 오리엔테이션을 통해 전달되었을 뿐이다. 그런데 실험초기에 자신의 역할에 대해 어색해 하던 교도관과 죄수들의 행동양상은 점차 큰 변화가 생기기 시작하였다. 실험 중 교도관 역할의 참가자들은 온갖 교묘한 방법으로 죄수역할의 참가자들에게 체벌, 고문과 같은 가혹행위를 일삼는 한편 죄수역할의 참가자들은 극도의 불안감과 공포심을 호소하였다. 그중 몇몇 죄수는 신경쇠약 증세를 일으켜 중도에 포기하였다. 실험을 시작한 지 약 4일 후에 죄수역할의 참가자들은 반란을 일으켰고, 예상과 달리 상황이 급격히 악화되어 2주 예정이었던 실험은 6일 만에 종결되었다.

룸펜슈틴츠헨의 법칙
[- 法則, law of Rumpenstuenzchen]

개인의 심리적 트라우마에 대해 표현하기 시작하면 부정적인 영향력이 줄어든다는 개념. 기타 가족치료

룸펜슈틴츠헨은 그림(Grimm) 형제의 동화에 나오는 난쟁이 이름이다. 가난한 방앗간 주인이 어느 날 왕에게 자신의 딸은 짚으로 금을 만든다고 허풍을 늘어놓는다. 그러자 왕은 자기 앞에서 그것을 보여 달라고 명령을 하였고, 만일 바꾸지 못하면 살아남지 못하리라고 말한다. 아버지는 딸을 짚이 들어 있는 방에 혼자 두고 떠난다. 아버지가 떠난 뒤 딸이 울고 있을 때 난쟁이가 들어와 사정을 듣고는 자신이 대신해 줄 테니 자신에게 대가로 무엇을 줄 수 있는지 묻는다. 딸은 난쟁이에게 목걸이를 내놓는다. 다음 날 왕은 금을 보자 욕심이 생겨 방에 짚을 가득 채우고 금으로 바꾸라는 명령을 내린다. 딸은 난쟁이에게 반지를 주고 금으로 바꾸도록 한다. 왕은 세 번째로 금을 만들 것을 명령하면서, 이번에도 성공하면 자신과 결혼하자고 제안한다. 난쟁이가 다시 나타나 무엇을 줄 수 있는지 묻자, 딸은 이제

아무것도 없다고 대답한다. 그러자 난쟁이는 왕과 결혼하여 아이를 낳으면 그 아이를 자신에게 달라고 말한다. 달리 뾰족한 수가 없던 딸은 그렇게 하겠노라고 약속한 뒤 마침내 왕과 결혼하여 아이를 낳았다. 어느 날 잊고 있던 난쟁이가 나타나 이제 아이를 달라고 하자 왕비는 울면서 제발 아이를 데려가지 말아 달라며 부탁한다. 이를 불쌍하게 여긴 난쟁이는 사흘 안에 자신의 이름을 맞추면 아이를 데려가지 않겠다는 약속을 한다. 신하들이 전국 방방곡곡을 누비면서 모든 난쟁이의 이름을 수집했지만 정작 그 난쟁이의 이름은 알아낼 수 없었다. 마지막 신하가 우연히 숲속의 작은 집에서 흘러나오는 노래를 듣게 되었다. 난쟁이의 집이었는데, 그는 이제 왕비로부터 아이를 데려올 수 있다고 생각하자 흥분이 되어 노래를 흥얼거리다가 그만 자신의 이름을 말해 버리고 말았다. 난쟁이의 이름은 '룸펠슈틴츠헨'이었다. 마침내 왕비는 난쟁이의 이름을 맞추었고, 난쟁이는 사라졌다. 이름이 없던 것에 이름을 붙이는 순간 환자에게 걸려 있던 마법은 스르르 사라지는데, 상담사들이 '룸펠슈틴츠헨의 법칙'이라 부르는 효과다. 자신의 트라우마에 '말'이라는 옷을 입혀 표현할 수 있다면 '말 못할 괴로움'에서 벗어나는 것이다. 지금껏 말하지 못했던 것을 이야기와 생각을 통하여 정리하고 구분하는 행위는 감정적인 부담을 급격하게 덜어 준다. 자신이 겪은 힘들었던 트라우마를 말로 표현할 수 있다면 그 상처는 덜 아프고 통제할 수 있는 상처로 변한다.

리드의 묘화발달단계
[-描畫發達段階, Read's development stage of drawing]

리드(Read)가 제시한 연령에 따른 그림형태의 변화과정.

미술치료

1943년 리드는 저서 『Education through art』에서 그림의 발달단계를 제시했는데, 2세에서 사춘기까지를 총 일곱 단계로 구분하였다. 첫 번째 단계는 낙서기로 2~4세경에 해당하며, 아무런 목적 없이 마구 긁적거리기 시작하여 점차 의미 있는 긁적거림으로 발전하는 시기다. 이 단계는 다시 네 단계로 구분할 수 있는데, 첫째는 맹목적 낙서기로 어깨와 팔 전체를 이용하여 그리며 어떠한 목적이나 의도성이 없는 그림을 보이고 오른쪽에서 왼쪽으로 긁적거리는 경향이 있다. 둘째는 유목적 낙서기로 긁적거리는 것에 어떤 의미나 목적 혹은 주제가 있다. 셋째는 모방적 낙서기로 의도성을 지니고 그림을 그리며 소근육이 발달함에 따라 팔목을 사용하여 긁적거려 사물을 묘사하려는 경향이 있다. 넷째는 국부적 낙서기로 그리려고 하는 대상의 부분을 묘사하는 의도적 긁적거림이 나타나고, 다소 추상적이며 상징적 도형으로 표현된다. 두 번째 단계는 선묘시기(line stage)로 4~5세경에 해당하며, 사람에게 많은 관심을 보이고 사람의 형태를 열심히 그리지만 머리는 원, 눈은 점, 다리는 한두 개의 선으로 표현하여 대체로 약화 형식의 그림을 나타낸다. 손보다 다리를 먼저 그리는 경향이 많고 그림은 대개 불완전한 형태를 보인다. 세 번째 단계는 서술적 상징기(descriptive symbolism stage)로 5~6세경에 해당하며, 이전 단계에서 보인 무질서하고 엉성한 형태의 선묘현상은 점차 정돈되어 사람을 어느 정도 정확하게 묘사할 수 있다. 대체로 소박한 상징적인 약화를 그리지만 얼굴의 모습은 여전히 혼란스럽게 표현된다. 대상에 대해서는 자기중심적 사고가 지배적이어서 자신이 느낀 대로 그리고, 자신이 좋아하는 형태는 반복해서 그리는 경향이 강하다. 네 번째 단계는 서술적 사실기(descriptive realism stage)로 7~9세에 해당하며, 대상을 객관적으로 바라보고 자신이 알고 있는 대로 표현하면서 장식적 표현에 흥미를 갖기 시작한다. 다섯 번째 단계는 시각적 사실기(visual realism stage)로 9~10세경이 해당하며, 자기중심적 표현에서 벗어나 사물에 대한 관찰력이 발달하여 실물과 닮게 그린다. 자연에 대하여 많은 관심을 보이면서 2차원적 그림에서 바른 윤곽선, 원근, 명암, 입체감 등의 공간감을 표현하는 3차원적 그림이 나타나기 시작한다. 여섯 번째 단계는 억제기(repression stage)로 11~14세경에 해당하며, 그림을 잘 그리려고 하지만 자신의 기대에 부합하지 않아 실망감을 가지고 그리는 것에 대한 흥미를 잃어 언어표현에 더 관심을 갖는다. 일곱 번째 단계는 예술적 부활기로 15세 이후이며, 이 시기는 그리는 것에 대한 흥미가 다시 나타나며 남자아이는 기술적이고 기계적인 표현에 더 많은 관심을 기울이고, 여자아이는 선, 형태, 색채의 아름다움에 더 많은 관심을 보이고 장식적인 표현에 주의를 기울인다.

관련어 로웬펠드의 묘화발달단계, 루빈의 창의적 미술발달단계, 린스트럼의 묘화의 발달단계, 묘화의 발달, 켈로그의 묘화발달단계

리듬

[-, rhythm]

연속하는 음이나 소리 사이사이에 산재하거나 일정한 규칙에 따라 반복되는 움직임. 음악치료

그리스어 'Rhythmos'에서 유래한 것으로, 음악에서 각 음가의 특성들로 형성된 조직체이며, 음악을 구성하는 핵심 요소다. 리듬은 소리나 음악에만 한정되어 쓰이는 것이 아니라 인간의 제반 활동에 포함된 시간적 분절로 형성된 질서로, 신체적 움직임, 심리 및 생리적 작용과 깊이 연관된 개념이며, 음악에서는 멜로디, 화성과 함께 음악의 3요소로 자리한다. 플라톤이 운동의 질서라는 개념으로 리듬을 정의하면서 리듬은 운동과 질서 사이의 연관성으로 이해되기 시작하였고, 음악에서는 박자, 선율 등과 어우러져 리듬패턴을 구성한다. 이처럼 리듬은 음으로 이어지는, 혹은 쉼까지 포함하여 연속 진행되는 상태 내의 특정한 시간적 질서로서, 여러 가지 방법으로 표현되며, 인간의 운동이나 공간적 예술에서도 적용이 된다. 또한 문화나 민족에 따라서 다르게 정의될 수 있고, 음악에서는 박자나 악센트 등으로 이어지는 흐름이나 움직임을 뜻한다. 리듬은 삶에 에너지를 주고 모든 살아 있는 생명체는 리듬을 가지고 있다. 봄, 여름, 가을, 겨울이 계절의 리듬이고 아침, 점심, 저녁이 하루의 리듬이며 우리의 발달단계가 인간의 리듬인 것이다. 사람은 생체 화학적으로 호흡과 맥박이라는 일정한 리듬의 바탕 위에 생체리듬을 형성하고 있는데, 자장가는 이 같은 원리를 이용한 것이다. 리듬이 치료적으로 사용되는 예는 활동에 활력을 주고, 신체활동을 촉진하기 위해 사용되는데, 리드미컬한 청각적 단서들은 즉각적인 피드백을 주므로 개인이나 집단의 운동활동을 강화하는 데 도움을 준다.

리비도

[-, libido]

관능적 쾌감의 기저에 놓여 있는 가설적 에너지. 정신분석학

프로이트(S. Freud)는 성욕을 신체나 장기로부터 비롯되는 관능적인 쾌감을 지칭하는 용어로 사용하였는데, 리비도는 이러한 성욕적 쾌감의 토대가 되는 가설적인 심리적 에너지를 뜻한다. 리비도이론은 심리성욕설(psycho-sexuality)에 근거하고 있으며, 심리 내적 과정으로 생성되는 행동이나 심리 활동을 설명하기 위해 구성된 이론이다. 프로이트는 1905년 발표한 『Drei Abhandlungen zur Sexualtheorie(성욕에 관한 세 편의 에세이)』에서 리비도 개념을 처음 소개하였다. 리비도는 주된 심리적 에너지로서 여러 단계로 구성된 발달단계가 있다. 리비도 욕동은 만족되거나 억압되거나 반동형성 혹은 승화로 처리될 수 있다. 리비도 욕동은 근원, 목적, 대상 그리고 압력의 네 가지 관점으로 개념화된다. 리비도의 근원은 신체적인 것이다. 라비도의 목적은 만족에 있

으며, 그러한 만족을 얻을 수 있게 해 주는 것은 바로 대상이다. 따라서 초기 유아는 전체 대상으로서의 어머니에게 반응하는 것이 아니라 어머니가 자신의 욕구를 충족해 주는 그 기능에 반응한다. 본능적 욕동은 강제적이고 충동적인 특성을 가지고 있는데 압력은 그러한 힘의 양적 측면을 뜻한다. 프로이트는 1921년 발표한 『Massenpsychologie und Ich-Analyse(집단심리학과 자아분석)』에서, 리비도는 사랑과 같은 보다 광의적인 개념으로 이해되어야 하며 성 욕동은 단지 리비도의 한 표현으로 보아야 한다고 주장하였다. 그러나 실제 임상장면에서 리비도는 성적 욕동과 같은 의미로 받아들여지고 있다.

리비도적 자아
[-的自我, libidinal ego]

흥분시키는 대상에 의해 발생된 자아. 대상관계이론

페어베언(W. Fairbairn)의 내적 심리구조에 있어서, 흥분시키는 대상에 의해 분리된 자아를 리비도적 자아라고 일컫는다. 일반적으로, 흥분시키는 대상은 거부하는 대상의 야누스적인 모습과 같이 또 다른 측면을 의미한다. 대부분의 경우 어머니는 흥분시키는 측면과 거절하는 측면을 모두 갖고 있다. 즉, 리비도적 자아가 추구하는 것은 나쁜 대상의 흥분시키는 측면이다. 아동은 이러한 흥분시키는 측면을 추구하는 동시에 학대받고 거절당했던 기억을 분리시켜 억압하면서 희망에 대한 환상을 갖고 일생동안 살아간다. 페어베언은 리비도적 자아와 흥분시키는 대상을 긴장과 좌절의 근원으로 보았다. 리비도적 자아는 실제 그러한 경험이 없음에도 불구하고 부모의 사랑을 받을 것이라는 기대감의 저장고가 된다. 리비도적 자아는 대상의 유혹적인 측면에 관련되기 때문에 일회적인 작은 사랑이라고 할지라도 그 경험을 환상 속에서 확대해 나간다. 그 결과 환상은 아동의 내적 세계 안에서 잘못된 희망으로 자리 잡게 된다. 흥분시키는 대상이 결국 관계를 거절하게 되면 리비도적 자아의 추구는 실패로 돌아가게 되고 성격구조가 붕괴된다. 내적 심리구조 내에서 중심자아(수용하는 대상)가 반리비도적 자아(거부하는 대상)와 리비도적 자아(흥분시키는 대상)를 억압하고, 또다시 반리비도적 자아가 리비도적 자아를 억압하는 심리구조가 형성된다. 정신병리적 행동은 이러한 자아의 극단적인 분열로 인한 것이다.

관련어 내적 심리구조, 반리비도적 자아, 부차적 자아, 흥분시키는 대상

리스트서브
[-, listserv]

미국의 L. 소프트 인터내셔널(L-SOFT International) 사가 판매하는 우편목록 관리자의 이름. 사이버상담

가장 인기 있는 우편목록 관리용 소프트웨어의 하나다. 리스트서브에 있는 목록을 구독하면 그 목록으로 보내지는 모든 메시지를 받을 수 있다. 이 메시지에 응답하면 다른 구독자들이 자신의 메시지를 보게 된다. 리스트서브에서 유지하지 못하는 수백 개의 우편목록이 있는데, 이는 rtfm, mit, edu로 익명 FTP하여 pub/usenet/news.answers/mail 디렉토리에서 mailing-lists 파일을 열어 보면 알 수 있다. 리스트서브는 비트넷용, 유닉스용, 윈도우즈용 등 세 가지 판으로 판매된다.

린스트럼의 묘화발달단계
[-描畵發達段階, Lindstrom's development stage of drawing]

린스트럼(Lindstrom)이 제시한 연령에 따른 그림 형태의 변화 과정. 미술치료

린스트럼은 2세부터 사춘기까지의 묘화발달과정

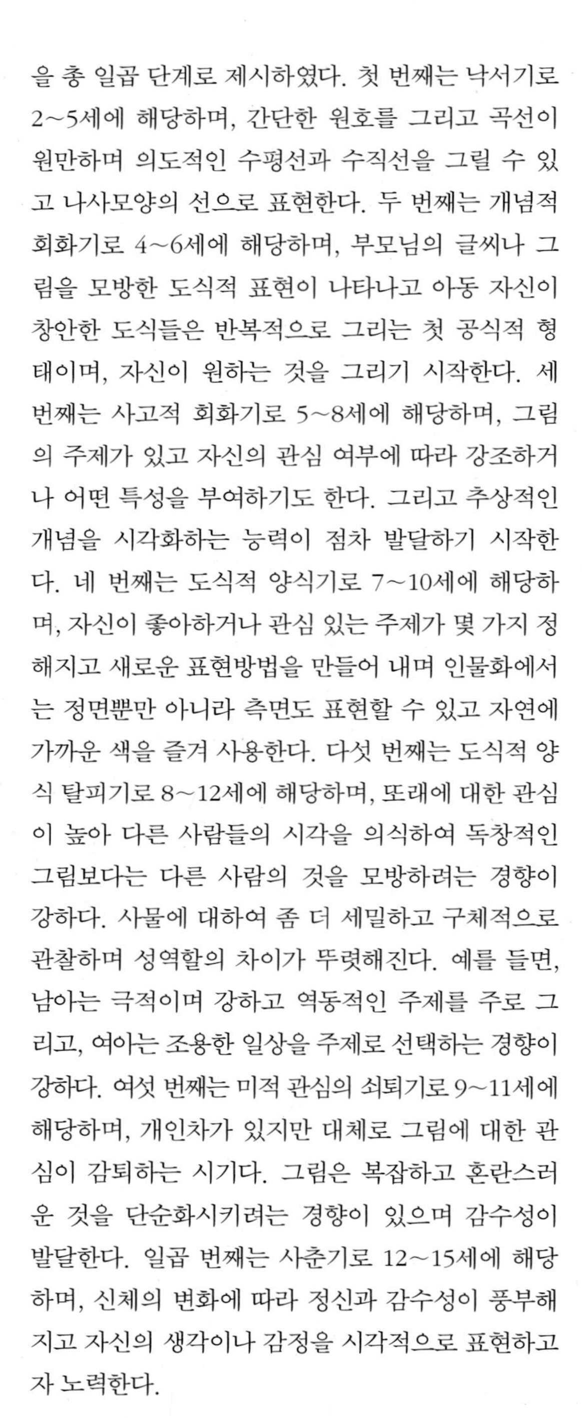

을 총 일곱 단계로 제시하였다. 첫 번째는 낙서기로 2~5세에 해당하며, 간단한 원호를 그리고 곡선이 원만하며 의도적인 수평선과 수직선을 그릴 수 있고 나사모양의 선으로 표현한다. 두 번째는 개념적 회화기로 4~6세에 해당하며, 부모님의 글씨나 그림을 모방한 도식적 표현이 나타나고 아동 자신이 창안한 도식들은 반복적으로 그리는 첫 공식적 형태이며, 자신이 원하는 것을 그리기 시작한다. 세 번째는 사고적 회화기로 5~8세에 해당하며, 그림의 주제가 있고 자신의 관심 여부에 따라 강조하거나 어떤 특성을 부여하기도 한다. 그리고 추상적인 개념을 시각화하는 능력이 점차 발달하기 시작한다. 네 번째는 도식적 양식기로 7~10세에 해당하며, 자신이 좋아하거나 관심 있는 주제가 몇 가지 정해지고 새로운 표현방법을 만들어 내며 인물화에서는 정면뿐만 아니라 측면도 표현할 수 있고 자연에 가까운 색을 즐겨 사용한다. 다섯 번째는 도식적 양식 탈피기로 8~12세에 해당하며, 또래에 대한 관심이 높아 다른 사람들의 시각을 의식하여 독창적인 그림보다는 다른 사람의 것을 모방하려는 경향이 강하다. 사물에 대하여 좀 더 세밀하고 구체적으로 관찰하며 성역할의 차이가 뚜렷해진다. 예를 들면, 남아는 극적이며 강하고 역동적인 주제를 주로 그리고, 여아는 조용한 일상을 주제로 선택하는 경향이 강하다. 여섯 번째는 미적 관심의 쇠퇴기로 9~11세에 해당하며, 개인차가 있지만 대체로 그림에 대한 관심이 감퇴하는 시기다. 그림은 복잡하고 혼란스러운 것을 단순화시키려는 경향이 있으며 감수성이 발달한다. 일곱 번째는 사춘기로 12~15세에 해당하며, 신체의 변화에 따라 정신과 감수성이 풍부해지고 자신의 생각이나 감정을 시각적으로 표현하고자 노력한다.

관련어 로웬펠드의 묘화발달단계, 리드의 묘화발달단계, 묘화의 발달, 켈로그의 묘화발달단계

림스 성격유형검사 [-性格類型檢査, Lim's Character Style Inventory: LCSI]

한국 풍토를 고려하여 개인의 성격유형과 특성을 진단하는 종합성격검사. 심리검사

한국인의 성격과 적성을 객관적으로 진단하고 분석하기 위하여 임승환과 한종철(2003)이 개발하였다. 순수 한국성격심리검사로 외국 검사문항을 사용하지 않고 1994년부터 2002년까지 1,000회 이상의 성격유형 워크숍을 통하여 직접 문항을 개발하였다. 초등학생부터 중학생까지를 대상으로 하는 LCSI 청소년용과 고등학생 이상의 성인 남녀를 대상으로 하는 LCSI, 그리고 LCSI 전문가 교육과정을 수료한 경우 사용할 수 있으며 대상에 따라 더욱 상세한 결과를 제공하는 LCSI 전문가용의 세 종류가 있다. 비정상인의 치료적 목적뿐만 아니라 정상인의 심리교육에도 사용할 수 있다. 주도형, 표출형, 우호형, 분석형 네 가지 성격유형을 심리적 원형으로 제시하고 있으며, 이들 유형의 심리적·행동적 특성은 반복검증되고 있다. LCSI는 도전성, 사교성, 수용성, 신중성, 안정성의 5개 하위요인으로 구성되어 있으며, 측정내용 및 문항 수는 다음과 같다. 도전성은 목적달성에 대한 자신감과 의지를 측정하는 차원으로 일에 대한 성취 의욕과 솔선수범하는 행동 특성을 반영한다. 높은 자기주장성이 주요 특징이며 목표에 대한 집착, 신속한 의사결정능력이 관련된다(19개 문항). 사교성은 다양한 사람과 관계를 맺고 긍정적인 분위기를 만드는 친교적 속성을 측정하는 차원으로 대인 개방성이나 사회적 적응능력을 반영한다. 낙천적인 정서가 주요 특징이며 대인관계에서의 자기주장, 정서표현능력과 관련된다(22개 문항). 수용성은 타인을 이해하고 협조적으로 배려하는 속성을 측정하는 차원으로 타인 중심적인 친화력을 반영하고 있다. 일대일 관계에서 상대방의 내면세계를 함께 탐색하고 이해하는 공감적 특성과

관련된다(14개 문항, 이 중 5개 문항은 역방향으로 사용). 신중성은 원칙과 목표에 충실하며 객관적인 사고로 상황을 분석하는 논리적 속성을 측정하는 차원으로 근면성과 자기통제능력을 반영한다. 정서적 흥분이 적고 집중력이 좋으며, 위기상황에도 순차적으로 문제를 해결하는 침착성과 관련된다(19개 문항). 안정성은 성격의 안정성을 깨트릴 수 있는 긴장과 스트레스 상황에서 적응력을 측정하는 차원으로 심리적 기능을 효율적으로 유지하는 능력을 반영한다. 대인관계의 효율성이나 성격의 안정성과 관련된다(10개 문항). 총 84개 문항으로 구성되어 있으며 하위척도별 신뢰도 크론바흐 알파는 다음과 같다. 도전성 .83, 사교성 .92, 수용성 .84, 신중성 .91, 대인 민감성 .71로 나타났다. LCSI는 표준화를 거친 뒤 림스연구소에서 출판되고 있다.

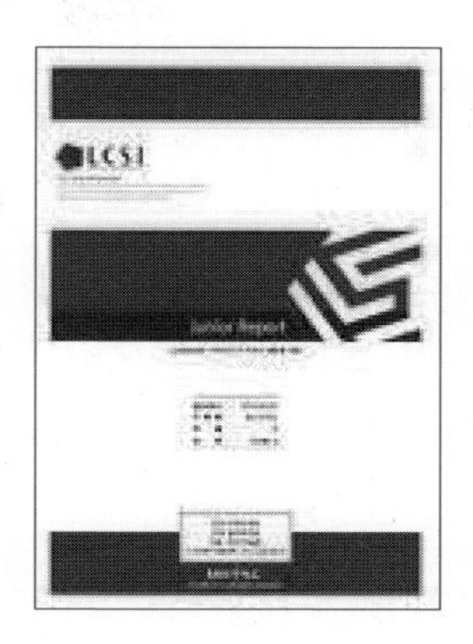

관련어 | 성격검사

마라톤 참만남집단
[-集團, marathon group encounter]

스톨러(Stoller)의 모형으로서 시간집중의 중요성을 강조하고 피로나 시간집중 자체가 집단이나 개인의 발달에 촉진작용을 한다고 보아, 수면시간을 제외하고 24시간에서 48시간 혹은 6~7일 동안 집중적으로 활동하는 집단과정. 집단상담

원래 정신분석적인 집단치료에서 장기간에 걸쳐 집단을 계속하는 것을 마라톤이라고 불러 왔는데, 참만남운동의 영향으로 참만남집단에서도 이 용어를 사용하게 되었다. 스톨러 모형의 또 다른 의미는 '마라톤'이란 용어가 암시하듯이 집단훈련의 시간적 집중성(time-intensity)을 강조한다는 점을 들 수 있다. 짧은 기간의 수면을 제외하고는 집단을 계속하여 24시간 내지 48시간 동안 집중적으로 활동하는 집단과정으로 피로나 시간적 집중성 그 자체가 집단의 성장이나 개인의 발달에 촉진제가 되는 것으로 본다. 이 집단 모형에서는 장시간 서로 이야기를 계속하기 때문에 피로가 생겨 방어가 약해지므로 감정이 보다 자연스럽고 자유롭게 표출되며, 이야기가 중단되지 않으므로 집단구성원 간 상호 비판이 강해지고 갖가지 자기 행동의 특징을 눈치 채기가 쉽다. 따라서 표현과 그에 따른 보상체험이 자기인지의 재통합을 돕는다. 스톨러는 마라톤 참만남집단의 과정을 3단계로 나누었다(Stoller, 1972). 시작단계에서 집단구성원은 어색함을 느끼고 서로 낯설다. 그래서 자신의 감정을 주고받는 대신 자기 외부의 사건이나 상황에 관한 이야기를 주고받는다. 중간단계에 들어서면 사실적 사건의 이야기에서 긍정적인 것이든 부정적인 것이든 자신의 감정을 주고받는 변화가 일어난다. 이 단계에서 집단구성원 간에 상당한 따뜻함과 이해가 발전하지만 한편으로는 높은 공격성과 욕구좌절이 나타나기도 하는 등 긍정적·부정적 정서의 상호교류를 통하여 집단이 발전한다. 마지막 단계는 집단이 집단과정

의 목표에 접근해 갈 때 나타난다. 이 단계의 특징은 집단 내에서 방어적인 태도가 거의 사라지는 것이다. 집단구성원들은 자발적으로 자신의 감정을 표현한다. 두 번째 단계에서 일어났던 위기감이 해소되고 친밀감이 높아진다. 그 결과 마라톤 집단 경험을 통해 목표를 대체로 완수하였다는 완성감과 집단경험에 대한 커다란 만족감을 갖게 된다.

관련어 참만남집단

마른 주정
[- 酒酊, dry drunk]

알코올중독의 치료를 위해 단주를 하는 기간에 술을 마시지 않았음에도 불구하고 마치 술을 마신 것과 같은 행동이나 심리상태가 나타나는 현상. 재발증후군이라고도 함. 중독상담

마른 주정의 증상을 단주 후에 찾아오는 금단현상의 하나로 보는 견해가 많다. 따라서 마른 주정 시기는 알코올중독 재발의 신호가 될 수 있으므로 잘 극복하는 것이 중요하다. 마른 주정 시기에 나타나는 특징으로는 말과 행위가 불일치하고, 사소한 일에 과민하게 반응하며, 지금까지 알코올중독에 따른 주정적인 행위들에 대해 합리화한다. 또한 집중이 어렵고 쉽게 기분이 바뀌는 특성을 보인다.

관련어 금단증상, 알코올중독

마리화나
[- , marijuana]

대마(cannabis)의 잎과 꽃 부분을 건조하여 담배형태로 흡연할 수 있도록 만든 환각제의 일종. 중독상담

마리화나, 즉 대마초(大麻草)는 인도 대마에서 유래한 약물로 기원전 3천 년경에 중국에서 사용했다는 기록이 있으며, 기원전 1500년경 인도의 경전에는 대마초가 행복의 근원 또는 웃음을 일으키는 약물이라고 기록되어 있다. 미국에서는 독립전쟁 시에 처음으로 선박에서 사용되는 로프로 대마를 사용하는 등 19세기 중반까지는 서구에서 남용약물로 사용되지 않다가, 19세기 초 이집트를 통해 미국에 전파되었다. 우리나라에는 베트남 전쟁이 있던 1965년 이후에 전파되어 미군 부대를 중심으로 유흥업소 종사자, 악사, 가수들에게 퍼져 나갔고, 오늘날 연예인, 대학생, 청소년까지 사용범위가 확대되었다. 우리나라에서는 대마초를 1970년 이후에 '습관성의 약품관리법'에 따라 규제를 하다가, 1976년에는 '대마관리법'을 제정하여 독립적으로 통제하였다. 대마초는 주로 대마의 잎과 꼭대기 부분을 잘게 부순 다음 파이프를 이용하거나 종이로 담배처럼 말아서 피는데, 미국에서는 속칭 'pot' 또는 'grass'라고도 한다. 이는 미국의 할렘에서 대마초를 화분에 많이 기르는 것을 빗대어 'pot'이라고 말한 것이며, 'grass'는 잘게 자른 대마의 줄기와 잎의 모양이 풀을 잘게 자른 것과 비슷해서 붙은 이름이다. 이러한 대마초는 광범위한 사용자가 있음에도 불구하고 인체에 어떤 영향을 미치는지에 대한 정확한 과학적 정보가 많지 않다. 지금까지 알려진 정보에 따르면 대마초의 사용량과 사용자의 특성에 따라 인체 내에서 중추신경을 흥분시키거나 억제시키는 작용을 하기도 하고, 환각을 일으키기도 한다. 일반적으로 대마초는 연기를 흡입한 다음 수초에서 수분 내에, 그리고 입으로 섭취한 경우에는 30~60분 이내에 효과가 나타나기 시작하는데, 불안해소와 도취감을 느끼게 되고, 환각과 생각의 비약도 일어난다. 또한 이를 장기간 사용하면 두려움과 급성 공포, 심장질환, 고혈압, 정신병적 증상을 일으키기도 한다. 대마초에 취한 상태인 사람들은 옷이나 몸에서 풀 냄새와 연기 냄새가 나며, 자신의 생각이나 이야기를 정리하는 데 어려움을 겪는다. 또한 짧은 어구로 말하거나 평소보다 느린 속도로 말하며, 대화에 상관없는 단어들을 사용한다. 본래 성격보다 수다스러워지거나 다소 흥분한 상태가 되기도 하고, 때로는

꿈을 꾸는 듯한 상태거나 우울한 상태가 되기도 한다. 최근에는 더한 자극을 주기 위해서 여러 가지 다른 화합물을 첨가하여 판매하는 것을 사용하기도 한다.

관련어 | 중독, 환각제

마무리
[-, closure]

사이코드라마에서 역할행위가 끝난 다음, 각자 나누기를 통하여 자신이 맡은 역할에서 벗어나도록 하는 것. 사이코드라마

역할행위가 끝나면 연출자는 각각의 역할을 맡았던 사람들이 자신의 느낌을 표현하는 등 나누기를 통하여 역할상황으로부터 거리감을 취하게 함으로써 그 역할에서 벗어날 기회를 주는 것이다. 예를 들면, 역할을 맡은 모든 사람을 앉은 자리에서 일어나게 한다거나 마치 옷을 벗는 것과 같은 형태의 행위를 함으로써 상징적으로 역할에서 벗어나게 하여 마무리한다.

마비말장애
[痲痺-障礙, dysarthria]

중추 및 말초신경계의 손상에 따른 말 기제의 근육조정장애. 특수아상담

정상적인 말하기는 호흡, 발성, 공명, 조음, 운율 등을 담당하는 여러 가지 발화하부체계(speech subsystems)의 구조가 정상적인 상태면서 이들 기관 간의 기능이 조화롭게 이루어질 때 가능하다. 중추 및 말초신경계의 손상은 이러한 발화하부체계에 부정적인 영향을 미쳐 호흡, 발성, 조음, 공명, 운율 등을 포함한 말 기능의 요소, 즉 속도, 강도, 범위, 타이밍, 정확성이 비정상적이 된다. 일반적으로 마비말장애는 일곱 가지 유형이 있는데, 신경해부학적 손상위치에 따라 이완형(flaccid), 경직형(spastic), 실조형(ataxic), 운동과다형(hyperkinetic), 운동감소형(hypokinetic), 혼합형(mixed), 일측 상부 운동신경세포형(unilateral upper motor neuron: UUMN)으로 분류되며, 여러 유형이 관찰되는 만큼 원인과 특성도 다양하다. 마비말장애의 주요 특징에는 조음, 과비성, 성대 내전 시 과긴장, 성대의 불충분한 내전, 운율의 손상, 소리 크기의 결함 등이 있다. 일반적인 진단은 비구어적 측면과 구어적 측면으로 나눌 수 있다. 비구어적 측면은 안정 시 안면, 발성부 기관, 발음기관, 호흡 등을 평가하고, 구어적 측면은 구어 시 음도, 강도, 음질, 공명, 호흡, 말의 속도와 쉼, 조음, 전반적인 발화의 명료도 등을 평가한다.

마사지요법
[-療法, massage therapy]

마사지 테라피라고도 하며, 손이나 인체 각 부위를 사용하여 쓰다듬고 주무르며 두들기고 당기며 관절을 움직이는 등 물리적 자극을 행하여 질병의 호전과 심신의 피로회복뿐 아니라 운동상해 예방과 신체기능의 향상까지 도모하는 방법. 심상치료

마사지 테라피는 수지요법(手指療法, manipulative therapy)의 한 영역으로 추나요법(椎拿療法), 지압약손요법과 같이 수기(手技)를 이용하는 자연치료 방법을 뜻한다. 마사지는 원시시대부터 자연 발생적으로 생겨난 것이다. 타박이나 염좌 등의 통증에서 벗어나기 위한 행동의 하나로 문지르고, 주무르고, 두들기고, 누르고, 잡아당기는 등의 행위를 함으로써 통증을 가볍게 하거나 없애는 것이 목적이다. 고대 인도, 그리스, 로마, 아라비아 등에서 치료수단으로 발전되었으며, 그 후 유럽 전역에 보급되었다. 마사지는 주로 보건의료 관련 종사자와 체육전문가나 지도자들이 사용해 왔다. 전 세계적으로 모든 문화권에서 오랜 역사를 가지고 시행된 치료법이며, 오늘날에는 건강 관련 목적으로 여러 유형의 치료법으로 응용되고 있다. 마사지를 질병치료의 중요한

수단으로 사용한 사례는 기원전 5세기 그리스의 히포크라테스(Hippocrates)에서 비롯되며, 근대적인 마사지 테라피의 확립은 16세기로 소급된다. 당시 프랑스의 의사인 파레이(Par's) 등은 마사지 시술 방법의 효용에 대하여 연구하였고, 하비(Harvey)는 마사지의 혈액순환에 대한 제반 효과를 증명하였다. 19세기 초에는 링(Ling)이 치료체조에 대하여 발표하였다. 그 후 유럽 전역에서 마사지 연구자와 전문가가 나타나 시술방식을 개선하였고 내과, 외과, 정형외과에 응용되어 마사지 테라피에 대한 근대적 치료체계가 확립되었다. 근대적 의미에서의 마사지 테라피는 생리순환에 근거를 두고, 유럽에서 시작되어 서양의학 이론과 함께 수기요법으로 체계를 갖춘 이래 근대화의 물결과 함께 19세기 말 우리나라에 전파되었다. 미국에서는 마사지 치료법을 대체의학(complementary and alternative medicines: CAM)의 하나로 인정하고 있다. 하지만 마사지 치료법의 효과가 과학적으로 증명된 자료는 제한적이며, 과학적 근거를 중요시하는 분야에서는 마사지의 효과를 인정하지 않고 있다. 마사지요법은 주로 신경, 근육계통, 순환 계통 등의 장애치료를 목적으로 사용하며, 스포츠마사지, 경락마사지, 발마사지, 림프마사지 등이 있다. 이외에도 스트레스 감소, 이완, 불안 및 우울 경감, 심신의 안녕감 증대 등에도 마사지가 자주 활용된다. 마사지요법을 전문가가 시행하는 한 그 자체의 부작용은 거의 없다.

마샤의 정체성지위이론 [－正體性地位理論, Marcia's identity statuses theory]

개인의 정체성 형성과정과 정체성 형성수준을 설명하는 이론.
발달심리

마샤(J. Marcia)는 에릭슨(E. Erikson)의 정체감 형성 이론에서 위기와 관여를 중요한 구성요소로 보고 두 차원의 조합을 통해 자아정체성 발달을 설명한다. 위기는 자신의 현재 상태와 역할에 대해 의문을 제기하고 여러 대안적 가능성을 탐색하고 평가하는 과정을 의미한다. 관여는 구체적인 계획, 가치, 신념 등에 대해 능동적인 의사결정을 내리고 몰입하는 상태를 의미한다. 따라서 정체성 성취, 정체성 유예, 정체성 유실, 정체성 혼미의 네 범주로 분류된다. 먼저, 정체성 성취(identity achievement)는 네 가지 정체성 지위 중에서 가장 발전된 단계다. 삶의 목표, 신념, 진로, 정치적 견해 등에서 위기를 경험하고 대안을 탐색했으므로 스스로 의사결정을 할 수 있는 확고한 개인적 정체성을 갖는다. 인간관계에서도 현실적으로 안정되어 있으며, 자아존중감이 높고, 스트레스에 대한 저항력도 높다. 둘째, 정체감 유예(identity moratorium)는 삶의 목표와 가치에 대해 회의하고 대안을 탐색하기는 하지만 구체적인 수행과업에 관여하지 못하는 상태다. 안정감은 없지만 가장 적극적으로 정체성을 탐색하는 상태로, 점차 정체성을 확립해 간다. 정체성 성취에 도달하기 위해 필요한 과도기적 단계이며, 정체성 유실이나 정체성 혼미보다는 더 발전된 단계다. 셋째, 정체감 유실(identity foreclosure)은 충분한 정체성 탐색 없이 지나치게 빨리 정체성 결정을 내린 상태다. 자신의 신념, 가치, 진로 등의 중요한 의사결정에 앞서 여러 대안을 생각해 보지 않고 주변의 다른 역할모델의 가치나 기대 등을 그대로 수용하여 그들과 비슷한 선택을 한 경우다. 스스로의 정체성 위기를 경험하지 않았으면서도 자신의 삶의 목표를 확립하고 몰입하는 모습을 보인다. 후일 뒤늦게 정체성 위기를 경험하는 경우도 있다. 독립된 사고와 의사결정은 자신의 신념과 가치관 등에 대한 심각한 문제 제기 없이는 불가능하므로, 성숙되고 통합된 정체감 발달을 위해서는 위기를 경험하는 것이 필요하다. 넷째, 정체감 혼미(identity diffusion)는 자아에 대해 안정되고 통합된 견해를 갖는 데 실패한 상태다. 삶의 목표와 가치를 탐색하려는 노력도 보이지 않고, 자신의 생애를 계획하고 설계하려는 욕구가 부족하며, 가치나 진로 등의 주제에 대해 관심이 없다. 자아존중감이 낮으며, 혼돈과 공허감에 빠져 있다. 정체성 탐색과정의 가장 미발달된 단계로서, 방치될 경우 부정적 정체감으로 빠져들 위험이 있다.

마술가게

[魔術 - , magic shop]

사이코드라마의 준비단계에서 사용되는 기법 중 하나로, 무엇이든 교환할 수 있는 활동. 사이코드라마

가치와 목표를 정하지 못했거나 이중적인 주인공에게 특히 유용한 이 기법의 실시방법은 다음과 같다. 먼저, 연출자 또는 보조자아가 특별한 물품으로 가득 찬 마술가게를 운영하는 주인이 된다. 이 가게는 물품을 팔지는 않지만 물물교환을 할 수는 있다. 물건을 교환하는 경험을 해 봄으로써 현재의 가치관을 명확히 하고, 이후의 삶을 계획하고 설계하는 데 도움을 준다.

마약

[痲藥, narcotic]

수면 또는 무감각 상태를 유발하고 동시에 고통을 없애는 약물. 중독상담

마약이란 용어는 무감각을 뜻하는 그리스어 'narkotikos'에서 유래되었는데, 마약의 주된 생리적 작용인 통증을 없애는 데서 기원한다. 마약류는 인체 안에서의 작용에 따라 중추신경계를 흥분시키는 흥분제, 진정시키는 억제제, 그리고 환각제 등으로 분류한다. 또한 원료에 따라 분류하기도 하는데, 양귀비나 코카엽에서 추출하는 천연마약과 모르핀의 화학구조를 변경하여 만든 반합성마약, 그리고 화학적으로 합성하는 합성마약의 세 종류가 있다. 천연마약으로는 아편, 모르핀, 테바인 등이 있고, 주로 진통의 효과를 위해 의학 목적으로 사용한다. 반합성마약은 헤로인, 코카인 등이 속하며, 의존성이 매우 강하고 심한 독성이 있다. 특히 주사기로 인체에 주입할 때 효과가 더욱 커지고, 에이즈를 포함한 각종 감염위험도 함께 발생한다. 합성마약에는 메타돈, 야바, 옥시코돈 등이 있으며, 주로 실험실에서 합성되는 화합물이지만 천연마약과 같이 의존성과 중독을 유발한다. 우리나라의 '마약류 관리에 관한 법률'에 따르면 마약류란 마약, 향정신성 의약품 및 대마를 일컫는다. 세계보건기구(WHO)에서는 마약에 대한 정의를 그 물질을 계속 사용했을 때 어떤 수단을 쓰더라도 약물을 구하려는 강한 욕구가 생기고, 약물의 사용량을 늘려야 효과가 있고, 또 연용하게 되면 의존성이 생기며, 개인이나 사회에 해독을 끼치는 물질이라고 정의하고 있다. '마약류 관리에 관한 법률'에서 마약은 가장 효과적인 진통제이지만 약물의 탐닉성 때문에 신중하게 사용해야 한다. 마약은 신체적 통증의 완화뿐 아니라 정신적 고통, 근심, 걱정과 공포까지 덜어 줌으로써 사람들에게 유혹의 대상이 되고 의존하게 만든다. 하지만 과잉복용하면 호흡곤란, 끈적끈적한 피부, 경련, 혼수상태, 죽음에 이를 수 있다. 대부분의 나라에서는 마약의 생산, 수입, 사용을 제한하는데, 이는 마약의 탐닉성과 유해성, 마약남용 문제가 발생하기 때문이다.

관련어 | 아편, 코카인, 향정신성 약물, 헤로인

마음[1)]

[- , heart]

로렌스 크랩(Lawrence Crabb)이 분류한 인간의 성격구조의 하나로, 인간이 느끼고 생각하는 방향을 정하는 영역을 말하며 기본적인 방향이라고도 함. 목회상담

성경적 상담을 주장한 크랩은 인간의 성격구조(personality structure)를 다섯 가지로 구분하였는

데, 그중 하나인 기본적인 방향은 인간이 의식적 · 무의식적 마음에서 느끼고 생각하는 것 중에서 스스로 선택을 하여 생각과 행동의 방향을 정하는 것을 뜻한다. 그는 인간은 궁극적으로 자기 자신을 위하여 살아가는 존재이므로, 모든 능력인 이성, 도덕적 판단, 감정의지 등은 자기 자신을 높이려는 죄악된 목적(sinful goal of self-exaltation)을 향해 나아간다고 설명하였다. 성경의 원리에서 보면 인간의 이러한 궁극적인 목적은 '자신을 위해 살아가는 것'과 '하나님을 위해 살아가는 것'의 두 가지가 있는데, 성경을 통해 인간의 의식적 마음에 하나님을 위해 살아가는 것에 가치를 두도록 하면 인간의 기본적인 방향이 자연스럽게 하나님을 기쁘게 해 드리는 행복한 삶을 사는 형태로 변화될 것이라고 하였다.

관련어 | 무의식적 마음, 성경적 상담, 의식적 마음, 의지, 정서

마음2)
[心, mind]

불교에서 넓은 의미로 마음의 작용을 일컬음. 동양상담

마음의 작용은 눈을 통해 빛깔을 보는 마음, 귀를 통해 소리를 듣는 마음, 코를 통해 냄새를 맡는 마음, 혀를 통해 맛을 보는 마음, 피부, 즉 몸을 통해 촉감을 느끼는 마음, 이런 것을 근거로 해 무형의 대상을 인식하는 의식 등 여섯 가지 작용이 있다. 이 중 마지막 의식은 앞의 것과 달리 물질적인 것이 아니라 정신적인 기관으로서 의식이 일어나는 앞뒤를 연결해서 말한다. 먼저 마음은 다음 마음을 발생시키고, 다음 마음은 먼저 마음에 의지하여 발생하는 것이다. 그리고 의식은 보고 듣고 생각하는 것을 최종 결정하는 기능을 지닌다. 그래서 의식은 현존하는 대상을 있는 그대로 인식하는 자성분별(自性分別)과 과거, 현재, 미래를 추측하고 헤아리는 계탁분별(計度分別), 그리고 과거로부터 보고 듣고 깨달은 바를 기억하는 수념분별(隨念分別) 등 세 가지 기능이 있다. 그리하여 의식은 앞의 눈, 코, 혀 등에서 느끼는 의식을 종합하여 나쁘다, 좋다 등 분별의 역할을 하며 선행과 악행, 그리고 선행도 아니고 악행도 아닌 무기행(無記行)을 나타낸다.

마음양식
[-樣式, mind mode]

인간의 정신적 작용 또는 정보처리 양식. 명상치료

마음챙김에 근거한 인지치료(mindfulness-based cognitive therapy: MBCT)를 개발한 세갈, 윌리엄스와 티즈데일(Segal, Williams, & Teasdale, 2002)이 제안한 개념이다. 그들은 인간의 마음을 상호작용하는 요소들로 구성된 하나의 집합체로 설명하였다. 이 요소들은 감각의 세계나 외부에서 정보를 받아들이는 것, 받아들인 정보를 처리하는 것, 그리고 처리된 정보가 다시 다른 요소로 전달되는 것 등으로 구성되어 있다. 각 구성요소의 작용은 연속적으로 일어나며 요소들 간에는 끊임없이 정보를 교환한다. 이러한 구성요소 간의 상호작용은 잠시 동안 하나의 패턴이 지배하고 나면 내부 또는 외부세계가 바뀌어 변화가 생기고, 이전의 패턴은 다른 형태로 작용하는 과정으로 이루어진다. 즉, 이전의 상호작용은 또 다른 변화가 일어나기 전까지 잠시 우세하다가 다른 형태로 바뀌거나 원래의 상호작용 패턴으로 돌아가게 된다. 이는 달리는 자동차의 기어를 바꾸는 것과 같아서 마음양식을 정신적 기어라고 부르기도 한다. 마음양식은 특정 정보를 자동적으로 처리하거나 특별한 의도를 가지고 특정한 방식으로 주의를 의식적으로 전개하여 변화시켜 나간다. 이러한 변화를 촉진하는 마음양식은 크게 행위양식(doing mode)과 존재양식(being mode)으로 구분된다. 두 양식은 동시에 같이 작동하지는 못한다. 그리고 MBCT는 행위양식에서 벗어나 존재양식을 갖도록 훈련하는 데 초점을 두고 있다.

관련어 | 마음챙김, 마음챙김에 근거한 인지치료

존재양식 [存在樣式, being mode] 현재 일어나고 있는 것을 수용하고 받아들이는 행동방식을 뜻한다. 마음챙김 훈련은 부정적이고 반추적인 행위양식에서 벗어나 존재양식을 습득하는 데 목표를 두고 있다. 존재양식은 어떤 목표나 어떤 기대를 가지지 않고 실제적인 상태와 바라는 상태 간의 불일치를 줄이기 위하여 과거 경험을 반추하거나 현재 경험을 평가하지 않는다. 존재양식은 아무것도 할 필요가 없고, 어떤 곳에도 갈 필요 없이 순간순간의 경험을 처리하는 것에만 주의를 기울인다. 존재양식은 현재에 충분히 머물며 매 순간에 일어나는 것을 직접적이고 즉각적으로 친밀하게 경험하도록 한다. 그리고 존재양식은 생각과 감정의 관계를 변화시킨다. 생각과 감정의 관계는 소리와 같이 매 순간에 일어나는 경험과 같다. 그저 마음속에 일어나서 자각의 대상이 되었다가 다시 사라지고 지나가는 사건일 뿐이다. 그러므로 생각과 감정의 관계에 대한 변화는 목표나 성과와 관련된 행동으로부터 생각과 감정을 끊어 버리는 것이다. 존재양식은 부정적인 감정이나 행동에서 벗어나기 위해 의식적으로 억누르거나 부적응적인 행동을 유발하는 것이 아니라 불편한 정서상태를 견디어 내는 능력을 말한다. 따라서 존재양식은 자유로운 느낌을 갖게 하고 신선함을 주어 새로운 방식으로 경험을 전개해 나갈 수 있는 힘을 갖도록 하면서 그 순간에 무엇을 해야 할지 선택할 수 있는 능력이다.

행위양식 [行爲樣式, doing mode] 성취와 결과에 초점을 두어 행하는 결과 지향적인 행동방식을 뜻한다. 행위양식은 추진양식(driven mode)이라고도 하며, 원하지 않는 어떤 일이 발생할 때 주로 작동한다. 즉, 어떤 상황이나 대상이 어떻게 되고, 어떻게 되기를 기대하고, 어떻게 되어야 한다고 생각하는 믿음과 그것 자체의 존재 방식이 불일치할 때 마음은 행위양식을 작동시킨다. 우리의 마음은 이처럼 불일치 상태가 되면 부정적 감정을 유발하는데, 이를 줄이기 위하여 습관적으로 행위양식이 가동된다. 이때 불일치를 줄이기 위한 즉각적인 행동이 기대와 소망을 충족시킨다면 마음은 행위양식을 받아들이고 지속적으로 행위양식을 취할 것이다. 그러나 아무리 해도 문제상황이 바뀌지 않고 취해야 할 행동이 분명하지 않으며 즉각적으로 실행될 수 없다면 과거를 분석하고 현재 무엇이 잘못되었는지 반추하면서 미래를 예측하고 더 나은 해결책을 찾는 데 많은 주의를 기울이게 된다. 그런데 이러한 노력에도 불구하고 해결책을 찾지 못하면 좌절감, 불만족, 무력감을 느끼게 되고 계속해서 이런 방식이 지속되면 우울증과 같은 부정적 감정상태에 머무르면서 불일치의 상태가 그대로 유지된다. 이 과정에 더 긴박한 다른 과제가 나타나면 일시적으로 그 과제를 처리하는 데 마음이 작동하는 것이지 불일치 상태가 완전히 사라진 것은 아니고, 우선순위가 바뀐 것뿐이며 불일치는 여전히 해결되지 않은 상태로 남아 있다. 행위양식은 현재 상황과 바람직한 상황 간의 불일치를 줄일 수 있는 가능한 방법을 평가하는 데 몰두하기 때문에 자신의 마음 안에서 일어나는 일임에도 불구하고 실제로 그런 일들이 일어난 것처럼 경험하게 된다. 그래서 마음은 매 순간 일어나는 현재의 경험에 초점을 두지 못하고 과거의 문제나 미래의 목표를 예상하여 해결책을 찾는 데 초점을 맞춘다. 다만, 행위양식의 과정이 의도적이고 의식적으로 계획하여 성공적으로 문제를 해결했다면 이러한 문제해결전략은 통합된 마음의 양식이라 할 수 있다. 그러나 행위양식은 정신적인 습관이므로 자동적으로 발생하고 유지되어 불일치 상태는 또 다른 불일치를 파생시킨다. 따라서 우울증이 재발하는 이유는 바로 자동적인 행위양식이 작동하기 때문이다. 우울증 환자들은 기분이 좋지 않다는 것을 느끼고 더 좋은 기분을 느끼고 싶어 하지만 그들의 실제 상황과 소망 상태 사이의 불일치

가 발생하면 자동적으로 행위양식이 작동하여 원하지 않는 기분을 감소시키기보다는 오히려 원하지 않는 기분을 유발하고 유지되는 악순환적 과정이 되풀이된다.

마음이 내키지 않는 내담자
[-來談者, reluctant client]

도움을 받으려는 동기가 없는 제3자가 의뢰한 내담자. 아동청소년상담

자신의 의지와는 상관없이 가족이나 기관 등에서 의뢰한 내담자를 뜻한다. 여기에 해당되는 사람으로는 대다수의 학교 아동들과 재판에 회부된 내담자 등을 들 수 있다. 이들은 자신에 관하여 말하지 않거나 상담에 적극적으로 참여하지 않는다. 또한 상담을 조기종결하거나 상담과정에 대한 불만을 토로하는 경우가 많다.

마음이론
[-理論, mind theory]

타인의 말과 행동의 의미를 이해하고 타인의 생각, 믿음, 의도, 감정, 정서 등을 추론하여 미래의 행동을 예측하고 대처하기 위해 자신과 타인의 마음상태에 대한 정보를 사용하는 능력. 발달심리

마음이론의 발달과정을 연구한 대표적 학자는 웰먼과 울리(Wellman & Woolley, 1990)로, 이들은 연령에 따라 마음이론이 형성되는 과정을 설명하였다. 마음이론은 생애초기에 자신과 타인은 행동의 목표와 의도를 가지고 있다는 것을 깨닫는 것부터 습득되기 시작한다. 2세 이전부터 인간은 타인의 내재적 상태에 대하여 초보적인 표상을 가지고 있으며, 2~3세경에는 타인의 욕구나 정서 등에 대한 내적 상태를 언어로 표현할 수 있지만 타인의 신념에 근거한 행동은 예측하지 못한다. 이 시기의 유아는 신념보다는 소망에 따라 행동하므로 소망이론가라고 부른다. 3~4세경은 내적 상태와 실제를 구분할 수 있기 때문에 타인의 신념과 소망을 구분하여 표상하게 되고 둘 중 하나가 행동에 영향을 미친다는 것을 이해하므로 신념-소망 마음이론가라 한다. 4~5세경은 탈중심화가 이루어지며 자신과 타인의 신념과 욕구를 구분하고 신념에 따라 행동이 결정된다는 것을 이해하게 되어 비로소 마음이론이 완성된다. 이런 점에서 피아제(Piaget)가 생각한 것보다 일찍 아동은 자기중심성에서 벗어나 탈중심화된 조망수용능력이 발달한다. 마음이론은 가장놀이, 역할놀이, 가족 간 상호작용 등의 사회적 경험에 의해 형성되고 발달되며 문화권에 따라 형성시기와 발달속도에 차이가 있다.

관련어 | 사회인지

마음챙김
[-, mindfulness]

개인의 내적 환경이나 외부세계의 자극과 정보를 알아차리는 의식적 과정. 명상치료

남방 불교어인 빨리어의 사띠(sati)를 영어로 번역한 말로서 사띠는 알아차림(awareness), 주의(attention), 기억(remembering) 등의 뜻을 내포하고 있으며, 인간의 의식적 과정으로서 인지주의의 정보처리과정과 일치한다. 알아차림은 개인의 내적 환경이나 외부세계의 자극 또는 정보들을 감지하는 의식의 레이더 역할을 한다. 많은 자극 중에서 필요한 자극이나 정보를 의식적으로 알아차림으로써 그 자극이나 정보에 집중하게 되는 주의과정에 이른다. 알아차림과 주의는 아주 밀접하게 관련이 되어 있고 따로 떼어 구분하기가 힘들며 이 과정을 거친 정보는 기억에 저장된다. 마음챙김에서 말하는 기억은 자극이나 정보를 그냥 저장해 두는 것이 아니라 온 마음으로 그것을 받아들여 알아차림과 주의를 통하여 현재의 순간에서 온전하게 경험하도록

하는 의도적 과정을 뜻한다. 최근 심리학에서는 마음챙김을 새로운 범주의 창조, 새로운 정보에 대한 개방성, 하나 이상의 관점을 가진 알아차림 등을 포함한 인지과정으로 정의한다. 그리고 마음챙김을 근거로 한 스트레스 완화 프로그램을 개발하여 마음챙김명상을 일반화한 대표적 연구자인 카밧진(Kabat-Zinn)은 마음챙김을 순간순간 펼쳐지는 경험에 대해 의도적으로 바로 그 순간에, 평가하지 않고 주의를 기울이는 것을 통한 알아차림으로 정의하였다. 또한 베어(Baer, 2003)는 생겨나는 그대로, 연속적으로 흐르는 내적, 외적 자극에 대한 평가하지 않는 관찰로 정의하였다. 이와 같이 마음챙김은 현재의 순간순간을 알아차리는 것, 현재 실재에 대해 의식을 생생하게 유지하는 것, 연속적인 지각의 순간들에서 우리와 우리 안에 실제로 일어나고 있는 것을 하나의 마음으로 분명하게 알아차리는 것, 주의를 조절하는 것, 순간순간의 기반 위에서 경험에 대해 완전한 주의를 유지하는 것, 언어로 표현할 수 없는 비언어적 경험 모두를 포함한 경험을 '좋다' '나쁘다'와 같은 가치로 평가하지 않고 비판단적으로 수용하는 것 등으로 정의하고 있다.

관련어 건포도 명상 연습, 걷기명상, 기꺼이 경험하기, 마음챙김에 근거한 섭식 자각 훈련, 마음챙김에 근거한 스트레스 완화, 마음챙김에 근거한 인지치료, 변증법적 행동치료

마음챙김 없음
[-, mindlessness]

현재 순간에 일어나는 신체 내 · 외부의 경험을 알아차리지 못하는 것. 명상치료

마음챙김(mindfulness)과 반대되는 개념이다. 마음챙김 없음은 마음이 흐트러지고 산만하고 어떤 견해에 집착하여 '좋다' '나쁘다'라는 판단을 함으로써 지금 순간에 일어나는 경험들을 수용하지 못한다. 주변환경이나 자신에게 주의를 기울이지 못하고 행동에 빠지거나 다른 생각을 하느라 물건을 깨트리거나 엎지른다. 또한 몸이 긴장되거나 불편한데도 민감하게 느낌을 알아차리지 못하고 사람의 이름을 듣자마자 곧 잊어버린다. 의식이 현재의 순간순간에 있지 않고 과거 또는 미래에 대한 생각으로 현재의 자신을 발견하지 못한다. 자신이 무엇을 하고 있음에도 불구하고 그것을 알아차리지 못하는 것이다. 이런 사람들은 대부분 우울하거나 죄책감을 느끼며 슬퍼하고 불안해한다. 인간의 고통과 괴로움은 현재 순간에서 벗어날수록, 주의가 산만할수록, 마음챙김을 하지 못할수록 더욱 커진다.

관련어 마음챙김

마음챙김명상
[-冥想, mindfulness meditation]

지금 현재 순간순간에 자연스럽게 변화하는 신체 내 · 외부의 경험에 의도적으로 주의를 기울여 즉각적으로 알아차리는 통찰에 초점을 둔 정신적 훈련. 명상치료

마음챙김명상은 전통적으로 동양의 명상수행에서 출발하여 서양에 소개된 이후 점차 확산되어 심리치료를 위한 활동으로 여러 영역에 적용되고 있다. 전통적인 동양에서는 괴로움을 감소시키거나 알아차림, 통찰, 지혜, 연민, 평정과 같은 긍정적인 자질을 향상시키고 종교적 수행활동으로서 명상을 해 왔다. 명상은 크게 통찰명상법(insight meditation, vipassana)과 집중명상법(concentration meditation, samadha)이 있는데, 마음챙김명상은 통찰에 초점을 둔 명상법이다. 마음챙김명상은 주의의 방향을 알려 주며, 호흡하거나 앉거나 눕거나 걷는 등의 움직임을 통해서 수련할 수도 있다. 행동뿐만 아니라 생각, 느낌, 감각 등 인간의 모든 신체 내 · 외부의 경험과 호흡하기 등의 수행으로 주의를 조절하고 집중한다. 마음챙김명상은 고통이나 불안, 성격문제 등을 회피하지 않고 가까이 다가가도록 하며 모든

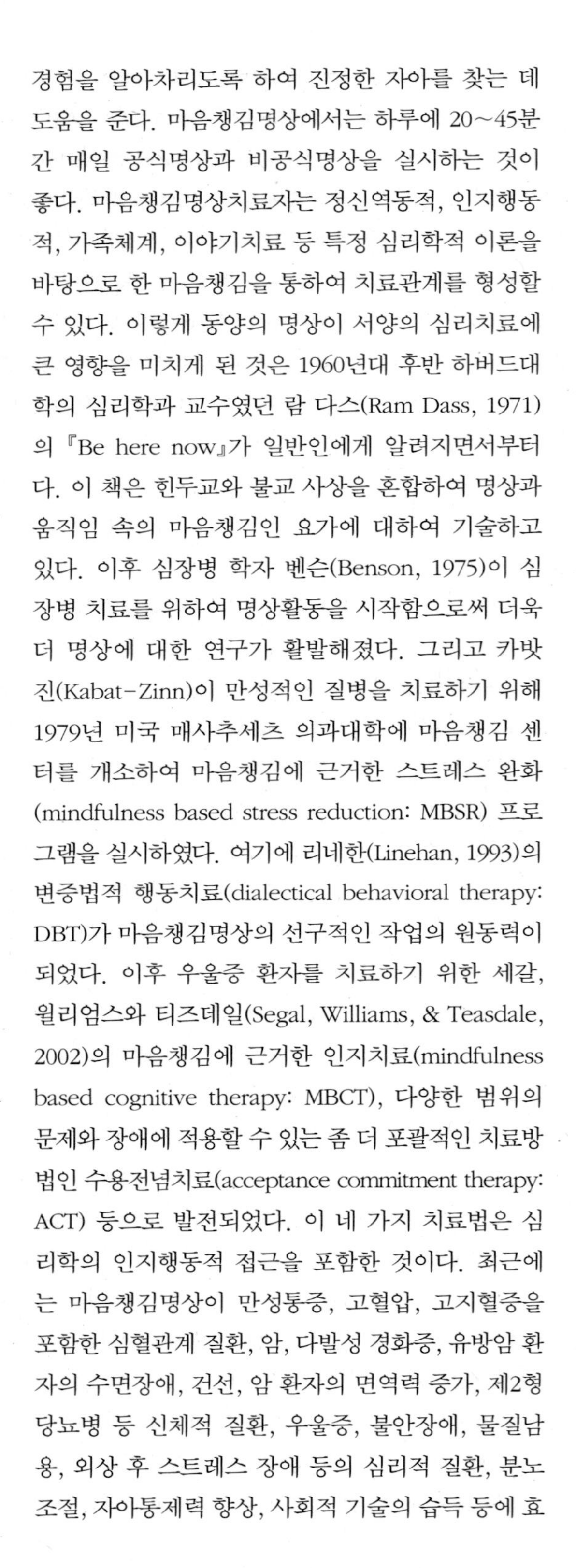
경험을 알아차리도록 하여 진정한 자아를 찾는 데 도움을 준다. 마음챙김명상에서는 하루에 20~45분간 매일 공식명상과 비공식명상을 실시하는 것이 좋다. 마음챙김명상치료자는 정신역동적, 인지행동적, 가족체계, 이야기치료 등 특정 심리학적 이론을 바탕으로 한 마음챙김을 통하여 치료관계를 형성할 수 있다. 이렇게 동양의 명상이 서양의 심리치료에 큰 영향을 미치게 된 것은 1960년대 후반 하버드대학의 심리학과 교수였던 람 다스(Ram Dass, 1971)의 『Be here now』가 일반인에게 알려지면서부터다. 이 책은 힌두교와 불교 사상을 혼합하여 명상과 움직임 속의 마음챙김인 요가에 대하여 기술하고 있다. 이후 심장병 학자 벤슨(Benson, 1975)이 심장병 치료를 위하여 명상활동을 시작함으로써 더욱더 명상에 대한 연구가 활발해졌다. 그리고 카밧진(Kabat-Zinn)이 만성적인 질병을 치료하기 위해 1979년 미국 매사추세츠 의과대학에 마음챙김 센터를 개소하여 마음챙김에 근거한 스트레스 완화(mindfulness based stress reduction: MBSR) 프로그램을 실시하였다. 여기에 리네한(Linehan, 1993)의 변증법적 행동치료(dialectical behavioral therapy: DBT)가 마음챙김명상의 선구적인 작업의 원동력이 되었다. 이후 우울증 환자를 치료하기 위한 세갈, 윌리엄스와 티즈데일(Segal, Williams, & Teasdale, 2002)의 마음챙김에 근거한 인지치료(mindfulness based cognitive therapy: MBCT), 다양한 범위의 문제와 장애에 적용할 수 있는 좀 더 포괄적인 치료방법인 수용전념치료(acceptance commitment therapy: ACT) 등으로 발전되었다. 이 네 가지 치료법은 심리학의 인지행동적 접근을 포함한 것이다. 최근에는 마음챙김명상이 만성통증, 고혈압, 고지혈증을 포함한 심혈관계 질환, 암, 다발성 경화증, 유방암 환자의 수면장애, 건선, 암 환자의 면역력 증가, 제2형 당뇨병 등 신체적 질환, 우울증, 불안장애, 물질남용, 외상 후 스트레스 장애 등의 심리적 질환, 분노조절, 자아통제력 향상, 사회적 기술의 습득 등에 효과가 있다는 것을 경험적으로 검증한 연구들이 제시되고 있다.

관련어 | 마음챙김, 마음챙김에 근거한 스트레스 완화, 마음챙김에 근거한 인지치료, 변증법적 행동치료, 수용전념치료

마음챙김수련
[-修鍊, mindfulness practice]

현재 순간에 일어나는 신체 내 · 외부의 경험을 알아차리도록 훈련하고 연마하는 작업. 명상치료

일상생활에서 자연스럽게 마음챙김을 하는 것이 진정한 자아를 찾는 데 바람직한 방법이다. 그러나 우리의 일상이 너무나 복잡하기 때문에 순간순간의 경험에 깨어 있더라도 곧 다시 마음이 산란해진다. 따라서 지속적으로 현재에 깨어 있기 위해서는 마음챙김을 익히고 배워야 하는 참여와 노력이 필요하다. 마음챙김수련에는 공식적 수련(formal mindfulness training)과 비공식적 수련(informal mindfulness training)이 있다. 공식적 수련은 마음챙김명상으로, 이는 마음의 주의를 모아 마음이 움직이는 방식을 배우고 그 경험을 관찰하는 것이다. 비공식적 수련은 매 순간순간의 일상생활에 마음챙김의 기술을 적용하는 것이다. 일상생활을 하면서 숨을 들이마시고 내쉬는 것에 주의를 기울이는 것, 주변에서 나는 소리에 귀를 기울이는 것, 자신의 행동이나 자세에 주의를 기울이는 것, 어떤 느낌에 대해 명칭을 붙이는 것 등으로 일상의 모든 일에 주의를 기울이는 것이다. 비공식적 수련을 통하여 수행자는 안도감을 느끼며 산란함에서 벗어날 수 있다. 이러한 공식적 수련과 비공식적 수련에서 모두 적용하는 대표적인 수련방법은 천천히 걷기와 천천히 먹기다. 이와 같이 행동적이고 신체감각적인 대상에 대한 수련 외에 신체에 대한 느낌, 감정, 생각 등의 정신적 측면에서도 이루어질 수 있다.

관련어 | 마음챙김, 마음챙김명상

마음챙김에 근거한 섭식 자각 훈련
[－根據－攝食自覺訓練, mindfulness-based eating awareness training: MB-EAT]

섭식장애를 치료하기 위하여 마음챙김명상을 바탕으로 개발된 프로그램. 명상치료

마음챙김에 근거한 스트레스 완화(mindfulness-based stress reduction: MBSR) 프로그램과 인지행동치료(cognitive behavior therapy: CBT)의 전략과 기법을 통합하여 1999년 크리스텔러(Kristeller)와 핼릿(Hallett)이 개발한 명상 프로그램이다. 총 9회기 이상으로 구성되며, 매 회기마다 정좌명상(sitting meditation), 건포도 명상(raisin meditation), 몸 살피기(body scan), 걷기명상(walking meditation), 먹기 명상(eating meditation) 등 MBSR에서 사용하는 명상활동에 더하여 미니명상(mini-meditation), 자기 신체와 자기와 관련된 용서명상(forgiveness meditation), 더 나은 선택을 위한 지혜를 강조하는 지혜명상(wisdom meditation)을 포함시켰다. 그리고 다른 마음챙김 프로그램과 같이 매 회기마다 일상생활에서 적용할 수 있는 마음챙김 과제가 주어진다. 이 같은 활동을 위하여 내담자는 배고픔, 포만감, 폭식을 일으키는 자극과 관련된 감각, 생각, 정서들에 대해 평가를 하지 않은 채 비판단적으로 주의를 기울이고 수용하는 태도를 지니도록 한다. 먹기 명상을 위하여 여러 가지 다양한 음식을 사용하는데, 초기에는 적은 수의 음식을 사용하다가 점차 많은 음식을 접하도록 하여 음식에 대한 마음챙김을 하도록 한다. 영양공급과 관련이 없는 음식을 섭취하는 정서적 먹기(emotional eating), 만성적 다이어트, 폭식의 패턴은 역기능의 원인이 된다. 다이어트를 위한 규칙을 지키지 못했을 때 자신이 실패했다고 느끼며 부정적인 자기지각을 하여 불쾌한 기분을 느끼면서 더욱더 폭식을 하는 결과를 낳는다. 이러한 패턴은 포만감에 대한 생리적 자각이 부족하여 먹기 중단을 알리는 신호들을 무시하거나 인식하지 못하여 더욱 폭식을 하도록 만든다. 이를 절식위반효과(abstinence violation effect)라고 한다. 이러한 견해를 받아들여 절식위반효과의 왜곡된 사고를 수정하거나 정서적 먹기를 약화시키거나 중단시키거나 대처행동을 획득하도록 인지행동치료전략을 사용한다. 이와 같은 내용으로 프로그램은 1회기는 오리엔테이션, 2회기는 마음챙김 먹기 훈련, 몸 살피기, 과제 제시의 활동으로 구성한다. 3회기에서 9회기까지는 폭식 유발 요인, 생리적 · 정서적 배고픔 단서, 미각포만 단서, 위포만감 단서, 용서명상, 지혜명상, 재발예방 등으로 각 회기마다 주어진 주제에 따라 프로그램을 진행한다. 따라서 MB-EAT 프로그램은 먹기의 경험에 대한 조절을 강조하며 폭식 사이클에 영향을 미치는 많은 요인을 약화시키고 중단시킨다. 결국 이 프로그램은 섭식장애를 가진 사람들이 인지적 · 정서적 변화를 내재화하고 유지하는 데 효과적이라 할 수 있다.

관련어 마음챙김, 마음챙김에 근거한 스트레스 완화, 마음챙김에 근거한 인지치료, 변증법적 행동치료

마음챙김에 근거한 스트레스 완화
[－根據－緩和, mindfulness based stress reduction: MBSR]

마음챙김의 명상활동을 기반으로 하여 스트레스를 줄이기 위해 개발된 프로그램. 명상치료

1980년 미국의 매사추세츠 의과대학의 정신과 의사 카밧진(Kabat-Zinn)이 개발한 이 프로그램은 처음에는 만성적인 통증과 스트레스 관련 질병을 가진 환자를 대상으로 실시하였다. 이후 진단이나 장애를 구분하지 않고 모든 사람에게 유용한 프로그램이 되었다. 매주 1회 2시간 30분씩 8~10주 동안 실시하지만 하루 종일 진행하는 회기도 있다. 매 회기를 마친 다음에는 집에서 45분 동안 6주간 과제를 실시해야 하며, 이 과제수행에 대해서는 구두계

ㅁ

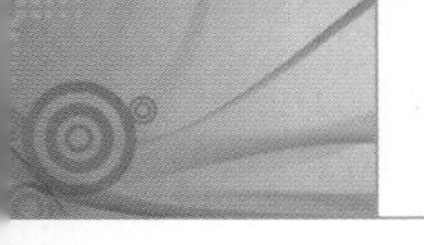

약을 해야 한다. 프로그램 내용은 오리엔테이션, 건포도 명상(raisin meditation), 몸 살피기(body scan), 정좌명상(sitting meditation), 하타요가(hatha yoga), 걷기명상(walking meditation), 종일명상 등으로 구성되어 있다. 그리고 시 읽기, 일상생활의 마음챙김 등의 과제, 마음챙김 활동에 대하여 보고하기 등의 전략을 매 회기 또는 2~3회기마다 실시한다. 회기가 시작되는 대부분의 초기단계에서는 스트레스 정보, 스트레스 생리학, 스트레스반응, 스트레스 인식에 대한 평가 및 효과 등에 관한 주제를 강의식으로 전달받는다. 건포도 명상은 자동조종되는 일상적 생활을 이해하고 자동조종적 사고를 멈추며 일상적 생활의 경험을 알아차리도록 하여 경험의 본질에 대한 의미를 수정하는 것이 목표다. 몸 살피기는 비판단적이고 비평가적으로 신체의 각 부분에 대하여 의도적으로 주의를 기울이고 주의가 산만해지는 것을 알아차리고 현재의 순간에 부드럽게 돌아오는 활동이다. 이 활동은 좋아하든 싫어하든 모든 경험에 개방적이고 수용적인 태도를 갖도록 하여 이후에 행할 다른 기법들을 적용하는 데 기초가 된다. 정좌명상은 의자나 방석에 곧고 이완되며 편안하게 앉은 자세로 생각, 소리, 감정, 호흡, 신체 등에 대한 감각을 알아차리는 활동이다. 하타요가는 명상의 한 형태로서 몸을 움직이고 자세를 취하는 동안에 신체의 감각, 호흡 등을 순간순간 알아차리는 그대로를 수용하는 활동이다. 걷기명상은 의도적으로 걷는 동안 몸에서 느껴지는 여러 감각과 마음을 알아차리고 주의를 집중하는 것이다. 일상생활에서의 마음챙김은 주로 과제로 제시되는 것인데, 설거지, 집안 청소, 먹기, 운전하기, 쇼핑하기 등 일상적인 생활에서 오는 감각, 마음, 생각 등에 대하여 마음챙김을 하는 것이다. 이 과제는 일상생활에서 자기지각과 통찰력을 증진시키고, 습관적이면서 자동적으로 생각하고 행동하며 마음이 가는 부적응적 행동을 감소시키는 데 도움이 된다. 종일명상회기는 주로 프로그램 시작 후 6주째 실시하며, 이 날은 정좌명상, 걷기명상, 몸 살피기, 요가 등을 한다. 이때 참가자들은 대부분 침묵을 지키고 서로 시선을 마주치지 않도록 하며, 지도자도 지시만 언어로 하고 그 외는 침묵을 지킨다. 시 읽기는 주로 릴케(Rilke), 올리버(Oliver), 화이트(Whyte) 등의 시를 인용하여 마음챙김의 중요한 요소를 설명하는 데 사용한다. 과제는 마음챙김의 기법을 훈련하고 연습하는 데 사용하며, 경험에 대한 새로운 관계방식을 습득하는 데 아주 중요하기 때문에 매일 45분간의 공식적인 수련과 5~15분간의 비공적인 수련을 포함한다. 그리고 매 회기 끝부분에는 수련 활동에 대한 생각, 느낌 등에 대한 보고를 한다. 이 활동은 수련하는 동안 경험한 내용을 좀 더 자세하게 탐색하려는 목적에서 행하는 것이다. 이 활동에서는 자신의 경험에 대하여 호기심을 가지고 개방적이며 비판단적이고 수용적인 태도를 취해야 한다. 특히 장애나 문제와 관련된 경험을 보고하는 것이 중요하다. 이 프로그램은 암 환자, 여성 심장병 환자, 관계증진을 위한 커플 등 여러 대상자에게 실시하여 효과가 검증되었다. 프로그램을 실시하기 위해서는 지도자가 3년간의 신체 중심 훈련과정, 2년간의 신체 중심 훈련지도경험, 5~7일간 실시되는 MBSR 지도자 과정을 이수해야 한다. 우리나라는 2005년 장현갑이 표준화 작업을 거쳐 한국형 MBSR(K-MBSR) 프로그램을 개발하였다.

관련어 걷기명상, 마음챙김, 마음챙김에 근거한 섭식 자각 훈련, 마음챙김에 근거한 인지치료, 변증법적 행동치료

마음챙김에 근거한 인지치료
[-根據-認知治療, mindfulness based cognitive therapy: MBCT]

우울증 환자를 치유하기 위해 마음챙김의 명상활동을 기초로 한 명상 프로그램. 명상치료

세갈, 윌리엄스와 티즈데일(Segal, Williams, &

Teasdale, 2002) 등이 개발한 프로그램으로, 마음챙김에 근거한 스트레스 완화(MBSR) 프로그램을 기반으로 하여 인지치료를 접목한 것이다. 이 프로그램은 집단으로 이루어지며 매주 2시간 30분씩 8주 동안 진행한다. 프로그램의 내용은 자동조종, 방해요인 다루기, 마음챙김 호흡, 현재에 머물기, 수용하기 및 내버려 두기, 생각이 사실은 아니다, 자신 돌보기, 미래 기분 대처하기 등으로 총 8회기로 구성되어 있다. 1회기부터 4회기는 주의를 조절하는 데 초점을 두고 있으며, 5회기부터 8회기는 우울증과 관련된 인지 재구조화를 위한 활동에 초점을 두고 있다. 각 회기마다 활동에 대한 토론과 과제검토를 하며, 매일 일상생활에서 마음챙김을 하도록 테이프와 유인물을 나누어 주면서 과제를 수행하도록 한다. 자동조종 회기는 MBSR의 전략인 건포도 명상(raisin meditation)을 통하여 시각, 소리, 느낌, 맛 등에 대하여 주의를 기울인다. 이 활동으로 경험에 대하여 가진 자동조종 과정을 멈추고 매 순간의 경험에 주의를 기울이도록 한다. 그리고 짧은 호흡을 시작하면서 몸 살피기(body scan)를 한다. 방해요인 다루기는 몸 살피기, 호흡명상을 하면서 회기 내의 실습과 훈련, 그리고 일상생활에서의 마음챙김을 수행하는 데 방해가 되는 요인들을 외면하거나 억누르지 않고 현재 순간에 경험되는 모든 것을 그냥 알아차리는 것을 강조한다. 마음챙김 호흡은 보기 또는 듣기 실습, 정좌명상(sitting meditation), 걷기명상(walking meditation)으로 이루어진다. 그리고 일상생활에서 마음챙김을 하도록 불쾌한 사건 기록지를 과제로 내 준다. 현재에 머물기는 보기 또는 듣기, 정좌명상, 요가, 우울증을 확인하기 위한 자동 사고 질문지와 우울증 진단준거에 대한 정보를 알 수 있다. 정좌명상을 하는 동안 소리와 생각에 대한 마음챙김을 실습하면서 주의의 초점을 축소하거나 확장해 보는 훈련을 한다. 정좌명상의 끝부분에는 메리 올리버(Mary Oliver)의 「기러기」라는 시를 읽어 주어 활동을 좀 더 이해하도록 해 준다. 수용하기 및 내버려 두기는 정좌명상, 호흡하기, 시 읽기, 토의의 과정으로 이루어진다. 정좌명상을 하는 동안 현재 그 순간에 일어나는 자신의 호흡, 신체감각, 소리, 생각 등을 수용하고 허용하며 내버려 두어 모든 경험과 어떤 관계를 맺는지 알아차린다. 경험과 다른 방식으로 관계를 맺는 것에 대한 의미를 전달하기 위하여 13세기 수피의 시인 루미(Rūmī)의 「여인숙(The guest house)」이라는 시 읽기를 한다. 생각이 사실은 아니다 회기는 정좌명상, 기분, 생각, 그리고 대안적인 사고훈련, 호흡하기, 호흡명상 등으로 이루어진다. 이 회기에서는 우리가 생각하고 있는 모든 일이 절대 진리가 아니라는 것을 강조한다. 정좌명상은 호흡, 신체감각, 소리를 알아차린 다음 생각에 대한 자각을 하도록 하며, 문제가 시작될 때의 반응은 추가로 기록하도록 한다. 자신 돌보기 회기에서는 우울증이 위협적으로 다가올 때 제일 먼저 호흡하는 것이며, 이후에 무엇을 할 것인지를 결정하도록 강조한다. 이 회기는 정좌명상, 활동과 기분이 연결되어 있다는 것 탐색하기, 즐거움과 숙달감을 주는 활동목록 작성하기, 즐거움과 숙달감을 주는 활동 계획하기, 3분 동안 호흡하기, 걷기명상 등으로 이루어진다. 마지막 회기는 배운 것을 활용해서 미래 기분 대처하기에 관한 것이다. 이 회기에서는 규칙적인 마음챙김 훈련을 통하여 삶의 균형을 유지할 수 있도록 긍정적인 동기를 갖도록 한다. 지금까지 해 왔던 실습들을 종합적으로 검토하고 토의하며 일상생활에서 지속적으로 유지해 나갈 수 있는 방법을 이야기해 본다.

관련어 건포도 명상연습, 걷기명상, 마음챙김, 마음챙김에 근거한 섭식 자각 훈련, 마음챙김에 근거한 스트레스 완화, 변증법적 행동치료

마이어스-브리그스 성격유형검사 [-性格類型檢査, Myers-Briggs Type Indicator: MBTI]

인식, 판단 기능과 연관된 근본적인 선호를 알아보는 성격검사. 분석심리학 심리검사

성격유형을 측정하기 위해 캐서린 브리그스(Catharine Briggs)와 이사벨 마이어스(Isabel Myers)가 1900년부터 1975년에 걸쳐 개발한 검사로, 우리나라에서는 1988년부터 1990년에 걸쳐 심혜숙과 김정택이 표준화하였다. 대상은 중학교 3학년 이상의 학력을 가진 일반인이다. 성격유형검사로서 융(Jung)의 성격유형이론을 근거로 제작되었다. MBTI 검사지는 모두 95문항으로 구성되어 있고, 네 가지 척도의 관점에서 인간을 이해하고자 한다. 그 결과는 E(외향)-I(내향), S(감각)-N(직관), T(사고)-F(감정), J(판단)-P(인식) 중 개인이 선호하는 네 가지 지표를 알파벳으로 표시하여(예, ISTJ) 결과 프로파일에 제시한다. 이에 따라 MBTI의 성격유형은 열여섯 가지 유형으로 나타날 수 있다. MBTI의 근간이 되는 융의 심리유형이론의 요점은 인간의 행동이 겉으로 보기에는 제멋대로고 예측하기 힘들 정도로 변화무쌍해 보이지만, 사실은 매우 질서정연하고 일관성 있게 다르다는 것이다. 이러한 일관성과 상이성은 각 개인이 외부로부터 정보를 수집하고(인식과정), 자신이 수집한 정보에 근거해서 행동을 위한 결정을 내리는 데(판단과정) 각 개인이 선호하는 방법이 근본적으로 다르기 때문이라는 것이다. 각 지표는 인식, 판단 기능과 연관된 네 가지 근본적 선호 중 하나를 대표한다. 이 선호성은 주어진 상황에서 사람들이 무엇에 주의를 기울이는가와 그들이 인식한 것에 대하여 어떻게 결론을 내리는가에 영향을 미친다. 여기서 말하는 심리적 선호 경향(preference)이란 '내가 더 지속적이고 일관성 있게 활용하는 것' '더 자주, 많이 쓰는 것' '선택적으로 더 좋아하는 것' '상대적으로 편하고 쉬운 것' '상대적으로 더 쉽게 끌리는 것'을 의미한다. 외향형-내향형을 보면, 개인의 주의집중과 에너지의 방향이 인간의 외부로 향하는지 아니면 내부로 향하는지 나타내는 지표다. 외향성의 사람들은 주로 외부세계를 지향하고 인식과 판단을 할 때도 외부의 사람이나 사물에 초점을 맞춘다. 내향성의 사람들은 내적 세계를 지향하기 때문에 외부세계보다는 자기 내부의 개념이나 생각 또는 이념에 좀 더 관심을 둔다. 감각형-직관형을 보면, 정보를 인식하는 방식에서의 경향성이 반영되어 있다. 감각기능을 선호하는 사람들은 모든 정보를 자신의 오관에 의존하며 받아들이는 경향이 있다. 감각형의 사람은 순서에 입각해서 차근차근 업무를 수행해 나가는 성실근면형이며 세부적이고 구체적인 사실을 중시하는 경향이 있다. 직관형의 사람은 자신의 예감이나 직감과 다양한 정보 간의 연관성을 중시하고 통찰과 유추에 가치를 둔다. 이들은 미래 지향적이고 창의적이며 새로운 접근을 중시한다. 사고형-감정형의 경우는 인식된 정보를 가지고 판단을 내릴 때 쓰는 기능이다. 사고형은 객관적인 기준을 바탕으로 정보를 비교 분석하고 논리적 결과를 바탕으로 판단을 한다. 감정형은 친화적이고 따뜻한 조화로운 인간관계를 중시한다. 판단형-인식형의 경우는 외부세계에 대한 태도나 적응에서 어떤 과정을 선호하는지를 말한다. 판단형은 의사를 결정하고 종결을 짓고 활동을 계획하고 어떤 일이든 조직적 · 체계적으로 진행하기를 좋아한다. 인식형은 삶을 통제하고 조절하기보다는 상황에 맞추어 자율적으로 살아가기를 원한다. MBTI 자가채점방법은 다음과 같다. 원점수 계산방법은 네모에 X가 표시된 부분을 찾아 그 옆의 숫자를 세로로 모두 더한다(T와 F는 남녀에 따라 점수 부여가 다르다). 점수합계란에 각 축의 원점수 합을 기재한다. 환산점수 계산방법은 원점수가 높은 쪽이 I, S, T, J일 경우에는 (높은 점수-낮은 점수)×2-1로 계산한다. 원점수가 높은 쪽이 E, N, F, P일 경우에는 (높은 점수-낮은 점수)×2+1로 계산한다. 양극의 원

점수가 동점일 경우에는 E, N, F, P로 기입하며 환산점수는 각 1점이 되고, 양극성 지표에서 환산점수가 높은 쪽이 선호도의 유형이 된다. MBTI를 해석할 때 점수의 의미는 1~9점은 낮은 선호도(low), 11~19점은 중간 정도의 선호도(moderate), 21~39점은 뚜렷한 선호도(F=21~29), 40점 이상은 아주 뚜렷한 선호도(F=30 이상)를 나타낸다. 환산점 최고점수는 E=53, I=55, S=67, N=51, T=63(남자), 65(여자), F=39(남자), 43(여자), J=55, P=65다. MBTI는 상담 · 심리치료 분야, 교육 분야, 인간관계 훈련분야에 널리 사용되고 있으며, 1980년대 이후 인사관리, 인력개발, 조직개발 등 다양한 분야에 활용되어 교육훈련전문가들에게 폭넓은 인기를 얻고 있다. 열여섯 가지 성격유형은 ISTJ, ISTP, ESTP, ESTJ, ISFJ, ISFP, ESFP, ESFJ, INFJ, INFP, ENFP, ENFJ, INTJ, INTP, ENTP, ENTJ다.

관련어 | 성격검사, 심리적 유형, 융

마이크로 티칭
[-, micro-teaching]

실제 수업을 녹화한 다음 관찰하면서 수업 분석과 평가를 실시하고, 그 결과에 따라 새로 수업하는 순환적 과정을 통하여 효과적인 교수방법을 습득하는 것. 특수아상담

실제 수업장면을 모의하여 녹음 또는 녹화한 다음, 이를 재생시켜 수업과정을 분석, 평가하고 그 결과 나타난 문제점을 수정, 보완하여 다시 수업시연을 하고 그 결과를 재분석하는 과정을 거치면서 예비 교사나 현직 교사들이 특수한 교수방법을 개발하거나 향상시키는 기법이다. 1963년 미국의 스탠퍼드대학에서 교사양성 교육 중 교수방법 훈련의 대안으로 등장했는데, 예비 교사 또는 교사에게 요구되는 매우 구체적인 수업기술을 개발하거나 개선하기 위한 실습체제라고 할 수 있다. 마이크로 티칭의 요소는 수업계획(교수기능, 학급규모와 대상, 수업시간 등), 수업, 피드백과 평가, 재수업이다. 마이크로 티칭의 장점으로는, 첫째, 교사교육의 질적 향상과 교수방법의 다양성, 특히 소집단수업 방법의 중요성을 인식하게 된다. 둘째, 모의수업 장면을 녹화한 비디오테이프는 예비 교사의 교수방법을 개선하기 위한 교육적 처방이나 보충교육을 위한 자료로 활용할 수 있다. 셋째, 우호적인 환경 속에서 새로운 기법과 방략 또는 절차를 연습할 수 있다. 넷째, 특정 주제 또는 단시 수업에 대해 새로운 접근방법을 시도할 수 있다. 다섯째, 녹화된 화면을 통해 자신의 성취에 대해 즉각적인 피드백을 제공받을 수 있다. 여섯째, 위험 부담을 줄이고, 가치 있는 경험을 할 수 있다. 일곱째, 수업상의 복잡한 상호작용 관련 하위요소로 세분화할 수 있다. 반면, 마이크로 티칭의 단점으로는, 첫째, 이 프로그램에 포함되는 기술은 합리적인 방식으로 선택되기보다는 무작위의 방식으로 선택되며, 실제 교실로의 전이가 어려울 수 있다. 둘째, 이론과 실제의 차이를 연결하는 능력을 가진다기보다 연습을 조직하는 기술에 대한 절차일 수 있다. 셋째, 소규모 수업 그 자체는 뚜렷한 목적이나 목표를 가지고 있지 않다. 넷째, 대규모 학생이 참여할 때 학생들 간의 개인차를 설명하기가 어려울 수 있다. 다섯째, 행동주의를 기반으로 하는 실험연구로서, 실험연구의 제한점인 미시적 수준에서 연구가 이루어져 실제 교수상황과는 다소 차이가 있을 수 있는 관찰 가능한 단위로 분절되며, 실험처치의 기간이 비교적 짧다. 마이크로 티칭은 구체적인 교수기능훈련에 체제접근과 관찰 및 모방학습의 원리를 적용한 기법으로, 따라서 실제 수업상황을 여러 측면에서 고도로 압축한 수업체제로 훈련시간 단축과 함께 교사의 심리적 부담을 덜어주고, 다양한 피드백을 통한 수업내용의 수정, 보완, 그리고 재수업의 횟수를 증가시킬 수 있다.

마인드맵 기법

[-技法, mind-mapping]

읽고 분석하고 기억하는 모든 것을 마음속에 지도를 그리듯 해야 한다는 사고훈련법으로서, 마인드맵핑이라고도 함. 문학치료(글쓰기치료)

아이디어와 그 상호 연결상태를 시각적으로 보여 주는 브레인스토밍 도구이며 학습기법이다. 어떠한 중심 개념, 문제점과 다른 개념, 문제점과의 연결상태를 기억하기 쉬운 수형도(tree diagram)와 같은 그래픽으로 보여 줄 수 있다. 복잡한 아이디어와 정보, 자료를 이해하기 쉽고 쌍방향적인 시각자료로 만들고 구성하며 의사소통할 수 있게 해 준다. 마인드맵은 항상 어떠한 문제 또는 개념을 중심에 위치시킨 다음 시작한다. 일반적으로 마인드맵은 중심 문제와 선으로 연결된 단어, 짧은 어구, 그림 등을 포함한다. 대부분의 사람은 시각 지향적이다. 마인드맵핑은 개념을 드러나게 해 주는 구조, 단어, 색깔, 이미지, 하이퍼링크 등을 사용하여 중심 개념이나 문제를 관련된 개념 또는 문제와 연결한다. 좌우 두뇌사고를 연결해서 단선적인 사고방식과는 달리, 상상력과 창의성을 자극한다. 따라서 분석적이고 창조적인 기술을 사용하는 것으로 여겨지고 있다. 3세기경 신플라톤주의 사상가 포르피리오스(Porphyrios)가 아리스토텔레스의 분류를 시각적으로 나타낸 것이 가장 오래된 예다. 영국 심리학자이며 비즈니스 창의성의 대가인 토니 부잔(Tony Buzan)은 학습과 기억을 도와주기 위해 종이 위에 아이디어를 정리하는 시각적이고 신속한 방법을 찾아 1960년대에 현대적인 마인드맵을 대중화시켰다.

마조람

[-, Majoram]

신경진정, 진통, 제음, 방부성, 항경련, 원기촉진, 혈관확장, 상처치료, 항바이러스, 살균, 구풍(驅風), 발한 등의 효과가 있는 허브로서, 지중해 지역이 원산지이며 프랑스, 튀니지, 모로코, 이탈리아, 헝가리, 불가리아, 폴란드, 독일, 터키에서 재배. 향기치료

30~80센티미터까지 자라는 향초로, 짙은 녹색의 달걀모양 잎새와 끝이 뾰족한 여러 겹의 하얗고 분홍색의 작은 꽃이 핀다. 마조람은 신경을 강화시키고 편하게 하는 능력이 있어서 긴장과 스트레스 관련 증상 또는 불안, 불면으로 인한 피로에 효과적이다. 하지만 감각이 둔해지게 하고 졸음을 유발할 수 있으며, 많은 양을 사용할 경우 마비가 오기 때문에 남용에 주의해야 한다. 티저랜드(Tisserland)에 따르면, 마조람은 부교감신경계를 자극하고 교감신경 기능을 낮추기 때문에 오랫동안 사용하면 감각을 둔화시킬 수 있으므로 단기간만 사용해야 한다고 전하였다. 그리고 마조람은 제음효과가 있어서 사제단 또는 수도원 교단에서 자주 사용되어 왔으며, 내장의 연동운동을 자극하고 강화하는 훌륭한 소화제이자 진통효과가 있기 때문에 근육경련, 류머티즘 통증, 염좌에 유용하다.

마조히즘

[-, masochism]

신체 및 정신적으로 상처받는 방법을 찾으려는 경향으로, 위협 및 손상을 입는 상태에서 성적으로 흥분하는 성적 장애를 일컬음. 성상담

피학증(被虐症)으로도 불리는 마조히즘은 피학

대증, 피학성, 피학성애 등과 혼용되는 용어로 성적 상대자에게 육체적 고통을 받는 것으로 성적 쾌락을 얻는 일종의 성도착 증상이다. 마조히즘이라는 용어는 독일의 정신의학자 크라프트에빙(Kraft-Ebing)이 1898년 오스트리아 작가 자허마조흐(Sacher-Masoch)가 변태적 성적 욕망을 작품화한 것을 동기로 삼아, 작가의 이름을 따서 만든 것이다. 마조히즘의 원인으로는 유년 및 아동기에 엄격하고 지배적인 부모의 양육방식에 따른 죄책감 강화와 그 보상으로서의 자기강화를 위한 신체적 고통의 견딤을 들 수 있다. 엄한 부모 밑에서 신체적 고통을 견디면서 자신의 강함을 보증하려고 한 과거 경험이 성적 쾌감과 결부되면서 마조히즘으로 발전하는 것이다. 마조히즘적 상상은 소아기부터 존재하는 경향이 있고, 성적 상대와 더불어 행하는 피학적 성행위는 주로 성인 초기에 시작된다. 이는 만성적이면서 동일한 피학적 성행위를 반복하는 경향이 있다. 마조히즘을 지녔다고 해서 심하게 유해한 성행위를 하는 경우는 드물지만, 시간이 경과함에 따라 피학행위의 정도가 심해지기 때문에 심각한 신체적 상해 및 죽음까지 초래하는 경우가 생기기도 한다. 마조히즘은 성적 가학으로 만족을 느끼는 사디즘과 대조되지만, 이와 연관되어 나타나는 경우도 흔하다. 이는 인간이 지배 욕구와 피지배 욕구의 이중성을 가지고 있기 때문이라고 보며, 이렇게 이중성을 지닌 경우를 사도마조히즘(sadomasochism)이라고 부른다. 인간의 우열 관계 내에서 마조히즘과 사디즘이 발생하는데, 이는 주로 지배와 복종 관계에서 나타난다. 여성은 마조히즘이 흔하고 남성은 사디즘이 흔하다. 상담과정에서 마조히즘적 경향을 보이는 내담자의 경우는 상담자의 질책이나 일방적 명령이 내려지는 때 수동적 자세를 보이면서 순응하고, 그러한 것들이 주어지지 않으면 불만을 품기도 한다. 이들은 자기통찰에 곤란이 있기도 하다. 상담자는 내담자가 스스로 마조히즘적 심리상태에 대한 통찰을 행할 수 있도록 지지하면서 상담을 진행해 나가야 한다.

관련어 | 사디즘

마찰도착증
[摩擦倒錯症, frotteurism]

동의하지 않은 사람에게 자신의 성기나 신체 일부를 접촉하거나 문지르는 행위를 반복적으로 나타내는 성 도착증의 유형.
정신병리

마찰도착증은 체포될 염려가 없는 밀집된 지역, 즉 버스나 지하철 등의 대중교통에서나 붐비는 길거리 등에서 행해진다. 상대방의 허벅지나 엉덩이에 자신의 성기를 문지르거나 손으로 상대방의 성기 또는 유방을 건드린다. 마찰도착증의 행위 중에 대개 피해자와 비밀스러운 애정관계를 맺는다는 상상을 한다. 발병은 일반적으로 청소년기에 시작되며 대부분의 행위는 15~20세 사이에 발생하고, 그 후 발생빈도는 점차 줄어든다. 이러한 마찰도착증은 정신분석적 설명이 가장 적극적으로 제기되었다. 정신분석적 입장에서는 마찰도착증을 유아적인 성적 발달단계에 고착된 것으로 보고 있다. 특히 오이디푸스콤플렉스가 적절하게 해결되지 않은 사람들이 거세불안 때문에 이 같은 성도착 증상을 보이는 것으로 설명하였다. 이 환자들은 사회적 상황에서 대인관계가 부적절하고 미성숙하다는 보고가 있다. 또한 정상적인 이성 관계를 통하여 성적 욕구를 해소하기 어렵기 때문에 결과적으로 비정상적인 방법으로 자신의 성적 욕구를 해소하고자 한다는 것이다. 이와 같은 종류의 성도착증이 성적인 상상과 자위행위를 하는 동안의 조건형성에 의해 일어난다면 상상에 초점을 맞추어 혐오조건을 형성시키는 것이 효과적일 수 있다. 예를 들어, 환자에게 성적으로 매우 흥분할 수 있는 상상을 하도록 지시한다. 그런 다음 상상에 몰입한 상태에서 강한 전기충격이나 구토증을 유발하는 약물 등의 혐오자극을 제시한다. 또한 치료방법으로 둔감화 기법, 적절한 성적 자극에 대한 재조건형성, 사회적 기술훈련, 상상중단 기법 등을 사용하기도 한다.

'마치 ~인 것처럼' 행동하기 기법
[-行動-技法, acting as if techniques]

내담자가 마치 상담목표를 이룬 것처럼 행동해 볼 것을 요청하는 기법. 개인심리학

한스 바이힝거(Hans Vaihinger)의 '마치 ~인 것처럼'의 철학에서 영향을 받은 허구적 목적론의 개념을 기초로 아들러가 개발한 기법이다. 내담자의 치료목표를 분명히 한 다음, 내담자가 마치 목표를 이룬 것처럼 또는 바람직한 자신의 모습을 상상함으로써 실제로 그렇게 해 보도록 요청하는 것이다. 예를 들어, 겁이 많은 내담자가 용감한 자신의 모습을 바란다면, 내담자에게 용감한 사람이 된 것과 같은 행동을 해 보도록 하는 것이다. 이때 내담자가 어색해하면서 가짜와 속임수가 무슨 도움이 되겠냐며 저항한다면, 멋진 옷을 갈아입는 것이 사람을 변화시키지는 않지만 멋진 옷을 입은 사람의 기분이나 태도는 변화시킬 수 있다는 설명을 해 주면서 한번 시도해 볼 것을 권한다. 이 기법의 목표는, 첫째, 내담자의 현재 신념과 문제인식을 바꾸고, 둘째, 통찰력을 제공하고, 셋째, 내담자가 새로운 행동과 신념을 시작할 때 재정향, 즉 방향전환을 용이하게 하거나 실제 행동을 변화시키고, 넷째, 자존심 · 자신감 · 개념 · 적성 등의 변화에 용기를 북돋워 주고, 다섯째, 문제가 있는 행동의 목적과 목표를 새로운 방향으로 돌리고, 여섯째, 미래의 목표를 앞당기기 위한 것이다.

관련어 허구적 목적론

마취분석
[痲醉分析, amytal analysis]

내담자에게 마취제나 마약을 투약하여 반쯤 잠든 상태에 머물게 한 다음 생각이나 감정 등을 표출하여 개인의 잠재의식을 확인하는 심리치료방법. 이상심리

제2차 세계 대전 중에 전쟁 신경증을 치료하기 위해 미국에서 주로 정신분석학자들이 시도한 방법이다. 이는 내담자의 정서적 긴장이나 저항을 감소시켜 내적 욕구나 갈등을 표출하도록 하고, 심리적 외상을 명확히 하는 데 도움이 되는 방법이다. 일반적으로 사용되는 약물은 바르비트르산(酸)의 유도체인 아미탈 혹은 펜토탈이다. 이 약물들을 나트륨염용액 0.2~0.5그램을 5~10% 희석하여 정맥에 서서히 주사하고 반(半) 각성상태가 되도록 한다. 이 방법은 주로 신경성 노이로제나 히스테리 등에 적용된다.

만다라
[曼荼羅, mandala]

명상과 함께 미술작품을 제작하는 과정을 통하여 개인의 잠재력 계발과 삶과 존재에 대한 의미를 찾고, 주위의 사물과 자연에 대한 민감한 감각을 갖게 되며, 자연과 나아가 우주와의 일체감을 느끼는 데 도움을 주는 미술치료기법.
미술치료 분석심리학

만다라는 미술치료에서 중요한 위치를 차지하고 있다. 만다라의 목적은 내담자에게 만다라를 제작하게 함으로써 내담자가 분열된 자신을 통합하여 삶의 본질에 이르도록 하는 것이다. 내담자는 만다라 제작의 준비과정인 명상과 제작에서의 몰입을 통하여, 자신과 작품이 하나가 되는 일체감을 경험할 수 있다. 만다라의 치료적 효과를 처음으로 제안한 사람은 융(Jung)이며, 그는 1927년 어느 날 꾸었던 꿈을 계기로 만다라가 우주의 중심이라는 것을 증명하였다. 그리고 만다라의 도움으로 내면의 조화를 얻을 수 있었다. 이러한 과정을 통하여 융은

만다라가 개성화 과정에서 이루어지는 그림이라는 것을 확신하였고, 노이로제 환자와 분열병 환자에게 만다라를 그리도록 하여 치료적 효과를 입증하였다. 이같은 만다라는 융이 치료한 정신질환자들에게만 효과가 있는 것이 아니라 모든 계층의 사람들에게 적용할 수 있다. 만다라는 대개 다음과 같은 두 가지 차원에서 실시된다. 하나는 안정과 요양이 필요한 사람을 대상으로 예방적 차원에서 실시하는 것이다. 또 하나는 정신질환자와 신체적 병을 가진 사람을 대상으로 치료적 차원에서 실시하는 것이다. 만다라는 사용하는 재료에 따라 평면 만다라와 콜라주 만다라 및 점토 만다라로 구분하며, 그 효과도 각각 다르게 나타난다. 평면 만다라는 크레파스나 물감, 유화 등을 사용하며, 선과 면과 색을 연결함으로써 감성능력과 상상능력의 조화가 이루어지도록 한다. 이때 젖은 종이에 물감을 사용하면 이완에 효과가 있고, 마른 종이에 물감을 사용하면 인내심을 키우는 데 효과가 있다. 콜라주 만다라는 다양한 종류의 재료를 사용하는 것으로, 채색이나 형태 그리기를 싫어하는 사람들에게 작업을 쉽게 할 수 있도록 해 주고, 이완과 즐거움을 주면서 집중력을 향상시키는 데 효과가 있다. 점토 만다라는 찰흙이나 도자기 흙 등을 이용하여 만드는 것으로, 이완 작용 및 소근육과 대근육 운동에 도움을 주고 집중력을 향상시키며 스트레스 해소와 신진대사 작용에 효과가 있다. 이와 같은 만다라 제작에서 중요한 것은 만다라가 제작자 자신을 표현하는 작업이라는 점이다. 이를테면 즉흥적으로 그리는 만다라에는 무의식적으로 나타나는 동요나 흥분, 불안 등의 감정이 형태와 색으로 반영된다. 만다라를 그리는 사람은 당시의 기분을 무의식적으로 형태와 색으로 드러냄으로써 바로 자신이 겪고 있는 문제와 대면할 수 있다. 그러한 대면의 과정을 거쳐서 삶의 균형을 찾아 나가고, 스스로 창의적이며 자율적으로 성장하는 것이다. 융의 표현을 빌리면, 개성화 과정을 거쳐 통합된 장(field)을 만나는 것이다. 만다라 그리기에는 일반적으로 문양이 있는 만다라를 선택하여 채색을 하는 방법과 스스로 만다라를 그리는 방법이 있다. 처음에는 문양이 있는 만다라를 선택하여 그리고, 점차 만다라 형태에 친숙해지면 자신이 스스로 만다라를 제작하여 그리는 것이 좋다. 만다라를 그릴 때, 치료자는 치료적 시작단계에서 그리는 내담자에게 중심에서 그려 나갈지 혹은 원주에서 안으로 그릴지 물어본다. 일반적으로 내향적인 사람은 무의식적으로 원의 중심에서 원주를 향해 색을 칠한다. 자신에게서 나오려는 내향적 환자는 만다라를 안에서부터 밖으로 그림으로써 자기성장과 성숙으로의 시간을 가지려고 하는 것이다. 반면에, 외향적인 사람은 원주에서 중심을 향하여 만다라를 그리려고 한다. 산만하고 집중력이 없거나 근본적으로 외향적인 내담자는 만다라를 밖에서 안으로 그림으로써 중심으로 집중하는 경향이 있다. 따라서 만다라를 미술치료에서 적용할 때 치료자는 근육운동장애, 자폐성, 간질병, 경련성 마비를 겪는 사람들은 원 중심에서 원주로 향하는 만다라를 그리도록 유도해야 하며, 외향성이고 운동형 사람, 몽상가, 노이로제, 정신질환, 뇌막염, 집중력 결여, 허풍 성향이 있는 사람들은 원주에서 중심으로 향하는 만다라를 그리도록 유도할 필요가 있다. 마지막으로, 만다라에 나타난 색, 형태, 숫자의 기본적 상징도 중요한 치료적 의미가 있다. 만다라 그림에 나타난 색은 그림을 그린 사람의 개성과 심리상태를

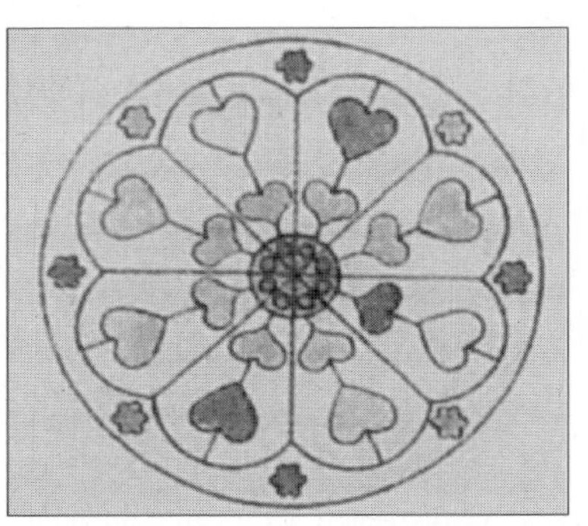

출처: 정현희, 이은지(2010). 실제 적용 중심의 노인미술치료. 서울: 학지사.

ㅁ

나타내는데, 특히 빨강, 노랑, 파랑 등의 일차색과 주황, 녹색, 보라 등의 이차색은 특정 정신적 · 심리적 의미를 지니고 있다. 이러한 색들은 그림을 그리는 사람의 당시 기분상태와 정신상태를 밝혀 주고, 현재나 과거의 문제 및 그와 연관된 감정을 나타낸다.

관련어 | 분석심리학적 미술치료, 융

만성불안
[晩成不安, chronic anxiety]

실제적인 위협이 없음에도 불구하고 가상적 위협, 즉 있을지도 모르는 것에 대한 두려움을 갖는 상태. 경험적 가족치료

불안에는 급성불안과 만성불안이 있다. 급성불안은 실제적 위협에 따라 발생하는 것으로 시간이 지나면 소멸된다. 반면, 만성불안은 상상적인 위협에 대한 반응으로 일어나는 현상으로서 단순하고 간단한 일에서 불안이 시작되었다 해도 여러 가지 복잡한 일을 상상하도록 만든다. 만성불안은 관계체계의 균형에 문제가 생겼을 때 사람들이 감정반사를 함으로써 주로 생겨난다. 만성불안의 증상은 최악의 상황을 예상하거나, 인정의 거부에 지나치게 몰두하는 것, 책임감에 지나치게 짓눌려 있는 것 등으로 나타난다. 또한 만성불안은 만성분노와 타인의 생각에 지나치게 집착하는 것, 만성적으로 거부나 유기의 불안을 느껴 개인의 적응능력을 위축시키는 것으로도 나타난다. 불안은 유기체가 살아가면서 여러 사건을 경험하면서 학습되는데, 가족의 경우에 부모의 불안이 감정적으로 얽힌 관계를 통해 아이들에게 흡수된다. 즉, 불안은 가족들이 가지고 있는 관계와 연관되어 가족들이 의존적일수록, 그리고 밀착된 관계일수록 증가한다. 또한 불안은 개인의 분화수준과도 관계가 있어서, 분화수준이 낮을수록 만성적 불안은 높아진다. 가족의 세대 간 정서전달과정에서 원가족 부모로부터의 미분화는 관계 의존적이 되게 하고, 만성불안을 낳는 의존성을 갖게 한다. 핵가족 내의 정서과정에 의해 불안은 전달되고 흡수된다. 동일한 핵가족, 가족구성원이라 할지라도 부모와 자녀의 융해된 관계 정도에 따라 불안수준이 달라진다. 즉, 융해의 정도가 높은 핵가족과 그 안의 구성원은 높은 불안수준을 가진다. 이처럼 분화와 만성불안은 상호 밀접하게 관련되어 있다.

만족지연
[滿足遲延, delay of gratification]

자기통제의 하위영역 중 하나이며, 더 큰 결과를 위하여 즉각적인 즐거움, 보상, 욕구를 자발적으로 억제하고 통제하면서 욕구충족의 지연에 따른 좌절감을 인내하는 능력.
아동청소년상담

충동적인 기분이나 감정을 억제하고 즉각적인 행위를 지연하여 자신이 원하는 어떤 목적이나 행동 대신 사회적으로 용납되는 방식으로 바꾸는 고차원적인 능력이다. 만족지연 행동은 더 큰 보상을 위하여 작은 보상을 뒤로 미룰 것인지를 결정하는 지연선택 행동이 먼저 일어난 후에 발생한다. 그리고 선택한 후에는 지연된 더 큰 만족을 얻을 때까지 참고 견디는 인내력이 필요하다. 만족지연 능력은 생애초기부터 발달이 시작되어 만 2~3세에 크게 발달하고, 5세가 되면 효율적으로 사용하면서 11~12세가 되면 복잡한 지연의 원칙을 이해하고 나서는 청년기까지 크게 변화하지 않고 지속된다. 만족지연 능력의 발달에 미치는 영향은, 첫째, 보다 큰 만족에 대한 신뢰가 있어야 한다. 둘째, 아동 개개인의 만족에 대하여 가지는 상대적 가치에 따라서 지연된 만족을 선택한다. 셋째, 지연기간이 영향을 미치는데 지연기간은 아동에게 적합해야 하며 너무 긴 시간의 보상은 효과적이지 않다. 예를 들면, 아동에게 지금 공부를 열심히 하면 나중에 좋은 직장을 갖게 된다는 말은 지나치게 긴 시간 뒤의 만족이므로 공

부행동을 강화하지 못한다. 만족지연 능력이 높으면 학업적, 사회적으로 유능하고, 낮으면 부정적 성격 특성, 외현화 문제행동을 보이는 경향이 있다. 효과적인 만족지연 행동을 위해서는 사려성, 논리적 사고, 개념 형성, 긍정적 정서, 부모의 일관적 양육태도 등이 필요하다.

관련어 | 충동억제, 행동억제

만화치료
[漫畵治療, cartoon therapy]

만화 그리기 활동을 통하여 개인의 심리적 문제를 해결하고자 하는 조력활동. 미술치료

만화치료의 경우 만화 그리기 활동 중에 문제 아동이 발견되는 경우와 병리적 진단이 내려진 뒤 치료목적을 가지고 만화 그리기를 하는 경우가 있다. 전자의 경우는 만화 그리기 활동 속에서 만화에 관심이 있는 교사에게 발견되어 예방을 하는 효과가 있는 반면, 후자의 경우는 병리적인 진단, 즉 성격장애, 정서장애, 지체장애, 주의력결핍, 과잉행동장애, 학습장애, 자폐장애, 발달장애 등 병리적인 현상이 감지된 아동을 대상으로 만화 그리기 활동을 함으로써 손상된 마음을 치료하는 것이다. 만화는 놀이와 마찬가지로 아동이 흥미를 갖는 분야로서, 성장과정에서 아동에게 자기표현의 기회를 주고 지적 발달과 정서적 발달 및 인격형성 발달에 영향을 미칠 수 있는 교육적 의미를 가지고 있다. 만화가 가진 이러한 점에 주목하여 최근에는 자아인식 및 자아개념의 형성과 표현을 돕기 위한 치료적 의미가 강조되며, 만화를 이용한 심리치료가 행해지고 있다. 만화치료의 목적은 만화에서 상징으로 나타나는 무의식에 잠재해 있는 역동에 대한 통찰력을 자극하고 전이적 해석을 통해서 무의식적 갈등을 진단하고 치료하는 것이다. 다시 말해, 만화를 통하여 치료자는 내담자의 잠재된 갈등과 내면세계를 파악하고, 내담자는 표현과정 속에서 심리적 안정을 얻을 뿐만 아니라, 표현된 작품을 통하여 자신을 객관화할 수 있다. 이와 같은 만화치료의 장점을 정리하면 다음과 같다. 첫째, 인지적 능력을 활성화시킨다. 둘째, 과거나 현재의 사건과 관계 또는 감정, 미래에 대한 생각을 표현할 수 있다. 셋째, 사회적으로 바람직한 방법으로 분노, 적대감 등의 부정적 감정을 표출하여 해소시킬 수 있는 정화의 기능을 가지고 있다. 넷째, 내담자가 스스로 그리고 이야기를 꾸미는, 스스로 계획하고 실천해 나가는 자아실현적 활동이기 때문에 주도성과 조절능력을 향상시키는 데 도움이 된다. 다섯째, 시나리오 구상, 표정이나 형태 구상, 색칠과정 등을 통하여 개인의 성취감, 개인적인 만족감 등을 느낄 수 있다. 여섯째, 상담활동과 같이 직접적인 의사소통 형태가 아니기 때문에 내담자가 상담이나 치료자에게 느끼는 방어나 저항을 줄여 주고 방어기제를 허물어 자신의 무의식적 세계를 이해하는 데 도움이 된다. 일곱째, 만화의 내용은 여러 정보와 더불어 내담자의 치료를 위한 보충적 자료가 된다. 이와 같이 아동은 만화 그리기 경험을 통해서 의사소통, 미적 지각의 확장, 주의 깊은 관찰에 의한 느낌으로 표현하는 데 따른 자아개념의 강화, 인지기능의 사용으로 심상 개발, 사회적 상호작용 등의 기회를 얻는다는 이점이 있다.

말 바꿔 설명하기
[-說明-, paraphrasing]

일반 상담에서의 요약반응과 비슷한 개념. 문학치료(글쓰기치료)

어떤 정보에 대한 질문이나 장황한 설명을 잘 듣고 있다가, "그러니까 지금 하신 말씀이 ~이죠?"라는 식으로 되묻는 것이다. 다시 말해서, 주어진 텍스트나 문장을 다른 말로 재진술하여 돌려주는 것을 뜻한다. 이 용어는 그리스어에 기원을 둔 라틴어

ㅁ

'paraphrasis(표현의 부가적 양식, additional manner of expression)'에서 유래한다. 말 바꿔 설명하기는 주로 주어진 텍스트나 내담자의 진술을 명확하게 하기 위해서 사용한다. 즉, 말 바꿔 설명하기를 할 때는 원 의미를 그대로 유지하면서 그 의미를 더욱 명확하게 하는 것이다. 이 기법은 내담자의 진술을 재진술하여 치료환경 내에서 맥락적 의미를 더욱 분명하게 만드는, 다시 말해 관점을 변화시키는 방향으로 이루어진다. 주의할 것은 치료사가 내담자의 말을 자신의 가치관으로 판단하거나 편견 혹은 선입견을 가져서는 안 된다는 점이다. 치료사가 말 바꿔 설명하기를 하면 내담자는 자신의 말이 경청되고 있다는 신뢰감을 가질 수 있고, 치료사는 자신이 내담자의 말을 제대로 잘 들었는지 확인할 수 있다. 또한 내담자가 자신이 하는 말을 명료화할 수 있는 기회가 되기도 한다. 말 바꿔 설명하기를 통해서 내담자의 정보를 보다 많이 이끌어 낼 수도 있으며, 너무 말이 많은 내담자에게 효과적이기도 하다. 내담자는 자신의 말이 제대로 전달되었는지 불안해 할 수 있는데, 이 기법을 사용함으로써 그 불안을 잠식시키고 신뢰를 쌓을 수 있다.

말더듬

[-, stuttering]

소리나 음절의 비정상적인 멈춤(소리가 없음), 반복, 오래 끌기로 말의 흐름이 끊어지는 것. 특수아상담

유창성장애의 가장 보편적인 형태로, 여아보다 남아에게서 더 자주 나타난다. 말을 할 때 이상한 얼굴표정이나 신체의 움직임이 동반되기도 한다. 대부분의 아동은 초기 말 발달에서 유창하지 못한 단계를 거치고, 성인의 경우에도 '음' 등의 삽입음을 사용하거나 소리, 단어, 구절 등을 반복하기도 한다. 이러한 비유창성은 전형적인 행동으로 간주된다. 말더듬의 정확한 원인은 알려지지 않고 있다. 사람에 따라서 원인이 다르거나 여러 가지 요인이 복합적으로 작용하는 것으로 알려져 있으며, 처음 시작할 때와 악화되는 원인이 다를 수도 있다고 알려져 있다. 잠재적인 원인으로는 발성기관 근육의 비협응, 언어발달의 속도, 부모나 기타 성인이 아동에게 말을 하는 방법, 기타 형태의 의사소통 및 생활 스트레스 등이 있다. 말을 더듬는 아동이 그렇지 않은 아동에 비하여 심리적인 문제를 지니고 있는 경우가 더 많다는 보고는 없으며, 정서적인 상처가 말더듬을 일으킨다는 증거도 보고되지 않고 있다. 일반적으로 2~5세 사이에 나타나며, 때로는 학령기에 나타나기도 한다. 매우 드물지만 성인이 되어서 나타나는 경우도 있다. 대부분의 아동은 곧 유창성을 회복하지만 그렇지 않은 경우도 있기 때문에 말더듬이 시작될 때 전문적인 진단을 받는 것이 바람직하다. 말더듬은 초기에 대처하는 경우 심각하게 발전하기 전에 예방할 수 있고, 말더듬이 시작되고 난 후의 교정방법도 보고되고 있다. 말더듬은 질병이 아니므로 '치료'라는 용어를 사용하지 않으며, 유창성을 향상시키고 성공적인 의사소통을 할 수 있도록 교육목표를 세워야 한다. 아동들은 스스로 말을 더듬는다는 사실을 인식하지 못하는 경우가 많다. 따라서 말을 더듬는 것 자체에 관심을 보이지 않아야 한다. 아동이 하는 말을 인내심을 가지고 주의 깊게 들어야 하며, 어떻게 말해야 하는지에 대해서 초점을 맞추지 않도록 한다. 성인의 경우 말을 더듬지 않는 사람과 이야기하는 것처럼 말하고자 하는 내용에 관심을 기울이고, 인내심을 가지고 들어야 한다. 말하는 도중에 다른 곳을 쳐다보거나 재촉하거나 단어를 대신 말해 주는 등의 행동은 삼가는 것이 좋다. 이 같은 행동은 상대방을 불안하게 만들고 문제를 더 악화시킬 수 있다.

관련어 | 유창성장애

말실행증
[-失行症, apraxia of speech]

말소리 산출에 필요한 근육의 마비, 혹은 약화나 협응에 이상이 없음에도 불구하고 말을 하거나 시작하는 데 어려움을 보이는 증상. 이상심리

말을 자발적으로 산출하는 데 필요한 근육들을 위치시키고 움직이도록 프로그래밍(motor programming)하는 기능에 손상이 있는 경우 나타나는 신경학적 말장애(speech disorder)를 뜻한다. 말실행증은 언어처리과정에서 프로그래밍 다음 단계인 실행에서 문제를 보이는 마비말장애(dysarthria)와 구분된다.

말하기, 느끼기, 행동하기 게임
[-行動-, The talking, feeling, and doing game]

치료에 저항적이고 비협조적인 아동을 참여시키기 위해 가드너(R. Gardner)가 고안한 놀이치료기법. 놀이치료

말하기, 느끼기, 행동하기 게임은 이야기를 잘 하지 않는 아동들을 위하여 표준적인 게임판 놀이와 토큰강화를 활용하여 일련의 놀이들이 이야기와 치료적 가치가 있는 공상자료를 만들어 내도록 촉진하는 놀이치료기법이다. 게임의 구성이나 모양은 전형적인 보드게임과 비슷하며, 놀이 말을 각각 '출발' 지점에 놓으면서 시작한다. 주사위를 던지고 맨 마지막에 '끝'이라는 지점에서 마무리되는 구불구불한 길을 따라 차례를 바꾸어 가면서 게임을 진행해 나간다. 놀이 말이 파란색에 멈추면 말하기 카드를, 노란색에 멈추면 느끼기 카드를, 빨간색에 멈추면 행동하기 카드를 집어 든다. 말하기, 느끼기, 행동하기에 관한 질문과 지시에 응답할 때마다 보상 칩을 받는다. 그리고 '끝'에 먼저 도착한 사람은 5개의 보상 칩을 받는다. 게임의 핵심은 각 카드의 질문과 지시에 있다. 말하기 카드는 아동으로 하여금 인지적, 지적인 측면을 대답하도록 하고, 느끼기 카드는 정서적 문제에 초점을 맞추고 있다. 행동하기 카드는 일종의 신체적인 활동이나 연기하는 것을 포함하고 있다. 이때 카드는 낮은 불안, 중간 정도의 불안, 높은 불안을 다양하게 나타낼 수 있도록 구성한다.

망각
[忘却, forgetting]

이전에 경험하였거나 학습한 것의 파악이 일시적 또는 영속적으로 감퇴 및 상실되는 것. 인지치료

시간이 지남에 따라 기억흔적이 퇴화하거나 소멸하여 기억에서 사라진 상태를 뜻한다. 기억을 하기 위해 필요한 경우 저장소에서 그 정보를 인출할 수 있어야 하는데, 저장소에서 정보를 끄집어 낼 수 없을 때 망각이라 한다. 과거에 경험한 것이 어떤 형태로든 보존되는 과정은 보전유지라는 관점 혹은 망각이라는 관점에서 연구되어 왔다. 망각현상은 경험내용인 여러 가지 정보가 어떠한 시간적 · 공간적 조건 아래서 기명(記銘)되고 재생되었는가, 그리고 기명에서 재생까지 학습자가 어떠한 생리 · 심리 · 사회적 조건하에 놓여 있었는가에 따라 달라진다. 예를 들면, 기억정보가 학습자에게 의미를 지닌 경우는 그렇지 않은 경우보다 기억하기 쉽고 망각하기 어려우며, 또한 연상가(聯想價)나 숙지도(熟知度)가 크고 발음하기 쉬운 경우는 그렇지 않은 경우보다 기억하기 쉽고 망각하기 어렵다. 동일한 기억정보라 할지라도 학습자가 자신에게 의미 있는 형태로 인지하는 경우에는 쉽게 망각하지 않게 된다. 또한 학습자의 자세 · 태도 혹은 무의식적인 동기가 망각에 영향을 미치는 경우도 있다. 각성하고 있을 때에는 잠자고 있을 때보다 망각이 빨리 진행되며, 물리적 충격이나 약물의 주입이 망각의 원인이 되는 경우도 있다. 망각현상은 매우 복잡하기 때문에

다양한 이론으로 설명된다. 간섭이론에서는 선학습(先學習) 또는 후학습(後學習)이 간섭하기 때문에 망각이 일어난다고 주장한다. 예를 들면, 전날의 주차장소에 대한 기억이 오늘 차를 주차한 장소를 회상하는 것을 방해한다. 한 상황에서 두 가지 기억이 겹쳐 있을 때, 그중 하나 혹은 둘 모두에서 기억은 감소된다. 형태심리학에서는 기억흔적이 시간의 경과와 더불어 보다 좋은 형태로 재조직되지 않으면 망각이 촉진된다고 주장한다. 정신분석이론에서는 억압에 의한 동기적 망각(motivated forgetting)을 강조하고 있다. 한편, 에빙하우스(H. Ebbinghaus)는 망각은 인출의 실패에 기인한다고 주장한다. 일단 학습된 기억정보가 그 뒤의 시간경과에 따라 보존되는 정도를 나타내는 곡선을 에빙하우스는 보유곡선(retention curve)이라고 불렀는데, 그 후 이 곡선은 망각곡선(forgetting curve)이라고도 불렸다. 그는 사람의 기억률을 산출하기 위해 [(최초 학습에 소요된 시간-재학습에 소요된 시간)÷최초 학습에 소요된 시간]×100 이라는 공식을 제시하였다. 예를 들면, 최초 15분만에 기억한 것을 24시간 뒤에는 10분만에 기억했다면 그때의 기억률은 33.3%가 된다.

관련어 | 간섭이론, 기억발달

망막박리
[網膜剝離, retinal detachment]

망막이 맥락막으로 떨어져서 망막의 감각기능이 저하되어 심각한 시각장애를 초래하는 상태. 특수아상담

망막은 눈 뒤에 있는 빛에 매우 민감한 막으로, 빛의 영상을 전기신호로 바꾸어 뇌로 전달하여 사람이 볼 수 있게 만들어 주는 기관이다. 정상적으로 망막에 영양분을 공급하고 지지해 주는 안구 뒤쪽의 깊은 층에서 망막이 떨어지는 것을 망막박리라고 한다. 영양 공급과 지지를 받지 못하면 망막은 제 기능을 할 수 없게 되고, 그 결과 다양한 증상이 발생할 수 있다. 예를 들어, 망막의 중심에 있어 보는 데 매우 중요한 역할을 하는 황반(macula) 근처에서 망막박리가 발생하면 갑자기 아무것도 보이지 않게 된다. 그러나 망막의 가장자리에서 박리가 일어날 경우에는 시야의 한쪽에 커튼을 쳐서 잘 안 보이는 것과 같은 시야결손이 발생할 수 있다. 망막박리로 나타나는 또 다른 증상으로는 눈앞에 떠다니는 것처럼 보이는 유리체 부유물이나 눈앞이 갑자기 번쩍거리는 증상이 있다. 여러 형태의 망막박리가 있는데 가장 흔한 것은 망막이 찢어지거나 구멍이 생겨 이곳으로 유리체 안에 있는 끈적한 물질이 흘러 들어가서 망막이 점차 떨어져 나가는 형태다. 이렇게 되면 결국 망막과 망막이 원래 붙어 있는 층 사이가 끈적한 물질로 채워져 망막이 분리된다. 간혹 외상으로 망막이 찢어지고 이로 인해 망막박리가 발생할 수 있다. 또는 유리체액(vitreous fluid)의 점성이 나이가 들어 감에 따라 변하여 발생할 수도 있다. 이러한 나이에 따른 변화는 노인들에게 예측할 수 없이 발생하고, 이를 예방하는 것은 어렵다. 일단 이 같은 망막박리가 발생하여 증상이 나타난 이후 제대로 치료하지 않으면 망막박리가 점차 진행하여 눈이 완전히 멀게 된다. 망막박리는 드문 질환이기는 하지만 특정 사람들에게 잘 생긴다. 망막박리는 백내장 수술을 받은 사람에게 발생할 수 있는 가장 심한 합병증으로서 수술받은 환자의 3% 정도에서 발생한다. 수술 이후에 망막박리가 잘 발생하는 이유는 수술 후에 유리체액의 점도가 떨어질 수 있기 때문이다. 수술 중에 수정체 후낭이 찢어지는 합병증이 발생한 경우에는 망막박리가 더 잘 발생한다. 안축장이 유난히 긴 사람들은 이 때문에 근시가 될 수 있고, 이렇게 안축장이 길면 유리체액과 망막표면에 더 많은 스트레스를 주게 된다. 대개 위험인자를 많이 가지고 있을수록 망막박리의 발생위험은 커지는데, 예를 들어 근시가 심한 사람이 백내장 수술을 받으면 근시가 아닌 사람이 백내장 수술

을 받았을 때보다 망막박리가 더 잘 생긴다. 전체적으로 나이가 들수록 망막박리가 발생할 위험은 커지고 여성보다 남성이 50% 정도 더 높은 것으로 보고되고 있다. 이외에 당뇨병 환자는 당뇨병 합병증에 따른 당뇨망막병증이 발생할 수 있고, 이로 인해 망막박리가 나타날 수 있다.

망상장애
[妄想障礙, delusional disorder]

현실에 대한 왜곡된 해석으로 자신의 잘못된 신념이 고정되어 있는 상태. 망상성 장애라고도 함. 정신병리

망상장애는 여러 가지 방식으로 표현될 수 있는데, 어떤 유형의 망상은 다른 정신병에 비해 정신분열증에서 자주 나타난다. 이러한 것 중에는 모든 사람이 자신의 생각을 들을 수 있다는 사고전파 망상, 자신의 생각, 감정, 충동이 외부의 어떤 힘에 의해 조정되고 있다는 조종 망상 등이 있다. 이 유형의 망상은 모두 기괴한 것으로 분류된다. 이 밖에 망상장애의 하위유형은 두드러진 망상의 주제가 어떤가에 따라 나누어진다. 즉, 배우자나 애인이 부정하다고 믿는 질투 망상, 누가 뒤를 좇고 있다는 추적 망상, 사회적 지위가 높은 미지의 인물이 자신을 사랑하고 있다고 믿는 색정 망상, 몸속의 어떤 내부기관이 기능부전 상태에 있다고 믿는 신체 망상이 있다. 망상형 정신분열증 환자와 달리 망상장애 환자는 말이 혼란스럽지 않고 환각도 없으며 망상도 덜 기괴하다. 망상장애는 유전적으로 정신분열증과 연관된 것으로 나타나며, DSM-IV에 따른 망상장애의 진단기준은 다음과 같다. 첫째, 기괴하지 않은 망상이다. 둘째, 정신분열증의 첫 번째 진단기준이 한 번도 충족된 적이 없다. 셋째, 망상이나 망상에 이어지는 판단장애에 영향을 받는 경우를 제외하고는 기능수준은 심하게 손상되지 않으며 행동도 이상하거나 기괴하지 않다. 넷째, 망상과 동반되는 기분삽화가 있을 경우에는 기분삽화의 기간이 전체 망상의 기간보다 짧아야 한다. 다섯째, 장애가 물질 또는 일반 의학적 상태의 직접적인 생리적 효과로 인한 것이 아니어야 한다. DSM-5에서의 진단기준은 DSM-IV에 비해 다소 간소화되었다. 첫째, 1개월 혹은 그 이상의 기간 동안 한 개의(혹은 그 이상의) 망상이 존재한다. 둘째, 조현병 스팩트럼장애 진단기준을 충족시키지 않아야 한다. 셋째, 망상이나 망상에 이어지는 판단 장해에 의해 영향 받는 경우를 제외하고는 기능 수준은 심하게 손상되지 않으며 행동도 이상하거나 기괴하지 않다.

관련어 관계망상

매개대상기법
[媒介對象技法, medium object technique]

사이코드라마의 준비단계에서 사용하는 기법으로, 일상적인 의사소통에 반응하지 않는 환자들에게 사용할 때 효과적인 기법. 사이코드라마

작은 인형을 매개로 하여 준비작업을 촉진하는 기법으로, 실시방법은 다음과 같다. 먼저 보조자아에게 인형역할을 맡긴다. 이 보조자아는 환자를 바라보면서 독백을 하고, 독백이 끝날 무렵 환자의 이름을 부른다. 이때 환자가 대답을 하면 보조자아와 대화를 할 수 있게 된다. 이와 같이 인형을 이용하면 환자의 사생활을 보호할 수 있다. 인형은 환자가 철수한 세상에 존재하는 것이다. 환자는 자신의 세상에 존재하지 않지만 바깥세상에 존재하는 상징물과의 이야기를 통하여 세상으로부터 완전히 철수한 것이 아니라는 것을 인식할 수 있다. 여기서 환자의 자발성이 생기면 치료적 상호작용이 시작된다.

관련어 독백, 보조자아

매니페스토 운동
[-運動, manifesto vision]

노르웨이 교육위원회가 학교폭력 위기에 대응하기 위하여 제시한 실천전략으로서, 학교폭력을 단 한 건도 수용하지 않기 위한 목적에서 이루어지는 활동. 위기상담

유치원 등의 학교에 대한 성인의 책임을 강조하고 있는 이 운동의 목표집단은 초·중등학교, 유치원, 여가활동기관의 교사, 학부모, 일반 성인, 가정 등이며, 최종적인 목표 집단은 어린이나 청소년으로, 학생들의 적극적인 참여를 독려한다. 국가는 주요 프로그램과 예방법을 승인하고 사회적 기술훈련, 예방교육 등의 프로그램에 대한 전문가 집단의 권고와 조언에 따라 효과성을 검증받은 프로그램과 교육 프로그램을 우선적으로 제공한다. 이 운동의 주요 활동은 정보 전달, 의식수준 제고와 학교폭력 예방 및 근절을 위한 프로그램 개발과 보급에 필요한 재정을 지원한다.

관련어 | 괴롭힘, 학교폭력

맥기니스 연상법
[-聯想法, McGinnis's association]

정상적인 청력과 지능을 지니고 있는 실어증 아동을 치료하는 언어치료 프로그램. 학습상담

1963년에 맥기니스(McGinnis)가 개발한 이 치료법은 먼저 음을 지도하고 음을 단어로 종합하여 그림과 단어의 의미를 대응시키고, 청각 수용력과 구어적 표현력을 발달시킨다. 다음으로 동사와 전치사가 있는 구와 문장을 이용하여 점차 복잡한 언어를 발달시켜 나간다.

관련어 | 구어장애, 언어장애

맥락만들기
[脈絡-, making a context]

부부의 상호작용에 대한 효과적인 재연을 위해 관련되는 다양한 요소에 대한 상황을 만드는 것. 정서중심부부치료

정서중심부부치료의 과정에서 부부간 상호작용을 재조직하기 위해 재연의 방법을 사용하는 경우, 이를 효과적으로 진행하는 데 고려해야 하는 사항이다. 치료자는 부부가 재연의 과정을 통하여 서로 접촉하고 위험을 감수하도록 요청하기 전에 반드시 새로운 상호작용의 틀이나 맥락을 제공해야 한다. 부부가 지속하고 있는 관계의 패턴, 부정적인 상호작용의 고리, 이면에 유발되고 있는 정서경험, 그리고 부부의 애착적인 관심거리 등이 포함된다. 맥락만들기는 부부가 치료과정으로 깊게 개입하지 못하고 우회할 때 부부를 재조명하는 데도 사용할 수 있다.

관련어 | 접촉 예상하기, 정서적 강도 만들기

맥락으로서의 자기
[脈絡-自己, self as context]

사적 사건들이 일어나는 맥락을 지켜보고 지금-여기의 경험을 조망하는 자기. 수용전념치료

개념화된 자기에 융합되는 것을 벗어나기 위해 자각하는 경험의 '나-여기-지금'에 기반을 둔 자기의 감각과의 접촉을 증진시키는데, 이는 자각하는 자기(noticing self), 관찰하는 자기(observing self), 초월적 자기(transcendent sense of self)라고도 불린다. 맥락으로서의 자기를 경험하도록 하는 것은 수용전념치료(ACT)의 핵심적 치료과정의 하나로서, ACT에서는 개념화된 자기와의 과도한 융합이 심리적 유연성을 저해한다고 보고 대안적인 유형의 자기를 경험하도록 의도적 시도를 한다. 이 대안적인 자기 유형 중 하나가 생각, 감정, 기억, 신체적 감

각과 같은 사적 사건이 일어나는 '맥락으로서의 자기(혹은 맥락적 자기)'인 것이다. 특별한 경험이 일어난 상황에서 그들에 대한 애착이나 집중 없이 자신의 경험과 흐름에 대한 자각을 하는 것이다. 결국 자기란 생각과 감정 등의 사적 경험을 관찰하는 동시에 미래의 가치를 위해 맥락적으로 행동을 선택하는 변화무쌍한 주체다(이선영, 2009). 이러한 맥락으로서의 자기는 개인에게 의식적으로 접촉될 수 없다는 한계가 있다. 그러나 ACT에서는 자기에 대한 초월적인 의식이 언어적 존재로 구성될 수 있고, 탈융합과 알아차림 혹은 마음챙김 과정을 통해서 근접될 수 있다고 보았다. ACT에는 마음챙김명상, 경험적 연습, 비유 등 맥락으로서의 자기의 질적인 측면을 내담자가 체험하도록 도움을 주는 여러 가지 개입방법이 있다. 이와 같은 맥락으로서의 자기는 수용(acceptance)을 촉진하게 된다.

관련어 개념화된 자기, 관계구성틀이론, 수용전념치료, 심리적 유연성

맥락의 부정
[脈絡-否定, denial of context]

대화의 주체인 말하는 사람이 대화를 하고 있는 맥락을 부정하는 것. 가족치료 일반

맥락의 부정은 언어를 통해서도 할 수 있고 신체언어를 통해서도 할 수 있다. 언어를 통한 맥락의 부정의 예를 보면, 정신분열증 환자와 치료자가 상담실에서 대화를 하다가 환자가 "지금 우리는 상담실에 있는 것이 아니라 공원에서 대화하고 있다."라고 말한다. 이 경우 환자는 치료라는 맥락을 공원이라는 맥락으로 바꿈으로써 치료맥락 자체를 부정하고 있다고 볼 수 있다. 신체언어를 통한 맥락의 부정의 예는 부부갈등의 상황에서 종종 볼 수 있다. 예를 들어, 최근에 사이가 좋지 않은 부부가 남편의 회사 상사의 초대를 받았고, 이는 남편의 승진에 중요한 영향을 미치는 모임이라고 하자. 그러면 이 부부는 초대받은 장소에서는 서로에 대해 존중하면서 행복한 부부처럼 행동할 것이다. 그러나 다시 집으로 돌아오면 냉정은 계속된다. 사실 집은 애정표현이 자연스러운 장소다. 그럼에도 불구하고 공공장소에서 했던 애정표현을 집에서는 하지 않음으로써 애정표현의 맥락을 부정한다. 즉, 두 사람은 부부의 친밀감이 표현되는 맥락을 부정하는 행동을 하는 것이다.

맥락적 가족치료
[脈絡的家族治療, Contextual Family Therapy]

보스조르메니나기(Boszormenyi-Nagy)가 소개한 것으로, 인간을 관계적 윤리를 추구하려는 존재로 규정하고 그 맥락 속에서 개인을 이해하고자 하는 접근. 맥락적 가족치료

맥락적 가족치료는 인간이 맥락 속에서 관계적 상호작용을 한다는 점과, 그 안에는 공정한 관계를 유지시키는 관계맥락을 윤리적으로 정의하는 데 초점을 두고 있다. 맥락은 윤리 이전의 존재영역으로서 존재들의 질서를 의미한다. 인간은 윤리적 존재로서 관계윤리를 형성하고자 하는 기본적인 욕구를 가지고 태어나며 삶에 대한 윤리의 맥락을 형성한다. 이 윤리의 맥락은 개인의 자아를 형성하는 데 기여한다. 건강한, 또는 건강하지 않은 윤리의 맥락에서 태어나는 인간은 성장과 발달에서 윤리 맥락과 밀접하게 관련되어 있다. 인간은 맥락에서 제시하는 일정한 실존적 질서에 따라 체제를 형성한다. 만약 실존적 질서를 어기면서 상호작용하는 체제를 만들면 그 체제는 병리현상을 보인다. 주창자인 보스조르메니나기는 부버(Buber)의 『I-thou relationship』에 관한 철학적 영향과 페어베언(Fairbairn)의 대상관계이론에 영향을 받아 정신분열증 환자를 치료하는 모델을 개발하였다. 그의 이와 같은 노력은 1950년대 가족치료 운동을 일으키며 가족치료라는

전문분야를 탄생시키는 선구자적 역할을 하게 되었다. 그는 정신분열증 환자를 치료하면서 치료자와 환자 사이의 신뢰가 중요하다는 것을 인식한 이후 그들을 치료하는 데 개인치료에서 가족치료로 획기적인 전환을 하면서 환자의 가족을 치료하는 여러 가지 치료 프로그램을 개발하였다. 이로 인해 정신분열증 환자의 기능이 향상되었고, 또한 가족들과의 관계도 많이 좋아졌다. 나기의 관심이 개인치료에서 가족에게로 옮겨졌기에 맥락적 가족치료는 개인심리에 근거를 두면서 동시에 가족관계를 다루는 이론으로 발전하였다. 이에 따라 가족들과의 상호작용이라는 맥락을 중요시하였다. 가족이 상호작용하는 맥락은 상호작용의 형태를 담는 그릇의 역할을 한다. 그릇역할의 맥락은 존재적 현실로서 일정한 윤리를 가지고 있고, 이 윤리의 맥락이 가족치료 이론의 일차적 관심사가 되는 것이다. 맥락적 가족치료는 실존주의 입장에서 개인심리와 가족치료를 다루고 있다.

맥락적 단서

[脈絡的端緖, contextual cues]

자연스럽게 혹은 자동적으로 최면의 맥락을 인식하거나 최면을 기대하게 되는 특정 환경, 행동, 비언어적 커뮤니케이션, 상황 등의 자극. 최면치료

최면을 유도하기 위해 사용되는 환경적 요소나 상황 등이 내담자에게 최면을 준비하게 하거나 기대하게 하는 경우, 이 환경적 요소나 상황을 맥락적 단서라고 한다. 예를 들어, 최면유도를 시작할 때 조명을 어둡게 하고 적절한 음악을 틀 수 있다. 이 경우 조명과 음악이 최면을 암시하는 맥락적 단서가 된다. 이 같은 단서가 반복되면 유사한 조명과 음악이 있는 환경에서는 쉽게 최면이 유도된다. 또 다른 예로, 세미나에서 사용된 최면 의자를 들 수 있다. 최면 시범에 사용된 특정 의자가 최면 의자로 인식되어, 그 의자에 앉으면 자연스럽게 이완되고 보다 쉬운 최면유도를 기대하게 된다. 또한 평상시와 다른 목소리가 단서가 되기도 한다. 일상적인 대화를 할 때의 목소리보다 저음의 부드럽고 작은 목소리로 바꾸어 최면에 들어가는 경험을 반복적으로 경험한 내담자에게는, 목소리의 변화만으로 최면유도에 용이한 조건을 만들 수 있다.

관련어 | 최면, 최면상담

맥락적 하위이론

[脈絡的下位理論, contextual subtheory]

학습상담

⇨ '삼원지능이론' 참조.

머물러 있기

[-, staying with]

내담자가 자신의 미해결 감정을 회피하지 않고 직면하여 견디어 냄으로써 이를 해소하도록 도와주는 기법. 게슈탈트

대개 내담자는 접촉경계혼란으로 미해결 감정을 회피하는 데 익숙해 있다. 머물러 있기 기법은 이러한 내담자에게 회피와 방어를 못하게 하고, 자신의 감정을 직면하게 하여 미해결 감정의 완결을 도와준다. 예를 들어, 슬픔은 어떤 상실에 대한 지극히 정상적인 반응인데 이러한 감정을 접촉하기가 두려워 회피하고 있는 내담자가 있다면 처해 있는 감정상태에 완전히 몰입하여 표현하고 받아들이는 작업을 하게 만드는 것이다. 어떤 감정이 있지만 이를 표현하지 않고 누르고 있으면 마치 수도관이 막힌 것처럼 감정이 해소되지 못할 뿐 아니라 다른 정서까지 형성되지 못하도록 막아 버린다. 따라서 내담

자의 막힌 에너지가 발견되면 그것이 어떤 종류이건 거기에 머무름으로써 그 에너지와 접촉하도록 해 주어야 한다. 이때 개념적 차원이 아니라 직접적으로 그 감정과 접촉하도록 해야 하므로 내담자가 되도록 구체적인 상황에서 그 감정을 다시 체험할 수 있는 실험상황을 만들어 주어야 한다. 어떤 고통스러운 감정도 이를 차단시키지 않고 그대로 현재의식을 따라 머물러 있으면 마침내 끝이 보이고 새로운 감정이 떠오르게 된다. 이 기법의 장점은 내담자가 끊임없이 늘어놓는 자신의 말 속에 스스로 매몰되는 것을 막고 현재로 돌아오도록 도와주며, 인지적인 해석이나 설명 대신 현재의 존재 체험으로 이끌어 주는 데 있다.

관련어 | 게슈탈트, 미해결 과제, 실험

머피의 법칙

[– 法則, Murphy's law]

시간적으로 앞선 사건이 나중에 일어나는 사건의 원인이라고 착각하는 인지적 오류. 인지치료

머피의 법칙은 일이 좀처럼 풀리지 않고 오히려 갈수록 꼬이기만 하여 되는 일이 없을 때 흔히 사용되는 표현이다. 바라는 것은 이루어지지 않고 우연히 좋지 않은 방향으로만 일이 전개된다고 생각되는 경우에 사용하며, 그 후의 일이 부정적일 것이라고 본다. 제2차 세계 대전 직후인 1949년에 미국 에드워드 공군기지(Edward Air Base)에 근무하던 에드워드 머피(Edward Murphy) 대위가 처음으로 사용한 데서 그의 성을 따 만들어졌고, 상반되는 용어로는 샐리의 법칙이 있다.

관련어 | 샐리의 법칙

멀

[– , Myrrh]

진정, 항카다르, 항염증, 항미생물, 소염, 방부성, 수렴, 진정치료, 구풍(驅風), 통경(痛經), 살진균, 소화 및 폐 자극, 건위, 기능 강화, 자궁기능 증진, 상처 치료 등의 효과가 있는 나무로서, 중동, 북인디아, 북아프리카 지방에서 재배. 향기치료

3미터까지 자라며 수많은 옹이가 박힌 가지에 세 갈래로 갈라진 잎이 나고, 작은 흰색 꽃이 핀다. 멀은 비장의 기능 약화로 울혈지고 습해진 사람, 사지가 노곤하고 차가운 사람에게 좋은 오일이며, 마음에 깊은 안정감과 평온감을 불어넣어 준다. 살균, 항진균, 항염증 작용으로 잘 알려진 멀은 상처의 감염 치료에 효과적이다. 또한 만성 상처 및 궤양 치료에 사용되고 노화피부, 치유가 더딘 상처, 진물, 튼살 치료에 효과가 좋다. 그리고 뛰어난 거담제로 기침, 기관지염, 감기 치료에 유용하고, 자궁 강화 능력도 있어서 생리를 촉진하고 생리기간에 통증을 덜어 준다.

메디컬 미술치료

[– 美術治療, medical art therapy]

말키오디(Malchiodi, 1993)가 사용한 용어로, 신체질병 때문에 병원에 입원한 환자를 대상으로 실시하는 미술치료. 미술치료

말키오디에 따르면, 메디컬 미술치료는 신체에 질병이 있거나 심각한 후유증을 앓고 있는 사람들 또는 수술이나 방사선 치료와 같은 힘든 치료를 받고 있는 사람들에게 이미지를 이용한 미술활동을 행하여 고통을 경감시키고 건강을 증진시키는 것을 의미한다.

메스머리즘
[-, mesmerism]

메스머가 행한 최면기법으로 최면술이라고도 함. 최면치료

18세기에, 역사상 처음으로 최면과 최면현상을 학문적인 차원에서 연구하고 규명하고자 한 오스트리아 의사 프란츠 안톤 메스머(Franz Anton Mesmer)의 이름에서 따온 것으로 'hypnosis'의 초기 용어다. 메스머는 동물자기설(animal magnetism)을 주창하였는데, 여기서 자기(磁氣)란 자석의 기운을 뜻한다. 그는 행성은 보이지 않는 유동체를 통하여 인체에 영향을 미치며, 이 유동체는 자석으로부터 유래된다고 주장하였다. 그는 우주 유동체(cosmic fluid)가 자석과 같은 비생물체에 저장되어 있다가 환자에게 전이되어 병을 치료할 수 있다고 믿었고, 사람의 몸과 손에서도 자기가 작용한다고 생각하였다. 그는 자신의 몸과 손에서 치유적인 힘과 자기적인 힘이 방출된다고 믿었고, 이러한 일을 자연적인 현상으로 받아들여 동물자기설을 완성시켰다. 이 이론이 최면을 뜻하는 '메스머리즘(mesmerism)'의 바탕이 되었다. 그는 29세의 신경증 여자 환자의 발작증세를 세 개의 자석을 환자의 위장 부위와 다리에 붙여서 치료하였고, 나중에는 자신을 직접 자석으로 생각하여 자신을 통해 환자에게 자성(磁性)이 전달된다고 여겨 자석을 버리고 치료하였다. 성공적인 치료효과로 많은 환자들이 모이기도 하였으나, 그의 치료효과를 검증할 수 없고 그를 불신하는 연구결과가 발표되고, 그의 치료방법이 기묘한 마술로 보여 전문가들에게는 그 시대에 인정받지 못하고 추방되었다. 그가 죽은 다음 정화작용(淨化作用)에 의한 치료법이 재고되면서 현대 최면치료의 선구로 인정받게 되었다. 오늘날의 최면법은 동물자기설을 연구하는 과정에서 부수적으로 얻어진 것이라고 할 수도 있다. 최근 들어 메스머의 동물자기설은 어느 정도 타당성을 인정받고 있다. 양자물리학에서는 메스머가 말하는 동물자기 대신에 전기적 자성(electromagnetism)이 신체 내의 화학적 반응에 영향을 미치는 것으로 설명하고 있기 때문이다.

관련어 | 메스머, 최면

메스암페타민
[-, methamphetamine]

염산에 염산에페드린(ephedrine hydrochloride)을 원료로 합성한 암페타민계 향정신성 의약품. 중독상담

메스암페타민을 지칭하는 단어는 매우 다양한데, 일반적으로 미국에서는 액체형태의 것을 스피드(speed), 고체형태의 것을 아이스(ice)라고 한다. 일본에서는 히로뽕, 필리핀에서는 샤부(shabu), 타이완에서는 아미타민이라고 한다. 그리고 우리나라에서는 필로폰, 히로뽕, 악마의 가루, 공포의 백색가루 등으로 불린다. 이 중 히로뽕이라는 명칭은, '피로(疲勞)'라는 단어와 한 번에 없어진다는 의미를 지닌 속어 '뽕'이 결합된 용어다. 마약 사용자들 사이에서는 백색의 황금, 뽕, 크리스털 등으로 불린다. 메스암페타민은 1888년 일본 도쿄대학 의학부 교수인 나가이 나가요시 박사가 천식을 치료하는 약재인 마황에서 에페드린을 추출하는 과정에서 처음 발견하였고, 1893년 합성에 최초로 성공하였다. 그리고 1919년 아키라 오가타는 요오드 크리스털을 사용하여 메스암페타민을 합성하는 데 성공하였다. 이후 제2차 세계 대전 중에 일본에서 군수공장의 노동자와 군인에게 피로감을 느끼지 않으면서 각성을 시키려는 목적으로 대일본제약회사에서 '필로폰'이라는 이름으로 시판되어 사용하게 되었다. 이 명칭은 '일하는 것을 사랑한다'는 의미를 가진 그리스어 '필로포노스(philoponos)'에서 유래하였다고 전해진다. 메스암페타민은 제2차 세계 대전 이후 민간에 널리 확산되어 동남아 지역의 사회 문제로 대두되기 시작하였다. 메스암페타민은 부서지기 쉬운 결정체의 형태나 분말형태로 되어 있으며, 백색 또는

연회색을 띠고, 약간 신맛이 나면서 보통은 무취이지만 순도가 높은 경우는 약하게 암모니아 냄새나 비린내가 나기도 한다. 메스암페타민의 별칭인 '스피드(speed)'에서 엿볼 수 있듯이 그 효과는 매우 빠르고 신속한 것이 가장 큰 특징이다. 과도하게 복용하는 중독자의 경우에는 며칠씩 잠을 안 자고 계속 활동하며, 식사도 거의 하지 않는다. 또한 과도한 흥분과 자신감 상승으로 공격적이거나 폭력적인 행동을 보이기도 하며, 극심한 불안과 편집증, 정신분열증과 같은 정신과적인 문제가 일어나기도 한다. 특히 메스암페타민의 복용자는 유사시에 매우 놀라운 폭발적인 힘을 발휘하게 되는데, 이 약물이 인체 내에서 에피네프린이나 노르에피네프린과 같은 호르몬과 유사한 작용을 하기 때문이다. 또한 메스암페타민의 사용중단에 따른 금단증상은 불안, 떨림, 악몽, 극도의 피로감, 두통 등이 있다. 메스암페타민은 물에 잘 용해되어 주로 주사기를 이용하여 투여하는데, 이는 약물중독에 따른 부작용 외에 AIDS나 간염 등의 다양한 전염병 노출 가능성을 높이는 결과를 가져오며, 전량이 불법으로 밀수되기 때문에 많은 양의 불순물이 함께 섞여 있을 가능성 또한 매우 높아서 지속적으로 투여하면 얼굴이나 피부 등에 악성 부스럼이 생기기도 하고 충치가 생기기도 한다. 결정형 메스암페타민의 주요 생산지는 중국 등 아시아로, 일본, 하와이, 한국, 필리핀, 타이완, 미국 서부지역 등지에서 소비하고 있으며, 분말형은 미국과 유럽 등지에서 생산되고 소비된다.

관련어 마약, 스피드, 암페타민류, 향정신성 약물

메스카린
[-, mescaline]

페요테(peyote)라는 식물에서 추출한 환각물질의 한 종류. 중독상담

페요테는 미국 텍사스의 남부지역과 멕시코 북부에서 자생하는 선인장으로서, 작고 가시가 없으며 당근과 같은 모양을 하고 있다. 이 선인장은 대부분 땅 속에 묻혀 있으며, 회색빛을 띤 녹색 끝 부분만 지면 위로 올라와 있는데, 이 부분에서 향정신성 작용을 하는 물질을 추출한다. 메스카린은 주로 경구투여하며, 섭취한 것 중 아주 적은 양만이 뇌와 혈관장벽을 통과하기 때문에 원하는 효과를 얻기 위해서는 많은 양이 필요하다. 복용 후 30~120분이 지나면 약물의 농도가 최고치에 이르고, 6시간 후에는 체외로 대사된다. 메스카린의 효과는 LSD, 실로사이빈과 같은 대부분의 알칼로이드 환각제와 유사하다. 즉, 동공이 확대되고, 맥박과 혈압이 상승하며, 체온이 올라가면서 다채로운 시각경험을 일으킨다. 전통적으로 멕시코 인디언들이 의식행사에서 분위기를 고조시키기 위해 사용해 왔다.

관련어 LSD, 실로사이빈, 환각제

메시지
[-, message]

상담회기를 종료하고 10분 정도의 휴식시간을 가진 후 상담자가 해당 상담회기에 대한 피드백을 메시지 형태로 전달하는 것. 해결중심상담

해결중심접근의 치료에서 한 상담회기가 끝나고 상담자가 내담자에게 전달하는 메시지는 교육적 기능, 정상화 기능, 새로운 의미 기능, 과제 기능 등을 가진다. 첫째, 교육적 기능을 하는 메시지는 내담자의 현재 상황이나 회기 중 제시된 해결의 방법에 관한 다양한 시각을 제시한다. 내담자는 이 메시지를 읽음으로써 자신의 문제와 해결에 대한 다양한 가능성을 인식하고, 궁극적으로 행동의 차이를 만든다. 둘째, 정상화 목적으로 사용되는 메시지는 내담자에게 현재 겪고 있는 어려움은 누구나 겪을 수 있는 것이라는 내용을 전달하고, 그들을 지지해 줌으로써 자신의 노력을 인정할 수 있도록 하는 데

있다. 셋째, 새로운 의미 기능을 하는 메시지는 지금 일어나고 있는 행동이나 문제에 다른 의미를 줄 수 있다는 가능성을 전한다. 넷째, 과제 기능을 하는 메시지는 내담자가 수행해야 할 과제를 전달해 준다. 이러한 과제를 내담자에게 부여하는 것은 상담과정에서 제시된 해결방안을 단계적으로 시행하여 구체화하는 효과가 있다. 한편, 메시지는 칭찬(compliment), 연결문(bridge), 과제(task) 등의 요소로 구성되는데, 첫째, 칭찬은 회기 중에 일어난 내담자의 변화를 위한 노력과 그 속에서 드러나는 내담자의 강점을 지지하는 것이다. 칭찬의 기본 목적은 내담자가 기존에 하고 있는 것이나 가지고 있던 긍정적인 면을 강화하여 문제해결을 촉진하는 데 있다. 월터와 펠러(Walter & Peller, 1992)는 칭찬은 내담자의 변화에 대한 긍정적인 분위기 조성, 최근 변화과정의 조명, 정상화, 책임감 증진, 다양한 견해를 지지하는 기능을 할 수 있다고 주장하였다. 둘째, 연결문은 칭찬과 과제를 연결하는 것으로서 내담자의 목표, 예외, 강점, 성공적으로 실행한 것 등을 서로 연결시킴으로써 과제를 부여하는 타당성을 설명해 준다. 또한 과제를 성공적으로 실시할 수 있도록 동기를 주고 격려하는 내용을 포함한다. 셋째, 과제는 상담현장 외에 내담자의 일상생활에서도 변화를 이끌어 내기 위해 부여되는 것이다. 과제는 크게 관찰과제와 행동과제로 나뉜다. 관찰과제는 해결구축에 필요한 요소들에 관하여 내담자의 삶에서 주의 깊게 관찰하도록 요구하는 것이고, 행동과제는 내담자가 자기 삶에서 잘하고 있는 것을 계속하도록 격려하거나, 새로운 것을 시도해 보도록 제안하는 것이다. 이러한 과제를 부여하는 세부적인 방법은 내담자와 상담자 간의 관계 유형에 따라 다르게 적용할 수 있다. 방문자 유형의 내담자에게는 어려운 상황에서도 자신에게 도움이 되기 위해 상담을 받으러 온 것에 대해 칭찬하고, 다음에 다시 한 번 상담에 초청하는 것을 과제로 줄 수 있다. 불평자 유형의 내담자에게는 관찰과제 또는 생각과제를 주어 긍정적인 행동의 변화를 기대해 볼 수 있다. 그리고 고객유형의 내담자인 경우는 일반적으로 행동과제를 주는데, 상담에서 유용하게 사용할 수 있는 과제로 동전던지기, 편지 쓰기 등을 부여한다.

관련어 | 고객, 동전던지기, 방문자, 불평자

메시지 틀
[– , framing message]

인간이 다른 사람들과 대화를 할 때 주고받는 메시지, 즉 언어 메시지, 목소리, 몸짓 등의 요소가 전달하고자 하는 의미를 공통적으로 포함하는 것. 생애기술치료

다른 사람들과 대화를 할 때 메시지 틀은 매우 중요한 역할을 한다. 예를 들어, "나는 지금 행복하다."라고 언어 메시지를 전달하면서, 목소리에는 힘이 없고 떨리는 몸짓을 하는 등 전혀 행복해 보이지 않는다면 올바른 의사전달이 되지 않을 것이다. 생애기술치료에서는 보다 긍정적인 인간관계의 형성을 위해서 메시지 틀에 대한 훈련을 수행하여 전하고자 하는 의미가 메시지의 모든 요소 안에서 일치되도록 한다.

메인 프레임
[– , main frame]

인터넷 통신을 관장하는 중앙 컴퓨터. 사이버상담

전통적으로는 중앙 집중식으로 구성되어 있지만 오늘날에는 대형 서버를 통해 분산되어 있는 사용자들과 네트워크상 소형 서버들을 지원할 수 있다. 메인 프레임은 초당 수십억 개의 명령어를 처리할 만큼 매우 빠른 속도로 데이터를 처리한다. 메인 프레임의 주요 용도는 엄청난 양의 데이터를 빠르게 처리하는 것이기 때문에 은행, 보험회사, 제조회사들이 소비자가 될 수 있다. 최근 대기업들은 자동

현금출납기를 작동시키고 이메일을 전송하는 것처럼 민감한 응용 프로그램을 수행하는 등의 중대한 일에 많이 사용하고 있다. 모든 종류의 컴퓨터가 공존하고 서로 협력하여 작동할 수 있는 인터넷에서 거대한 양의 데이터 저장은 대규모 서버에 의해 유지되고 있다. 메인 프레임과 같은 막대한 양의 데이터를 관리하기 위해서는 대규모 서버가 가장 적합한 방법이다.

메타 기억
[－記憶, metamemory]

메타 인지의 하위개념으로서 자신의 기억과정에 대한 지식. 학습상담

기억의 내용과 조절에 대한 지식을 의미하는 것으로서, 자신의 기억이 어떻게 작용하는지 혹은 기억을 촉진하기 위해 어떤 전략을 사용해야 하는지를 이해하는 것이다. 이 용어는 1970년대 초 플라벨(J. Flavell)의 연구에서 제시된 개념이다. 메타 기억은 사람으로 하여금 자신의 기억을 반영하고 감시하는 것을 가능하게 할 뿐만 아니라 계획을 세우고 인지적 자원을 촉진시키고 전략을 선택하고 시행을 평가하는 데 중요한 역할을 한다. 메타 기억 수준이 높으면 어떤 항목들을 단순히 기억하는 것 이상으로 항목 간의 차이를 발견하고, 공통된 항목을 묶거나 의미 있는 관계를 발견하거나 만들어 내어 효율적으로 기억할 수 있는 방략을 찾아낸다. 한편, 유센(S. Yussen)은 메타 기억이 형성되는 연령을 확인하고자 하였는데, 그는 4세 유아에게 모델이 항목을 기억하도록 지시하는 조건과 모델의 지시가 없는 조건을 비교하였다. 그 결과 모델이 지시를 준 조건에서 모델에 대한 주의량이나 재생수가 더 많다는 것을 밝혔다. 따라서 유아기에 이미 기억에 대한 일반적인 인식이 발현되고 있음을 알 수 있다. 하지만 유아기의 메타 기억은 성인과 같이 완전한 형태를 이루지는 않는다. 왜냐하면 유아는 과제의 난이도에 영향을 주는 지식이나 적절한 방책을 선택하는 데 필요한 지식인 체제화의 방책이 명명하기(labeling)나 유지 리허설보다 유효하다는 등의 지식을 충분히 갖고 있지 않기 때문이다. 또한 유아기에는 자기 기억 과정을 모니터링하는 능력이 어느 정도는 있지만, 시작단계에 불과하고 아동기도 점차 발달해 나가는 과정에 있기 때문이다.

관련어 | 메타 인지

메타 메시지 감수성
[－感受性, meta message sensitivity]

유머감각질문지(the sense of humor questionnaire: SHQ)의 첫 번째 척도로, 전달하고자 하는 메시지의 언어적 표현에 수반되는 모든 비언어적 요소가 종합된 통합적 의미를 파악하는 정도. 웃음치료

메타 메시지란 사람들의 대화 속에서 동일하게 발화된 언어적 표현이 다른 의미로 받아들여지는 여러 비언어적 표현, 즉 음성, 표정, 태도 등이 종합된 메시지의 의미를 뜻한다. 이에 대한 민감성의 정도가 메타 메시지 감수성이다. 사람의 말은 언어적 표현으로만 의미가 전달되는 것이 아니라 때와 장소, 상황, 말하는 사람의 숨겨진 의도와 목소리, 표정, 몸짓 등에 따라 의미가 결정된다. 왜냐하면 동일한 발화언어라도 그 의도나 속뜻, 감정적 강세 등이 다르기 때문이다. 따라서 일상적 대화상황에서 언어가 전달하는 정보는 메시지와 메타 메시지로 구성된다. 메시지는 단순히 언어적 표현에 의한 의미전달을 목적으로 하는 것이라면, 메타 메시지는 다양한 비언어적 태도와 대화의 장소, 시기, 분위기 등이 모두 통합되어 전해지는 의미라 할 수 있다. SHQ에서 M항목(M-items)으로 분류되는 메타 메시지 감수성은 유머자극에 포함된 부조화 및 부조리에 대해 얼마나 민감하게 알아차리고 그 의미를 제대로 이해하여 웃음유발의 원인을 파악하는지 측정

할 수 있는 척도다.

관련어 | 유머감각질문지

메타 모형
[-模型, meta model]

언어를 경험과 연결시키는 일련의 언어양식과 질문의 총칭.
NLP

언어의 의미를 분명하게 제시하기 위한 상위의 언어로 하위언어가 의미하는 것을 이해하는 데 갈등이 일어나지 않도록 그 언어를 심층구조에 연결시키는 것이다. 즉, 내담자나 상담자가 언어를 사용할 때 말이라는 추상적인 차원에서 시작하여 그 말의 근거가 되는 구체적인 경험으로 이동하는 과정에서 자신의 경험을 왜곡, 삭제, 일반화하는 기제를 말한다. 메타 모형은 상담에서 내담자의 언어에 나타나는 문제패턴을 찾아내고 이에 반응하는 수단으로 만들어졌다. 일반적으로 인간은 외부의 정보나 사태를 접할 때 삭제, 왜곡, 일반화의 세 가지 틀을 통하여 그것을 부정확하고 불완전한 형태로 받아들이고 그에 따른 내적 경험을 하면서 내부 표상(internal representation)을 만든다. 이 내부 표상은 불완전한 세상모형(model of world)으로서 세상이라는 '영토'에 대한 '지도'이며, 외적 실재(reality)를 반영한 불완전하고 부정확한 모형(model)이기도 하다. 그런데 인간은 자신의 경험을 설명할 때 자신의 내적 경험, 즉 내부 표상에 해당하는 세상모형에 기초하여 표현한다. 이렇게 표현하는 것은 바로 모형에 대한 모형(model about model)이기에 이를 메타 모형이라고 부른다. 결국 사람들이 사용하는 대부분의 커뮤니케이션, 즉 의사소통은 메타 모형에 해당된다고 할 수 있다. 그런데 메타 모형을 통해서는 표층구조(surface structure)만 드러나고 진정한 경험의 내용, 즉 심층구조(deep structure)는 드러나지 않아 제대로 이해할 수 없으므로 NLP 상담자는 이러한 기제를 발견하고 드러내기 위한 일련의 질문으로 구체적이고 정확한 정보를 얻으려고 하는 것이다. 이 같은 전체 과정을 메타 모형이라고 말하기도 한다. 이 메타 모형에는 메타 모형 위반(meta model violation)과 메타 모형 도전(challenge) 또는 반응의 두 가지가 있다. 메타 모형 위반은 사람들이 왜곡, 삭제, 일반화와 같은 여과과정, 즉 위반을 통하여 내적 경험을 정확하게 표현하지 못하는 것을 말한다. 메타 모형 도전 또는 반응은 위반을 지적하고 정확한 정보를 얻기 위해 적절한 반응이나 질문을 하는 것을 말한다. 메타 모형의 패턴과 이에 도전하는 질문은 다음 표와 같다.

〈메타 모형 패턴과 도전 규칙〉

메타 모형 패턴	도전
삭제(deletion)	
• 미결 명사 (unspecified noun)	'누구 혹은 무엇이 특별히 ……'
• 미결 동사 (unspecified verb)	'얼마나 구체적으로 이것이 일어나는가?'
• 비교(comparison)	'무엇과 비교해서'
• 판단(judgement)	'누가 말하는가?'
• 명사화 (nominalization)	'어떻게 이루어질 것인가?'
일반화(generalization)	
• 가능성 모형 작동 (model-operator of possibility)	'무엇이 방해합니까?'
• 필요성 모형 작동 (model-operator of necessity)	'그렇게 하면 혹은 하지 않으면 무슨 일이 일어납니까?'
• 다량 보편화 (universal-quantifer)	'언제나' '결코' '모든 사람이'
왜곡(distortion)	
• 복합 대등 (complex-equivalence)	'어떻게 이것이 그렇게 해석되죠?'
• 전제(presupposition)	'무엇이 그렇게 믿게 했습니까?'
• 원인과 결과 (cause and effect)	'그것이 어떻게 정확하게 이것이 일어나게 만들 수 있죠?'
마음 읽기(mind reading)	'어떻게 알게 되었습니까?'

출처: O'Connor & Seymour, 설기문, 이차연, 남윤지 역(2010). NLP 입문. 서울: 학지사.

메타 모형을 다루면, 첫째, 내담자의 말을 들을 때 수준 높은 정보수집이 가능해지고, 둘째, 따라서 내담자의 말이 의미하는 것을 정확하게 이해할 수 있으며, 셋째, 선택을 할 수 있도록 해 준다. 그러므로 메타 모형은 비합리적이고 부정적인 내적 대화를 하는 내담자에게 적용하여 긍정적이고 합리적인 신념을 갖도록 하는 데 유용하다. 이러한 메타 모형의 원리를 역으로 이용하여 최면적 유도를 목적으로 하는 언어적 패턴인 밀턴모형과는 달리 메타 모형은 탈최면의 방법이기도 하다.

심층구조 [深層構造, deep structure] NLP에서 표층구조의 반대개념으로, 왜곡, 생략 혹은 삭제, 일반화가 이루어지기 전의 마음상태를 말한다. 심층구조가 내면의 경험을 통하여 이 세 가지 형태의 인식적 여과장치를 거치면서 표층구조로 바뀌는 것이다. 이러한 현상을 다루는 문법을 변형문법이라고도 한다.

표층구조 [表層構造, surface structure] NLP에서 심층구조의 반대개념으로, 겉으로 드러나는 커뮤니케이션을 말한다. 흔히 '도를 도라고 할 때, 그것은 도가 아니다.'라는 말이 있는데, 여기서 '도를 도'라고 할 때 나타나는 것이 바로 표층구조다. 그렇기에 그 표층구조로서의 도는 심층구조에 해당하는 도라고 하기 전 처음의 '도'와는 다른 것이라고 할 수 있다. 심층구조가 표층구조로 바뀌어 나타나는 과정은 왜곡(distortion), 생략 또는 삭제(deletion), 일반화(generalization)를 통해서 이루어지며, 그렇게 바뀌는 현상을 설명하는 문법을 변형문법(transformational grammar)이라고 한다.

메타 커뮤니케이션
[-, metacommunication]

의사소통과정에서 전달되는 메시지 안에 함축된 메시지. 전략적 가족치료

대인 간 상호작용에서 전해지는 메시지에 함께 전달되는 비언어적인 메시지에 포함된 메시지를 뜻한다. 일반적으로 메타 커뮤니케이션은 전달되는 언어적 메시지와 일치하지만, 때로는 서로 모순되는 경우도 있다. 예를 들어, '졸린다.'라고 말을 하며 하품을 하는 것은 언어적으로 전달되는 메시지와 하품을 하는 행동으로 전달되는 메타 메시지가 서로 일치한다. 그러나 '졸린다.'라고 하면서 얼굴은 즐겁고 상쾌한 표정을 짓는다면 언어적 메시지와 메타 메시지가 상충되는 커뮤니케이션을 하고 있는 것이다.

메타돈
[-, methadone]

헤로인에 대한 금단증상을 완화시키기 위해 사용되는 아편양 제제의 하나. 중독상담

제2차 세계 대전 당시 히틀러 치하의 나치 독일에서 당시 구하기 힘든 아편류의 진통제를 대체하기 위해 개발한 합성 아편제로, 1946년부터 사용되었다. 메타돈은 헤로인과 유사한 방식으로 뇌에 작용하여 대체효과가 나타난다. 하지만 효과가 서서히 나타나기 때문에 장기적으로 사용해야 원하는 효과를 얻을 수 있다. 이러한 메타돈의 특징 때문에 몇몇 나라에서는 아편제의 중독환자를 치료하는 약물로 사용하기도 한다. 아편길항제는 아편이 인체 내에서 효과를 발휘할 수 없도록 차단하는 것에 반해, 메타돈은 반감기와 약효시간이 길어 헤로인과 같은 아편류의 중독으로 인한 금단증상을 완화하고 그 효과를 합법적으로 유지시키는 역할을 한다. 메

ㅁ

타돈을 이용한 헤로인 중독의 치료는 1960년대 초반부터 시작되었고, 이후 폭발적인 인기를 끌었다. 하지만 메타돈 또한 의존적인 이차 중독의 위험 때문에 마약문제를 근본적으로 해결하는 것이 아니라 의존자를 통제된 중독자로 만들어 평생 중독자로 살아가게 만든다는 비판도 있다. 메타돈 유지 요법을 가장 적극적으로 활용하고 있는 국가는 네덜란드인데, 네덜란드는 마약에 대해 범죄나 사회 통제의 관점으로 접근하기보다는 의존자들의 복지와 건강의 문제로 접근하는 경향이 강하다. 이러한 네덜란드의 정책은 흔히 '문턱 낮추기'로 표현된다. 하지만 우리나라에서는 식품의약품안전청 또는 시 · 도지사의 허가를 받은 경우를 제외하고는 메타돈 유지 치료를 금하고 있다. 메타돈은 대개 간호사, 일반의 혹은 약사의 지도감독하에 매일 복용한다. 어떤 기관은 내담자가 가정에서 복용하도록 며칠분의 복용량을 제공하기도 한다. 그렇지만 대부분의 기관은 이 약을 불법적으로 거래하는 것을 예방하기 위해 처방약을 외부로 가지고 나가지 못하게 하는 방침을 가지고 있다.

관련어 | 교차내성, 부프레놀핀, 아편양제제, 알코올중독

메타돈 유지
[－維持, methadone maintenance treatment]

헤로인 중독을 치료하기 위한 아편양제제인 메타돈을 치료목적으로 아편중독자에게 정기적으로 공급하는 것. 중독상담

메타돈 치료의 목적은 아편중독으로 인한 금단증상을 완화하고 다른 치료 프로그램과의 연계를 통해서 보다 효과적인 치료를 행하는 데 있다. 하지만 이러한 치료법이 오히려 합법적인 약물중독자를 양성한다는 논쟁도 있다. 따라서 메타돈 유지의 치료 방법을 사용하기 위해서는 무엇보다도 중독환자의 책임감 있는 사용과 관리가 선행되어야 한다.

메타분석
[－分析, meta-analysis]

특정 연구주제에 대하여 이루어진 여러 연구결과를 하나로 통합하여 요약할 목적으로 개별 연구의 결과를 수집하여 통계적으로 재분석하는 방법. 통계분석

어떤 연구주제에 관한 독립적으로 이루어진 다양한 선행연구의 결과들을 통계적으로 요약하려는 시도는 오래전부터 있어 왔다. 그중 초기에 적용된 방식이 투표식 방법(voting method)이다. 이는 단순히 각 연구결과의 통계적 의의 여부만 따져 보고 개별 연구결과를 종합하는 방식이다. 즉, 실험집단과 통제집단 간의 차이, 또는 독립변인과 종속변인 간의 관계에서 어느 한쪽을 기준으로 하여 통계적 의도를 검증하면 정적으로 의의 있거나, 부적으로 의의 있거나, 아무런 의의가 없거나의 세 범주로 분류할 수 있다. 이러한 범주를 정해 놓고 종합하고자 하는 개별연구가 어느 범주에 속하는지 판단하여 분류한 다음, 마치 투표를 하듯이 각 범주에 해당하는 연구결과의 숫자를 헤아려서 가장 많은 수를 확보한 범주를 우승자로 결정하는 방법이다. 그러나 투표식 방법은 어느 집단이 어느 집단보다 의의 있게 높다는 사실만 알 뿐 구체적으로 어느 정도 차이가 있는지 차이의 크기는 알 수 없다. 그리고 연구결과의 종합에서 표본의 크기를 무시하기 때문에 자칫하면 사실과 다른 결론에 도달할 가능성이 있다는 문제점을 가지고 있다. 그래서 1970년 이후부터 수량적으로 연구결과를 종합하는 다양한 방법이 제안되었고, 그중 대표적인 것이 글라스(Glass, 1976)를 비롯하여 그의 동료가 개발한 메타분석이다. 메타분석은 한 주제와 관련된 선행연구의 결과를 종합 · 요약할 때 개별 연구의 결과를 낱낱이 서술하면서 비교하는 이야기체(narrative) 방식이 아니라 각 연구에서 얻은 정보를 수량화해서 기술통

계와 추리통계 기법을 이용하여 분석하는 통계적 방식이다. 이 같은 메타분석의 주목적은 어느 한 연구주제에 관하여 이루어진 다양한 연구결과를 종합하여 일반적인 결론을 내리는 데 있다. 즉, 연구대상의 특성, 사례 수, 변인의 측정방법, 연구설계 등 각 개별 연구들 간에 나타나는 여러 가지 차이를 일단 무시하고 전체적으로 종합하여 해당 연구문제에 대한 일반적인 결론을 도출하고자 한다. 이렇게 전체적인 종합을 한 다음 각 연구 사이에 나타나는 주요 차이점을 중심으로 연구를 분류하여 연구결과에 대한 세분된 종합과 요약을 한다. 메타분석을 하려는 연구자는 일단 연구주제를 선정한 다음 분석 대상 연구물의 모집단을 규정한다. 즉, 어떤 연구물이 메타분석의 모집단이 되는지를 분명히 규정하고, 여기에 부합되는 것으로서 당시까지 이루어진 연구결과들을 학회지, 학술대회 발표자료, 학위논문, 각종 연구보고서 등을 검색하여 찾은 다음 수집한다. 필요한 자료를 모두 수집하면 개별 연구의 특징, 예컨대 연구자명, 연구연도, 자료의 출처, 피험자의 특성, 연구설계, 실험처치, 측정도구, 변인의 측정값 등을 기술 분류하고 수량화한다. 이때 일정한 코딩 양식에 맞추어 부호화하면 자료를 분석하기가 편리해진다. 수집된 자료의 분석은 3단계를 거친다. 첫째는 수집된 자료가 메타분석에서 요구하는 기본 전제를 충족하는지 검토하여 적합한 자료와 그렇지 않은 자료를 선별한다. 둘째는 개별 연구의 결과에서 제시하는 다양한 통계치를 메타분석이 가능한 통계치로 변환한다. 예를 들어, 개별 연구의 결과를 효과크기(effect size, ES)와 같은 공통의 단위로 환산한다. 셋째는 변환한 통계치를 가지고 메타 통계분석에 들어간다. 메타분석의 주요 통계치에는 평균 효과 크기, 평균 상관계수, 통합 의의 수준, 안전계수 등 여러 가지가 있다. 효과크기는 2개의 집단, 예컨대 실험집단과 통제집단의 평균 차이를 통제집단의 표준편차로 나눈 값이다. 효과크기를 계산할 때 통제집단의 표준편차 대신 실험집단과 통제집단의 표준편차를 통합하여 두 평균 차이의 표준오차를 추정하는 것이 보다 신뢰할 만하다는 입장에서 통합 표준오차(S_{pooled})를 사용하는 경우가 많다. 이 두 가지 방식에 의한 효과크기를 계산하는 공식은 다음과 같다.

$$ES = \frac{\overline{X_e} - \overline{X_c}}{S_c}$$

여기서 $\overline{X_e}$: 실험집단의 평균치

$\overline{X_c}$: 통제집단의 평균치

S_c: 통제집단의 표준편차

$$ES = \frac{\overline{X_e} - \overline{X_c}}{S_{pooled}}$$

$$S_{pooled} = \sqrt{\frac{(n_1 - 1)S_1^2 + (n_2 - 1)S_2^2}{n_1 + n_2 - 2}}$$

효과크기에 관한 해석은 정상분포에서 표준점수 z에 관한 해석을 하는 것과 동일하게 하면 된다. 즉, 통제집단의 평균과 표준편차를 단위 정상분포(평균 0, 표준편차 1)로 전환했을 때, 이러한 분포에서 실험집단과 통제집단 간의 평균 차이에 해당하는 z값이 바로 효과크기다. 그러므로 정상분포에서 주어진 z점수에 대한 면적 비율을 읽고 해석하는 것과 같은 방식으로 효과 크기를 읽고 해석할 수 있다. 그런데 정상분포의 개념에 입각하여 해석하는 것이 일반인들이 이해하기 어렵다는 문제가 있어서 코헨(Cohen, 1988, 1992)은 단순히 효과크기가 크다(ES .80 이상), 보통이다(ES .50), 작다(ES .20 이하)로 구분할 수 있도록 하였다. 통합하고자 하는 대상 연구물에서 산출한 개별 연구의 효과크기를 하나하나 측정치로 간주하고, 이들의 산술평균을 구하면 그 값이 곧 평균 효과크기(average effect size)가 된다. 평균 효과크기는 하나의 특정 영역에서 이루어진 여러 선행연구의 결과를 하나의 지수로 요약한 값이다. 효과크기를 통하여 두 집단 간에 얼마만큼의

차이가 있는지 또는 실험의 효과가 어느 정도인지를 알 수 있다. 연구결과의 통계적 의의 수준은 다만 그와 같은 결과가 일어날 수 있는 확률이 어느 정도 되는지 말해 줄 뿐 효과 크기에 관한 정보는 주지 못한다. 그러므로 연구결과를 보고할 때 통계적 의의도 검증결과와 함께 효과크기를 산출하여 제시하는 것이 필요한 정보를 더해 제공한다는 의미에서 바람직하다. 메타 통계 분석이 끝나면 그 결과를 제시하고 해석을 한다. 이와 같은 절차로 진행되는 메타분석은 개별 연구의 표본을 통합하여 더 큰 표본을 가지고 가설을 검증하게 되므로 통계적 검증력을 높일 수 있고, 또한 여러 개별 연구의 결과를 종합하여 평균 효과크기 또는 평균 상관계수를 산출하기 때문에 단일 연구결과보다 모수치에 대한 보다 신뢰할 수 있는 추정치를 얻을 수 있다는 장점이 있다. 반면 메타분석은 우수한 연구와 열등한 연구의 결과를 구별하지 않고 그대로 종합하는 데 문제가 있다는 점과 동일한 연구에서 여러 개의 효과 크기를 산출하는 경우가 많은데, 이때 각각의 효과 크기를 분석단위로 할 것인지 아니면 그중 하나만을 선택하여 분석할 것인지 하는 문제에 직면하게 된다는 점에서 비판을 받고 있다.

메타심리학
[-心理學, metapsychology]

심리학의 연구대상인 의식 현상을 초월하여, 의식현상의 기초이자 그것을 규정하는 무의식의 특성과 활동법칙을 연구하는 학문. 초월영성치료

초의식 심리학으로 번역되기도 하며, 'parapsychology(초심리학)'와 같은 뜻으로 사용되기도 한다. 연구대상은 심령연구의 취급대상과 본질적으로 같으며, 다만 방법으로서 실험법을 사용하는 것에 차이가 있다. 즉, 실험주의적인 심령연구를 초심리학이라고 말한다. 다른 하나는 프로이트(Freud)가 자신이 제창한 정신분석학의 심리학적 견지를 가리키기 위해 메타심리학이라는 용어를 사용하였다. 따라서 이런 의미에서의 메타심리학은 정신분석적 심리학 내지 이론적 정신분석학으로 간주할 수 있으며, 이 경우는 초의식 심리학이라고도 번역한다. 그런 까닭에 메타심리학의 주요한 이론적 측면은 정신구조나 그 성립과정을 다루는 구조학적(topographical) 측면, 각 구조 간의 평형관계나 정신에너지의 배분을 다루는 역동론적(dynamic) 측면, 에너지론을 다루는 경제적(economic) 측면 등이 포함된다. 이외에 발달론적 견지나 적응론적 견지를 추가하는 것이 좋다는 견해도 등장하였다. 어느 것이라고 해도 후자의 의미에서의 메타심리학은 인간의 심리적 과정을 앞에 기술한 견지, 즉 정신분석학적 견지에서 종합적으로 해명하고자 하는 논리다.

관련어 | 초심리학

메타욕구
[-欲求, meta need]

성장욕구 또는 자아실현의 욕구라고도 하며 정의, 선, 미, 질서, 조화, 잠재능력과 재능을 발휘하려는 욕구. 성격심리

매슬로(Maslow)는 인간의 욕구를 크게 기본욕구와 메타욕구로 나누었다. 기본욕구에는 생리적 욕구, 안전의 욕구, 소속과 사랑의 욕구, 자존의 욕구가 있으며, 이것이 충족되어야 비로소 후에 성장욕구 혹은 메타욕구라고 불리는 보다 고차적인 자아실현(self-actualization)의 욕구로 동기부여된다. 그는 여러 가지 욕구가 계층을 이루고 있으며 저차원의 욕구가 충족되어야 고차원의 욕구가 출현한다고 생각하였다. "그 사람이 본래 잠재적으로 가지고 있는 것을 실현하도록 한다."라고 하는 자아실현의 욕구는 진 · 선 · 미 통일(존재가치) 등을 구하는 욕구이며, 인간 고유의 것이라고도 한다. 메타욕구도 기본욕구처럼 선천적이라고 보았지만 기본욕구만큼 사람들에게 본능적이거나 선천적이지는 않고, 이 욕구가 충족되지 않으면 그 사람은 소외, 고민,

냉담, 냉소와 같은 증상을 보이며 병적 상태가 될 수 있다. 따라서 심리적인 건강을 유지하고 완전한 성장을 위해서는 메타욕구를 만족시켜야 한다.

관련어 욕구

메타콸론
[–, methaqualone]

인도에서 합성된, 중추신경을 억제하는 효과가 있는 진정제. 중독상담

메타콸론은 1960년대 중반 처음 합성되었을 때 시중에 나와 있는 다른 제품보다 안전한 바르비튜레이트가 첨가되지 않은 진정 수면제로 승인을 받았다. 그 후로 1970년대 초 영국에서는 100만 개 이상의 처방전이 배포될 정도로 이 약물은 인기를 끌었다. 하지만 안타깝게도 이와 비슷한 시기에 불법 약물 시장이 메타콸론에 관심을 보이기 시작하면서 헤로인 사용자와 심지어 고등학생들 사이에서도 그 인기가 확산되었다. 1960~1970년 사이에는 메타콸른의 남용이 급속하게 번져 갔으며, 이러한 상황 속에서도 메타콸른 남용의 잠재성과 안정성에 대해 아무런 제한조치가 없었다. 미국에서는 이 약물의 인기가 급증하고 남용 잠재성이 입증되어, 1984년에 조제와 시장판매를 금지하였다. 현재 메타콸른은 더 이상 제조하거나 처방할 수 없는 약물로 분류되었지만, 길거리에서도 쉽게 구입할 수 있는 약물이기 때문에 또 다른 문제가 되고 있다. 길거리에서 조제하는 약물들은 불결하고, 다른 위험한 약물이나 오염물질과 혼합되는 경우가 많기 때문이다. 이 약물은 매우 높은 신체적, 심리적 의존성을 유발하여 경계의 대상이 된다. 복용한 후 60~90분 정도가 지나면 혈액의 농도가 정점에 도달하며, 이러한 상태는 5~8시간 정도 지속된다. 어떤 사람들은 약물의 효과를 더욱 강화하기 위해 알코올과 다른 약물을 함께 복용하기도 하는데, 이것은 매우 위험한 일이다. 메타콸른이 알코올과 같은 다른 억제제와 혼합되면 치명적인 결과를 가져올 수 있으며, 심한 경우에는 사망에 이를 수 있다.

관련어 바르비튜레이트, 벤조디아제핀, 부스피론, 억제제

메트로폴리탄 성취검사
[–成就檢査, Metropolitan Achievement Tests]

유치원에서 12학년까지를 대상으로 학업능력을 평가하는 학습검사. 심리검사

학업능력을 평가하기 위해 하코트(Harcourt) 출판사가 개발한 검사로, 미국 주 정부가 매년 4~5월에 시행하여 학생들이 일정 수준의 교육목표에 도달했는지 파악하고 다른 지역 학교들과의 학업성취도를 비교한다. 미국의 학력평가시험은 크게 상대평가 및 절대평가로 나누어진다. 상대평가는 학생이 같은 학년의 그룹에서 어느 수준인지, 절대 평가는 주 정부가 정한 기준 이상의 학생이 얼마나 되는지 측정하기 위한 것이다. 교육과정평가원이 개발한 단일 시험을 치르는 우리나라와는 달리 미국은 여러 종류의 시험 중 학교가 선택을 하는데, 그 시험 가운데 하나가 메트로폴리탄 성취검사다. 시험과목은 'reading, mathematics, language, writing, science, social studies'로 어휘, 읽기, 수학, 철자, 언어, 쓰기, 과학, 사회 연구의 여덟 가지 기초 기술에 초점을 두고 있다.

메페리딘
[–, meperidine]

모르핀 이후 대표적으로 사용하는 진통제. 중독상담

데메롤이라는 이름으로 시판되고 있는 약물로서 중독성이 있다. 불안에 효과적인 것으로 알려

져 있지만 중독의 가능성을 항상 염두에 두어야 한다.

관련어 | 데메롤

멘토링
[-, mentoring]

지식이나 기술을 더 가진 사람이 그렇지 못한 사람을 돕는 활동으로서, 둘 또는 그 이상의 사람들 사이에서 일어나는 활동이나 관계. 학교상담

단순한 만남 이상으로 공식적 또는 비공식적이거나 둘 다 포함된 관계일 수 있다. 이 관계에서 앞에서 이끌어 주는 사람을 멘토(mentor), 가르침을 받는 사람을 멘티(mentee)라고 한다. 네브래스카대학교의 브라운(Brown)은 멘토와 멘티 사이에 보이는 신뢰적 인간관계를 교사와 학생의 인간관계에 도입하여 효과적인 학교교육을 실천하고자 하는 상담적인 교육활동을 주창하였다. 멘토링이란 단어가 최초로 사용된 것은 호머(Homer)의 『오디세이』 중 세 번째 장에서였다. 멘토에 의한 도제의 관계는 특별한 기술을 습득하는 방법에 관한 기록에도 남겨져 있고, 이런 배경에서 경험이 많고 나이가 많은 성인이 나이가 적은 사람이나 피후견인을 교육하고 과제를 주고 지원하는 것까지 포함하게 되었다. 멘토링에는 공식적인 것과 비공식적인 것으로 나눌 수 있다. 공식적인 멘토링은 멘토와 멘티가 특정 목적이나 훈련, 임무의 완수를 위해 함께 일하도록 제삼의 인물이나 집단이 제안한 것이다. 이 경우 관계는 계층적인 상태로 유지되고 상호작용은 공식적이며 목적이 달성되면 멘토링은 끝이 난다. 반면, 비공식적인 멘토링은 특정 행위나 업무 대신 대인관계, 직업적 관계의 질, 그리고 과정에 좀 더 초점을 둔다. 또한 대개의 경우 장기간의 인간적이고 전문적인 발전을 목적으로 멘티에 의해 시작된다. 이 관계는 시간이 지나도 지속되고, 확실하게 끝이 날 수도 있고 아닐 수도 있으며, 이 관계를 통하여 멘토와 멘티는 상부상조하면서 인간적인 교류를 경험한다.

멜리사
[-, Melissa]

항우울, 진정, 항경련, 항바이러스, 살균, 원기촉진, 발한, 해열, 저혈압성, 기능증진에 효과가 있는 허브로서, 지중해 지방이 원산지이며 프랑스와 독일 남부, 이탈리아와 스페인에서 재배. 향기치료

레몬처럼 달콤한 향을 풍기는 사철 허브로, 30~60센티미터까지 자라며 밝은 녹색의 달걀 모양 및 하트 모양 잎과 작고 느슨한 여러 겹의 노란색, 흰색, 분홍색 꽃이 핀다. 멜리사는 밤(balm)이나 레몬밤(lemon balm)이라고 알려져 있다. 피셔리치(Fischer-Rizzi)는 멜리사를 스트레스, 불안, 불면을 유발하고 내적인 행동 방향성을 잃게 되는 신경계의 지나친 흥분상태에 사용하도록 권하였다. 또한 멜리사는 진정제로서 위기감을 느끼거나 정신적으로 충격을 받았을 때 분노를 줄이는 데 권장된다. 심장의 열을 내리고 심장과 신경을 강장하는 멜리사 오일은 불안감, 불면, 신경성 근심 등에 효능을 나타낸다. 간과 위, 장의 기능을 향상시키는 멜리사 오일은 상복부의 경련, 신경성 소화불량, 구역질과 헛배 부름 등에 사용한다. 폐의 기에너지의 흐름을 원활하게 하는 멜리사 오일은 또한 신경성 천식 증상에 처방하고, 기침과 기관지염을 없애 준다. 멜리사 오일의 진통효능은 편두통과 생리통을 경감할 수 있다. 혈관을 확장시키는 효능을 가진 멜리사 오일은 고혈압에도 사용한다.

면역결핍 바이러스
[免疫缺乏-, human immunodeficiency virus: HIV]

후천성 면역결핍증후군(AIDS)을 발병시키는 RNA 종양바이러스. 성상담

인간 면역결핍 바이러스는 혈액 속의 T-림프구를 침범하여 그들의 감염에 대한 면역기능을 떨어트린다. 그 결과 면역력이 떨어져 각종 감염성 질환과 종양이 발생하고 심한 경우 사망에 이른다. HIV 감염으로 인체의 면역력이 상당히 저하되어 이러한 감염증과 종양이 나타나기 시작하는 병을 후천성 면역결핍증(AIDS)이라고 한다. 보통 인간의 혈액에는 외부의 침입자가 있을 때 이러한 침입자를 발견하고 파괴해 주는 항체가 생성된다. 그러나 항체가 이러한 역할을 수행하지 못하거나 너무 많은 바이러스가 있을 때 면역기능을 제대로 수행하지 못하고 병에 걸린다. HIV의 감염경로는 성적 접촉, 수혈이나 혈액제제를 통한 전파, 병원 관련 종사자에게서 바늘에 찔리는 등의 사고로 인한 전파, 모체에서 신생아에게로의 전파 등이 있다. 한동안 HIV 감염과 이로써 발병된 에이즈는 불치병으로 인식되어 왔지만 현재는 만성질환으로 인식되고 있다. HIV 바이러스를 억제할 수 있는 약이 개발되어 있기 때문에 HIV에 감염되었다 해도 투약과 치료를 잘 받으면 적절한 정도의 면역력을 유지할 수 있는 것이다. 그러나 아직까지 HIV의 완치는 불가능하다. 또한 면역력을 유지하기 위해 지속적으로 복용하는 항HIV 약제에 따른 부작용이 문제가 되고 있다.

면접
[面接, interview]

면대면의 만남으로 내담자에 대한 정보를 수집하거나 탐색하는 방법. 개인상담

상담에서 면접은 상담자와 내담자가 직접 대면하여 언어적·비언어적 의사소통을 하는 것이며, 면접을 실시하는 주된 목적은 다음과 같다. 첫째, 내담자의 행동을 관찰하여 변화를 확인한다. 둘째, 심리검사를 실시하거나 행동을 관찰하여 내담자를 사정하기 위한 여러 가지 정보를 수집한다. 셋째, 내담자에 대하여 수집한 자료를 토대로 내담자의 행동, 심리상태 등을 평가한다. 넷째, 상담실시에 대한 여러 가지 계약을 체결한다. 면접의 유형에는 개인면접, 집단면접, 가족면접 등이 있으며 상담을 실시하기 전에 행하는 접수면접이 있다.

과정기록지 [過程記錄紙, process recording sheet] 상담을 실시한 다음 그 내용을 상담자가 기록하는 양식이다. 과정기록지는 상담 직후에 상담내용을 회상하여 기록한다. 과정기록지에는 상담사례 관리번호, 상담 일시 및 회기, 상담자와 내담자의 이름 등 기본적인 사항과 상담목표, 상담내용, 상담전략(활동에 필요한 도구 및 활동지 등) 등에 관하여 상담회기 내에 이루어진 내용을 기록한다. 이때 상담의 과정 중심으로 기록한다. 즉, 처음부터 마지막까지 일어난 일을 중심으로 기록하며 내담자가 진술한 문제상황, 상담자의 개입과정, 내담자의 언어 또는 비언어적 반응 등을 기술한다. 그리고 회기 내의 상담내용에 대하여 평가한 내용 및 해석을 덧붙이고 앞으로의 상담계획 등도 기록한다.

면접기록 [面接記錄, interview recording] 상담자가 내담자를 대면하는 과정을 글이나 다른 매체에 저장해 두는 일이다. 상담자는 전문적으로 상담사례를 관리하고 수퍼바이저에게 교육 및 지도감독을 받거나 행정적 자료 제시 및 연구 등의 목적으로 상담에 관한 전 과정의 내용을 기록해 두어야 한다. 면접기록은 객관성, 단순성, 실용성, 책임성의 원리에 따라 작성하는 것이 바람직하다. 객관성이란 객관적 기록방법과 사실을 중심으로 기록하는 것을 말한다. 즉, 기록방법 중 녹음이 가장 객관적

이며 그다음으로 관찰, 메모, 회상 등의 순으로 객관적이라 할 수 있다. 사실을 중심으로 기록할 경우에는 객관적인 표현용어나 어구를 사용하며 시제는 과거나 현재 시제를 사용하고 3인칭으로 기록한다. 추상명사, 부사, 형용사 등은 가급적 사용을 줄이고 구체적인 명사와 물질명사, 행위동사를 적극 활용하는 것이 바람직하다. 단순성이란 모든 내용을 기록하는 것은 사실상 불가능하기 때문에 상담내용을 요약해서 기록하는 것을 말한다. 따라서 기록내용에는 호소문제, 상담자의 개입 전략 및 결과, 내담자의 주요 반응을 중심으로 단문으로 기록하고, 표준약어나 기호, 전문용어를 적극 활용하여 단순하게 기록한다. 실용성이란 내용이 단순하고 분량이 적으며 기록시간이 짧고 잘못 기입된 것은 쉽게 수정할 수 있도록 기록하는 것을 말한다. 책임성이란 기록에 대하여 내담자에게 알리고 동의를 구하는 것을 말한다. 이에 비밀보장의 한계를 말해 주고 외부에 알릴 경우에도 내담자의 동의를 구해야 한다. 또한 기록날짜와 기록자를 명시하고 내용을 수정하는 경우에는 수정 부분을 한 줄로 긋고 수정내용을 적은 다음 일자와 수정자 이름을 명시한다. 여백이 있으면 줄을 쳐서 여백을 표시하고 상담 처치에 대한 동의를 받아서 기록해 둔다. 사적 정보에 대한 기록은 제한하고 진단에 대해서는 표준약어, 기호, 전문용어를 사용하며 기록된 내용은 보안관리에 신중을 기한다. 면접기록지에는 상담신청서(counseling request sheet), 접수면접기록지(intake interview sheet), 과정기록지(process recording sheet), 종결기록지(termination recording sheet) 등이 있다.

관련어 | 상담신청서, 접수면접기록지, 종결기록지

면접교섭권
[面接交涉權, visiting right]

부부의 이혼 후 친권 행사자나 양육권자가 아닌 부모가 자녀와 서로 면접, 서신교환, 전화접촉, 방문, 숙박 등을 할 수 있는 권리. 부부상담

방문권이라고도 부르는 이 면접교섭권에 대해서는 자녀의 애정관계의 지속성이란 측면에서 부정적 견해도 있지만 부모와 자녀의 관계는 자연권이며 친자 간의 애정교류가 인격의 원만한 발달에 도움이 된다는 점에서 긍정적인 견해가 우세하다. 그러나 가정법원은 자녀의 복리적 측면에서 부모를 만나는 것이 좋지 않다고 판단될 경우 면접교섭권을 인정하지 않을 수도 있다. 한편, 양육권자가 상대방의 면접교섭권을 방해할 때 현실적으로는 강제할 방법이 없다. 다만 방해한 양육권자에게 과태료를 가하는 등의 간접 강제의 방법이 있다.

관련어 | 친권

멸절불안
[滅絶不安, annihilation anxiety]

타고난 공격적 욕동으로 인해 자아가 파멸해 버릴지도 모른다고 느끼는 발달 초기의 근원적 불안. 대상관계이론

클라인(M. Klein) 이론에서, 자아는 리비도도 가지고 태어나지만 동시에 파괴성을 가지고 태어나므로 유아의 타고난 공격적 욕동은 멸절불안을 유발한다. 따라서 초기자아(primitive ego)는 멸절불안을 완화시키기 위해 가장 최초의 안전한 방어기제라고 할 수 있는 투사를 사용한다. 자신의 공격성과 그에 따른 불안을 어머니의 젖가슴에 투사함으로써 내부로부터 오는 파괴불안에서 벗어날 수 있다. 클라인은 프로이트(S. Freud)가 소개한 자체성애(autoerotism) 단계와 일차적 자기애(primary narcissism) 개념을 거부했다. 파괴적 충동이 즉각적으

로 대상에게 투사된다는 점에서 정신과정은 처음부터 대상을 지니고 있다고 보았다. 초기자아는 젖가슴에게 공격성을 투사하는 대가로 이제 외부로부터 위협을 느끼는 새로운 상태에 처하게 된다. 자기 내부에 있던 파괴성의 위협을 이제는 젖가슴이 가지고 있다고 믿기 때문에 나쁜 젖가슴에 의해 공격받는 환상을 갖는다. 이러한 환상으로 이루어진 초기자아의 최초 대상과 관련된 모든 기제들과 감정들은 편집자리(paranoid position)를 구성하게 된다.

관련어 | 박해불안, 편집-분열자리

명료화
[明瞭化, clarification]

내담자 진술이 함축하는 의미나 내용을 파악하고 내담자가 자신의 진술을 더 잘 이해할 수 있도록 하는 상담기법. 인간중심상담

내담자가 생각과 감정이 잘 정리되지 않은 상태일 때 내담자 자신의 문제나 진술한 말에 함축되어 있는 의미를 잘 이해할 수 있도록 도와주는 것을 목적으로 하는 기법이다. 내담자는 자신의 감정이나 문제를 말하고 싶어도 적절하게 표현하지 못하고 장황하게 이야기하거나, 여러 가지 말로 표현하거나, 또 꺼낸 말을 다시 삼키고 침묵해 버리는 경우도 있다. 한편, 자신의 감정이 확실히 잡혀져 있는 것은 없지만 여러 가지로 말하고 있는 중에 문제나 생각, 감정이 확실해지는 경우도 있다. 이와 같은 경우에 명료화는 내담자가 분명하게 표현하지 못하는 애매하고 함축적인 의미나 내용을 상담자가 파악하고 내담자가 자신의 실제 감정을 인식할 수 있도록 도와주는 것이다. 명료화에서는 직접적인 해석보다는 내담자의 감정에 정서적으로 반응하는 것이 중요하다. 즉, 내담자의 체험과정을 민감하게 느끼고 이를 전달하는 것이 우선되어야 한다. 이로 인해 가정(假定)이나 추측이 있다 해도 내담자는 상담자에게 따뜻하게 받아들여지고 있다는 느낌을 받을 수 있는 것이다. 또 마이크로 상담에서는 명료화를 세분화하여 '감정의 반영(감정의 명료화)'과 '의미의 반영(의미의 명료화)'으로 구분하고 있다. 상담자의 이러한 명료화 과정을 통해 내담자는 자신의 감정과 환경을 통찰하게 된다. 특히 상담과정에서 내담자의 과거사건에 대한 이해가 필요한 경우가 많다. 예를 들어, 우울증은 과거의 상실경험과 밀접하고, 각종 공포증은 과거의 공포체험과 연관되며, 인간관계 갈등은 과거의 특정 사건에서 촉발한 것일 가능성이 많다. 이런 경우 과거의 문제사를 명료화하면 내담자의 당면문제를 보다 분명하게 이해할 수 있다. 또한 내담자의 호소문제를 명료화하는 과정에서 처음 호소했던 문제와는 다른 여러 가지 문제가 나타날 수 있다. 예를 들어, 우울증 때문에 방문한 내담자가 호소문제명료화 과정을 거치면서 정서적 우울 외에도 분노문제, 신체적 건강문제, 자살 행동, 가족 내 부부갈등, 부모-자녀갈등, 형제갈등, 고립 행동, 취업이나 직장 내 부적응 문제, 경제 문제 등 많은 문제가 드러날 수 있다. 이때 제시된 문제들을 모두 다룰 수 없기 때문에 이 중에서 우선적인 문제를 선정하여 그 문제 중심으로 상담을 진행해 나가야 한다.

관련어 | 해석

명료화 단계
[明瞭化段階, elucidation stage]

융(C. G. Jung)이 내담자가 더욱 효과적으로 무의식적 정신에너지를 통합할 수 있도록 제안한 분석적 심리치료과정의 두 번째 단계로, 내담자가 정서적 또는 지적으로 자신의 문제에 대한 통찰을 얻도록 하는 단계. 분석심리학

내담자들은 첫 단계인 고백단계에서 자신의 감정을 표현한 뒤, 둘째 단계인 명료화 단계에 들어서게

ㅁ

된다. 명료화 단계에서는 과거사건이 어떻게 현재 문제를 야기했는지를 탐색함으로써 자신의 문제에 대해 이해하기 시작한다. 또한 치료자의 도움을 받아 개인무의식 및 집단무의식에 대해 좀 더 깊이 탐색해 본다. 이는 내담자가 갖는 증상의 의미, 아니마와 아니무스, 그림자, 현재 생활상황과 심리상태 등을 명료화한다. 치료자는 명료화 단계에서 꿈과 환상에 대한 분석뿐 아니라 전이관계에 대해서도 초점을 맞춘다. 융은, 전이는 무의식의 원형적 자료가 치료자에게 투사되는 치료자와 내담자 간의 정서적 화학작용으로서 원형적 과거로부터의 투사에 따라 결정된다고 말하였다. 전이를 이해하는 과정에서 내담자는 치료자가 명료화하는 무의식적인 내용을 표면으로 이끌어 낼 수 있다. 이처럼 내담자는 명료화 과정을 통해 문제의 근본적 원인에 대해 알아차린다. 융은 내담자가 일상생활에 적응하고, 자신의 한계를 수용하고, 내담자를 이끄는 도덕적 원칙, 감정, 착각에서 자유로워질 때 명료화 단계가 성공적으로 수행된 것이라고 하였다.

관련어 | 고백단계, 변형단계

명사화
[名詞化, nominalization]

동사를 추상명사로 바꾸는 최면치료 화법. 최면치료 NLP

메타 모형과 밀턴모형의 주요 언어 패턴 중 하나로, 예를 들어 '관계하다'라는 동사 또는 과정에 해당하는 용어는 '관계'라고 명사화됨으로써 고정된 상태가 되어 버린다. '관계한다'고 할 때는 구체적으로 어떻게 관계한다는 내용이나 과정이 동영상처럼 설명될 수 있다. 하지만 '관계'라고 했을 때는 추상명사가 되고 마치 정지 화면처럼 움직임이나 과정이 없는 상태로 굳어져 구체적인 경험이나 내용이 모두 생략되거나 삭제되며, 일반적이고 추상적인 고정화된 개념만 남는다. 방법은 '공부하다'에서의 '공부', '사랑하다'에서의 사랑과 같이 동사의 '하다' 부분을 삭제하는 것이다. 최면치료에서 보면, "최면은 당신에게 새로운 통찰과 새로운 이해를 제공합니다."와 같은 문장이 가능하다. 여기서는 '최면하다(최면을 걸다), 통찰하다, 이해하다'라는 동사를 '최면, 통찰, 이해' 등의 명사로 바꾼 것이다.

관련어 | 메타 모형, 밀턴모형

명상
[瞑想, meditation]

인간의 모든 생각과 의식은 고요한 내적 의식에 있다는 가정하에서 인간의 마음을 순수한 내면의식으로 몰입하도록 만들어 참된 자아를 찾는 동양종교의 수행법. 명상치료

동양종교에서는 명상을 인간의 제한적 조건으로부터 해방된 해탈의 경지에 이르게 하는 길이라 믿고 있다. 즉, 고통이 사라진 열반의 경지에 이르러 얽매임과 갈등이 없는 참다운 나를 얻는 것이 명상 수행의 목적이다. 이렇듯 현실적인 심리적 고통에서 벗어나 즐거운 의식상태를 유지하고자 하는 열망으로 동양의 명상이 서양에서 크게 보급되었다. 1960년대 후반부터는 쉽게 수행할 수 있는 초월명상(transcendental meditation: TM)이 보급되면서 스트레스에 따르는 정신적, 신체적 질병의 예방과 대처에 효과가 있다는 것이 여러 경험적 근거로 검증되었고, 이후 더욱더 많은 관심이 쏠리게 되었다. 최근 명상은 심리학의 제4세력인 무아심리학의 핵심 내용으로서 의식의 변경 또는 초월의 심리라는 내용을 밝히기 위한 과학적 연구의 대상으로 부각되고 있다. 전통적으로 명상하는 방법은 종교와 종파마다 다르다. 힌두교의 대표적인 명상법은 요가이며, 요가는 신체적 수행을 통하여 해탈 또는 깨달음이라 불리는 상태에 이르는 내면의식으로 몰입하는 것이다. 불교의 선종에서는 모든 잡념을 떨치고

공(空)이나 무심(無心)의 상태에 이르는 것을 명상의 목표로 정하고 있다. 밀교는 신들이나 부처의 세계를 보기 위하여 명상을 하고, 관심 또는 관찰이 명상의 목표다. 도교는 영원무궁의 세계로 통하는 진인을 수태하여 도(道)와 하나가 되는 것을 명상수행의 목적으로 삼았다. 이러한 명상방법은 크게 지(止, samadha) 또는 집중명상(concentration meditation)과 관(灌, vipassana) 또는 통찰명상(insight meditation)으로 나눌 수 있다. '지'는 특정한 하나의 대상에 의식을 집중하는 훈련이다. 만트라(mantra, 眞言)를 계속 외우면서 집중하거나 정한 화두에 의식을 모으는 명상을 말한다. 이는 지법, 삼매(三昧), 사마타(samadha)라고 한다. '관'은 지금 이 순간 이곳에서 일어나고 있는 사실에 대해 열린 마음으로, 판단하지 않고 고요히 살펴보는 명상이다. 즉, 시야를 넓게 포착하기 위해 카메라의 렌즈를 최대한 여는 것과 같다. 현재 순간의 마음을 챙긴다는 뜻으로 염처(念處), 정념(正念), 위빠사나, 통찰명상, 마음챙김명상(mindfulness meditation) 등으로 표현한다. 현대의 명상법에는 초월명상법, 벤슨(Benson)의 이완반응법(relaxation response), 캐링턴(Carrington)의 임상표준명상법(clinically standardized meditation: CSM) 등이 있으며, 널리 보급되고 있다. 현대인에게 명상은 개인의 신념, 가치 등의 주관적 관념에서 벗어나 보다 밝고 자유로우며 새로운 방식으로 사물을 바라보도록 하는 데 그 목적을 두고 있다. 이런 측면에서 명상은 판단하지 않고 의도적으로 주의를 기울이는 것이며, 정신작용으로서 의식, 정체성, 현실에 대한 깊은 통찰력으로 심리적인 안녕을 얻고 최적의 의식상태에 도달하는 것으로 정의할 수 있다.

관련어 벤슨의 이완반응법, 요가, 집중명상, 초월명상, 캐링턴의 임상표준명상법, 통찰명상

명상치료
[瞑想治療, meditation therapy]

인간의 내면에 몰입하여 정서적 안정을 가짐으로써 여러 가지 질병을 예방하거나 치료하는 방법. 명상치료

명상은 심신을 안정시키고 심신의 통합을 가져오며 스트레스를 풀어 주고 심신건강 회복을 촉진한다. 또 주의집중력, 심적 에너지를 높이고 창조성이나 깨달음을 준다. 명상의 이 같은 효과들은 심리치료기법으로서의 도입 가능성을 열어 주었다. 많은 연구에서 명상은 약물치료에 비해 부작용도 없고 효과도 지속적인 치유방법이라고 보고하고 있다. 명상이 호르몬 분비, 뇌파, 산소 소모량, 심장박동수, 혈압 등에 영향을 주어 마음의 걱정으로부터 오는 소화기 장애, 순환기 장애, 편두통 문제를 해결하는 데 긍정적인 효과가 있으며 생명연장, 노화방지에도 영향을 미친다고 한다. 수행자의 전유물로 여겨졌던 명상이 동서양 문화의 빈번한 교류를 통해 새로운 상담기법으로 심리학자와 정신치료사들의 관심을 불러일으키고 있다. MBSR과 MBCT와 같은 명상을 바탕으로 하는 프로그램이 서양에서 만들어지고, 이것이 다시 동양으로 건너와 점차 확대되는 추세에 있다. 명상은 선(禪), 요가뿐만 아니라 자율훈련법(autogenic training), 초점 맞추기, 초월명상(transcendental meditation) 등도 명상훈련으로서 상담 및 심리치료에 유용하다.

명상호흡법
[瞑想呼吸法, meditated breathing]

인간의 내면에 몰입하는 데 도움이 되는 숨 쉬기 방법. 명상치료

명상호흡법은 옛날부터 여러 가지 건강법으로 도입되고 있다. 요가의 각종 호흡법을 위시해서 중국의 지혜라고 하는 기공법(氣功法), 좌선(坐禪)에서

의 수식관(數息觀), 한국형 단전호흡법(丹田呼吸法, 丹學) 등은 널리 알려져 있고, 정신생리학 면에서도 그 의의가 인정되고 있다. 호흡법은 신체이완의 기본이라 할 수 있다. 호흡은 자동적으로 진행되는 무의식적 행동이기 때문에 대부분의 사람은 자신의 호흡에 무신경하게 반응한다. 그러나 호흡상태는 자신의 감정과 마음을 반영하는데, 사람들은 불안하거나 두려울 때는 얕고 빠른 호흡을 한다. 이런 호흡은 우리 몸을 무척 피곤하게 만든다. 반면 깊고 규칙적인 호흡은 우리의 자율신경계를 안정시킨다. 고르고 깊은 호흡은 횡경막을 자극해 부교감신경의 활동을 촉진한다. 부교감신경은 스트레스를 받을 때 흥분되는 교감신경의 활동을 가라앉히는 역할을 한다.

관련어 명상

명정
[酩酊, drunkenness]

알코올로 육체적 · 정신적 조절능력을 일시적으로 상실한 상태. 대취(大醉)라고도 함. `중독상담`

명정의 증상과 정도는 사람마다 다르다. 명정은 대뇌의 정신기능이 자제력을 상실하여 의식이 있지만 울거나, 난폭하게 굴거나, 분별력 없이 행동해 버리는 상태가 된다. 법적으로 볼 때는 혈중 알코올 수치 0.1% 이상의 상태를 말한다. 단기간에 다량의 술을 마셔서 나타나는 급성 알코올중독을 병적 명정이라고도 한다.

관련어 급성 알코올중독, 알코올, 알코올중독

모권제
[母權制, matriarchy]

가장권이 모계에게 주어진 가족의 형태. `가족치료 일반`

가장권은 대표권, 가독권, 가사관리권으로 이루어지는데, 이 중 가족을 대외적으로 대표하는 대표권을 제외하고 가족 전체를 통솔하고 관리하는 가독권과 가사관리권을 모계가 가지고 있는 형태를 뜻한다. 모계가족에서는 숙부권이 강화되어서 주로 어머니의 남자형제가 가족의 대외적인 대표권을 가지고 행사하며, 조카들의 훈육에 대한 권리와 책임도 함께 가지고 있다. 또한 부자관계는 가족 내에서 정(情)으로 이루어진 사적인 관계를 형성하며, 실질적인 권리와 권위를 가지고 있지 않다.

관련어 가부장제, 동권제

모델링
[-, modeling]

수퍼바이저가 윤리적인 문제의 결정이나 상담방법을 명확히 하고, 어떻게 적용하는지 시범을 통해서 상담수련생에게 가르치는 것. 반두라(Bandura)가 제시한 개념으로, 내담자가 획득해야 할 바람직한 행동을 보여 주는 실제적 또는 상징적 본보기를 제공함으로써 모방 및 관찰을 통해 특정 행동을 학습하도록 하는 방법.집단상담자나 다른 집단구성원이 바람직한 반응을 하는 본보기로 특정 행동을 보이는 것.
`상담 수퍼비전` `인지치료` `집단상담`

모델링은 수퍼비전을 하는 전반적인 과정 중 상담의 초기 접수면접을 한다거나, 내담자가 필요 이상으로 흥분을 했을 때의 대처방법이 필요할 때 상담에서의 태도와 행동을 보여 준다거나 내담자와의 상호관계의 예를 보여 주기 위해 이용한다. 수퍼바이저가 수련생에게 시범을 보일 때는 역할극을 활용할 수도 있고, 이야기를 해 줄 수도 있다. 이때 중요한 것은 수퍼바이저가 제시하는 방법이 단 하나의 옳은 정답은 아니며, 하나의 예시일 뿐이라는 것을 설명해 주어야 한다. 또한 수퍼바이저가 제시하는 방법을 그대로 적용할 것이 아니라 수련생에게 맞는 고유한 형태로 변형하고 훈련하여 적용할 수 있도록 도움을 주어야 한다. 사회학습이론(social learning theory)에서 내담자가 본받아야 할 어떤 행동을 제시하여 그 모형과 쉽게 동일시할 수 있도록 하는 방법으로, 대리학습(vicarious learning) 또는 모방(模倣)이라고도 한다. 낯선 상황에 놓이면 주변 사람들을 관찰함으로써 새로운 것을 학습한다. 이때 관찰의 대상이 되는 사람은 모델의 역할을 하고, 우리는 그의 행동을 모델링 또는 모방한다. 이로써 어떤 단체나 문화권에 독특한 관습이 형성된다. 모방은 무분별하게 이루어지는 것이 아니라 선택적으로 일어난다. 모방할 대상은 주로 우리가 성공했다고 여기는 사람 또는 동일시하려고 하는 사람일 것이다. 예를 들어, 광고주는 자신의 상품을 가장 잘 구입해 줄 소비자를 찾아내고, 그 소비자들이 가장 존경하고 모방할 것으로 추측되는 사람을 선정하여 광고모델로 등장시킨다. 모방현상은 아동이나 청소년 사이에서 강하게 나타난다. 아이들은 성인이나 호감이 가는 연예인을 통해 행동적 단서를 얻으며, 이성의 성인보다는 동성의 성인을 모방하는 경향이 있다. 반두라와 그의 동료들(Bandura, Ross, & Ross, 1963)은 모방이 공격행동학습에 미치는 영향을 연구했는데, 공격적인 영화를 본 아이들이 실제 인형이 있는 방에서 놀게 했을 때 통제집단보다 더 많은 공격행동을 보였고, 그 공격행동유형은 영화에서 본 것과 동일했다는 결과를 발표하였다. 시범 보이기라고도 부르는데, 집단 안에서 신뢰할 수 있는 분위기가 성공적으로 조성되기 위해서는 집단상담자가 집단구성원이 집단 안에서 해야 할 바람직한 행동을 효율적으로 시범 보이고, 이러한 영향으로 집단구성원들에 의한 시범 보이기가 활발해지는 것이 필요하다. 이 같은 시범을 보임으로써 집단구성원들은 바람직한 행동을 모방하면서 학습을 한다. 시범 보이기는 대개 상담자나 집단구성원 등 집단 안에 있는 실제 모델이 하지만, 또래집단 혹은 자조집단 등 전문성을 갖춘 상담자의 지도가 없는 집단의 효율성을 촉진하기 위해서라거나 상담자가 시범 보이기의 전문적 역량이 부족한 경우는 녹음테이프나 녹화를 활용한 모델도 가능하다. 집단상담자가 집단구성원의 모델이 되기 위해 시범 보이는 바람직한 행동에는 주의 기울이기와 경청, 공감, 진실성과 자기수용, 존중, 비언어적 행동의 이해, 관심 어린 직면 등이 있다. 주의 기울이기는 다른 사람들의 언어적 · 비언어적 행동에 주의를 기울이는 것으로서 경청과 비슷하다고 할 수 있다. 즉, 주의를 기울이는 행동은 경청의 자세와 표정으로 집단구성원의 이야기를 주로 들어 주면서 더 많이 이야기할 수 있도록 개방질문을 하는 것과 언어적 메시지 및 비언어적 메시지도 관찰하는 행동으로 표현될 수 있다. 공감은 다른 사람들이 경험한 것에 대해 같은 마음으로 느끼고 그들의 눈을 통해서 그들의 경험을 보는 것으로서, 집단상담자가 판단 없이 집단구성원들을 공감하고 있다는 것을 느낄 때 집단구성원들은 집단에 대해 신뢰감을 갖고 진정한 자신을 드러낼 수 있게 된다는 점에서 시범 보이기의 중요한 영역이 된다. 진실성은 개인의 내적 경험과 외적 표출 사이의 일치성을 말하는데, 상담자가 거짓된 반응을 하지 않고 집단구성원에게 전문가 역할에서 벗어나 인간으로서 진솔하게 반응하는 것을 의미한다. 이처럼 상담자가 집단에서 자신을 드러냄으로써 집단구성원도 스스로를 드러낼 수 있게 도울 수 있다. 또한 진솔하게 자신을 드러낸다는 것은 자신의 그러한 면을 스스로 수용할 수 있다는 의미가 되므로 집단구성원이 자신의 특정한 면을 스스로 수용할 수 있도록 만들어 준다. 존중은 상대방의 언어적 · 비언어적 행동이 어떠하건 간에 상대방 존재 자체를 긍정적으로 보고 대한다는 의미로서, 판단하지 않고 낙인을 찍지 않은 채 진심으로 느끼는 온정과 지지를 표현하고 상대방이 나와 다르다는 것을 인정하는 태도와 행동 등으로 나타낼 수 있다. 비언어적 행동은 많은 경우 언어적 행동보다 그 사람의 진심을 좀 더 반영하므로 상담자는 집단구성원의 비언어적 행동을 면밀히 관찰하여 집단구성원 자신이 한 비언어적 행동의 의미를 스스로 탐색하고 인식하도록 도움을 주는 것이 필요하다. 관심 어린 직면은 직면을 하되 상대방에 대한 따뜻한 관심을 함께 전달하는 것이다. 적대적인 직면은 공격으로 전달되어 상대방을 방어적으로 만들지만 관심 어린 직면을 시범으로 보이면 집단구성원은 상대방을 존중하면서 동시에 부정적인 반응을 전달할 수 있음을 보고 배워서 집단 내 신뢰감을 증진하는 데 도움이 된다. 경우에 따라 집단상담자 자신의 행동이 아닌 녹음이나 녹화된 모델, 동료모델(peer modeling)을 활용할 수도 있다.

관련어 | 개인 수퍼비전, 역할극

모래놀이치료

[-治療, sand-play therapy]

로웬펠드(R. Lowenfeld)가 아동의 내적 세계에 접근하기 위하여 고안한 아동심리치료기법으로, 모래상자를 이용한 놀이치료기법. 놀이치료

모형완구를 소재로 삼아 모래상자에 표출된 정경 표현에서 마음의 내적 세계를 파악하고, 동시에 표현함으로써 심리적 조화의 도모를 목적으로 한 심리치료기법이다. 그곳에 표현되는 것은 내담자의 세계관이고, 내담자를 둘러싸고 있는 세계에 대한 종합적인 감각이라고 말할 수 있다. 그 표현은 의식성이 강한 언어로는 이해할 수 없는 무의식의 영역을 내포한 정경이며, 내담자는 그 정경을 만드는 것에서 특별한 설명과 해석 없이 이 세계에서의 자신의 위치를 알고 현실과 마음의 내적 세계라는 양자를 통합하고 조화를 도모할 수 있다. 모래놀이치료기법이 자기치유적인 이유도 여기에 있다. 모래놀이치료는 비언어적 기법이기 때문에 언어표현이 불가능한 사람이나 유아에게도 적용할 수 있다. 또 이것은 인간이 원래 가지고 있는 총체적 감각과 자기통합성의 작용을 이용한 것이므로, 특히 언어에 의한 설명이나 해석이 필요 없다. 반면, 그러한 이유로 다른 기법보다 어딘가 막연하고 요점이 없는 듯한 느낌을 주는 단점도 있다. 모래놀이기법은 영국의 로웬펠드가 아동들을 위한 치료기법으로 고안한 세계기법(the world technique)이 원형이다. 뒤를 이어 스위스의 심리치료사 칼프(D. Kalff)가 세계기법에 융(C. Jung)의 분석심리학 사고를 도입하여 모래놀이(Sandspiel)로 칭하고, 아동들뿐만 아니라 성인에게도 적용 가능한 표현요법으로 확립하였다. 한편, 세계기법의 중요성에 주목한 뷜러(C. Bühler)는 이것을 일종의 투사기법으로 미국에서 표준화하여 세계검사(World test, 1950)를 만들었다. 칼프는 모래놀이치료의 과정을 동 · 식물의 단계, 투쟁의 단계, 적응의 단계로 구분하였다. 이 세 단계의 과정은 자아의 발달과정인 동시에 자기와 자기의 관계를 개선하는 과정이며, 사회성의 발달을 시작하는 과정이고, 부모를 포함하여 사람들과의 관계를 개선하는 과정을 나타낸다. 그러나 모든 모래놀이치료가 이 같은 단계를 거치지는 않는다. 때로는 이러한 치료과정을 거치지 않고도 치료가 진전되기도 한다. 모래놀이치료는 대체로 먼저 동물이나 식물 표현이 나타나고, 다음에 어떤 것과의 대립이나 투쟁의 표현이 나타나며, 이와 같은 대립자의 통합을 거쳐 자아가 그 환경에 적응해 가는 단계가 나타난다. 이와 같은 모래놀이치료의 기본적인 특성은 다음과 같다. 첫째, 모래놀이치료는 하나의 심리치료기법이다. 모래놀이치료는 체계화된 시스템을 갖춘 심리치료가 아니라, 내담자의 상황에서 놀이치료나 상담 중에 적당하다고 생각될 때 사용하는 하나의 표현기법이다. 둘째, 모래놀이치료는 기존의 구체물을 이용하여 비언어적인 이미지를 표현한다. 셋째, 모래놀이치료를 할 때 적당한 의식의 개입, 즉 표현의 진행과정에서 내담자가 능동적으로 이미지를 전개시켜 자아를 지키거나 과제달성을 모색하는

현상이 생기는데, 그 자체가 치료적 체험이다. 넷째, 모래놀이치료의 원점은 아동의 놀이다. 모래놀이치료의 역사를 추적해 보면 원점은 아동의 놀이에서 찾을 수 있다. 모래놀이치료의 실시는 매우 자유롭지만, 내담자가 하려고 하는 것을 허용해야 하는가 제한해야 하는가에 대해 치료자가 판단하기 곤란할 때는 원점에서 생각하는 것이 바람직하다. 다섯째, 모래놀이치료는 적용 대상의 범위가 폭넓은 심리치료기법이다. 유아에서 노년까지 해당되는데, 신경증 수준에 있는 사람을 중심으로 하면서 발달지체나 경계선 또는 정신권 내의 사람들에게 적용할 수 있다. 모래놀이치료의 치료적 유용성은 심리적 퇴행, 놀이적 자유로움, 그리고 안전한 무대를 제공하고 이미지를 끄집어 내어 이미지에 형태를 줄 뿐만 아니라 그 형태에 대한 의식의 개입이며, 상징화와 체험이다. 또한 모래놀이치료의 적합성은 다음과 같다. 모래놀이치료의 대상은 5세 이상의 아동이며, 집단상담보다 개별상담에 이상적이다. 모래놀이치료는 개방적이고 확장적인 활동이어서 아동에게 자신의 제한된 환상 속에서 모든 가능성을 탐색할 수 있도록 해 준다. 모래상자의 크기와 테두리는 아동이 내면을 탐색하는 데 방해받지 않으면서도 제한과 경계를 지각할 수 있도록 해 준다. 모래놀이치료는 아동이 내부과정에 초점을 맞추도록 격려해 주고, 치료자의 격려로 아동이 대담해져서 적극적으로 상호작용이 가능해지도록 유도할 수 있다. 칼프의 모래놀이치료에서 주목할 점은 치료자와 내담자의 관계를 강조했다는 것이다. 즉, 모래상자를 이용하여 장면을 만들게 하는 것은 간단하지만, 안정된 기반 없이 자신의 내면을 표현하는 것은 불가능하다. 여기서 기반이 되는 것이 바로 치료자와 내담자의 관계다. 또 한 가지 주목할 점은 융의 이론을 이용하여 모래상자의 표현을 상징적으로 해석하는 길을 열었다는 것이다. 융이 말하는 자기실현이라는 관점에서 치료자와 내담자의 '모자 일체성'과 같은 관계가 성립되면 내담자의 자기실현과정이 촉진된다는 것인데, 이는 내담자가 자신의 힘으로 스스로 치유되어 간다는 것을 말해 준다. 우리나라의 경우, 모래놀이치료는 일찍부터 장애아 교육에 도입되었으며, 주로 놀이치료에서 아이들뿐만 아니라 성인을 대상으로도 널리 사용하고 있다. 모래놀이기법의 모래상자는 각 변의 길이가 1미터, 높이는 15센티미터 정도의 사각형으로 안쪽을 방수로 처리한 나무나 플라스틱 소재로 만들어졌다. 모래상자의 크기에 대해서는 여러 가지 의견이 있으며, 일반적으로 사용되고 있는 것은 상자 안쪽의 폭이 72센티미터, 세로 57센티미터, 높이 7센티미터이고, 상자 속 모래의 깊이는 7.5센티미터 정도다. 표준형은 한눈에 전체를 볼 수 있는 것이 원칙이지만, 방의 크기나 활동량에 따라 다르게 결정할 수도 있다. 에너지 수준이 낮은 사람에게는 상자가 작은 편이 나을 수 있지만, 일반적으로 표준형 크기면 적합하므로 대부분 표준형을 사용하고 있다. 모래상자의 안쪽은 파란색으로, 바깥쪽은 검은색으로 칠한다. 안쪽을 파랗게 칠하는 것은 모래를 팠을 때 물이 나오는 느낌을 주기 위해서다. 모래의 경우, 로웬펠드는 갈색의 굵은 모래와 고운 모래, 그리고 흰색 모래의 세 종류를 사용하였으며, 칼프는 갈색과 흰색 모래를 사용하였다. 모래는 깨끗이 씻은 것으로 준비하고, 물 가까운 곳에서 작업하는 것이 도움이 되며, 모래상자는 바닥에 놓고 치료자는 내담자의 옆에 앉는다. 그다음 자유롭게 좋아하는 정경을 만들 수 있는 모형완구들은 여러 가지 작은 물건이 된다. 이것들은 내담자의 이야기에 나타나는 구체적인 것, 이를테면 도로 · 집 · 학교 · 쇼핑센터 · 사람 등을 표현하거나 추상적인 것, 이를테면 비밀 · 사고 · 신념 · 희망 · 정서적 장벽 등을 표현하는 데 사용된다. 종류는 대개 다음과 같다. 첫째, 일반적인 항목으로는 바위 · 돌 · 자갈, 조개, 뚜껑 있는 작은 상자, 양초, 가짜 보석류, 종이, 장신구, 스파게티 깡통, 작은 거울, 구슬, 작은 피라미드, 공책, 사슬, 깃털, 나무, 공깃돌, 작은 종이 깃발, 열쇠, 자

ㅁ

물쇠, 손전등 건전지, 수정 구슬, 단추, 편자, 금색 훈장, 연필, 큰 못 등이 있다. 둘째, 작은 장난감으로는 플라스틱, 나무, 비행기, 배, 울타리, 기차, 자동차 등이 있다. 셋째, 피겨(figure)와 영웅으로는 남녀 피겨, 중세 기사, 배트맨, 장난감 병정, 캣우먼, 파워레인저 등이 있다. 넷째, 장난감 동물로는 용, 동물원의 동물, 농장의 동물, 정글의 동물 등이 있다. 모래놀이기법은 모래상자를 만드는 것만으로 치료가 진행되는 것은 아니다. 대부분은 놀이치료와 상담과정에서 내담자가 만들고 싶을 때 표현한다는 형태를 취한다. 모래상자도구는 놀이방과 상담실에 두고, 모래상자를 제작하는 것은 치료의 흐름 속에서 내담자의 자유의지에 따라 행해지며 강제되는 것은 아니다. 흥미는 있지만 망설이고 있는 경우에는 모래상자에 대하여 간단하게 설명한 다음 가볍게 권해 본다. 다음으로 모래상자 속에서 마음에 떠오르는 정경을 만들어 보도록 한다. 미완성인 채로 끝나는 경우도 있지만, 되도록 어떤 형태든 완성한 뒤 끝내도록 지도한다. 시간은 사람에 따라 또 그때 기분에 따라 다르지만, 1시간 이내가 적당하다. 내담자가 제작하고 있는 동안 치료자는 내담자의 제작에 간섭하지 않으며, 두 사람 사이에 가장 자연스러운 위치에서 수용적인 태도로 지켜본다. 제작이 끝나면 지나친 질문은 하지 않으며, 표현되어 가는 과정을 함께 체험하고 완성된 작품을 함께 음미하며 감상하는 자세에서 관여하는 것이 치료적으로 바람직하다. 모래상자를 보는 방법은 다음과 같다. 첫째, 전체적인 인상을 중요시한다. 순간적으로 작품 전체를 보았을 때 어떤 인상을 받는가가 중요하다. 풍요로운, 역동적인, 잘 정리된, 구속되지 않고 자유로운, 고상한 인상을 주는 작품은 만든 사람의 정신적인 건강함의 지표가 된다. 둘째, 시리즈로 본다. 모래놀이 작품은 보통 치료과정 중 여러 개를 만들기 때문에 한 작품을 기준으로 다수의 것을 단정적으로 말하려는 것이 아니다. 따라서 작품을 시리즈 속에 설정하여 여러 작품의 변화, 전개과정을 중시한다. 셋째, 주제를 단서로 삼는다. 모래놀이 작품에 등장하기 쉬운 몇 가지 주제가 있다. 각각의 주제에 관하여 일반적, 경험적으로 말할 수 있는 점이 있기 때문에 그것을 작품이해의 단서로 삼는다. 예를 들면, 흔히 볼 수 있는 주제로는 동물원·목장, 강을 건넘, 전쟁, 떠남, 우물·샘, 공장, 만다라 등이 있다. 넷째, 피겨의 상징성을 단서로 삼는다. 모래놀이 제작에 사용되는 개별 피겨 자체가 각각 상징적인 의미를 가지고 있다. 그것들에 대한 지식이 작품을 이해하는 단서가 된다. 예를 들면, 주유소는 에너지 공급의 상징으로 간주될 수 있고, 전화박스나 휴대전화는 의사소통이나 도움을 청하는 사인일 수도 있다. 하지만 지나치게 일의적·사전적으로 이해하는 것은 위험하다. 다섯째, 공간배치(공간 상징)를 단서로 삼는다. 이를테면 오른쪽은 외부세계·의식·현실, 왼쪽은 내면세계·무의식·과거, 위쪽은 정신적·종교적·추상적인 것, 아래쪽(손 앞쪽)은 신체적·구상적·자아 영역을 의미한다. 이와 같은 관점에 따라 모래놀이상자의 어느 영역에 무엇이 배치되는가를 단서로 삼으면 작품을 쉽게 이해할 수도 있다. 그러나 이는 다양한 견해를 배제시키기 때문에 지극히 신중하게 다루어져야 한다. 여섯째, 일의적인 이해를 배제하고 유연하게 이해한다. 상징성에 관한 지식에 지나치게 의존하여 모래놀이 작품을 일의적·사전적으로 이해하는 것은 되도록 피하고, 내담자를 둘러싼 여러 가지 정보와의 관계 속에서 이해해야 한다.

모르지 않기
[-, not knowing]

내담자가 인식하지 못하는 상태라는 것을 암시하는 최면기법.

최면치료

에릭슨 최면의 트랜스 유도법의 일종으로, '~을 기억하지 못합니다.' '~을 알지 못합니다.' 등의 허용적이면서 느긋하고 우회적인 암시법이다. '행하지 않기(not doing)'와 마찬가지로 강요하거나 지시적인 느낌을 주지 않아 내담자의 저항을 줄일 수 있고, 내담자는 평가적이고 의식적 차원이 아닌 편안하고 무의식적 차원에서 암시를 받아들여 상담자와의 라포 형성이나 트랜스 유도 및 치료유도에 효과가 나타난다. 예를 들어, "당신은 어느 쪽 손이 먼저 올라갈지 알지 못합니다."라는 암시문은 "손을 올리시오."라는 표현이 주는 저항감을 줄이면서 손을 올리게 하는 효과를 볼 수 있다.

관련어 | 에릭슨 최면, 트랜스, 행하지 않기

모르핀
[-, morphine]

아편에서 추출한 제1차 활성성분으로, 진통제로 사용되기도 하는 향정신성 약물. 중독상담

생아편을 물과 석회를 혼합한 액체에 넣고 가열한 다음 염화암모늄을 첨가하면 침전물이 생기는데, 이것이 모르핀이다. 1805년 독일의 약학자인 제르튀르너(F. Sertrner)가 아편에서 분리한 것인데, 그는 그리스 신화에 나오는 꿈의 연신 모르페우스(Morpheus)의 이름을 따서 이 새로운 물질을 모르피움(morphium)이라고 명명하였다. 이 물질은 강력한 진통작용과 진정, 진해, 최면에 아주 탁월한 효능을 자랑하였고, 이로 인해 제르튀르너는 프랑스 과학상까지 수상했지만 이후 많은 사람이 중독으로 고통을 받았다. 이는 피하 주사기의 발명으로 모르핀을 주사로 투여하면서 약효가 더욱 증대되었기 때문이다. 모든 마약은 입을 통해 섭취가 되면 인체의 자연스러운 방어체계에 의해서 위와 간 등에서 유독성분이 어느 정도 걸러진다. 하지만 피하 주사를 통해 인체의 혈액이나 피하지방 조직에 마약이 직접 투여되면 그 성분이 아무런 방해도 받지 않고 신속하게 퍼지게 되어 더욱 강력한 효과를 나타낸다. 모르핀은 피하 주사기의 개발과 더불어 강력한 효과가 배가되면서 오남용에 따른 중독현상이 널리 확산되었다. 모르핀은 아편의 10배에 해당하는 효과가 있는데, 강력한 진통작용 때문에 전쟁 시 부상자의 진통제나 이질을 치료하는 데 쓰였다. 그렇게 해서 모르핀 덕분에 전투력은 증강되었지만 이 과정에서 많은 병사가 모르핀에 중독된 채 퇴역하였고, 이들은 후에 모르핀의 최대 소비자가 되었다. 신비의 영약이라고 칭송되던 모르핀은 의사들도 남용하는 경우가 많았다. 현대에는 합성마약인 페치딘 주사약과 함께 암환자처럼 심각한 통증에 시달리는 환자와 전시에 통증경감제로 사용하기도 한다. 이때 모르핀은 수면을 유도하고, 수술 전의 긴장을 풀어 주며, 극심한 통증을 경감시키는 역할을 한다. 하지만 의존성이 강하여 중독되는 환자들이 많다. 모르핀은 효과가 3배 정도 강한 헤로인이 출현하자 남용의 빈도가 많이 줄어들었다.

관련어 | 아편, 양귀비, 코데인, 헤로인

모리타 치료
[-治療, morita therapy]

일본에서 만들어진 심리치료활동으로서 주로 불안이나 신경증을 치료하는 데 적합한 전문적 활동. 동양상담

대부분의 상담이론과 기법이 서구문화를 중심으로 해서 나온 것에 반해 이 치료법은 일본인이 개발한 토착화된 동양상담이론이다. 모리타 치료는 1900년대 초기에 불안과 신경증을 치료하기 위해 일본의 철학자이며 정신과 의사인 모리타 쇼마가 창시한 기법이다. 사람들은 살아가면서 누구나 불안, 공포, 우울 등을 경험하게 되고 이를 제거하는 데 에너지를 모은다. 이에 대해 모리타 치료법에서는 불안, 공포, 우울 등의 원인을 찾아 이를 없애려 하기보다 살아가는 데 필수적인 것으로 이해시키고 상처받음과 동시에 그것을 수용함으로써 진정한 자

ㅁ

아의 모습을 찾아가도록 만든다. 이를 위해 내담자 스스로 지니고 있는 치료적 힘을 최대한으로 유도하여 건강한 삶의 상태를 만들고자 하는 것이 강조된다. 특히 내담자가 치료적 힘을 발휘하기 위해서는 마음을 조작하지 말고 어떤 불쾌한 감정이라도 그것을 그대로 느낄 수 있는 마음을 기르도록 노력하는 것이 더 필요하다고 한다. 두 번째로 필요한 것은 내담자의 기다리는 힘을 통해 자연스러운 치료적 힘이 생성된다고 보는 것이다. 마지막으로 내담자는 스스로의 한계를 깨닫고 그것을 받아들이도록 하는 것이 필요하다고 본다. 이 접근법에서는 내담자의 주의를 자아에서 다른 곳으로 향하게 하며 절대적인 휴식과 주의가 산만해지지 않도록 할 것을 강조한다.

관련어 내관치료, 불안, 신경증

모방
[模倣, modeling]

어린이가 사람들의 행동을 관찰한 다음 작은 교수(little professor)의 전략을 사용하여 자신이 원하는 것을 얻기 위해 준거로 사용하는 것. 교류분석

각본 메시지(script massage)는 언어적으로 전달될 수 있고 비언어적으로 전달될 수도 있지만, 동시에 모방의 요소를 포함할 수도 있다. 어린이는 사람들의 행동을 예리하게 관찰한다. 특히 아버지와 어머니가 서로 어떻게 대하는지, 또 다른 가족구성원들에게 어떻게 대하는지 보고 배운다. 이처럼 어린아이는 현실검증이라는 작은 교수의 전략을 사용하여, '어떻게 해야 내가 원하는 것을 가장 잘 얻을 수 있는가?' 하고 끊임없이 탐색한다. 어머니가 아버지에게 바라는 것이 있을 때 흔히 싸움을 걸거나 눈물을 보인다면, 어린아이도 '내가 가지고 싶은 것이 있으면, 특히 남자에게 바라는 것이 있으면 싸우거나 눈물을 보여야 해.'라는 결론을 내린다. 예를 들면, 한 어린아이가 동생을 잃었다. 그 아이는 부모가 매주 꽃을 가지고 무덤으로 가는 것을 보았다. 부모는 항상 슬픔에 젖어 있었고, 산 사람보다 죽은 사람을 더 많이 생각하였다. 이 어린아이는 '죽어야 더 관심을 끌 수 있구나.' 하고 생각한다. 어린아이는 어른과 같이 죽음을 제대로 이해하지 못한다. 따라서 '부모로부터 관심을 끌려면 나도 동생처럼 죽을 필요가 있어.'라고 결정을 내리게 된다(Stewart & Joines, 2010).

모빙
[-, mobbing]

직장 동료가 집단적으로 인격적 공격, 비난, 불이익, 집단따돌림 등을 가하는 직장문화. 기타 가족치료

직장 내의 왕따를 뜻하는 용어로, 1980년대 이후 노동심리학 안에 자리 잡은 개념이다. 때로는 직장상사가 동참하기도 한다. 인간관계에서 흔히 발생하는 평범한 갈등이나 다툼, 긴장 관계와 달리 모빙은 체계적이고 의도적이며 지속적으로 집요하게 이루어진다. 모빙은 일회적 경험이 아닌 지속적인 것으로서 일종의 행동패턴이다. 직장에서 남성과 여성이 당하는 모빙의 정도는 비슷하다. 그러나 방식은 성별에 따라 다르게 나타난다. 남성이 주로 전문분야와 관련되어 모빙을 당하는 반면, 여성은 사회적인 맥락에서 모빙을 당한다. 젊은 직원은 대개 전문분야와 관련된 능력 때문에 비난을 받거나 조롱을 당한다면, 나이 든 직원은 활동 전반에 걸쳐 모빙을 당한다. 모빙행위는 당사자에게 심각한 트라우마가 된다. 이처럼 트라우마의 가장 흔한 원인은 사실 인간관계에서 일어나는 폭력적 상황이다. 모빙은 관계에서 일어나는 폭력이다. 피해자는 지속적인 트라우마 경험으로 뇌중추의 유전자 활동력이 변하고, 신경생물학적 조직에 변화가 일어난다. 모빙에 따르는 트라우마를 치료하지 않으면 우울증이

나 중독질환(특히 알코올중독)에 걸리는 경우가 많다. 볼메라트(Wolmerath)의 모빙보고서에 의하면, 모빙의 진행단계는 다음과 같다. 첫째, 갈등발생 단계다. 해결되지 못할 갈등이 발생하고 이에 대한 책임 회피가 나타나 특정 인물에 대한 의도적인 공격이 시작된다. 둘째, 정신적 테러의 시작단계다. 갈등은 직원들 사이의 의견 대립을 발생시키고 의견 대립이 과도하게 부각된다. 한 직원이 조직적 비난의 대상이 되고 당사자는 점점 고립되고 따돌림 당하는 느낌을 받는다. 셋째, 문제가 공공연해지는 단계다. 따돌림의 행동이 점점 노골화된다. 당사자는 굴욕감을 느끼고 자신감을 잃은 나머지 일에 집중하지 못한다. 결과적으로 일의 품질이나 성과가 나빠지고 결국 경고, 좌천, 해고 등을 당하게 된다. 넷째, 퇴직의 단계다. 모빙은 당사자가 직장을 떠남으로써 끝난다. 당사자가 더 이상 압박을 견디지 못하고 스스로 사표를 쓰거나 회사가 해고할 수 있다. 그러나 여기서 끝나는 것이 아니라 신경질환 등 장기치료가 필요한 증상을 보이거나 직장생활이 아예 불가능해지는 상태가 될 수 있다.

모성애결핍

[母性愛缺乏, maternal deprivation]

인간을 포함한 포유류에서 출생 후 성장하는 시기에 주양육자의 보살핌과 관심을 받지 못한 것. 발달심리

이 개념은 스피츠(Spitz, 1945)가 유아기에 모성애결핍을 경험하고 병원에 장기간 입원한 아동 91명을 대상으로 그들에게 나타나는 행동장애를 연구한 것에서 비롯되었다. 그의 연구에 따르면, 이 아동들은 슬픔과 불안이 주증상으로 성인에 대한 공포반응, 사회적 관계의 철회, 사회적 위축, 신체발달의 지연, 불면증, 혼돈스러움, 조기사망 등의 증상이 나타났다. 모성애결핍으로 인한 아동 우울증을 의존성 우울증(anaclitic depression)이라고 한다. 이후 볼비(Bowlby, 1951)는 입원, 부모의 이혼, 부모의 사망 등으로 어머니와 장기간 떨어져서 생활한 아동을 대상으로 행동발달상태를 연구하였다. 연구결과, 어머니와의 분리는 심리적 발달의 지연을 가져왔다. 또한 유아기의 모성애결핍은 신체발달의 지연을 가져올 수도 있다. 가드너(Gardner, 1972)는 어머니가 아동에게 껴안기, 쓰다듬기, 업어주기 등의 신체적 접촉을 할 때 성장호르몬 분비가 촉진되어 신체적 발달을 돕는다고 하였다. 그래서 모성애가 결핍된 아동은 이러한 어머니의 신체적 접촉이 박탈되었기 때문에 성장호르몬의 분비가 억제되어 신체발달이 지연된다. 또한 어머니의 신체적 접촉뿐만 아니라 정서적 반영이 대뇌의 신경회로를 자극하여 뇌하수체의 성장자극호르몬과 부신피질호르몬의 분비를 촉진하고, 이는 아동의 신체적, 정서적 발달을 돕는다고 주장하였다. 이러한 모성애결핍에 관한 연구는 인간을 대상으로 하기에는 윤리적 한계 때문에 주로 개(Melzack & Scott, 1957), 쥐(Koch & Arnold, 1972), 침팬지(Harlow & Zimmerman, 1959) 등 동물을 대상으로 이루어졌다. 인간에 관한 연구는 대부분 어머니와 분리를 경험한 아동이나 성인, 고아원과 같은 양육시설에 있는 아동을 대상으로 행해졌다. 이러한 연구결과들은 고아원과 같은 양육시설의 개선을 가져오는 성과를 낳았다. 인지적 측면에서 모성애결핍 아동은 언어구사능력의 지체, 환경 자극 가운데 자신에게 유리하고 의미 있는 자극을 선택하는 자극변별력 장애, 사고의 구체화 능력의 부족, 새로운 자극이나 대상에 대한 주의집중력이나 정위반응(orientation response) 등에서 장애를 보인다. 그리고 지적 능력의 발달이 정체되거나 저하되기도 하며, 이 같은 능력의 저하는 성인기까지 이어졌다. 행동적 측면에서는 칭찬이나 인정과 같은 사회적 강화자극에 대하여 부적절하게 반응하거나 과도한 반응을 하는 경향이 강하다. 그리고 충동적 행동을 억제하는 능력이 부족하여 사회적 상호작용의 결함, 의사소통장애 등에서 행동발

달의 지체가 나타난다. 이들은 성인 이후에 안정된 직업을 가지는 경우가 적으며 대부분 경제적으로 매우 빈곤한 상태로 지낸다. 정서적 측면에서 우울증, 의사자폐증(pseudo-autism), 의사발달지체(pseudo-retardation), 정신신경증 등의 정신병적 증상을 보일 가능성이 있다.

관련어 | 의존성 우울증

모성원리
[母性原理, maternal principle]

어머니가 자식을 사랑하는 기본 원칙. 이상심리

모성원리는 '조건 없는 사랑'의 원리다. 어머니가 자식을 사랑하는 것은 자녀가 어머니를 기쁘게 하기 때문이 아니라 그들이 그녀의 자식이기 때문이다. 따라서 어머니의 사랑은 훌륭한 행동으로 얻어지거나 죄를 범함으로써 잃어버리는 것이 아니다. 인간의 마음속에는 부성과 모성이라고 하는 대립된 원리가 존재하며, 그 대립된 원리의 균형을 취하는 방식에 따라서 사회나 문화의 특성이 만들어진다고 본다. 이때 모성원리란 부성원리와 대립하는 개념이며, 개인의 심성이나 행동의 특징을 설명하고 나아가 어떤 사회나 문화의 특성을 설명하기 위한 기본적 이념의 하나라고 본다. 모성원리는 선악을 묻지 않고 모든 것을 포함시키며 모든 것이 절대적인 평등성을 가지고 있다고 한다. 특히 자녀에 대해서는 더욱 그렇다. 그러나 어머니는 자녀가 멋대로 자신의 슬하에서 떠나는 것을 허용치 않는다. 즉, 모자일체라는 근본원리의 파괴를 인정하지 않으려고 한다. 따라서 모성원리는 정상적인 면에서 보면 아이를 낳고 기르는 것이며, 부정적인 면에서 보면 삼켜 버리고 달라붙어서 죽음에 이르게 하는 것이기도 하다. 우리나라의 문화나 사회는 모성원리가 우세하지만 이에 못지않게 부성원리도 요구되고 있다.

모수통계
[母數統計, parametric statistics]

모집단의 측정치가 균등하게 분포된 특성, 즉 종모양의 곡선 형태를 가지고 있다고 간주할 때 활용하는 통계. 통계분석

모수통계는 미지의 모집단 모수치의 특정한 값을 추정하거나 미지의 모집단 모수치의 가정된 값에 대한 결정, 즉 가설검증을 수반한다. 모수통계를 사용하기 위해서는 어떤 변인에 대한 모집단의 분포가 정규분포여야 하고 분산이 같아야 한다. 통계적 가설검증에서 무선적으로 추출된 표본의 자료는 표본이 추출된 정규분포의 모집단에 대해 추정하기 위해서 사용된다. 통계적 검증은 영가설(null hypothesis)에 관한 결론을 내리기 위해서, 즉 영가설이 참인지 거짓인지 알아보기 위해서 표본자료를 대상으로 시행한다. 모집단 분포 및 그 모수에 관한 가정을 포함한 검증, 즉 모수검증에는 t검증, 변량분석(analysis of variance: ANOVA), 공변량분석(analysis of covariance: ANCOVA), 다변량분석(multivariate analysis of variance: MANOVA), 사후비교(post hoc comparisons) 등이 있다. t검증은 모집단의 분포가 정규분포이며 종속변인이 양적 변인일 경우 평균 혹은 집단 간 비교를 위하여 사용하는 통계적 방법이다. 두 집단의 비교일 경우 t검증을 사용하려면 두 모집단의 분산이 같아야 한다. t검증은 단일표본 t검증, 두 종속표본 t검증, 두 독립표본 t검증의 세 가지 통계적 방법이 있다. 단일표본 t검증은 동일한 연구목적으로 지닌 가설을 검증하되 모집단의 분산을 알지 못할 때 사용하는 방법이다. 예를 들어, 중학생의 공감능력을 증진하기 위하여 새로운 집단상담 프로그램을 개발한 뒤, 모집단인 서울시 중학교 2학년 학생 중에서 30명을 추출하여 새로운 집단상담 프로그램을 적용한다. 그런 다음 그 학생들의 공감능력 점수가 80점인지 아닌지를 검증하고자 할 때 단일표본 t검증을 사용한다. 두 독립표본 t검증은 두 표본이 추출된 모집단이 서로 독립적인 경우

두 집단의 평균이 같은지 비교할 때 사용하는 방법이다. 예를 들어, 사범대학 출신교사들과 일반대학 출신교사들의 교직 만족도 차이를 알아보고자 할 때 두 독립표본 t검증을 사용할 수 있다. 두 종속표본 t검증은 종속변인이 양적 변인이고 두 집단이 독립적이지 않을 경우, 즉 종속적일 경우 두 집단의 종속변인에 대한 차이 연구를 할 때 사용하는 방법이다. 두 집단이 종속적이라는 것은 추출된 표본의 모집단이 서로 관계가 있음을 뜻한다. 대표적인 예로 남녀 비교의 경우 남녀 표본을 남녀 모집단에서 독립적으로 추출하는 것이 아니라 부부 모집단이나 남매 모집단에서 추출하는 경우다. 다른 예는 사전-사후검사다. 사전검사를 실시하고 난 뒤 어떤 처치를 가하고 처치효과가 있는지 검증하기 위하여 사후검사를 실시했을 때 사후검사에서 연구대상에 어떤 변화가 나타났다면, 이는 처치효과가 있음을 말해 준다. 이때 사전검사 자료와 사후검사 자료는 동일한 연구대상에게 검사를 두 번 실시하여 얻은 자료이기 때문에 서로 독립적이지 않으며 종속되어 있다. 이러한 경우의 자료를 짝지어진 자료(matched pair data)라고 한다. 예를 들어, 초등 전문상담교사가 수줍음을 많이 타는 여학생이 있다는 것을 알고 수줍음을 줄이기 위한 상담 프로그램을 개발하여 그 프로그램이 효과가 있는지 알아보고자 종속표본 t검증을 사용할 수 있다. 연구대상이 되는 초등학교 3학년 학생 20명을 표집하여 사전검사를 실시한 다음 새로 개발한 수줍음을 줄이는 상담 프로그램으로 상담을 하거나 실험을 한 뒤 수줍음에 어떤 변화가 있는지 알아보기 위하여 다시 수줍음의 정도를 측정하는 사후검사를 실시한다. 그러고는 사전검사의 결과와 사후검사의 결과에 어떤 차이가 있는지 두 종속표본 t검증으로 알아볼 수 있다. 변량분석은 두 독립표본 t검증의 연속으로 3개 이상 집단 간 평균 차이의 유의성을 검증하는 통계적 방법이다. 변량분석은 독립변인의 수에 따라 일원변량분석, 이원변량분석, 삼원변량분석 방법으로 이름이 달라진다. 일원변량분석 방법은 독립변인이 하나로서 전통적 놀이치료법, 모래상자 놀이치료법, 전래 민속 놀이치료법을 투입한 뒤 또래관계에 효과가 있는지 비교하는 연구를 예로 들 수 있다. 이 경우 독립변인은 놀이치료법 하나이며 세 가지 다른 수준의 처치를 하므로 이를 일원변량분석이라고 한다. 이원변량분석 방법은 2개의 독립변인을 가지고 있다. 예를 들어, 전문상담교사가 치료유형(개인 치료, 집단 치료)과 치료기간(2주, 4주, 6주, 8주)이 알코올을 남용하는 고등학생의 알코올 소비를 감소시키고자 하는 동기에 미치는 효과를 알아보고자 할 때 이원변량분석을 이용할 수 있다. 여기서 독립변인은 2개, 즉 치료유형과 치료기간이다. 공변량분석은 종속변인의 수행과 관련하여 어떤 중요한 가외 변인의 사전 차이에 대해 통계적으로 조정하는 방법이다. 예를 들어, A와 B 두 학습상담방법의 효과를 비교하는 연구를 한다고 가정하자. 사전 학력검사를 실시한 결과 A방법으로 상담할 집단의 점수가 B방법으로 상담할 집단보다 유의하게 훨씬 더 높게 나왔다면, 이러한 출발점의 차이 때문에 사후검사에서 A방법이 B방법보다 더 우수한 것으로 나타날 가능성이 매우 크다. 이와 같은 경우에 공변량분석은 두 집단 간 사전 차이 점수를 통계적으로 조정함으로써 마치 두 집단이 동등하게 출발한 것처럼 사후검사의 결과를 공정하게 비교할 수 있도록 해 준다. 다변량분석은 종속변인이 하나가 아니라 2개 이상으로 합성되어 있을 때 집단 간 차이가 있는지 검증하는 변량분석 방법이다. 예를 들어, 세 가지 교수법에 따라 유아의 어휘발달에 차이가 있는지를 검증할 때 다변량분석을 사용할 수 있다. 종속변인인 유아의 어휘발달이 단일변인이 아니라 문자해독능력, 말하는 빈도수, 어휘수준 등이 합쳐져서 유아의 어휘발달을 설명한다면 유아의 어휘발달은 최소한 세 변인 이상이 합성된 것이다. 그리고 세 변인 간에 관계가 있으므로 이 경우 다변량분석을 실시한다. 다변량분석의 경우 종속변인이 합성된 변인에 의하여 설명되는 것이 변량분석과 다를 뿐 설계방법은 독립변인의 수에 의한 변량분석과 동일하다. 인간의 속성은 단일변인으로 설명되기보다는 많은 변인에 의하여 설명되는 경우가 많으므로 다변량분석 방법 사용이 증가하는 추세다. 그리고 사후 비교는 3개 이상의 집단 간 차이가 있다는 것을 알고 난 후 어느 집단 간에 차이가 있는지를 밝히는 방법이다. 즉, 3개 이상 집단 간 차이가 있음이 밝혀졌을 때 어느 집단과 어느 집단이 차이가 있는지 구체적으로 검증하는 것이 사후 비교다. 가장 흔히 사용하는 사후검증은 Duncan, Newman-Keuls, Scheffe, Turkey와 같은 방법들이다.

관련어 | 비모수통계

모순어법

[矛盾語法, oxymoron]

상호 모순적인 내용을 연합하여 내담자의 문제를 해결하고자 하는 최면기법. 최면치료

에릭슨 최면의 기법 중 분할하기의 일종으로, '동일한 차이' '달콤한 눈물'처럼 상호 모순적인 내용을 하나의 표현에 담아 혼란을 조성함으로써 트랜스를 유도하는 방법이다. 많은 성관계경험에도 불구하고 어릴 적 성폭행 후유증 때문에 성관계에 대하여 두려움이 있는 여성에게 이 방법을 적용한 사례가 있다. 이 내담자에게 에릭슨(Erickson)은, 그녀가 아무리 크고 단단한 남자의 성기도 한순간에 무력하게 만들 수 있는 것을 큰 능력으로 인정해 주고 이를 잘 발휘하면 두려운 존재인 남자를 무력하게 만들 수도 있기 때문에 '사악한 쾌락'을 즐길 수 있다고 하였다. 이를 통해 내담자는 성관계에 대한 두려움을 극복할 수 있었다.

관련어 | 에릭슨 최면

모자이크 검사

[-檢查, Mosaic Test]

피검자의 내적 상태를 알아보는 성격검사. 심리검사

피검자의 내적 상태를 알아보기 위해 1929년에 로웬펠드(M. Lowenfeld)가 개발한 것으로, 총 465매의 적 · 황 · 녹 · 백 · 흑 · 청의 여섯 가지 색, 정방형 · 마름모형 · 부등변 삼각형 · 정삼각형 · 이등변 삼각형의 다섯 가지 형태의 작은 판을 이용하는 투사적 검사다. 이들 판을 피검자에게 주고 종이 위에 자유롭게 모자이크 모양을 만들도록 한 다음 각 색의 사용순서, 모양의 안정도, 색의 조합, 제작 중 행동 등을 기준으로 평가한다. 검사의 목적은 모자이크 모양의 구성과정이나 구성물에 반영된 피검자의 내적 상태를 이해하는 것이다. 검사결과는 지적장애, 신경증, 정신분열증, 기질성 뇌질환, 순환성 정신병(우울증, 조병) 등의 진단보조자료로 이용되며, 이외에도 산업관계에서는 업무배치나 적재적소의 발견에 활용된다. 임상진단으로서는 예컨대 지적장애인 경우 디자인이 단순하고, 하나의 형 또는 색을 고집한다. 정신분열증인 경우는 좌우 대칭이나 반복이 많으며, 색보다는 형(形)을 많이 사용한다. 우울증인 경우는 흑색이나 청색판을 사용하는 경향이 있고, 조증인 경우는 적색을 많이 사용한다. 기질성 뇌질환인 경우는 처음 손에 잡은 판을 고집하며, 디자인은 단조롭고 원이나 십자형이나 별모양과 같은 기하학적 도형을 만드는 경우가 많다고 지적된다. 언어장애, 지체 부자유, 지적장애의 아이들에게도 이용할 수 있다는 장점이 있지만 채점법은 객관적인 기준이 없다는 단점이 있다.

모자이크형
[-形, mosaicism]

21번 염색체가 많아지는 다운증후군의 한 유형. 특수아상담

모자이크형은 여분의 21번 염색체를 더 갖는다는 점에서는 삼염색체성과 유사하지만, 이것이 모든 세포에 적용되는 것이 아니라는 점에서 차이가 있다. 즉, 모자이크형은 수정된 후의 초기 배아기 세포분열 시의 비분리 현상으로 21번 염색체를 2개씩 갖는 정상세포가 있는 반면, 어떤 세포는 21번 염색체를 3개 갖기도 한다.

모즐리 성격검사
[-性格檢査, Maudsley Personality Inventory: MPI]

정신병적 경향과 신경증적 경향, 외내향성, 허위성을 측정하는 성격검사. 심리검사

성격을 측정하기 위해 1947년 아이젱크(Eysenck)가 개발한 검사로, 우리나라에서는 1985년에 이현수가 표준화하였다. 이는 정신병적 경향성(psychoticism: P), 외향성-내향성(extraversion-introversion: E), 신경증적 경향성(neuroticism: N), 허위성(lie: L)의 네 가지 주요 성격 차원적 요인의 특징을 측정하는 질문지 형식으로 된 일종의 성격검사다. 아이젱크는 주요 성격차원의 하나인 정서성 차원의 특징을 객관적으로 측정할 목적으로 총 40문항의 검사를 연구, 개발하여 모즐리 의학적 질문지라고 불렀다. 또한 MMQ로 측정되는 정서성 차원 외에 또 다른 성격차원인 외향성-내향성 차원을 동시에 측정할 수 있는 검사를 연구, 개발하였는데 그것이 질문지형 모즐리 성격검사다. 뒤를 이어 부인과 공동으로 그 때까지 연구개발한 검사의 내용을 보다 쉽게 개편하는 한편, 질문지형 모즐리 성격검사로 측정되는 두 가지 주요 성격차원인 정서성 차원과 외향성-내향성 차원 외에 또 다른 성격 차원인 허위성 차원을 동시에 측정할 수 있는 검사를 개발하였다. 이것은 질문지형 아이젱크 성격검사(Eysenck Personality Inventory: EPI)다. 이와 같은 연구자료를 바탕으로 아이젱크 부부는 정서성 차원, 외향성-내향성 차원 및 허위성 차원 외에도 자신이 평소 관심 있게 여겨왔던 또 다른 주요 성격차원인 강인성 혹은 정신병적 경향성 차원을 동시에 측정할 수 있는 검사를 연구·개발하였다.

모험에 기초한 경험치료
[冒險-基礎-經驗治療, adventure based experiential therapy: ABET]

다양한 실행 활동을 경험해 봄으로써 자신의 행동에 대한 새로운 인식을 유도하는 치료법. 해결중심상담

내담자가 상담자를 찾아올 때는 대부분 슬픔, 분노, 좌절, 우울과 같은 문제를 경험하고 있는 상태다. ABET는 이러한 내담자에게 즐거움을 제공해 줌으로써 내담자가 자각하고 있는 문제의 심각성을 줄여 주는 효과를 나타낸다. 따라서 ABET 활동을 통해 내담자가 자신의 문제를 해결할 확실한 해결책을 찾지 못한다 하더라도, 그 활동 속에서 체험한 즐거운 시간은 심각한 문제를 가진 내담자에게 긍정적인 효과를 발휘할 수 있다. ABET는 주로 가족과 같은 집단으로 활동을 하게 되는데, 눈가리개를 하고 산책을 하거나, 상대방의 손에만 의지하여 등을 기대어 보는 등 다양한 활동을 체험하도록 한다. 이를 통해 집단 참여자들은 정신적·신체적 활동과 함께 일반적인 문제를 해결하는 연습을 할 수 있다. 때로는 ABET 참여자들이 숙박을 함께하며 다양한 활동경험으로 재미있는 시간을 보내기도 한다. 이때 적용할 수 있는 프로그램으로는, 치료집단구성원들이 각각 다양한 상황에서 직면하게 되는 실제 생활에서의 문제상황을 설정하여 이를 어떻게 해결해 나갈 수 있을지 계획을 세우고 시행해 보는 경험을

하는 것이다. 이 과정에서 주어지는 상황은 재미있고, 생각을 많이 할 수 있도록 고안되는데, 집단 참여자들은 반영의 한 형태인 프로세싱(processing)이라고 불리는 집단활동을 통해 논의를 한 뒤 여러 상황의 활동 중에서 선택할 수 있다. 이러한 ABET 활동은 개인의 정서적 · 신체적 안정뿐만 아니라, 한 집단의 정서적 · 신체적 안정성을 증가시키는 데에도 긍정적인 효과를 발휘한다. 또한 개개인의 의사와 행동을 존중해 주며, 참여자들이 의사소통, 팀워크, 개인의 자원을 바탕으로 한 문제해결기술에 대해 새로운 방법을 배울 수 있는 환경을 제공해 준다. ABET는 21일 동안 한정된 지역에서 시행하는 광야 모험 프로그램부터 조그마한 사무실에서 두 사람이 서로의 손바닥을 미는 간단한 프로그램까지 폭넓게 적용할 수 있다.

관련어 ROPES 과정, 가상의 상자 연습, 집단 저글링, 해결 상자연습

모호성
[模糊性, ambiguity]

트랜스 전 단계가 되는 인지적 혼란을 조성하고 암시를 적용하기 위해 표현의 모호성을 살리는 밀턴모형 최면 화법의 하나. 최면치료

모호성은 확실치 않은 상황의 성격이나 방향 때문에 막연함을 유발한다. 일반적으로 사람들은 논리적으로나 이성적으로 납득하기 어려운 모호한 상황을 견디기 어려워한다. 불편하고 불안하기도 하며 당황하거나 혼란을 느끼고, 때로는 어찌 할 바를 몰라 멍한 느낌에 빠지기도 한다. 이러한 상황에서는 이성적이고 의식적인 차원에서의 판단이 멈추어 버리지만, 수동적으로 가만히 있지 않고 혼란 속에서 질서를 찾으면서 스스로 의미를 찾아 부여하고 무의식적 판단에서 반응한다. 이렇듯 내담자를 모호한 상황에 두어 무의식을 활성화시키는 최면화법이 모호성이다. 이 원리는 메타포를 사용할 때도 적용할 수 있다. 모호성에는 발음의 모호성(phonological ambiguity), 구문의 모호성(syntactic ambiguity), 범위의 모호성(ambiguity of scope)이 있다. 발음의 모호성은 같은 발음이지만 다양한 의미를 나타낼 수 있는 단어를 사용하여 모호성을 조성하는 것이다. 예를 들어, '공이 있다.'라는 표현은 던지는 공인지 숫자 0의 다른 표현인지 모호하게 들릴 수 있다. 구문의 모호성은 강세를 어디에 두고 읽느냐에 따라 의미가 달라지거나, 다양하게 해석될 수 있는 구문을 활용하는 것이다. 예를 들어, '그들은 공부하는 학생이다.'라는 표현에서 '공부하는'에 강세를 둘 때와 '학생'에 강세를 둘 때 의미가 달라질 수 있으므로 모호성을 유발한다. 범위의 모호성은 수식어가 영향을 미치는 범위의 모호함을 이용하여 암시효과를 높이는 화법이다. 예를 들어, '더러운 골목과 거리의 아이들'이란 표현에서, '더러운'이 수식하는 것이 '골목'만인지, '거리의 아이들'까지 포함하는지 범위가 모호한 것이다.

관련어 밀턴모형, 최면

목격자
[目擊者, witness]

내담자와의 수용 및 신뢰 관계를 가지고 내담자의 치료적 경험을 촉진하고 협력하는 동료, 안내자, 지지자 및 관찰자 역할을 하며, 동시에 은유적이고 심미적 피드백을 해 주는 사람. 무용동작치료

무용동작치료에서 목격자의 목격하기는 게슈탈트 심리학에서 중시하는 개념으로, 여기 그리고 지금에서 환경 및 다른 사람들에 대한 의미 있는 투사를 통해 감정, 관계, 감각적 반응 및 주관적 반응을 반영하는 역할을 한다. 여기서 반영은 내담자와 목격자 모두에게 자기 목격하기(self witnessing)와 관계적 목격하기(relational witnessing)를 포함하여 이루어진다. 목격자는 내담자의 행동이나 다양한 표현을 해석하고 분석하기보다는 자각(알아차림)하

고, 공감하고, 이미지를 탐색하여 심미적으로 반응하는 방법을 통해 피드백한다. 목격자의 기초자질로는 보고, 듣고, 느끼고, 상상하는 능력을 바탕으로 자신의 보고 듣는 것에 계속적으로 주의를 기울이고, 내담자의 표현과 작업에서 영감을 받을 수 있는 능력이라고 할 수 있다. 또한 목격자의 목격하기의 목표는 여기 그리고 지금의 존재를 인정하고, 경험을 심화시키고, 표현의 의미를 확대하고, 새로운 자원을 발전시키며, 변화를 위한 가능성을 제안하는 것이다. 목격자가 목표를 달성하기 위해서는 세 수준의 자각반응과 세 수준의 의사소통기술을 사용해야 한다. 이를 통해 목격자의 피드백은 즉흥 그림, 춤, 노래, 시 읊기 등의 심미적 반응으로 나타나기도 한다. 목격자는 또한 내담자의 예술과정을 촉진할 수 있는 반영질문을 사용한다. 예를 들어, "당신의 그림이나 춤이 말을 할 수 있다면 무엇이라 말하겠는가?" "어떤 이미지가 당신을 자유롭게 해 줄 수 있는가?" "어떤 동작이 당신의 감정을 표현하도록 도와주는가?" "지금의 당신의 그림, 또는 춤에 무엇을 덧붙이고 싶은가?" "당신의 동작을 아주 빠르게, 또는 아주 느리게 전환해 갈 때 무엇을 알아차리는가?" 등의 반영질문이 가능하다. 융은 말년의 연구에서 환자를 대하는 새로운 태도를 발달시켜야 한다고 언급하면서, 분석하는 대신 환자의 대답, 연상 및 선택을 따라가는 목격자로서의 역할을 강조하였다(Chodorow, 1997). 펄스(Perls, 1973)는 게슈탈트 치료 중 일어나는 과정을 지켜보는 상담자의 역할에 대하여, '목격하기'와 '목격자'라는 용어를 사용하였고, 핼프린(D. Halprin, 2003)은 동작 중심 표현예술치료과정에서 내담자가 치유과정을 경험하는 일에 동참하여 목격하는 목격자의 역할과 기법에 대해 연구하였다. 또한 융학파 무용동작치료자인 초도로(Chodorow, 1997)도 자신의 무용동작치료에서 융이 언급했던 목격자 개념을 재조명하는 연구를 수행하였다.

관련어 | 심미적 반응

목록만들기

[目錄-, list making]

글쓰기치료에서 특정 주제를 두고 목록을 작성하는 기법.

문학치료(글쓰기치료)

저널치료 및 글쓰기치료에서는 여러 종류의 목록을 만드는 방법을 사용한다. 목록만들기는 간단하면서도 친숙한 방법이기 때문에 널리 사용되고 있다. 한 가지 주제를 정해 두고 그에 대한 목록을 작성하기만 하면 된다. 목록의 종류는 얼마든지 가능하다. 저널치료에서 가장 많이 쓰이는 목록만들기는 백 가지 목록이다. 백 가지 목록을 작성한 다음 그 목록을 주제별로 나눔으로써 얻은 정보를 체계화할 수 있다. 주제는 대개 의식적 정보, 주제들, 잠재의식으로 분류한다. 분류한 정보를 실제로 실행하거나, 대화 또는 보내지 않는 편지와 같은 글쓰기치료기법으로 이어갈 수 있다. 목록만들기는 간단하고 쉬운 방법이지만, 그 과정이 우선순위를 결정하는 선형적 사고를 기반으로 하기 때문에 목록화된 주제들에서 중요성의 서열이 매겨진다는 단점이 있다. 그에 대한 결점보완의 방식으로 저널치료에서는 마인드맵 같은 클러스터 기법이나 브레인스토밍 등을 쓰고 있다. 목록은 우선순위나 조직화, 자기 역할이나 관계 들여다보기 등에서 유용하다. 규칙은 간단한데, 가능한 한 빨리 쓰고 좋아하는 만큼 반복도 가능하며 수를 세면서 쓰고 검열하지 않는 것이다. 목록만들기를 하는 과정은 일상에서 미처 인식하지 못하고 있던 것을 짚어 보게 해 준다. 그리고 생각의 정리, 패턴이나 문제점의 발견, 해결책에 대한 브레인스토밍 돕기, 마음속 살피기, 빠르고 풍부한 정보수집 등에 유용하다.

관련어 | 백 가지 목록

목사
[牧師, pastor]

예수 그리스도를 따르는 자들의 영혼을 돌보는 사람으로, 목회자라고도 함. 목회상담

목사를 나타내는 영어 단어인 'pastor'는 목자(shepherd)에 대한 라틴어에서 유래하였다. 목사의 개념에 대해 신학자 존 패튼(John Patten, 1993)과 토마스 오든(Thomas Oden, 1984)은 예수 그리스도의 특별한 부름과 보냄을 받고 신학교육을 받은 사람으로 정의하였다. 종교개혁가인 울리히 츠빙글리(Ulrich Zwingli, 1962)는 마태복음 11장 28절의 말씀을 통해, 성서에서 말하는 진정한 목자상의 대표자로 예수 그리스도를 지칭하고 있다. 그에 따르면, 목사는 공동체 안의 기독교인들을 마치 목자가 양을 기르고 훈련시키는 역할을 하는 것처럼 개개인과 공동체 전체를 사랑으로 살피고 영혼을 돌보면서 예수 그리스도의 도를 올바르게 따를 수 있도록 훈련하는 역할을 해야 한다고 주장하였다. 현대 교회에서 목사는 교회의 지도자 역할을 하며 예배, 봉사, 선교, 교육 등 목회돌봄의 일을 맡아 각 성도들과 교회 공동체를 돌보는 자를 뜻한다.

관련어 | 목회돌봄

목적론
[目的論, teleology]

모든 행동에는 목적이 있다고 생각하는 개인심리학의 주요 개념. 개인심리학

'teleo'라는 그리스어에서 유래한 용어로, 아들러(Adler)가 인간의 모든 행동에는 반드시 그렇게 하기 위한 목적이 있다고 설명한 개념을 가리킨다. 즉, 인간의 모든 행동은 의도적이며 목적 지향적이라는 것이다. 이 개념은 협의로 보면 행동의 원인이 아니라 행동의 목적을 분석하는 입장이다. 예를 들어, 등교거부의 경우에 그 원인이 아니라 목적이 무엇인지 생각하는 것이다. 또 광의로 보면 인생을 주관적인 인생목표를 추구하는 과정으로 이해하는 입장이다. 이 입장에서는 인생을 신경증이나 정신병을 포함하여 모두 주관적 결단인 동시에 주관적으로 선택한 창조적 행위로 간주하며, 사고와 감정 및 본능을 행동의 원인이 아닌 목표를 추구하기 위해 사용하는 수단으로 이해한다. 아들러는 모든 행동의 목적을 알아낼 수 있을 때 그 사람의 행동을 이해할 수 있다고 생각하였다. 예를 들어, 항상 지각하는 행동의 목적은 무엇인지, 이러한 행동이 다른 사람들의 관심을 끌기 위한 것인지, 다른 사람의 애정을 시험해 보기 위한 것인지, 혹은 자신이 얼마나 바쁜지 다른 사람에게 보여 주기 위한 것인지 등의 이유를 알고자 한다. 아들러는 목표의 설정과 성취 과정을 주관적인 신념에 불과한 것으로 간주하여, 재결단으로 생활방식의 수정이 가능하다고 보았다.

관련어 | 허구적 목적론

목표의 전이
[目標-轉移, over goal]

성경적 상담에서 내담자가 자신의 삶의 긍정적인 변화를 위해 그 삶의 목표를 변화시키는 것. 목회상담

성경적 상담을 주장한 로렌스 크랩(Lawrence Crabb)은 상담의 목표는 내담자가 어떤 상황에 있든지 이전과는 다르게 성경적으로 반응하고 행동할 수 있도록 도와주어야 한다고 설명하면서, 이러한 변화를 목표의 전이라고 불렀다. 그는 내담자가 삶의 문제를 가지고 있다는 것은 자신의 문제상황에 잘못된 반응을 하기 때문이라고 분석하여, 이러한 잘못된 반응을 성령의 인도하심에 따라 성경적인 반응으로 바꾸어야 한다고 주장하였다. 목표의 전이는 단순히 성경말씀에 순종하는 반응만 이야기하는 것

이 아니라 마음과 태도, 사고방식, 지각 등이 총체적으로 바뀌어 변화된 인격을 소유하는 데까지 이르도록 하는 것이 진정한 목표의 전이라고 하였다.

관련어 | 로렌스 크랩, 성경적 상담, 성령

목회돌봄
[牧會-, pastoral care]

종교 지도자나 돌봄의 자세를 가진 자가 기독교인의 다양한 문제를 위해 기독교적인 자원, 지혜, 권한을 사용하여 도움을 주는 활동. 목회상담

목회돌봄은 성경에 나오는 목자(shepherd)의 이미지에서 볼 수 있듯이 어려움에 처한 기독교인을 걱정하고 도와주는 모든 활동을 가리키는 개념이다. 기독교의 전통에서 목회돌봄은 주로 기독교인의 영혼을 치료하는 영역을 의미하였다. 여기서 영혼을 '치료한다(cure)'는 의미는 단순히 문제를 가진 고통스러운 상태에서 벗어나도록 하는 것만을 의미하지는 않는다. 기독교인이 하나님의 뜻에 맞게 그들의 사람을 영위하는 것에 대해 간절하고 주의 깊은 관심과 사랑의 돌봄을 말한다. 목회돌봄의 개념을 정의하는 데 또 하나의 관심은 행위 주체가 누구인가 하는 것이다. 목회라는 단어의 뜻에서 쉽게 목회자가 목회돌봄의 주체라고 생각하는 경향이 있지만, '돌봄'이라는 용어가 단순히 '치료'만 의미하는 것이 아니듯이 '목회'라는 단어도 단순히 '목회자(pastor)'만을 의미하는 좁은 개념이 아니다. 즉, 목자적인 자세와 관심을 가지고 기독교인의 영적인 다양한 요구에 부응하려는 사람으로 정의하는 것이 목회돌봄을 이해하는 데 더 바람직하다고 본다.

관련어 | 목회상담

목회상담
[牧會相談, pastoral counseling]

기독교(Christianity)의 기본 교리의 신관, 인간관, 그리고 세계관을 인정하고 따르는 훈련된 전문 상담자가 내담자의 정서적 혹은 영적인 문제의 해결을 위해 목회돌봄의 활동을 보다 특수하게 구조화된 상담방식으로 적극적인 치료를 하는 과정. 목회상담

목회상담을 행하는 목회상담자는 전문훈련을 받은 목회자일 수도 있고, 목회돌봄의 정신을 가지고 상담치료에 임하는 평신도일 수도 있다. 목회상담 분야에서는 기독교의 신학과 사회의 심리학 간의 이론적 · 임상적 교류를 통하여 보다 효과적으로 기독교인의 정서적이고 영적인 문제를 해결하고자 한다. 목회상담은 기독교의 신학을 실제 삶의 장에서 어떻게 실천할 것인가를 연구하는 학문인 실천신학의 한 분야로 함께 발전해 왔다. 기독교에서 '상담'이라는 용어는 20세기가 시작되면서 사용된 말이고, 이전에는 '상담'이라는 말보다는 교회 안의 성도들에게 상담을 포함한 총체적인 도움을 주는 것으로 '돌봄'이라는 용어를 사용해 왔으며, 목회상담을 광범위한 목회활동의 한 분야로 보았다. 이러한 기독교 안에서의 돌봄의 형태로 이루어지는 인간 내면의 치유활동이 신학의 한 분야로 인식되고 연구되면서부터 일반 학문에서도 이 분야의 학문적 가치에 대해 관심을 갖기 시작하였다. 제임스 류바(James Leuba, 1986)와 에드윈 스타벅(Edwin Starbuck, 1899) 등의 학자들은 특히 종교적 회심과 같은 교회와 기독교의 신앙이 사람들의 내면세계를 다루고 치료하는 일을 학문적으로 연구하여 일반 학문이 종교의 역할과 기능에 대해서 긍정적으로 인정할 수 있는 기반을 마련하였다. 이러한 종교적인 돌봄에 대한 관심은 1920년대에 들어와서 실제적인 목회상담의 현장에 대한 중요성을 강조하고, 돌보는 자, 즉 상담자에게 초점을 두어 어떤 돌보는 자와 상담자가 되어야 할 것인가로 이어지게 되었다. 이 시기의 중요한 특징은 보다 효과적으로 성도

들을 돕는 상담자를 훈련시키기 위해서 심리학적 통찰을 목회에 도입하여 목회돌봄과 상담의 개념을 재구성했다는 데 있다. 이때 1905년 미국 보스턴에서 일어난 임마누엘 운동은 일반 의학적 지식을 신학분야에 도입하여 인간의 병을 치유하려는 첫 시도를 한 것으로 중요한 의의가 있다. 이러한 움직임에 따라 교회 내에서의 인간의 영혼에 대한 치유는 신학적인 것뿐만 아니라 의학적인 도움을 받음으로써 신학과 과학을 동시에 인정하여, 보다 효과적으로 접근해야 한다고 주장하였다. 이를 위해 일반 사회의 심리학을 이용해서 병원처럼 개인의 문제를 보살펴 주고 치유해 주는 상담기술이 본격적으로 발달하기 시작하였다. 1909년까지 임마누엘 운동은 미국 전역은 물론 영국, 아일랜드, 오스트레일리아, 남아프리카공화국 등에 소개되었다. 20세기 초 활발하던 이 운동은 세계 대전을 겪으면서 신 정통주의와 함께 인간의 죄성과 구원의 필요성에 대해 좀 더 진지한 관심을 갖게 되면서 1920년대에 이르자 모두 쇠퇴하기 시작하였다. 그런데 20세기를 지나면서 목회상담자들에게 임상적인 훈련을 제공한 목회임상교육운동이 일어나면서 심리학에 대한 기독교의 구체적인 관심이 시작되었고, 이를 실제 목회상담의 현장에서 적용해 보려는 시도를 하였다. 이 운동의 대표적인 학자인 안톤 보이센(Anton Boisen)은 1924년에 우스터 주립 정신병원 원목으로 일하면서 병원장의 허락을 받은 서너 명의 학생들에게 임상훈련을 실시하였다. 이를 계기로 1930년대에 '신학생을 위한 임상훈련원(Council for Clinical Training of Theological Students)'이라는 기관이 세워져 신학생의 심리학적인 임상훈련이 시작되었다. 이 같은 목회임상교육훈련은 1950년대까지 꾸준히 발전하여 목회적 돌봄이 일반 목사의 돌봄과는 분리되어, 목회상담의 중요성을 인식한 보다 전문화된 목회상담교육이 이루어지기 시작하였다. 그리고 임상훈련을 통해서 목회상담자들도 좀 더 효과적으로 성도들의 영적인 문제를 해결하기 위해 훈련된 전문가가 되는 것이 강조되었다. 이 시기에 배출된 전문 목회상담자로는 슈어드 힐트너(Seward Hiltner), 캐럴 와이즈(Carroll Wise), 롤인 페어뱅크스(Rollin Fairbanks), 프레드 큐터(Fred Kuether), 도널드 비티(Donald Beatty) 등이 있다. 현대목회상담운동은 점차 힘을 얻으면서 심리학의 획기적인 발달과 함께 1960년대에는 '목회상담의 르네상스'를 맞이하였다. 1970년대 이후에는 자유주의 영향 아래 임상 목회적 패러다임을 보완, 극복하자는 주장이 일어나 목회적 돌봄과 목회상담이 목회자의 차원을 넘어서 목회자와 평신도가 함께 돌봄의 공동체를 이루는 것을 강조하였다. 이때 전문 목회상담자들의 협회인 AAPC(American Association of Pastoral Counselors)가 창립되었고, 목회상담자가 일종의 정신건강전문가로 미국사회에 인식되기 시작하였다. 또한 각 지역마다 교회와 연계되거나 지역교회의 협력을 얻은 목회상담센터가 생겨나기도 하였다. 이러한 목회상담의 번성기에 하워드 클라인벨(Howard Clinbell)이 저술한『Basic Types of Pastoral Care and Counseling: Resourses for the Ministry of Healing & Growth』(1966)는 현대 목회상담을 세계적으로 널리 알리는 데 큰 기여를 하였고, 목회상담의 임상적인 훈련에 치우쳐서 상대적으로 위축되어 있던 다양한 목회적 돌봄의 특성과 가치를 재조명하기 시작하였다.

관련어 기독교상담, 목회돌봄, 임마누엘 운동, 현대목회상담운동

목회상담운동
[牧會相談運動, pastoral counseling movement]

1920년대의 임상목회교육운동을 시작으로 제2차 세계 대전 후에 미국 교회와 목회에서 영혼돌봄과 상담의 영역에 관심을 갖기 시작한 움직임. 목회상담

제2차 세계 대전이 끝나자 자기실현의 중요성과 전쟁 후 영혼의 돌봄 등이 강조되기 시작하였고, 또

한 지시적이고 훈계적인 돌봄과 상담 대신 로저스(Rogers)의 공감과 내담자의 존중을 강조한 인간중심상담이 발달하면서 목회상담분야에서도 영혼돌봄의 사역이 목회의 중요한 형태로 자리하게 되었다. 이렇게 상담에 대한 수요가 점차 늘어나면서 1950년대에 이르러서는 거의 모든 미국 신학교에서 상담을 가르쳤고, 80% 이상의 신학교가 교과과정에 심리학을 포함시켰으며, 상담을 가르치는 전문 교수를 두었다. 이 시기 목회상담의 분야에서 일어난 중요한 인식은 '목회돌봄'과 '목회상담'을 구분하여 사용하기 시작한 것이다. 이에 따라 목회돌봄은 전통적인 교회의 영혼돌봄을 포함하여 광의의 돌봄과 비구조화된 상담을 지칭하게 되었고, 목회상담은 심리치료의 심리학적 기반을 두고 신학과의 교류를 통해 보다 구조적이고 전문적인 돌봄을 지칭하는 것이 되었다. 목회상담의 분야는 단순하게 교회 안에서의 활동이 아니라, 전문적이고 특성화된 실천신학의 한 분야로 자리 잡게 되었으며, 『The journal of Pastoral Care』와 『The journal of Clinical Pastoral Work』 등의 전문학술저널이 창간되어 목회상담이 보다 학술적으로도 발전하는 데 공헌을 하였다. 이러한 현대 목회상담의 움직임은 점차 발전하여 1960년대에는 목회상담의 르네상스를 맞이하였다. 이때부터 미국 전문 목회상담자들의 협회인 AAPC(American Association of Pastoral Counselors)가 창립되어 하워드 클라인벨(Howard Clinbell)이 초대회장으로 선출되었고, 목회상담자가 하나의 정신건강전문가로 미국사회에 등장하였다. 이에 발맞추어 수많은 상담센터와 상담소가 교회와 지역사회 안에 설립되었다. 현대사회에서 목회상담은 개인의 영적이고 정서적인 문제뿐만 아니라 가족문제, 결혼문제, 자녀교육문제, 다문화 적응에 관한 문제, 중독문제 등 분야와 관심 주제가 매우 다양해지고 있으며, 정보통신기술의 발달로 사이버상담 등 상담의 형태에도 다양한 시도와 연구가 이루어지고 있다.

관련어 목회돌봄, 목회상담

몬테리 시스템
[-, Monterey system]

언어 구사력이 부족한 아동에게 기본적 문법형태를 단계적으로 가르치는 훈련법. 학습상담

1973년에 그레이와 라이언(Gray & Ryan)이 행동수정의 조작적 조건형성 이론에 근거하여 개발하였으며, 형식적이고 구조적이며 개별화된 프로그램이다. 아동이 일련의 과제를 순차적으로 수행하고 문법 형태를 학습하도록 촉진하는 요인, 즉 자극 제공, 아동이 요구하는 반응, 강화, 강화계획, 다음 단계로 나아갈 준거, 예상반응 등이 무엇인지 아동이 알게 한다. 실시대상은 15개월 된 유아와 형태 및 구문에서 표현언어에 문제가 있는 아동에게 효과적이며, 의미론이나 언어의 선택과 사용의 어려움은 다루지 않는다.

관련어 구어장애

몬테소리법
[-法, Montessori method]

이탈리아 의사인 마리아 몬테소리(Maria Montessori)가 개발한 것으로, 자유에 기초하여 아동의 자기교수를 통한 자동교육을 강조한 교육방법. 학교상담

지적장애인을 연구한 프랑스 의사인 이타르(Itard)와 세갱(Seguin)이 개발한 감각운동 활동 프로그램에 근거를 두고 있는 몬테소리법은 어린이의 자유에 기초한 교육을 주장하면서 어린이는 자기교수를 통한 자동교육방법으로 교육해야 한다는 점을 강조하였다. 교사 중심이었던 전통적인 교육을 탈피한 몬테소리법은 과학적 교육학을 주장하였다. 과학적 교육학은 어린이가 학습을 자기주도적으로 이끌어 갈 수 있도록 도와주는 교사와 어린이, 그리고 교구와 환경이 중심이 되어 진행된다. 교사와 교육, 그리고 어린이가 상호 보완적인 역할을 하면서 교사는 준비된 환경을 제공하고 어린이는 스스로 학습

ㅁ

할 수 있는 방법을 찾는다. 즉, 몬테소리법은 교구를 포함한 교육환경, 환경을 준비하는 교사, 그리고 자유로운 어린이라는 세 가지 핵심적인 구성요소로 이루어져 있다. 에반스(Evans)는 몬테소리 교육내용을 크게 준비된 환경과 학문의 기술습득의 두 단계로 나누었다. 준비된 환경의 내용에는 일상생활교육, 근육운동교육, 감각교육, 언어교육을 포함시키고 학문적 기술 습득의 내용에는 쓰기, 읽기, 산수를 포함시켰다. 또한 스포덱(spodek)은 몬테소리 교육내용을 일상생활교육, 근육운동교육, 감각교육, 언어교육, 쓰기, 읽기, 산수, 자연 교육, 만들기로 분류하였다. 몬테소리가 창설한 국제몬테소리협회에서는 몬테소리 교육내용을 일상생활연습, 감각교육, 언어교육, 수교육, 우주(문화)교육의 5개 영역으로 분류하였다. 최근에는 몬테소리 교육내용이 좀 더 분화되고 있는데, 여기에 음악, 미술, 종교, 평화 교육 등이 포함되고 있다.

몰개성화
[沒個性化, deindividuation]

사람들이 자신의 개인적 정체성을 상실하고 집단 속으로 익명적으로 융합되는 심리적 상태. 인지행동

집단의 의사결정현상 중 하나로 비개인화라고도 한다. 프랑스 사회심리학자인 르봉(G. Le Bon)과 미국 심리학자인 짐바르도(P. Zimbardo)가 소개한 개념으로, 집단 내에서 구성원들이 개별성과 책임감을 상실하여 집단행위에 민감해지는 현상을 뜻한다. 집단 속에서 각 개인의 가치나 개성이 드러나는 것이 아니라 전체가 하나의 개성으로 합쳐져 버린다. 이러한 몰개성화는 군중심리(crowd mind)가 작용하는 전제조건이 된다. 군중심리란 사회심리현상의 하나로, 독특한 개성을 지닌 각 개인이 수많은 군중 속에서 개인의 특성이나 개성을 잃고 획일화·일체화되어 가는 몰개성화의 단계를 거쳐 집단심리 및 행동양상을 갖게 되는 것을 의미한다. 이러한 군중심리가 긍정적인 방향으로 작용할 경우에는 사회적으로 희망적 분위기를 조성하는 역할을 하지만, 부정적인 방향으로 작용할 경우에는 군중은 충동적·공격적 성향이나 행동을 넘어 집단적 광기와 같은 극단적 혼란상태를 나타내기도 한다. 군중의 심리적 특성 연구로 잘 알려진 르봉은 『군중 심리학』(1895)에서 군중 속에서는 원초적인 인간 정서가 쉽게 표출되며, 마치 병균이 전파되는 것처럼 한 사람의 정서가 집단 전체로 확산되어 모두가 동일한 정서를 느끼게 되는 사회 전염(social contagion) 현상이 나타난다고 주장하였다. 그 결과 자유의식과 비평정신을 잃어버린 군중 속의 사람들은 흔히 충동적이고 파괴적인 본능을 무책임하게 표출한다. 군중은 집단정신(collective mind)에 의해 움직이는 단일화된 체제로 작용하며, 군중 속에 함몰된 개인은 자기통제력을 상실한다. 짐바르도는 이 같은 몰개성화가 자신의 감정이나 이성을 자제하지 못하는 충동적 행동을 유발한다고 하였다. 익명성이 보장될 경우 사람들은 더욱 몰개성화되고 이는 공격적인 반사회적 행동으로 이어질 수 있음을 강조하였다. 익명성 보장과 함께 책임감의 분산, 군중의 규모 등은 몰개성화를 촉진하는 요인이다.

관련어 | 깨진창문이론

몰입[1]
[沒入, flow]

주위의 모든 잡념, 방해물을 차단하고 원하는 한곳에 자신의 모든 정신을 집중하는 일. 성격심리

긍정심리학의 주요 개념으로서, 핵심 연구자는 칙센트미하이(Csikszentmihalyi, 1997)다. 그는 몰입이란 일상적인 생활을 해 나가는 동안 편안함, 자유로움, 만족감, 황홀감 등을 느끼는 것이라고 하였다. 몰입은 개인이 지닌 기술로 도전을 극복할 때

발생하고 개인의 행동능력과 행동을 수행할 기회가 균형을 이룰 때 이루어진다. 즉, 자신이 지닌 기술보다 더 어려운 도전을 받으면 좌절하고 걱정하여 결국 불안해지고, 도전이 자신의 기술에 비해 너무 쉬우면 지나치게 이완되어 권태감 등을 느낀다. 그러므로 낮은 수준의 도전과 기술보다는 높은 수준의 도전과 기술을 지니고 있을 때 몰입이 일어나게 된다. 몰입을 촉진하기 위해서는 다음과 같은 조건이나 요인이 필요하다. 첫째, 뚜렷한 목표가 있고 자신의 능력에 대한 분명한 피드백이 있다. 둘째, 주어진 상황에서 행동을 위한 기회와 행동할 개인의 능력 간에 균형을 이루고 있다. 셋째, 행동과 자각이 효율적으로 결합하고 있다. 넷째, 과제와 관련이 없는 자극들이 의식에서 사라지게 되어 근심과 걱정이 잠시 소멸되고 있다. 다섯째, 잠재적 통제력을 가지고 있다. 여섯째, 자기의식의 상실, 자기경계의 초월, 성장 느낌 및 소속감을 가지고 있다. 일곱째, 몇 시간이 마치 몇 분으로 느껴지는 것처럼 시간 개념의 왜곡을 느낀다. 여덟째, 몰입하는 것 자체에 가치가 있다. 이 같은 개념들은 매슬로(A. Maslow)가 말한 절정경험(peak experience)과 비슷하다.

관련어 | 절정경험

몰입2)
[沒入, plunge]

내담자가 트랜스 상태에 있을 때 그 능력을 이용하여 하나의 특정한 감각에 최대한 집중할 수 있도록 하는 최면기법. 최면치료

최면기법의 일종으로, 모든 사람은 초점주의력과 주변주의력이 상호작용하는 범주에서 오가는 능력이 있는데 주변주의력을 제한하고 초점주의력에 집중함으로써 나타나는 것이다. 즉, 하나의 특정한 감각에 최대한 집중한다는 것은 주의력의 일부를 차지하는 신체적·환경적 지각의 일상적 혼합과는 관계를 끊고 최대한 초점주의력으로 이동하는 것이다. 팔이 공중에 떠오르거나 가벼워지기도 하고 사지가 무거워지는 형태로 나타나기도 한다. 이는 대충 훑어보는 의식에서 자신이 가진 최대한의 트랜스 능력으로 이행함으로써 나타나는데, 내담자가 지닌 최대한의 능력에 집중하도록 유도하는 기법의 특징이기도 하다. 실제로 동등한 상황, 즉 전조와 심리생리학적 강화가 동일한 상황이라도 사람에 따라 다르게 나타난다. 특히 트랜스가 유발되어 나타날 때는 개인의 내재된 능력과 유도된 특징에 따라 차이가 있으며, 이는 임상적으로 유용한 의미를 지닌다. 이러한 경험은 완전히 새로운 경험은 아니며, 누구나 초점주의력과 주변주의력 사이를 변증법적으로 이동하는 경험을 할 수 있지만 최면상황에서는 신호에 반응하여 초점주의력에 지속적으로 머무르는 특징을 나타낸다. 좋은 치료전략을 통해 내담자에게 내재된 트랜스 능력을 보다 유용하게 쓸 수 있도록 도와주는 능력이라 할 수 있다.

관련어 | 거리두기, 트랜스

몸 살피기
[-, body scan]

의자에 앉거나 등을 바닥에 대고 신체의 여러 부위에 대한 신체적 감각을 알아차리는 마음챙김을 근거로 한 명상치료기법의 하나. 명상치료

실시과정은 먼저 의자에 앉거나 등을 바닥에 대고 반듯이 누워 한쪽 발가락에서 시작하여 천천히 다리를 지나 엉덩이, 다른 다리 쪽의 부위들, 배, 가슴, 양팔, 머리로 이어지는 신체의 여러 부위에 순차적으로 주의를 기울인다. 그리고 신체의 각 부위에 주의를 기울이는 동안 느껴지는 현재 순간의 감각들을 있는 그대로 알아차린다. 만약 아무런 감각이 없다면 감각이 없다는 그 사실 자체를 알아차리면

된다. 신체부위에 대한 감각을 알아차리는 동안 여러 가지 생각이나 감정이 생겨난다면 그러한 것에 대하여 판단하지 말고 그 감정이나 생각에 그저 주의를 기울인 채 관찰하여 알아차린다. 어떤 신체부위에서 긴장을 느끼거나 통증과 아픔을 느끼면 주의를 기울이고 그러한 감각의 성질을 충분히 알아차린다. 이 같은 과정을 거치는 몸 살피기 명상활동은 마음챙김에 근거한 스트레스 완화와 인지치료 등의 1, 2, 8회기에 실시하는 프로그램의 초기단계에 약 4주간 과제로 주어지며, 매일 녹음테이프를 들으면서 실시하도록 한다. 이를 통하여 의도적으로 주의를 기울이는 것과 주의가 산만하다는 것을 알아차리고, 현재 순간에 부드럽게 돌아오는 것, 관찰된 경험에 개방적이며 호기심을 갖고 수용적이면서 비판단적인 태도를 갖도록 해 준다. 그리고 프로그램을 진행하는 동안 이루어지는 여러 가지 명상훈련에 집중할 수 있도록 도와준다. 몸 살피기를 한 후에 토론의 시간을 갖는데, 이 시간에는 몸 살피기를 하는 동안 느끼거나 경험한 것에 대하여 참여자들과 함께 나누기를 한다. 몸 살피기 활동은 성공하거나 실패하는 것으로 평가하지 않으며 몸을 이완하거나 신체 각 부위에만 집중할 것을 강요하지 않는다. 또한 특정 목표를 설정하고 그것을 수행할 필요가 없다. 신체이완이 일어날 수도 있고, 이완이 되지 않았다면 단순하게 자신이 긴장되어 있다는 사실을 그냥 알아차리면 된다. 그리고 몸 살피기를 하는 동안 신체부위에 집중하거나 주의를 기울이는 것을 하지 못하고 혼란스러운 마음이 들거나 부정적인 정서를 느꼈다고 해서 명상훈련이 성공하지 못했다는 의미는 아니다. 몸 살피기는 이러한 경험들을 판단하지 않고 관심과 호기심으로 그냥 알아차리고 수용한 뒤 다시 몸 살피기로 주의를 기울이면 되는 활동이다.

관련어 마음챙김, 마음챙김에 근거한 스트레스 완화, 마음챙김에 근거한 인지치료

몽정
[夢精, nocturnal emission, wet dream]

2차 성징 이후의 성숙한 남성이 수면 중에 사정을 하는 현상. 성상담

몽정은 주로 남성이 수면 중 성에 관련된 꿈을 꾸면서 비각성 상태에서 쾌감이 수반된 사정을 하는 것으로 정의되는데, 여성의 경우도 비슷한 경험을 하면서 질의 윤활액이 분비되는 것을 포함시키기도 한다. 몽정은 성욕의 생리조절현상으로 유정(遺精, spontaneous emission)의 일종인데, 성관계를 하지 않은 상태에서 불수의적으로 정액이 저절로 흘러나오는 것이 유정이다. 수면 중 발생하는 몽정을 제외하고는 병증으로 간주한다. 몽정은 2차 성징이 진행되는 청소년기나 성인 초기에 처음 경험하여, 평생 일어나는 현상이다. 발기상태에서나 발기가 되지 않은 상태에서나 일어날 수 있으며, 몽정 이후 잠에서 깰 수도 있고 계속 수면을 이어갈 수도 있다. 빈도는 사람마다 다르다. 청소년의 경우 대부분 몽정을 경험하지만 전혀 경험하지 않는 경우도 있다. 사춘기 대부분의 청소년들이 몽정으로 첫 사정을 경험한다. 청소년들이 처음 몽정을 경험하면 기분이 나쁠 수도 있고, 야뇨라고 생각하거나 병이 걸렸다는 불안이 생기기도 한다. 다른 사람에게 알려지는 것을 수치스럽게 생각하여 젖은 옷을 감추기도 한다.

묘사 글쓰기
[描寫 -, description]

시각 · 촉각 · 후각 · 미각 · 청각, 즉 우리의 오감으로 인식되는 것을 묘사하는 저널기법. 문학치료(글쓰기치료)

묘사 글쓰기는 우리의 경험을 확장시키는 좋은 방법이다. 묘사 글쓰기를 통해서 우리 주변의 사물에 대한 감각을 생생하게 훈련시키는 것은 재미있는 일이면서도 우리가 세상과 타인들과의 보다 더

본질적인 접촉을 하는 데 도움을 준다. 이 같은 긴밀한 접촉은 소외, 고립, 단절과 같은 우울증 증세를 보이는 사람에게 특히 도움이 된다.

관련어 | 인물묘사

묘화의 발달
[描畵 - 發達, development of drawing]

연령에 따라 그린 그림의 형태가 변화되는 과정. 미술치료

사람은 생후 6개월가량부터 그림을 그리기 시작하는데, 생후 1년경에는 갈겨쓰는 것과 같은 낙서 형태의 그림으로 표현된다. 손과 팔의 움직임을 통제할 수 있게 되면 의도적으로 그리고, 어떤 형태를 나타내면서 의미를 부여한다. 2세 반경이 되면 외부 대상의 상황을 정리하여 표현하는 능력은 아직 부족하지만 내적으로 표상된 것을 그림으로 나타내려고 하며, 4~5세 정도에는 점차 상징적이고 관계성을 나타내면서 보다 구체적이고 세밀하게 대상을 표현한다. 7~8세 정도에는 성역할의 차이, 기저선, X레이 화법 등의 특성을 보인다. 이렇게 연령에 따른 그림의 변화과정은 신체적 운동의 조절기능, 인지기능, 동기부여기능, 정서기능, 사회성이나 언어기능의 발달과 밀접한 관련이 있으므로 미술활동은 이러한 기능들을 향상시키는 데 중요한 역할을 할 수 있다. 많은 학자들이 그림의 발달과정을 설명하고 있는데, 대체로 생후 2세에서 사춘기 전후까지의 발달을 설명하고 있다. 로웬펠드(Lowenfeld, 1947), 리드(Read, 1942), 켈로그(Kellogg, 1970), 린스트럼(Lindstrom) 등의 연구가는 그림의 발달단계를 제시하였다.

관련어 | 로웬펠드의 묘화발달단계, 루빈의 창의적 미술 표현 발달단계, 리드의 묘화발달단계, 린스트럼의 묘화발달단계, 켈로그의 묘화발달단계

무감각증
[無感覺症, apathy]

오로지 자기 자신의 일과 관련된 것에만 주의를 기울이고 관심을 가지며, 번거롭고 고통이 수반되는 문제는 아무리 중요하고 가치가 있는 일이라 해도 무시하거나 관심을 갖지 않으며 적극적으로 해결하려고 하지 않는 상태. 이상심리

1971년에 월터스(R. Walters)가 제시한 개념으로 무관심, 무감동, 무기력, 낮은 흥미를 지닌 학생들을 '학생 무감각증(student apathy)'이라 명명하였으며, 이후 이 같은 학생들은 무책임, 무저항, 무비판, 무능력, 무교양, 무절제, 무사상 등의 특성이 추가되었다. 이들은 자신에게 익숙하거나 큰 어려움이 없는 일반적인 상황에서는 잘 적응하는 것으로 보이지만 예상하지 못하거나 큰 난관에 부딪힐 경우에는 대처능력이 미숙하여 무기력, 무력감, 좌절감 등을 느낀다. 그리고 관계의 불안에 대한 방어 반응으로 성숙 불안, 즐기지 않음(anhedonia), 남성성 결여, 모성 의존, 있는 그대로의 자신을 드러내지 않음 등을 나타내며, 학생의 경우는 학교생활에 부적응을 보인다.

무규범 상태
[無規範狀態, anomie]

주로 급속한 변화를 겪는 사회에서 발생하는 가치관, 도덕관, 규범, 행동규범 등이 없거나 감소된 상태. 교정상담

'anomie(아노미)'의 어원은 그리스어의 '무법률 상태'라는 말에서 유래하며, 일반적으로 사회적 무질서, 사회적 도덕상실, 여러 가지 사회적 기준이나 가치, 규범이 혼란되어 있는 상태를 의미한다. 변화가 급격하게 일어나는 사회에서 아노미 현상이 일어나며, 사회구성원들에게 심각한 스트레스를 준다. 사회학에서 이 용어를 최초로 사용한 뒤르켐(E. Durkheim)은 산업의 분화, 노동의 자본과의 항쟁, 과학의 전문분화와 같은 사회의 근대화에 수반해서

규범상실이 발생하는 현상을 일컫기 위해 사용하였다. 즉, 급격한 사회변화로 지금까지 행동을 통제해 온 규범들이 구속력을 갖지 못하는 사회적 상태 혹은 규범이 기능하지 못하는 상태를 말한다. 이후에는 개인의 야심과 사회적 규제 사이에 발생하는 부정합(不整合) 문제로 파악하였다. 즉, 안정된 사회에서는 개인의 욕망이 사회적 규제에 의해서 조정되며 개인과 사회 사이에 일종의 형평이 유지되고 있지만, 급격한 변화가 일어나는 사회에서는 사람들의 욕망이 제한되거나 조정되지 않아 일탈행동이 일어난다는 것이다. 약 40년 후에 머튼(R. Merton)이 아노미라는 용어를 다시 사용하여 오늘날 사회일탈이론의 주요 개념이 되었다. 머튼에 따르면, 문화적 목표와 사회적 구조(제도적 수단)라는 두 가지 힘이 조화를 이루고 있는 한 여러 가지 사회적 관행이 유지되고 이들의 동조를 통하여 하나하나 충족감을 얻지만, 양자 사이에 불균형이 생기면 사회는 불안정한 아노미 상태에 빠지게 된다. 문화적 가치체계는 대다수 사람에게 공통적으로 존재하는 성공목표를 강화하지만, 사회구조는 많은 사람들이 목표달성을 위해 인정한 행동양식의 접근을 엄격하게 제한하거나 폐쇄해 버리기 때문에 대규모 일탈행동이 계속 발생한다. 아노미 이론은 비행이나 범죄 등의 사회병리현상을 설명하는 유력한 이론 중 하나가 된다.

무니 문제 점검표
[-問題點檢標, Mooney Problem Check list]

내담자의 문제를 선별하는 검사. 심리검사

내담자의 문제를 선별하기 위해 1950년에 무니(R. C. Mooney)가 개발한 검사로, 중학생부터 성인까지 대상으로 하는 문제 조사표다. 중학생용은 7개 영역, 고등학생 및 대학생용은 11개의 영역으로 문제 영역을 나누었다. 이 검사는 건강, 경제적 안전, 자기개선, 성격, 연애, 가족생활, 성, 종교, 교육 등 여러 영역에서 내담자의 문제를 확인하기 위해 점검표 형식으로 구성되어 있다. 중학생부터 성인에 이르기까지 연령에 따라 다양한 형식이 있으며, 척도점수는 나오지 않지만 내담자에게 영향을 줄 수 있는 여러 유형의 문제를 상담자가 확인하고 논의하는 데 도움이 된다.

무단결석
[無斷缺席, truancy]

특별한 이유 없이 담임교사나 부모의 동의를 받지 않은 채 등교하지 않는 것으로, 태학이라고도 함. 학교상담

등교에 대한 의지는 있지만 학교를 싫어하고 등교할 수 없는 상태를 뜻한다. 즉, 등교는 해야 하지만 가기 싫거나 갈 수 없는 상황에 놓여 결석이 되풀이되는 상태다. 트루액스(Truax)는 무단결석을 부모의 인지나 동의 없이 학생이 고의적으로 결석하는 것이라고 정의하였다. 또한 로빈스(Robins)와 래틀리프(Rateliffe)는 무단결석을 심리적 · 사회적 요인에 근거하여 두 가지 유형으로 구분하였다. 무단결석은 넓은 범주의 반사회적 행동 및 비행과 관계있는 결석으로 보았고, 등교거부는 반사회적 행동을 동반하지는 않지만 정서적 상태와 관계가 깊은 결석으로 정의하였다. 무단결석의 원인은 매우 다양한데, 단일 요인으로 간주하기보다는 여러 가지 요인에 따른 결과라 할 수 있다. 무단결석을 일으키는 요인은 크게 학생의 내적 요인과 외적 요인으로 구분된다. 내적 요인은 학생 개인의 성격, 인성, 가치관, 심리적 건강상태 등으로 분류할 수 있고, 외적 요인은 가정환경, 학교환경, 사회환경, 인간관계 등으로 분류할 수 있다. 최근의 무단결석은 학교환경으로 인한 욕구불만과 사회환경에 대한 욕구로 발생하고 있다. 특히 학습부진은 대인관계 요소에서 교사가 자신을 무능력하다고 평가하는 것에서 불만

을 일으켜 무단결석을 하게 된다. 이처럼 무단결석은 학교생활 적응도뿐만 아니라 성적문제, 학교에 대한 부정적 태도, 교사와의 불화, 교사의 무관심과 같은 요인이 복합적으로 작용하고 있다. 특히 학생에 대한 교사의 지지는 학생들의 출석률과 매우 밀접한 관계를 보인다. 교사의 통제가 강하고 지지가 낮은 학급에서 결석률이 높다는 결과를 도출한 연구들이 있다. 따라서 학생의 무단결석을 예방하고 해결하기 위해서는 상담자가 각 학생의 개별성에 맞추어 지지할 필요가 있다.

관련어 | 등교거부

무대
[舞臺, stage]

사이코드라마가 진행되는 장소. 사이코드라마

무대는 행위자에게 살아 있는 공간을 제공해 준다. 그 공간은 다차원적이고 최대한 유연한 곳이다. 현실의 공간은 매우 좁고 제한적이어서 자신의 평정을 쉽게 잃게 되는데, 참기 힘든 스트레스에서 벗어나 경험과 표현의 자유를 얻음으로써 잃어버렸던 평정을 무대 위에서 다시 찾는다. 무대 위 공간은 삶 자체에 대한 현실검증이 필요 없는 삶이 확장된 곳이다. 이것은 주인공의 생활공간을 확대한다는 의미이고, 주인공과 보조자아 및 연출자가 충분히 활동할 정도로 넓어야 한다. 만약 실제 무대가 불가능하다면 방의 일부를 무대로 설계할 수도 있다. 모레노(Moreno, 1972)가 사이코드라마를 진행하기 위하여 개발한 무대는 그리스의 극장과 형태가 유사한 발코니가 있는 원형무대다. 그 원형무대는 3단계, 즉 현실(reality) 단계, 대담(interview) 단계, 연기 내지 행동(action) 단계로 이루어져 있다. 이 무대는 사이코드라마가 첫 번째 단계인 워밍업 단계부터 두 번째 단계인 행위화 단계를 거쳐 마지막 단계인 나누기 단계로, 다시 말해 일상적 단계부터 점차 사이코드라마의 세계인 잉여현실의 단계로 들어가는 것을 의미한다. 또한 발코니는 초자아를 위한 발코니라고 불리는 곳으로서, 매우 신축성 있는 유용한 도구로 사용되었다. 이를테면 자살을 시도하고자 할 때는 다리의 난간으로, 달밤 아래 신혼여행을 즐기는 사람들에게는 배의 갑판으로 사용되었다. 이와 같은 무대는 모레노의 사이코드라마에서는 매우 중요한 부분이었고, 오늘날까지 정통 사이코드라마에서는 모레노의 무대를 사용하기도 한다. 그러나 대부분의 사이코드라마는 집단이 편하게 앉을 수 있고 행위를 할 수 있는 공간만 있으면 어디든지 가능하며, 높은 강당이나 극장무대처럼 의도적으로 꾸며진 설치공간은 피하는 것이 좋다. 이는 관객과 무대가 단절되어 있어 집단의 나눔을 촉진하기가 어렵기 때문이다. 무대에서 활용되는 소품으로는 가벼운 의자와 탁자, 침대, 옷장, 피아노 및 기타 소품들이며, 이 소품은 사람이 표현할 수도 있다. 또한 격렬하게 폭발하는 장면에서 필요한 긴 쿠션, 부드러운 천 또는 가벼운 플라스틱 관 같은 것이 활용될 수 있다. 소품을 준비할 때는 무대 위에 있는 사람이 신체적이거나 심리적으로 손상을 입지 않도록 보호받아야 한다는 사실을 염두에 두어야 한다.

관련어 | 관객, 나누기, 사이코드라마, 워밍업, 주인공, 행위

무대최면
[舞臺催眠, stage hypnosis]

무대에서 보여 주기 위해 실시하는 최면. 최면치료

사람들이 가장 쉽게 접할 수 있는 최면으로, 최면사가 무대 위에서 마술이나 쇼와 같은 형태로 실시하기 때문에 쇼 최면(show hypnosis)이라고도 부른다. 최면의 신비함을 보여 주거나 최면에 대한 사람

들의 호기심 충족을 위해 실시하기 때문에 흥미 위주로 진행되는 경향이 있다. 슈피겔(Spiegel) 형제가 만든 최면측정도구인 HIP(hypnotic induction profile)에 따르면, 최면감수성이 높은 5~15% 정도의 사람만이 무대최면의 피험자가 된다. 이 무대최면은 일반 사람들에게 최면의 세계를 소개하는 데 용이하고 잠재의식의 무한한 가능성을 보여 줄 수 있으며, 최면의 비전을 심어 준다는 장점이 있다. 반면에, 최면의 진정한 본질을 제대로 알려 주기에는 시간적인 제한과 무대공연 형식의 한계를 가지고 있어 어려움이 있다. 많은 사람들이 무대최면으로 최면을 접하는데, 오해나 편견을 많이 갖는 것으로 보아 무대최면이 최면에 대한 잘못된 관점을 심어 준다는 한계가 있는 듯하다. 이 같은 상황은 20세기 초 최면의 의학적인 가치를 제대로 인정받지 못하는 데 일조하기도 하였다.

관련어 | 최면, 최면감수성

무동기
[無動機, amotivation]

행동하려는 의도가 결핍된 정서적 상태. 학습상담

행동을 전혀 하지 않거나 어떠한 의도를 지니지 않고 행동하는 것을 무동기라고 한다. 이는 활동에 가치를 두지 않으며 그런 활동에 대한 유능감을 느끼지 못하고, 바람직한 결과를 낳을 것이라는 기대를 아예 갖지 않는다. 행동은 개인적인 의도나 통제 없이 시작되고 조절된다. 의도성이 없기 때문에 외부환경의 통제나 제재 또는 개인 내적인 요인으로도 동기화되지 않는다. 무동기를 지닌 사람은 바람직한 결과를 낳을 수 있는 방법으로 행동을 조절하지 못한다고 느끼기 때문에 통제할 수 없는 힘에 대해 통제력을 상실한다. 이 같은 무동기 상태의 원인은 기질적, 행동주의적, 인지주의적, 인본주의적 측면에서 설명되고 있다. 기질적 측면에서는, 외부환경에 대한 호기심이 부족하거나 겁이 많으며 사회적 보상에 대하여 둔감하고 낮은 수준의 인내력 등의 기질적 특성을 가진 사람들에게 낮은 동기 상태, 즉 무동기 상태가 나타나기 쉽다. 행동주의적 측면에서는, 강화와 벌로 동기를 설명하는데 외부로부터 적절한 강화가 주어지지 않거나 주어지는 벌의 정도가 낮은 상태로 지속되면 무동기 상태에 이른다. 인지주의적 측면에서는, 귀인이론으로 무동기를 설명한다. 즉, 실패에 대한 귀인을 개인의 내부보다는 외부의 안정적인 요인에서 찾으며 자신이 그 결과를 변화시킬 수 없다고 믿고 거듭되는 실패경험 때문에 자신의 반응이 자극에 어떠한 영향을 미칠 수 없다는 학습된 결과로 학습된 무기력에 빠져 무동기 상태가 된다. 인본주의적 측면에서는, 개인의 잠재력을 최대한 실현하기 위한 개인의 경향성을 동기라고 정의한다. 인간은 자신의 잠재력을 실현하고자 하는 자아실현 욕구가 있다. 자아실현 욕구는 생리적 욕구, 안전의 욕구, 소속과 애정의 욕구, 자존의 욕구, 지적 욕구, 심미적 욕구 등의 하위욕구를 충족한 다음 상위욕구가 나타난다. 이러한 제안은 인본주의 심리학자 매슬로(Maslow)의 욕구위계모형으로 설명된다. 이에 따르면 개인은 하위욕구가 충족된 다음 상위욕구를 충족하고자 하는 경향성, 즉 동기를 갖게 된다. 이 같은 측면에서 보면 무동기는 하위욕구가 충족되지 않아 욕구를 충족하고자 하는 경향성을 갖지 않는 상태다.

관련어 | 동기, 성취동기, 학습 무동기

무동기증후군
[無動機症候群, amotivational syndrome]

모든 일에 반응과 의욕이 없는 상태. 중독상담

무동기증후군 때문에 가정이나 직장에서, 그리고

자신의 미래에 대한 모든 의욕을 상실해 버린다. 무동기증후군은 마약을 장기적으로 남용하는 사람들에게서 공통적으로 나타나며, 이에 따라 삶과 사회생활에 대한 의욕을 상실하고 오직 마약을 구해서 자신에게 투여하는 일에만 집중하게 된다.

관련어 중독

무서운 장난감
[-, scary toys]

놀이치료에서 사용되는 괴물, 벌레, 뱀, 공룡 등 아동에게 무서움을 주는 장난감. 놀이치료

아동이 무서워하는 괴물, 거미, 기타 벌레들, 들쥐, 뱀과 같은 장난감을 뜻한다. 아동들은 이러한 장난감을 가지고 두려워하는 것과 악몽을 실연하는데, 이러한 무서운 것들이 자신을 위협하기 전에 두려움을 공격하고 패배시킬 수 있다. 빈번하게 성적 학대를 받은 아동들은 여러 가지 두려움과 공상을 실연하기 위해서 뱀을 사용한다. 가장 좋은 뱀 장난감은 비틀 수 있고, 잡아 늘일 수 있으며, 주름을 잡을 수 있고, 여러 가지로 쉽게 조작할 수 있는 유연한 고무로 만든 것이다. 이 같은 유연한 재질의 뱀은 아동이 조정할 수 있고, 그들에게 일어난 일을 자유롭게 겉으로 표현할 수 있도록 해 준다.

무선화
[無選化, randomization]

실험설계에서 처치를 실행하기 전에 비교집단 간에 동등성을 확보하기 위하여 각 비교집단에 피험자를 무선표집하여 무선배정하는 기법. 연구방법

무선화 방법에는 무선표집(random sampling)과 무선배정(random assignment)이 있다. 무선표집은 대표적인 표본이 되도록 모집단에서 피험자를 무작위로 뽑는 것을 뜻한다. 연구 참여자를 선정하는 이상적인 방법은 무선선정(random selection)이다. 무선선정은 참여자를 무질서하고 무계획적으로 선발하는 것을 의미하는 것이 아니라, 모집단의 모든 구성원이 선발 혹은 선택되는 기회가 동등하게 모집단으로부터 참여자를 선정하는 데 사용하는 절차다. 무선표본은 무작위로 선정되지 않은 표본보다 모집단을 더 잘 나타낸다. 무선배정은 각 집단이 동등해지도록 피험자를 실험조건에 무작위로 배치하는 것을 의미한다. 이러한 무선화 과정은 모든 참여자가 연구에서 모든 집단에 배정될 동등한 기회를 갖도록 선택보다는 우연에 의해서 연구 참여자를 배정한다. 무선배정을 이용하는 것은 각 집단이 동등하고, 집단 간의 차이는 우연에 의한 것임을 보증해 준다. 무선화된 통제적인 연구, 즉 무선표집과 무선배정을 모두 이용한 연구는 가장 신뢰할 수 있고 객관적인 연구수행의 방법이다. 이는 신뢰할 수 없는 연구결과를 가져옴으로써 연구를 약화시킬 수 있는 잠재적 편견을 줄이는 데 도움이 된다. 또한 무선화는 무선표집과 무선배정을 이용하지 않는 연구보다 연구결과를 모집단에 널리 일반화하는 데 큰 도움이 된다. 무선표집은 외적 타당도(연구결과를 모집단에 널리 일반화할 수 있는 정도)와 관련이 있으며, 무선배정은 내적 타당도(연구설계와 방법이 잠재적 편견을 제거하는 정도)와 관련이 있다.

관련어 내적 타당도, 표집, 외적 타당도

무용동작치료
[舞踊動作治療, dance movement therapy]

예술치료의 한 유형으로, 무용과 동작의 매체를 심리치료에 적용하는 접근법에 대한 총칭. 무용동작치료

영국에서 1983년 공식적으로 무용동작치료협회를 창립한 사람 중 한 명인 페인(Payne, 1992)은 무용과 동작을 함께 수용하여 무용동작치료를 '치료적 관계 속에서 창의적 동작과 무용을 사용하는 것'으

로 규정하였다. 그에 따르면, 무용동작치료는 개인이 자신의 개인적 통합과 성장을 위한 과정에 참여하여 할 수 있는 표현적 동작 및 무용의 도구적 사용이라고 할 수 있다. 무용동작치료는 움직임(movement)과 정서(emotion)가 뗄 수 없을 정도로 뒤엉켜 구성된 것이라는 원리를 기본으로, 동작과 무용을 심리치료적으로 사용하는 것이다. 움직임과 정서의 밀접한 관계는 한 개인이 자기(self)와의 더 깊은 관계를 신체화(身體化)할 수 있는 채널이다(Payne, 2006). 여기서 페인이 강조한 것은 무용동작치료가 더 깊은 심층 심리치료의 한 형태라는 점, 무용동작이 심리치료의 도구라는 점, 내담자의 치료과정에서 표현하는 일상적 동작 및 창의적 동작의 중요성, 심신통합치료 또는 그 이상의 홀리스틱 통합치료와 성장치유를 지향하는 점이다. 따라서 무용동작치료는 심리치료를 위해 의도적이고 계획된 무용의 사용이라는 무용치료의 한계를 넘어, 인간의 일상적 동작은 물론 다양한 개인의 어떤 동작 표현도 창의적 동작 및 치유적 동작으로 수용되고 사용이 가능하다고 할 수 있다. 무용치료(dance therapy)는 1940년대 미국에서 발전하기 시작했으며, 다양한 형태로 정의되었다. 먼저 미국무용치료협회(American Dance Therapy Association: ADTA)의 정의에 따르면, "무용치료는 개인의 신체와 정신의 통합을 돕기 위한 무용의 어떤 측면을 계획적으로 사용하는 것이다." 그러나 이 정의에는 동작이란 용어는 포함되어 있지 않다. 그래서 무용치료의 개념을 "무용치료는 개인의 정서와 신체의 통합을 확대시키는 과정으로서 동작(movement)을 심리치료적으로 사용하는 것이다."(Costonis, 1978)라고 새롭게 정의하였다. 이 정의에는 무용이라는 용어가 동작으로 대체되었다. 그러나 이 정의도 1986년 미국무용치료협회에서 다시 수정하여 무용동작치료라는 새로운 용어로 대체되었다. 즉, "무용동작치료(dance movement therapy)는 개인의 신체적 · 정신적 통합을 위하여 동작을 심리치료적으로 사용하는 것이다." 이는 1978년의 정의에서 정서라는 용어가 정신으로 바뀌었지만, 초기의 무용치료 개념과 거의 같은 의미로 정의하였다(Behar-Horenstein & Ganet-Sigel, 1999). 요컨대 무용치료는 동작을 이용한 심리치료로서, 초기에는 무용치료로 불렸지만, 현재는 통일된 용어가 아니라 무용치료와 무용동작치료라는 용어가 병용되고 있다. 우리나라의 경우도 마찬가지다. 또한 무용동작치료에 예술의 측면을 강조하여 동작 예술심리치료(movement arts psychotherapy) 혹은 동작 중심 표현예술치료(movement-based expressive arts therapy)라고도 부른다.

관련어 | 신체심리치료, 예술심리학, 표현예술치료

무의미성
[無意味性, meaninglessness]

죽음, 자유와 책임, 존재론적 고독과 더불어 실존주의 심리치료의 핵심이 되는 네 가지 요소 중 하나. 실존주의 상담

우리가 반드시 죽어야 한다면, 우리가 우리의 세계를 구성한다면, 각자가 무관심한 우주 안에서 궁극적으로 혼자라면, 인생이 어떤 의미를 가질 수 있는가? 왜 우리가 사는가? 어떻게 살아야 하는가? 메이와 얄롬(May & Yalom, 1989)이 지적한 바와 같이 인간은 자신의 삶에서 의미성에 대한 인식을 할 필요가 있다. 의미감은 개인에게 혹은 세상에서 발생하는 사건을 해석하는 방법을 제시해 주고, 인간의 생활방식과 원하는 삶의 방식에 관한 가치가 발달할 수 있게 의미를 풍성하게 만들어 준다. 프랭클(V. Frankl, 1997)은 인간의 삶에서 의미의 발달과 추구의 중요성에 초점을 두었다. 프랭클은 사람들이 자신의 삶에서 정신적 의미를 성찰하지 않으며, 또한 물질적 가치를 초월하여 그 이상의 것을 살펴보지 않는 점에 관심을 기울였다. 만일 우리에게 예정된 설계가 없다면, 각자 인생 안에서 자신의 의미

를 구축해야 한다. 그러나 각 개인의 창조적 삶의 의미가 개인의 삶을 지탱할 수 있을 만큼 충분히 튼튼한가? 인간은 삶의 의미가 필요하다. 실존적 상황에 직면하면 유형화되지 않은 세상에서 개인은 대단히 불안정해지고 존재의 패턴, 존재에 대한 설명, 존재의 의미를 찾는다. 또한 의미도식에서 우리는 가치의 위계를 만든다. 가치는 우리가 사는 이유와 사는 방법을 알려 준다. 프랭클에 따르면, 삶에 의미가 없다면 계속 살아야 할 이유도 전혀 없는 것이며, 삶의 의미는 개인에 따라 특이하면서 독특하고, 시간에 따라 상황에 따라 삶에 부여할 다른 의미를 찾아야 한다. 과제와 운명은 개인마다 독특한 것이므로 각자가 자신의 적절한 삶의 방식을 찾지 않으면 안 된다. 그러나 의미를 부여하는 것이 다양하다고 해도 각각의 상황에는 하나의 해답밖에 없다고 주장하였다. 문제는 어떤 상황이 의미를 가지지 못한다는 데 있는 것이 아니고, 그 의미를 어떻게 발견하느냐에 있다는 것이다. 프랭클은 삶에 의미를 가져다줄 수 있는 세 가지 방법을 제시하였다. 어떤 창작품을 발견하는 것으로써, 경험으로 세상살이에서 얻음으로써, 고통에 대한 태도로써 삶에 의미를 줄 수 있다고 보았다. 그는 이것을 가치라는 일반적인 개념으로 설명하면서 가치에도 삶에 의미를 주는 세 가지 방법에 상응하는 기본적인 가치체계가 있다고 했는데, 창조적 가치와 경험적 가치 및 태도적 가치가 그것이다. 창조적 가치는 창조적이고 생산적인 활동에서 인식되는 것으로 세상에 주는 데에서 생긴다. 경험적 가치는 자연이나 예술 세계의 미(美)에 몰두함으로써 나타나는 것으로 세상으로부터 받은 데에서 생긴다. 그리고 태도적 가치는 우리가 변화시키거나 피할 수 없는 상황에 대하여 수용하는 데에서 생기는 것으로 운명을 받아들이는 방법, 고통을 견디어 내는 용기, 불행 앞에서 내보이는 의연함을 말한다.

관련어 | 궁극적 관심사, 자유와 책임, 존재론적 고독, 죽음

무의식
[無意識, unconscious]

인간 정신영역의 세 가지 수준 가운데 하나로서 의식되지 않은 정신활동. 정신분석학

정신분석이 소개되기 이전 19세기 말부터 이미 철학자들 사이에는 무의식에 관한 논의가 있었다. 라이프니츠(Leibniz)는 인간의 의식영역 아래에 다양한 작은 인식들이 존재한다고 주장했으며, 헤르바르트(Herbart)는 의식과 의식영역 아래에 존재한다고 믿었던 인식 및 표상 간의 역동적인 상호성 개념을 발전시켰다. 또한 페히너(Fechner)와 골턴(Galton)은 무의식을 실험적으로 연구하기 위해 단어연상검사를 고안하였다. 일반적으로 무의식은 세 가지 의미를 지니고 있다. 첫째는 의식을 잃는 것을 뜻하며, 둘째는 어떤 것을 하면서 알아차리지 못하는 것을 뜻하고, 셋째는 꿈이나 최면 혹은 정신분석에 따르지 않고서는 파악될 수 없는 상태에서 일상의 정신활동에 영향을 미치고 있는 마음의 심층을 뜻한다. 심리학과 정신분석 영역에서는 주로 세 번째 의미로 사용된다. 정신분석에서의 무의식은 다시 세 가지 관점에서 정의된다. 첫째, 서술적 관점으로, 의식 이외의 모든 정신작용을 포함하며 무의식의 내용을 의식에서는 인식할 수 없다. 둘째, 역동적 관점으로, 무의식의 내용이나 과정은 정신에너지를 사용하는 대가를 치르면서 억압되거나 검열된다. 셋째, 정신기제 관점으로, 무의식은 의식의 논리를 벗어나 쾌락원리와 일차과정에 따른다. 정신분석에 따르면, 무의식에는 충족되지 못한 본능적 소망들이 자리 잡고 있는데, 주로 육체적 본능에서 비롯된 성욕과 공격욕이다. 무의식은 자신의 힘으로는 의식 속으로 끌어올리기 어려운 심리적 내용을 포함하는데, 의식영역에 두기에 너무 위협적이거나 고통스러운 생각, 감정, 기억, 경험, 충동 등은 대부분 무의식 속으로 억압된다. 이와 같은 무의식의 내용은 수치심, 죄책감, 열등감, 상처받은 경험, 성적 욕구, 공

격적 욕구 등이다. 이것은 의식영역에서는 감당하기 어려운 것들이므로 의식에 올라오면 심한 불안이 유발된다. 따라서 의식으로 떠오르지 못하도록 억압되는데, 이것을 억압하기 위해서는 많은 정신에너지가 소모된다. 그러나 무의식에 담겨 있는 내용은 꿈, 실언, 신경증, 억압에 의한 망각 등의 형태로 간접적으로 드러난다. 무의식의 저장고 속에 있는 내용들은 내적 갈등을 유발하며 심적 방어가 약해지는 틈을 타서 의식상태로 올라오려고 하는데, 이러한 과정에서 본래의 모습과는 달리 왜곡된 심리적 증상으로 표출된다. 지형학적 모형에 따르면, 무의식의 내용물은 유아기에 경험했던 것과 같은 성욕과 공격욕, 그리고 여기서 파생되어 나온 억압된 파편들로 구성되어 있다. 이 욕망들은 자아의 검열 때문에 직접 표출되지 못하고 또한 해소되지도 못하고 있는데, 가끔 상황에 맞게 위장된 형태나 상징적 형태로 의식의 표면으로 떠오를 수 있을 뿐이다. 이렇게 위장된 파편은 전의식으로 떠올랐다가 조건이 적절할 때 의식으로까지 떠오를 수 있지만, 만일 의식에서 수용하기 어려운 내용이 있을 때에는 계속 억압된다. 프로이트(S. Freud)는 인간의 심리구조를 빙산에 비유하면서 마치 빙산의 대부분이 수면 아래에 가려져 있는 것처럼 마음의 대부분은 의식의 표면 아래에 있는 무의식 영역에 속해 있다고 하였다. 무의식은 인간 정신의 가장 깊고 중요한 부분이며 개인의 행동을 이해하는 단서가 된다. 의식영역 밖에 있는 무의식은 정신세계의 대부분을 차지하며 인간의 행동을 지배하고 행동방향을 결정한다. 따라서 무의식의 내용과 그 과정을 분석하는 것은 정신분석의 핵심이다. 정신분석과정을 심층심리학이라고 하는 것은 바로 이러한 인간심리의 심층적 측면, 즉 무의식에 초점을 두기 때문이다.

관련어 | 의식, 전의식, 지형학적 모형

무의식적 마음
[無意識的 - , unconscious mind]

로렌스 크랩(Lawrence Crabb)이 분류한 인간의 의식구조 중 하나로, 필요성과 안전에 대한 욕구로 이루어진 인간의 무의식적인 영역. 목회상담

성경적 상담을 주장한 크랩은 인간의 성격구조에 대하여 다섯 가지로 구분하였는데, 무의식적 마음은 그중 하나다. 일반 심리학에서 이야기하는 무의식과 비슷한 개념이지만, 크랩은 이러한 무의식적 마음의 기능은 중요성과 안전에 대한 필요를 충족시키고자 하는 것이라고 말하였다.

관련어 | 성경적 상담, 의식적 마음, 의지, 정서

무쾌감증
[無快感症, anhedonia]

우울한 기분에 빠져 유쾌한 활동을 하지 못하는 상태. 정신병리

우울증 환자와 조현병 환자에게서 많이 나타나는 증상이다. 정서장애는 정동(affect)과 기분(mood)에 관련된 신체적 · 심리적 · 행동적 요소들이 역기능적으로 작용하는 상태다. 정동은 자신에 의해 표현되고 동시에 타인에 의해 관찰되는 감정적 경험을 의미하며, 이에 반해 기분은 자신에 의해 주관적으로 경험되고 보고되는 전반적이고 지속적인 감정을 의미한다. 정서장애에 속하는 기분장애에는 우울이 포함되며, 무쾌감증은 이러한 우울에 수반되는 증상이다. 우울한 내담자는 주로 슬픈 기분, 자기비하, 무력감, 절망감, 고립감, 의욕감퇴, 흥미상실, 죄책감 등을 호소하며 활동성도 저하된다. 또한 불면증, 두통, 식욕감퇴, 성욕감퇴 등의 신체적인 증상이 동반된다. 우울은 주로 증오, 분노, 공격성 등의 정서를 억압한 결과로 나타난다. 매사에 흥미를 상실하고, 일상적인 일에서 재미와 즐거움을 느끼

지 못하며, 유쾌한 활동으로부터 위축되어 우울한 기분에 빠져 있게 된다. 또한 무쾌감증은 조현병의 특징 중 하나이기도 하다. 노르에피네프린 가설에 따르면, 무쾌감증은 노르에피네프린이 관여하는 보상체계의 장애로 볼 수 있다. 조현병 환자의 뇌, 뇌척수액, 혈장에서 노르에피네프린이 활성화되는 경향이 있으며, 항정신병 약물을 장기간 복용할 경우에는 청반(locus ceruleus)에서의 노르에피네프린 활성이 감소한다. 노르에피네프린은 도파민계의 조절에 관여하며, 이것의 이상은 조현병을 유발시키는 요인으로 추측되고 있다.

묵조선
[默照禪, silent penetration zen]

불교의 수행방법 중 하나로서 마음자리의 본래 그대로의 모습을 밝히는 수행법. 동양상담

고요히 묵묵하게 앉아서 모든 생각을 끊고 한없이 맑은 상태로 수행해 나가는 방법을 뜻한다. 이 선의 방법은 조동종(曹洞宗)에서 이어 온 것인데, 마음을 비운 상태에서 한없이 깊은 상태로 들어가는 수행방법이다. 간화선(看話禪)처럼 큰스님과 제자들의 문답에서 의문을 지니고 그 의문을 깨치기 위해 참선하는 것이 아니라, 달마대사가 행한 면벽의 수행법도 종래부터 하던 이 같은 방법으로 이어 온 것이다.

관련어 | 간화선

문자 - 음성변환장치
[文字 - 音聲變換裝置, text-to-speech technology]

음성합성 기능이 부가된 컴퓨터에서 문자를 음성으로 바꾸어 스피커를 통하여 출력시키는 기능. 특수아상담

컴퓨터 문서에서 텍스트를 음성으로 변환하는 데 사용하는 음성합성 프로그램으로, 텍스트의 단어와 문장을 분석하고 음성합성기에 필요한 코드로 번역하면, 이러한 코드가 음성합성기에 모아져 사용자가 말하려고 하는 단어로 결합된다. 텍스트를 입력하여 말을 만들기 위해 채택할 수 있는 방식에는 전체 단어 찾기, 글자-소리 전환, 형태소론적인 문자-언어 전환 등이 있다(Allen, 1981). 첫째, 전체 단어 찾기는 사용자가 말하고 싶은 모든 단어와 음성합성코드를 함께 저장한 다음 특정 단어를 말하고 싶을 때 검색하여 말하는 것이다. 이 방식은 사용자가 이전에 저장해 둔 단어만 사용할 수 있다는 단점이 있다. 둘째, 글자-소리 전환은 단어들을 구문론적으로 중요한 단위인 형태소로 나누어 각각의 형태와 관련 코드를 저장한 다음 컴퓨터가 이를 입력된 글자에 대응하여 맞추는 방식이다. 이 방식은 필요한 기억용량을 현저하게 줄여 주는 장점이 있지만, 단어를 형태소로 나누기 위한 규칙을 만들고 각각의 형태소를 말소리에 매치시켜야 한다. 셋째, 형태소론적인 문자-언어 전환은 개별 글자를 말 코드에 대응시키고 이를 모아서 말로 출력되도록 하는 방식이다. 가장 효과적인 문자-언어 변환장치는 이 세 가지 방법을 조합하여 사용한다.

문장완성검사
[文章完成檢査, Sentence Completion Test: SCT]

피검자에게 일련의 미완성 문장을 제시하고 그 문장을 완성하도록 하는 검사. 문학치료 심리검사

문장완성검사는 다른 투사검사와 마찬가지로 피검자가 문장을 완성하는 과정에서 피검자의 기본적 동기, 태도, 갈등, 공포 등을 반영한다고 본다. 그러나 문장완성검사가 로르샤흐 검사나 주제통각검사와 다른 점은 문장완성검사의 검사자극이 더 분명하고 피검자가 검사자극의 내용을 감지할 수 있도

록 구성되어 있다는 점이다. 따라서 문장완성검사는 다른 투사검사보다 피검자의 의식수준의 심리적 현상을 더 잘 반영하는 경향이 있다. 또한 면접 과정에서 잘 드러나지 않는 개인의 갈등이나 병리적 내용에 관한 정보를 주고, 이에 더해 다른 검사에 나타난 역동적 내용을 확인할 수 있다. 이와 같이 문장완성검사는 매우 유용한 검사로서, 분석방법으로는 피검자의 언어반응에 나타난 기본적인 동기를 주관적 · 직관적으로 분석하는 방법과 완성된 문장을 따로 채점하여 객관적으로 분석하는 방법이 있다. 문장완성검사의 종류는 수십 가지가 있는데, 제작자에 따라 형식이 다르고 특히 자극어의 종류나 수가 다르다. 그러나 짧은 단어나 구가 주어지고 피검자가 그것을 자유롭게 문장으로 완성한다는 점은 동일하다. 자극어는 일반적으로 개인의 신체, 신념, 의욕, 희망, 갈등, 경험, 감정, 태도, 욕구, 가족관계, 교우관계, 직장동료관계 등 대인관계나 사회적 관계에 속하는 내용으로 구성되어 있다. 문장완성검사는 미국을 비롯하여 핀란드, 독일, 일본 등 세계적으로 광범위하게 사용되고 있으며, 가장 널리 알려진 문장완성검사는 워싱턴대학의 문장완성검사(Washington University Sentence Completion Test: WUSCT)와 로터(Rotter)의 미완성 문장 검사(Rotter Incomplete Sentence Blank: RISB), 삭스(Sacks)의 문장완성검사(Sacks Sentence Completion Test: SSCT)가 있다. WUSCT는 로에빙거(Loevinger)의 이론에 따라 자기개념평가를 위하여 만들어진 것(Loevinger, 1976, 1979)으로 문장완성검사 가운데 가장 정교하다고 알려져 있다. 이것은 문장완성검사를 7단계로 나누어 자아발달수준을 세밀하게 평가할 수 있는 체계로 되어 있는데, 피검자의 반응을 전사회적 또는 공생적, 충동적, 자기방어적, 순응적, 양심적, 자율적, 통합적 수준으로 분류하여 채점하였다. RISB는 경험적 근거에서 제작된 것으로 40문항으로 구성되어 있다. 이것은 완성된 문장에 투사된 피검자의 욕구를 분석하여 주관적으로 해석하는 문장완성검사의 일반적인 해석방법과 달리, 양적 채점 체계로 객관적인 분석을 한다는 점에 의의가 있다. 그리고 SSCT는 삭스가 경험적 근거에 따라 제작한 것으로서, 현재 임상장면에서 가장 많이 사용되고 있는 문장완성검사다. 가족, 성, 자기개념, 대인관계라는 네 가지 영역에 대한 피검자의 태도 및 임상적 자료를 이끌어 낼 수 있는 문항으로 구성되어 있다. 문장완성검사는 연령에 따라 아동용, 청소년용, 성인용으로 구분하여 사용되고 있다.

관련어 | 투사검사

문장완성하기
[文章完成 -, sentence stems]

빈칸에 단어나 구절을 채워 넣어서 짧은 문장을 완성하는 글쓰기 기법. 문학치료(글쓰기치료)

저널기법 중 고도로 구조화된 글쓰기로, 이것을 할 때는 마음에 떠오르는 대로 쓰면 되고 지나치게 오래 생각하지 않는 것이 좋다. 예를 들면, '나를 묘사하는 말은 ~이다.' '내 기분을 동물로 비유한다면 ~이다.' '내 내면을 들여다보면 나는 ~을 발견할 수 있다.'와 같이 짧은 말을 채워 넣도록 하는 글쓰기에서 시작하여 내가 원하는 것 세 가지, 내가 싫어하는 것 세 가지, 내가 듣고 싶은 말 세 가지 등으로 조금 더 긴 생각이 필요한 글쓰기를 할 수도 있다. 이러한 구조화된 글쓰기는 감정적으로 압도되어 있을 때, 급한 정보를 얻고자 할 때, 시간이 충분하지 않을 때 유용하다.

관련어 | 저널 사다리, 저널치료

문제가 있는 리더십
[問題－, problematic leadership]

체계 내의 리더들이 리더십을 포기하거나, 서로 양극화되어 있거나, 신뢰를 얻지 못하거나, 편향되어 있는 상태. 내면가족체계치료

각기 포기된 리더십, 양극화된 리더십, 신용을 잃은 리더십, 편견을 가진 리더십이라고도 한다. 포기된 리더십은 체계 내부 혹은 체계 외부로부터의 요구가 리더들이 감당할 수 있는 것보다 훨씬 크고, 그러한 책임을 리더가 위임하지 않거나 위임할 사람이 없을 때를 말한다. 혹은 리더가 상해, 질병 또는 극단적인 부분들에 의해 무능력해진 경우다. 리더의 부담이 과중하거나 무능해졌을 때 리더는 리더십의 일부분을 포기할 가능성이 있다. 양극화된 리더십은 리더들의 부담이 과중하지는 않지만 여러 가지 원인으로 서로 양극화된 경우다. 이와 같은 경우의 리더들은 서로 반대편에 서게 되는데, 예를 들어 한쪽 부모가 자녀를 지나치게 엄격하게 대하면 다른 쪽 부모는 그에 대항하여 지나치게 자유방임적으로 된다. 양쪽 모두 지나치게 극단으로 치닫고 싶지는 않지만 상대방의 극심함에 따라 강요되는 것이다. 신용을 잃은 리더십은 위기가 발생했을 때 리더가 체계를 지키지 못하거나 이기적으로 행동하는 경우다. 주기적으로 알코올을 과다복용하거나 학대를 하고 중요한 문제에 대해 구성원들에게 거짓말을 하는 경우 구성원들은 리더에 대한 신뢰와 존경을 잃는다. 그렇게 되면 이후 리더가 효과적인 리더십을 발휘한다고 해도 구성원들은 그것에 적절하게 반응하지 않는다. 대부분 신용을 잃은 리더는 부인(denial)의 전략을 사용하여 마치 아무 일도 없었던 것처럼 행동하면서 구성원들도 자기처럼 행동해 주기를 기대한다. 편견을 가진 리더십은 리더가 그들 자신 혹은 특정 개인이나 집단을 다른 구성원에 비해 편애할 때 발생한다. 이러한 경우 불균형을 일으키고, 그 결과 호의를 얻지 못하는 집단과 리더 간의 대립이 증가한다. 이와 같은 편견을 가진 리더들은 대립이 형성된 구조를 축소시키고자 체계의 피드백에 대한 접근을 통제하고 체계 내 의사소통의 흐름을 통제하려고 한다. 네 가지 유형의 리더십 문제는 전염성을 가지고 있다. 리더가 포기했을 때 이러한 변화는 다른 리더들을 양극화시킬 수 있고, 편애를 조성하며, 신용을 잃는 행동을 유발한다. 네 가지 유형의 리더십 중 하나가 다른 하나 혹은 다른 세 가지 유형 모두를 유발하는 것을 쉽게 볼 수 있다.

문제명료화
[問題明瞭化, problem clarification]

상담의 초기과정에서 내담자가 호소하는 문제의 내용과 의미를 분명하게 밝히고, 앞으로 상담에서 진행할 문제의 내용도 명확히 밝혀 나가는 과정. 개인상담 인지치료

상담과정에서 내담자의 어려움을 문제라는 용어로 사용하는 것은 자칫 내담자의 부정적 측면만 강조하는 것일 수 있다. 상담은 문제행동과 같은 부정적 측면을 제거하는 것뿐만 아니라 긍정적 측면을 새롭게 형성하거나 발전시키는 활동으로 인식시켜야 한다. 따라서 바람직한 문제명료화 과정은 내담자의 문제와 같은 부정적 측면과 내담자의 욕구나 소망, 필요 등을 분명하게 밝히고 명료화하여 새롭게 형성한 내담자의 긍정적 측면에 초점을 둔 상담목표를 설정하는 것이다. 이렇게 문제를 명료화함으로써 내담자는 자신의 문제점이나 결점 등 부정적 측면을 찾는 데 불필요한 에너지를 낭비하지 않게 된다. 그 대신 자신의 어려움이나 결점이 있어도

어떻게 하면 더 나아질 것인지, 자신이 성장하고 발전된 모습이 무엇인지를 찾는 데 많은 에너지를 쏟을 수 있다. 문제명료화 과정은 호소문제명료화, 상담목표 설정의 과정으로 구분될 수 있는데, 좀 더 구체적으로는, 첫째, 호소문제의 내용과 그 의미를 요약하고 정리한다. 둘째, 호소문제와 관련된 증상을 파악한다. 셋째, 호소문제의 발달경위를 탐색한다. 넷째, 문제상황을 정리한다. 다섯째, 상담에서 느끼는 문제를 구체화한다. 여섯째, 문제의 우선순위를 정하거나 주요 문제를 선정한다. 일곱째, 상담의 목표를 선정한다.

문제성 인터넷 사용
[問題性 – 使用, problematic internet use: PIU]

DSM-IV에서 정의하고 있는 병적인 도박과 연관하여 문제가 되는 인터넷 사용에 관한 개념을 정리한 용어. 중독상담

문제성 인터넷 사용을 진단하는 근거는 다음과 같으며, 8개 항목 중에 5개 이상에 해당하면 문제성 인터넷 사용자라고 할 수 있다. 첫째, 인터넷을 사용하는 데 대부분의 시간을 보낸다. 둘째, 온라인상에서 더 많은 시간을 보내고자 한다. 셋째, 인터넷 사용시간을 줄이려고 반복해서 노력한다. 넷째, 인터넷을 사용하는 양을 줄이면 금단증상이 나타난다. 다섯째, 자신의 시간을 관리하는 데 어려움을 겪는다. 여섯째, 인터넷 사용 때문에 환경요소들(가족, 학교, 직장, 친구 등)과의 관계에서 스트레스를 받는다. 일곱째, 온라인에서 보낸 시간을 의도적으로 줄여서 이야기한다. 여덟째, 인터넷을 사용함으로써 감정의 변화가 생긴다. 이러한 문제성 인터넷 사용 혹은 인터넷 중독과 같은 장애는 흔히 충동조절장애의 하나로 간주하여 설명한다.

관련어 | 인터넷 게임 중독, 인터넷 중독 장애

문제에 이름 붙이기
[問題 – , naming the problem]

문제의 외재화 기법을 적용할 때 사용할 수 있는 기술로, 내담자가 호소하는 문제에 이름을 붙이도록 하는 것. 이야기치료

주로 외재화 기법 적용의 초기에 사용된다. 상담자는 내담자가 자신의 문제적 이야기를 언급할 때 이에 대해 이름을 붙여 보도록 제안한다. 그리고 이후로 내담자나 상담자 모두 해당 문제에 대해 언급할 때는 그 이름을 사용하여 이야기한다. 이렇게 문제에 이름을 붙이도록 하는 단순한 작업으로 내담자가 자신의 문제를 내재화되고 합일된 존재로 인식하지 않고 독립된 개체로 생각하도록 할 수 있다. 문제에 대한 이러한 인식은 내담자 자신과 문제와의 관계에 대해서 생각해 보도록 하며, 그 관계에서 주고받는 영향력과 의미에 대해 생각할 수 있는 공간(gap)을 만들어 줄 수 있다. 이름을 붙일 수 있는 문제는 인생에서 경험한 사건뿐만 아니라 내담자가 고통받고 있는 다양한 문제들, 즉 생각, 느낌, 습관 등 그 어떤 것에도 가능하다. 문제에 이름 붙이기는 문제를 의인화하여 독특한 특성과 영향력을 파악하는 대화 기법과 함께 사용되기도 한다.

관련어 | 문제의 외재화, 외재화 대화, 이야기치료

문제음주
[問題飮酒, problem drinking]

알코올을 섭취하였을 때 자신이나 타인에게 해를 입히는 음주 형태. 중독상담

음주운전, 낮술, 스트레스를 풀기 위한 폭음, 음주로 인한 폭력 혹은 상해사고, 일시적인 기억상실 등이 해당한다. 이 같은 문제음주자를 알코올중독자라고 단정 짓기는 어렵지만 중독이 될 가능성이 크다.

관련어 | 물질중독, 알코올, 알코올중독

문제의 역사 탐색
[問題-歷史探索, tracing history of the problem]

내담자의 문제가 내담자의 삶에서 영향을 주었던 과정을 탐색하는 것. 이야기치료

이야기치료과정에서 상담자는 종종 내담자에게 문제의 외재화(externalizing the problem) 기법을 사용하는데, 내담자의 문제가 외재화되고 그 이름을 붙일 수 있게 되면 과거로부터 지금까지 내담자의 삶에서 어떻게 영향력을 미쳐 왔는가 하는 기원과 역사에 대해 탐색을 한다. 문제의 역사에 대해 접근하는 것은 그 문제가 내담자의 삶에서 발생한 시기와 당시 특징, 혹은 문제의 영향력이 강력했던 때와 미미했던 때 등의 변화를 인식하도록 해 주어 내담자가 스스로 문제의 부정적인 영향력에서 벗어날 가능성을 발견하도록 한다. 문제의 역사 탐색의 가장 중요한 목적은 '문제'의 실제적인 역사를 탐색하는 것보다는 내담자 인생의 시간 속에서 문제가 삶의 각 부분에 영향을 미쳐 온 과정인 '문제의 영향력'에 대해 탐색하는 것이다. 보다 효과적인 문제의 역사를 탐색하기 위해서는 '상대적 영향력 질문(relative influence questions)'을 사용하는 것이 좋다.

관련어 상대적 영향력 질문, 문제의 외재화, 이야기

문제의 외재화
[問題-外在化, externalizing the problem]

내재화되어 있는 내담자의 문제를 객관화하여 내담자의 문제에 대한 죄의식을 줄여 주고, 대안적 이야기의 발견 가능성을 열어 주기 위해 화이트(M. White)가 고안한 치료기법. 이야기치료

이야기치료의 창설자인 화이트가 어린아이들이 자신의 심각한 문제에 재미있게 접근하여 자유롭게 표현할 수 있도록 유도하기 위해 고안한 기법이다. 호주의 아동병원에서 사회상담가로 일하고 있을 때, 유분증이 있는 아동을 위한 그림 동화책 『Beating Sneaky Poo(말썽꾸러기 푸 혼내주기)』(Terry Heins & Karen Ritchie, 1988)를 보고 영감을 얻어 문제의 외재화 기법을 발전시키게 되었다. 이 동화책에서는 속옷에 변을 묻히는 증상인 유분증이 있는 아이에 대해 새로운 시각으로 접근하고 있다. 아이가 변을 속옷에 묻히는 것은 자신의 잘못이 아니라 푸(poo)라는 말썽꾸러기가 장난을 치고 있는 것인데, 모두들 그러한 푸의 장난에 속아 넘어가고 있는 것이라고 경고하였다. 따라서 푸의 장난에 넘어가지 않으려면 그의 '장난치기 전략'을 자세히 알고 대비해야 한다는 충고를 하고 있다. 즉, 아이가 유분증이라는 잘못된 증상을 가지고 있어서 어떻게 그 문제를 해결할 것인지에 대해 이야기하는 것이 아니라, 아이는 잘못이 없는데 푸라는 말썽꾸러기의 장난에 영향을 받아서 그러한 곤란한 문제가 생긴다는 것이다. 이러한 외재화 기법은 자신의 문제에 대해 죄책감과 수치심을 낮춤으로써 문제적 상황을 보다 객관적이고 통합적으로 바라볼 수 있도록 도와준다. 또한 문제에 대해 놀이처럼 재미있게 접근하여 보다 자유로운 탐색이 가능해진다. 문제의 외재화 기법은 주로 아동에게 많이 사용되지만, 성인 내담자의 경우에도 이 기법을 적용하여 심각하다고 생각하는 문제의 부정적인 영향력을 감소시켜 보다 흥미를 가지고 열린 태도로 문제에 접근할 수 있도록 할 수 있다. "사람이 문제가 아니라 문제가 문제다(The person is not the problem. The problem is the problem)."라는 유명한 문장에 문제의 외재화 기법의 독특한 특징이 잘 드러나 있다. 따라서 내담자의 삶의 과정에서 일어나는 문제들이 자신이나 자신의 삶의 본질을 반영하는 것이라고 생각하는 경향에서 탈피하여 자신과 문제가 하나가 아니라 문화, 역사적 요소와의 상호관계 속에서 형성된 관계적인 것임을 깨닫도록 하는 데 목표를 둔다. 문제의 외재화는 보통 내담자의 문제적 상황이나 생각,

행동 등에 이름을 붙여 '의인화'하는 작업을 시작으로, 여러 가지 독특한 대화기법(외재화 대화)을 사용하여 내담자가 자신과 문제와의 관계를 인식하게 만들고, 그 밀착되어 있는 관계 사이를 벌려서 영향을 주고받는 상호관계에 대해 다시 생각해 볼 수 있는 기회를 제공한다(외재화 대화의 진행에 관해서는 '입장 말하기 지도 1' 참고). 문제의 외재화를 통해 내담자는 이제까지는 자신이 문제였고, 문제가 자신의 안에 있다는 생각에서 벗어나 자신과 문제와의 관계성에 대해 생각해 보는 새로운 시각을 가질 수 있으며, 또한 그 관계에 일어나는 상호작용에 대해 객관적으로 생각할 수 있다. 이러한 변화는 내담자가 기존에 가지고 있던 문제에 대한 생각이 재정립되고, 자신과 문제와의 관계에서 구조화된 지배적 이야기(dominant story)에서 벗어나 새로운 의미를 가진 대안적 이야기(alternative story) 발견의 가능성을 보여 준다.

관련어 과정집단, 대안적 이야기, 외재화 대화, 이야기치료, 입장 말하기 지도 1

문제의 의인화

[問題-擬人化, personify the problem]

문제의 외재화 기법을 사용하는 과정에서 내담자의 문제를 의인화하여 그 특성이나 성격 혹은 내담자와의 관계에서 주고받는 영향력 등을 질문하는 것. 이야기치료

내담자에게 내재화된 문제(internalized problem)를 보다 효과적으로, 그리고 재미있게 외재화(externalizing)하기 위해서 문제에 이름을 붙이고 의인화하여 여러 가지 특성을 파악하기 위한 질문을 한다. 이러한 문제의 의인화는 내담자가 가지고 있는 문제적 이야기의 정체성과 그 삶에 미치는 영향력을 보다 효과적으로 파악하도록 하는 효과가 있다. 이것은 모든 연령의 내담자에게 적용할 수 있지만 특별히 자신의 어려움에 대해 이야기하기 힘들어하는 어린이들에게 보다 편안하고 재미있는 방법으로 문제적 이야기에 접근하고 생각하는 것을 도와준다. 또한 성인상담에서 문제의 의인화 기법을 사용함으로써 상담과정을 보다 흥미롭게 이끌고 내담자가 호소하는 문제를 보다 구체화시켜 효과적으로 문제의 정체성을 파악하는 데 사용하기도 한다. 예를 들어, 문제의 성격은 어떤지, 생김새는 어떤지, 좋아하는 것과 싫어하는 것은 무엇인지, 영향력이 강할 때와 약할 때는 언제인지, 문제가 가지고 있는 계획은 무엇인지 등의 질문을 하면서 내담자의 문제적 이야기가 마치 형체를 가지고 능동적인 활동을 하는 대상물인 것처럼 취급하여, 그 활동과 영향력 등을 물어보는 것이다. 그리고 질문에 대한 서술을 통해 문제적 이야기의 부정적인 영향력을 감소시키고 새로운 변화의 가능성을 찾아낸다. 문제의 의인화 기법을 보다 효율적으로 적용하기 위해서 이름을 붙이는 활동 외에도, 문제적 이야기를 표현하는 그림을 그려 보게 하거나 다양한 미술매체를 사용하여 조형물을 제작해 보도록 할 수도 있다.

관련어 문제에 이름 붙이기, 문제의 외재화

문제적 이야기

[問題的-, problematic story]

내담자와 문제를 분리시켜야 한다는 인간관을 가진 이야기치료의 이론에서 내담자가 호소하는 문제에 대한 이야기를 일컫는 용어로서, 문제로 가득 찬 이야기 혹은 호소하는 이야기라고도 함. 이야기치료

이야기치료에서는 내담자가 상담현장에 가지고 온 문제를 대할 때 문제와 사람을 분리해서 생각하는 태도를 기본으로 하는데, 이는 내담자 안에 그 문제가 내재하고 있다고 인식하여 그 문제로 내담자의 정체성을 규정해서는 안 된다는 것이다. 따라서 내담자와 문제는 따로 분리해서 생각해야 하며, "사람이 문제가 아니라 문제가 문제다(The person is not the problem. The problem is the problem).” 라는 시각에서 문제를 독립적으로 다루어야 한다. 이때 내담자가 이야기하는 문제에 대한 이야기는 삶 속의 여러 가지 사건 중에서 특별히 부정적인 영향력을 지닌 문제적 사건에 집중하여 의미를 부여하고 해석한 것이거나, 혹은 삶의 사건들을 특별히 부정적인 방향으로 해석한 것이라고 본다. 따라서 이러한 내담자의 문제를 특별히 ‘문제’라고 고정된 의미의 단어를 사용하지 않고 ‘문제적 이야기’ ‘문제로 가득 찬 이야기’ ‘호소하는 이야기’라고 불러서, 그 이야기의 의미와 그에 따른 영향력이 재구조화(reconstruction)와 새로운 의미부여를 통해서 얼마든지 삶에서의 부정적인 영향력이 변할 수 있다는 가능성을 표현한다.

관련어 | 문제의 외재화, 이야기, 재구조화

문제중심적 가족치료
[問題中心的家族治療, problem-centered system therapy of the family]

가족문제의 해결에 중점을 두는 치료적 접근방법.

기타 가족치료

캐나다 맥매스터대학교의 정신과 의사인 엡스타인(Epstein) 등이 20년에 걸친 조사연구를 통하여 축적한 실증적인 자료를 바탕으로 개발한 가족치료 접근법이다. 조사연구를 위해 표집된 59명의 학생과 그들의 가족을 대상으로 MMPI, TAT, 그리고 장기간에 걸친 면접을 실시하였다. 이로써 도출된 연구결과는 학생의 정신적 건강도와 가족 전체의 인간관계, 특히 양친의 부부관계 사이에 높은 상관관계가 있음을 보여 주고 있다. 이 모델을 기반으로 가족기능을 향상시키는 데 초점을 두는 문제중심적 가족치료가 구축되었다. 일반적으로 전체 치료 기간은 수주에서 수개월이 걸리는데, 심각한 내담자를 둔 가족의 경우는 수년에 걸친 치료가 요구되기도 한다. 전체 치료과정은 다음 네 단계로 진행된다. 첫째, 사정(진단) 단계 중 오리엔테이션 부분에서는 가족구성원이 각각 치료에 대한 기대를 말하고, 치료자는 이 가족이 어떻게 기능하고 있는지를 탐색한다. 자료수집 부분에서는 현재 제시되고 있는 가족의 문제에 대해 다양한 관점에서 자료를 수집한다. 예를 들면, ‘가족원들이 인식하는 문제는 무엇인가’ ‘전반적으로 가족으로서 잘 기능하고 있는가’ ‘문제 대처방식은 어떠한가’ ‘문제는 어떻게 인식되고 있는가’ ‘문제에 대해 가족원 간에 의사소통이 이루어지고 있는가’ 등에 초점을 맞추어 가족기능을 진단한다. 그리고 치료자는 문제목록을 작성하여 가족원들의 동의를 얻는다. 둘째, 계약단계에서는 문제에 대한 해결목표를 문장으로 진술하여 상담계약서를 작성하고 이에 대해 가족원들과 치료자가 함께 동의하고 계약서에 서명한다. 셋째, 치료 단계에서는 치료목표 중에서 가장 시급하고 중요한 문제부터 우선적으로 순위를 정한다. 가족의 약점을 가족의 강점으로 보완하는 과제를 생각해 본다. 우선 가족이 먼저 과제에 대해 생각해 보도록 한 다음, 가족원들 사이에 의견이 도출되지 않을 경우 치료자가 개입하여 과제를 제안할 수 있다. 예를 들면, ‘부부는 매주 1회 두 사람만의 외출을 한다.’와 같은 구체적이고 실행 가능한 행동부터 시작한다. 다음 회기에서는 과제달성 정도를 평가한다. 넷째, 종결단계에서는 전체 치료과정을 되돌아보고 가족의 장기적인 목표에 대해 서로 이야기를 나눈다. 추수지도가 필요하면 언제 어떻게 실시할 것인지 논의해 본다. 문제중심적 가족치료에서는 가족구성원의 적극적인 참여, 주체성, 자발성 등이 강조된다. 치료자는 권위적인 태도를 갖지 않도록 주의하며 일종의 조정자 역할을 수행한다.

문제중심집단
[問題中心集團, problem-centered group]

사회공포, 스트레스 대처와 같은 한 가지 특정한 관심에 초점을 두고 형성된 집단. 문제중심치료

문제중심집단의 내담자는 특정한 문제 때문에 현재 개인적 갈등을 겪고 있거나 지금 해결되지 않으면 앞으로의 건전한 성장과 발달에 장애가 될 수 있는 과거의 개인적 갈등을 극복하려는 사람들이다. 따라서 문제중심집단은 성장중심집단보다 더 고도로 구조화되고 조직화되며 통제되는 집단이고, 상담자는 집단 내에서 좀 더 일관성 있는 행동을 취해야 한다. 이 같은 문제중심집단을 구성할 때는 다음과 같은 사항을 고려해야 한다. 첫째, 집단구성원의 선정이다. 성장중심집단과는 달리 문제중심집단의 구성원은 타인이 의뢰를 하는 경우가 대부분이다. 이에 따라 문제중심집단의 상담에서는 성장중심집단보다 집단구성원들이 서로 관계를 맺고 서로 신뢰하는 단계인 집단의 형성기에 더 오랜 시간을 보내게 되므로 집단의 균형을 맞추는 것이 중요하다. 예를 들면, 매우 공격적이어서 다른 구성원들에게 위협이 될 만한 구성원은 개인상담을 받은 다음 집단에 참여하도록 해야 한다. 둘째, 집단의 크기다. 구성원들은 좀 더 개별적인 주의를 요한다. 따라서 문제중심집단은 성장중심집단보다 적은 인원으로 구성된다. 최저 3명에서 6명을 넘지 않는 선에서 구성하는 것이 가장 효과적이다. 또한 문제중심집단은 항상 폐쇄적이어야 한다. 즉, 일단 구성원을 선정하여 상담을 시작한 후에는 새로운 구성원을 받지 않아야 한다. 셋째, 모임의 길이와 빈도다. 문제중심집단은 성장중심집단보다 모임의 길이가 길고 빈도도 높다. 문제중심집단은 모임을 일주일에 최소한 두 번에서 많게는 거의 매일 만나는 것이 좋다. 모임을 할 때 상담자는 창의력과 융통성을 지녀야 한다. 넷째, 집단의 지속기간이다. 문제중심집단은 집단의 목적과 목표가 성취될 때까지 계속된다. 성장중심집단과는 달리 구성원의 의미 있고 지속적인 변화를 관찰하기 위해서는 열다섯 번 이상의 집단 모임이 필요하다. 일단 문제중심집단에서 전 과정을 성공적으로 마치면 내담자는 성장중심집단에 참여할 준비가 완료되었다고 볼 수 있다.

관련어 | 성장중심집단

문제중심치료
[問題中心治療, problem-solving therapy]

인간의 삶에서 경험하는 문제들을 확인하고, 그 문제를 극복하기 위한 체계적인 단계를 학습할 수 있도록 내담자를 가르치거나 훈련시키는 접근법. 문제중심치료

내담자가 겪는 삶의 문제에서는 항상 감정적인 요소와 실질적인 요소가 공존하는데, 문제중심치료에서는 이러한 문제의 감정적인 요소가 무엇인지 이해하고 해결한 다음에 실질적인 문제를 해결하기 위한 계획과 목표를 세워 내담자가 문제에 대한 실질적인 대처방법을 습득할 수 있도록 도와주는 과정을 거친다. 따라서 문제중심치료에서 내담자에게 요구하는 훈련은 내담자가 자신의 문제를 확인하고 그 문제를 다루고 해결하는 방법을 생각해서 실천에 이르는 일련의 과정이 된다. 이 과정을 거치면서 내담자는 좀 더 합리적으로 생각하고, 정서적으로 덜 동요되고, 더욱 목표 지향적인 방법으로 행동함으로써 정서적 · 실제적 문제를 다루게 된다. 문제중심 상담자는 내담자가 이러한 과정을 거쳐 스스로 현재와 미래의 문제를 해결할 수 있도록 가르침으로써 상담자가 없어도 독립적으로 문제를 해결할 수 있도록 하는 것이 궁극적인 치료의 목표가 된다. 문제중심치료는 주로 위기개입이나 스트레스 관리와 같은 상황에서 많이 사용되며, 실질적인 문제해결을 다루는 것이기 때문에 실질적인 문제에 대해서 감정적 동요가 되지 않는 내담자에게 잘 적용될

수 있다.

관련어 7단계 문제해결모형

문제행동
[問題行動, problem behavior]

일반적으로 부모나 교사의 일상적인 지도범위를 벗어나 어려움을 야기하고, 해당 연령에 기초한 규범적 행동으로 보기에 일탈된 행동이나 정상적인 적응능력을 갖추지 못한 행동. 특수아상담

행동은 아동의 학습과정에 지대한 영향을 미치기 때문에 학교에서 아동에 대해 심리·교육적 평가를 행할 때 다루어야 할 중요한 요소 중의 하나가 된다. 문제행동을 평가할 때는 의사 혹은 행동치료사와의 면담, 부모나 양육자가 촬영한 비디오 등의 자료, 부모나 교사의 평정척도 작성, 직접관찰 등의 방법을 적용한다. 특히 아동의 행동을 직접 관찰할 때는 가정, 학교, 놀이터 등의 다양한 장소, 상황 또는 활동 속에서 학생의 지적·언어적 발달, 관심영역, 상호작용 기술, 느낌, 생각, 걱정, 불안 등에 관한 정보를 포괄적으로 수집해야 한다. 그 외에 아동의 인지발달, 소근육발달, 언어발달, 창의성, 역할놀이기술, 구성기술, 주의집중시간, 산만성, 충동성, 고집, 도움 청하기, 좌절수준, 정서표현, 가족관계에 대한 인식, 문제해결능력 등도 관찰·평가할 수 있다. 관찰을 통해 지각한 문제행동의 중재순위를 선정할 때는 다음 네 가지 사항을 고려하도록 한다. 첫째, 아동 자신 및 주변 또래의 학습에 지장을 주는 자해, 소리 지르기, 뛰어다니기 등의 행동, 둘째, 이미 학습된 기술을 사용하는 데 지장을 주어 그 기술을 소거시킬 수 있는 행동, 셋째, 사회성 발달에 부정적 영향을 주어 통합에 걸림돌이 되는 정도로 타인에게 혼란과 불쾌감을 주는 행동, 넷째, 안전상 위험 때문에 학습환경에도 부정적 영향을 줄 정도로 자신과 타인 그리고 주변 사물을 상해하는 행동일 경우다. 문제행동을 선정한 다음 이어지는 행동사정절차는 대체로 문제행동의 조작적 정의, 문제행동 발생에 영향을 미치는 환경적 요인과의 인과관계, 즉 기능적인 관계를 밝혀내는 A-B-C 기능평가, 행동유지 변인과 강화자 측정, 문제행동의 측정 및 기록 방법 등으로 구성된다.

문항분석
[問項分析, item analysis]

검사문항이 원래 의도한 검사목적을 제대로 수행할 수 있도록 만들어졌는지 다양한 측면에서 확인하는 작업. 심리측정

한 검사 속에 포함되어 있는 문항 하나하나가 얼마나 적합하며, 또한 제구실을 하고 있는지 검증·분석하고 문항의 개선을 목적으로 하는 것이 바로 문항분석이다. 하나의 검사는 여러 개의 문항으로 구성되어 있기 때문에 검사의 좋고 나쁜 양호(良好)의 정도는 결국 검사 속에 있는 여러 문항의 좋고 나쁜 정도에 따라 결정된다. 검사도구의 총점으로 분석되는 고전검사이론(classical test theory)에서 문항분석은 전통적으로 문항곤란도(item difficulty)와 문항변별도(item discrimination)에 의존한다. 문항곤란도란 한 문항의 어려운 정도를 뜻하며, 문항난이도라고도 불린다. 문항곤란도 지수(item difficulty index)는 각 문항에 반응한 사람의 총수에 대하여 정답으로 반응한 사람 수의 백분율이나 비율(p)로 표시한다. 따라서 문항곤란도 지수는 문항의 어려운 정도를 가리키는 것이 아니라 쉬운 정도를 나타내며, 문항곤란도 지수가 높을수록 해당 문항은 쉽다는 의미다. 한 검사 속에 있는 문항의 곤란도는 어떤 문항이 어려운 문항 혹은 쉬운 문항인지 쉽게 짐작할 수 있는 준거가 되지만, 규준참조검사와 준거참조검사의 문항곤란도를 보는 시각, 해석, 이용 방법에는 차이가 있다. 규준참조검사에서는 피험자의 능력을 올바르고 정확하게 변별하는 것이, 즉 개인차를 측정하는 것이 주된 목표의 하나이므로 대

개 20~80% 사이의 문항곤란도를 가지고 평균 곤란도가 50% 정도에 머무는 것이 이상적이다. 그러나 준거참조검사에서 문항곤란도는 피험자들이 주어진 목표를 도달했는지를 판단하는 기준을 설정하는 데 필요한 정보를 제공하고, 목표의 타당성과 방법의 적절성을 평가하는 데 활용할 수 있기 때문에 아주 쉽거나 아주 어려운 문항도 큰 문제가 되지 않는다. 예컨대, 준거참조검사에서는 대부분의 피험자가 정답 반응하여 문항곤란도가 높게 나온 문항도 지나치게 쉬운 것으로 간주되기보다는 거의 모든 피험자가 목표에 도달했다는 것을 의미하며, 목표 설정이나 진술이 타당하거나 또는 방법이 매우 효과적이었다는 것으로 해석된다. 문항변별도란 어떤 검사의 개개 문항이 그 검사에서 득점이 높은 피험자와 낮은 피험자를 식별 또는 구별해 주는 변별력(discrimination power)을 말한다. 다시 말해서, 문항 하나하나가 얼마나 피험자의 상하(上下) 능력을 잘 구분해 내느냐를 뜻하는 것으로, 계산되어 나온 수치를 변별도 지수(discrimination index: D)라고 한다. 가령 어떤 검사를 실시한 결과, 전체 점수가 우수한 상부집단과 점수가 낮은 하부집단으로 양분했을 때 상부집단에 속하는 피험자가 하부집단의 피험자보다 각 문항에 대한 정답의 확률이 높아야 변별도가 있는 문항이라 할 수 있으며, 그 정도의 차이를 나타내는 것이 변별도 지수다. 변별도 지수는 -1.00에서 +1.00의 범위를 가진다. 문항변별도는 규준참조검사에서나 준거참조검사에서 모두 유용한 문항의 특징이다. 규준참조검사에서는 총점에서 성적이 좋은 사람과 나쁜 사람을 분명하게 가려내는 문항으로 구성되는 것이 필수다. 만약 이 같은 기능을 제대로 못하는 문항이 많이 섞여 있으면 그만큼 규준참조검사의 타당성은 낮아진다. 규준참조검사에서 문항변별도가 0이거나 -값을 갖는 경우는 매우 바람직하지 못한 것이며, 문항변별도가 .40 이상이면 아주 바람직하다. 마찬가지 논리에서 준거참조검사에서도 총점에서 성적이 좋은 피험자와 낮은 피험자를 잘 변별할 수 있는 문항으로 검사가 구성될 필요가 있다. 실제 한 학습과제에서 성공한 피험자는 각 문항에서 성공할 확률이 높을 것이고, 한 학습 과제에서 실패한 피험자는 그만큼 각 문항에서의 성공률이 낮을 것이다. 그러나 준거참조검사에서 문항변별도를 이용하는 목적은 어떤 문항이 학습에서의 성공자와 실패자를 잘 구별하느냐는 데 관심이 있다. 이것을 교육목표와 관련시키면, 학습의 실패자와 성공자를 잘 변별하는 목표가 어느 것인지를 확인하는 데 중요한 정보가 된다. 병합집단 양류상관계수(combined-sample point-biserial correlation index, γ_{pb})를 구하여 문항변별도 지수를 확인하는 방법이 있다. γ_{pb}를 구하려면 교수-학습을 투입한 집단과 투입하지 않은 집단을 묶어 한 집단으로 여기고, 이 집단을 다시 특정 문항에 정답 반응한 집단과 오답 반응한 집단으로 나눈 뒤 각 문항과 전체 검사점수와의 상관계수를 계산하면 된다. 한편, 고전검사이론처럼 검사 총점에 의하여 문항을 분석하는 것이 아니라, 문항은 문항 하나하나의 불변하는 고유한 속성을 지니고 있으므로 그 속성을 나타내는 문항특성곡선(item characteristic curve)에 따라 문항을 분석하는 문항반응이론(item response theory: IRT)이 있다. 문항반응이론은 각 피험자의 특성이나 문항의 특성을 문항 표본이나 검사가 적용된 피험자 표본에 상관없이 추정하려는 절차라고 할 수 있다. 이것의 강점은 불변성 개념(invariance concept)으로 문항 특성 불변성과 피험자 능력 불변성이 있다. 문항 특성 불변성은 문항의 특성인 문항곤란도, 문항변별도, 문항추측도가 피험자 집단의 특성에 따라 바뀌지 않는다는 것이다. 고전검사이론에 의하여 문항을 분석할 때, 만약 어떤 문항이 높은 능력집단에서 검사가 실시되었다면 쉬운 문항으로 분석되고, 능력이 낮은 집단에서 검사가 실시되었다면 어려운 문항으로 분석된다. 그러나 문항반응이론에 의하여 문항을 분석하면 문항특성은 피험자 집단의 특성에 관계없다. 피험자 능력 불변성은 피험자의 능력은 어떤 검사나 문항을 택함으로써 변하는 것이 아니라 고유한 능력수준이 있다는 것이다. 즉, 고전검사이론에 의하면 쉬운 검사를 택할 때 어떤 피험자의 점수는 높아지고, 어려운 검사를 택하면 능력이 낮게 추정되는데 이는 모순이라는 주장이다. 문항반응이론에 의하면, 어떤 피험자가 어려운 검사를 택하든 쉬운 검사를 택하든 능력추정이 같다는 사실이다. 이때 문항특성곡선이란 문항의 고유한 속성을 밝히는 것으로서, 피험자 능력에 따라 문항의 답을 알아맞힐 확률을 나타내는 곡선으로 다음 그림과 같다.

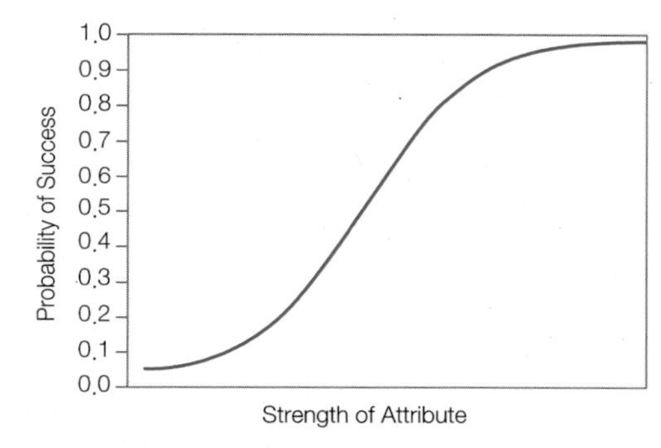

출처: American Counseling Association (2009). p. 302.

문항특성곡선은 일반적으로 S자 형태를 띤다. 인간의 능력은 θ로 표기하고 능력수준은 −에서 +에 위치한다. 그러므로 −의 능력을 소유한 피험자가 문항의 답을 맞힐 확률은 0에 가깝고, +의 능력을 소유한 피험자가 문항의 답을 맞힐 확률은 1.0에 가깝다. 인간의 능력은 일반적으로 0에서 +로 표기하지만, 문항반응이론에서는 인간의 능력 평균을 0, 표준편차를 1로 하기 때문에 인간의 능력이 음수로 표기될 수 있다. 인간의 개성이 각기 다르듯이 문항도 각기 다른 문항특성곡선을 가지고 있다. 이 문항특성곡선은 능력 θ를 가진 사람이 문항의 답을 맞힐 확률을 나타내 주고 능력이 높을수록 문항의 답을 맞힐 확률은 증가하지만 선형적으로 증가하지 않는다는 것을 보여 준다. 문항특성곡선은 문항이 어느 능력 수준에서 가능한가를 나타내는 위치 지수와 피험자를 능력에 따라 변별하는 변별 지수가 있다.

관련어 | 검사이론

문화감염
[文化感染, acculturation]

한 문화의 관습, 신념, 전통을 배우는 방식. 교정상담

문화변용(文化變容)이라고도 하는데, 한 문화의 관습, 신념, 행동, 전통을 배우는 방식을 말하는 것과 동시에 소수문화 출신이 다수문화 출신의 태도, 생활양식, 가치관을 동일시하거나 이를 따르는 정도를 의미하기도 한다. 예를 들어, 소수문화의 구성원들은 다수문화의 구성원들처럼 행동하거나 옷을 입거나 말을 하면서 다수문화에 맞추고자 한다.

문화공정검사
[文化公正檢査, culture-fair test]

특정 집단에 불리하지 않도록 다양한 문화집단에서 규준을 만들어 모든 문화집단을 공정하게 다루려는 검사로, 문화자유검사(culture-free test)라고도 함. 심리 측정

문화공정검사 혹은 문화자유검사는 대체로 지능검사와 관련이 되며, 문화적 및 사회적 요인(즉, 문화적 편견)이 검사결과에 미치는 영향을 제거하거나 최소화하기 위해 만들어진 검사를 가리킨다. 문화공정검사는 특정 문화집단에 유리하지 않도록 다양한 문화적 배경을 가진 개인의 능력이나 성취도를 정확하게 반영하는 검사결과를 얻으려는 목적을 가지고 있다. 이것은 검사대상의 모든 문화 집단에 균등하게 익숙한 문항을 포함시킴으로써 달성된다. 검사 개발자는 문화적 편견이 검사결과에 미치는 효과가 최소화되도록 노력해야 한다. 검사에서 문화적 편견은 검사문항의 내용이 특정 집단에게 관련 경험이 많아 유리한 경우, 특정 집단이 규준집단

에 포함되지 않거나 일부만 표본에 포함된 경우, 소수집단의 검사점수가 다수집단의 검사점수보다 타당도 계수가 낮다고 보는 경우, 소수집단의 검사점수가 기준 이하일 것이라고 과소예측하는 경우와 관련이 될 수 있다. 문제해결과 구체적 · 추상적 사고에서 문화에 따라 차이가 있고 지능은 문화적 지식을 나타내는 것이기 때문에 문화적으로 공정하거나 자유로운 검사는 존재하기 어렵다고 주장하는 사람도 있다(Scarr, 1994). 검사의 제작과 지능은 문화에 따라 다르기 때문에 문화공정검사는 실제 세계에서 달성하기 어려운 이상적인 것에 지나지 않는다. 비록 일부 검사도구가 다른 검사도구에 비해 좀 더 문화적으로 공정할 수 있지만, 모든 문화집단에 균등하게 공정한 검사도구를 만드는 것은 불가능한 일이다.

문화민감가족치료 [文化敏感家族治療, culture sensitive family therapy]

내담자 가족이 속해 있는 문화적 상황을 고려하여 문제를 이해하고, 치료목표를 설정하고자 하는 치료적 접근법.

기타 가족치료

지금까지 가족치료 분야에서는 백인, 중산층, 이성애 가족을 중심으로 개인을 이해해 왔다. 하지만 이러한 관심은 민족, 종교, 성 지향, 계급, 지역과 같은 집단 내 차이점을 무시하고 이루어진 것이다. 이 같은 경향에 대해 많은 학자들이 연구와 훈련과정에 문화적 고려를 함께해야 한다고 강조하였다. 다른 민족이나 인종을 이해하기 위해서는 그들의 일상적인 의식, 전통, 역사적 경험과 사회정치적인 상황을 파악하는 것이 중요하다. 문화민감가족치료는 치료과정 내내 아주 사소한 것부터 중요한 것까지 사회적 삶을 구성하고 있는 문화와 그것의 함축적인 의미를 파악하여 내담자의 세계관, 경험, 그리고 가치를 고려하고자 노력하는 접근법이다. 이는 어느 한 사람의 이론가가 개발한 모델이 아니다. 다양한 이론적 관점을 가지고 있는 이론가들과 실천가들이 개발하고 발전시킨 것이다. 따라서 문화민감가족치료는 모든 효과적인 치료적 접근법에 내재되어 있는 기본 태도라고 할 수 있다. 가족치료에서 문화적 관점을 도입하고자 노력한 사람들 중 한 명인 맥골드릭(M. McGoldrick)은 자신과 문화적으로 다른 가족에게는 다른 참조체제를 사용해야 한다고 주장한 첫 번째 사람이다. 그녀는 동료들과 출간한 책에서 특별한 인종적 집단 내에 있는 문화적 주제와 지속성을 강조하면서 19개의 '문화적 패러다임'을 제시하였다. 그리고 가족의 역동적 체계에 문화적 차이를 이해하도록 강조한 또 다른 한 명은 팔리코프(C. Falicov)다. 그녀는 1961년에 미국으로 이주한 노동자 계급 출신으로 유대인계 아르헨티나인이다. 그녀의 공헌은 가족정체성에 영향을 주는 다양한 사회정치적 사건들에 대한 끊임없는 강조다. 그녀는 언어, 연령, 시골, 도시, 도시근교, 직업, 교육, 정치 이념과 같은 사회적 맥락과 중복되고 연동되는 문화에 대한 관점을 확장하는 데 도움을 주었다. 이와 같이 문화민감가족치료는 치료과정으로서의 가족치료에 대한 비평과 변화하는 사회적 압력에 대한 응답으로 성장한 것이다. 페미니스트와 포스트모더니즘에 의한 도전 및 개인심리학과 함께 이루어진 제4세력의 발달은 인종과 문화적 차이에 대해 주의하도록 했는데, 이는 가족치료사들의 작업에 문화를 통합하는 근거를 제공해 주었다. 가족치료에서 페미니스트적 인식은 1970년대 말 헤어 머스틴(Hare-Mustin, 1978)의 논문인 「가족치료에 대한 페미니스트 접근」이 발간되고 페기 파프(Peggy Papp), 올가 실버스틴(Olga Silverstein), 베티 카터(Betty Carter), 메리앤 월터스(Marianne Walters)로 구성된 여성계획이 설립되면서 등장하였다. 가족치료는 가족과 사회에서 여성에 대한 기존의 불평등 문제를 제기했으며, 여성의 주장과 경험을 높이 평가하였다. 페미니스트 가족치료사들은 성 불평등

분석을 위해 기존의 가족치료모델을 재검토하고 페미니스트 가족치료의 모델 개발, 훈련 프로그램을 개발하였다. 이처럼 1980년대 말과 1990년대 초에 가족치료에 영향을 미친 또 하나의 광범위한 경향은 포스트모더니즘이다. 포스트모더니즘이 주장하는 '하나의 진리 혹은 절대적 가치란 존재하지 않는다.'는 관점은 가족치료의 기초를 흔들어 놓았다. 핵가족과 남성이 가장이 되는 중산층으로서의 가족개념은 재점검되고, 건강하거나 혹은 역기능적인 이원론적 가족구조에 초점을 맞추던 것이 가족구성원이 구성하는 이야기를 통하여 가족을 이해하는 것으로 옮겨졌다. 이와 같은 가족치료의 측면은 진리가 상대적이라는 포스트모더니즘의 생각을 받아들이는 것이고 인종, 성, 계층, 그리고 성적 지향에 기초한 특권의 사회적 구조를 해체하는 것이다. 가족치료에 영향을 미친 세 번째 경향이자, 문화민감가족치료에 가장 직접적으로 연결된 것은 사회에서 다문화적 개념에 대한 발생과 노력이 보다 광범위하게 정신건강 작업에 영향을 준 것이다. 이처럼 페미니즘, 포스트모더니즘, 그리고 다문화주의는 지난 30년간의 모든 사회모양을 바꾸어 왔고, 또한 가족치료 분야의 형태도 변화시켰다. 문화민감가족치료는 인종차별주의, 성차별주의, 그리고 문화적 다양성의 노력을 중요하게 여기는 것에 실패한 백인종의 가치로 점유된 분야의 불평등성을 강조했던 많은 차세대 치료사들의 노력으로 성장하였다. 다른 접근법과 구별되는 문화민감가족치료의 핵심적인 차이를 살펴보면 다음과 같다. 첫째, 가족이 속한 사회적 맥락에 놓여 있는 복잡성을 완전히 이해함으로써 가족과 그들의 문제를 통합적으로 이해하려는 것이다. 둘째, 모든 가족이 추구하는 이론적이고 단일화된 개념에 적용하기보다는 그 가족의 참조체제에 들어가고자 한다는 점이다. 셋째, 가족의 문제와 관심, 오랫동안 가족의 문화적 집단이 겪은 압박의 경험 사이의 관계를 보는 것이다. 넷째, 전통적인 가족체계의 시각을 넘어 가족의 경험과 문화적 인식을 평가하는 것이다. 가족의 참조 체제를 통하여 바라본다는 것이 치료자가 단지 문화적 습관 때문에 정도에서 벗어나거나 반대되는 사회적 행동을 용인하거나, 지지하는 것을 말하는 것은 아니다. 그러한 문화적 습관은 압박에 따른 것으로서 유용한 문화적 습관이 비틀려진 결과라는 것을 쉽게 알 수 있다. 문화민감가족치료의 목표는 특정 가족을 렌즈로 들여다보는 관점에서 가족의 참조체제 안에서 보는 쪽으로 이동하자는 것이다. 즉, 가족과 가족의 문제를 이론적 개념으로 대충 적용하는 것이 아니라 가족의 렌즈를 통하여 자세하게 들여다보고자 하는 것이다. 문화민감가족치료에서는 가족과 상담자에 의해 어떻게 문제로 나타나고 정의되는가에 따라 문화가 영향을 미친다고 보고 있다. 또한 문제해결에 대한 방법과 전략은 가족의 다면적이고 역동적인 문화적 경험에 내재한다고 보았다.

문화분석
[文化分析, cultural analysis]

여성주의 역량강화상담의 한 기법으로, 여성의 문제를 그 문화적 배경의 맥락에서 이해하고 접근하려는 방법.

여성주의 상담

여성주의 접근의 상담에서는 여성의 문제를 그들의 문화적 맥락과 어울리지 않고서는 제대로 이해할 수 없다고 설명한다. 따라서 상담의 과정에서 여성에게 자신의 문제를 사회문화적인 맥락에서 이해할 수 있도록 하여 여성들이 자신의 문제를 올바르게 인식할 수 있도록 도와준다. 이러한 여성 내담자들의 문제와, 그와 관련된 문화적 맥락의 인식을 위해 상담자는 여러 가지 질문을 한다. 질문들 속에서 여성 내담자는 자신의 문제를 사회문화적인 큰 체계 안에서 이해하게 되고, 지금까지 이러한 요소들이 서로 어떤 영향을 주고받으며 자신의 삶에 영향을 미쳐 왔는지 깨닫는다. 그렇게 깨달음의 과정에서 보다 구조적으로 자신의 문제를 변화시켜야 함을 알아차리게 되는 것이다. 여성주의 상담자는 성역할분석, 권력분석, 정보제공, 독서치료, 내담자 자기성찰, 주장훈련, 주제분류, 자기노출 등을 포함하는 다양한 상담전략을 갖추어 내담자의 문제를 체계적으로 다룬다.

관련어 권력분석, 성역할분석, 여성주의 상담, 여성주의 역량강화상담

문화실조
[文化失調, cultural deprivation]

문화적인 환경이 결핍되거나 시기적으로 적절하지 못해서 인지 · 사회 · 정서 발달에 지장을 초래하는 것. 다문화상담

특정 집단이나 개인은 문화적 환경에 덜 노출되거나 그 혜택을 누리지 못하면 인지수준이 떨어지거나, 지능이 낮게 측정되거나, 사회에 적응을 제대로 하지 못하는 부작용이 나타난다고 보는 입장이다. 문화실조의 개념은 오랜 기간의 학업차이가 유전적 원인인 지능차이 때문에 빚어지는 현상이라는 설명을 반박하면서, 인간의 인지 · 정서 · 사회적 발달은 출생 이후의 사회문화적 자원이 얼마나 충분히 제공되는가에 달려 있다는 입장을 지지한다. 예를 들어, 사회문화적인 자극을 충분히 받을 수 없는 환경에서 자라난 아이들은 자극을 충분히 받은 아이들에 비해서 지능이 낮다거나 인지수준이 떨어지는 경향이 있다. 이와 같은 문화실조라는 단어는 1962년에 리스먼(Riesman)의 『The culturally deprived Child』에서 처음 나온 개념이다. 이후 미국에서 저소득층 아동의 학업부진을 설명하는 개념으로 많이 거론되었다. 하지만 문화실조에서 문화가 '결핍되어 있다.'는 의미가 백인의 문화를 우월한 것으로 가정하고 그것에 비해 상대적으로 부족하다는 것을 뜻한다는 일부 교육학자들의 비난을 받기도 한다.

문화적 유능성
[文化的有能性, cultural competence]

내담자와 내담자가 속한 다양한 문화적 체계 및 그에 따른 요구를 이해하고, 이를 활용하고 적용하여 보다 효과적으로 내담자에게 도움을 주는 능력, 지식, 기술, 태도. 다문화상담

문화적으로 유능한 상담자는 내담자와의 상담에서 자신의 가치, 편견, 개인적 견해, 혹은 개인적 한계 등을 인식함으로써 문화적으로 다른 내담자를 이해하고 돕는 데 적극적인 노력을 한다. 성별, 가치관, 문화, 인종 등이 상담자와 다른 내담자의 가치체계와 세계관을 온전히 이해하는 것은 보다 효율적으로 내담자의 당면 문제를 돕는 데 아주 중요한 출발점이 된다. 문화적으로 유능한 상담자는 이러한 차이와 영향력에 대해 인식하고, 그 차이를 최대한 좁히기 위해 다양한 노력을 하며, 적절한 개입 전략과 기법을 적극적으로 활용한다. 이러한 문화적 유능성은 다음 세 가지 영역을 포함한다. 첫째, 태도 혹은 신념에 관한 유능성으로, 문화적으로 다양한 개인과 집단의 세계관을 이해하는 영역이다. 둘째, 지식의 유능성으로, 문화적으로 다양한 개인과 집단의 여러 지식을 파악하는 영역이다. 셋째, 기술적 유능성으로, 우리 사회의 다른 집단과 작업할 때 문화적으로 적절한 개입전략을 결정하여 사용하는 능력에 관한 영역이다.

문화적 유능성 발달수준
[文化的有能性發達水準, cultural competence continuum]

개인, 기관 등이 문화적으로 유능해지는 단계적 과정. 다문화상담

크로스, 바즈론, 데니스와 이삭스(Cross, Bazron, Dennis, & Isaacs, 1989)는 개인, 기관 등의 태도, 정책, 실제 등으로 드러나는 문화적 유능성의 수준을 단계적으로 설명하였다. 이는 모두 6단계로 문화적

파괴, 문화적 무능, 문화적 무지, 문화적 초보, 문화적 유능, 문화적 숙달이다.

문화적 파괴 [文化的破壞, cultural destructiveness] 문화적 유능성 발달수준에서 가장 부정적인 단계에 있는 것으로, 개인이나 기관의 태도, 정책, 현장 등이 다문화적인 특성을 전혀 고려하지 않은 상태를 말한다. 이는 개인이나 기관 등이 다문화적인 요소를 전혀 고려하지 않은 정책이나 태도를 취하거나, 문화와 인종이 다르다는 이유로 억압, 학대 등을 행하는 것이다. 이러한 문화적 파괴의 예로, 1885년에서 1965년까지 미국에서 시행되었던 예외 법규를 들 수 있다. 이 법령에 따르면 아시아인이 배우자를 미국으로 이주시키는 것을 금하였고, 각 주나 미국 연방이 정한 인간의 기본 권리의 적용 대상이 아니었다. 또한 나치가 후원한 의학적 실험에서 유대인, 집시, 동성애자, 장애인을 대상으로 한 잔인한 실험을 예로 들 수 있다. 이 같은 행위들은 문화적 다양성을 인정하지 않고, 이를 오히려 억압과 학대의 수단으로 삼은 문화적 파괴의 상태라고 말할 수 있다.

문화적 무능 [文化的無能, cultural incapacity] 소수자에 대한 파괴적인 태도는 취하지 않지만 여전히 소수자와 다문화적 상황에 대한 인식이 부족하고, 문화적·인종적 우월성을 가지고 있는 상태를 말한다. 문화적으로 무능한 개인이나 기관은 인종이나 문화적 차이에 따라 자원을 불공평하게 배분하고, 피부색을 기준으로 편협한 생각에 따른 차별을 한다든지 자신들을 문화적으로 우월한 위치에 있는 조력자라는 인식을 가지고 있다. 이러한 문화적 무능자의 태도는 인종차별정책에 동의를 하고, 다문화적 상황을 무시하고, 피부색에 따른 막연한 두려움을 갖는 형태로 나타난다. 예를 들어, 차별적인 고용을 하거나, 인종에 따라 차별적이고 비하적인 호칭을 사용하거나, 소수자에 대해 비판적인 의식을 가지고 있다.

문화적 무지 [文化的無知, cultural blindness] 문화적 유능성 발달수준의 중간 단계로, 문화나 종교, 인종이 다양해도 모든 사람은 동등하다는 신념을 가지고는 있지만 지배문화의 기술이 이들을 돕는 데 더 효과적이라고 믿는 상태를 말한다. 문화적 무지의 상태에 있는 개인이나 기관은 소수자를 도울 때 자신들의 지배문화에서 사용되는 방식이 여전히 유용하고 효과적이라고 믿는다. 따라서 이들은 소수자의 문화적 강점을 무시하고, 지배문화로의 동화를 강요하며, 문화적 문제의 피해자들을 비난한다. 때로는 자신들과 함께 일할 스태프로 소수자를 고용하기도 하지만, 여전히 지배문화에 속한 자신들의 생각과 판단에 맞추어 일할 것을 요구하면서 다문화적인 다양성에 따르는 소수자의 특별한 요구와 상황에는 주의를 기울이지 않는다.

문화적 초보 [文化的初步, cultural pre-competence] 문화적 유능성 발달수준에서 긍정적인 태도의 처음 단계로, 소수자를 돕는 자신들의 기술이 부족함을 인식하고 부분적으로 변화를 시도하는 상태를 말한다. 문화적 초보인 개인이나 기관은 소수자의 요구에 부응하기 위한 노력을 하거나, 권리를 되찾아 주려는 노력을 한다. 하지만 그들의 노력은 부분적이어서 하나의 목표를 달성하거나 몇 가지 다문화적인 조력의 시도를 한 것으로 의무를 다했다고 생각한다. 또는 소수자를 몇 명 고용하는 것 자체로 자부심을 느끼기도 한다. 하지만 이들은 문화적 유능의 단계에 들어가기 위한 입문단계에 있는 상태로, 단지 다문화적 상황에 대한 정보나 인식이 부족하여 소수자를 도와주는 방법이나 과정에서 실수를 범하는 것이다.

문화적 유능 [文化的有能, cultural competence] 문화적 다양성에 대해 인식하고 끊임없는 자기점검

ㅁ

으로 문화적 지식과 자원을 확장하여 소수자의 요구에 보다 효과적으로 부응하려는 노력을 하는 상태를 말한다. 문화적으로 유능한 개인이나 기관은 소수자의 구별되는 특성을 인정하고, 자신들의 문화에 속한 하나의 집단으로 인식한다. 소수자를 고용하여 그들에게 조언을 얻고, 소수자의 요구에 적극적으로 대응하고자 노력한다. 또한 다문화적 인식과 실천을 정기적으로 점검하고, 이를 관련 프로그램과 활동에 적용하려고 애쓴다.

문화적 숙달 [文化的熟達, cultural proficiency]
문화적 유능성 발달수준에서 가장 긍정적인 단계로, 문화적으로 유능한 능력의 적극적인 실천과 새로운 지식 및 기술의 개발을 위해 노력하는 단계다. 문화적 숙달 단계의 개인이나 기관은 문화적으로 유능한 지식과 기술의 발전을 위해 연구를 하거나, 새로운 심리치료 접근을 개발하고, 다문화적 활동의 결과를 출판하는 등 적극적인 노력을 기울인다.

문화적 유능성에 대한 다차원적 모형
[文化的有能性-多次元的模型, multidimensional model of cultural competence: MDCC]

문화적 유능성을 지닌 상담자의 특성을 설명하는 모형. 다문화상담

쉬(Sue, 2001)는 다문화상담에서 문화적 유능성과 관련된 중요한 특징을 세 가지 차원으로 정리하여 설명한 다차원적 모형을 작성하였다. 이 모형은 문화적 유능성을 갖춘 상담자가 나아가야 할 목표를 제시해 주고 있다. 세 가지 차원은 다음과 같다. 1차원은 인종, 성, 성적 지향 등 특정 집단의 세계관을 고려하는 것이다. 2차원은 유능한 다문화상담자가 갖추어야 할 영역으로 상담자 자신의 다문화적 편견과 가정을 인식하는 것, 특정 집단에 대한 지식을 습득하는 것, 상담과정에서 적절한 문화적 개입이 이루어지도록 하는 기술로 분류하였다. 3차원은 문화적으로 유능한 조력자로서의 상담자 역할이 상담현장뿐만 아니라 전문적·조직적·사회적 집단에까지 의식을 확대하는 것이다. 이 세 가지 차원을 갖추었을 때 문화적으로 유능한 상담자라고 할 수 있다.

관련어 | 문화적 유능성

문화지체
[文化遲滯, cultural lag]

물질문화와 비물질 문화의 변동속도의 차이로 발생하는 사회현상. 다문화상담

일정한 지역 내에서 또는 부족이나 민족에서 발견되는 완성된 생활양식을 '문화'라고 부를 때, 다양한 내용이 동시에 같은 속도로 변화하는 것은 아니다. 인간의 의식주, 다양한 도구, 최근의 인터넷이나 각종 전자기기 등 눈에 보이는 문화는 물질문화이고, 종교, 예절, 신념, 가치관, 사상 등 눈에 보이지 않는 문화는 비물질 문화인데, 이러한 물질문화와 비물질 문화의 변동속도는 각각 다르다. 일반적으로 물질문화의 변동속도가 비물질 문화의 변동속도보다 빠르다. 예를 들어, 현대사회에 들어와서 물질문화인 인터넷, 컴퓨터 등 전자기기의 발달은 매우 빠르게 변화하고 있지만 비물질 문화인 개인이나 사회의 가치관, 사회의식, 관련 제도 등은 상대적으로 느리게 변화하여 사이버 범죄나 인터넷 중독과 같은 윤리적인 문제가 발생한다. 이렇게 물질문화와 비물질 문화의 변동속도의 차이 때문에 발생하는 사회적 부조화 현상인 문화지체는 미국의 사회학자 윌리엄 오그번(William Ogburn)이 제창한 것으로, 사회불안과 사회변동의 원인이 된다.

물리주의
[物理主義, physicalism]

세계의 궁극적 요소가 물리적이며, 이 세계에 대한 인식 역시 물리적으로 이해될 수 있다는 입장. 철학상담

노이라트(Otto Neurath)에 따르면, 물리주의는 물리학의 언어가 과학의 보편적 언어이며, 따라서 모든 지식은 물리적 대상에 관한 주장으로 환원될 수 있다고 보았다. 그는 논리 실증주의자인 마흐(Ernst Mach), 슐릭(Moritz Schlick), 에이어(Alfred Ayer)가 과학의 언어는 모두 감각자료의 언어로 환원될 수 있다고 주장하면서 현상주의를 표방한 것에 대해 반대하면서 물리주의를 주창하였다. 오늘날 심리철학에서 물리주의는 큰 영향을 미치고 있다. 마음의 영역을 물질의 영역과 독립한 것으로 보고 양자를 모두 실체로 본 데카르트의 실체이원론 이후, 오늘날 심리철학에서는 점차 마음의 영역이 물질의 영역으로 환원된다는 입장으로 발전하여 마음과 물질은 2개의 다른 영역이 아니라 하나가 둘로 나타나 보일 뿐이라는 심신동일론(mind-body identity theory)으로 이어졌다. 물리주의는 바로 이런 입장의 연장선에 있는 것으로, 정신현상이 두뇌현상에 불과하다는 주장으로 이어졌다. 한마디로 물리주의는 심적 현상은 물적(신체적) 현상으로 환원 가능하다는 입장이다. 물론 물리주의에는 속성 차원에서는 심적 현상을 물적 현상으로 완전히 환원하지 않으면서 실체 차원에서는 물질만을 실체로 보려고 하는 물리주의를 표방하는 '비환원적 물리주의'도 존재한다. 나아가 이는 논리적 모순을 낳는다는 관점에서 심적 현상을 물적 현상으로 완전히 환원할 수 있고 또 환원해야 한다는 관점에서 실체일원론과 속성일원론을 동시에 주장하는 '환원적 물리주의'도 존재한다. 그러나 오늘날은 자연과학, 특히 물리학의 발전에 기대어 후자와 같은 강한 물리주의가 점차 많이 주장되고 있다. 그러나 물리주의에 대한 반대 입장도 존재한다. 특히 세계를 물리적 관점에서만 인식하는 데는 한계가 있다는, 최소한 인간의 의식이 지니고 있는 '지향성'은 물리적으로만 처리될 수 없다는 입장도 존재한다. 셀라스(Wilfrid Sellars)나 퍼트남(Hilary Putnam)의 경우 지향성은 물리적인 것으로 완전히 환원되지 않는다고 보았다.

물질관련장애
[物質關聯障礙, substance-related disorders]

알코올, 카페인, 코카인, 아편류 등 중독성을 지닌 물질이나 약물의 반복적인 사용에 따른 신체적, 심리적 장애. 중독상담

DSM-IV에서는 물질관련장애를 개인이 기분이나 행동을 변화시키기 위해 선택하는 물질뿐만 아니라 물질로 유발된 상태까지 포함하는 개념으로 확장하여, 알코올을 포함한 약물남용의 섭취와 관련되는 장애, 투약의 부작용과 관련되는 장애, 독소노출과 관련되는 장애 모두를 포함하는 포괄적인 개념으로 설명하고 있다. 알코올, 암페타민, 카페인, 코카인, 아편류, 수면제 등 중독성 물질들을 남용하는 사람들은 해당 물질의존 혹은 복합적인 물질의존의 상태에 이르면 다양한 신체적, 정서적 장애인 물질관련장애를 경험하게 된다. 또한 이와 같은 중독성 물질이 아니라 처방된, 혹은 처방 없이 시판되는 약물도 남용을 하면 물질관련장애를 일으킬 수 있다. 이러한 장애는 주로 해당 약물의 사용량과 관련이 있고, 용량을 줄이거나 사용을 중단하면 대부분의 장애증상이 사라진다. 이러한 물질장애를 일으킬 수 있는 약물은 마취제, 진통제, 항콜린성 제제, 항경련제, 항히스타민제, 심혈관계 약물, 위장관계 약물, 근육이완제 등이 있다. 물질관련장애는 광범위한 화학물질에 노출되었을 때도 나타날 수 있는데, 납이나 알루미늄과 같은 중금속, 스트리키네를 함유하는 쥐약, 아세틸콜린 에스테레이즈 억제제를 함유하는 농약, 신경가스, 부동액 등이 영향

을 주는 화학물질들이다. 이러한 물질에 의도적이든 비의도적이든 노출되어 그 독성성분으로 불안, 환각, 망상, 경련 등의 피해를 입었다면 그 물질은 '독성물질'로 간주한다. DSM-5에서는 이 장애 범주를 크게 물질 관련 장애와 비물질 관련 장애로 구분하고 있다. 물질 관련 장애는 다시 물질 사용 장애(substance use disorder)와 물질 유도성 장애(substance-induced disorder)로 분류된다. 물질 사용 장애는 특정한 물질을 과도하게 사용함으로 인해서 개인적 고통과 사회적 부적응이 초래되는 경우를 말하며, 물질 유도성 장애는 특정한 물질을 섭취했을 때 나타나는 부적응적인 심리상태를 뜻한다. 물질 유도성 장애는 다시 특정한 물질의 과도한 복용으로 인해 일시적으로 나타나는 부적응적 증산군을 뜻하는 물질 중독, 물질 복용의 중단으로 인해 일시적으로 나타나는 부적응적 증상군을 뜻하는 물질 금단, 그리고 물질 남용으로 인해 일시적인 심각한 중추신경장애를 나타내는 물질/약물 유도성 정신장애로 구분된다.

관련어 | 물질사용장애, 물질유도성장애, 중독

물질사용장애
[物質使用障礙, substance use disorder]

특정한 물질의 반복적 사용과 관련된 장애의 하나.
중독상담

특정한 물질의 반복적인 사용으로 인지적, 행동적 · 신체적으로 다양한 문제가 나타남에도 불구하고 사용을 중단하거나 조절하지 못하는 상태를 뜻한다. 이는 물질남용과 물질의존으로 나뉜다.

관련어 | 급성 알코올중독, 물질관련장애, 중독

물질남용 [物質濫用, substance abuse] 물질사용장애의 한 형태로, 특정한 보상을 얻고자 약물을 비의학적인 목적으로 사용하는 것이다. 특별히 물질의존의 상태에 이르지 않아도 물질(예, 알코올, 담배, 코카인, 약물)을 장기간에 걸쳐 사용하거나 행위(예, 도박, 성행위)를 지속적으로 하는 경향도 물질남용이라고 할 수 있다. 이러한 물질남용을 하는 사람들은 물질이나 행위에 대한 신체적 의존이나 심리적 의존현상을 보인다. 물질을 지나치게 많이 사용하거나 반복적으로 사용함으로써 현저하게 해로운 결과, 즉 폭행, 학업이나 작업의 수행저하 및 태만, 대인관계문제, 신체적 피해 등을 초래하는 것이다. 물질남용을 진단하기 위해서는 내성, 금단증상, 강박적인 물질사용 등의 특징이 나타나는지에 따라 진단하는 물질의존(substance dependence)과는 다르게, 반복적인 물질사용에 따르는 해로운 결과만 기준으로 삼는다. DSM-IV에서는 물질남용의 진단기준을 다음 중 한 가지 이상의 문제를 지속적으로 보일 때라고 규정하고 있다. 첫째, 반복적인 물질사용으로 결근, 아동 방치와 같이 자신의 주된 의무를 완수하지 못한다. 둘째, 신체적으로 해를 주는 상황에서 반복적으로 물질을 사용한다. 셋째, 반복적인 물질사용과 관련된 법적 문제를 일으킨다(예, 물질사용과 관련된 탈선행동으로 체포된 경험이 있다). 넷째, 배우자와 싸우는 것과 같은 지속적인 사회적 문제 혹은 대인관계문제가 지속, 반복되는 데도 불구하고 계속 물질을 사용한다.

물질의존 [物質依存, substance dependence] 물질의존은 물질남용(substance abuse)의 진전된 형태로서, 특정한 물질을 반복적으로 사용하면 점점 더 많은 양을 복용해야만 전과 같은 효과를 얻을 수 있는 내성이 생기고, 그 물질을 끊으면 매우 고통스러운 상태가 나타나는 금단증상을 경험한다. 따라서 복용하는 약물의 양이 점점 늘어나고, 이러한 물질을 구하기 위해 과도한 시간적, 경제적 투자를 함으로써 심각한 현실적 문제가 발생하는 '생리적 의존에 의한 사용통제의 상실' 상태가 된다. 이렇게 내성과 금단증상이 물질의존을 진단하는 가장 중요한 요소이기는 하지만 충분조건은 아니다. 왜냐하면

일부 사람들은 내성과 금단증상이 없어도 독성약물에 대한 강박적인 사용이 나타나기 때문이다. 또한 아편류 의존이 없었던 환자 중에서 수술 후 처방된 아편류 진통제에 대한 내성이 생기고, 이에 따른 금단증상을 경험하기도 한다. 따라서 물질의존은 이러한 내성, 금단, 물질에 대한 강박적 사용의 모든 요소를 조심스럽게 고려하여 진단해야 한다. 물질의존에는 정신의존(精神依存)과 신체의존(身體依存)이 있는데, 정신의존은 쾌감을 구하거나 불쾌감을 피하기 위해 어떤 약물을 의지의 힘으로는 통제할 수 없이 주기적 또는 계속적으로 요구하는 상태를 말한다. 그리고 신체의존은 이탈증상(離脫症狀), 퇴약증후(退藥症候), 즉 물질의 양을 조금씩 줄인다거나 단약(斷藥)한 경우에 신체적 이상이 생기는 상태다. 종래 말해져 왔던 금단증상(禁斷症狀)이란 신체의존을 전제로 하며, 완전하게 약물의 사용을 중지했을 때(단약)를 가리킨다. 이러한 물질의존에 대한 진단은 카페인을 제외한 니코틴, 알코올, 의약품류, 마약류 등 모든 물질에 대해 내린다.

물질유도성장애 [物質誘導性障礙, substance-induced disorders]

물질관련장애의 한 형태로서, 중독성을 가진 특정한 물질의 지속적인 섭취나 복용으로 파생되는 여러 가지 심리적 장애.

중독상담

여러 가지 중독성 물질을 투여한 결과에 따른 장애로, 일반적인 의학적 상태의 정신장애나 특수한 원인을 갖지 않고 일어나는 일차성 정신장애와는 구별된다. 따라서 물질유도성장애는 물질중독이나 물질금단의 상태에서 발병할 수 있으며, 때로는 시간 경과 후 물질이 체내에 남아 있지 않은 상태에서도 지속될 수 있다. 물질유도성장애를 진단하는 데 필수적인 요소는 물질중독(substance addiction)과 물질금단(substance withdrawal)의 과정이 끝난 후에도 물질 관련 증상이 장기간 또는 영구적으로 지속되는지의 여부다. 이러한 물질유도성장애는 그 정신장애의 증상이 물질사용에 따르는 직접적인 영향임을 파악함으로써 그 외의 정신장애와는 다른 치료계획을 세우는 데 결정적인 역할을 할 수 있다. 물질유도성장애는 특정 물질의 사용으로 나타나는 심리적 증상에 따라 물질유도성 섬망, 정신증적 장애, 기분장애, 불안장애, 성기능장애, 지속적 기억상실장애, 수면장애 등으로 구분하기도 한다.

물질금단 [物質禁斷, substance withdrawal] 지속적이고 반복적으로 사용하던 물질을 줄이거나 중단하였을 때 나타나는 생리적 · 인지적 장애와 물질 특유의 부적응적 행동변화를 뜻하는 물질금단은 일반적으로 물질의존(substance dependence)과 관련이 있다. 금단증상이 나타나는 사람들은 일반적으로 해당 금단증상을 없애기 위해서 물질을 다시 사용하려는 갈망을 보인다. DSM-IV에서 제시하는 물질금단의 기준은 다음과 같다. 첫째, 과도하게 장기간 사용하던 물질의 중단 혹은 감소로 물질 특유의 증후군이 발생한다. 둘째, 물질 특유의 증후군이 사회적, 직업적 및 다른 중요한 기능 영역에서 임상적으로 심각한 고통이나 장애를 초래한다. 셋째, 증상이 일반적인 의학적 상태에 따른 것이 아니고 다른 정신장애로 잘 설명되지 않는다. 이러한 금단증상은 물질 사용량을 줄이거나 중단하였을 때 발병하지만, 반대로 중독의 징후와 증상은 호전된다.

물질중독 [物質中毒, substance addiction] 알코올, 니코틴, 코카인과 같은 특정 물질이 개인에게 신체적, 정서적으로 해로운 영향력을 미친다는 것을 알고 있지만 스스로 조절하지 못하고 반복적이고 강박적으로 사용하는 상태를 뜻한다. 물질중독은 특별히 문제성 물질이나 약물을 치료목적 이외의 방식으로 사용하여, 이를 중단하고 싶어도 중단하지 못하는 상태에 빠진 것이다. 물질중독의 상태에서는 물질 사용 직후나 사용 중에 중추신경계에 대한 물질의 영향 때문에 임상적으로 상당한 행동적, 심리적인 변화, 이를테면 호전성, 정서적 동요, 인지적 손상, 판단 손상, 사회적 · 직업적 기능 손상 등이 나타난다. 이러한 증상들은 일반적인 의학적 문제에 따르는 것이 아니기 때문에 다른 정신장애로 잘 설명되지 않는 특징을 가지고 있다. 따라서 DSM-IV에서는 물질중독을 물질유도성장애의 한 형태로 설명하고 있다. DSM-IV에서 제시하는 물질중독의 진단기준은 다음과 같다. 첫째, 최근의 물질 섭취(또는 노출)로 가역적인 물질 특이적 증후군의 발생, 둘째, 물질이 중추신경계에 작용해서 생긴 임상적으로 심각한 부적응적 행동 변화나 심리적 변화가 물질 사용 또는 사용 직후 발현, 셋째, 증상이 일반적인 의학적 상태에 따른 것이 아니며, 다른 정신장애로 잘 설명되지 않는 것이다.

관련어 | 물질관련장애

미국공인음악치료사
[美國公認音樂治療士, Board Certified Music Therapist, Music Therapist-Board Certified]

미국의 음악치료공인위원회(Certification Board for Music Therapists: CBMT)에서 치르는 국가공인 음악치료사 자격시험을 통과하여 획득할 수 있는 전문음악치료사 자격.
음악치료

MT-BC는 미국음악치료협회(American Music Therapy Association: AMTA)에서 승인한 음악치료 프로그램으로 CBMT에서 실행하는 자격을 얻은 전문음악치료사로 구성된 독립된 인증기관이다. 미국 전역의 70여 개 대학 및 대학교에서 관련 학과를 졸업하고 6개월간의 수습과정을 마치고 나면 CBMT에서 시행하는 MT-BC 시험을 치를 수 있는 자격이 주어진다. 이 시험은 1986년부터 국가자격기관위원회(National Commission Certifying Agencies: NCCA)가 국가공인자격시험으로 인정하였다. 이 시험을 통해서 음악치료사로서 갖추어야 할 지식, 전문가로서 임상에 임했을 때 필요한 기술 및 여러 가지 능력을 검사한다. MT-BC의 목적은 전문가의 수준을 측정할 수 있는 객관적 국가규범을 확립하는 것이다. 미국에서 음악치료사가 되기 위해서는 이 시험을 통과하여 자격을 얻고, 전문가로서의 윤리적 규범을 준수해야 한다. 2011년 현재 MT-BC로 배출된 전문음악치료사는 5,000명이 훨씬 넘었다.

미국교류분석학회
[美國交流分析學會, United States of America Transactional Analysis Association: USATAA]

http://usataa.org 학회

교류분석은 아동의 내부에서 일어나는 'I'm OK-You're OK.' 'Life scripts' 'strokes'와 같은 개인적 성장을 행하는 이론으로, 그들 과거의 한계를 넘게 하고 의사소통을 키워 주며 삶에서의 많은 부분을 향상시키기 때문에 개인과 가족, 학교 등에서 각광을 받고 있다. 이 이론은 에릭 번(Eric Berne)이 창안한 것으로서, 그는 사람들의 행동패턴을 관찰하고 의학적 · 정신분석적으로 연구한 것을 토대로 교류분석을 발전시켜 나갔다. 전문적인 도움을 위한 이 같은 교류분석이론은 인간의 활동을 이해하고 교육의 효과적 방법, 정신요법, 조직적 학습을 제공하기 위해서 많은 관련 분야의 치료사와 교사, 지도자가 노력을 기울이고 있다. 미국교류분석학회(USATAA)는 사람 중심의, 위계적이지 않고 협력적인 진정한 민주주의 형태의 조직을 구성하여 교류분석 철학에 따라 자발적이고, 의식 있고, 책임감 있는 조직을 지켜 나가는 것을 목적으로 기존의 국제교류분석학회(International Transactional Analysis Association: ITAA)에서 나와 좀 더 국가적, 지역적으로 전문화된 서비스가 요구됨에 따라 1982년에 설립되었다. 6개의 지역학회로 구성되어 있는 USATAA의 주요 활동은 매년 2월 첫째 주에 연차 학술대회를 개최하여 친목교류 및 의견과 경험 나누기, 교육자 · 조직 책임자 · 지도자 등 정신건강 관련 종사자에게 교류분석 소개, 교류분석전문가 양성 등이 있다. 학회의 회원은 미국 내 교류분석 이론과 실제를 적용하는 전문가 및 관련 종사자로 구성되어 있으며, 본 학회에서 제공하는 교류분석전문가 과정을 이수하거나 이에 상응하는 업무를 수료하면 자격증을 취득할 수 있다.

미국놀이치료학회
[美國－治療學會, Association for Play Therapy: APT]

www.a4pt.org 학회

놀이는 기쁘고 우리의 마음을 향상시키며 삶 속에서 우리의 전망을 밝게 하는 유쾌한 활동이다. 이는 자기표현의 확장, 자기이해, 자기실현이며 자기효력이다. 놀이는 스트레스와 지루한 감정을 완화해 주고, 사람들의 긍정적인 감정을 결합하여 창조적인 생각과 탐구를 자극하며, 우리의 감정을 조정하고 자아를 격려한다. 또한 우리가 생존에 필요한 기술과 역할을 연습할 수 있도록 해 준다. 아리스토텔레스와 플라톤 등의 위대한 사상가도 놀이가 우리 생활에서 얼마나 중요한 것인지 이야기하였다는 점에서 놀이는 인간의 행복과 복지를 위한 아주 중요한 요소임을 알 수 있다. 20세기 초에 발달하기 시작한 오늘날의 놀이치료는 놀이에서의 많은 부분과 관련이 깊다. 하지만 치료사가 아이들이 가지고 있는 문제를 해결하고 아이들을 다루는 것을 도와준다는 점에서 일반적인 놀이와는 차이가 있다. 놀이치료를 통해서는 다른 사람과의 의사소통을 배우고 감정을 표현하며, 행동을 조절하여 문제해결방법을 발달시키고 다른 사람과 이야기하는 방법에서의 변화를 배우게 되는 것이다. 즉, 놀이는 그들의 문제와 그들의 성장과정에서의 고유한 사고와 느낌에 관한 표현으로부터 안전한 심리학적 거리를 확보해 준다. 훈련된 놀이치료사들은 내담자의 심리사회적 어려움을 결정하거나 최적의 성장과 발달을 이룰 수 있도록 돕기 위해 놀이치료를 활용하는데, 내담자의 대인관계과정을 확립해 주기 위해 여러 가지 이론모델을 사용한다. 이러한 이론을 토대로 미국놀이치료학회(APT)는 놀이, 놀이치료, 그리고 심리사회적 발달의 진전을 목적으로 설립되었다. APT의 주요 활동은 모든 사람의 정신적 건강을 위한 지원 프로그램과 서비스를 장려하며, 놀이와 놀이치료를 평가하고, 조사를 통한 놀이치료의 효과적인 실행, 교육, 훈련, 지지, 인식, 놀이와 놀이치료의 차이점을 유지하며, 발달적 부분과 임무를 만족시키기 위한 견고하고 전문적인 기관이 유지되도록 노력하는 것이다.

미국뉴욕심리학회
[美國－心理學會, New York State Psychological Association: NYSPA]

www.nyspa.org 학회

미래를 이끌어 갈 전문가들의 핵심이 되고, 심리학이 모든 문화영역에서 대변할 수 있다는 것을 확인하기 위하여 다른 전문적인 지역사회 내에서의 일을 통하여 심리학의 전문성 증진과 강화를 위한 목적으로 1985년에 설립되었다. 학회의 전문성 강화를 위하여 대학에서는 심리학, 중독, 성인발달과 노인, 임상심리학, 문화와 민족, 범죄심리학, 집단심리학, 신경심리학, 학교심리학 등으로 구분하여 학문을 발전시키고 있다. NYSPA의 활동으로는 학교, 학회, 산업, 정부나 공동체에서 서비스할 수 있는 창조적인 프로그램을 발전시키고, 대중적이고 전문적인 교육을 향상시키기 위한 자원개발 등이 있다. 또한, 실제적인 보상을 통한 심리학 프로그램의 개발, 승인 등이 있다. 이러한 여러 가지 활동을 수행하기 위하여 위원회를 구성하고 있는데, 여기서는 운영 연구, 참여미팅, 회원발의의 다양한 회의, 대표자 회의, 조례 등이 시행되고 있다. 학회 내 모든 구성원은 동료와의 협력을 통하여 심리학의 입지를 유지하며, 지역사회에 가치 있는 서비스를 제공하기 위해 노력하고 있다.

미국심리학회
[美國心理學會, American Psychological Association: APA]

www.apa.org 학회

심리학은 과학을 기초로 하는 다양한 학문이지만 삶 속에서 끝없이 적용되는 학문이기도 하다. 심리학적 연구는 새로운 지식을 산출하고, 우울증을 다루기 위한 향상된 개입기술을 발전시키거나 인간이 기계와 상호작용하는 방법을 연구하는 부분에서는 학문적 형태가 되지만, 환자나 클라이언트, 학교, 단체를 설정하고, 사법시스템과 전문적인 스포츠에도 적용된다는 점에서 우리의 삶과 아주 밀접한 관련이 있는 권위 있는 학문이라고 할 수 있다. 좀 더 구체적으로 살펴보면, 심리학자들은 일반적이고 병적인 기능과 정신적이거나 감정적으로 문제가 있는 환자를 다루는 것에 대하여 연구한다. 이러한 연구와 더불어 건강과 감정적 탄성을 만드는 행동촉진에 대한 연구도 한다. 이에 미국심리학회(APA)는 가장 과학적이고 전문적인 기구로서, 미국의 심리학을 상징하는 학회다. 사회적 이익을 위한 심리학적 지식의 적용과 사람들의 삶을 향상시키고, 창작이나 의사소통을 조장하고자 하는 목적으로 설립되어 현재까지 발전해 오고 있다. APA는 산하 54개 조직으로 나누어져 있으며, 각 조직에서는 분야별로 여러 가지 활동을 하고 있다. 인간발달의 연구와 더불어 다양한 방법으로 심리학적 적용을 하고 있으며, 심리학적 연구를 증진시키고 연구방법론과 연구결과 분석 및 타당화, 심리학자의 윤리, 행실, 교육 및 업적을 통한 높은 수준의 자질과 유용성을 개선한다. 그리고 모임을 통하여 심리학적 지식을 증가 · 배포하며 전문적 교섭, 보고, 기록, 토론 및 출판물 발행 등의 활동을 하고 있다. APA는 세계에서 가장 많은 심리학자가 속해 있는 학회로서, 교육자, 임상의학자, 컨설턴트, 학생 등으로 구성된 13만 7천 명 이상의 연구자가 포함되어 있다. 회원의 자격을 얻기 위해서는 심리학 관련 박사학위를 가지고 있거나 승인된 기관과 관련이 있어야 하며, 심리학 현장에서 공헌을 한 사람이어야 한다.

미국아동 · 청소년정신의학회
[美國兒童靑少年情神醫學會, American Academy of Child & Adolescent Psychiatry: AACAP]

www.aacap.org 학회

미국에서는 700~1,200만 명의 아이들이 정신적 · 행동적 발달장애로 고통을 받고 있다. 미국아동 · 청소년정신의학회(AACAP)는 이러한 장애를 겪고 있는 아동과 청소년, 그리고 그들의 가족을 지원하여 삶의 질을 개선하는 데 앞장서고 있는 비영리 국립전문의학단체다. 1953년에 설립된 이래 7,500명 이상의 아동 · 청소년 심리치료사 및 관련 분야 의사로 구성되어 정신적 질병에 대한 연구 및 평가, 진단, 치료를 하고 있으며, 아동과 그들 가족의 건강한 발달을 위해 필요한 지침을 제공하고 있다. 또한 정신질환에 대한 오해를 없애고 정확한 이해를 도모하고자 하며, 나아가 이러한 질병을 예방하고, 적절한 치료개입과 서비스를 제공하는 데 노력을 기울이고 있다. 주요 활동으로는 가족의 실태와 국가적 공공정보를 배포하고, 지방 및 국가적 차원에서 아동에게 영향을 미치는 사회경제적 문제에 대해 정부와 접촉하고 교육하며, 과학적 모임과 설립을 통한 질 높은 내용을 토대로 계속적인 의학적 교육을 실시한다. 또한 높은 수준의 케어 문서 시스템과 가이드라인을 실행하며, 조사와 훈련기회 제공 및 촉진과 아동 · 청소년의 정신의학과 관련된 트레이닝 프로그램을 개발하고 끊임없이 리뷰하며, 정신의학과 관련된 아동 · 청소년과 의학 학생들 간의 교제가 이루어지도록 노력하고 있다.

미국오리건상담학회
[美國 – 相談學會, Oregon Psychological Association: OPA]

www.opa.org 학회

현재 살고 있는 세계에 영향을 미치는 지역, 정부, 국가적 문제를 해결하기 위하여 노력을 기울이고 있는 많은 심리학자들을 지지해 주는 미국오리건상담학회(OPA)는 공적인 서비스와 구성원을 통하여 과학적이고 전문적으로 관심을 증진시킬 목적으로 오리건의 심리학자를 중심으로 설립되었다. OPA의 활동으로는 심리학을 장려하기 위한 노력을 하면서, 지속적인 교육 워크숍 개최, 국가를 넘어 지자체, 그리고 회원들의 욕구에 따른 전문적 교육을 위한 회의개최 등이 있다. 또한, 심리학자들과 관련된 사건이나 문제에 대하여 회원들에게 최신 정보를 제공하려는 목적에서 『Oregon Psychologist Bulletin』을 발간한다. 그리고 심리학을 실행하는 데 영향을 미치는 법률제정 지지, 전문적이고 대등한 상호작용 및 네트워킹 기회 창조, 윤리강령을 통한 클라이언트 보호, 회원교육 등을 실시한다.

미국오하이오주도서관협의회
[美國 – 圖書館協議會, hio Library Council: OLC]

www.olc.org 학회

오하이오주도서관협의회(OLC)는 오하이오 주의 공공도서관을 대표할 뿐만 아니라 관재인, 친구, 직원으로서 주를 대표하는 전문학회다. OLC는 MLS나 MLIS 학위를 가진 3명의 도서관 직원으로 구성된 이사회에서 운영하고 있다. OLC의 활동으로는 회원들에게 다양한 프로그램을 제시하여 교육의 기회를 제공하고, 매년 정기총회 실시, 전문적 발달과 관련된 워크숍 개최, 그리고 매년 필요시 회의 개최 등이 있다. 회원은 위원회, 부서 및 지부 활동에 참여하는 자원봉사회원(OLC 관리체제 관련자)과 공공도서관 시스템 관계자, 그 밖에 도서관 제도관리자, 도서관 관련 판매자 및 경영진, 도서관 관재인, 도서관 그룹 후원자, 그리고 도서관 관련 개인회원으로 구성되어 있다. 협회의 가입과 참여는 회원 상호 간의 계획, 조직, 이벤트 등의 관련에 따라 유기적으로 이루어진다.

미국음악치료학회
[美國音樂治療學會, American Music Therapy Association: AMTA]

www.musictherapy.org 기관 학회

음악치료는 물리적 · 감정적 · 인지적 · 개별적인 사회적 욕구에 대한 치료관계에서 사용되는 것으로, 각 내담자의 강점과 욕구를 사정한 후에 자격이 있는 음악치료사가 음악을 하기 위한 생성, 노래, 움직임 등이 포함된 바람직한 치료법을 사용하여 치료를 하는 것이다. 즉, 치료적 관계 안에서 자격을 갖춘 전문가가 음악치료 프로그램을 통하여 내담자의 개별적인 목표를 성취하도록 하기 위해 음악을 사용하는 것이다. 미국음악치료학회(AMTA)는 복직, 특별교육, 집단설정 등에서 음악의 치료적 사용을 통한 점진적 발달을 목적으로 설립되었다. 1950년에 설립된 전국음악치료학회와 1971년에 설립된 미국음악치료학회가 1998년에 통합되어 이후 현재까지 이어져 오고 있다. AMTA의 정책은 7개 지역의 회의를 통하여 선출된 대표자 회의에서 만들어지는데, 지역을 대표하는 이들 14명의 위원은 다양한 활동을 펼치고 있다. 구체적으로 살펴보면 학술 프로그램의 승인, 인턴십 인가, 유지교육, 기관과의 관계유지, 연구, 커뮤니케이션과 과학기술, 관계합병, 국제관계, 전문적 지원 등이다. 회원은 전문직 종사자, 학생, 비활동자, 퇴직자, 계열사 등의 총 9개 범주로 구성되어 있다. 관련 자격증은 전국 음악치료자격증교부심사기관인 CBMT(Certification Board for Music Therapists)에서 증명하는 음악치료사 자격증이 있다. 이는 개별적인 기술과 지식, 전문가적 음악치료 업무에서의 능력 등을 시험하여 측정하며, 전국 음악치료 자격시험에 합격한 사람은 자격인증서와 음악치료사 증명서, 음악치료사 자격증을 부여받는다.

미국장애인교육법
[美國障礙人敎育法, the individuals with disabilities education act: IDEA]

1975년 미국 의회에서 제정된 「전장애아 교육법(Education for All Handicapped Children Act: EHA)」인 공법(Public Law) 94-142를 1990년에 개정한 법률. 특수아상담

「미국장애인교육법」(PL 94-142)은 1975년 제정된 이후 미국뿐만 아니라 세계 여러 나라의 특수교육에 영향을 주었다. 처음 이름은 「장애아동교육법」이었지만 1990년 개정을 통하여 IDEA로 이름을 바꾸었다. 가장 최근의 수정법은 2004년 미 연방의회에서 개정·통과되면서 미국 「장애인 교육 향상법(Individuals with Disabilities Education Enhancement Act)」으로 개명되었는데, 일반적으로 IDEA 2004로 불린다. 이 법은 2005년부터 효력을 발생했고, 2006년 연방교육부는 시행령을 발표하였다. IDEA에서는 모든 장애 아동에게 적절한 교육을 제공하기 위한 주요 원리를 제시하고 있다. 첫째, 교육적 배치에서 아동 배제 금지, 둘째, 평가절차상의 보호(비차별적 판별과 평가), 셋째, 무상의 적절한 공교육 제공, 넷째, 최소로 제한된 교육환경에 배치, 다섯째, 적법절차에 따른 장애 아동과 부모의 권리보호, 여섯째, 교육 프로그램 결정 시 부모의 참여로 공동 의사결정의 여섯 가지다.

미국정신의학회
[美國情神醫學會, American Psychiatric Association: APA]

www.psychiatry.org 기관

현대사회의 사람들은 공황발작, 섬뜩한 망상, 자살충동, 환청 같은 문제를 갑작스럽게 겪는다. 그뿐만 아니라 우울한 감정, 무능함, 모든 삶이 왜곡되고 제어할 수 없는 걱정스러운 마음과 같이 지속적인 문제도 겪는다. 이러한 정신적 혼란과 더불어 개인 및 그들의 가족을 위한 양질의 보살핌을 장려하고, 정신의학적 교육과 연구를 목적으로 1844년에 미국정신의학회(APA)가 설립되었다. APA는 세계 최대 규모의 정신과 단체로서, 미국에서 전 세계 3만 8천 개 이상의 정신과 의사를 대표하는 의료전문기관이다. 학회의 활동은 여러 가지 삶에서의 문제에 대해 정신요법, 약물치료, 그 외 여러 가지 방법을 사용하여 환자를 치료하는 데 힘쓰고 있으며, 정신적 혼란과 더불어 모든 사람을 위한 효과적 치료와 인간을 안전하게 돌보는 데 노력하는 것이다. 또한 지적장애, 물질관련장애 등의 정신질환 및 모든 사람을 위한 인도적인 관심과 효과적인 치료를 보장하기 위해서

도 노력하고 있다. 그리고 정신의학의 전문성을 향상시키고자 하며, 회원들의 전문적인 욕구를 충족해 주기 위한 활동을 한다. APA의 회원은 정신과 의사 혹은 정신과 의사 과정에 있는 사람들로, 심리학적 혼란의 신체적 상태와 마음을 평가하는 자격을 갖춘 이들로 구성되어 있다. 이들은 의학 학교를 마치고 4년 이상의 정신의학에 관한 트레이닝을 받았다. 회원들은 클리닉, 일반 병원과 정신의학병원, 대학교 의학센터, 지역사회, 교도소, 제조업체, 군대, 학교 및 대학, 사회 재활 프로그램, 응급실, 호스피스 등 매우 다양한 장소에서 일하고 있다.

미국직업사전
[美國職業辭典, Dictionary of Occupational Titles: DOT]

미국에서 발간된 모든 직업을 분류하여 설명해 놓은 책. 진로상담

미국에서 1939년에 처음 발간되어 1949년에 2판, 1965년에 3판, 1977년에 4판, 1991년에 4판 증보판을 끝으로 출간되었으며, 이후에는 인터넷으로 이용할 수 있는 O'NET의 직업정보시스템으로 전환하였다. 제4판 미국직업사전은 총 7만 5천 개의 직무를 분석한 자료를 근거로 직업을 분류했는데, 아홉 자리의 직업코드로 제시되어 있다. 직업코드는 대분류, 중분류, 소분류, 자료, 사람, 사물, 세 자리로 된 일련번호로 구성되어 있다. 우선 직업분류는 대분류, 중분류, 소분류로 구분했는데, 대분류는 총 9개 영역으로 구분된다. 숫자 0/1은 전문 기술 및 관리직, 2는 사무 및 판매직, 3은 서비스직, 4는 농업·어업·임업 및 이와 관련된 직업, 5는 가공 처리직, 6은 기계 기술직, 7은 정밀 조립직, 8은 구조 설비직, 9는 기타직이다. 그리고 자료의 숫자 0은 종합, 1은 조정, 2는 분석, 3은 수집, 4는 계산, 5는 정서(copying), 6은 비교다. 사람의 0은 지도, 1은 협의, 2는 지시, 3은 감독, 4는 기분 전환, 5는 설득, 6은 대화 및 신호, 7은 섬김, 8은 보조-지시받기다. 사물의 0은 조립, 1은 정밀 작업, 2는 조작 및 제어, 3은 운전 및 조작, 4는 조정, 5는 손질, 6은 투입 및 이송, 7은 취급이다. 이러한 자료, 사람, 사물을 나타내는 숫자는 활동과 이 요인들 간의 관련성을 제시해 주며 숫자가 낮을수록 활동과 요인 간 관계가 복잡하고 고차원적인 활동을 요구한다는 뜻이다. 미국직업사전은 홀랜드(Holland) 직업사전, 적성검사, 검사도구, 노동부 간행물과 같이 미국 사회의 직업정보를 제공하는 모든 출판물 및 컴퓨터 소프트웨어 등과 서로서로 참조가 가능하도록 구성되어 있으며, 이는 이 사전의 큰 장점이라 할 수 있다.

관련어 | 미국직업정보네트워크, 한국직업사전

미국직업정보네트워크
[美國職業情報 -, occupational information net: O'NET]

미국직업사전을 대신하여 인터넷으로 이용할 수 있는 미국의 새로운 직업 분류에 관한 직업정보시스템. 진로상담

이 시스템은 1만 1천여 개의 대표 직종을 대상으로 작업의 특성, 직무에 필요한 자격요건, 작업을 수행하기 위한 지식, 능력, 기술, 교육, 훈련 등에 관한 정보, 임금과 고용에 관한 노동시장정보 등을 제공하여 미국의 고용안정과 인적 자원 개발에 중요한 역할을 한다. 작업의 특성은 근로자 특성, 근로자 요건, 경험 요건, 직업 요건, 직업-특수 정보, 직업 특성 등 여섯 가지 영역으로 구성된 O'NET의 내용모형으로 기술되어 있다. 근로자 특성은 일을 효율적으로 수행하는 데 필요한 지식이나 능력 및 작업 수행에 영향을 미치는 특성을 말하며 주로 직업흥미, 직업가치, 직업스타일 등이 있다. 근로자 요건은 경험과 교육으로 획득하거나 발달하는 직업과 관련된 특성을 말하며 지식, 교육, 기초 기술, 다기능적 기술 등이 있다. 경험요건은 이전의 작업 활동

과 관련된 요건으로서 경험과 훈련, 매우 빨리 지식을 획득하거나 학습하는 능력을 발달시키는 요건으로서 기본 기술, 여러 가지 작업활동을 촉진하는 능력을 발달시키는 요건의 다기능적 기술, 자격증 등이 있다. 직업요건은 다양한 직업에서 요구하는 세부적인 요소와 포괄적인 변인들을 말하며 일반적인 작업활동, 세분화된 작업활동, 조직환경 등이 있다. 직업-특수 정보는 특정 직업과 관련된 정보를 말하며 직업-특수 과제, 최적의 작업에 도움이 되는 기계, 장치, 도구, 소프트웨어, 정보기술 등의 도구와 기술이 있다. 직업 특성은 직업을 선택하는 데 영향을 미치는 직업의 전반적인 특성을 말하며 노동시장정보, 직업전망, 임금 등에 관한 정보를 말한다.

관련어 | 미국직업사전

미국창조예술치료학회
[美國創造藝術治療學會, National Coalition of Creative Arts Therapies Associations: NCCATA]

www.nccata.org 학회

창조적 예술치료는 미술치료, 춤/동작 치료, 드라마 치료, 음악치료, 문학치료, 사이코드라마의 여섯 가지 영역이 포함된 것으로, 각 매체는 각기 나름대로의 특수성을 지니고 있지만 이들은 공동 목표를 가진 채 교류하고 있다. 이는 고전적 심리치료의 기법을 넘어서 창조적인 예술치료를 통하여 내담자가 자신의 욕구를 스스로 잘 표현할 수 있도록 만드는 것이다. 이에 미국창조예술치료학회(NCCATA)는 치료적 양상으로 예술을 발전시키려는 목적으로 1979년 설립된 후 현재까지 발전해 오고 있다. 지난 50년간 미술, 춤/동작, 드라마, 음악, 문학, 사이코드라마 치료는 다양한 치료적 장면과 학교 등에서 모든 사람이 의미 있는 치료경험을 하는 데 공헌하고 있다. NCCATA는 창조적 예술치료 활동을 통하여 심리치료, 중독치료, 지역사회 또는 교육장면에서 계획적으로 중재되어 사람들이 자기인식을 촉진하도록 하며, 스스로를 통합하여 성장할 수 있도록 도와준다. 또한 각각의 분야에서 고유의 전문가 양성 프로그램을 시행함으로써 학문을 연구하고, 학술대회 개최 및 학술지 발간 활동을 하고 있다. NCCATA의 회원은 1만 5천 명 이상으로 여섯 가지 예술치료 분야에서 노력하고 있다.

미네소타 관점
[-觀點, minnesota point of view]

진로선택을 위하여 개인에 관한 여러 가지 경험적 자료의 사용을 강조하는 미네소타 고용안정연구소의 견해로서 진로상담의 특성-요인 이론. 진로상담

미국 미네소타대학교의 패터슨, 달리와 윌리엄슨(Patterson, Darley, & Williamson) 등은 진로선택에 개인분석과 직업분석의 과학적 검증방법을 적용할 것을 강조하였다. 즉, 개인의 지능, 성격, 흥미, 가치관 등의 특성과 개별적이고 독특한 특질을 형성하는 잠재적 특성의 집합체를 조화시켜야 만족스럽고 생산적인 진로를 선택할 수 있다. 이러한 진로선택의 특성요인이론을 흔히 미네소타 관점이라고 부르며, 그들의 노력으로 1977년 미국직업사전이 출판되었다.

관련어 | 개인-환경일치이론, 특성요인진로상담

미니각본
[-脚本, miniscript]

몇 초에서 몇 분 내에 일어나는 일련의 각본 행동, 감정 및 신념. 교류분석

캘러(Kahler, 1978)는 사람들의 말, 어조, 몸짓, 자세, 얼굴표정 등을 자세히 살펴본 결과 특정 각본행동이나 감정에 빠져들기 전에 일관성 있게 드러

나는 일단의 행동이 있다는 사실을 발견하였다. 이러한 순간순간 드러나는 다섯 가지 행동을 '드라이버(driver)'라 하며, 이 드라이버 행동은 '미니각본'이라는 광범위한 유형의 한 부분이다. 미니각본은 하나의 드라이버 행동으로 시작되고, 짧은 시간 내에 전체 인생각본의 과정을 재연한다. 미니각본을 드러낼 때마다 각본과정이 강화되고, 미니각본 유형에서 벗어날 때마다 각본과정에서 벗어날 수 있다. 자신의 드라이버 유형을 관찰함으로써 자신이 어떤 각본과정을 따르고 있는지 예측할 수 있다. '완벽하게 하라(be perfect).' '기쁘게 하라(please others).' '열심히 하라(try hard).' '강해져라(be strong).' '서둘러라(hurry up).'라는(Stewart & Joines, 2010) 다섯 가지 드라이버 행동을 탐지하는 방법을 배우면, 짧은 순간에도 상대방에 대해 많은 것을 알 수 있다.

관련어 드라이버

미라담배
[-, mummy cigarette]

담배나 마리화나(대마초)를 시체방부용액에 적셨다가 말린 것.
중독상담

보다 강력한 환각효과를 지닌 미라담배를 제조하기 위해서 포름알데히드가 주성분이고 메탄올과 에탄올 등이 섞인 일반적인 시체방부용액에 펜사이클리딘을 첨가하기도 한다. 미라담배의 환각효과는 6시간에서 길게는 사흘까지 지속되는데, 남용할 경우에는 환각은 물론 발작, 기억상실, 뇌졸중, 편집증, 신장병, 혼수상태를 야기하며, 때로는 옷을 벗어버리는 노출증과 고기를 거부하는 거식증이 나타나기도 한다. 속칭 웨트(wet), 프라이(fry) 등으로 불린다. 주로 미국의 10대와 20대를 중심으로 널리 확산되고 있는데, 루이지애나 주와 뉴욕 주에서는 미라담배 제조용 방부액 절도사건이 발생할 정도다.

관련어 담배, 환각제

미래투사기법
[未來投射技法, future projection technique]

주인공의 목표를 명료화하기 위하여 사용되는 기법으로, 자신의 미래 상황을 상상의 세계 속에서 현실로 경험하는 것.
사이코드라마

사이코드라마에서 주인공의 미래와 그 행위의 가능성을 탐색하고, 그것을 현실과 마주하게 함으로써 자신의 문제를 보다 현실적으로 바라보고 미래를 대비할 수 있도록 하는 데 매우 효과적인 기법이다. 또한 불안하고 두려운 미래를 미리 경험해 봄으로써 불안이나 두려움이 현실 속에서 무엇과 관련되어 있는지 미리 탐색할 수 있다. 그러한 과정을 통하여 이전에는 파악하지 못했던 상황의 여러 차원이 드러나면서, 주인공은 자신의 동기를 더욱 잘 이해할 수 있게 된다. 이 기법은 미래상황을 말로 하는 대신에 주인공의 미래가 지금-여기서 일어나고 있는 것처럼 연출하여 주인공이 그 상황에 몰두할 수 있도록 해 주는 것이다. 그런 만큼 이 기법을 사용하기 위해서는 준비작업을 충분하게 해야 한다. 현재를 살고 있는 주인공과 관객들에게 갑자기 주어진 미래시점의 사건은 생소할 수 있기 때문에 시간을 점진적으로 진행시키는 것이 좋다. 예를 들어, 미래의 일에 현시점으로부터 서서히 도달하도록 하고, 먼 시점으로의 여행에서는 과거부터 현재를 거쳐 미래를 순차적으로 상상할 수 있는 분위기를 만들어 자연스럽게 감정이 흘러갈 수 있도록 해야 한다. 이러한 미래투사기법은 사이코드라마의 진행에서 극의 마지막 부분, 즉 주인공이 충분히 몰입상태가 되었을 때 사용하는 경우가 많다. 이 단계에서 주인공은 자연스럽게 미래세계로 나아갈 수 있고, 더불어 이를 통해 얻게 된 행동통찰력이나 수정된 행동양식을 확인하고 시험해 볼 수 있기 때문이다. 두려워하는 결과나 현실, 예기불안이 일어나는 상황, 미래 상황을 처리할 수 있는 능력, 즉 역할 훈련이나 태도 및 그 결과에 대한 상황테스트를 통해 미래에 다가올 사건, 상황에 대해 연습하거나 훈련한다.

관련어 | 사이코드라마, 예기불안

미세뇌기능장애
[微細腦機能障礙, minimal brain dysfunction]

뇌신경이나 정신적 장애가 의심되지만 뚜렷하지 않으면서도 정신적 문제를 나타내는 증세로 공격적이고, 성미가 급하고, 규칙을 지키지 않고, 부주의하고, 충동적이고, 과잉 활동적인 특징을 갖는 도덕적 통제력에 결함이 있는 장애. 특수아상담

미국에서는 1917~1918년 당시 유행하던 뇌염을 앓고 난 사람들이 현재의 ADHD와 비슷한 행동문제를 보이는 것으로 밝혀지면서 이에 대한 관심을 갖기 시작했는데, 그 외에도 출생 시의 외상, 머리 외상, 독소에 대한 노출과 감염 등으로 이러한 임상 양상이 나타난다는 사실이 발견되면서(Barkley, 1990) 이 개념은 미세 뇌 손상(minimal brain damage)으로 발전하였다. 클레먼츠(Clements, 1966)는 뇌 손상은 정도가 심한 경우부터 경미한 경우까지 연속성을 갖는데, 뇌성마비나 전간과 같은 확실한 뇌 손상이 있는 심각한 경우와는 달리 학습행동에 지장을 주는 뇌 손상은 매우 경미하다고 주장하였다. 이를 '미세뇌기능장애'라고 칭하고, 보통에 가까운 지능을 가지면서 중추신경계의 이상으로 학습이나 행동에 장애가 있는 아동을 가리켰다. 1963년 커크(Kirk)가 학부모와 전문가들의 모임에서 '학습장애'라는 용어를 처음 제안했을 때, 이는 즉시 전폭적인 지지를 받았고 이후 지금까지 널리 통용되고 있다. 하지만 대뇌 외상의 직접적인 증거가 없는 경우가 많아서 차후에는 미세뇌기능장애, 미세대뇌기능 장애(minimal cerebral dysfunction)로 변경하여 명명되기도 하였다.

관련어 | 학습장애

미술매체
[美術媒體, art medium]

미술활동에 사용되는 모든 재료. 미술치료

미술로 표현하는 수단이나 수단에 사용되는 모든 재료를 총칭한다. 다시 말해, 미술매체는 미술활동, 즉 그리기, 채색하기, 만들기 등에 사용되는 재료를 말하는 것이다. 각각의 미술매체는 고유한 특성을 지니고 있다. 그런 만큼 미술치료에서 어떤 재료를 사용하는가는 매우 중요한 문제다. 내담자가 어떤 재료를 선택하고 선호하는가에 대한 문제는 미술치료에서 중요한 단서가 되기 때문이다. 미술치료사가 매체를 선택할 때에는 내담자의 과거경험, 상태, 증상, 연령, 배경 등을 고려해야 한다. 아동이나 청소년의 경우에는 발달수준, 조정능력, 개인적 관심, 욕구 등을 생각해야 하며, 특히 촉진과 통제를 고려해야 한다. 미술활동에서 내담자의 자발성을 촉진하기 위해서는 충분한 작업공간과 함께 다양한 색상과 넉넉한 크기의 종이와 점토 등이 제공되어야 한다. 그러나 지나치게 도구가 많으면 내담자가 질려 버릴 수도 있고, 잘 찢어지는 신문지나 잘 부서지는 분필은 내담자에게 좌절을 유발할 수도 있다. 또 내담자에 따라 연필은 쉽게 다룰 수 있는 도구인 반면, 물감이나 점토는 다루기 어려운 도구일 수도 있다. 그리고 물감을 마음대로 칠하도록 하는 것이 억압이 심한 내담자에게 활기를 불어넣을 수도 있지만, 반면에 겁에 질리게 할 수도 있다. 따라서 치료자는 미술매체의 특성과 사용법 등에 관하여 지식과 경험을 풍부하게 갖추어야 한다. 치료자는 미술매체의 특성을 충분히 인지하고, 그 지식을 가지고 내담자의 요구와 치료적 상황에 민감하게 반응할

줄 알아야 한다. 다시 말해, 치료자는 미술 재료의 크기와 특성뿐만 아니라, 매체에 따라 달리 도출될 수 있는 효과를 충분히 고려하여 내담자에게 가장 효과적인 미술치료가 될 수 있도록 적합한 미술재료를 선택해야 하는 것이다.

관련어 | 미술치료

미술치료
[美術治療, art therapy]

그림이나 점토 세공과 같은 회화나 조형 활동을 심리치료나 재활치료에 적용하는 조력활동. 미술치료

예술의 창조적 과정, 상징화, 미디어 등을 심리적 어려움을 해결하도록 조력하는 활동에 적용하는 심리치료적 접근법이다. 미술의 치료적 활동은 1940년대 영국의 힐(A. Hill)이 결핵환자에게 그림을 그리게 한 논문이 발표되면서 알려지게 되었고, '미술치료'라는 용어는 1961년 『Bulletin of Art Therapy』의 창간호에서 편집자인 울만(Ulman)이 처음으로 사용하였다. 그는 미술치료를 '시각적 미술의 수단을 사용해서 성격통합 혹은 재통합을 원조하는 시도'로 정의하였다. 미술활동은 개인의 무의식을 의식화하여 개인의 갈등을 조정하고, 동시에 자기표현과 승화작용을 통하여 자아성장을 촉진시킨다. 또한 개인의 내적 세계와 외적 세계의 조화를 도모할 수 있게 만들어 준다. 미술치료는 비언어적 소통방법으로서, 언어성 이미지와 시각적 이미지를 통하여 자신의 상실, 왜곡, 방어, 억제 등의 상황에서 보다 명확한 자기동일시와 자기실현을 촉진할 수 있다. 미술치료의 장점은 다음과 같다. 첫째, 미술치료는 이미지를 사용하여 시각화함으로써 자신의 무의식적 갈등을 객관적으로 이해할 수 있다. 둘째, 미술치료는 비언어적이며 감각적인 재료를 사용함으로써 아동의 신체적, 인지적, 정서적 발달을 촉진한다. 셋째, 미술활동이 대부분 긴장이나 불안을 감소시키는 기능을 함으로써 상담자나 교사와 같은 권위적 인물에 대한 방어나 심리상담에 대한 내담자의 저항을 완화시킨다. 넷째, 미술치료는 작품을 통하여 자신을 객관화하고 대상화할 수 있다. 다섯째, 미술치료는 전이의 해소가 보다 용이하다. 여섯째, 미술활동에 따른 결과물은 지속적이고 보존이 가능하기 때문에 치료와 변화의 순간을 지켜 준다. 이와 더불어 최근에는 뇌 과학과 연계하여 미술치료의 장점을 검증하고자 하는 연구들이 발표되고 있으며, 감각적 재료를 사용하는 것이 개인의 감정, 느낌, 정서에 직접적으로 영향을 준다는 결과가 보고되고 있어 미술치료의 장점들이 객관적으로 검증되고 있다. 미술치료에 관한 견해는 미술과 치료 중 어디에 중점을 두는가에 따라 이미지를 통한 통찰을 중시하는 입장과 미술창작과정을 중시하는 입장으로 나누어진다. 전자는 치료에 중점을 두고 치료에서의 미술(art in therapy)을 주장하는 나움부르크(Naumburg)의 입장이며, 후자는 미술에 중점을 두고 치료로서의 미술(art as therapy)을 주장하는 크레이머(Kramer)의 입장이다. 한편으로 양자의 견해를 통합하면서 치료와 창조성(therapy and creativity)을 중시하는 울만(Ulman)의 입장이 있다. 울만의 통합적 입장에서는 미술과 치료라는 양자를 모두 중요시한다. 그는 미술의 제작과정은 가장 광범위한 인간능력을 필요로 하는 것으로서 충동과 통제, 공격과 사랑, 환상과 실제, 의식과 무의식 등 갈등적 요소의 통합이 필요하다고 보았다. 미술의 통합적 특징은 성격 내에서 반대하는 힘들을 단합시키거나, 개인과 외부세계의 욕구를 화해시키는 것이다. 요컨대 미술치료는 미술이라는 수단을 이용하여 인격의 통합 혹은 재통합을 돕는 것이며, 이것은 교육, 재활, 정신치료 등 다양한 분야에서 널리 사용되고 있다. 이와 같은 미술치료는 대상과 방식 및 치료적 강조점에 따라 다양하게 구분된다. 첫째, 치료를 받는 대상에 따라 미술치료는 아동 미술치료, 성인 미술치료, 가족 미술치료로 나뉜다. 둘째,

치료를 실시하는 방식에 따라 개인 미술치료와 집단 미술치료로 나뉜다. 셋째, 치료적 강조점에 따라 나움부르크의 정신을 계승한 표현 미술치료와 크레이머의 정신을 계승한 창조적 미술치료로 나뉘며, 전자에서는 미술을 통하여 나타나는 내면의 상태와 그것을 이해하는 과정을 중시하고, 후자에서는 승화와 창조성을 주된 치료기제로 활용한다. 우리나라에서는 미술치료를 한국미술치료학회와 음악치료를 포함하는 한국예술치료학회가 각각 독자적으로 활동하고 있다.

관련어 | 치료로서의 미술

미술활동
[美術活動, artistic activities]

메이저링(Meijering)이 제안한 치료적 미술활동. 미술치료

정신과 병동에 있는 만성환자를 대상으로 놀이적 미술활동을 하는 것을 뜻한다. 정통창조적치료와 달리, 돕는 사람의 역할이 훨씬 더 직접적이고 구체적이며, 때로는 지시적이다. 미술활동으로 분류된 치료법에서는 환자로 하여금 무엇인가를 표출하도록 돕는다거나 공상을 작품으로 통합하도록 돕는 것보다는 환자들의 현재 상태를 유지하도록 지지하는 데 가깝다. 이러한 활동은 덮어두기 기능(covering function)이 있다.

정통창조적치료 [正統創造的治療, creative therapy proper] 메이저링이 구분한 치료적 미술활동의 유형으로서, 이는 예술분야에 정통한 전문가들이 내담자가 예술적인 창조행위를 할 수 있도록 도와주는 것이다. 미술치료사의 경우 미술활동에서의 미술의 재료와 사용방법에 대한 전문적인 기술과 능력을 확보하여, 내담자가 원하는 것을 표현할 수 있도록 도와줄 능력이 있어야 한다는 뜻이다. 그리고 정통창조적치료에서는 내담자의 작품에 대한 해석보다 내담자가 자신의 공상을 표현하는 것을 도와주는 것이 더 우선시된다. 다시 말해, 정통창조적치료에서는 표현된 내용보다 표현방법을 더 중요시하며, 여기에는 통합기능(integration function)이 있다.

미시간 알코올리즘 선별 검사
[-選別檢査, Michigan Alcoholism Screen Test: MAST]

알코올 의존을 선별하는 검사. 심리검사

MAST는 높은 타당도와 신뢰도로 세계적으로 가장 널리 사용되고 있는 알코올중독 선별 검사다. 총 25문항으로 이루어져 있으며, 자가테스트진단도 가능하도록 고안되어 있다. 알코올 의존과 관련된 진술문에 대해 '예' 또는 '아니요'로 대답하면 된다. 진술문항이 소비된 주정의 양이나 심리적 요인보다는 행동을 다루고 있어서 주정 중독 선별 검사로 많이 사용된다. MAST는 SMAST와 BMAST의 2개의 단축형이 있다. 국내에는 김경빈, 한광수, 이정국 등(1991)

Alcoholism (MAST) Assessment

WebCalcSolutions.com

Title

Read each question carefully and completely. Take as much time as you need to reflect on each question. This tool is of no help to you if you refuse to answer each question honestly. Answers are completely confidential. No personal information is requested and your answers are not saved. Remember, if you cheat, you're only cheating yourself.

○Yes ○No 1. Do you feel you drink **more** than most other people?
○Yes ○No 2. Have you ever awakened the morning after drinking and could not remember part of the evening before?
○Yes ○No 3. Does your partner or parents worry or complain about your drinking?
○Yes ○No 4. Do you struggle to stop after 1 or 2 drinks?
○Yes ○No 5. Do you ever feel bad or guilty about your drinking?
○Yes ○No 6. Do friends and relatives feel you drink **more** than most other people?
○Yes ○No 7. Do you ever try to limit drinking to a certain time of day or certain places?
○Yes ○No 8. Have you ever tried to stop drinking but were not able to do so?
○Yes ○No 9. Have you ever attended an Alcoholics Annymous (AA) meeting for your own drinking?
○Yes ○No 10. Have you gotten into fights while drinking?
○Yes ○No 11. Has drinking ever created problems between you and your partner or parents?
○Yes ○No 12. Has your partner or family ever sought help about your drinking?
○Yes ○No 13. Have you ever lost friends because of your drinking?
○Yes ○No 14. Have you ever gotten in trouble at work because of drinking?
○Yes ○No 15. Have you ever lost a job because of drinking?
○Yes ○No 16. Have you ever neglected obligations, family, or work for 2 or more days in a row because of drinking?
○Yes ○No 17. Do you often drink before noon (or your lunch time)?
○Yes ○No 18. Have you ever been diagnosed with liver trouble or cirrhosis?
○Yes ○No 19. Have you ever had Delerium Tremens (DTs), severe shakes, heard voices or seen things that weren't real after heavy drinking?
○Yes ○No 20. Have you ever sought help for your drinking?
○Yes ○No 21. Have you ever been hospitalized because of drinking?
○Yes ○No 22. Have you ever been admitted to a psychiatric ward because of drinking?
○Yes ○No 23. Have you ever sought help from a mental health clinic or professional, social worker, or clergy for emotional problems caused by drinking?
○Yes ○No 24. Have you ever been arrested or ticketed for drunk driving (DUI or DWI) or driving after drinking?
○Yes ○No 25. Have you ever been arrested, even for a brief time, for other drunken behavior?

Total 'Yes' 0 (out of 25 possible)

Interpretation **You are at low risk for alcoholism. Contact your doctor if you are still concerned that you may have an alcohol problem.**

[illegible]

이 우리나라 실정에 맞게 개발하였다. 총 12문항으로 이루어져 있으며, '그렇다'가 4개 이상 혹은 가중치 적용 점수가 11점 이상이면 입원 치료가 필요한 알코올중독 상태라고 해석한다.

관련어 | 중독

미시감
[未視感, jamais vu]

전에 알고 있던 것들이 갑자기 생소하게 느껴지는 것. 정신병리

기억장애(disorders of memory)의 하나로 낯선 것을 마치 과거에 본 것 같이 느끼는 기시감(déjà vu)의 반대현상이다.

관련어 | 기시감

미시적 상담 수퍼비전 모델
[微視的相談 –, micro-counseling supervision model]

상담과정과 기본적인 원리에 초점을 맞추고, 상담수련생에게 의사소통기술을 가르치는 것을 목표로 하는 수퍼비전 모델. 상담 수퍼비전

이 모델은 주로 행동주의적 접근방식을 수퍼비전의 개입방법으로 사용한다. 수퍼바이저는 마치 교사가 학생에게 가르치는 것처럼 학생이 배워야 할 것에 대해 시범을 보이고, 학습이론을 사용하여 상담기술을 훈련시킨다. 훈련은 상담 테이프 듣기, 사례발표 분석, 비디오테이프 분석, 상담현장 직접 개입 등을 통해 피드백을 주고받는 형태로 이루어진다. 미시적 상담 수퍼비전 모델에서 상담수련생에게 상담기술을 훈련시키기 위한 기본 원칙은 다음과 같다. 첫째, 수련생에게 한 번에 한 가지 기술을 차근차근 가르쳐서 점차 그것들을 통합하여 습득할 수 있도록 도와준다. 둘째, 관찰학습과 같은 모델링 기법을 사용하여 수련생의 잘못된 기법을 교정해 준다. 셋째, 다양한 방법과 연습을 통해 수련생이 습득한 기술을 실행해 볼 수 있는 기회를 제공한다. 이러한 상담기술 훈련모델의 장점은 단기간에 상담 수련생이 기본적인 상담기술을 습득하고 향상이 가능하다는 것인데, 그 기술이 얼마나 수련생 자신의 것으로 체화되는가에 대해서는 의문이 제기되고 있다.

미해결 과제
[未解決課題, unfinished work]

자신의 욕구나 감정을 게슈탈트로 형성하지 못했거나, 형성된 게슈탈트가 어떤 요소의 방해로 해소되지 못하여 배경으로 사라지지 못한 것. 게슈탈트

사람들이 자신의 욕구를 충족하기 위해 알아차림의 주기에 따라 편안하고 자발적으로 움직이지 않는다면 그 욕구는 미해결된 상태로 남는다. 어린 시절의 에피소드나 중요한 욕구가 충족되지 않은 채 남아 있으면 생리적으로나 심리적으로 적절하게 자신의 주기를 완결시키지 못한다. 이러한 미해결 과제는 해결되지 못한 욕구 때문에 계속해서 전경으로 떠오르려고 하여 또 다른 전경과 배경의 순환과정이 원활하지 못하게 만들고, 선명한 게슈탈트 형성을 방해하는 요인이 된다. 미해결 과제를 해소하기 위한 욕구의 에너지와 심리적 자원은 미해결 상황 속에서 억압되어 짜증, 분노, 의심, 두려움의 감정 등으로 나타나는데, 이것을 해소하거나 그냥 놓아 버림을 수용하는 것으로 해결해야 한다. 펄스(Perls)는 미해결 과제의 해소를 위해서는 개체가 단지 회피하는 것이 아니라 지금-여기를 알아차리는 것으로 가능하다고 하였다.

관련어 | 게슈탈트 심리치료, 고정된 게슈탈트, 나는 ~이 화가 난다, 알아차림

미혼모
[未婚母, unmarried mother]

합법적이고 정당한 결혼절차 없이 아기를 임신 중이거나 출산한 여성. 성상담

혼인하지 않은 상태에서 여성과 남성의 성교로 혹은 강간과 같은 성폭력 등으로 임신한 여성을 뜻한다. 법률상으로는 미혼모를 정당한 혼인관계에 의하지 않은 성관계를 통해서 자녀를 분만한 여성으로 정의한다. 하지만 우리나라에서는 미혼모라는 용어 자체에 도덕적 · 사회적 편견이 들어가 친모가 양육을 포기하는 경우가 많다. 2000년 이후 저출산 문제가 심각하게 대두되면서 해외로 입양되던 많은 미혼모의 아이들에 대한 국내 입양이 추진되고, 이에 따라 미혼모에 관한 국내 사회적 인식도 조금씩 바뀌는 추세에 있다. 또한 결혼문화가 변화하고 시대상황이 바뀌면서 자발적 미혼모도 증가하고 있다. 국가에서도 「한부모가족지원법」 등을 마련하여 미혼모가 직접 아이를 양육할 수 있는 방법을 모색하고 있다. 미혼모의 특성을 보면 고연령화, 고학력화, 다양한 직업, 미혼모와 미혼부와의 관계변화, 자녀 직접 양육의 증가 등의 변화를 보이고 있다. 이는 현대에 올수록 자발성 미혼모가 늘고 있다는 근거 자료가 된다. 미혼모는 성과 관련된 중요 사회문제이며, 특히 10대가 미혼모가 되었을 때의 문제는 더욱 심각해진다. 성장과정 중에 있는 모체의 손실뿐만 아니라 정신적으로도 미숙한 10대는 자립 능력까지 부족하여 아이 양육문제도 야기하게 된다.

민속방법론
[民俗方法論, ethnomethodology]

미국 사회학자 가핑클(H. Garfinkel)이 만든 용어로, 일상생활 속에서 사회구성원들이 공유하는 사회적 행위방식이나 사회적 행위의 해석방법에 관한 연구. 다문화상담

현상학이나 변형생성문법, 일상 언어학파(日常言語學派)의 철학에서 영향을 받은 이론이다. 사회학의 이론이나 논리를 통해서 인간의 행동을 이해하고 설명하는 대신에, 그 행동의 주체인 행위자들이 자신의 행동을 어떻게 이해하고 설명하는지, 그리고 그 행위의 합리성을 어떻게 판단하는지에 대한 연구를 하고자 한다. 즉, 사회학의 거시적인 이론들이 설명하지 못하는 사회구성원들 사이의 다양한 상호작용 속에서 발생하는 행위와 언어에 대한 의미, 이에 대한 합리적인 평가, 그리고 이러한 현상들이 어떻게 유지되는가에 대한 경험적이고 체계적인 질적 연구방법이다. 가핑클은 민속학의 연구가 사람들의 실제 사고나 행위방식을 연구한다는 것에 영감을 얻어 자신의 연구방법론을 민속방법론이라고 명명하였다. 이처럼 민속방법론은 사회 구성원으로서의 능력을 갖춘 사람들이 일상생활에서 접하게 되는 여러 가지 상황 속에서 명확하게 드러나지는 않지만 사회적으로 암시하고 있는 규칙과 적절한 의미를 행위와 언어활동에 부여함과 동시에, 다른 구성원들과의 상호작용 속에서 이를 공유하여 합리성을 부여하는 과정에 관심을 기울인다.

민족주의
[民族主義, nationalism]

민족(nation) 또는 국민을 한 국가의 구성에 본질적인 요소라고 보는 입장 혹은 한 국가의 조직과 운영을 위한 근본 요소로 파악하는 입장. 철학상담

민족주의에서는 민족이 국가의 구성자격이자 국가의 정당성을 지탱해 준다. 일반적으로 국가를 구성할 때, 언어와 문화와 가치관의 공유가 중요하다고 보는데, 민족주의의 경우 민족이 국가의 구성에 가장 중요한 요소라고 본다. 민족주의자는 한 개인이 국가의 구성원이 되는 것은 선택의 문제가 아니라 이미 민족이라는 그 단어가 내포하고 있듯이 운명적이다. 그런데 민족주의는 사실 고대에서부터 그 단초를 지니고 있었다. 고대에서의 민족주의는

각 공동체가 공유하고 있는 신화에 뿌리를 두며, 이를 기반으로 민족종교로 이어져 국가정체성 확립에 근간이 되었다. 그러나 민족을 기반으로 하는 국가가 본격적으로 나타난 것은 근대로 보아야 할 것이다. 17세기 영국에서 국가의 통치권이 왕 한 사람에게 있었던 것을 거부하고 민족이 국가의 주인임을 강조하는 형태가 되면서, 그리고 18세기 프랑스 대혁명을 거치면서 민족이 국가성립의 근간이 되는 상황이 마련되었다. 이후 국가는 민족에 기반을 둔 국가가 당연시되었다. 이 같은 국가관은 대부분의 국가에 적용되고 있으며, 근대 국가 대부분이 이 같은 국가관에 기초를 두고 있다. 그래서 근대국민국가를 곧 민족국가라고 표현하기도 한다. 민족국가는 각 민족이 자신들이 지녀 온 문화와 역사에 기초하여 자기 국가의 존립 정당성을 마련하고자 한다. 그러나 민족주의가 비민족국가의 존재 가능성을 거부하지는 않는다. 민족을 단위로 하지 않는 바티칸과 같은 국가도 존재하며, 또 다민족이 구성원인 국가도 있다. 실제로 글로벌시대가 되면서 민족 단위의 국가는 많이 와해되고 있는 실정이다. 근대 민족국가의 확장이 한편에서는 봉건적 국가를 깨고 근대적 국가로 이행하도록 해 주기도 했지만, 다른 한편에서는 제국주의, 인종차별주의를 낳기도 하였다. 민족주의는 한편에서는 제국주의의 논리로 작동하였다면, 다른 한편에서는 민족독립이라는 목적 아래 저항주의의 논리로 작동하였다. 그러나 인터넷의 발달과 정보화 사회의 확산으로 글로벌시대가 되면서 근대적인 민족국가, 국민국가는 위협을 받고 있다. 이른바 고유한 전통과 역사를 공유한 민족 단위의 국가보다는 합리적 판단을 기초로 하는 세계시민사회를 추구하는 양상도 등장하며, 심지어 탈민족, 탈국가에 이르고 있다. 신자유주의에 기초하여 다국적 기업을 확산하는 입장에서는 민족국가의 해체를 요구하기도 한다. 그런가 하면 다른 한편에서는 선진국의 경제적 힘에 포섭되어 식민화되는 것을 막기 위해 민족국가의 중요성을 더욱 강조하는 입장도 존재하고 있다. 오늘날 민족주의는 제국주의라는 부정적 요소를 막고, 또 지나치게 파편화된 합리적 개인이 낳고 있는 반연대성의 사회를 극복하기 위해 '열린 민족주의'로 거듭나려고도 한다. 민족주의가 지나치게 강조되면 개인의 인권과 존엄성을 약화시킬 우려가 있으며, 민족주의가 지나치게 무시되면 공동체의 연대성이 깨질 우려가 있다. 미래의 민족주의가 나아가야 할 방향은 당연히 개인의 존엄성과 공동체의 연대성이 훌륭하게 조화되는 방향이어야 할 것이다.

민족중심주의
[民族中心主義, ethnocentrism]

특정 개인이 속한 민족적, 문화적, 인종적 집단의 세계관과 가치가 다른 집단보다 우월하다는 믿음. 다문화상담

한 집단의 문화와 세계관, 즉 종교, 예술, 가치관, 생활방식 등은 어느 것이 우월, 열등하고 옳고, 그르다는 것을 규정할 수 없다. 하지만 민족중심주의의 신념 아래에서는 특정 집단의 문화적, 세계관적 가치가 다른 집단에 비해서 월등하다고 생각하게 된다. 이러한 민족중심주의적 신념은 주로 백인의 문화가 상대적으로 우월하다는 신념으로 집중되어 있다. 역사적으로 민족중심주의의 신념이 가져온 역기능을 살펴보면, 아메리카 원주민을 향한 유럽의 식민지화 노력을 들 수 있다. 이때의 유럽인은 자신들의 문화가 아메리카 원주민의 문화보다 훨씬 더 우월하다고 믿었기 때문에 토착민을 '문명화'하는 것이 당연하다고 생각하였다. 이에 따라 원주민에게 자신들의 생활양식과 전통, 행동을 무조건적으로 받아들이도록 강요하였고, 토착민의 문화나 세계관은 미개하다며 비난하였다. 이러한 민족중심주의는 계속 확대되어 백인종이 유전적으로 더 우수하며, 백인의 문화가 모든 문화의 표준이 되어야 한다는 생각으로까지 이어지게 되었다. 쉬, 아이비와

페데르센(Sue, Ivey, & Pedersen)과 같은 학자들은 전통적인 심리학 이론들이 유럽의 민족중심주의적인 생각하에 만들어진, 즉 백인의 생활양식과 생각을 담은 것이라고 비판하기도 하였다. 따라서 개개인의 문화적, 인종적 배경에 대한 신중한 고려 없이 일반적으로 광범위하게 이러한 심리이론을 적용하는 것은 정당하지 않다고 주장하였다. 또한 상담과정에서 내담자의 문화적 · 종교적 배경 혹은 종교나 다양한 가치관을 적극적으로 이해하지 않고, 상담자의 가치체계나 권위에 따라 판단하여 평가하는 것도 민족중심주의적인 신념에서 나온 것이라고 설명하였다.

밀란그룹
[–, Milan group]

베이트슨(Bateson)의 순환적 인식론에 영향을 받아 1970년대 이탈리아 밀란에서 조직된 심리치료사 집단. 전략적 가족치료

미국에서 MRI의 전략적 모델이 확산되고 있을 때 1971년에 이탈리아의 팔라촐리(Palazzoli)는 밀란에 가족연구센터를 세우고 동료들과 함께 독자적인 접근방법을 개발하여 정신분열증 환자뿐 아니라 그 가족을 치료하는 데 사용하였다. 그 후 정신과 의사인 보스콜로(Boscolo)가 합류하였고, 정신분석훈련을 받은 체킨(Cecchin)과 프라타(Prata)가 추가로 합류하여 4명이 밀란학파를 구성하였다. 밀란 학파는 MRI 모델과 헤일리(Haley)의 영향을 받았지만 나름의 독특한 접근방법을 개발하였다. 주로 거식증 자녀와 가족, 정신분열증 자녀와 그 가족을 치료하였으며 가족을 항상적(homeostatic)인 체계로 보는 관점에서 치료하고 연구하였다.

관련어 | 밀란모델

밀란모델
[–, Milan model]

베이트슨(Bateson)의 순환적 인식론에 영향을 받아 1970년대에 이탈리아 밀란지역 치료사들을 중심으로 발전한 체계적 가족치료모델. 전략적 가족치료

1971년 이탈리아의 정신분석가였던 팔라촐리(Palazzoli)가 동료인 보스콜로(Boscolo), 체킨(Cecchin)과 함께 이탈리아 밀란에 '밀란가족연구센터'를 개설하였다. 이 밀란 연구팀이 사이버네틱스의 영향을 받아 가족규칙과 항상성에 대한 가족치료모델을 발전시킨 것이 밀란모델이며, 이를 체계적 가족치료모델이라고도 한다. 이들은 역기능적인 가족이 서로의 증상을 강화시키는 일종의 '게임'을 하고 있다고 설명하면서, 치료사의 개입을 통하여 이러한 게임의 균형을 깨트리는 것으로 가족체계의 긍정적인 변화를 유도하는 역설적인 방법을 주로 사용하였다. 밀란모델을 사용하는 전략적 가족치료에서는 치료의 과정이 매우 전략적이고 공식적으로 이루어졌다. 가족치료가 시작되기 전에 모든 회기의 구성을 계획하고, 각 회기마다 팀으로 이루어진 치료사들이 개입의 방법을 의논한 뒤 결정하여 이를 내담자 가족에게 적용한 다음 그 효과를 관찰하였다.

관련어 | 밀란그룹, 장시간 단기치료

밀러유추검사
[–類推檢査, Miller Analogies Test: MAT]

미국에서 대학원 입학을 목적으로 학업능력을 평가하는 학습검사. 심리검사

학업능력을 평가하기 위해 하코트(Harcourt) 출판사가 개발한 검사로, 120문항으로 구성되어 있으며 시험시간은 60분이다. 여러 학문에서 도출된 복잡한 유추문항으로 구성한 역량검사인데, 부분적 유추의 사용을 통해 개인의 논리적이고 분석적인

추리력을 측정한다. MAT는 대학원 학업에서의 성공 여부를 예측하기 위한 심사도구가 된다.

밀론임상다축검사
[-臨床多軸檢査, Millon Clinical Multiaxial Inventory: MCMI]

정신병리 여부를 판단하는 성격검사. 심리검사

정신병리 여부를 판단하기 위해 1983년에 밀론(Millon)이 개발한 검사로, 성격의 기능과 정신병리에 관한 생물심리사회적(biopsychosocial) 견해에 바탕을 둔 다축임상성격질문지다. 내담자의 성격, 정서적 적응과 관련된 정보를 알려 주는 자기보고식 검사이며, 임상적 증상뿐 아니라 지속적인 성격 기능과 장애에 이르기까지 성격 관련 특질을 광범위하게 조사할 수 있다. MCMI는 성격기질의 차이를 명백하게 구별해 냄으로써 성격 특성을 이해하는 데 유용하다는 평가를 받고 있다. 전체 175문항으로 구성되어 있으며, 각 문항은 예/아니요 형식으로 응답하도록 설계되어 있다. 채점과정에서 원자료는 성격발생을 예측할 수 있는 BR(base rate) 점수로 환산된다. BR 점수가 75점 이상이면 병리적 성격장애에 속하는 것으로 해석한다.

밀착
[密着, enmeshment]

체계 내 두 구성원(혹은 두 집단)의 양쪽 부분들이 서로에게 너무 민감하게 반응하여 각자의 '자기'에 접근 하는 것이 제한될 정도로 심하게 상호 의존적인 상태. 내면가족체계치료

밀착관계에 있는 사람들은 상대의 기분까지 느낄 수 있으며, 상대를 보호해 주고 변호해 주면서 상대의 감정에 과잉반응을 보인다. 이처럼 서로를 구분하고 분리하는 데 어려움을 겪으며, 세대 간(cross-generation), 즉 부모와 자녀 간에 밀착이 있는 경우에는 더욱 파괴적이다. 자녀는 한 개인으로서 자신을 알아 가고 다른 적절한 관계를 형성하는 데 구속을 받게 되며, 또한 자신의 부모를 돌보는 것에 부담을 느끼게 된다. 이에 더해 그 부모는 자녀의 파트너 혹은 친구와의 관계를 무시한다. 밀착은 양극화의 흔한 결과다. 가족구성원 A와 B가 극심한 양극화 관계에 있을 때, 한쪽 또는 양쪽 모두 다른 가족구성원 C와 지나치게 가까워지는 경향이 있다. 밀착은 가족구성원을 구속하여 구성원 각자가 선호하는 역할의 발견을 방해하고 극단적인 역할을 택하도록 강요한다. 이러한 극단적인 행동은 효과적인 리더십을 위해 가족에게 필요한 자원을 발견하고 그것을 이용하는 것을 어렵게 만든다.

관련어 | 융합

밀턴모형
[-模型, Milton model]

NLP에서 메타 모형의 원리를 역으로 이용하여 의도적으로 메타 모형 위반을 하는 언어패턴. NLP

최면유도를 목적으로 하며 추상적이고 모호한 표현을 통해서 상대방으로 하여금 트랜스 상태에 들어가도록 유도하는 화법이다. 밀턴 에릭슨(Milton Erickson)이 즐겨 사용한 최면적 언어패턴이기 때문에 그의 이름을 따서 밀턴모형이라고 명명하였다. NLP의 언어적 일치 기법 중 하나인 상향 유목화의 기반이 된 전략으로서 의도적으로 많이 생략되고 왜곡되고 일반화된 아주 모호한 문장을 제시한다. 이렇게 하면 내담자는 자신에게 맞는 특별한 의미를 찾으려는 노력을 하고, 이 과정에서 내면의 무의식적 차원으로 들어가게 된다. 밀턴모형은 밀턴 에릭슨의 상담과정에서 유래되었다. 에릭슨은 일단 내담자와 보조를 맞추고 내담자의 내적 자원을 유

도하기 위해 언어를 허용적이면서 막연한 표현으로 사용하였다. 그는 매우 일반적인 언어로 현재 진행 중인 내담자의 감각 경험을 묘사하면서 점차 내담자를 내면의 실재 속으로 깊숙이 이끌어 갔다. 이 과정에서 내담자는 트랜스 상태로 들어가게 된다.

관련어 | 감각에 대한 자명한 진술

편찬 위원

[연구 책임자]

김춘경(경북대학교)

[공동 연구자]

이수연(대구한의대학교), 이윤주(영남대학교), 정종진(대구교육대학교), 최웅용(대구대학교)

[전임 연구원]

권희영(전남대학교), 기정희(영남대학교), 김계원(영남이공대학교), 왕가년(울산대학교),
이근배(영진사이버대학교), 이숙미(경북대학교)

[집필연구 참여자]

권기호(경북대학교), 김동일(서울대학교), 김봉환(숙명여자대학교), 김상섭(영남대학교),
김석삼(경북대학교), 문일경(서울불교대학원대학교), 박정식(박정식언어임상연구소), 박진숙(경북교육청),
변외진(영진사이버대학교), 손은령(충남대학교), 송영희(영남대학교), 송재영(영남대학교),
여인숙(경운대학교), 오정영(가톨릭상지대학교), 유영권(연세대학교), 유지영(경북대학교), 윤운성(선문대학교),
이미경(한국Y교육상담연구소), 이봉희(나사렛대학교), 이성희(경북대학교), 이자영(대구대학교),
이재인(경북대학교), 이점조(대구선명학교), 이정미(성덕대학교), 이정애(대구한의대학교), 이준기(대구청소년지원센터),
순선(대구한의대학교), 임용자(한국타말파연구소), 임은미(전북대학교), 장혜경(성덕대학교),
전은주(계명문화대학교), 정경용(부산사이버대학교), 최광현(한세대학교), 최범식(한국심상치료연구소)

[집필연구 보조원]

강명희(대구한의대학교), 곽상은(경북대학교), 김경란(계명대학교), 김동영(경북대학교), 김성범(경북대학교),
김수동(대구대학교), 김종은(영남대학교), 김형란(영남대학교), 도진희(경북대학교), 박남이(경북대학교),
배선윤(경북대학교), 손은희(경북대학교), 송현정(경북대학교), 신정인(경북대학교), 안은민(경북대학교),
안정현(경북대학교), 윤은아(대구대학교), 이년금(경북대학교), 이선미(경북대학교), 이정아(경북대학교),
정이나(대구대학교), 정재순(영남대학교), 조민규(경북대학교), 조유리(영남대학교), 진은하(영남대학교),
진현숙(경북대학교), 천미숙(영남대학교), 한예희(경북대학교)

[웹 도구 개발 참여자]

곽호완(경북대학교), 김경태(경북대학교), 김용태(경북대학교)

[웹 연구 보조원]

신종훈(경북대학교), 이상일(경북대학교), 이유경(경북대학교)

상담학 사전 ❶ (ㄱ~ㅁ)
Encyclopedia of counseling

2016년 1월 5일 1판 1쇄 인쇄
2016년 1월 15일 1판 1쇄 발행

연구 책임자 • 김춘경
공동 연구자 • 이수연 · 이윤주 · 정종진 · 최웅용

펴낸이 • 김진환
펴낸곳 • (주) 학지사
121-838 서울특별시 마포구 양화로 15길 20 마인드월드빌딩
대표전화 • 02)330-5114   팩스 • 02)324-2345
등록번호 • 제313-2006-000265호

홈페이지 • http://www.hakjisa.co.kr
페이스북 • https://www.facebook.com/hakjisa

ISBN 978-89-997-0821-3 94180
978-89-997-0820-6 (set)

세트 정가 200,000원

이 도서의 국립중앙도서관 출판시도서목록(CIP)은 서지정보유통지원시스템 홈페이지(http://seoji.nl.go.kr)와 국가자료공동목록시스템(http://www.nl.go.kr/kolisnet)에서 이용하실 수 있습니다.
(CIP 제어번호: CIP2015024797)

상담학 총서 시리즈 (전 13권)

한국상담학회 주관으로 127명 석학들의 연구를 집대성한 학술총서!

상담학 총서 시리즈는 상담학 이론과 사례를 아우르는 내용으로, 총 13권으로 구성되어 있다. 각 분야별 역사와 구체적 사례를 중심으로 이론의 적용을 깊이 있게 다루고 있어 상담학을 공부하는 학생과 전문가에게 실질적인 도움을 줄 것이다.

2013년 · 4×6배판변형 · 반양장 · 전권 정가 253,000원

상담학 개론

김규식 · 고기홍 · 김계현 · 김성회 · 김인규 · 박상규 · 최숙경 공저

448면 · 19,000원
ISBN 978-89-997-0021-7 93180

상담철학과 윤리

김현아 · 공윤정 · 김봉환 · 김옥진 · 김요완 · 노성숙 · 방기연 · 이장호 · 임정선 · 정성진 · 정혜정 · 황임란 공저

456면 · 19,000원
ISBN 978-89-997-0022-4 93180

상담이론과 실제

양명숙 · 김동일 · 김명권 · 김성회 · 김춘경 · 김형태 · 문일경 · 박경애 · 박성희 · 박재황 · 박종수 · 이영이 · 전지경 · 제석봉 · 천성문 · 한재희 · 홍종관 공저

616면 · 22,000원
ISBN 978-89-997-0023-1 93180

집단상담

정성란 · 고기홍 · 김정희 · 권경인 · 이윤주 · 이지연 · 천성문 공저

368면 · 17,000원
ISBN 978-89-997-0024-8 93180

부부 및 가족 상담

한재희 · 김영희 · 김용태 · 서진숙 · 송정아 · 신혜종 · 양유성 · 임윤희 · 장진경 · 최규련 · 최은영 공저

408면 · 18,000원
ISBN 978-89-997-0025-5 93180

진로상담

김봉환 · 강은희 · 강혜영 · 공윤정 · 김영빈 · 김희수 · 선혜연 · 손은령 · 송재홍 · 유현실 · 이제경 · 임은미 · 황매향 공저

480면 · 20,000원
ISBN 978-89-6330-988-0 93180

학습상담

이재규 · 김종운 · 김현진 · 박혜숙 · 백미숙 · 송재홍 · 신을진 · 유형근 · 이명경 · 이자영 · 전명남 공저

416면 · 18,000원
ISBN 978-89-997-0026-2 93180

인간발달과 상담

임은미 · 강지현 · 권해수 · 김광수 · 김정희 · 김희수 · 박승민 · 여태철 · 윤경희 · 이영순 · 임진영 · 최지영 · 최지은 · 황매향 공저

496면 · 20,000원
ISBN 978-89-997-0027-9 93180

성격의 이해와 상담

이수연 · 권해수 · 김현아 · 김형수 · 문은식 · 서경현 · 유영달 · 정종진 · 한숙자 공저

400면 · 18,000원
ISBN 978-89-997-0028-6 93180

정신건강과 상담

이동훈 · 고영건 · 권해수 · 김동일 · 김명권 · 김명식 · 김진영 · 박상규 · 서영석 · 송미경 · 양난미 · 양명숙 · 유영달 · 이동혁 · 이수진 · 조옥경 · 최수미 · 최의헌 · 최태산 공저

704면 · 25,000원
ISBN 978-89-997-0029-3 93180

심리검사와 상담

김동민 · 강태훈 · 김명식 · 박소연 · 배주미 · 선혜연 · 이기정 · 이수현 · 최정윤 공저

528면 · 21,000원
ISBN 978-89-997-0030-9 93180

상담연구방법론

고홍월 · 권경인 · 김계현 · 김성회 · 김재철 · 김형수 · 서영석 · 이형국 · 탁진국 · 황재규 공저

392면 · 18,000원
ISBN 978-89-997-0031-6 93180

상담 수퍼비전의 이론과 실제

유영권 · 김계현 · 김미경 · 문영주 · 손은정 · 손진희 · 심흥섭 · 연문희 · 천성문 · 최의헌 · 최한나 · 최해림 공저

416면 · 18,000원
ISBN 978-89-997-0032-3 93180